Jean-No…

SAISONS & CLIMATS

HACHETTE

Quoi de neuf dans l'édition 2007 ?

Mis à jour et augmenté chaque année, ouvrage de référence pour tous les voyageurs et les professionnels du voyage, ce guide est conçu pour aider à bien choisir sa destination ou la date de son départ. Il s'adresse aux touristes, comme aux hommes et femmes d'affaires, aux journalistes et aux globe-trotters en tout genre.

La première édition de cet ouvrage – d'où la mention *Saisons & Climats* – se limitait à présenter les données climatiques de tous les pays du monde. Mais si les données climatiques ont une grande importance et sont l'objet de compléments et mises à jour régulières, elles ne sont pas les seules à devoir être retenues pour choisir une destination. Ainsi, l'affluence touristique selon les saisons, les conditions sanitaires, le coût de la vie sur place, la situation socio-économique du pays, la nécessité de visas, la durée des vols, ou bien encore les ressources d'Internet sont autant d'informations qui ont été intégrées et mises à jour chaque année pour éclairer le voyageur et l'aider à préparer son départ.

Dans cette édition 2007, on trouvera notamment :

• dans le cahier couleurs, un planisphère qui présente les zones du monde susceptibles d'être touchées par les cyclones. Il informe aussi de leurs saisons et de leurs fréquences ;

• une nouvelle rubrique, « Moyennes et écarts climatiques » : des cartes de la France et du monde, venant illustrer des situations récentes, permettent de mieux comprendre et interpréter les tableaux des statistiques climatiques associés à tous les pays traités dans cet ouvrage ;

• une révision complète des données climatiques pour les Bahamas, le Belarus, la Colombie, la Corée du Sud et Chypre.

Enfin, la mise à jour du chapitre «Santé» est l'occasion de faire le point sur les risques de fièvre aviaire, la nouvelle géographie du paludisme, le développement de la dengue et du chikungunya. Signalons aussi les changements liés aux visas et l'ajout de quelques nouvelles destinations dans le chapitre sur le coût de la vie.

Suivez le guide, et bon voyage en 2007,

Jean-Noël Darde
dardejn@aol.com

Sommaire

Planisphère politique

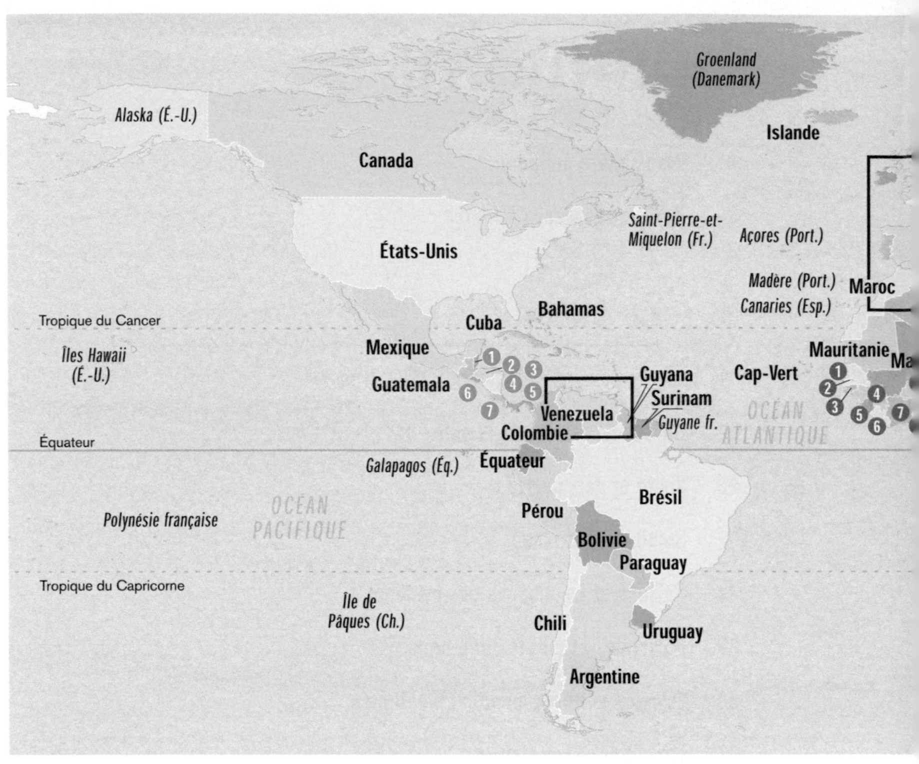

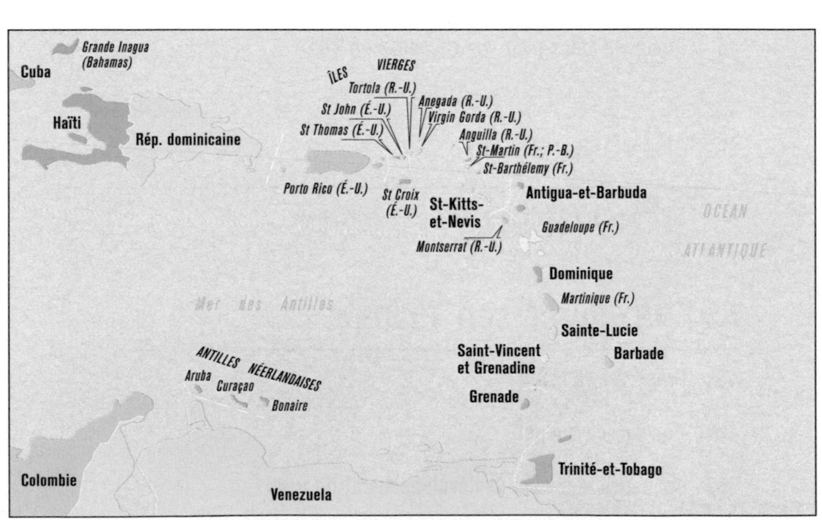

Amérique

1. Bélize
2. Honduras
3. Jamaïque
4. Nicaragua
5. Panama
6. Salvador
7. Costa Rica

Afrique

1. Sénégal
2. Gambie
3. Guinée-Bissau
4. Guinée
5. Sierra Leone
6. Liberia
7. Côte-d'Ivoire
8. Burkina Faso
9. Ghana
10. Togo
11. Bénin
12. São Tomé et Principe
13. Cameroun
14. Rép. centrafricaine
15. Guinée équatoriale
16. Gabon
17. Congo
18. Rwanda
19. Burundi
20. Ouganda
21. Érythrée
22. Djibouti
23. Malawi
24. Zimbabwe
25. Bostwana
26. Swaziland
27. Lesotho

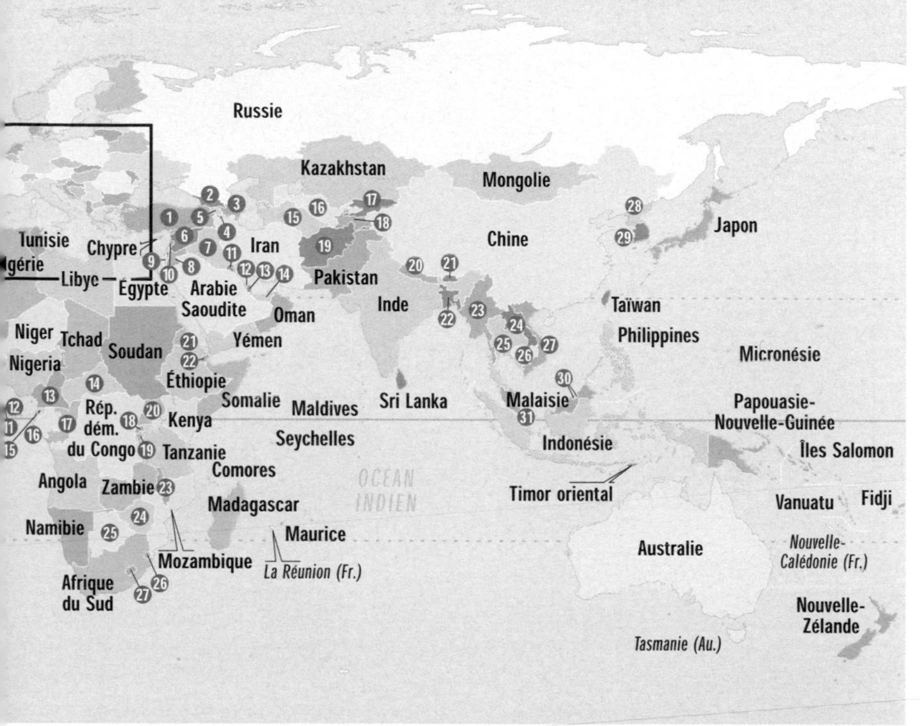

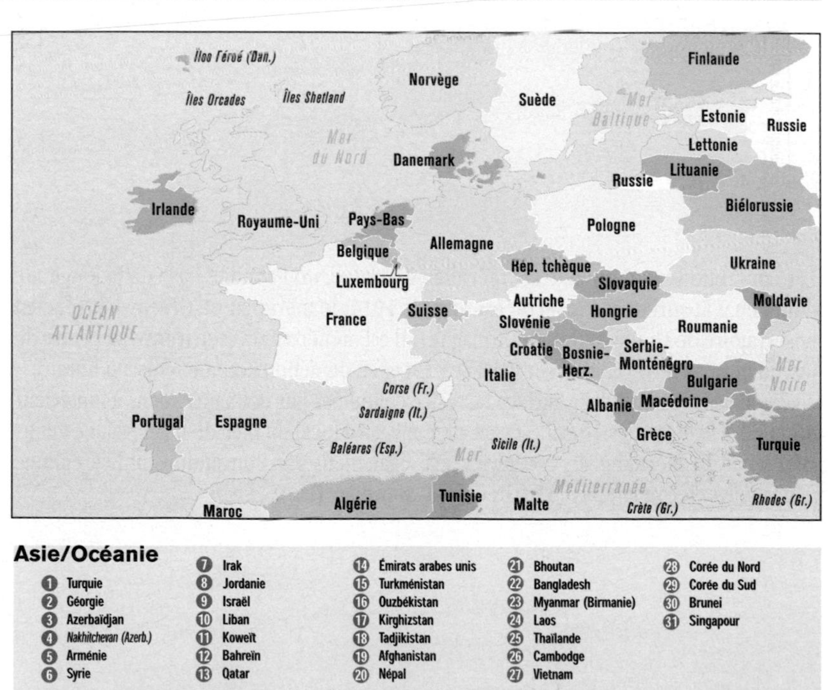

Asie/Océanie

1. Turquie
2. Géorgie
3. Azerbaïdjan
4. *Nakhitchevan (Azerb.)*
5. Arménie
6. Syrie
7. Irak
8. Jordanie
9. Israël
10. Liban
11. Koweït
12. Bahreïn
13. Qatar
14. Émirats arabes unis
15. Turkménistan
16. Ouzbékistan
17. Kirghizstan
18. Tadjikistan
19. Afghanistan
20. Népal
21. Bhoutan
22. Bangladesh
23. Myanmar (Birmanie)
24. Laos
25. Thaïlande
26. Cambodge
27. Vietnam
28. Corée du Nord
29. Corée du Sud
30. Brunei
31. Singapour

Carte des fuseaux horaires

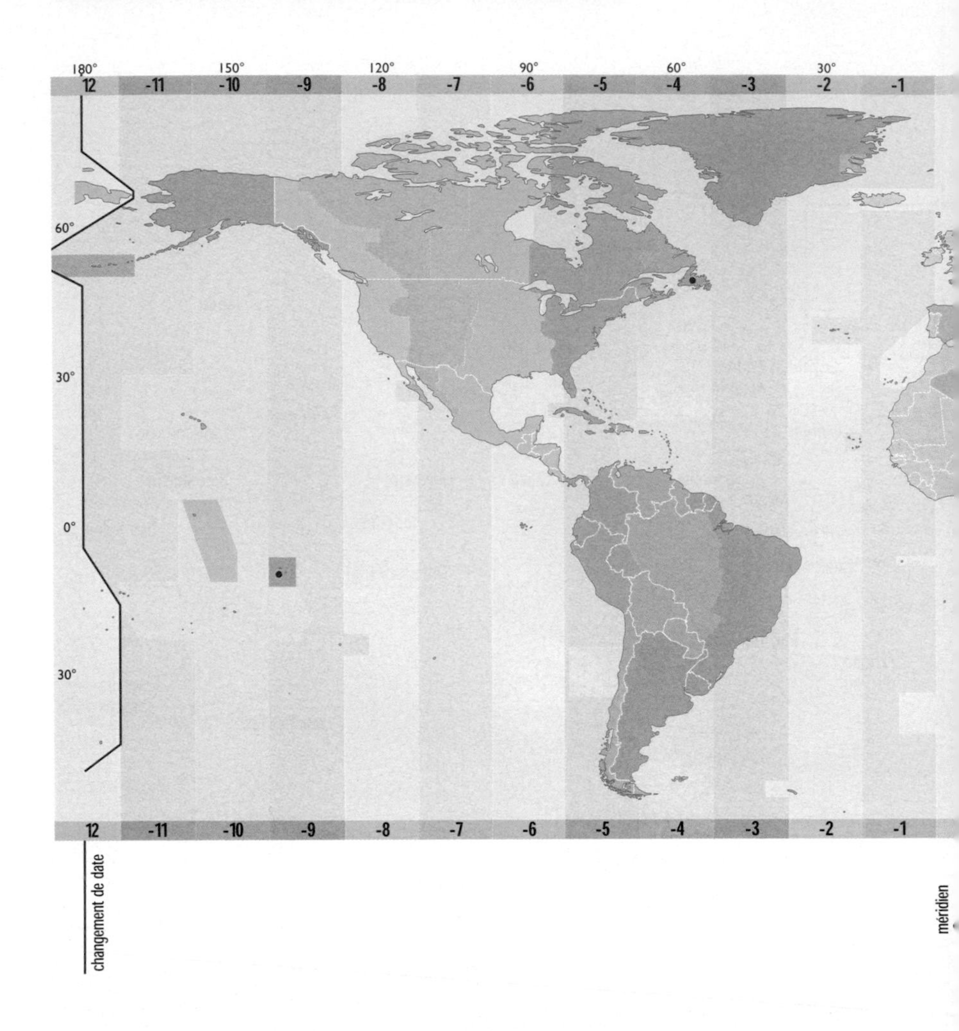

Par convention internationale, le méridien d'origine, pris comme base de la longitude d'un lieu à la surface de la terre, est, depuis 1914, le méridien de Greenwich (ancien observatoire de Londres, Grande-Bretagne). Il est numéroté 0° et se trouve au centre du fuseau horaire n° 0 (en gris sur la carte). En effet, on définit comme « fuseau horaire » chacune des 24 zones de la surface terrestre délimitées par deux méridiens à l'intérieur desquelles le temps civil local est égal au temps civil local du méridien central. Le temps civil local du méridien de Greenwich est, également par convention, utilisé comme temps universel ou temps GMT (Greenwich Meridian Time).

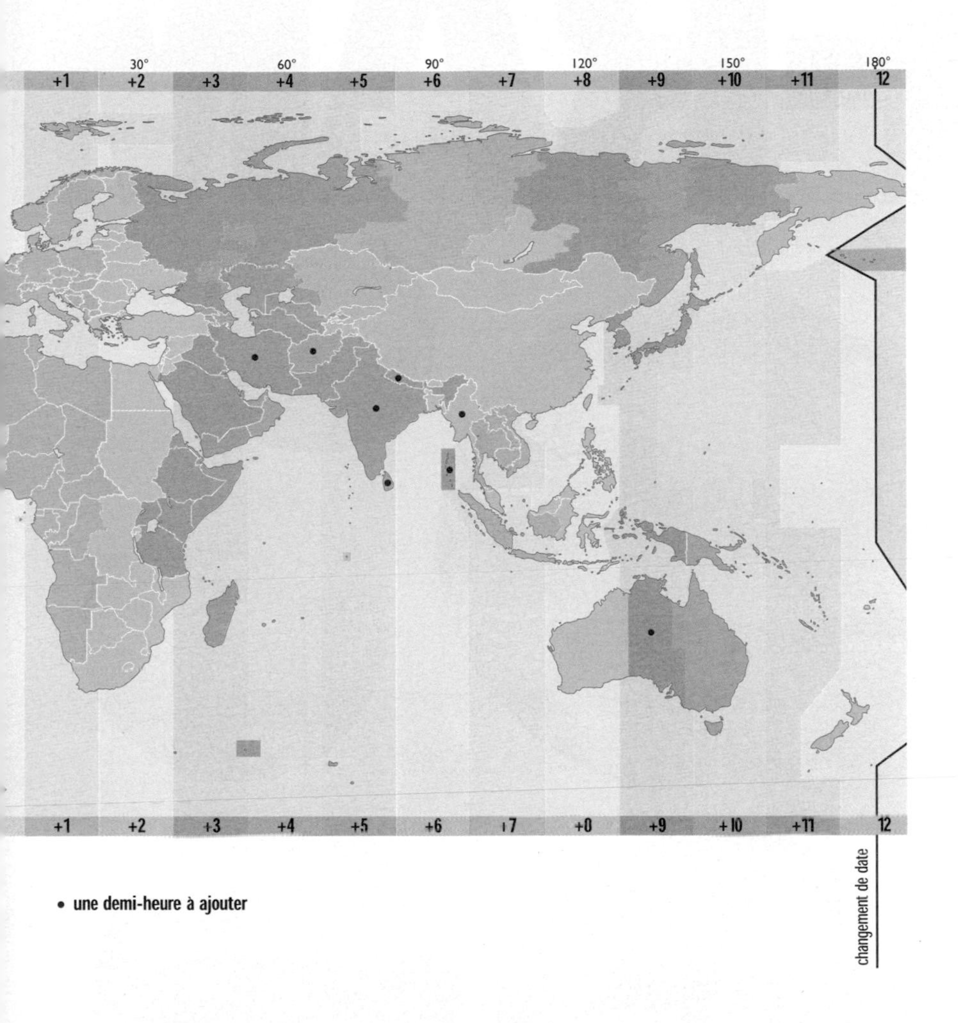

Pour connaître votre décalage horaire, il faut connaître la différence entre votre heure locale au départ avec le temps universel et y ajouter la différence entre votre heure locale de destination et le même temps universel.

Cette carte vous aide à apprécier ce décalage mais ne tient pas compte des fluctuations liées aux heures d'hiver et d'été.

La ligne de changement de date vous « rajeunit » si vous la franchissez de l'Ouest vers l'Est : on retranche 1 au quantième du jour ; et inversement, elle vous « vieillit » si vous la franchissez de l'Est vers l'Ouest car on doit alors ajouter 1 au quantième.

Décalage horaire

Pour atténuer l'effet du décalage horaire, reportez-vous à la rubrique « Le voyage et l'arrivée », chapitre « Préserver sa santé »

Où partir ?

Ensoleillement et température de la mer

Février

À nos latitudes, **février est le mois le plus froid de l'année,** mais le ciel y est déjà moins couvert qu'en décembre et janvier.

On fait le plein de soleil en Inde, en Birmanie et en Thaïlande. La zone caraïbe est accueillante et, passé l'équateur, Salvador de Bahia vit sa meilleure saison.

Bien plus au Sud, on trouvera des climats, des ambiances balnéaires et une mer souvent fraîche, comparables à ce que l'on connaît en été sur notre côte atlantique, dans les pays du « cône Sud » – Punta del Este (Uruguay), Mar del Plata (Argentine) ou Viña del Mar (Chili) – ou encore dans la moitié Sud de l'Australie (Sydney, Perth). Mais au Nord de ce pays-continent, ambiance tropicale, **mer chaude (plus de 30° !)** et parfois… des cyclones.

Il vaut mieux reporter à plus tard la remontée de l'Amazone, ou le départ vers la Chine (ciel couvert au Sud, dégagé mais glacial au Nord). Une bonne époque pour découvrir certains pays africains.

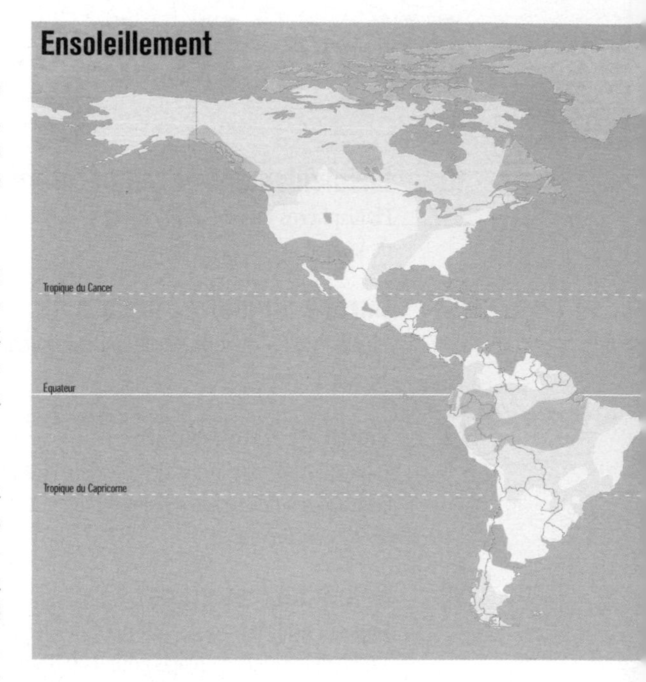

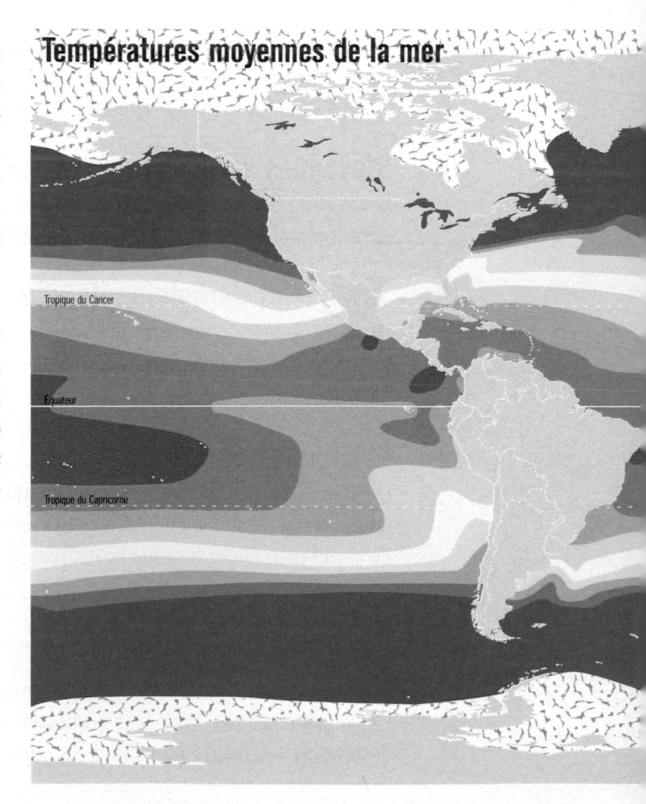

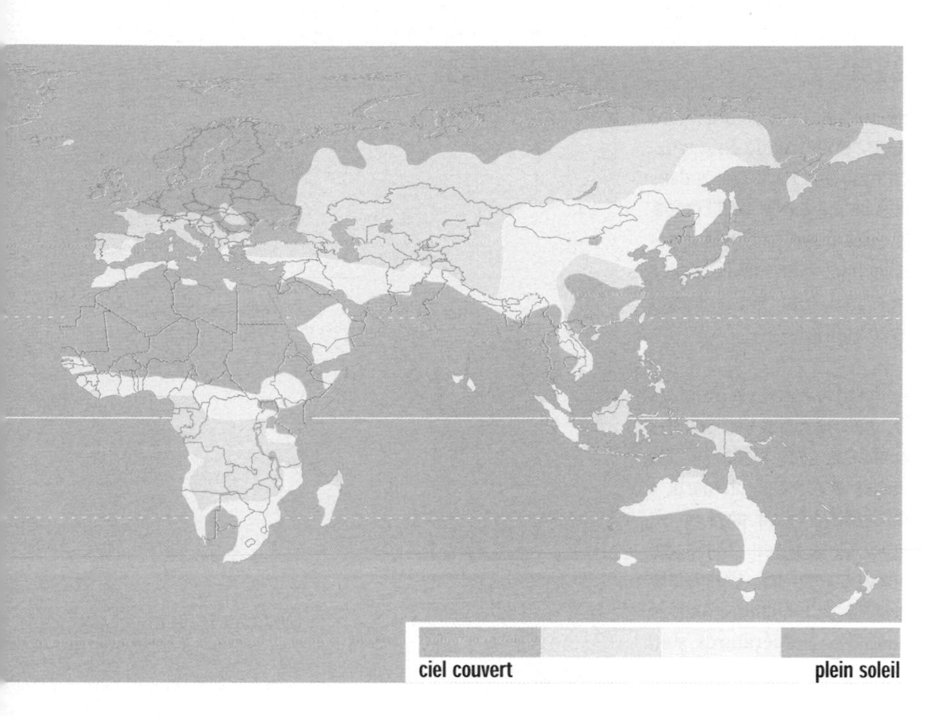
ciel couvert
plein soleil

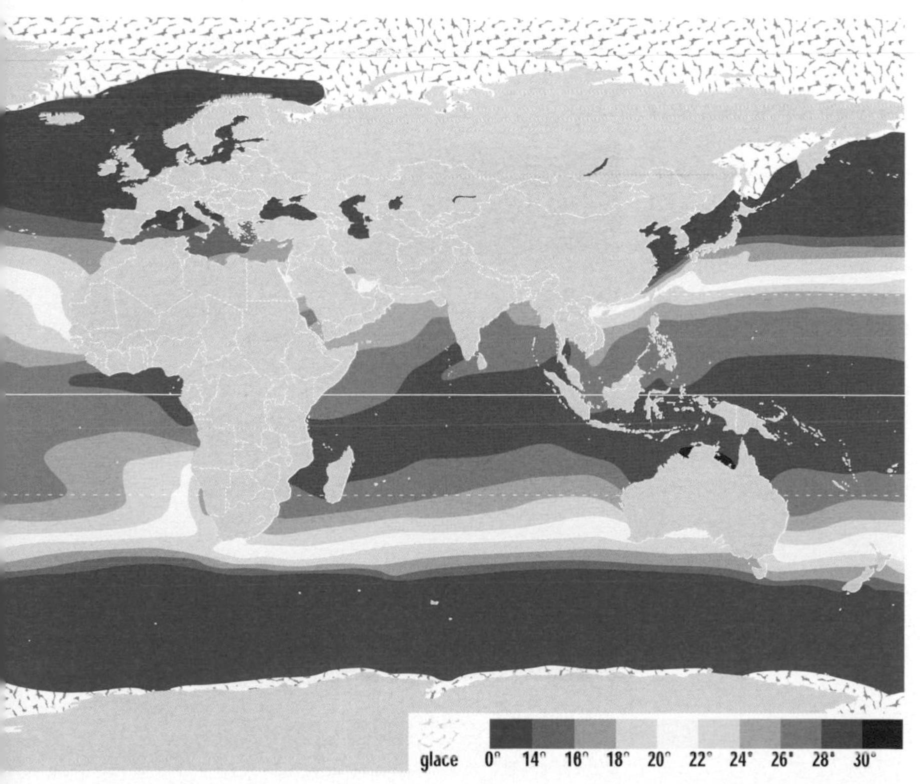
glace
0°
14°
16°
18°
20°
22°
24°
26°
28°
30°

Avril

Relativement à la durée du jour, en Grande-Bretagne, comme aux Pays-Bas et **dans une bonne partie de l'Europe, le mois d'avril est plus ensoleillé que juin** (mais moins que mai, qui fait jeu égal avec août).

En **Inde**, le soleil est toujours là, **mais le début des grandes canicules vous cloue sur les plages et dissuade de partir à la découverte du pays**. C'est aussi le cas en **Thaïlande**. Les plages des **Philippines** restent accueillantes, mais là aussi les températures sont déjà élevées pour parcourir le pays.

Si le voyage en Amazonie est encore prématuré, **avril est une bonne époque pour partir à Rio**. Une saison intermédiaire favorable pour la Bolivie (le gros des pluies est passé et les nuits andines encore pas trop froides). Chine du Nord, Japon, Madagascar (côte Ouest) et *outback* australien bénéficient d'un bon ensoleillement.

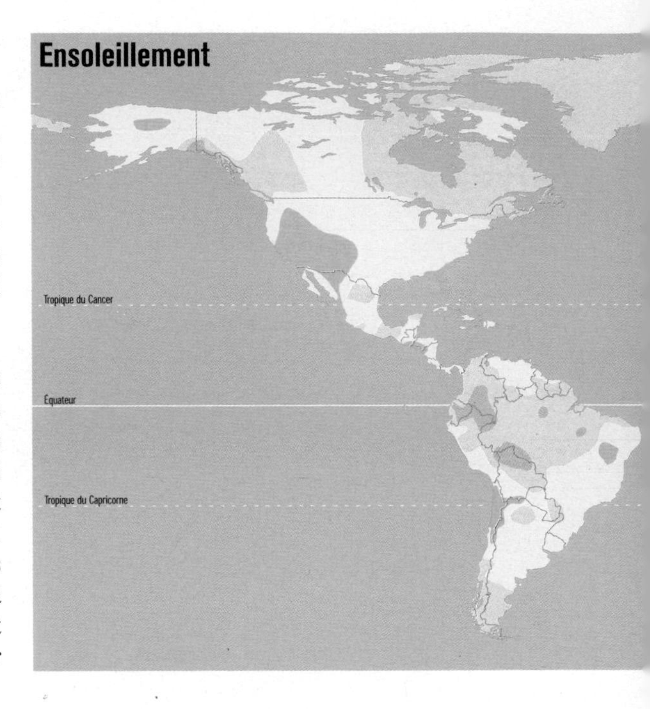

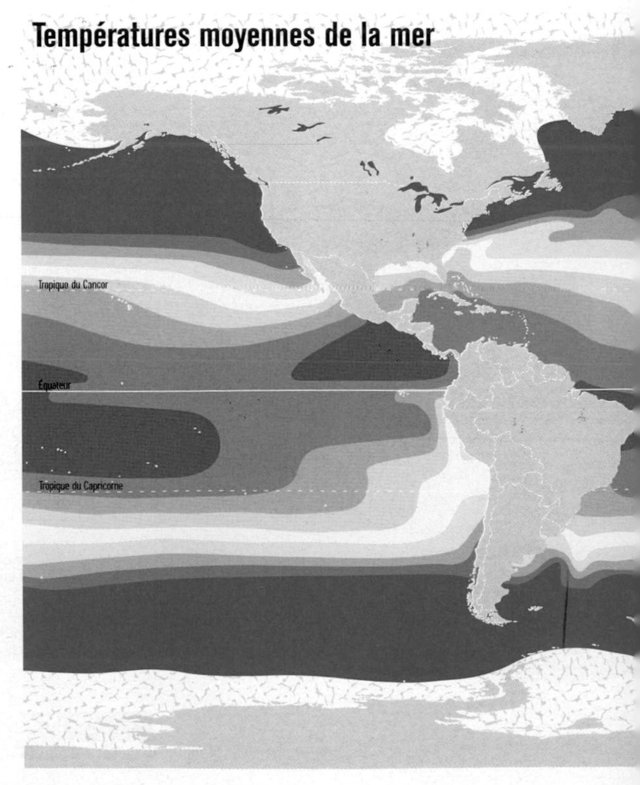

Ensoleillement et température de la mer

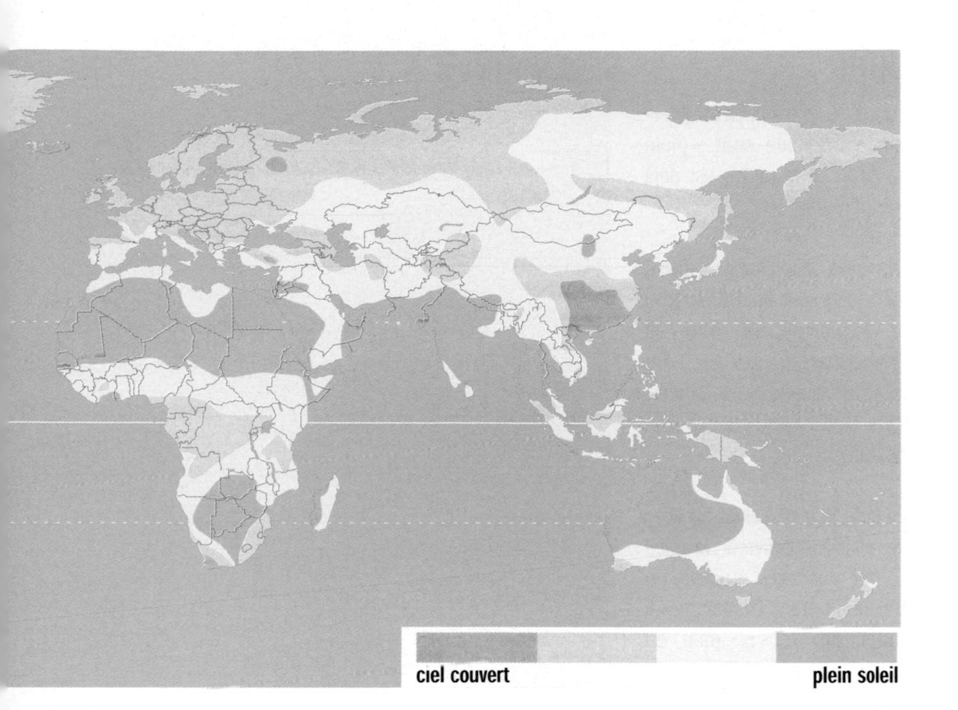

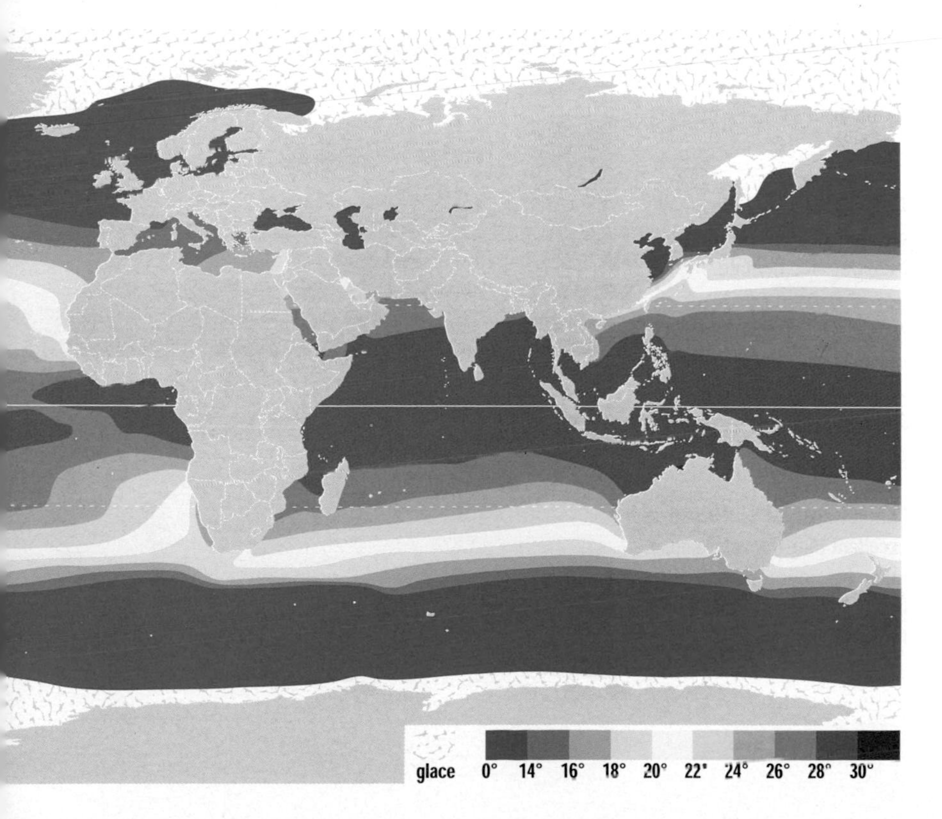

Juin

Toutes les côtes de la Méditerranée orientale sont « plein soleil » ; et la mer y est déjà très agréable.

Les pays scandinaves offrent leurs jours sans fin. De Moscou à Vladivostok, la route du *Transsibérien* traverse des régions assez ensoleillées, sans qu'il y fasse encore trop chaud.

En Inde, la mousson arrive avec des ciels très couverts ; le soleil se fait aussi très modeste en Birmanie et en Thaïlande. En Indonésie, où la mer est chaude toute l'année, juin, au début de la saison sèche, bénéficie d'un bon ensoleillement. Au Nord de l'Australie, the *dry,* saison sèche et très ensoleillée, s'impose jusqu'en octobre.

L'Amérique du Nord bénéficie de plus de ciel bleu que l'Europe occidentale.

Au Sud, en dessous d'une ligne Porto Alegre (Brésil) Santiago (Chili), l'hiver austral, sans être très rigoureux, est souvent gris et humide.

L'Afrique australe bénéficie d'un excellent taux d'ensoleillement, mais les jours y sont alors beaucoup moins longs qu'en Europe.

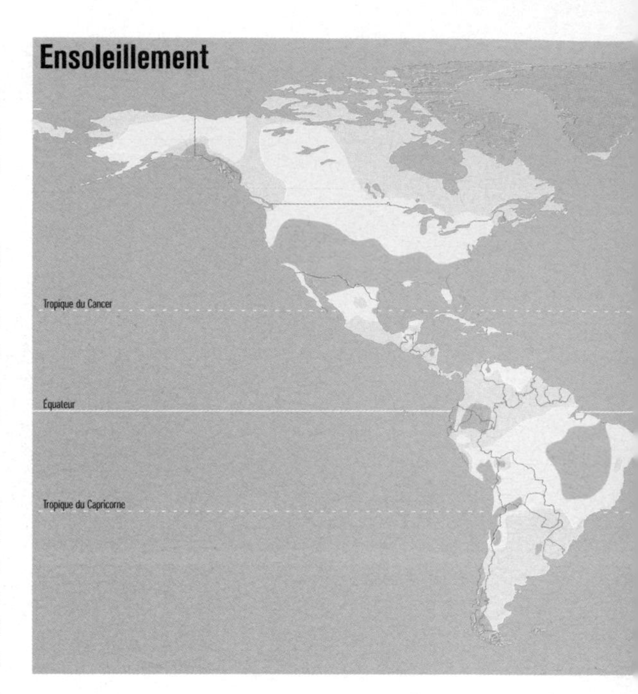

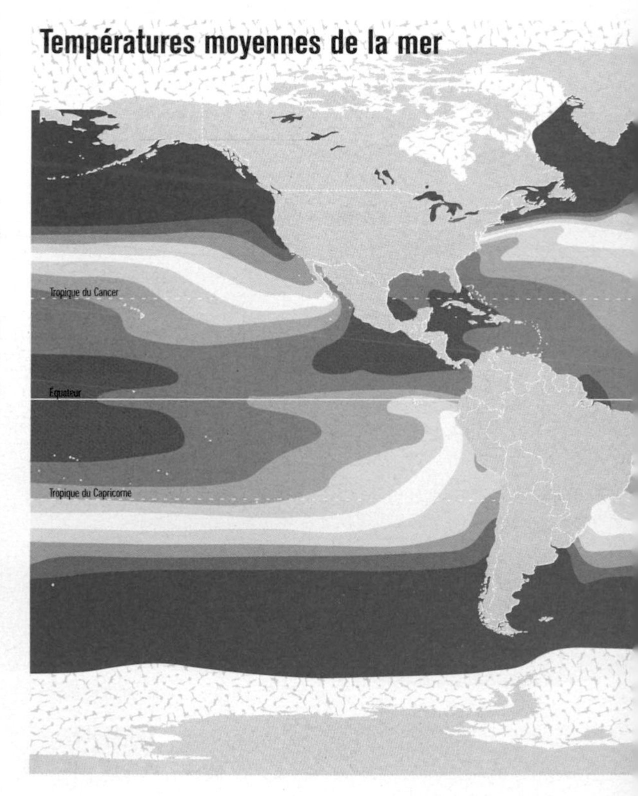

Ensoleillement et température de la mer

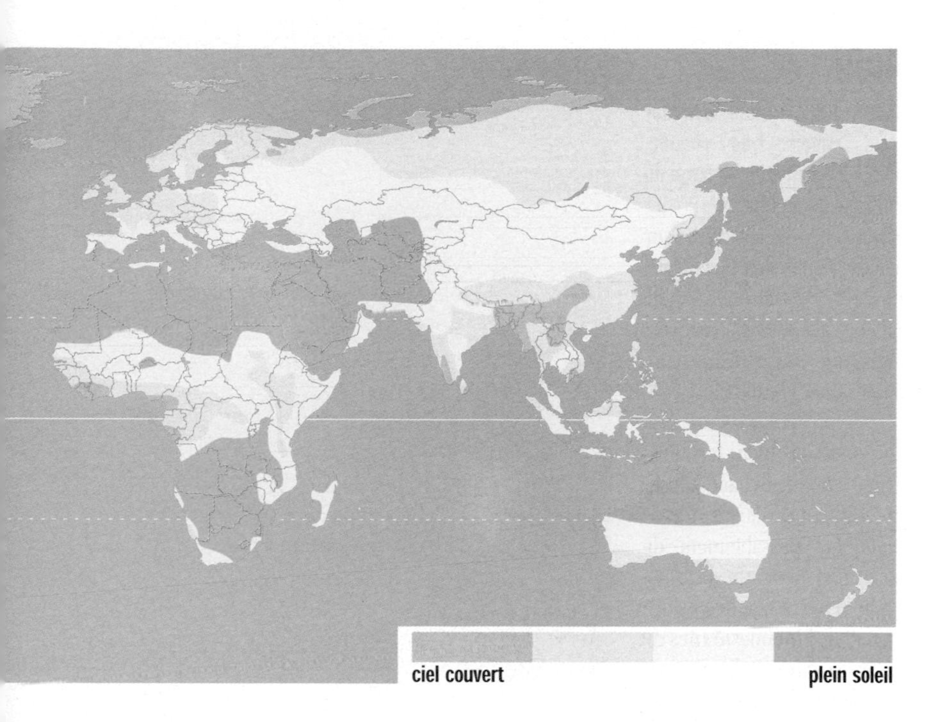

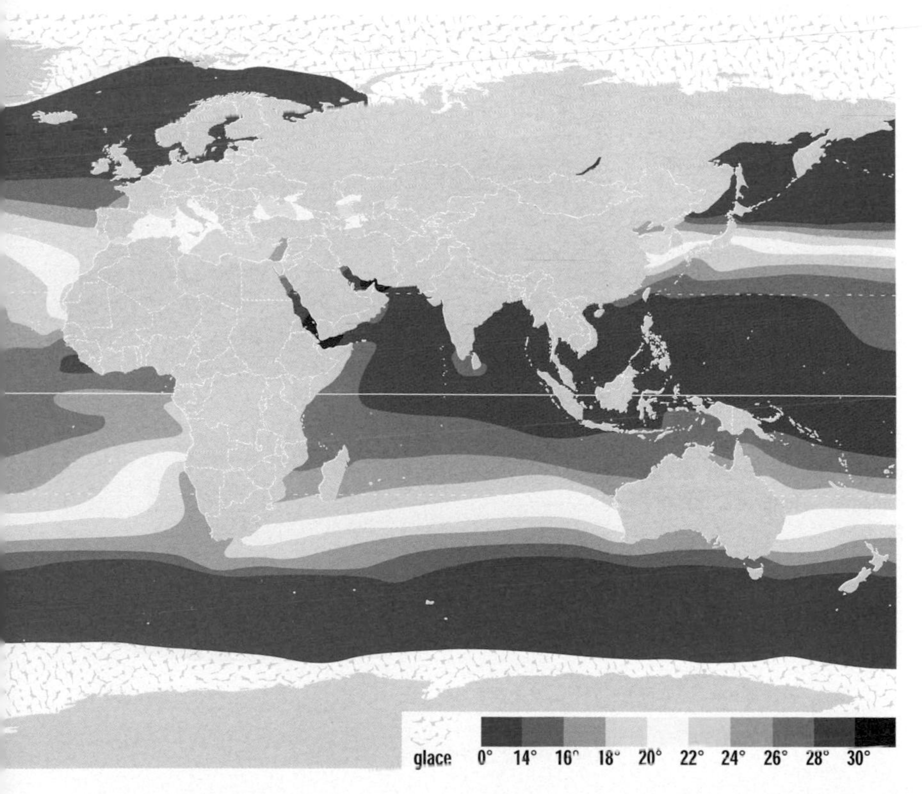

Août

Si le soleil est bien là, **la mer n'est jamais très chaude, même en plein été, au large du Portugal ou du Maroc.**
Elle est encore plus fraîche sur la côte Ouest des États-Unis. En août, c'est en mer Rouge qu'elle atteint des records, mais, une fois sorti du bain, il faut aimer la canicule...

La mousson bien installée, l'Inde, comme le Bangladesh, la Birmanie et le Laos manquent passablement de soleil. Ciel médiocre aussi aux Philippines. Il faut descendre au Sud de l'Indonésie (îles de Sulawesi, Java, Bali) ou jusqu'à la moitié Nord de l'Australie pour retrouver le soleil. **Le ciel vraiment couvert, on le trouve aussi à cette période en Afrique,** de la Guinée-Bissau au fond du golfe de Guinée (Cameroun, Congo-Brazza).

En dehors de brefs épisodes orageux, les ciels sont bien dégagés sur les grandes plaines de l'Amérique du Nord, mais il peut y faire très chaud.

C'est le moment où jamais d'embarquer à Belém et de remonter l'Amazone jusqu'à Manaus.

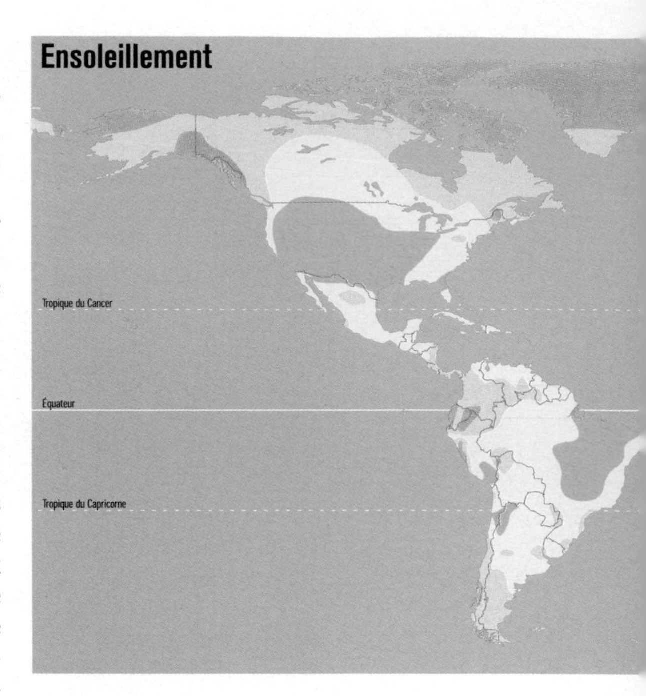

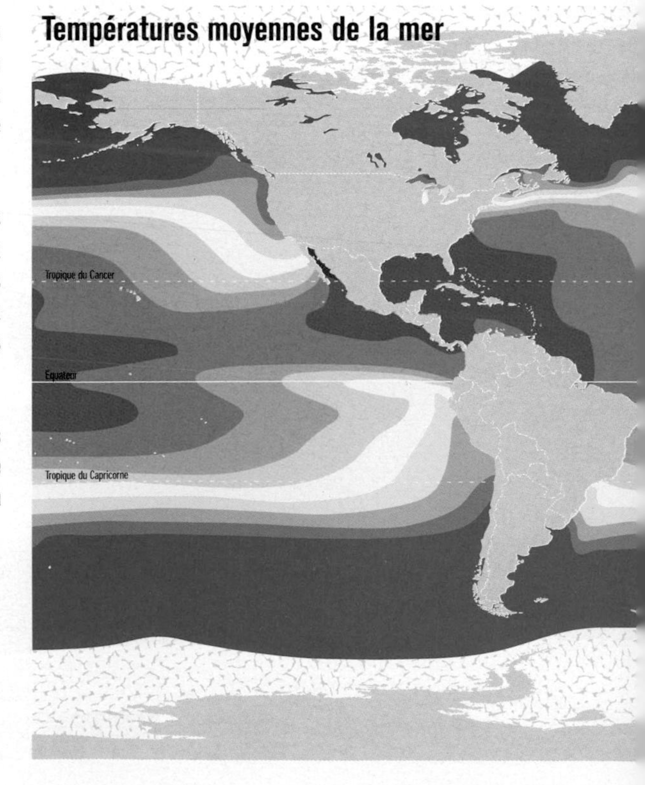

Ensoleillement et température de la mer

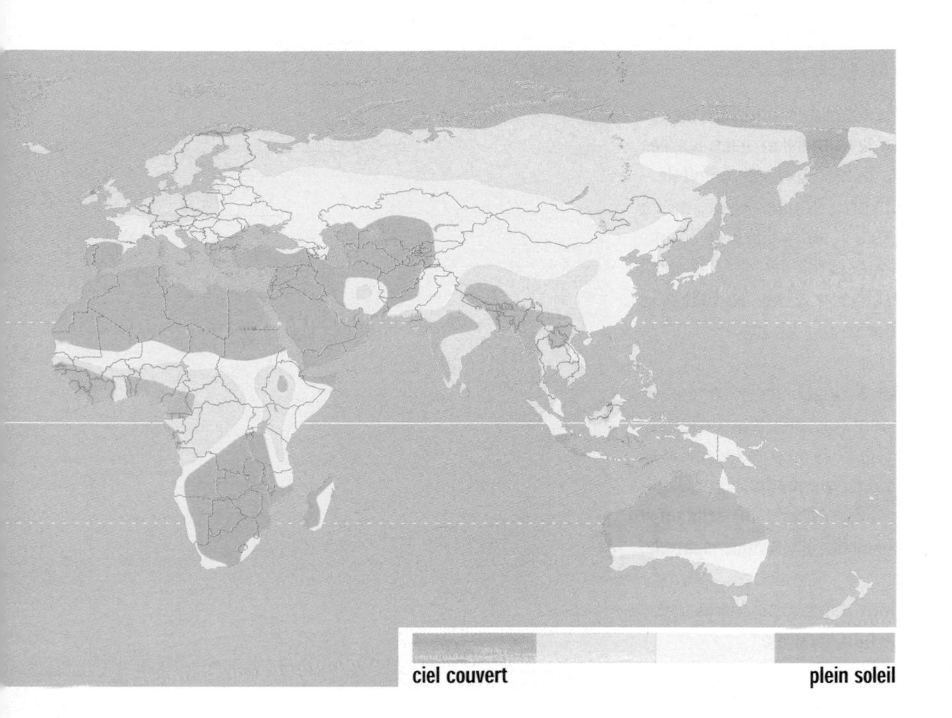

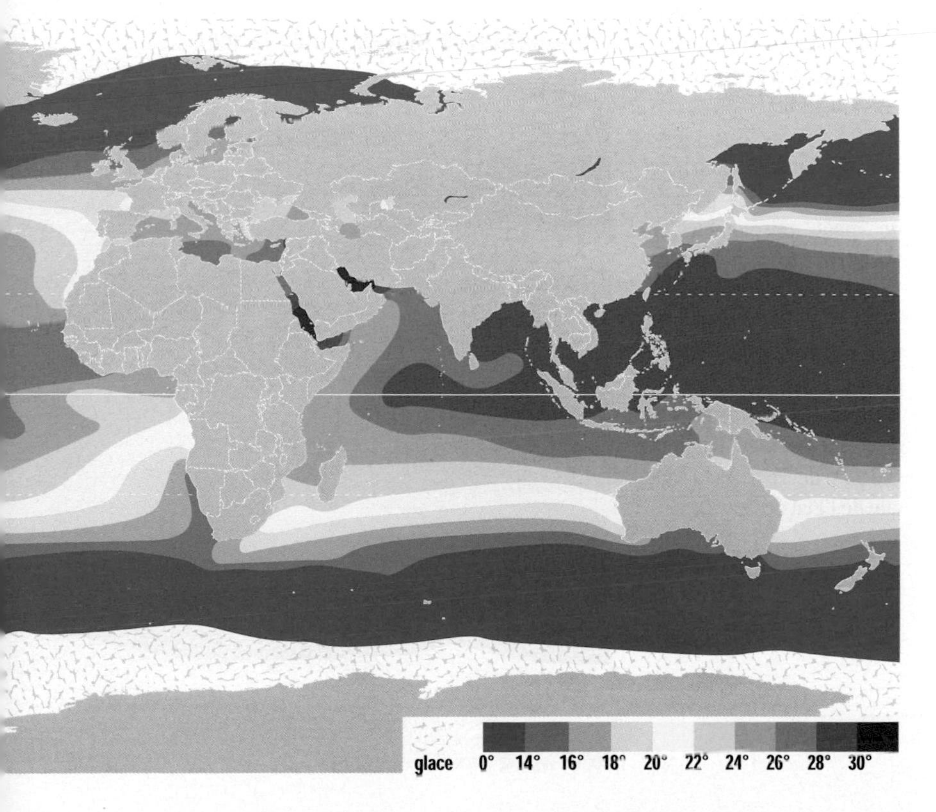

Octobre

Au début de l'automne, **au Sud de la Turquie et dans les îles de la Méditerranée orientale -** Chypre, Rhodes et même en Crète –, alors que les estivants ont déjà plié bagages, **le soleil est encore au rendez-vous** et la mer reste « bonne ».

Au Sénégal aussi se conjuguent une mer assez chaude, la fin de la saison des pluies et une fréquentation touristique réduite. **C'est un printemps ensoleillé en Afrique australe,** et la meilleure période pour parcourir Madagascar de long en large.

À Java, on peut profiter des dernières semaines de soleil avant l'arrivée des pluies, à moins de pousser plus loin vers l'Australie.

En Amérique du Nord, les grandes canicules passées, on peut raisonnablement prendre la route pour le Far West (Utah, Arizona, Californie). C'est aussi, tout juste traversé l'équateur, **un bon moment pour profiter des immenses plages bordées de cocotiers au Nord du Brésil** (région de Fortaleza, capitale de l'État de Cearà).

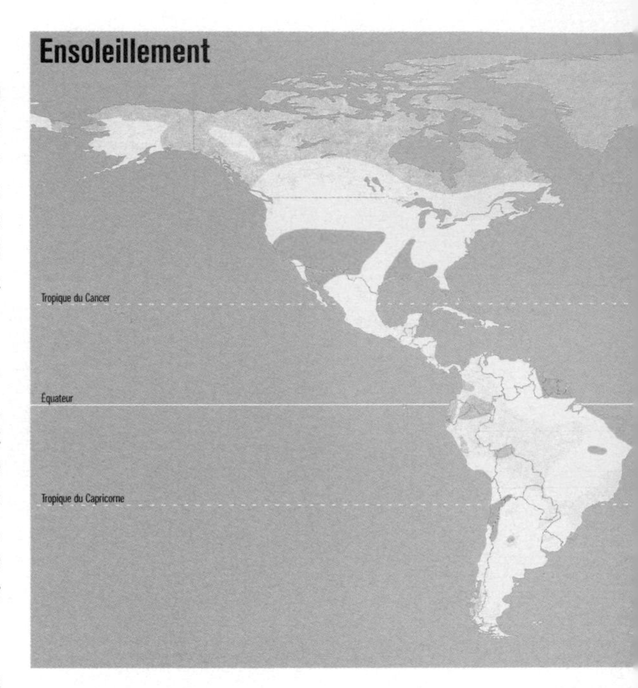

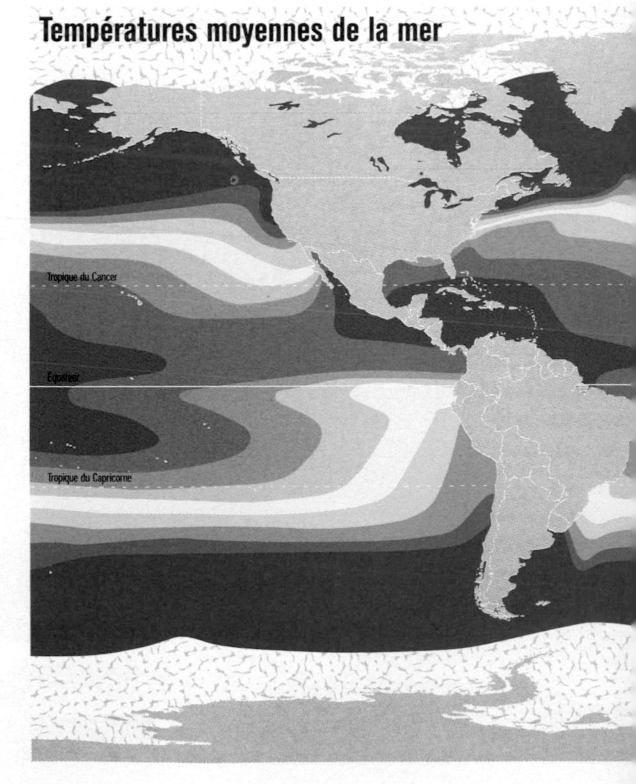

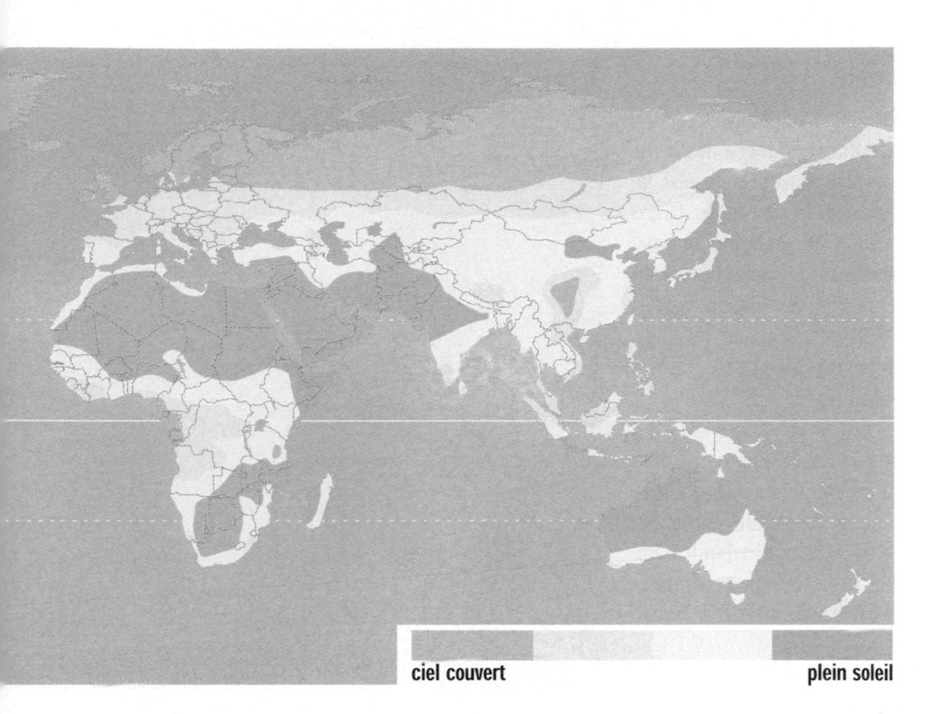
ciel couvert
plein soleil

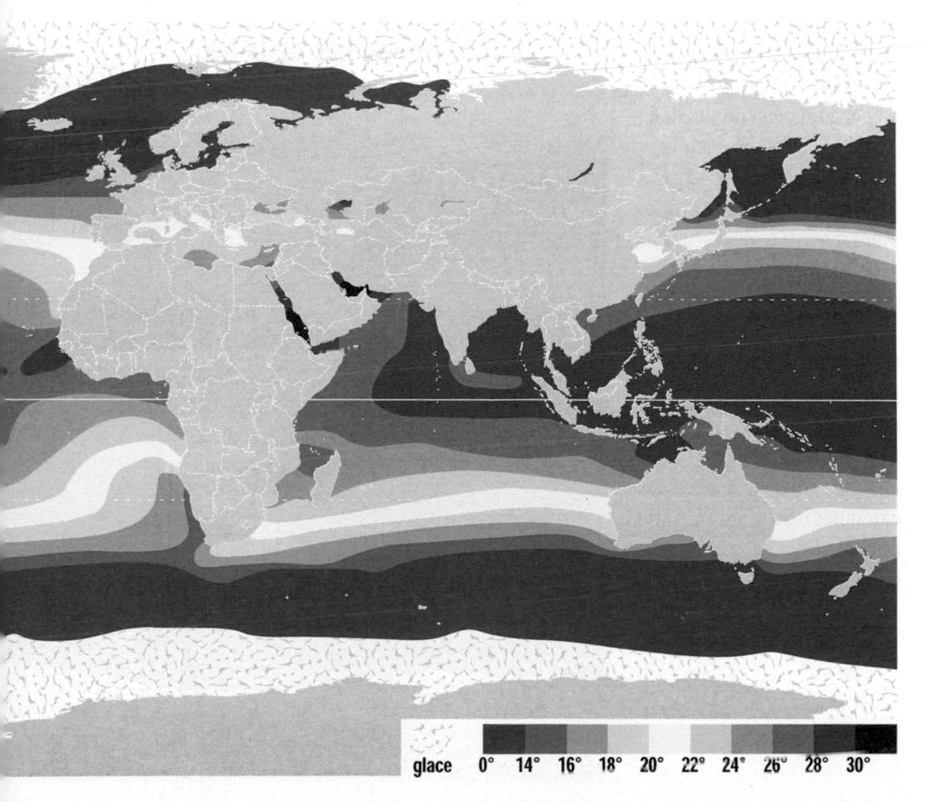
glace
0°
14°
16°
18°
20°
22°
24°
26°
28°
30°

Décembre

En Europe, décembre cumule deux désavantages : **les jours les plus courts et le ciel le plus couvert de l'année.** Deux bonnes raisons pour embarquer sur les longs courriers ; à moins de partir visiter Séville et Grenade où s'affiche un soleil très honorable.

Cap à l'Est, la bonne saison – mer chaude et soleil – commence au Kerala (Inde du Sud) et en Thaïlande. En Australie, il faut privilégier le Nord-Ouest (Perth).

Cap à l'Ouest, les plages des Caraïbes et la côte pacifique du Mexique et de l'Amérique centrale sont accueillantes. Le Venezuela connaît, jusqu'en février, son plein de soleil. En Argentine, au Chili et en Uruguay, c'est le moment de profiter d'immenses plages vides avant l'arrivée des estivants (vacances locales en janvier et février).

En Afrique, décembre est propice aux virées dans le désert : du soleil, sans vent de sable. À Mombasa (Kenya), mer chaude, soleil et fréquentes canicules ; au Cap (Afrique du Sud), la belle saison commence.

Ensoleillement

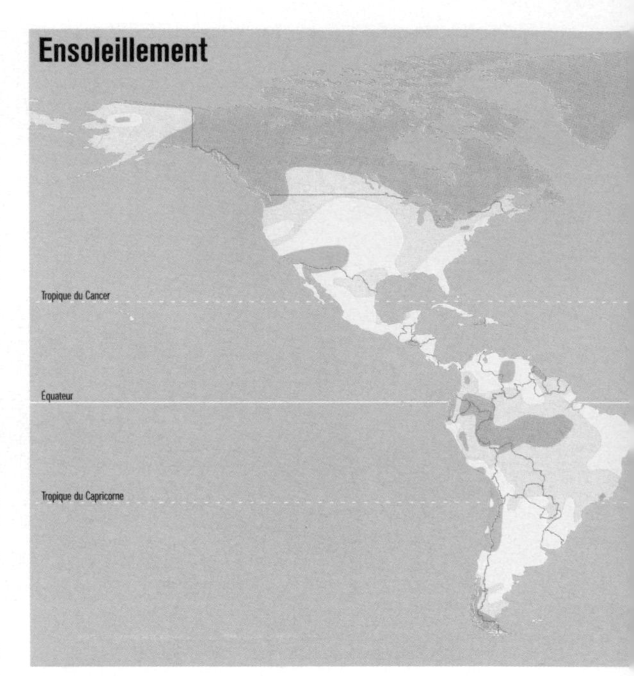

Températures moyennes de la mer

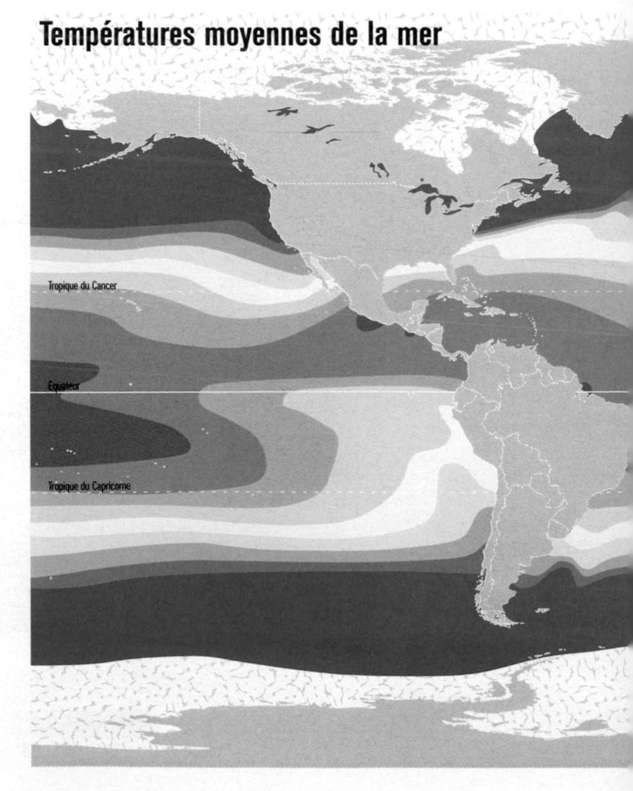

Ensoleillement et température de la mer

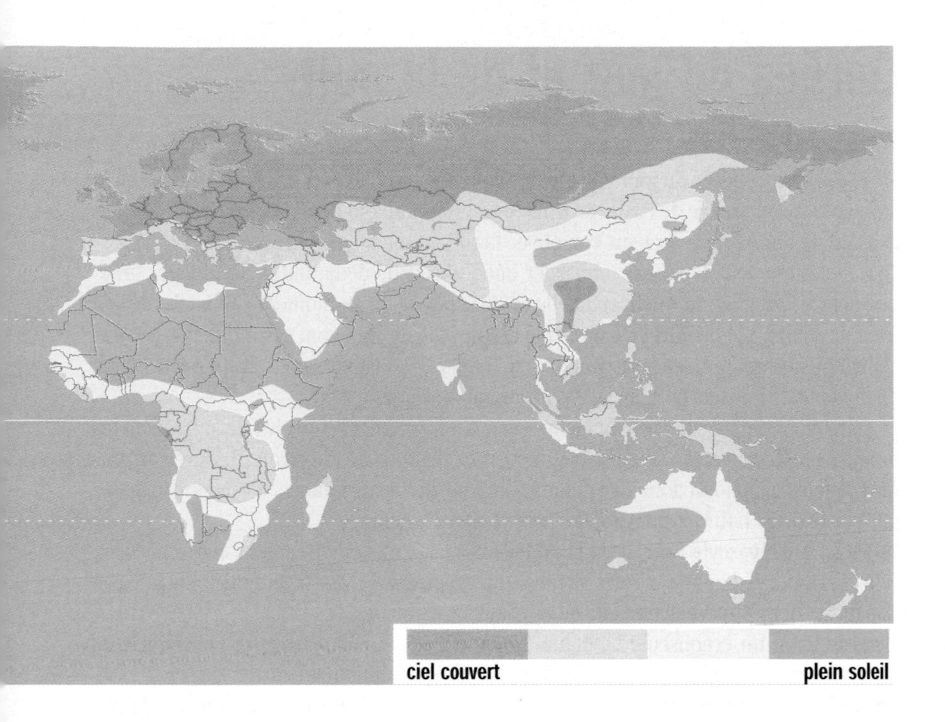

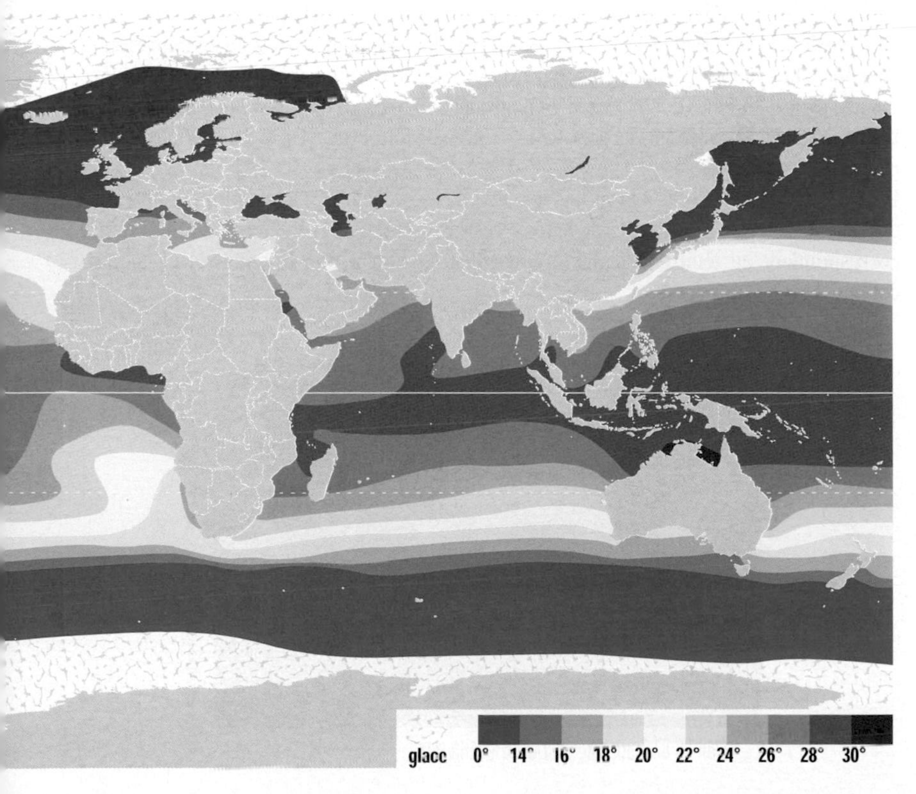

Durées du jour et de la nuit

Stricto sensu, la durée du jour est le temps compris entre le lever et le coucher du soleil. À ces instants, le centre de l'astre se trouve sur l'horizon, ou, plus précisément, à 36' au-dessous de l'horizon, pour tenir compte de la réfraction atmosphérique.
Tout le monde peut cependant constater que l'obscurité de la nuit ne tombe pas brusquement au coucher du soleil, et qu'elle ne dure pas jusqu'au moment « officiel » de son lever. Le matin, l'aube puis l'aurore, et le crépuscule, le soir, sont ces moments qui précèdent ou suivent le lever et le coucher du soleil et pendant lesquels on passe très graduellement de l'obscurité à la clarté du jour, ou l'inverse.
Le début du « crépuscule civil du matin » et la fin du « crépuscule civil du soir » sont les moments où le centre du soleil se trouve à 6° au-dessous de l'horizon. La durée du crépuscule civil à un point donné du globe en un jour donné de l'année, c'est donc le temps mis par le soleil pour parcourir ces 6°, en ce lieu et ce jour.
La durée du crépuscule varie selon la latitude et aussi, mais dans une moindre mesure, selon les mois de l'année. À Paris, la durée du crépuscule civil est généralement environ une fois et demi supérieure à celle qui prévaut sur l'équateur.
Il existe aussi un crépuscule nautique (soleil à 12° sous l'horizon) et un crépuscule astronomique (soleil à 18° sous l'horizon, début de la nuit noire).
Les durées inscrites sur ces cartes correspondent à la durée officielle du jour augmentée d'une fraction de la durée du crépuscule civil (matin et soir). Cela pour tenir compte de l'arrivée de la clarté avant le lever « officiel » du soleil et de la persistance du jour après son coucher – une luminosité suffisante, par exemple, pour commencer ou achever une randonnée dans de bonnes conditions. C'est pourquoi nous parlons de « durée utile de jour ».
Les valeurs sont arrondies à 5 mn près. Cette « durée de jour utile » est évaluée pour un ciel et un horizon dégagés.
Pour la latitude 70° N, ni à la mi-janvier, ni à la mi-décembre, le soleil ne monte au-dessus de l'horizon ; les durées signalées, respectivement de 4 h 25 mn et 5 h 40 mn, correspondent au temps total des crépuscules, et non à une fraction de ce temps comme dans les autres cas.

Le soleil se lève sur l'île de Gorée (Sénégal).

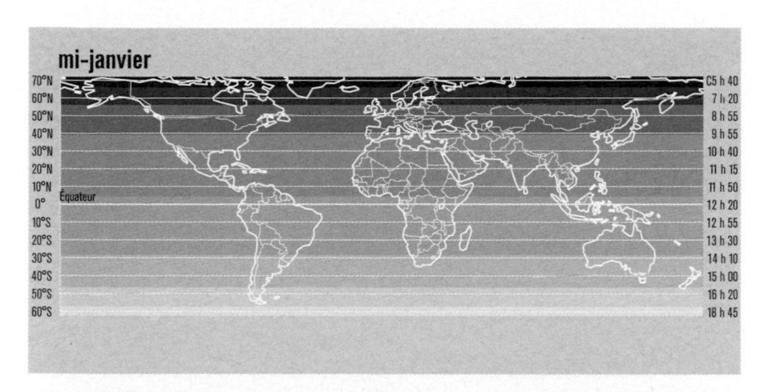
mi-janvier
Équateur
70°N
60°N
50°N
40°N
30°N
20°N
10°N
0°
10°S
20°S
30°S
40°S
50°S
60°S
05 h 40
7 h 20
8 h 55
9 h 55
10 h 40
11 h 15
11 h 50
12 h 20
12 h 55
13 h 30
14 h 10
15 h 00
16 h 20
18 h 45

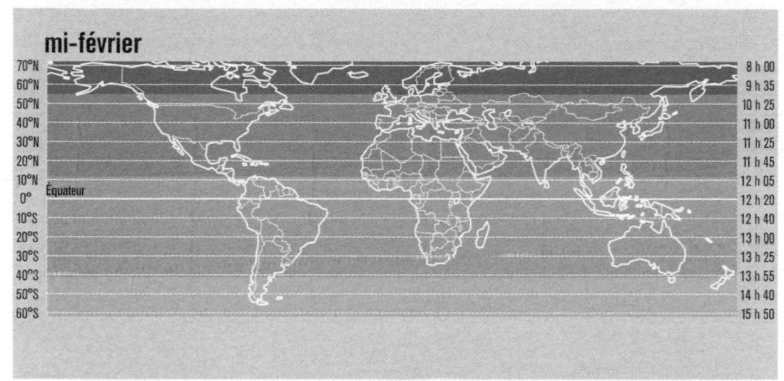
mi-février
Équateur
70°N
60°N
50°N
40°N
30°N
20°N
10°N
0°
10°S
20°S
30°S
40°S
50°S
60°S
8 h 00
9 h 35
10 h 25
11 h 00
11 h 25
11 h 45
12 h 05
12 h 20
12 h 40
13 h 00
13 h 25
13 h 55
14 h 40
15 h 50

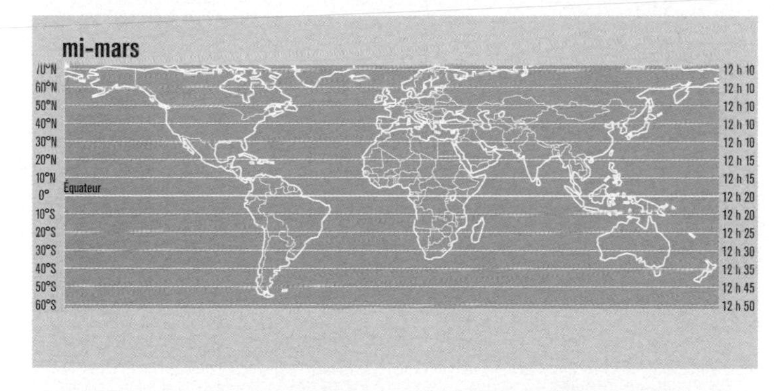
mi-mars
Équateur
70°N
60°N
50°N
40°N
30°N
20°N
10°N
0°
10°S
20°S
30°S
40°S
50°S
60°S
12 h 10
12 h 10
12 h 10
12 h 10
12 h 10
12 h 15
12 h 15
12 h 20
12 h 20
12 h 25
12 h 30
12 h 35
12 h 45
12 h 50

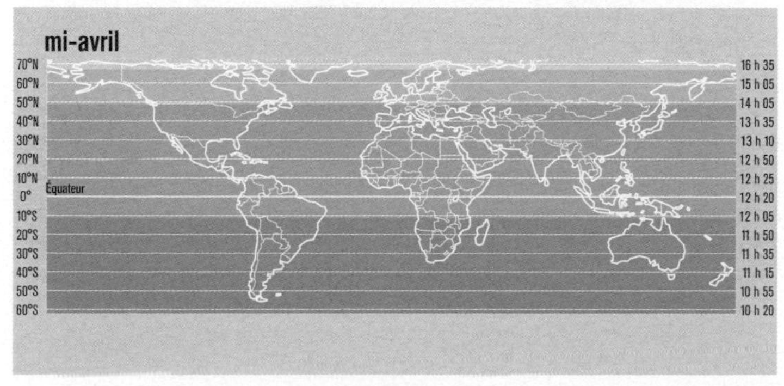
mi-avril
Équateur
70°N
60°N
50°N
40°N
30°N
20°N
10°N
0°
10°S
20°S
30°S
40°S
50°S
60°S
16 h 35
15 h 05
14 h 05
13 h 35
13 h 10
12 h 50
12 h 25
12 h 20
12 h 05
11 h 50
11 h 35
11 h 15
10 h 55
10 h 20

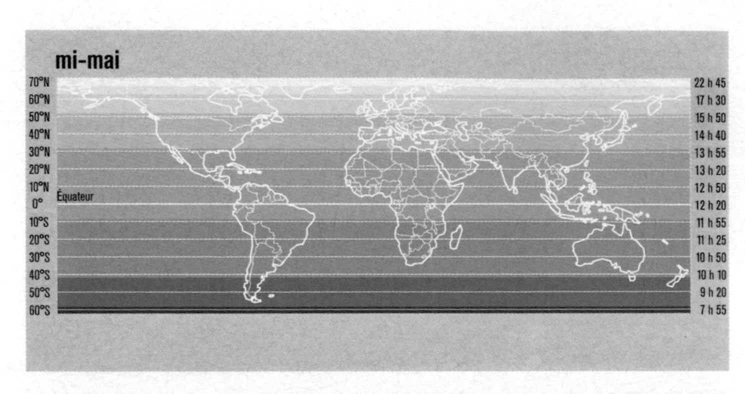
mi-mai
70°N
60°N
50°N
40°N
30°N
20°N
10°N
0°
Équateur
10°S
20°S
30°S
40°S
50°S
60°S
22 h 45
17 h 30
15 h 50
14 h 40
13 h 55
13 h 20
12 h 50
12 h 20
11 h 55
11 h 25
10 h 50
10 h 10
9 h 20
7 h 55

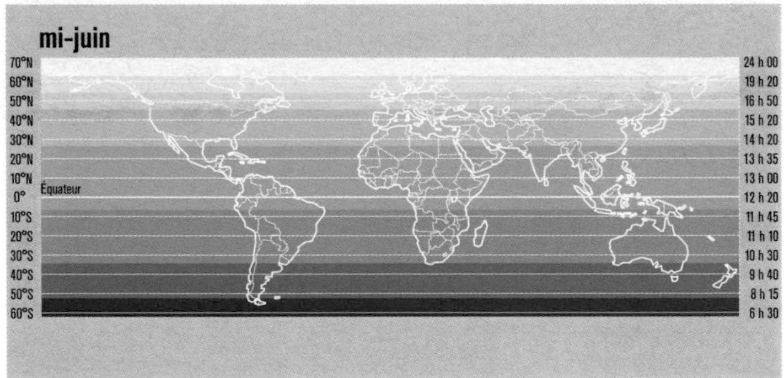
mi-juin
70°N
60°N
50°N
40°N
30°N
20°N
10°N
0°
Équateur
10°S
20°S
30°S
40°S
50°S
60°S
24 h 00
19 h 20
16 h 50
15 h 20
14 h 20
13 h 35
13 h 00
12 h 20
11 h 45
11 h 10
10 h 30
9 h 40
8 h 15
6 h 30

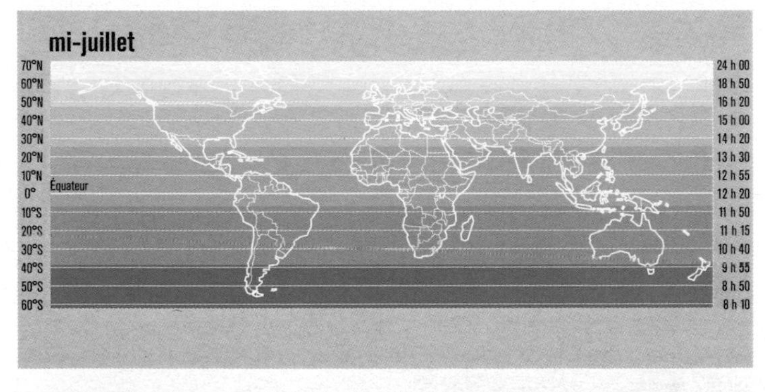
mi-juillet
70°N
60°N
50°N
40°N
30°N
20°N
10°N
0°
Équateur
10°S
20°S
30°S
40°S
50°S
60°S
24 h 00
18 h 50
16 h 20
15 h 00
14 h 20
13 h 30
12 h 55
12 h 20
11 h 50
11 h 15
10 h 40
9 h 55
8 h 50
8 h 10

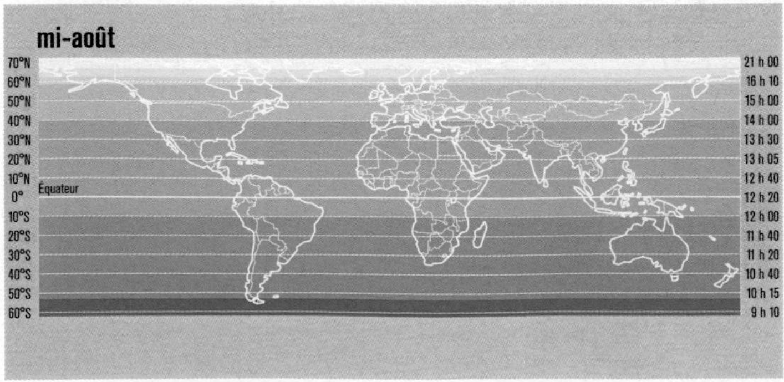
mi-août
70°N
60°N
50°N
40°N
30°N
20°N
10°N
0°
Équateur
10°S
20°S
30°S
40°S
50°S
60°S
21 h 00
16 h 10
15 h 00
14 h 00
13 h 30
13 h 05
12 h 40
12 h 20
12 h 00
11 h 40
11 h 20
10 h 40
10 h 15
9 h 10

La durée utile de jour

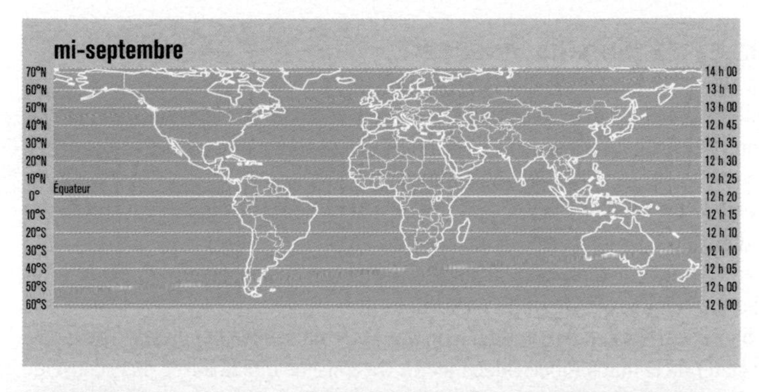

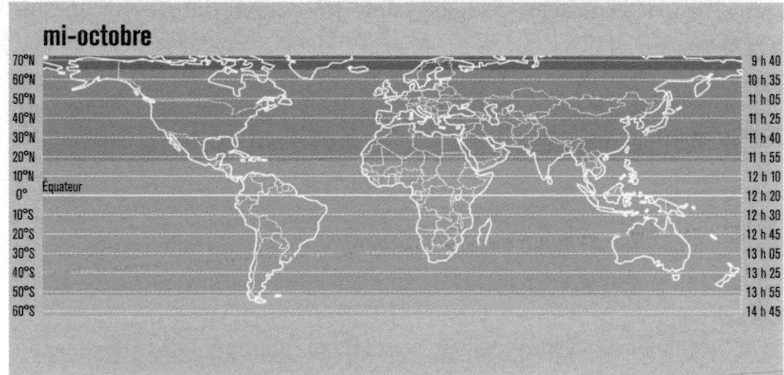

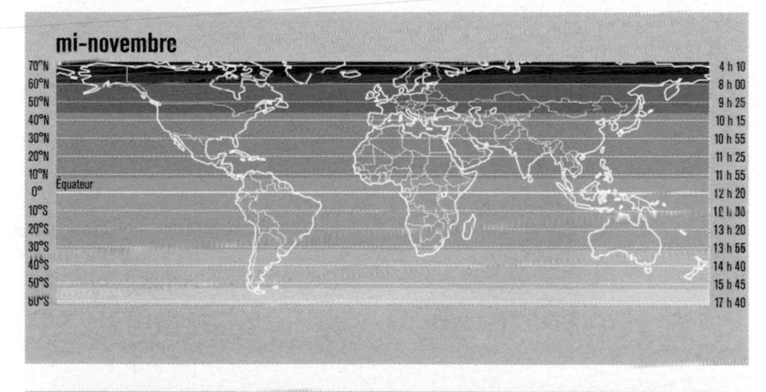

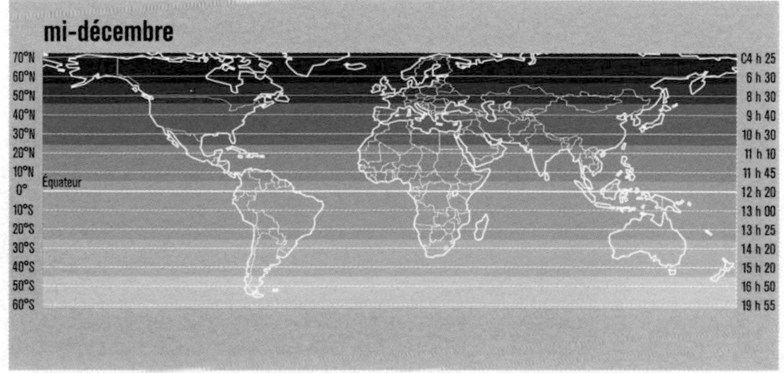

Les jours et les nuits du voyageur

En juin, quitter la France pour les Antilles, c'est voir la durée du jour diminuer, et plus encore si on va à Perth. En Terre de Feu, les nuits longues sont alors garanties. À la même période, le soleil ne se couche plus au cap Nord.
Le 21 décembre, au solstice d'hiver dans l'hémisphère Nord, la situation est inversée : le jour est deux fois plus long en Terre de Feu qu'à Paris.
Ces graphes permettent d'évaluer la durée du jour (le temps écoulé entre le lever et le coucher du soleil) selon les mois en six lieux de la planète.
Les zones bleues correspondent au soleil couché. On y différencie la période de crépuscule (bleu clair) de la nuit tombée (bleu foncé). On constate que la durée du crépuscule est minimale au niveau de l'équateur – la nuit y tombe très vite – et augmente à mesure que l'on s'en éloigne.

Attention aux coups de soleil

Une fois levé, plus le soleil est haut, plus il tape fort. Les risques d'un coup de soleil varient donc considérablement selon les mois, l'heure et la latitude du lieu où l'on s'expose.
Les couleurs, du jaune au rouge, correspondent au soleil levé et permettent de distinguer la hauteur du soleil selon les heures de la journée (heures d'hiver).
Le soleil n'arrive au zénith (ses rayons tombent à la verticale) que quelques jours par an, et uniquement dans la zone intertropicale (voir Fort-de-France et Quito).

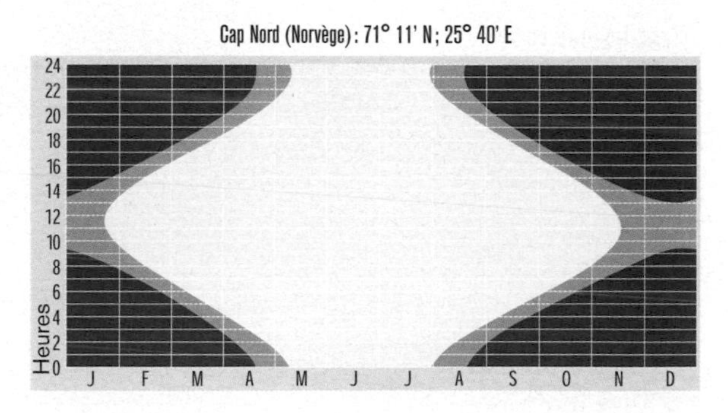

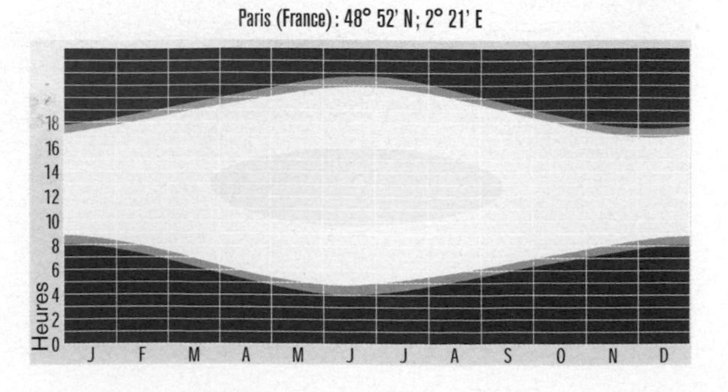

Fort-de-France (Martinique) : 14° 37' N ; 61° 05' O

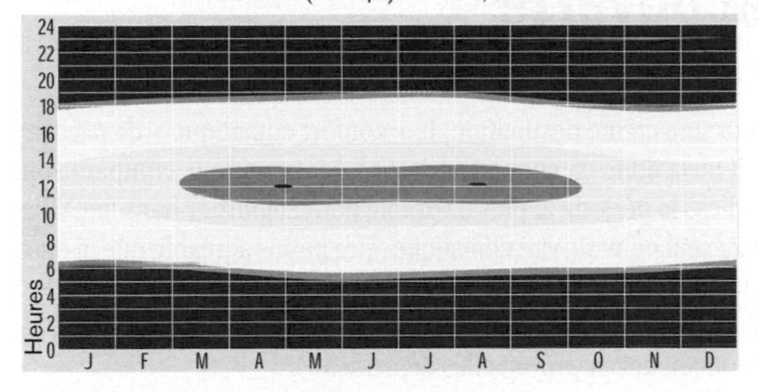

Quito (Équateur) : 0° 14' S ; 78° 30' O

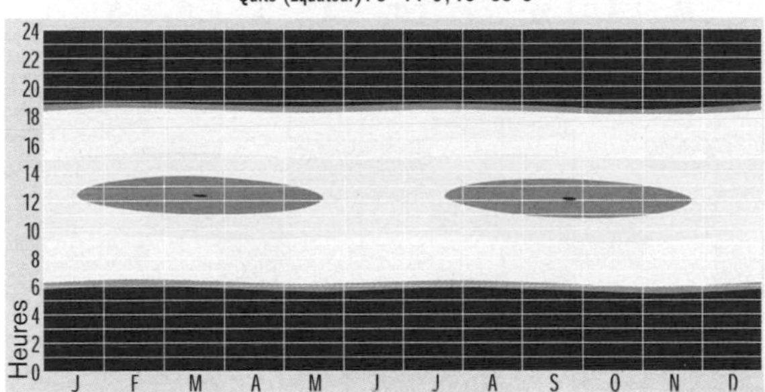

Perth (Australie) : 31° 56' S ; 115° 47' E

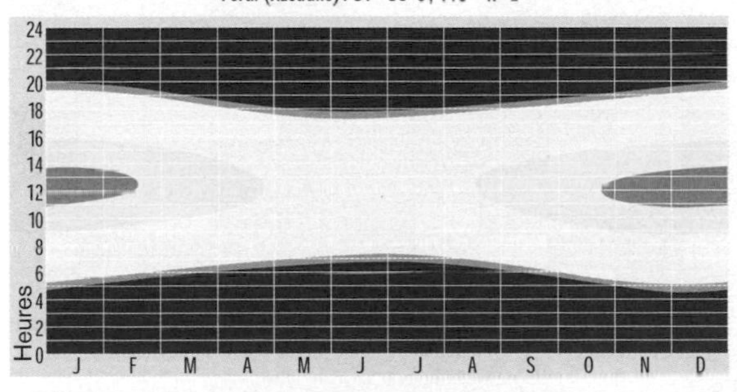

Ushuaïa (Argentine) : 54° 46' S ; 68° 19' O

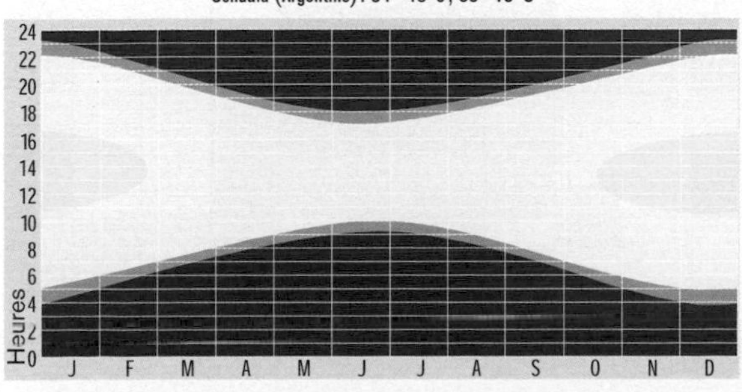

Crépuscule civil
Nuit tombée

Soleil levé (de 0° à 45°)
Soleil à plus de 45°
Soleil à plus de 70°
Soleil au zénith

Visite et découverte

Ce tableau hiérarchise, pour une même destination, le « confort climatique » de près de 200 villes selon les mois ; il n'est donc en aucun cas destiné à permettre la comparaison du climat entre plusieurs villes : la période la plus favorable pour séjourner dans une ville peut très bien, à s'en tenir au seul point de vue climatique, être moins agréable que la plus mauvaise des périodes pour se rendre dans une autre. C'est pourquoi, pour comparer les avantages et les inconvénients de plusieurs destinations, il est toujours nécessaire de consulter les chapitres traitant des pays dont elles dépendent.

■ : meilleure période **■ : période favorable** **■ : période la moins favorable**

	J	F	M	A	M	J	J	A	S	O	N	D
ABIDJAN												
ABOU DHABI												
ACCRA												
ADDIS-ABEBA												
ADEN												
ALGER												
ALICE SPRINGS												
ALMA-ATA												
AMMAN												
AMSTERDAM												
ANCHORAGE												
ANKARA												
ANTANANARIVO												
ASMARA												
ASUNCIÓN												
ATHÈNES												
BAGDAD												
BAKOU												
BAMAKO												
BANGKOK												
BANGUI												
BANJUL												
BATA												
BEIRA												
BELGRADE												
BELIZE-CITY												
BERLIN												
BEYROUTH												
BISSAU												
BOGOTÁ												
BOMBAY												
BRASÍLIA												
BRATISLAVA												
BRAZZAVILLE												
BRUXELLES												
BUCAREST												
BUDAPEST												
BUENOS AIRES												
BUJUMBURA												
CALCUTTA												
CANTON												
CARACAS												

■ : meilleure période ■ : période favorable ■ : période la moins favorable

	J	F	M	A	M	J	J	A	S	O	N	D
CASABLANCA												
CAYENNE												
CHICAGO												
COLOMBO												
CONAKRY												
COPENHAGUE												
COTONOU												
DACCA												
DAKAR												
DALLAS												
DAMAS												
DAR ES-SALAAM												
DJAKARTA												
DJEDDAH												
DJIBOUTI												
DOUALA												
DUBLIN												
EREVAN												
FORT-DE-FRANCE												
FREETOWN												
GABORONE												
GENÈVE												
GEORGETOWN												
GUATEMALA-CITY												
GUAYAQUIL												
HANOI												
HARARE (Zimb.)												
HELSINKI												
HÔ CHI MINH-VILLE												
HONG KONG												
HONOLULU												
ISTANBUL												
JÉRUSALEM												
JOHANNESBURG												
KABOUL												
KAMPALA												
KARACHI												
KATMANDOU												
KHARTOUM												
KIEV												
KIGALI												
KINGSTON												
KINSHASA												
KOWEÏT CITY												
KUALA LUMPUR												
LAGOS												
LA HAVANE												
LA PAZ												
LE CAIRE												
LE CAP												
LHASSA												
LILONGWE												
LIMA												
LISBONNE												
LJUBLJANA												
LOMÉ												
LONDRES												

Où partir?

■ : meilleure période ■ : période favorable ■ : période la moins favorable

	J	F	M	A	M	J	J	A	S	O	N	D
LOS ANGELES												
LUANDA												
LUSAKA												
LUXEMBOURG												
MACAO												
MADRAS												
MADRID												
MANAGUA												
MANAUS												
MANILLE												
MELBOURNE												
MEXICO												
MIAMI												
MINSK												
MONTEVIDEO												
MONTRÉAL												
MOSCOU												
MUNICH												
NAIROBI												
N'DJAMENA												
NEW DELHI												
NEW ORLEANS												
NEW YORK												
NIAMEY												
NICOSIE												
NOUMÉA												
OSLO												
OUAGADOUGOU												
OULAN-BATOR												
PANAMÁ												
PAPEETE												
PARAMARIBO												
PÉKIN												
PHNOM PENH												
POINTE-À-PITRE												
PORT-AU-PRINCE												
PORT OF SPAIN												
PRAGUE												
PRETORIA												
PYONGYANG												
QUÉBEC												
QUITO												
REYKJAVIK												
RIGA												
RIO DE JANEIRO												
RIYADH												
ROME												
ST-DENIS (Réun.)												
SAINT-DOMINGUE												
SAINT-PÉTERSBOURG												
SALV. DE BAHIA												
SANAA												
SAN FRANCISCO												
SAN JOSÉ (C. Rica)												
SAN JUAN (P. Rico)												
S. SALVADOR (Sal.)												
SANTIAGO (Chili)												

■ : meilleure période ■ : période favorable ■ : période la moins favorable

	J	F	M	A	M	J	J	A	S	O	N	D
SARAJEVO												
SÉOUL												
SÉVILLE												
SHANGHAI												
SINGAPOUR												
SOFIA												
STOCKHOLM												
SYDNEY												
TACHKENT												
TAIPEI												
TALLINN												
TBILISSI												
TEGUCIGALPA												
TÉHÉRAN												
TEL-AVIV												
TIRANA												
TOKYO												
TORONTO												
TRIPOLI												
TUNIS												
USHUAÏA												
VANCOUVER												
VARSOVIE												
VIENNE												
VIENTIANE												
VILNIUS												
WASHINGTON												
WELLINGTON												
WINDHOEK												
YANGON (ex-Rangoon)												
YAOUNDÉ												
ZAGREB												

En Turquie, sur le mont Nemrut Dagi, à 2 200 m d'altitude, des têtes de dieux monumentales se dressent au pied du tumulus du roi Antiochos Ier. Elles sont encore dans la neige en avril. En été, on vient très tôt pour échapper aux températures torrides des après-midi anatoliens.

Soleil, mer et plage

Ce tableau n'est pas destiné à permettre une comparaison entre les climats de plusieurs pays, mais seulement à signaler, pour un pays donné, les périodes les plus et les moins favorables. Rien n'interdit en effet qu'au mois d'août on préfère les plages des îles Maldives, dont c'est pourtant la période la moins favorable, à la côte vendéenne…
Rappelez-vous que la meilleure période climatique correspond le plus souvent à celle où les touristes sont les plus nombreux et les prix les plus élevés.

■ : meilleure période ■ : période favorable ■ : période la moins favorable

	J	F	M	A	M	J	J	A	S	O	N	D
AÇORES												
AF. DU S. (Le Cap)												
AF. DU S. (Durban)												
ALGÉRIE												
ANTILLES												
ARGENTINE												
AUSTRALIE (Syd.)												
AUSTRALIE (Perth)												
AUSTRALIE (Dar.)												
BAHAMAS												
BELIZE												
BÉNIN												
BERMUDES												
BRÉSIL (Rio)												
BRÉSIL (Salv.)												
BULGARIE												
CAMEROUN												
CANARIES												
CAP-VERT												
CHILI (Viña)												
CHYPRE												
COLOMBIE (Caraïbes)												
COSTA RICA												
CÔTE D'IVOIRE												
CROATIE												
CUBA												
CURAÇAO												
DJIBOUTI												
ÉGYPTE												
ESPAGNE (Atl.)												
ESPAGNE (Médit.)												
É.-U. (Long Island)												
É.-U. (Los Angeles)												
É.-U. (Miami)												
FIDJI												
FRANCE (Atl.)												
FRANCE (Médit.)												
GAMBIE												
GÉORGIE												
GHANA												
GRÈCE												
GUADELOUPE												
GUATEMALA (Car.)												

■ : meilleure période ■ : période favorable ■ : période la moins favorable

	J	F	M	A	M	J	J	A	S	O	N	D
GUINÉE												
GUINÉE-BISSAU												
GUYANE FRANÇAISE												
HAÏTI												
HAWAII												
INDE (Goa)												
INDE (Pondichéry)												
INDONÉSIE												
ISRAËL (Médit.)												
ISRAËL (mer Rouge)												
ITALIE												
JAMAÏQUE												
KENYA												
LIBERIA												
MADAGASCAR (E.)												
MADAGASCAR (O.)												
MADÈRE												
MALAISIE (est)												
MALAISIE (ouest)												
MALDIVES												
MALTE												
MARIANNES												
MAROC (Atl. S.)												
MAROC (Médit.)												
MARTINIQUE												
MAURICE												
MEXIQUE (Acapulco)												
MONTÉNÉGRO												
NLLE-CALÉDONIE												
NLLE-ZÉLANDE (N.)												
OMAN												
PANAMÁ												
PAPOUASIE-NLLE-G.												
PÉROU												
PHILIPPINES												
PORTO RICO												
PORTUGAL												
RÉUNION												
RÉP. DOMINICAINE												
ROUMANIE												
RUSSIE (mer Noire)												
SALVADOR												
SÉNÉGAL												
SEYCHELLES												
SRI LANKA (N. et E.)												
SRI LANKA (S.-O.)												
TAHITI												
TANZANIE												
THAÏLANDE												
TOGO												
TRINIDAD ET TOBAGO												
TUNISIE												
TURQUIE (mer Noire)												
TURQUIE (Médit.)												
UKRAINE												
URUGUAY												
VANUATU												

Saisons et fréquences des cyclones

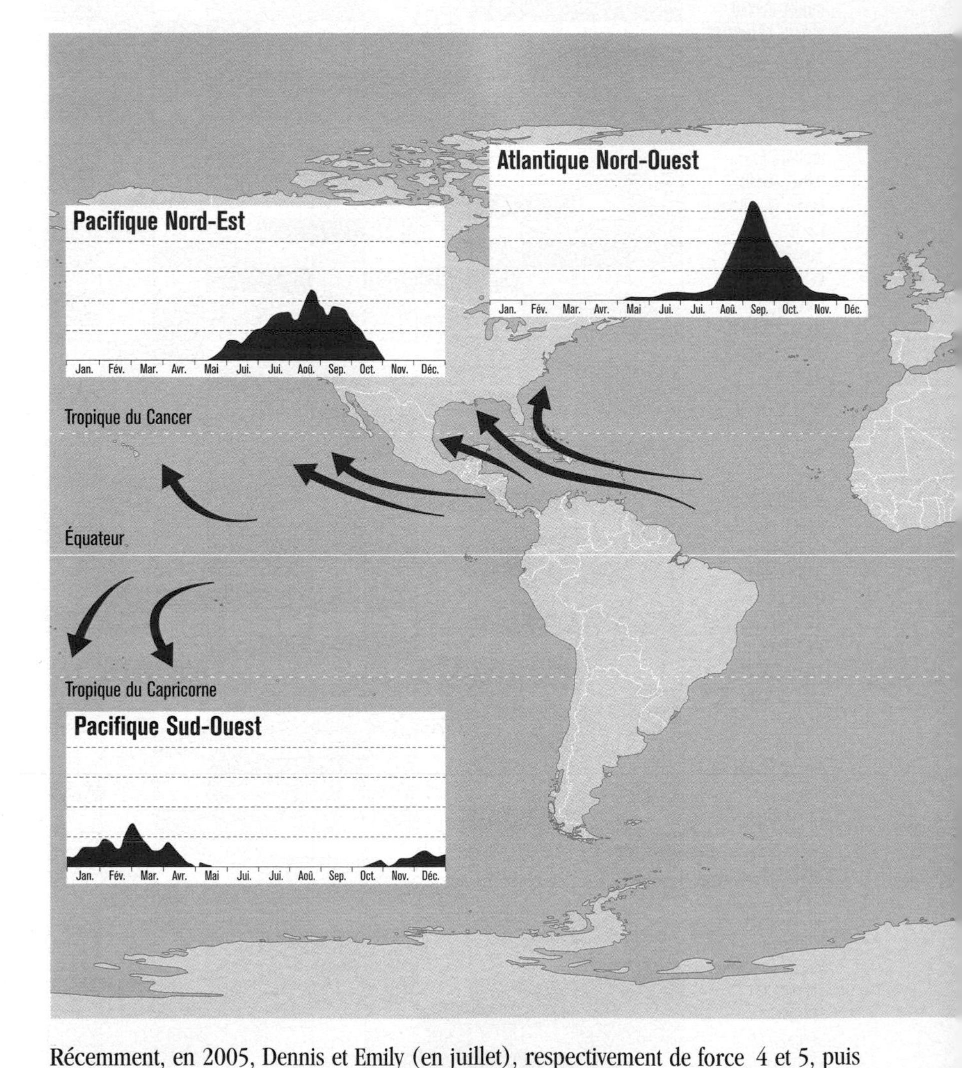

Récemment, en 2005, Dennis et Emily (en juillet), respectivement de force 4 et 5, puis Katrina (fin août), Rita (fin septembre) et Wilma (fin octobre), tous de force 5, ont ponctué la plus longue, la plus destructrice et la plus médiatisée des saisons d'ouragans jamais enregistrées dans la zone atlantique Nord-Ouest, c'est-à-dire la région des Caraïbes et du golfe du Mexique. Les îles de Cuba et de Grenade, la péninsule du Yucatán et, aux États-Unis, les États de Louisiane, du Mississippi et du Texas ont fait partie des territoires les plus touchés.
Si les ouragans du Nord-Ouest atlantique, parce qu'ils menacent des départements français ou la prospère Amérique, occupent toujours une place privilégiée dans les actualités, le voyageur doit savoir que bien d'autres régions du monde connaissent et subissent ces phénomènes climatiques.

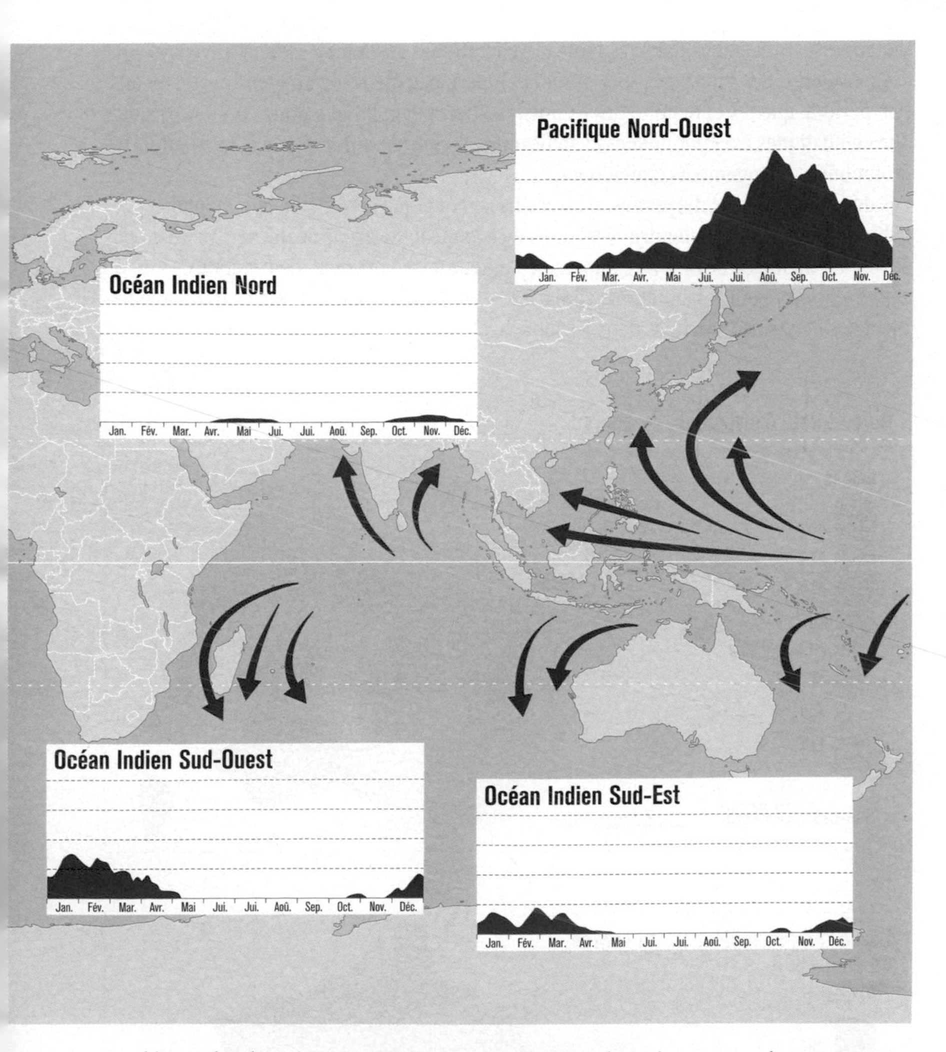

Fondés sur des données enregistrées sur une centaine d'années, ces graphes permettent de repérer les zones et les saisons des ouragans dans le monde et d'évaluer leur fréquence relative selon les bassins. Ainsi, la région du Pacifique Nord-Ouest connaît la plus intense et la plus longue saison de typhons. Les Philippines, Taïwan et le Japon en sont les pays les plus exposés.

Remarquons que, dans le Pacifique Nord-Est, les hurricanes, assez fréquents, se perdent cependant dans l'océan, à l'exception de quelques-uns d'entre eux, rares, qui touchent Hawaii. À l'inverse, si les cyclones restent exceptionnels au Nord de l'océan Indien, ils peuvent être très destructeurs.

Moyennes et écarts climatiques

Les données présentées dans les tableaux climatiques associés à chacun des pays sont des moyennes. Ces moyennes sont, pour la plupart, calculées sur une période de 30 ans. Une période que les climatologues estiment suffisamment longue pour écrêter les situations climatiques exceptionnelles et suffisamment courte pour intégrer et faire valoir les évolutions et changements climatiques.

Ces données étant des moyennes, c'est-à-dire, en quelque sorte, « le climat le plus probable auquel on doit s'attendre » tel mois en tel lieu, le voyageur ne devra cependant pas s'étonner, ou même se plaindre auprès de l'auteur de cet ouvrage, de rencontrer lors de séjours à l'étranger des situations climatiques qui peuvent, parfois, varier très sensiblement des moyennes affichées dans les tableaux.

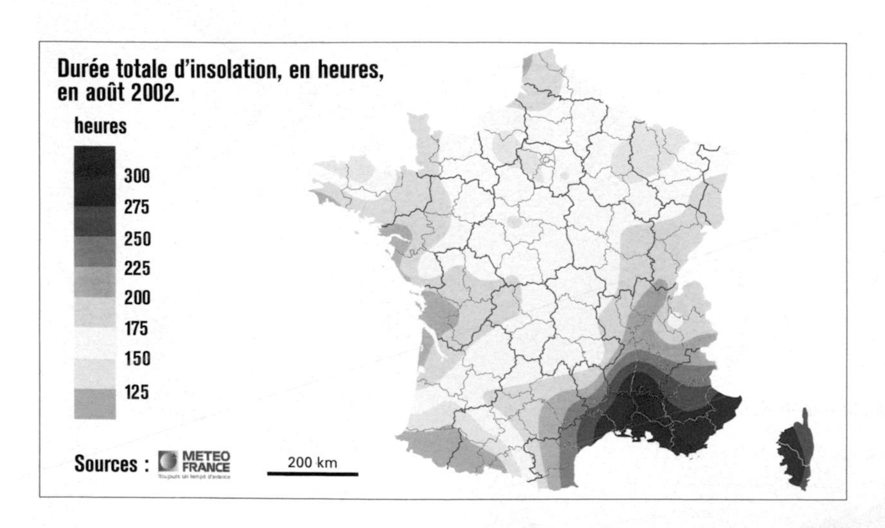

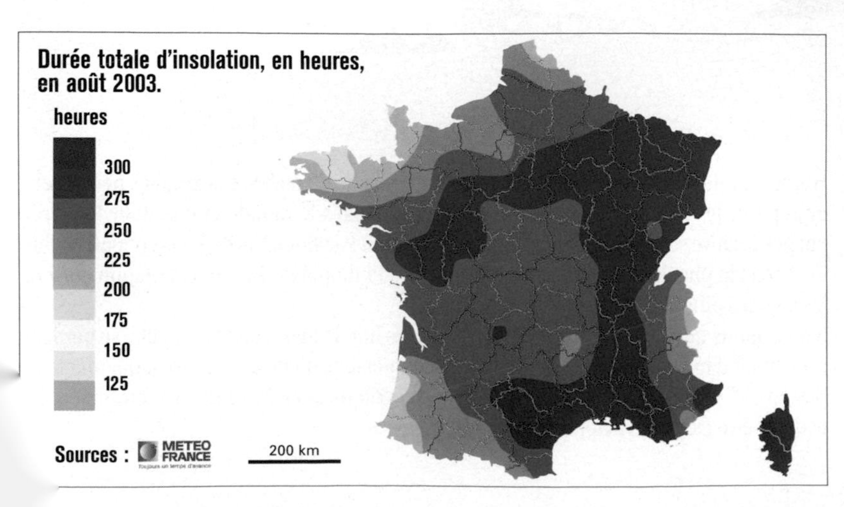

Pour illustrer la notion de moyennes et d'écarts aux moyennes, nous avons choisi de comparer les cartes de l'ensoleillement en France aux mois d'août 2002 et 2003, les graphes des précipitations à Paris en août et, pages suivantes, 4 planisphères d'écarts aux normales des températures et des précipitations en février, mars et avril en 2005.
Concernant l'ensoleillement en France en août, on notera, par exemple, l'écart d'ensoleillement dans le département de la Meuse, en Lorraine (moins de 150 heures en août 2002 et près de 300 heures en 2003). Les précipitations à Paris (de 45 mm en août 2003 et 2004 à 80 mm en 2002) et les répartitions de ces précipitations tout au long du mois illustrent aussi cette notion de moyennes climatiques.

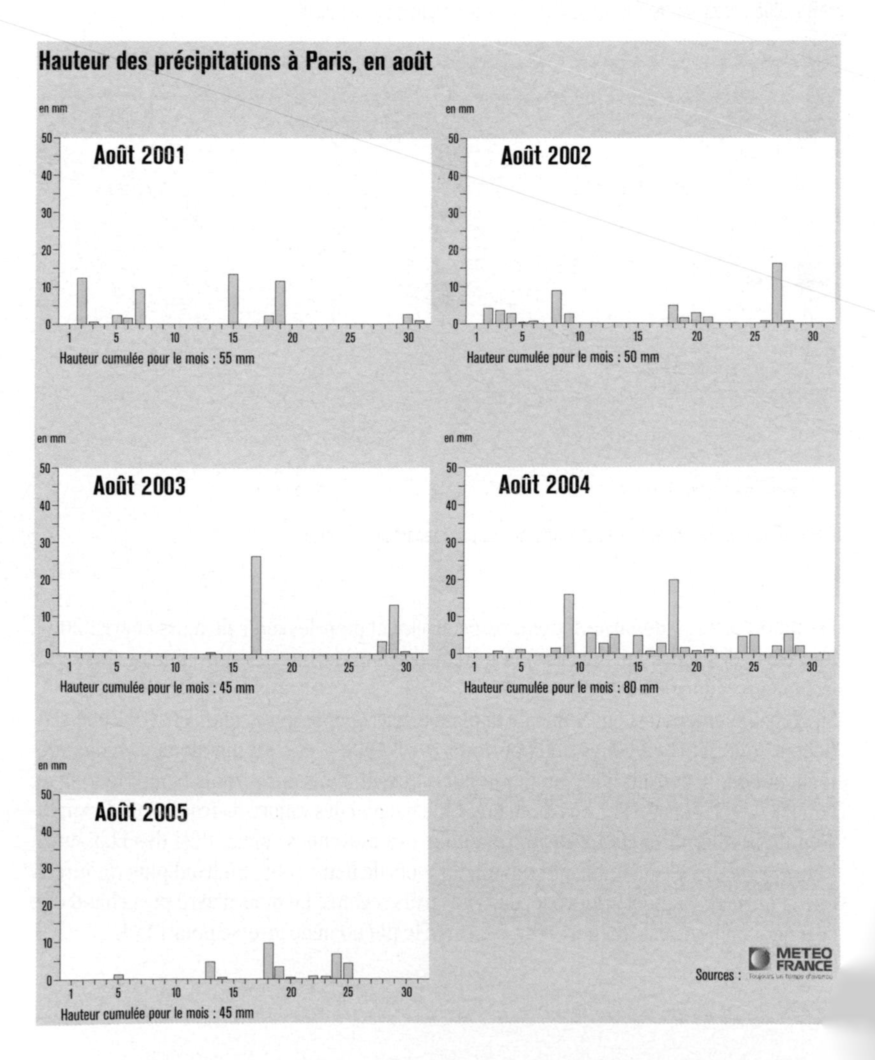

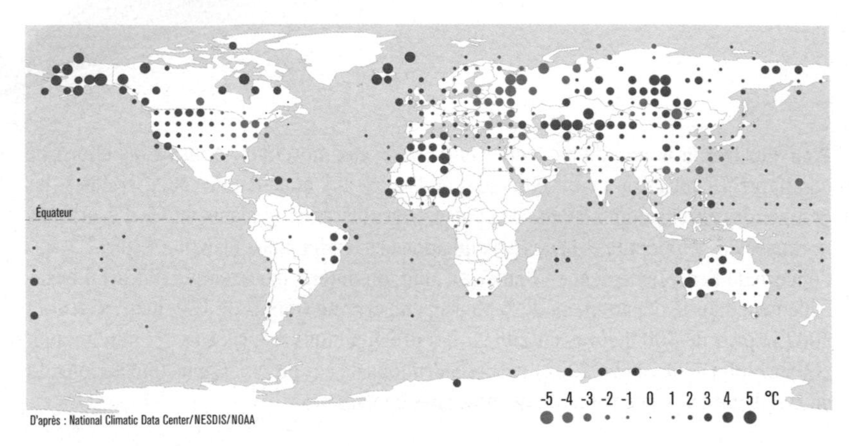

MARS 2005 : carte des écarts des températures par rapport aux normales.

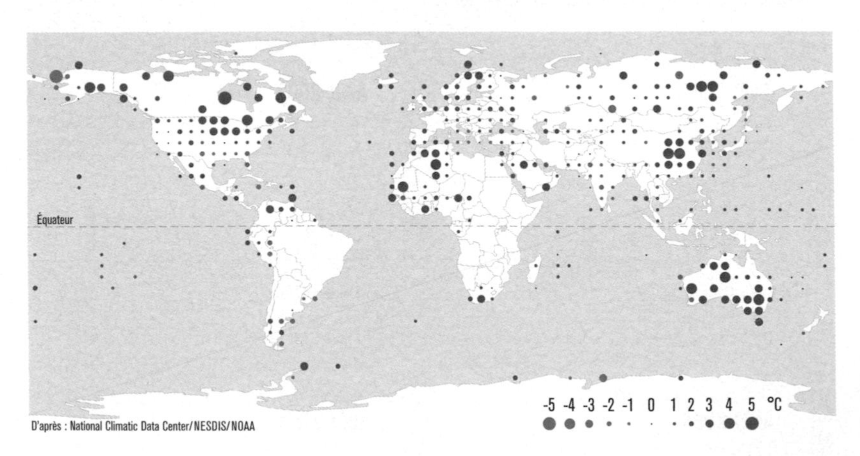

AVRIL 2005 : carte des écarts des températures par rapport aux normales.

Les deux cartes ci-dessus évaluent, respectivement pour les mois de mars et avril 2005, les écarts des moyennes de températures en comparaison des moyennes mensuelles trentenaires, de 1961 à 1990.
Si, globalement, pour l'ensemble de la planète, ces températures mars et avril 2005 s'affichent supérieures à celles de la période 1961-1990 – et c'est maintenant, réchauffement aidant, le constat que l'on fait le plus souvent, mois après mois et tout le long de l'année –, cela n'empêche pas d'observer localement des vagues de froid. C'est l'expression de la répartition assez aléatoire autour des moyennes : ainsi, l'Est des États-unis, l'Europe centrale et la Chine ont connu, au mois de mars 2005, un froid plus rigoureux que la normale, auquel a succédé, dans ces trois régions, un mois d'avril plus chaud que ce à quoi on pouvait s'attendre. On a observé le phénomène inverse pour l'Inde.

Les deux cartes ci-dessous comparent les écarts des précipitations aux normales 1961-1990. Si, comme nous l'avons souligné précédemment, le réchauffement climatique a déjà, et aura, de sérieuses conséquences sur la répartition des précipitations sur la planète, il ne faut pas le rendre responsable de tous les écarts et de tous les accidents climatiques enregistrés sur le globe. Ce que nous observons sur ces planisphères, ce sont d'abord des variations, somme toute « normales », autour des moyennes. Ainsi, on observe en février 2005 quelques fantaisies par rapport aux normes au Brésil, des pluies particulièrement abondantes en Polynésie et supérieures à la normale en Chine, alors qu'au Nord de l'Australie la péninsule du cap York, normalement noyée sous la pluie à cette saison, connaît un peu de répit. En avril, l'ordre est revenu au Brésil et la roue a tourné en Chine et en Polynésie qui connaissent maintenant un sérieux déficit de précipitations. La Bretagne aussi, depuis l'invention des bains de mer, a toujours connu des étés radieux et des étés pourris,... un constat bien illustré par les cartes de l'ensoleillement en août 2002 et 2003 en France des pages précédentes.

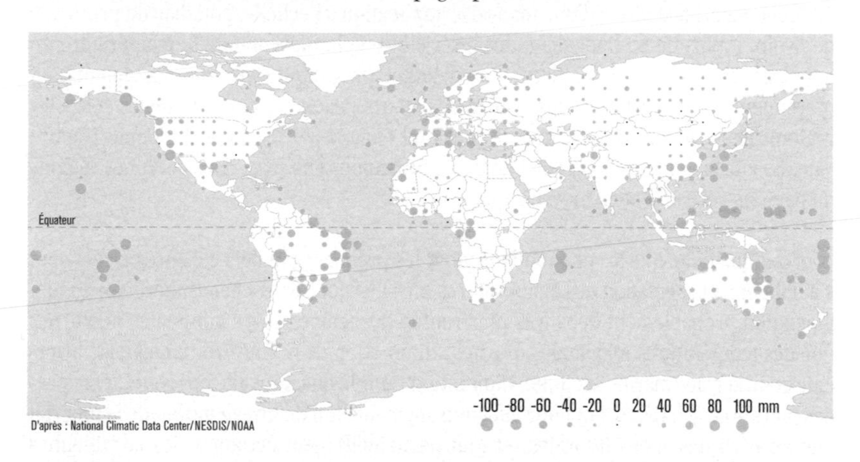

FÉVRIER 2005 : carte des écarts de précipitations par rapport aux normales.

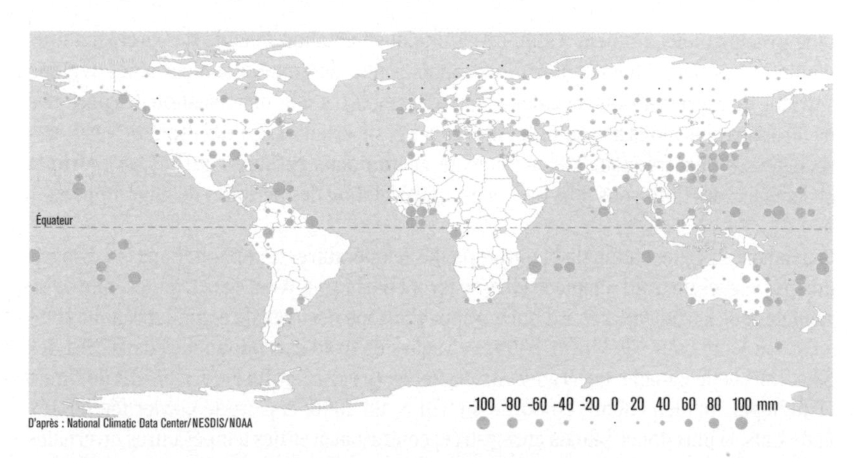

AVRIL 2005 : carte des écarts de précipitations par rapport aux normales.

Voyages et dérèglements climatiques

Dans le cadre de la rédaction d'un nouveau rapport du Groupe intergouvernemental d'experts sur l'évolution du climat (GIEC, ou IPCC dans sa version anglo-saxonne) qui devrait être rendu public en 2007, l'Institut Pierre-Simon-Laplace (IPSL) et le Centre national de recherche météorologique (CNRM) de Météo France ont présenté les premiers résultats de leurs modélisations respectives sur le réchauffement climatique. Les deux modèles convergent pour estimer entre 1,5 et 4° l'augmentation de la température de la planète selon différents scénarios liés à l'évolution des émissions de gaz à effet de serre et des aérosols sulfatés au cours du XXIe siècle.

D'autres prévisions sont encore plus alarmistes : certains chercheurs du Centre Hadley pour la prédiction et la recherche sur le climat, émanation du Met Office britannique, évaluent, dans l'hypothèse d'une mauvaise application à l'échelle mondiale du protocole de Kyoto, à plus de 6° l'augmentation prévisible de la moyenne de la température au cours du XXIe siècle. Ces chiffres sont d'autant plus inquiétants que l'augmentation moyenne des températures sous-tendra des écarts beaucoup plus contrastés selon les régions, les saisons, le jour et la nuit. Ainsi, au Canada par exemple, le CCmaC (Centre canadien de la modélisation et de l'analyse climatique) envisage, dans certaines régions du pays, un réchauffement moyen supérieur à 10°.

Tout indique donc que les phénomènes dont les prémices ont déjà été enregistrées vont s'amplifier : augmentation des températures plus marquée dans l'hémisphère Nord ; augmentation probablement deux fois plus rapide des températures minimales nocturnes que des températures maximales diurnes ; diminution de la couverture neigeuse hivernale et de la glace marine arctique, diminution pour la quasi-totalité des zones terrestres des jours avec gel. Cela ayant pour effet une augmentation du niveau moyen de la mer qui met en péril des zones littorales, et tout particulièrement certaines îles coralliennes de l'océan Pacifique et de l'océan Indien.

Côté précipitations, on peut s'attendre à une augmentation notable des précipitations continentales dans l'hémisphère Nord, mais à une diminution sur certaines régions (Afrique du Nord et Afrique occidentale, par exemple), à une augmentation des périodes de fortes précipitations aux latitudes moyennes et supérieures de l'hémisphère Nord ; des sécheresses plus fréquentes et d'intensité accrue dans certaines parties de l'Afrique et de l'Asie ; des floraisons plus précoces, une évolution des périodes de migration, etc.

Cependant, l'augmentation de la moyenne des températures n'impliquera pas la disparition des vagues de froid, même si elles se feront plus rares. À cet égard, il n'est que de se rappeler que la canicule record qui a frappé l'Europe occidentale en juillet et août 2003 a été suivie, au cours de l'hiver 2004, de vagues de froid exceptionnelles dans l'Est des États-Unis et du Canada, en Grande-Bretagne, en Grèce et en Turquie, au Nord de l'Inde et au Népal, ou bien encore en Corée du Sud... En 2006, la période janvier-février aux États-Unis, la plus douce jamais enregistrée, contrastait avec des températures hivernales nettement inférieures aux normales pour une grande partie de l'Europe.

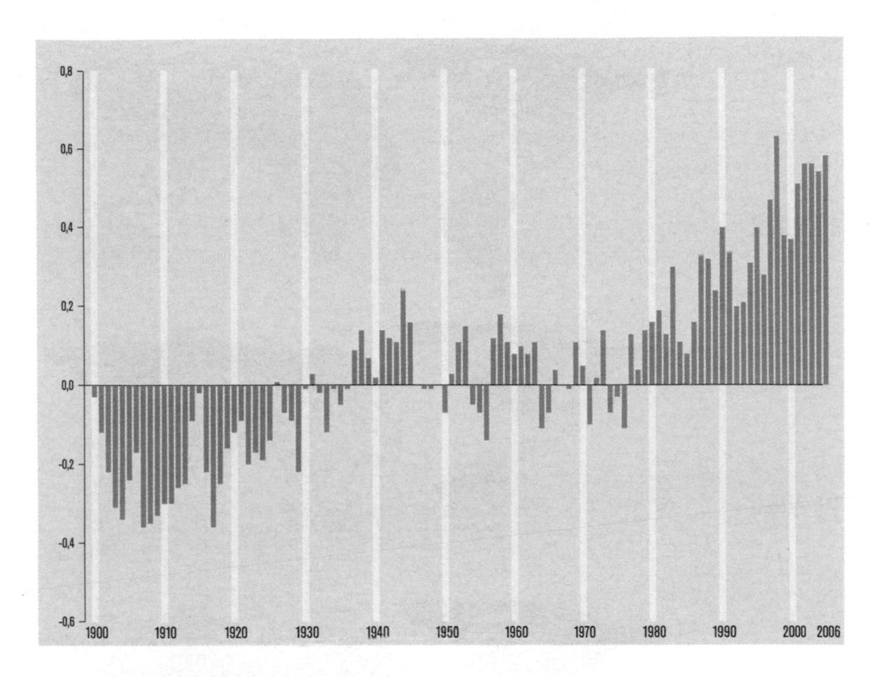

Températures globales en surface (terre et océan) : écarts par rapport aux « normales ».
Les 10 dernières années ont constitué la période décennale la plus chaude depuis que l'on enregistre et recueille des données climatiques à caractère mondial, c'est-à-dire depuis 1880. Le phénomène du réchauffement climatique est incontestable.

À l'évidence, ces dérèglements climatiques ne seront pas sans conséquences pour le voyageur. Si les moyennes climatiques trentenaires demeurent les mieux à même de l'informer du temps qui l'attend quelle que soit sa destination, le voyageur ne devra pas se montrer trop surpris devant des imprévus climatiques.
Le cas des cyclones en offre un bon exemple. Si l'on fait le bilan de la dernière année complète au moment de l'impression de cet ouvrage, en l'occurrence de 2004 à 2006, on peut affirmer que les dérèglements constatés dans leur calendrier et leur géographie sont probablement assez directement liés au réchauffement climatique : l'ouragan qui a touché, en mars 2004, le Sud du Brésil à hauteur de l'État de Santa Catarina – une situation totalement inédite –, le nombre record de typhons qui, la même année 2004, ont frappé le Japon ou l'arrivée précoce, dès juillet 2005, de nombreuses tempêtes tropicales dans la zone caraïbe. On sait en effet que, pour prendre naissance, un cyclone a besoin d'une mer dont la température dépasse 27° sur une profondeur d'au moins 60 m. Le réchauffement des océans a donc pour corollaire la multiplication des zones et l'élargissement des périodes favorables à la naissance et au développement des cyclones. Des destinations extrêmes, mais de plus en plus connues des voyageurs, comme le Grand Nord canadien, l'Alaska, le Groenland ou l'Antarctique seront les plus bouleversées, dans leurs accès et leurs paysages, par le réchauffement climatique et ses conséquences sur la calotte glaciaire.

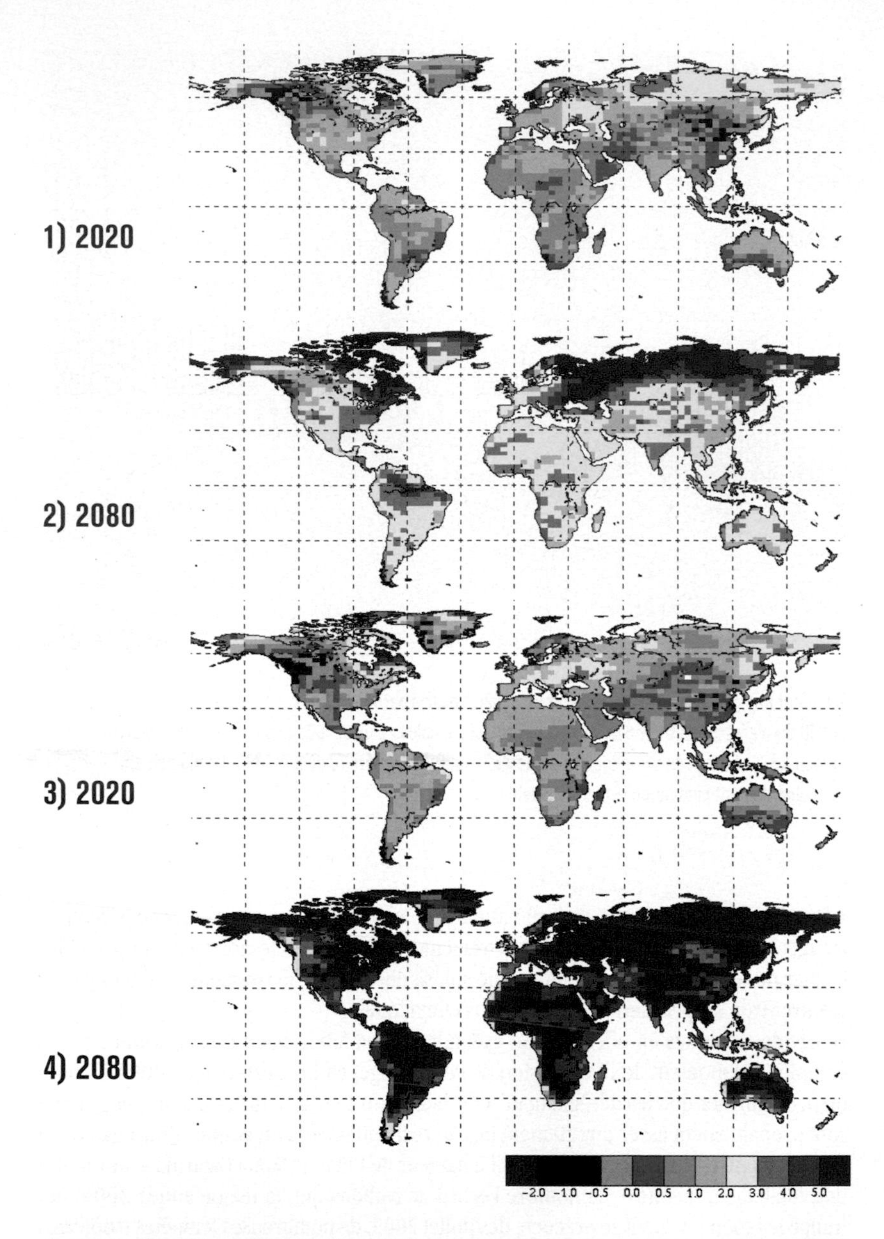

Ces cartes affichent les prévisions du Centre Hadley concernant l'augmentation de la température moyenne en comparaison de la période 1961-1990.
Les deux cartes du haut, respectivement à l'horizon 2020 (1) et 2080 (2), illustrent l'hypothèse d'un contrôle raisonnable des émissions de gaz à effet de serre.
Les deux cartes du bas, toujours à l'horizon 2020 (3) et 2080 (4), illustrent l'hypothèse d'une augmentation débridée des émissions de gaz à effet de serre.

Les rendez-vous nature

L'amour de la nature et de ses spectacles est de plus en plus fréquemment à l'origine du choix d'une destination. En témoignent la passion pour la plongée sous-marine dans le monde féerique des récifs coralliens, la mode des séjours dans les déserts, le succès des randonnées, à pied ou à cheval, la vogue des voyages de découverte de la faune et de la flore...

Parmi tous les cétacés, les mégaptères font les sauts les plus spectaculaires.
Ici, à la fin du mois de février, devant l'île Maui (Hawaii).

En France, cet engouement pour les « destinations nature » a incité les voyagistes à prolonger chaque année le Salon mondial du tourisme par un Salon de la randonnée et de la nature, et à consacrer un salon à la seule plongée sous-marine.
Désormais, le terme anglo-saxon *trekking* (à l'origine, randonnée en moyenne montagne) rime avec *whalewatching* (observation des baleines) ou *birdwatching* (observation des oiseaux) dans le vocabulaire du voyageur, et le safari est quasi exclusivement un pacifique safari-photo.

Les migrations

Qu'il s'agisse des baleines, des oiseaux, des gnous ou même des papillons, les migrations sont l'occasion des plus grands rassemblements animaliers. Encore faut-il être bien informé de leurs routes et de leurs calendriers pour ne pas risquer de les manquer.
Ainsi, c'est pendant une brève période, de deux à trois jours, jamais avant le 5 octobre et jamais après le 20 de ce même mois, qu'a lieu le pic du rassemblement de centaines de milliers d'oies des neiges au cap Tourmente (Canada, province du Québec). Arrivé trop tôt, le 1er octobre, le voyageur visitera un cap encore libre de *Chen caerulescens atlantica*; arrivé trop tard, le 1er novembre, il ne lui restera plus qu'à étudier les traces de fiente...

Des dizaines de milliers de zèbres se mêlent aux gnous pendant la grande migration.

Calendriers fluctuants...

Le succès même de ces « Rendez-vous nature » a des effets très contrastés sur la qualité et la crédibilité des informations diffusées les concernant.

D'une part, les enjeux économiques du tourisme nature ont souvent encouragé le financement de recherches confiées à des spécialistes très compétents. Ces travaux sur lesquels nous nous sommes fondé pour rédiger nos notices apportent des informations précieuses sur l'ampleur des phénomènes et leur calendrier.

D'autre part, le succès même de cet écotourisme peut conduire à certaines dérives : si l'industrie touristique (offices de tourisme, tour opérateurs, etc.) est de moins en moins avare d'informations, ce peut être parfois au prix de quelques erreurs manifestes qui ne tiennent pas toujours au seul hasard.

On savait déjà que, sur les catalogues de tourisme, le temps est rarement au ciel couvert et à la pluie. On retrouve parfois les effets d'un même optimisme très intéressé appliqué aux calendriers des « Rendez-vous nature ».

Ainsi, dans certaines de ses publications, l'Office de tourisme dominicain fait état de la présence des baleines à bosse dans la baie de Samana dès le mois de décembre et jusqu'en avril,... cela pour ne pas désespérer les voyageurs venus passer leurs vacances de Noël ou de Pâques à Saint-Domingue. Précisons cependant qu'une étude menée sur place pendant plus de quatre ans par une équipe canadienne indique le 3 janvier comme étant la date la plus précoce pour l'observation d'une baleine, le 16 mars étant la date la plus tardive...

En Argentine, rendez-vous est parfois proposé avec les baleines franches de la péninsule Valdés au mois d'avril, alors que la majorité d'entre elles n'ont pas encore quitté l'Antarctique. On pourrait multiplier les exemples de ce type.

De fait, si les dates des « Rendez-vous nature » peuvent varier d'une année sur l'autre, le plus souvent en raison de données climatiques, ces variations restent généralement assez modestes, cela à l'exception de certaines années particulières ; ainsi, en 1997-1998, l'ampleur exceptionnelle du phénomène d'*El Niño* est venue sensiblement bouleverser la feuille de route des baleines de l'hémisphère Sud.

© Martin Siepmann/Age-Hoa-Qui

Chaque année, de novembre à mars, des centaines de millions de papillons monarques se rassemblent dans quelques sites au Mexique.

ıIl en est de même du papillon monarque, au Mexique, dont les millions de spécimens quittent leurs refuges de Sierra Chincua et d'El Rosario avec une précision d'horloge suisse – dès que la durée du jour dépasse celle de la nuit – pour repartir vers le Nord et se disperser dans les vastes plaines des États-Unis et du Canada.

ıAutre exemple encore, le véritable amateur de baleines ne se contentera pas de l'information selon laquelle les mégaptères (baleine à bosse, ou jubarte) croisent chaque année devant l'île de Sainte-Marie, au Nord-Est de Madagascar, de juin à octobre ; il appréciera aussi de savoir que le pic des naissances se situe mi-août, que le moment où les baleines sont les plus actives et les plus présentes se déroule fin-août à début septembre, et que c'est durant cette même période, contrairement au mois de juin, que l'état de la mer est propice aux sorties au large.

Honneur aux baleines

Sans pour autant exclure quelques centaines d'ours blancs, des millions de papillons, des centaines de milliers de gnous et toutes sortes de volatiles, les baleines et les récifs coralliens ont encore la vedette dans les encadrés « Rendez-vous nature » présentés dans *Saisons & Climats*, « *Où partir en 2007 ?* ». Dans les prochaines éditions de cet ouvrage, nous achèverons le tour du monde des grands rendez-vous avec les baleines (Australie, Brésil, Colombie, États-Unis, Islande, Norvège, Nouvelle-Zélande, etc.).

© Gabriel Rojo

Un spectacle exceptionnel : en mars-avril, les orques n'hésitent pas à s'échouer sur les plages de la péninsule Valdés (Patagonie) pour capturer de tendres otaries.

Les Rendez-vous nature 2007

Açores : Cachalots et dauphins
Afrique du Sud : Ils rugissent et elles soufflent
Algérie : Sahara, destination désert
Argentine : Valdés, en Patagonie
Aruba, Curaçao, Bonaire : Les belles éponges
Australie : Sous la Grande Barrière
Belize : Au fond du Blue Hole
Canada : Le *far-north* de l'écotourisme
Comores : Plonge avec les baleines
Curaçao et Bonaire : Les belles éponges
Djibouti : Plonger aux Sept-Frères
Dominicaine (Rép.) : La baie de Samana
Égypte : Des secrets de la mer Rouge
Fidji : Dans la mer de Koro
Finlande : Soleil d'une nuit d'été
Hawaii : Mégaptères et ukulele
Inde : Sur la piste de Shere Khan
Indonésie : Au cœur des Célèbes
Japon : Sous les cerisiers en fleur
Kenya : Cachés dans les herbes
Madagascar : « Megaptera noaeangliae »
Malaisie : Les récifs de Sabah
Maldives : Des atolls et des palmes
Mexique : La baleine et le papillon
Népal : Sur les contreforts de l'Himalaya
Papouasie-Nouvelle-Guinée : Les récifs des trois mers
Seychelles : Sous la mer et dans les airs
Tahiti : Avec les raies Manta de Rangiroa
Tanzanie : La grande migration des gnous
Thaïlande : Sous la mer d'Andaman
Tonga : Groupe V, le retour

Destinations plongée : les plus beaux paysages sous-marins

Palmes, masque et tuba suffisent à une première approche...

Les cartes des récifs et barrières de corail situent, pour l'essentiel, les plus beaux paysages sous-marins au monde. Riches d'une flore et d'une faune étonnantes, ces récifs offrent au simple nageur de surface équipé d'un modeste masque et d'un tuba, comme au passionné des plongées en profondeur, des spectacles saisissants.

ı Dans l'hémisphère Nord, le corail ne se développe pas au-delà de 32° de latitude. Les Bermudes, le golfe de Suez et les îles Tokara, au Sud du Japon, en sont les avancées extrêmes. Dans l'hémisphère Sud, la limite est restreinte à 29° de latitude : les récifs de Santa Lucia, sur la côte orientale de l'Afrique du Sud, les îles Houtman Abrolhos, au Nord de Perth en Australie, et les îles Pitcairns, perdues dans le Pacifique, au Sud-Est de la Polynésie française, constituent les limites septentrionales des formations coralliennes.

ı **La plongée de loisir a eu des effets contrastés** sur la conservation des plus beaux sites coralliens. La surfréquentation peut gâcher des sites en quelques années (dommages causés par les ancres des bateaux, la collecte sauvage de « souvenirs », l'urbanisation hôtelière, etc.). Mais le développement du tourisme de plongée et les importants revenus qui y sont associés ont aussi souvent participé à convaincre de nombreux États de faire

© Valentin Emmanuel / Hoa-Qui

La Grande Barrière de corail (Australie).

des efforts particuliers pour garantir la conservation des sites. On comptait, en 2004, environ 700 sites coralliens protégés, dont les deux plus vastes sont la Grande Barrière de corail (Australie) et l'écosystème corallien des îles du Nord-Ouest d'Hawaii.

La meilleure saison pour partir plonger

Une eau claire, une mer calme et du soleil en surface,... telles sont les conditions idéales pour bénéficier de la meilleure visibilité et jouir au mieux des paysages sous-marins.

ı **La saison des pluies** n'est pas favorable, en règle générale, à la plongée. En effet, les alluvions fluviales qui se déversent alors dans la mer à cette période viennent en

Récifs fragiles

De multiples facteurs contribuent à détruire ou fragiliser les récifs : la pollution industrielle et pétrolière (golfe d'Aqaba), la pêche à l'explosif (Philippines, Indonésie), la pêche intensive destinée à la consommation ou pour fournir les aquariums tropicaux, l'utilisation des récifs comme matériel de construction, les rejets liés à l'urbanisation, notamment touristique, des côtes ; sans oublier, pendant de nombreuses années, les essais nucléaires (atolls de Bikini et de Muruora).

Une part importante du parc corallien mondial a, en outre, été affectée en 1998 par un phénomène de « blanchiment », celui-là tout à fait naturel, lié au stress subi découlant de l'élévation de la température de la mer pendant l'épisode *El Niño* de 1997-1998. La régénérescence des coraux se poursuit aujourd'hui à une vitesse d'autant plus rapide que le site est protégé et ne subit pas d'autres agressions.

Enfin, on a commencé, au début des années 1970, à observer la « maladie du Corail », aujourd'hui détectée dans 54 pays, dont les effets sont les plus visibles sur les côtes orientales de la mer Rouge et, dans les Caraïbes (particulièrement dans la région des Petites Antilles).

augmenter la turbidité. Cependant, dans le cas des îles de petites dimensions et celui où les sites de plongées sont éloignés des côtes, ce critère a moins d'importance.

1 **Le vent,** qui peut, en levant les vagues, rendre très inconfortables les trajets en bateau vers les sites de plongée, vient souvent de plus troubler la clarté des fonds. Pour le plongeur à tuba, le clapotis de la mer lui assure quelques tasses dont il préférerait se passer.

1**La présence de courants,** parfois saisonniers, peut rendre les plongées dangereuses. Mais ils peuvent aussi, selon leurs orientations, améliorer ou diminuer la visibilité.

Plonger en toute sécurité

Ne plonger qu'après avoir sollicité l'avis d'instructeurs homologués par les associations qui font autorité. Citons les : PADI (Professional Association of Diving Instructors), association américaine aujourd'hui la mieux implantée dans le monde ; CMAS (Confédération mondiale des activités subaquatiques), créée en 1950 par Jacques Cousteau ; SSI (Scuba Schools International), américaine ; NAUI (National Association of Underwater Instructors), américaine ; BSAC (British Sub-Aqua Club) ; et CEDIP (Comité européen des instructeurs de plongée), créé dans les années 1980 et aujourd'hui en expansion.

1**Une mer chaude** est toujours un élément de confort important de la plongée, d'autant plus, pour le nageur sans combinaison muni du seul masque à tuba, que la fascination exercée par les paysages incite souvent à rester dans l'eau longtemps. Il faut toujours tenir compte que, pour un plongeur, les températures de la mer sont inférieures aux températures « de surface ». En outre, on rencontre sur certains sites de plongée les phénomènes saisonniers d'*upwelling* (remontées périodiques des eaux froide des profondeurs).

1Si une mer chaude est un élément de confort de la plongée, elle a parfois des effets négatifs sur **la limpidité de l'eau** en favorisant, par exemple, le développement d'une concentration importante de plancton. Mais si la présence de plancton peut limiter la visibilité, elle peut aussi favoriser l'arrivée de grands poissons qui justifie alors tout l'intérêt de la plongée. En effet, raies Manta, requins ou poissons-soleil ont leurs habitudes et leurs saisons. Il serait dommage de ne pas en tenir compte et de rater les rendez-vous qu'ils nous fixent.
Toutes ces raisons expliquent que **la « meilleure saison » pour plonger n'est pas toujours celle de la typique vie de plage.** Par exemple, à la saison où la mer est la moins chaude, il est conseillé de plonger aux îles Fidji.

Dans les cartes qui suivent, nous avons surligné les 16 pays qui font l'objet d'un encadré spécifique dans la partie alphabétique des «pays», au centre de ce guide. Est notamment précisée la meilleure époque pour partir plonger. Sont aussi placés sur les cartes les sites mentionnés dans ces textes.

Récifs coralliens de la mer Rouge et de l'océan Indien

La pollution du golfe d'Aqaba et la surfréquentation des sites du Nord de la mer Rouge (Sharm el-Sheikh, Hurghada) incitent à plonger toujours plus au Sud (Quseir).

Le Soudan, doté d'un parc corallien remarquable, commence à s'ouvrir aux plongeurs, surtout par des croisières-plongée au départ du Sud de l'Égypte. L'Érythrée pourrait devenir le nouvel eldorado des plongeurs.

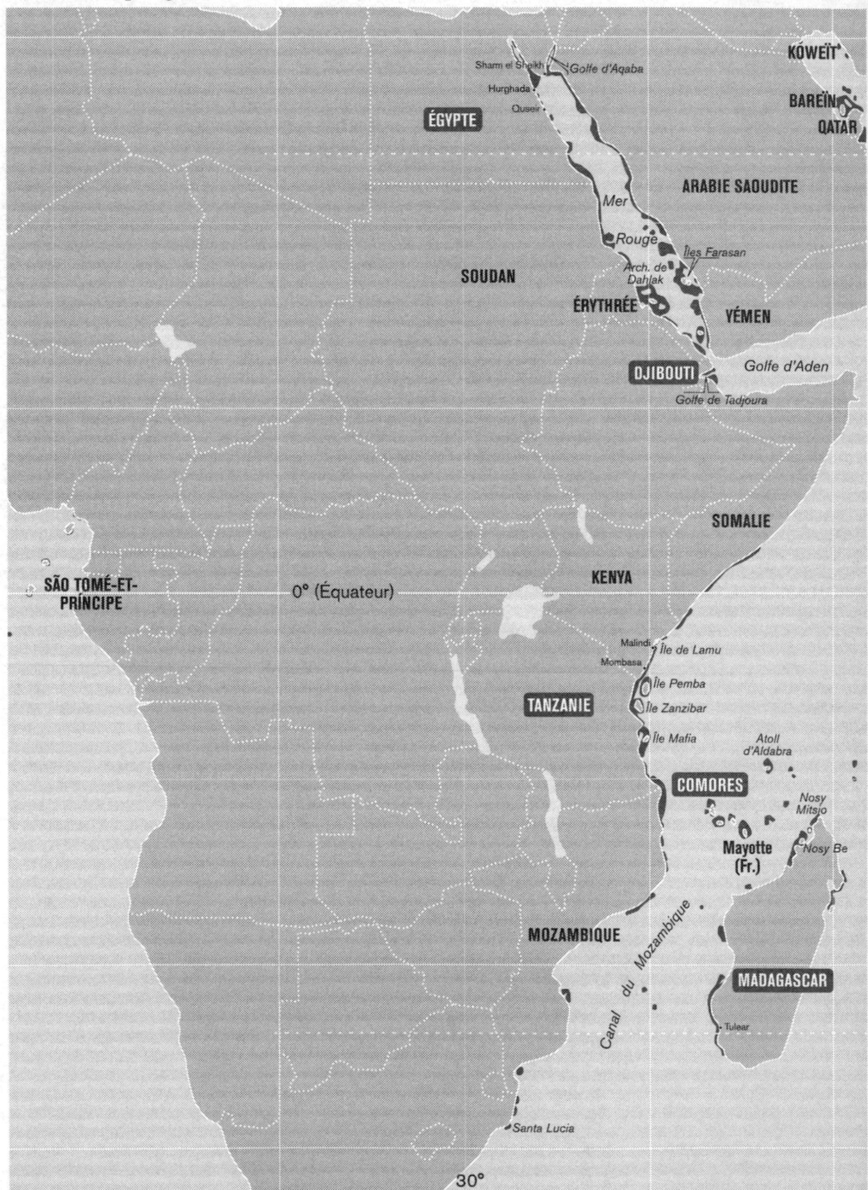

Parmi les pays d'Afrique de l'Est, la Tanzanie, plus que le Kenya, devrait peu à peu s'imposer comme la destination de choix des plongeurs. Si Maurice a sacrifié ses récifs à l'immobilier, Rodrigues, une de ses îles satellites, mérite encore d'être vue en profondeur. Le blanchiment des coraux, lié au *Niño* de 1997-1998, a affecté certains récifs du Kenya, de la Tanzanie, des Seychelles et les récifs les plus méridionaux des Maldives.

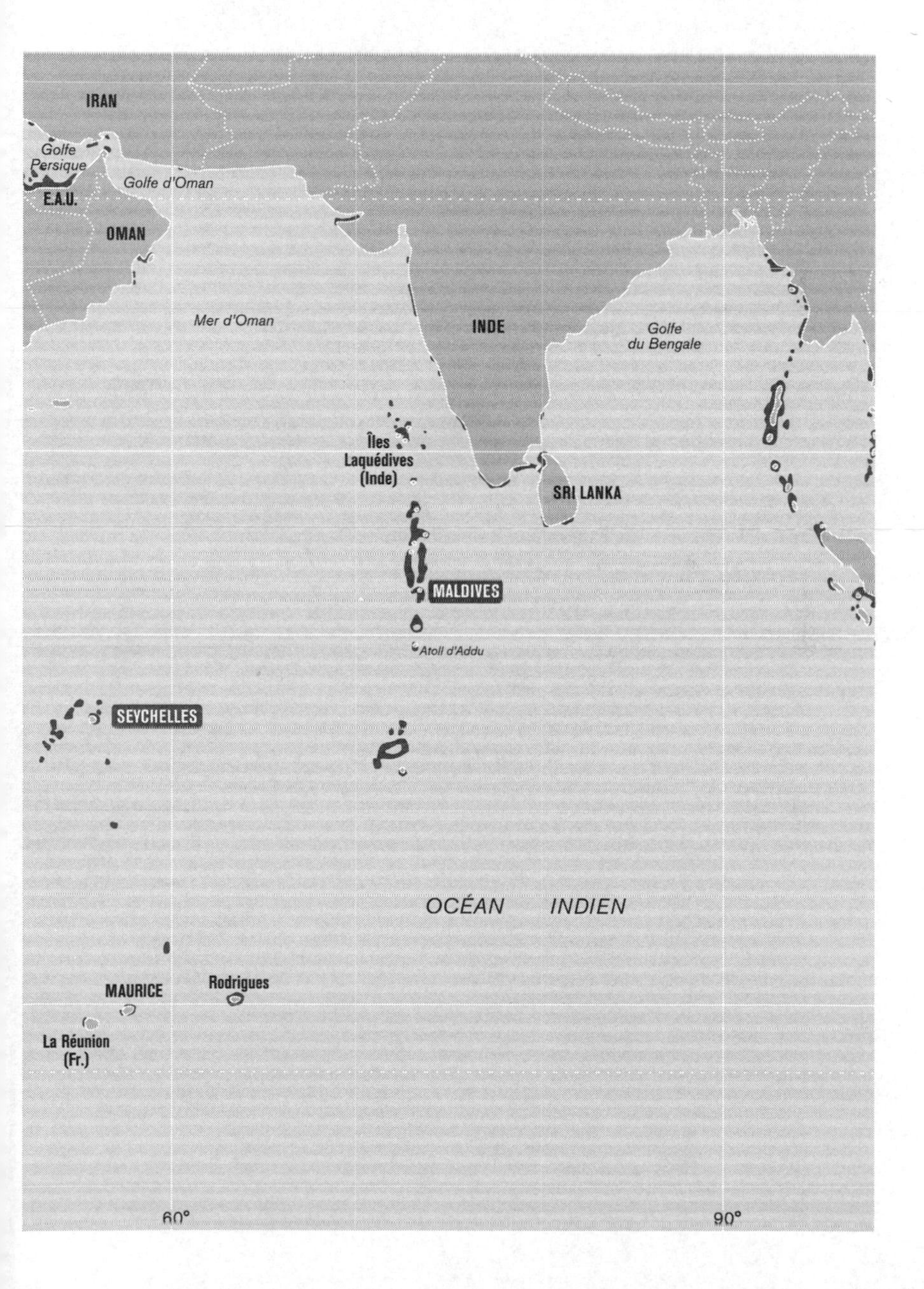

Récifs coralliens des mers d'Asie et d'Océanie

Grâce aux conditions climatiques qui ont permis le développement de très importantes structures coralliennes, cette région offre la plus grande biodiversité maritime au monde, tant du point de vue de la nature des coraux, que de la flore et la faune sous-marines qui s'y développent. Cette biodiversité atteint son apogée dans une zone qui englobe la partie centrale

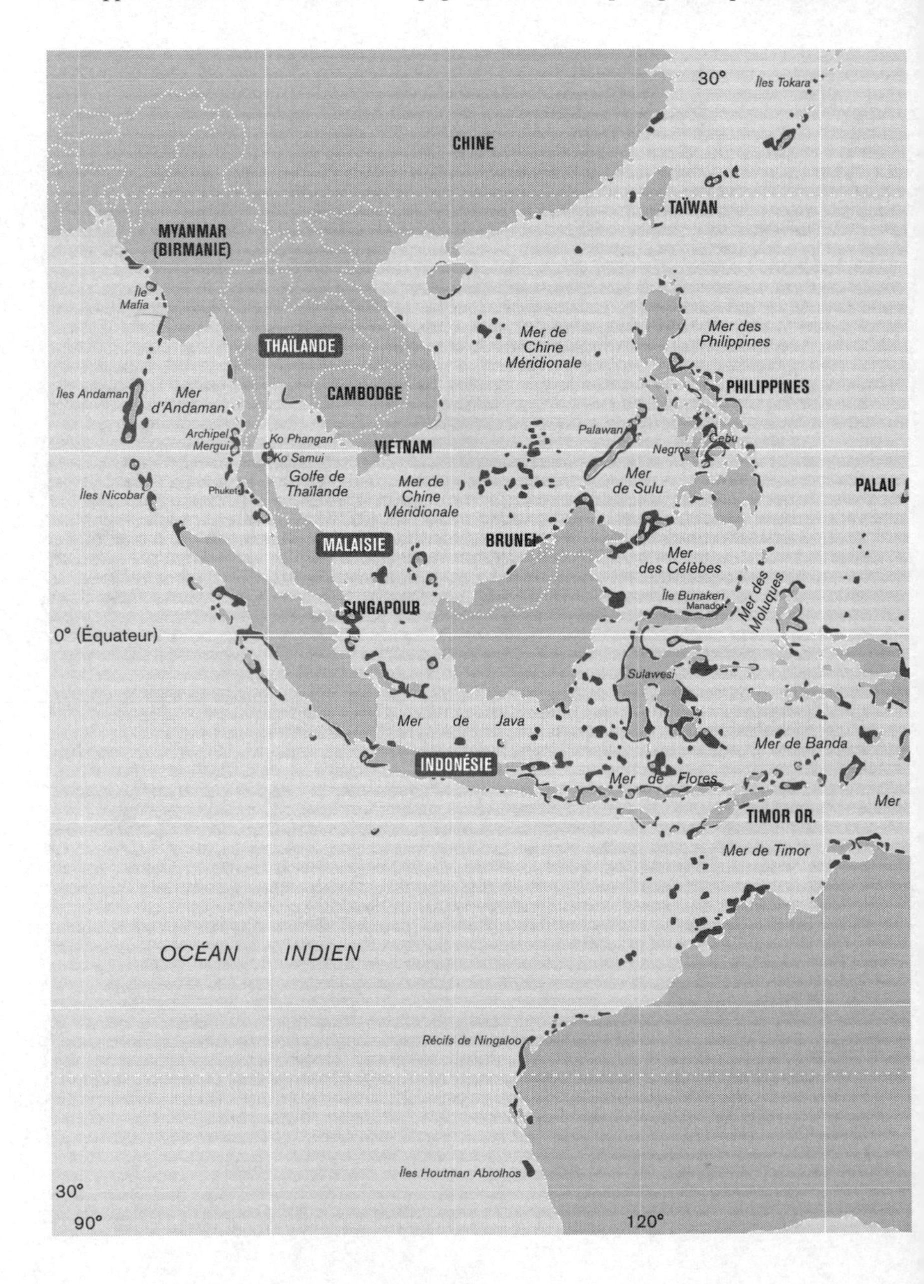

de l'Indonésie et s'étend, au Nord, jusqu'aux Philippines, au Sud jusqu'à Bali, et se prolonge à l'Est tout le long, et au-delà, de la côte Nord de la Papouasie-Nouvelle-Guinée. Le blanchiment de 1998 a plus particulièrement touché les récifs philippins, ceux du golfe de Thaïlande, l'île de Bali et la partie centrale de la Grande Barrière ; en revanche, il a presque épargné les îles centrales de l'Indonésie (Sulawesi) et la partie orientale de la mer d'Andaman.

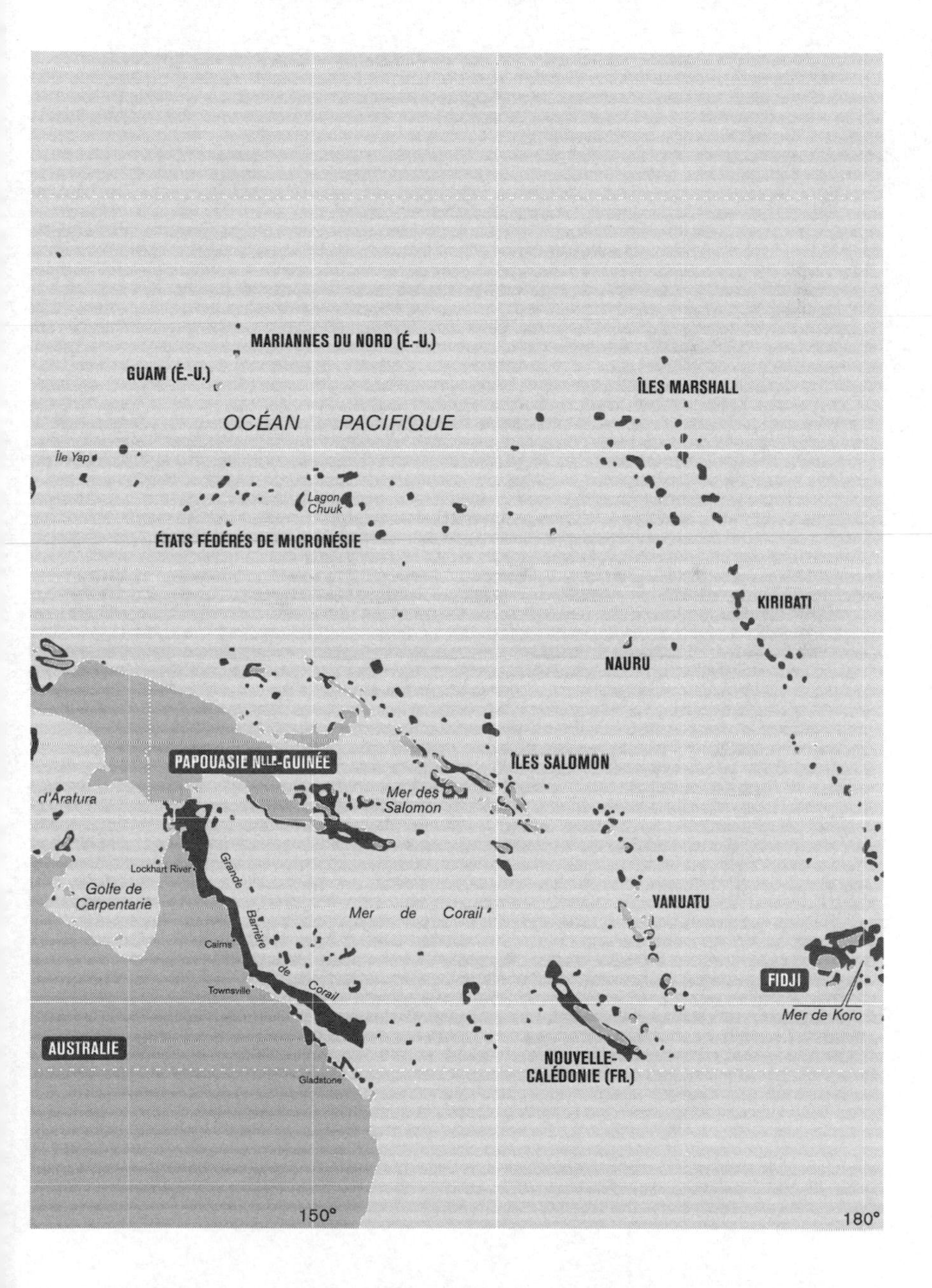

Récifs coralliens de l'océan Pacifique

Sur le planisphère des sites coralliens en péril, établi par l'UNEP (ou PNUE, Programme des Nations unies pour l'environnement), la Polynésie affiche la meilleure santé au monde. Les récifs y ont été peu touchés par le blanchiment de 1998 (à l'exception des îles occidentales de l'archipel de Tuamotu) et demeurent encore épargnés par la « maladie du Corail ». Les îles

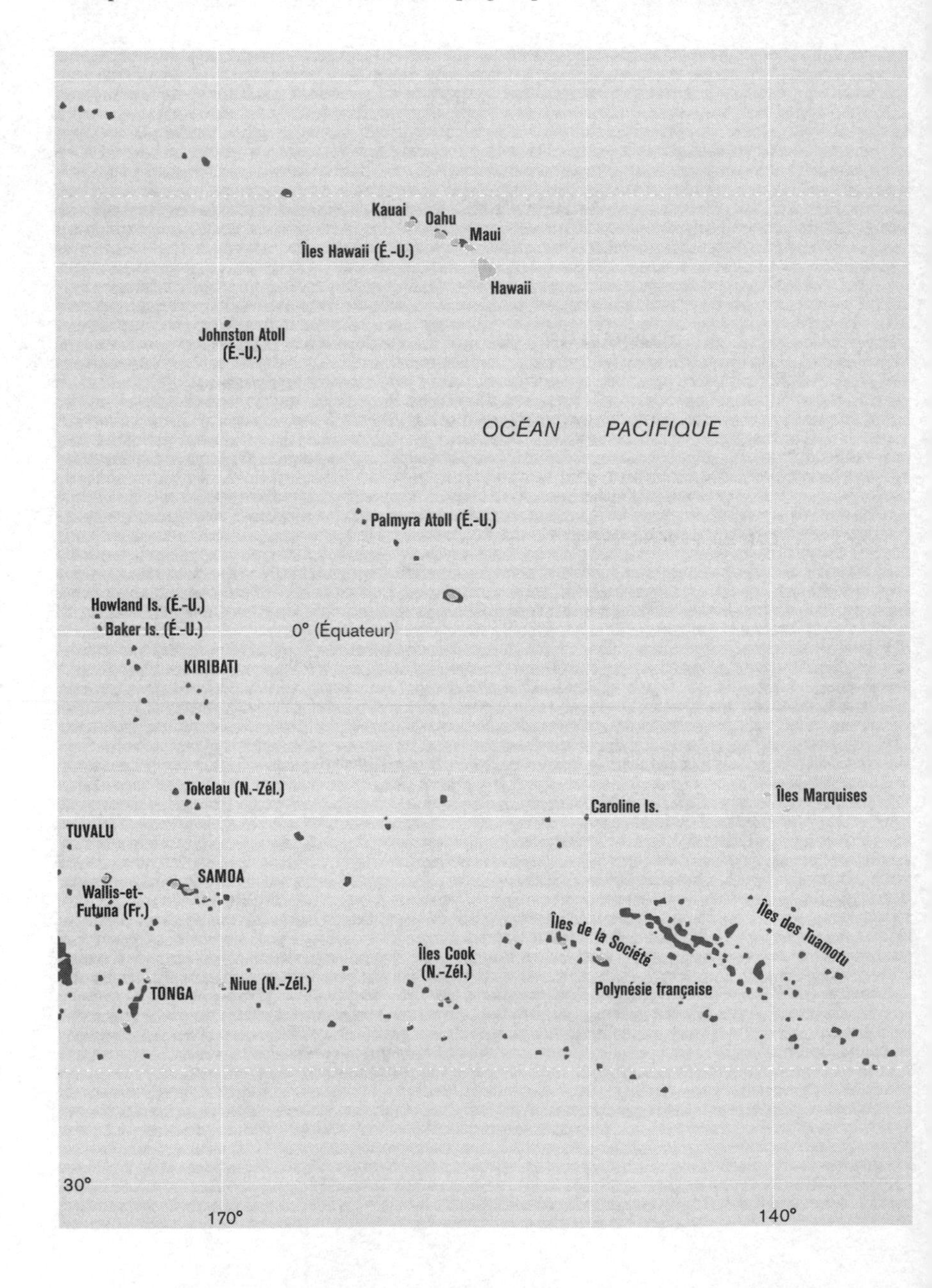

Galapagos, situées à l'épicentre du phénomène du *Niño,* ont été affectées par un blanchiment important. Mais aujourd'hui, le principal péril réside dans la pêche intensive à la langouste qui, ces dernières années, s'est considérablement développée dans des conditions qui mettent en danger de nombreuses autres espèces. L'isolement de l'archipel hawaïen dans le Pacifique fait qu'il présente un nombre important d'espèces que l'on ne rencontre nulle part ailleurs dans le monde.

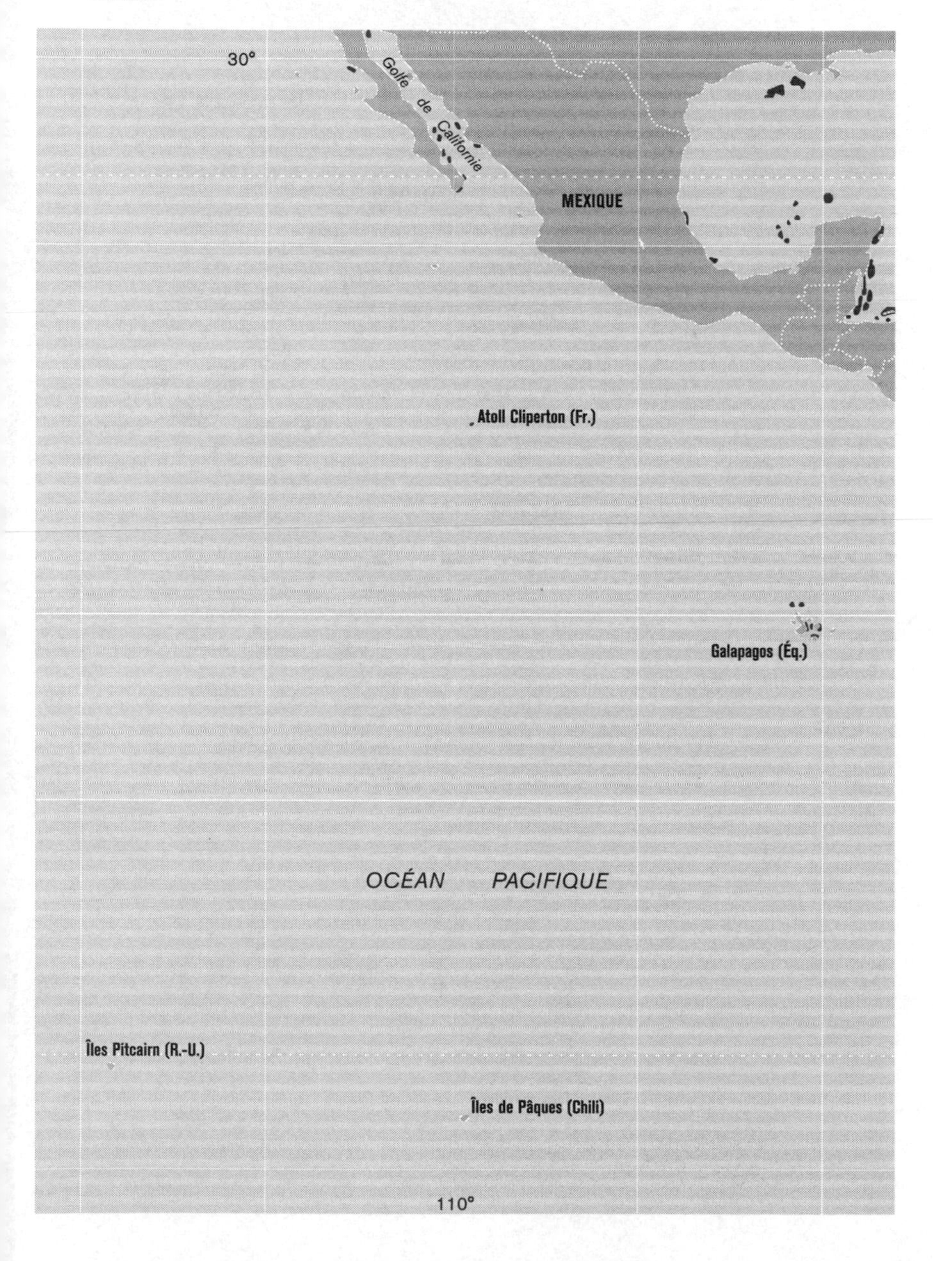

Récifs coralliens de la mer des Caraïbes et de l'océan Atlantique

L'Atlantique est pauvre en structures coralliennes. Le degré de biodiversité de ces récifs, concentrés dans la zone caraïbe, y est très inférieur à celui de l'Asie. C'est pourtant dans cette région que l'on observe la plus grande densité de plongeurs au monde, venus en majorité des

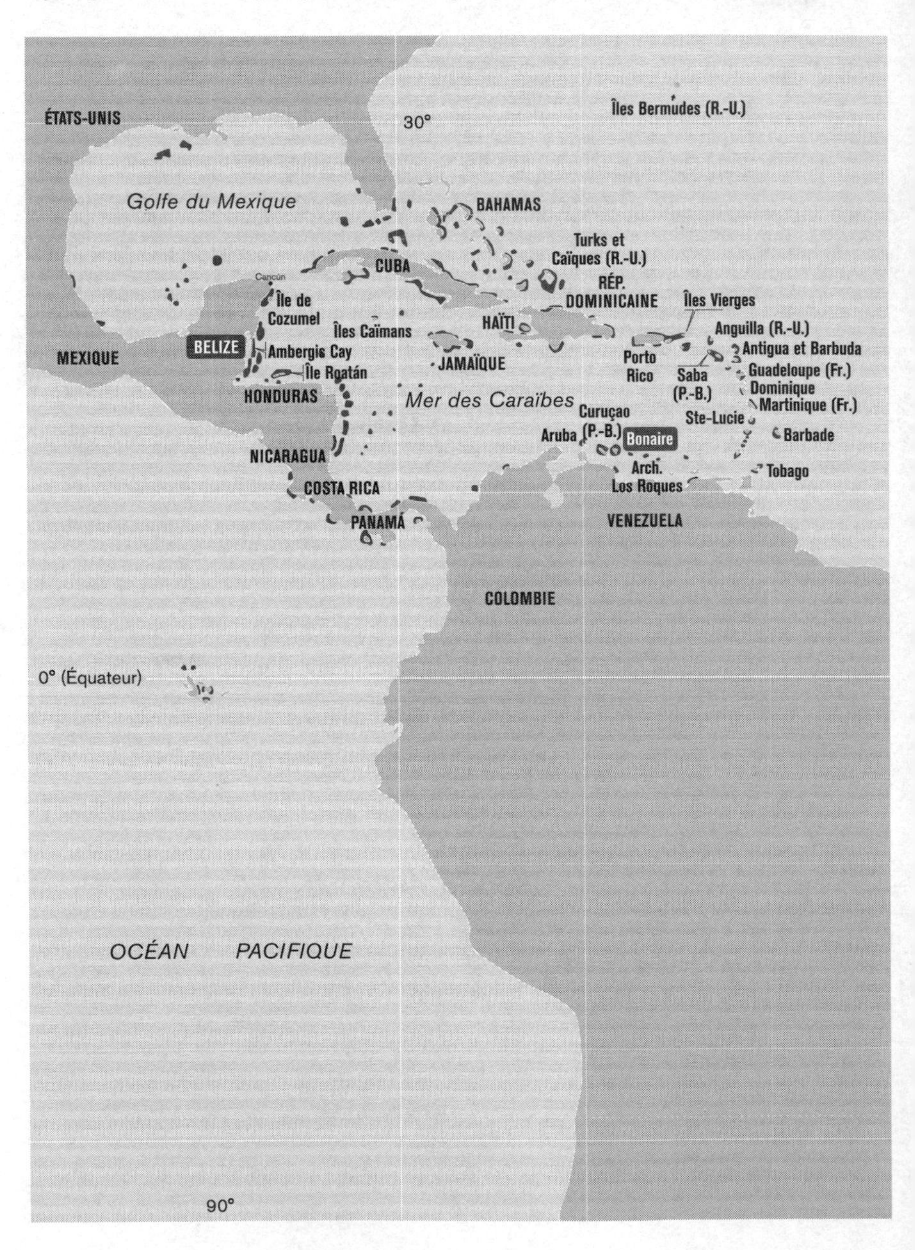

États-Unis. La pression touristique a entraîné une dégradation irréversible de nombreux sites (Floride, Jamaïque, République dominicaine...). Dans d'autres cas, elle a au contraire accéléré l'organisation d'une protection efficace du milieu sous-marin (Anguilla, Bahamas, Bermudes, Bonaire, Curaçao, Saba, Sainte-Lucie, Turks et Caïcos...). En Afrique de l'Ouest, seules les îles du Cap-Vert s'imposent vraiment comme destination de plongée. À distance sensiblement équivalente de la mer Rouge depuis l'Europe, elles constituent une alternative intéressante.

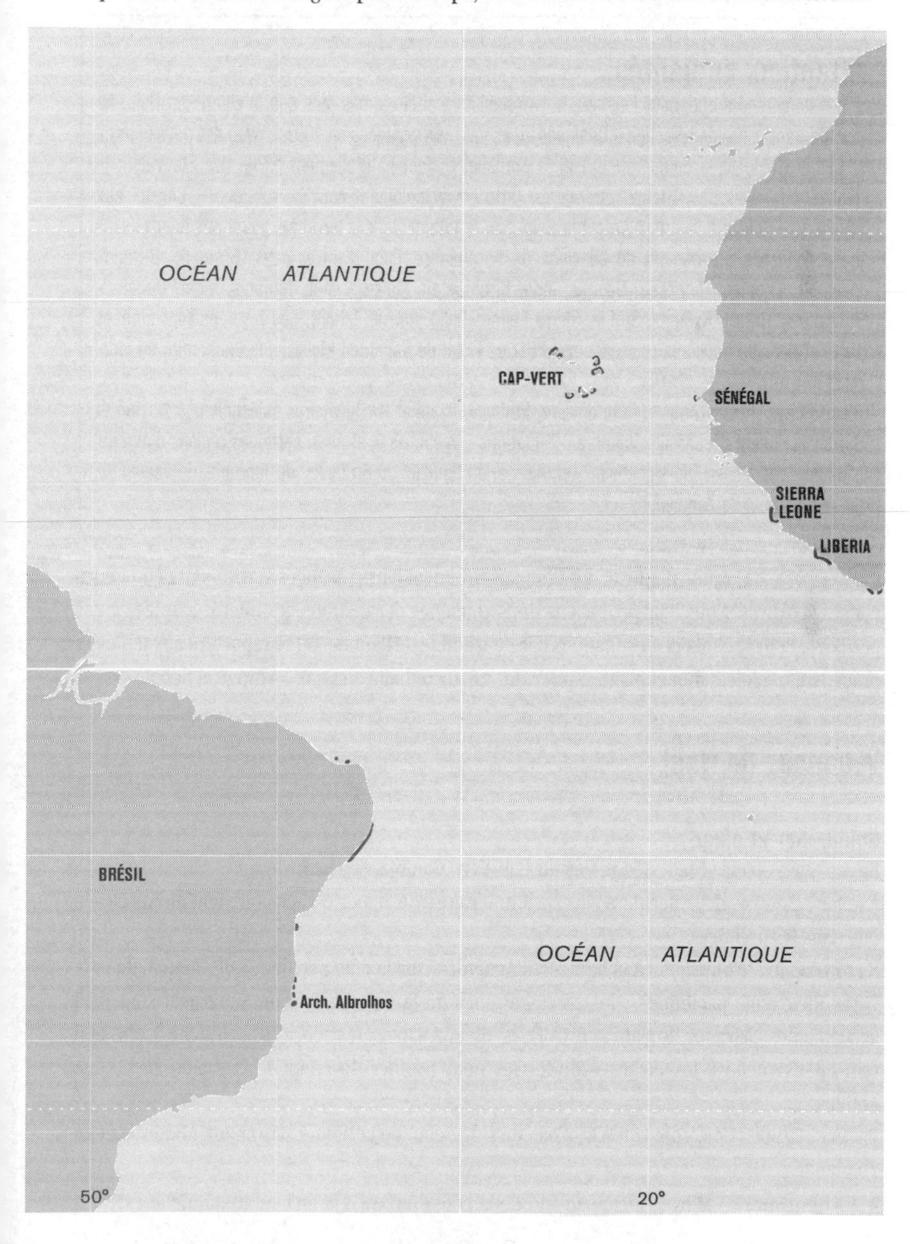

Quelques idées pour vos vacances en 2007

Attention, actualités...

On comprendra que, pour l'instant, ni l'Afghanistan, ni l'Irak, pas plus que le Liberia ou Haïti, ne figurent dans une sélection « Quelques idées pour vos vacances en 2007 ». Avec des pays comme le Congo (République démocratique) et la Somalie, ils font naturellement partie des États dont le ministère français des Affaires étrangères (http:/www.diplomatie.gouv.fr/, rubrique « Conseil aux voyageurs ») déconseillait fermement la visite, sur la totalité de leur territoire, y compris pour raisons professionnelles, au moment du bouclage de ce chapitre. Pour d'autres pays (Birmanie, Burundi, Colombie, Équateur, Érythrée, Géorgie, Inde, Kirghizistan, Malaisie, Mali, Namibie, Niger, Ouganda, Philippines, Russie, Rwanda, Serbie, Sierra Leone, Tadjikistan et Tchad), ces réserves sont limitées à des régions particulières (par exemple, l'Est de l'État de Sabah en Malaisie, le Cachemire en Inde, ou le Kosovo).
D'autre pays encore (Angola, Côte d'Ivoire, Éthiopie, Israël et les Territoires palestiniens, Pakistan et Salvador) étaient déconseillés comme destinations « vacances », et aussi certaines régions d'Algérie, d'Albanie, d'Indonésie, de Macédoine, du Nigeria, du Soudan, du Sri lanka, de Tanzanie, de Thaïlande, du Venezuela et de Zambie.

Par nécessité, la grande majorité des Français prennent leurs vacances et voyagent pendant les congés scolaires. Nous leur proposons donc quelques destinations, les mieux adaptées à ces périodes. Pour le choix de destinations sur l'ensemble de l'année, on se reportera aux tableaux précédents, « Soleil, mer et plage », pour des vacances balnéaires, et « Voyage et découverte ».

Vacances de Noël

Soleil, mer et plage

En Afrique : Ghana, Togo, Bénin, îles du Cap-Vert, Gambie, Sénégal.
À noter : dans ces deux derniers pays, la température de la mer est sensiblement moins élevée que dans les premiers.
En Amérique : le Mexique (à la hauteur d'Acapulco, sur la côte pacifique), le Guatemala et le Costa Rica (côte pacifique) ; les côtes caraïbes de la Colombie et du Venezuela sont déjà accueillantes, Salvador de Bahia (Brésil) est idéal. La mer est encore assez fraîche à Rio, et il vaut mieux attendre les vacances de février pour profiter du cœur de la saison sèche aux Antilles.
En Asie : l'Inde (Goa, côte Ouest) ; c'est aussi le début de la bonne saison aux Maldives et en Thaïlande.

▶ **! Attention :** au Maroc, même au sud de la côte (Tarfaya), la mer est très fraîche (18°).

Voyage et découverte

Noël est une bonne époque pour parcourir les régions sahariennes et nombre de pays africains : Mali, Niger, Burkina-Faso, Bénin, Cameroun.
La fin de l'année est une période favorable pour un voyage en Floride, en Amérique centrale (Guatemala, Nicaragua, Salvador, Honduras), en Terre de Feu, ou même pour embarquer à Ushuaïa et réveillonner en Antarctique.
En Asie : l'Inde (sauf le Cachemire), le Népal, le Bangladesh, la Birmanie (Myanmar), la Thaïlande, le Laos, les Philippines, Oman, au Moyen-Orient.

Ski

! Attention : à Noël, la couche de neige est souvent mince dans les Pyrénées et les Alpes du Sud. Les risques sont plus limités dans les stations du massif du Mont-Blanc, en Suisse et en Autriche. La neige est assurée en Scandinavie, mais les jours sont alors vraiment très courts.

Vacances d'hiver (février)

Quand c'est l'hiver dans l'hémisphère Nord, c'est l'été dans l'hémisphère Sud.

Soleil, mer et plage

Les destinations « bronzage et bains de mer » proposées pour Noël restent valables en février, ainsi que tous les pays des Petites et Grandes Antilles qui sont en pleine saison sèche, Rio et, en Asie, la côte Sud-Est de l'Inde (Pondichéry), le Sri Lanka (la côte Est comme la côte Ouest).
Pour ceux qui ne sont pas trop exigeants sur la température de la mer, on peut aussi conseiller toutes les grandes plages des pays du Sud de l'hémisphère austral, qui vivent alors leur plein été : Punta del Este (Uruguay), Mar del Plata (Argentine), Viña del Mar (Chili), les côtes péruviennes, particulièrement propices à la pratique du surf ; on peut également aller bronzer sur les plages du Cap (Afrique du Sud), ou séjourner sur les côtes orientales et occidentales de l'Australie (Sydney, Perth).

Voyage et découverte

En Afrique, c'est une bonne saison pour visiter les réserves animalières du Kenya – où le *touristicus safaritus* est plus rare qu'en été – mais aussi celles du Cameroun. C'est le début de la meilleure époque pour se rendre au Sénégal, et il est encore temps de rejoindre les régions sahariennes, au Niger, au Mali et au Burkina Faso, avant l'irrésistible montée des températures, sans oublier l'Égypte.
Février est favorable à la visite des sites archéologiques de l'Amérique centrale (Guatemala, Honduras) et aux voyages au Venezuela ou en Terre de Feu (Argentine et Chili).
En Asie, c'est toujours la saison de l'Inde, et le mois idéal pour parcourir le Sri Lanka d'Est en Ouest sans craindre les moussons, ou visiter la Thaïlande, le Sud du Vietnam et les Philippines.
En Océanie, le Sud de l'Australie et la Nouvelle-Zélande connaissent un été agréable.

Ski

Partout en Europe, pas de problèmes d'enneigement, mais c'est l'époque où les températures sont les plus basses.

Vacances de printemps (avril)

Soleil, mer et plage

Si Pâques n'est pas trop tardif : fin mars et avril sont idéaux pour le Sénégal et la Gambie ; c'est également une bonne époque sur la côte du Natal (Afrique du Sud).

En Amérique : Floride, les Bahamas ; la saison sèche se termine dans les Antilles et sur les côtes caraïbes de Colombie et du Venezuela. La saison des pluies est achevée en Bolivie.

En Inde, le soleil est là, mais il fait trop chaud, même sur les plages. La période est favorable pour les côtes Nord et Est du Sri Lanka, la côte Est de la péninsule malaise, les Philippines.

! Attention : en Tunisie, le beau temps n'est pas encore garanti, et la mer est encore très fraîche, même à Djerba. Il en va de même pour tous les pays méditerranéens.

Voyage et découverte

Bonne époque pour parcourir le Sud de l'Espagne (Séville).

En Afrique, meilleure période pour visiter les réserves animalières sénégalaises et camerounaises, l'intérieur de Madagascar.

En Amérique : le Sud des États-Unis (Texas, New Orleans), Santiago du Chili, Buenos Aires.

Au Moyen-Orient : Israël, Jordanie, Syrie, Iran.

En Asie : la Chine (Pékin, Shanghai), le Japon des cerisiers en fleur.

En Océanie : l'*Outback* australien.

Ski

Si Pâques est tardif, la neige sur les pistes de ski françaises, autrichiennes, suisses, italiennes, est parfois insuffisante ou de qualité médiocre. C'est le moment de penser aux stations scandinaves, d'autant plus qu'elles commencent à bénéficier de très longues journées.

Vacances d'été (juillet-août)

Soleil, mer et plage

Rives de la mer Noire et de la Méditerranée : Roumanie, Bulgarie, Turquie, Israël, Chypre, Grèce, Croatie, Italie, Espagne, Baléares, Malte, Maroc, Tunisie (c'est sur les côtes de la Méditerranée orientale que la mer est la plus chaude).

Côtes atlantiques (France, Espagne, Portugal) : mer fraîche.

Îles atlantiques : Canaries, Madère, Açores.

En Afrique de l'Est : Tanzanie, Kenya.

Îles de l'océan Indien : Madagascar (côte Ouest), La Réunion, Maurice, Comores, Seychelles.

En Amérique : Californie (mer fraîche), Bermudes.

En Asie : Malaisie, Indonésie, Papouasie – Nouvelle-Guinée.

Océanie : côte Nord de l'Australie, îles Fidji, Vanuatu, Tahiti, Hawaii...

Voyage et découverte

Pays scandinaves, Grande-Bretagne, Irlande, Islande, Europe du Nord et Europe centrale.
En Afrique, les réserves animalières de : Tanzanie, Afrique du Sud, Namibie, Zambie, Zimbabwe, Kenya, Botswana, Gabon.
Aux Amériques : côte Ouest des États-Unis, Canada, bassin amazonien (Manaus, Iquitos), Équateur, Pérou inca, Bolivie (mais les nuits sont vraiment froides sur l'Altiplano), Paraguay, Nord du Chili et de l'Argentine.
En Asie : Malaisie, Indonésie, Tibet, Mongolie.

Ski

Pour skier en plein été, partez vers l'hiver... : Argentine, Chili et Nouvelle-Zélande.

Quand partir ?

70 Le temps qu'il fait des Açores au Zimbabwe

Des réponses claires et détaillées, pays par pays, aux questions que l'on se pose concernant le climat avant de choisir une date de voyage ou une destination de vacances.

Comment jouer avec les climats ?

Tous ceux qui voyagent – pour le plaisir ou pour des raisons professionnelles – ont au moins une préoccupation commune : le temps, cet élément décisif pour la réussite d'un séjour à l'étranger. Et pourtant, si surprenant que cela soit, lorsqu'on aime voyager on constate très vite à quel point il est difficile d'obtenir de vraies réponses à des questions telles que : sur les plages de Djerba, peut-on se baigner au mois d'avril ? Quand peut-on sillonner l'île de Sri Lanka en échappant aux deux moussons ? Quelle est la meilleure saison pour remonter l'Amazone ? Mon entreprise m'envoie à la foire de Canton : que dois-je mettre dans ma valise ? Etc.
C'est précisément ce que vous propose cette partie : des réponses claires et détaillées aux questions concernant le climat avant de choisir une date de voyage, une destination de vacances et avant de faire sa valise.

Quand partir ?

Vous avez déjà décidé de votre destination (déplacement d'affaires ou vacances), mais vous ne savez pas quelle période choisir pour entreprendre ce voyage : vous trouverez dans cette partie un chapitre consacré à chacun des 190 pays ou unités géographiques du monde (archipels et îles peuvent être traités indépendamment de leurs métropoles). Chacun de ces chapitres comprend :

- Une description climatique du pays concerné dans sa diversité régionale, mettant en évidence la ou les meilleures périodes pour s'y rendre, compte tenu du type de voyage envisagé ; pour prendre un exemple évident, en Grèce, juillet et août se prêtent à la plage et au soleil, alors que mai, juin et septembre sont plus favorables à la découverte des richesses archéologiques du pays.
Vous trouverez aussi des informations utiles sur les vents, la température de la mer, les spectacles de la nature liés aux saisons tels que certaines migrations animales, les floraisons, les précautions médicales à prendre avant de partir, la valise (que mettre dedans ?), les « bestioles » et leurs saisons favorites, la période où l'affluence touristique est maximale, etc.
- Deux tableaux, qui vous permettront d'avoir une idée encore plus précise du climat de la période qui vous intéresse ; et un troisième tableau, pour les pays baignés par la mer, qui présente les températures de l'eau. Souvent, les chiffres n'ont pas très bonne presse : pourtant, vous constaterez, en lisant « Tableaux, mode d'emploi », comme ils sont faciles à interpréter, et y prendre goût... Que ceux qui sont définitivement réfractaires aux chiffres se rassurent : l'essentiel est dit dans les textes !
- Ces informations climatiques sont précédées de la superficie du pays, comparée à celle de la France, de la situation géographique, du décalage horaire et de la durée du jour pour la capitale ou, dans certains cas, pour une ville plus significative pour le voyageur (par exemple, Johannesburg plutôt que Pretoria, en Afrique du Sud ; Rio plutôt que Brasilia, au Brésil), et enfin, d'une carte destinée à situer les villes de référence traitées dans les tableaux (l'échelle de chaque carte est, bien entendu, différente selon les pays).

Où partir ?

Deuxième cas de figure, vous connaissez la date de vos vacances, mais vous n'avez pas encore choisi votre destination :

- Une fois un premier choix opéré à l'aide des tableaux et des cartes présentés dans la première partie de cet ouvrage, vous vous reporterez aux chapitres consacrés à chacun des pays retenus lors de ce premier tri.

Que mettre dans sa valise ?

Quant à ceux qui doivent partir à une date déterminée pour un pays donné (voyage diplomatique, rendez-vous d'affaires, congrès, séminaires...), le chapitre correspondant leur précise le type de temps, l'affluence touristique, les vaccinations obligatoires, que mettre dans leur valise, etc.

Les sources

Les tableaux des statistiques climatiques et des températures de la mer ont été établis à partir d'une documentation recueillie auprès de l'Organisation météorologique mondiale (OMM), à Genève, et les offices météorologiques nationaux de nombreux pays. Outre Météo France, naturellement, il faut particulièrement citer les offices britannique, américain, allemand et russe, qui centralisent des données concernant le monde entier. Mention doit aussi être faite de l'Institut de géographie, de l'Institut océanographique et de l'IRD (ex-Orstom) pour la richesse de leurs fonds documentaires.
Une fois les données collectées à partir de ces diverses sources, le travail a notamment consisté à vérifier leur cohérence et, au besoin, à les homogénéiser – prise en compte des unités de mesure anglo-saxonnes, calculs de nouvelles moyennes et dans certains cas, lissage de courbes ou extrapolations, etc.
Pour la rubriquc « Foule », les données nécessaires à sa rédaction ont été rassemblées auprès des différents ministères du Tourisme des pays récepteurs, de l'Organisation mondiale du tourisme (OMT), à Madrid, et de l'Organisation de coopération et de développement économiques (OCDE), à Paris.
Que soient remerciés tous les météorologues, climatologues, océanographes et documentalistes qui nous ont aidé dans ces travaux, et tous ceux qui nous ont fait part de leur expérience.

N.B. : Ceux qui n'apprécient que les tornades, le blizzard, la fournaise, les déluges et les vents furieux ont toute notre sympathie. Ils trouveront eux aussi dans *Saisons & Climats* de quoi satisfaire leur passion pour les éléments déchaînés et l'aventure.

Mode d'emploi des tableaux

Les températures

Ces tableaux donnent deux chiffres pour chaque mois. Le premier, sur la ligne supérieure, est celui de la moyenne des températures maximales du mois considéré (en degrés centigrades) ; le second, celui de la moyenne des températures minimales.

On appelle « température maximale » la température la plus élevée observée au cours d'une journée de 24 heures. Elle est le plus souvent relevée au début de l'après-midi. Notre premier chiffre correspond donc à la moyenne de toutes les températures maximales relevées au cours du mois considéré. De même, notre second chiffre correspond à la moyenne des températures minimales quotidiennes, généralement relevées un peu avant le lever du jour.

Observations :

- On peut d'abord constater que, si le voyageur a toutes les chances d'expérimenter les températures maximales, il est généralement encore couché au moment le plus froid de la journée.
- Soulignons encore que ces chiffres n'expriment que des moyennes. Pour prendre l'exemple de Paris, alors que la plus haute moyenne maximale est de 24° en juillet, il y a néanmoins une moyenne de 11 jours par an où, en juillet, les températures atteignent ou dépassent 30°, et on a même déjà relevé des températures approchant les 40° ! De même, si la plus basse moyenne minimale est de 2° en janvier et février, on relève près de 10 jours par an, en moyenne, des températures égales ou inférieures à – 5°, le record pour les 60 dernières années étant – 15°.

On se reportera au chapitre « Moyennes et écarts climatiques » de cet ouvrage où cette notion de « moyenne » est traitée avec l'aide d'exemples illustrés concernant les écarts aux moyennes à propos des températures, des précipitations et de l'ensoleillement.

L'ensoleillement et les précipitations

L'ensoleillement :

Le chiffre de la ligne supérieure exprime, en heures, la durée moyenne d'ensoleillement par jour en un lieu et pour un mois donnés.

Observations :

- En juin, par exemple, les 10 heures d'ensoleillement de Saint-Pétersbourg ne peuvent être comparées aux 10 heures d'ensoleillement de Lubumbashi (Congo). En effet, à Lubumbashi, située en dessous de l'équateur, la durée du jour est alors inférieure à 12 heures et le taux d'ensoleillement atteint est de 87 %, alors qu'à Saint-Pétersbourg, où le jour dure plus de 19 heures, ce taux n'est que de 53 %. La mise en regard de l'ensoleillement moyen avec les durées mensuelles de jour de chaque pays permet au lecteur d'évaluer avec une précision suffisante le pourcentage d'ensoleillement. (On sait qu'en mars et en septembre, au moment des équinoxes, la durée du jour est de 12 heures environ partout dans le monde.)

▶ Ces heures de soleil peuvent en outre se répartir très différemment suivant les climats : certaines régions tropicales connaissent des saisons où les pluies tombent presque tous les jours à heures fixes. La durée quotidienne d'ensoleillement varie alors peu d'un jour à l'autre et elle reste très proche de la moyenne indiquée. (À Belém par exemple, au nord du Brésil, la première averse tombe tous les jours à la même heure avec la régularité d'une horloge : à tel point que l'on se donne rendez-vous *antes da chuva* ou *depois da chuva*, « avant la pluie » ou « après la pluie ».) Sous d'autres climats, un chiffre de 5 heures d'ensoleillement moyen peut fort bien correspondre à deux semaines nuageuses suivies de deux semaines où le soleil se montrera particulièrement généreux.

Les précipitations :

Les deux chiffres de la ligne inférieure correspondent aux précipitations. Le premier indique la hauteur des précipitations mensuelles, mesurée en millimètres ; le second, le nombre de jours de pluie, plus précisément le nombre de jours où il est tombé au moins 1 mm d'eau, que ce soit sous forme de pluie ou de neige.

Observations :

▶ La mise en regard des chiffres concernant les précipitations et de ceux concernant les températures permet de savoir si ces précipitations tombent essentiellement sous forme de pluies ou de neige : il neige quand la température descend en dessous de 0°. On peut considérer que la neige se maintient au sol de manière permanente pendant les périodes où la température moyenne (moyenne des maxima + moyenne des minima, le tout divisé par 2) est inférieure à – 1,5°. On n'aura, par exemple, aucun mal à déduire des tableaux concernant la Russie que, au moins de la mi-novembre à la fin mars, un manteau blanc recouvre la campagne moscovite.

▶ La mise en regard des chiffres concernant les précipitations et de ceux concernant l'ensoleillement permet de déduire le type de précipitations : en Irlande, les 75 mm de décembre associés à une moyenne quotidienne de 2 heures de soleil laissent présager des petites pluies fréquentes et têtues. À Fort-de-France, en Martinique, les 245 mm de juillet associés aux 8 heures de soleil ne s'expliquent que par le caractère violent mais bref des averses tropicales. Enfin, que ce soit à Lima ou sur la côte de Namibie, l'absence de précipitations associée au faible ensoleillement est liée à la présence d'un brouillard persistant pendant l'hiver austral.

Les températures de la mer

Les chiffres affichés sont ceux de la température moyenne de la mer en surface, mois par mois.

Selon les années, ces températures évoluent autour des moyennes, avec des écarts modérés. Bien entendu, à proximité immédiate du rivage, ces températures varient selon des considérations très locales : orientation et exposition de la plage, profondeur de la mer. Cela explique parfois les écarts entre les températures présentées dans ces tableaux et celles que l'on peut déduire de la lecture des planisphères « Températures de la mer » présentées dans la première partie de cet ouvrage.Comment jouer avec les climats ?

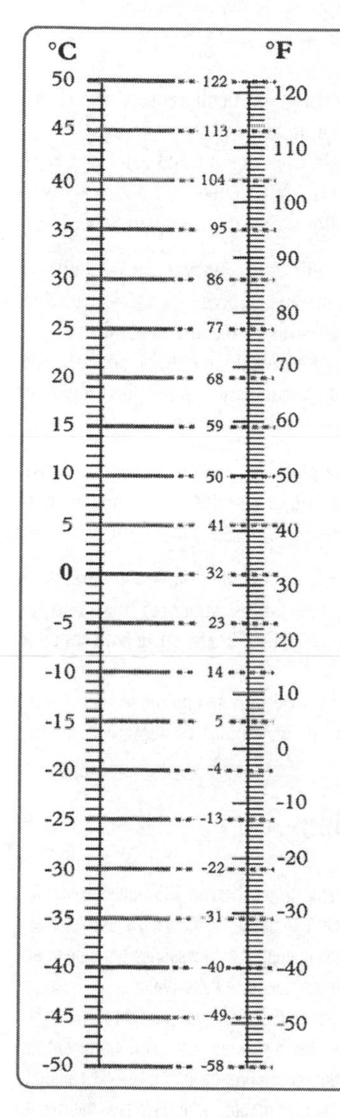

Fahrenheit & Celsius

Sur le territoire des États-Unis, la température est donnée en degrés Fahrenheit ; on évitera de se réjouir à l'annonce d'une température de 25°. Exprimée en Fahrenheit, elle équivaut à – 4 degrés Celsius et n'est donc pas très propice à la flânerie en tenue d'été...

Sur l'échelle Fahrenheit, l'eau gèle par définition à 32° et bout à 212°, alors que, sur l'échelle Celsius, l'eau gèle à 0° et bout à 100°. Ainsi, une différence de 180° dans l'échelle Fahrenheit correspond à une différence de 100° dans l'échelle Celsius.

Pour convertir des degrés Celsius en degrés Fahrenheit, il faut multiplier par 1,8 et ajouter 32 au résultat, ainsi :

$10°$ Celsius $= (1{,}8 \times 10) + 32 = 50°$ Fahrenheit.

Pour convertir des degrés Fahrenheit en degrés Celsius, il faut retirer 32 et multiplier le résultat par 5/9 (0,55555...), ainsi :

$68°$ Fahrenheit $= (68 - 32) \times 5/9 = 20°$ Celsius.

Açores

Superficie : 2 400 km^2. Ponta Delgada (latitude 37°45'N ; longitude 25°40'O) : GMT + 1 h . Durée du jour : maximale (juin) 15 heures, minimale (décembre) 9 heures 30.

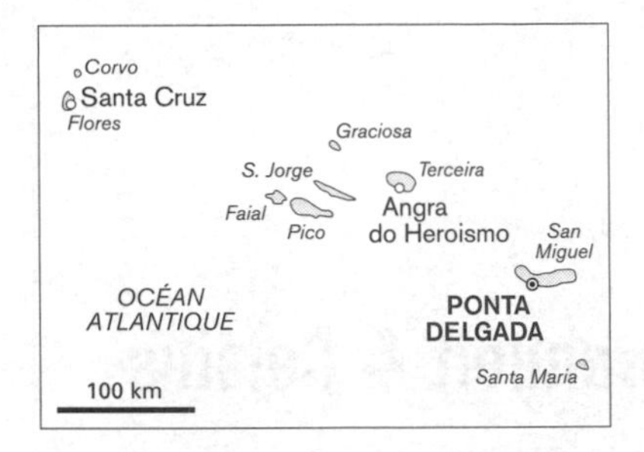

▶ Dans ces îles ancrées au milieu de l'océan Atlantique, vous trouverez toute l'année des températures agréables, grâce à l'action régulatrice du Gulf Stream : suffisamment chaudes en été, jamais froides en hiver.
En revanche, sauf peut-être **entre juillet et septembre**, pendant l'été qui est la meilleure saison pour y séjourner, ne comptez pas battre des records de bronzage : les Açores ne sont pas l'archipel favori du soleil et subissent, de l'automne au printemps, des pluies abondantes. En témoigne la profusion d'hortensias, particulièrement sur Flores, la bien nommée.
À savoir : les îles du Sud-Est (voir Ponta Delgada) sont nettement moins arrosées que celles du Nord-Ouest (voir Santa Cruz).

▶ Les fleurs de toutes sortes, d'ailleurs, abondent aux Açores – azalées, camélias, lauriers-roses, hibiscus, magnolias... –, et le printemps est donc une saison particulièrement accueillante pour les amateurs de flore.

▶ Évitez plutôt les mois de novembre à avril, période où les pluies s'accompagnent de tempêtes.

▶ La température de la mer est agréable en été (23° en août-septembre), mais elle descend en dessous de 18° entre janvier et mai.

VALISE : de juin à septembre inclus, vêtements d'été, mais également quelques

RENDEZ-VOUS NATURE

Cachalots et dauphins

Les Açores sont héritières d'une longue tradition baleinière. Ce n'est qu'en 1987 qu'a eu lieu la dernière mise à mort ; depuis, le *whalewatching* a largement compensé l'arrêt des ressources liées à la chasse à la baleine. Sur les îles de Pico et Faial, les vigies occupent à nouveau les tours de guet d'où ils alertent maintenant, par radio, la flottille d'embarcations vouées à l'observation.

▶ Baleines et quantité de dauphins croisent tout le long de l'année dans les eaux des Açores. Ce n'est donc pas tant leur présence, que les conditions climatiques des sorties en mer qui déterminent la saison la plus favorable pour les observer : de fin avril à début octobre. Le **cachalot** est l'animal emblématique de cette destination. En **juillet-août**, période la plus propice et aussi la plus courue, il est rare de faire une sortie sans en observer un ou plusieurs spécimens. La **baleine bleue** (grand rorqual) s'observe surtout **d'avril à juin** et le rorqual boréal toute la saison de *whalewatching*. Par ailleurs, les rencontres sont habituelles avec le **dauphin** commun, le grand dauphin souffleur, le dauphin tacheté et le dauphin bleu et blanc (ces deux dernières espèces, surtout **de mi-juin à fin septembre**) ; elles sont fréquentes avec le dauphin de Risso, le dauphin à long bec et le globicéphale tropical ; l'observation du faux orque est plus aléatoire. Outre celles de Pico et Faial, les îles de Flores et San Miguel disposent aussi de quelques bases de départ pour l'observation des baleines.

lainages, une veste ou un blouson, un imperméable ou un anorak ; de novembre à mai, vêtements de demi-saison (quelques-uns plus légers pour les belles journées), imperméable ou parapluie.

FOULE : les deux tiers des visiteurs sont hébergés sur l'île de San Miguel, la plus étendue. Août (plus de 120 000 visiteurs) et juillet sont les mois les plus fréquentés ; janvier, février et décembre, les moins. Fréquentation en progrès pour une destination à l'abri des turbulences du monde. ●

moyenne des températures maximales / moyenne des températures minimales

	J	F	M	A	M	J	J	A	S	O	N	D
Santa Cruz (Flores)	**17** 12	**17** 12	**17** 12	**18** 13	**19** 14	**22** 17	**24** 19	**26** 20	**24** 19	**22** 17	**19** 15	**18** 14
Angra do Heroismo (Terceira)	**16** 12	**16** 12	**16** 12	**17** 12	**18** 13	**21** 16	**23** 18	**24** 19	**23** 18	**21** 16	**18** 14	**17** 13
Ponta Delgada (San Miguel)	**17** 11	**17** 11	**17** 11	**18** 12	**20** 13	**22** 15	**25** 17	**26** 18	**25** 17	**22** 16	**20** 14	**18** 12

nombre d'heures par jour hauteur en mm / nombre de jours

	J	F	M	A	M	J	J	A	S	O	N	D
Santa Cruz	**2** 180/16	**3** 160/14	**3** 165/15	**4** 110/11	**5** 85/10	**5** 70/8	**6** 60/6	**7** 80/8	**5** 110/11	**4** 120/13	**3** 140/13	**2** 160/15
Angra do Heroismo	**3** 145/15	**3** 130/14	**4** 150/14	**5** 75/10	**5** 70/9	**6** 50/7	**6** 45/6	**7** 45/7	**6** 100/9	**4** 125/12	**3** 145/13	**3** 110/13
Ponta Delgada	**3** 120/14	**3** 100/13	**4** 105/13	**5** 65/10	**5** 60/9	**5** 40/7	**6** 25/5	**7** 30/6	**6** 80/9	**4** 105/12	**3** 120/13	**3** 100/14

température de la mer : moyenne mensuelle

	J	F	M	A	M	J	J	A	S	O	N	D
Atlantique	17	16	16	17	17	19	21	23	23	21	20	18

Afghanistan

Superficie : 650 000 km². Kaboul (latitude 34°33'N ; longitude 69°12'E) : GMT + 4 h 30 . Durée du jour : maximale (juin) 14 heures 30, minimale (décembre) 10 heures.

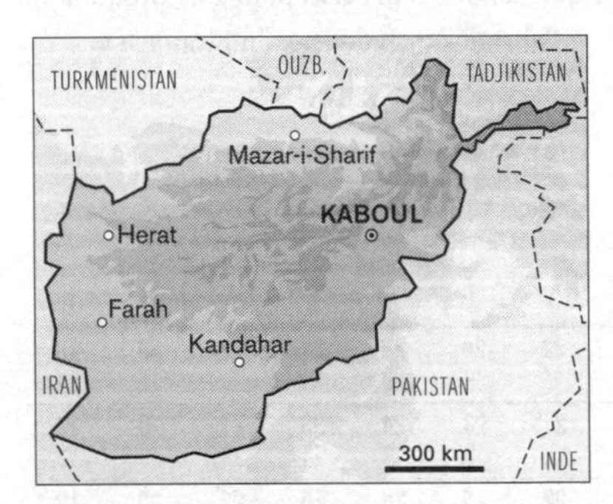

Si vous en avez la possibilité, nous ne saurions trop vous conseiller les saisons intermédiaires pour entreprendre un voyage dans ce pays. En effet, dans la plus grande partie de l'Afghanistan, les hivers sont rudes et les étés torrides.
Les mois d'**avril, mai et octobre** sont sans aucun doute les plus propices, du point de vue climatique, pour partir à la découverte d'un pays dont la situation politique nous a fait quelque peu oublier l'hospitalité légendaire de son peuple et la magnificence de certains de ses paysages ; nous pensons notamment aux cinq lacs de Band-i Amir, souvent tenus pour les plus beaux du monde, et que l'on pourra à nouveau admirer une fois le pays vraiment pacifié.

Assez froid, l'hiver reste cependant modéré au sud du pays, c'est-à-dire jusqu'à une ligne Farah-Kandahar. Au nord de cette ligne, c'est une saison rigoureuse, surtout dans les vallées ventées, et à mesure que l'on s'élève en altitude dans les grands massifs montagneux qui occupent les deux tiers du pays. Dans la capitale, les températures nocturnes inférieures à – 5° ne sont pas rares, mais il faut aussi convenir que, pendant la journée, elles sont en général beaucoup plus douces.
L'hiver est également la saison où tombe l'essentiel des précipitations ; bien que très modestes, elles restent suffisantes, en tombant sous forme de neige, pour bloquer de nombreux cols.

Le printemps n'est pas très long et il faut en profiter : il peut faire encore très frais et même froid fin mars, et déjà trop chaud dès la fin du mois de mai.

L'été est vraiment là quand, au début du mois de juin, le *bad-i-sad-u-bist-ruz* – littéralement : « le vent de 120 jours » – se met de la partie dans la région du Séistan, au Sud-Ouest du pays. Il est redoutable : sec, chaud, chargé de poussière et de sel. Quand il cesse, 120 jours plus tard, c'est-à-dire à la fin du mois de septembre, l'été s'achève. Le reste du pays a également connu un été torride et sec, moins chaud cependant en altitude où les nuits restent fraîches. Un été sans pluies, si l'on excepte les chaînes montagneuses de l'extrême Sud-Est, arrosées par quelques restes de la mousson indienne. Le mois d'octobre arrive, agréable... puis un nouvel hiver.

VALISE : aux intersaisons, des vêtements légers en fibres naturelles de préférence, faciles à entretenir, un ou deux lainages, une veste ou un blouson chaud. On se déchausse à l'entrée des mosquées et de la plupart des maisons : il vaut mieux éviter les chaussures à lacets. En été : vêtements très légers et amples ; sans aller jusqu'à adopter le chadri, cette sorte de tente en soie plissée qui couvre les femmes de la tête aux pieds, les shorts, jupes courtes et robes décolletées sont à proscrire.

SANTÉ : risques de paludisme en dessous de 2 000 m d'altitude, particulièrement de mai à novembre. Zones de résistance à la Nivaquine et multirésistance.

BESTIOLES : moustiques dans tout le pays, surtout actifs après le crépuscule. ●

moyenne des températures maximales / moyenne des températures minimales

	J	F	M	A	M	J	J	A	S	O	N	D
Mazar-i Sharif	**9**	**12**	**17**	**24**	**31**	**37**	**39**	**37**	**32**	**25**	**16**	**10**
(380 m)	- 2	0	5	11	16	22	26	24	17	9	3	- 1
Kaboul	**5**	**7**	**13**	**18**	**24**	**30**	**32**	**32**	**29**	**23**	**15**	**8**
(1 800 m)	- 7	- 5	1	5	9	12	15	14	9	4	- 1	- 5
Herat	**10**	**13**	**19**	**24**	**29**	**35**	**36**	**35**	**31**	**25**	**17**	**12**
(960 m)	- 3	0	4	8	13	18	21	19	13	7	1	- 2
Kandahar	**13**	**16**	**23**	**28**	**34**	**39**	**40**	**39**	**34**	**29**	**22**	**16**
(1 010 m)	0	3	7	12	15	19	23	20	14	9	3	0

nombre d'heures par jour hauteur en mm / nombre de jours

	J	F	M	A	M	J	J	A	S	O	N	D
Mazar-i Sharif	**5**	**5**	**5**	**6**	**10**	**12**	**12**	**11**	**10**	**8**	**6**	**5**
	25/4	25/5	30/7	25/7	6/2	0/0	0/0	0/0	0/0	2/0	10/2	15/2
Kaboul	**6**	**6**	**6**	**7**	**10**	**12**	**12**	**11**	**10**	**9**	**8**	**6**
	25/3	45/4	55/8	80/8	15/3	1/0	4/1	0/0	1/0	1/0	15/3	15/2
Herat	**6**	**6**	**7**	**8**	**11**	**12**	**12**	**12**	**11**	**10**	**8**	**6**
	40/5	30/5	45/5	20/5	1/1	0/0	0/0	0/0	0/0	0/0	7/2	30/4
Kandahar	**5**	**6**	**5**	**5**	**5**	**4**	**3**	**3**	**3**	**4**	**5**	**6**
	35/6	30/5	12/2	13/2	1/0	0/0	0/0	0/0	0/0	0/0	4/1	13/2

Afrique du Sud

Superficie : 1 220 000 km^2. Johannesburg (latitude 26°14'S ; longitude 28°09'E) : GMT + 2 h . Durée du jour : maximale (décembre) 14 heures, minimale (juin) 10 heures 30.

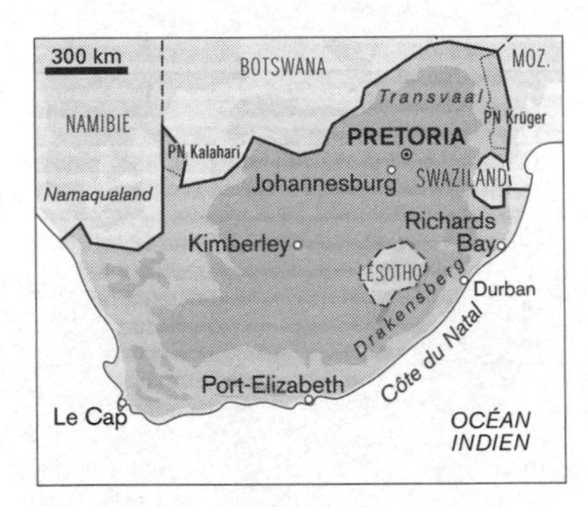

L'Afrique du Sud est située dans l'hémisphère austral : ses saisons se trouvent donc inversées par rapport à celles de l'Europe. Il n'y fait jamais très froid en hiver et les étés sont modérément chauds, sauf au Centre et au Nord-Ouest du pays, où ils peuvent être torrides (voir Kimberley).

Sur les côtes, le climat varie beaucoup d'une région à l'autre.
Autour du **Cap** et dans l'arrière-pays, l'été (**décembre à mars**) est la saison la plus agréable : le temps est sec et ensoleillé, chaud sans excès avec des nuits assez fraîches ; la mer atteint sa température maximale (jamais très chaude : aux environs de 20°). Un grand vent frais du sud-est, l'efficace *Cape Doctor*, souffle de novembre à mars : il est parfois fatigant – Le Cap est en été l'une des villes les plus ventées du monde –, mais il chasse insectes, poussière et pollution de la ville, dont l'atmosphère est de ce fait saine et revigorante. Tous les jours, il étend une « nappe » de nuages blancs au-dessus de la Table Mountain – un spectacle surprenant. Cette région est aussi très agréable au printemps (septembre à novembre) : ses jardins botaniques et réserves florales, parmi les plus remarquables du monde, offrent alors le spectacle d'une exubérante floraison (mais la mer, elle, est un peu réfrigérante à cette saison : de 15° à 18°). De mai à juillet inclus, les températures restent douces dans la journée, mais il pleut davantage et les nuits deviennent très fraîches, voire froides.
En remontant vers le nord sur la **côte atlantique**, on se rapproche du climat très sec et chaud du désert du Namib. Le long de cette côte, d'une grande beauté sauvage et peuplée surtout d'innombrables oiseaux (pélicans, flamants, etc.), un courant froid rend les baignades assez... sportives. Tout au nord, un océan de fleurs sauvages recouvre le semi-désert du Namaqualand durant quelques semaines, après les premières pluies de printemps.
Du Cap à Port Elizabeth, sur la route-jardin bordée de réserves naturelles, de lacs et de belles plages de sable, les pluies se répartissent également tout au long de l'année, mais demeurent assez modérées pour permettre au soleil de briller fréquemment. L'été austral est, là encore, la période la plus agréable. On y bénéficie d'une eau plus chaude qu'au Cap : 22° en janvier et février.
La **côte du Natal**, au Nord et au Sud de Durban, est la principale région balnéaire du pays.
On peut s'y baigner toute l'année (la température de la mer est de 20° en plein hiver et d'environ 24° en été), mais il peut faire un peu frais l'hiver, et l'été est une saison assez pluvieuse : choisissez de préférence les intersaisons (avril-mai et septembre-octobre) pour séjourner sur cette côte si vous avez l'intention de profiter des plages.
Le **Zoulouland**, au Nord du Natal, comprend de nombreuses réserves d'animaux, à visiter de préférence **entre juillet et septembre** (voir chapitre « Kenya »). On y rencontre notamment des hippopotames,

des crocodiles et les fameux rhinocéros blancs. Sur la chaîne des Drakensberg, qui domine la province du Natal, il peut neiger en juillet et en août.

Dans la région de **Johannesburg** et de **Pretoria**, les températures ne sont jamais excessives. L'**été** y est très agréable : de novembre à février, les pluies sont abondantes mais tombent essentiellement en fin de journée. Durant l'hiver, sec et ensoleillé, il fait assez bon dans la journée, mais les nuits sont froides. Dans les régions montagneuses situées entre Johannesburg et le Transkei, les températures baissent bien sûr avec l'altitude. On peut même pratiquer le ski (surtout de randonnée) près de la frontière avec le Lesotho.

VALISE : pendant l'été austral, vêtements légers, pull ou veste pour les soirées sur les côtes ; vêtements très légers et amples pour les régions intérieures et le Kalahari, imperméable ou anorak léger. En hiver, vêtements de demi-saison (plus vêtements d'été pour le Natal), pardessus ou veste chaude. Pour visiter les réserves, vêtements de sport confortables, de couleurs neutres, chaussures de marche en toile.

SANTÉ : vaccin antirabique conseillé pour de longs séjours. Quelques zones avec risques de paludisme, particulièrement de

RENDEZ-VOUS NATURE

Ils rugissent et elles soufflent

Une des plus belles réserves animalières d'Afrique, le **parc national Krüger**, s'étend au nord-est de Johannesburg, à la frontière du Mozambique. La meilleure saison pour le visiter se situe incontestablement entre mai et octobre, durant la saison sèche, et plus particulièrement en **septembre et octobre** (voir chapitre « Kenya »). Durant les mois pluvieux, les précipitations sont beaucoup plus abondantes au Sud du parc qu'au Nord.

Une autre réserve particulièrement intéressante à parcourir est celle du **parc national du Kalahari**, le long de la frontière avec la Namibie. Dans cette région semi-désertique – où abondent lions, guépards, léopards, zèbres, antilopes et gnous bleus en immenses troupeaux... –, les pluies demeurent faibles toute l'année. Les journées d'été peuvent être excessivement chaudes, mais les nuits restent fraîches. Les hivers sont ensoleillés, avec des nuits froides.

L'Afrique du Sud est aussi un des endroits au monde le plus propice au *whalewatching*. Le relief de ses côtes en favorise la version *landwatching*, c'est-à-dire l'observation des baleines depuis la terre ferme. On vient d'abord, de fin juin à novembre, voir le spectacle des **baleines franches** australes qui, parties de l'Antarctique, ont gagné les baies abritées pour se reproduire. Si False Bay, à l'est du cap de Bonne-Espérance, et Walker Bay, devant la petite ville d'Hermanus, demeurent les rendez-vous les plus réputés, les cétacés fréquentent plus de 1 000 km de côtes. Sur la Cape West Coast, de la Namibie au Cap, citons Lamberts Bay, Elandsbaai, Saldanha Bay et Yzerfontein ; à l'est du Cap, Struisbaai, Stillbaai ou Mossel bay. Août compte le plus de naissances, mais en **septembre et octobre**, pendant la période d'accouplement, les baleines sont les plus spectaculaires.

De mai à décembre, on observe d'abord la migration des mégaptères vers l'Angola ou le Mozambique, puis leur retour. Enfin, plus au large on peut croiser le rorqual tropical toute l'année. Plusieurs espèces de dauphins et otaries à fourrure s'observent tout le long de l'année, avec une mention spéciale, en **mai-juin** sur la côte du Natal, pour les **grands dauphins** (dauphin souffleur, ou dauphin à gros nez) qui accompagnent la migration des bancs de sardines.

novembre à mars : au Nord-Est du pays, dans le parc Krüger et les régions bordant les frontières avec le Mozambique, le Zimbabwe et une partie du Botswana ; sur la côte du Natal, au nord de Richards Bay. Zones de résistance à la Nivaquine et multirésistance.

BESTIOLES : moustiques toute l'année au nord du pays (Transvaal, parc Krüger et nord de la côte du Natal), surtout actifs la nuit.

FOULE : une pression touristique encore très modérée mais en plein essor. Ce pays est voué à devenir l'une des premières destinations africaines. Les visiteurs se répartissent assez bien tout au long de l'année, avec cependant des pointes en juillet et décembre. Aujourd'hui encore, ils proviennent essentiellement des pays voisins. Parmi les visiteurs européens, les Britanniques restent de loin les plus nombreux. Allemands, Français et Hollandais suivent. ●

moyenne des températures maximales / moyenne des températures minimales

	J	F	M	A	M	J	J	A	S	O	N	D
Johannesburg	**26**	**25**	**24**	**22**	**19**	**17**	**17**	**20**	**23**	**25**	**25**	**26**
(1 650 m)	14	14	13	10	6	4	4	6	9	12	13	14
Kimberley	**33**	**31**	**29**	**25**	**21**	**19**	**19**	**22**	**25**	**28**	**30**	**32**
(1 200 m)	18	17	15	11	6	3	3	5	8	12	14	16
Durban	**27**	**28**	**27**	**26**	**24**	**22**	**22**	**22**	**23**	**23**	**25**	**26**
	20	21	20	18	14	11	11	12	15	17	18	19
Le Cap	**26**	**26**	**25**	**22**	**19**	**18**	**17**	**18**	**19**	**21**	**23**	**25**
	16	16	14	12	10	8	7	8	9	11	13	15
Port Elizabeth	**25**	**25**	**24**	**23**	**22**	**20**	**19**	**20**	**20**	**21**	**22**	**24**
	16	17	16	13	10	8	7	8	10	12	14	15

nombre d'heures par jour hauteur en mm / nombre de jours

	J	F	M	A	M	J	J	A	S	O	N	D
Johannesburg	**8**	**8**	**7**	**8**	**9**	**9**	**9**	**10**	**9**	**9**	**9**	**9**
	115/12	100/9	80/8	45/5	25/3	9/1	8/1	6/1	25/3	60/7	110/10	120/11
Kimberley	**10**	**10**	**9**	**9**	**9**	**9**	**9**	**10**	**10**	**10**	**10**	**10**
	55/6	65/9	70/8	45/5	20/3	15/1	6/1	11/1	11/1	30/4	45/5	60/6
Durban	**6**	**7**	**6**	**7**	**7**	**7**	**7**	**7**	**6**	**5**	**6**	**6**
	120/11	130/9	115/9	90/7	60/4	35/3	25/3	40/4	65/6	85/10	120/11	125/12
Le Cap	**11**	**10**	**9**	**7**	**6**	**6**	**6**	**6**	**7**	**9**	**10**	**11**
	12/2	8/2	17/3	45/6	85/9	80/9	85/10	70/10	45/7	30/15	17/3	11/2
Port Elizabeth	**8**	**8**	**8**	**8**	**7**	**7**	**7**	**8**	**7**	**8**	**8**	**9**
	35/5	35/5	50/6	45/5	65/6	60/5	60/6	55/6	60/8	65/8	60/7	40/5

température de la mer : moyenne mensuelle

	J	F	M	A	M	J	J	A	S	O	N	D
Le Cap	20	20	19	19	17	16	16	16	16	17	17	19
Port Elizabeth	22	22	22	21	19	18	18	18	18	19	19	20
Durban	23	24	24	23	22	21	21	20	21	21	22	23

Alaska

Superficie : 1 530 000 km². Anchorage (latitude 61°10'N ; longitude 147°59'O) : GMT + 10 h . Durée du jour : maximale (juin) 19 heures 30, minimale (décembre) 5 heures 30.

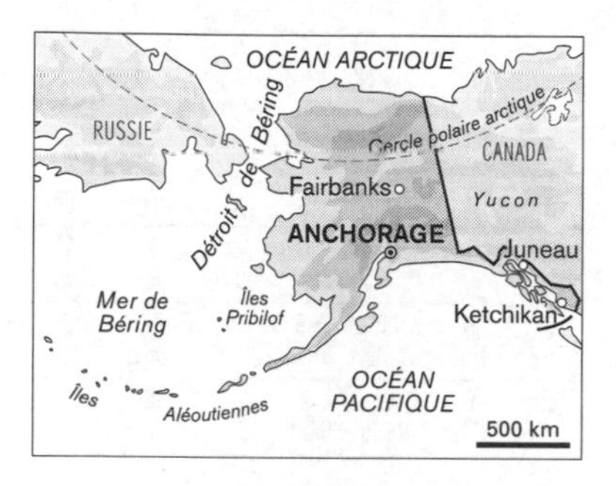

▶ En Alaska, au nord du Nord du continent américain, l'**hiver** est, on le conçoit aisément, particulièrement rigoureux et long (de mi-octobre à fin avril) sur la plus grande partie du territoire. Les records de froid sont enregistrés au cœur de l'État, dans la vallée du Yukon, où les températures peuvent descendre en dessous de – 50°.
Les hivers sont un peu moins froids sur la côte pacifique (voir Anchorage) où, en revanche, le brouillard se fait très fréquent à cette saison ; ils sont nettement plus cléments dans l'extrême Sud (voir Juneau).

▶ Le **printemps**, au mois de mai, aussi bref que brutal, est la période de la fonte des glaces, *the breakup*, pendant laquelle les déplacements en Alaska deviennent particulièrement problématiques.

▶ En **été** – de début juin à fin août –, les longues journées sont assez chaudes – parfois même très chaudes – et ensoleillées dans les régions continentales ; mais les « nuits », réduites à un crépuscule de quelques heures en juin à la latitude de Fairbanks, restent très fraîches. Dans le Sud, il fait un peu moins chaud et surtout plus humide : août et septembre sont des mois assez pluvieux à Anchorage. La période la plus agréable est donc le début de l'été : **juin et juillet**.

▶ Alors que le centre est plutôt sec, l'extrême sud de l'État est une région très arrosée. Les précipitations abondent toute l'année, et notamment entre fin août et novembre, période durant laquelle une pluie fine peut tomber sans interruption des jours durant sur Juneau. Ketchikan, ville la plus méridionale, reçoit plus de 4 m d'eau par an, essentiellement sous forme de pluies : les chutes de neige s'y font relativement rares.
Aux îles Aléoutiennes, qui s'étendent sur 1 800 km au sud-ouest de l'Alaska, l'été est aussi pluvieux que dans la région de Juneau, et de violentes tempêtes sévissent en hiver. Sur les îles Pribilof, on peut observer, entre juin et août, les innombrables phoques et loutres de mer (plus d'un million et demi) qui viennent mettre au monde leurs petits.

VALISE : de juin à août, vêtements de demi-saison, quelques tee-shirts ou chemises de coton léger, veste ou blouson chaud. En plein hiver, sous-vêtements de laine ou de soie, parka matelassée ou anorak en duvet, bottes fourrées, couvre-chef en fourrure, etc.

BESTIOLES : en été, l'Alaska est infesté de moustiques ; ils envahissent aussi bien les côtes que l'intérieur du pays. ●

moyenne des températures maximales / moyenne des températures minimales

	J	F	M	A	M	J	J	A	S	O	N	D
Fairbanks	**- 18**	**- 13**	**- 4**	**6**	**16**	**22**	**23**	**19**	**13**	**0**	**- 11**	**- 16**
	- 28	- 26	- 19	- 7	3	11	12	8	2	- 8	- 21	- 26

Alaska

	J	F	M	A	M	J	J	A	S	O	N	D
Anchorage	**- 5**	**- 3**	**1**	**7**	**13**	**17**	**18**	**17**	**12**	**5**	**- 3**	**- 5**
	- 12	- 11	- 7	- 3	4	8	11	10	5	- 2	- 9	- 11
Juneau	**- 1**	**1**	**4**	**9**	**13**	**17**	**18**	**17**	**13**	**8**	**3**	**0**
	- 6	- 5	- 3	1	4	8	9	9	7	3	- 2	- 4

nombre d'heures par jour hauteur en mm / nombre de jours

	J	F	M	A	M	J	J	A	S	O	N	D
Fairbanks	**2**	**4**	**7**	**10**	**10**	**11**	**9**	**5**	**4**	**3**	**2**	**1**
	14/4	9/3	7/3	6/3	15/4	35/8	45/9	50/9	30/7	25/6	16/7	18/6
Anchorage	**2,5**	**4,5**	**6,5**	**8**	**9,5**	**9**	**8**	**6,5**	**5,5**	**4**	**2,5**	**1,5**
	17/5	18/5	16/5	13/4	18/4	25/6	45/8	75/10	70/11	50/8	25/6	25/7
Juneau	**2,5**	**3**	**4,5**	**6**	**7,5**	**6,5**	**6**	**5**	**4**	**2**	**2**	**1,5**
	120/15	100/13	90/14	75/12	80/13	80/12	100/13	140/15	180/17	210/21	130/16	130/16

température de la mer : moyenne mensuelle

	J	F	M	A	M	J	J	A	S	O	N	D
Anchorage	4	3	4	5	6	8	11	12	11	10	7	5
Juneau	7	7	7	7	9	11	13	14	13	11	10	8

Albanie

Superficie : 29 000 km². Tirana (latitude 41°20'N ; longitude 19°47'E) : GMT + 1 h . Durée du jour : maximale (juin) 15 heures, minimale (décembre) 9 heures.

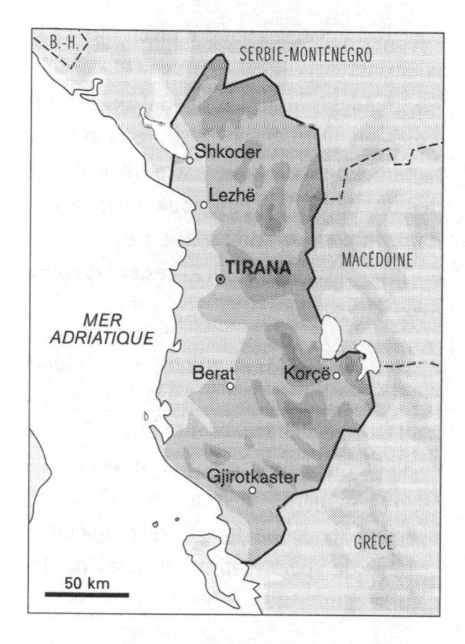

Ce pays connaît des différences climatiques importantes selon que l'on se trouve dans les régions élevées de l'intérieur ou sur les plaines côtières.

- Pour apprécier le charme des villes-musées de Berat et Gjirokaster, des citadelles de Lezhë ou Shkodër, les meilleures périodes se situent entre **juin et septembre** : la chaleur reste modérée même dans les plaines, et les pluies sont peu fréquentes.
- Juillet et août sont des mois secs et très ensoleillés, mais il fait très chaud, surtout dans les plaines. C'est la bonne période si vous souhaitez profiter de la Riviera albanaise – d'une grande beauté dans sa partie méridionale.
- En hiver, le climat demeure doux mais assez pluvieux sur la côte et dans les plaines (voir Tirana) ; le froid se fait rigoureux en altitude (voir Korçë). Alors que l'on continue de cueillir citrons et oranges dans la plaine de Vrine, au sud, neige et verglas sont le lot des régions montagneuses.

VALISE : en été, vêtements légers et quelques lainages. En hiver, vêtements chauds, imperméable. ●

moyenne des températures maximales / moyenne des températures minimales

	J	F	M	A	M	J	J	A	S	O	N	D
Tirana	**12** 2	**12** 2	**15** 5	**18** 8	**23** 12	**28** 16	**31** 17	**31** 17	**27** 14	**23** 10	**17** 8	**14** 5
Korçë (900 m)	**4** - 3	**5** - 3	**9** 1	**14** 4	**19** 8	**23** 12	**27** 14	**28** 14	**24** 11	**17** 7	**12** 4	**7** 0

nombre d'heures par jour hauteur en mm / nombre de jours

	J	F	M	A	M	J	J	A	S	O	N	D
Tirana	**4** 135/10	**4** 150/10	**5** 130/11	**7** 115/10	**8** 120/9	**10** 85/5	**11** 30/4	**11** 30/3	**9** 60/5	**7** 105/7	**3** 210/12	**3** 175/12
Korçë	**3** 70/9	**5** 80/8	**5** 55/9	**7** 60/9	**7** 80/10	**9** 45/7	**11** 25/4	**11** 25/3	**8** 40/5	**7** 80/7	**4** 145/11	**3** 100/10

température de la mer : moyenne mensuelle

	J	F	M	A	M	J	J	A	S	O	N	D
Mer Adriatique	14	13	14	15	17	21	24	25	23	21	17	15

Algérie

Superficie : 2 380 000 km^2. Alger (latitude 36°43'N ; longitude 03°15'E) : GMT + 1 h . Durée du jour : maximale (juin) 14 heures 30, minimale (décembre) 9 heures 30.

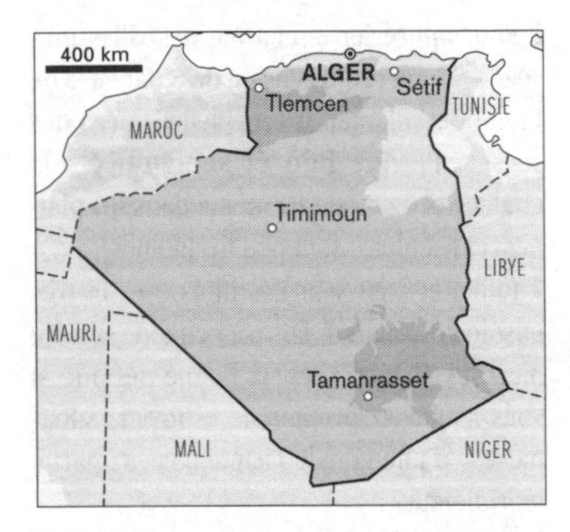

L'Algérie connaît trois grandes zones climatiques : la côte, les régions montagneuses, le désert saharien.

▶ Les Algériens se baignent de **fin mai à octobre** sur les **côtes**, notamment sur la côte Turquoise, à l'ouest d'Alger, qui est la mieux aménagée.

Les grandes villes de la côte sont assez étouffantes en plein été à cause de la relative humidité de l'air. Pour y séjourner, il vaut mieux choisir le **printemps** (avril à mi-juin) ou le **début de l'automne**.

En hiver, les températures restent douces, mais il pleut souvent.

▶ Dans les **régions montagneuses** (monts de Tlemcen, Atlas, Haute-Kabylie, Aurès), il peut faire réellement froid en hiver : il neige régulièrement au-dessus de 1 500 m de décembre à mars. On trouve même, à une centaine de kilomètres d'Alger, quelques stations de sports d'hiver, ouvertes de décembre à fin mars.

RENDEZ-VOUS NATURE

Destination désert

Le Sahara, le plus vaste désert du monde – environ 8 000 000 km^2 de Zagora à Gabès et de Béchar à Tombouctou –, se laisse plus facilement découvrir à l'automne ou en hiver.

En octobre, la chaleur de l'été reste très forte dans la journée, mais les nuits sont assez douces. Dans les palmeraies règne une activité intense : c'est l'époque de la récolte des dattes. Il faut se méfier, en octobre et en novembre particulièrement (mais aussi en plein été), des crues soudaines des oueds après un orage, et éviter de suivre leur lit lorsqu'il est encaissé : ces crues peuvent être si soudaines et brutales que des imprudents s'y noient parfois...

En hiver, la chaleur est agréable dans la journée, et grâce au soleil et à la sécheresse de l'air, le climat saharien est alors un des plus sains qui soient. Mais les nuits très froides – il peut geler en janvier et février – requièrent un équipement conséquent (vêtements chauds, duvet de montagne). Les scorpions et les serpents, rendus léthargiques par le froid nocturne, sont inoffensifs. Dans le Hoggar, le ciel est parfois assez nuageux ; au Sahel, le rivage sud du Sahara (Niger, Mali, Mauritanie), c'est la saison sèche et par conséquent, les pistes sont praticables partout. Au début de l'hiver, on échappe en outre aux tempêtes de sable : les vents, qui ne cessent jamais de souffler au Sahara, deviennent beaucoup plus violents à partir de fin février jusqu'en mai ou juin.

Mais, au Sahara comme ailleurs, on peut préférer les extrêmes, la fournaise suffocante... Sachez que, même en plein été, dans les massifs montagneux comme le Hoggar (voir Tamanrasset), qui culmine à 3 000 m, l'Aïr ou le Tibesti, les nuits demeurent assez douces, alors que, dans les régions plus basses de dunes sablonneuses, l'écart est moins accentué entre le jour et la nuit.

Au **printemps**, les paysages sont verdoyants, le climat doux et ensoleillé. En été, la terre est aride et brûlée par le soleil, il fait très chaud dans la journée, mais les nuits restent douces.

▸ Au sud commence l'immense **Sahara**, où les températures varient en fonction de l'altitude.
Dans le Hoggar et le Tassili des Ajjers (voir Tamanrasset), l'été est brûlant, mais la chaleur, très sèche, reste relativement supportable, d'autant que les températures nocturnes sont très agréables, grâce à l'altitude.
Plus au nord, à partir de Biskra et Gardaia, dans les régions basses comme le Grand Erg oriental et le Grand Erg occidental (voir Timimoun), l'été est vraiment à éviter (de juin à août inclus).
La période traditionnelle des voyages dans le Sud est l'hiver, de novembre à février inclus (voir encadré ci-contre). Mais attention : les nuits sont très fraîches, parfois même glaciales.

▸ L'Algérie n'est jamais à l'abri d'un coup de *sirocco*, vent brûlant et sec venu du Sud-Est, qui souffle plus fréquemment au printemps. On l'appelle aussi *gergi* lorsqu'il provoque des tempêtes de sable.

VALISE : en été, vêtements très légers, amples, en coton ou en lin de préférence, et pull léger pour les soirées en altitude. En hiver, vêtements de demi-saison, imperméable dans le Nord. Pour le Sud et le Sahara, vêtements légers, blouson ou anorak chaud, pulls, chaussures de marche et sandales, écharpe de coton pour vous protéger de la poussière et des vents de sable.

SANTÉ : faibles risques de paludisme dans le Sud-Est du pays. Vaccin antirabique conseillé pour de longs séjours.

BESTIOLES : moustiques de mai à novembre, surtout actifs après le crépuscule. ●

moyenne des températures maximales / moyenne des températures minimales

	J	F	M	A	M	J	J	A	S	O	N	D
Alger	**15** 9	**16** 9	**17** 11	**20** 13	**23** 15	**27** 18	**28** 21	**29** 22	**27** 21	**23** 17	**19** 13	**16** 11
Sétif (1 080 m)	**9** 1	**11** 1	**14** 3	**18** 6	**22** 9	**28** 13	**33** 17	**32** 17	**27** 14	**21** 9	**14** 4	**10** 1
Tlemcen (810 m)	**12** 6	**13** 7	**16** 8	**18** 10	**22** 12	**27** 16	**30** 19	**32** 21	**27** 18	**22** 14	**16** 10	**13** 7
Timimoun	**19** 4	**22** 7	**27** 11	**32** 16	**36** 19	**42** 24	**44** 28	**43** 27	**39** 24	**32** 18	**24** 11	**20** 6
Tamanrasset (1 405 m)	**19** 4	**22** 6	**26** 9	**30** 13	**33** 17	**35** 21	**35** 22	**34** 21	**33** 19	**25** 15	**26** 11	**21** 6

nombre d'heures par jour hauteur en mm / nombre de jours

	J	F	M	A	M	J	J	A	S	O	N	D
Alger	**5** 115/11	**6** 75/9	**7** 60/9	**8** 65/5	**10** 35/5	**10** 14/2	**11** 2/0	**10** 4/1	**9** 30/4	**6** 85/7	**5** 90/11	**5** 120/12
Sétif	**5** 60/7	**7** 45/6	**7** 45/5	**8** 35/5	**10** 50/6	**10** 30/3	**12** 11/1	**10** 14/2	**9** 35/4	**7** 40/5	**6** 50/6	**5** 50/7
Tlemcen	**5** 70/5	**6** 70/5	**8** 75/6	**9** 60/5	**10** 50/4	**10** 15/2	**11** 2/0	**11** 3/0	**9** 15/2	**8** 40/4	**6** 70/4	**5** 80/6

	J	F	M	A	M	J	J	A	S	O	N	D
Timimoun	**8** 2/0	**9** 3/1	**10** 2/0	**11** 2/0	**12** 2/0	**12** 1/0	**13** 0/0	**12** 0/0	**11** 2/0	**10** 3/1	**9** 3/1	**8** 2/0
Tamanrasset	**9** 4/1	**10** 1/1	**10** 1/1	**10** 2/1	**11** 6/2	**10** 4/3	**11** 3/2	**10** 10/3	**9** 7/3	**9** 2/2	**9** 2/1	**9** 2/1

température de la mer : moyenne mensuelle

	J	F	M	A	M	J	J	A	S	O	N	D
Alger	15	14	15	16	18	20	23	24	24	22	18	16

Allemagne

Superficie : 357 000 km^2. Berlin (latitude 52°28'N ; longitude 13°26'E) : GMT + 1 h. Durée du jour : maximale (juin) 17 heures, minimale (décembre) 7 heures 30.

Les influences maritimes et continentales se disputent l'Allemagne. Au Nord, les températures sont adoucies par la proximité de la mer du Nord. L'influence de la mer Baltique est moindre. Plus au Sud, le climat continental donne des hivers froids, renforcés par l'altitude. En revanche, cette dernière modère en été la chaleur d'une ville du Sud comme Munich.

▶ Au Nord-Ouest du pays, la côte de la mer du Nord est souvent exposée aux tempêtes en hiver et régulièrement battue par les vents, même en été. Si les températures hivernales y sont rarement très basses (les moyennes minimales sont légèrement supérieures à 0° sur le littoral), l'humidité et le vent ne feront pas regretter au voyageur d'être chaudement vêtu. À la belle saison, la température de la mer reste encore assez basse (13° en juin, au mieux 17° en août). Le littoral de la Baltique est moins venteux, mais les températures hivernales diminuent vers l'Est et les ports sont, certaines années, pris par les glaces. Sur l'ensemble de l'année, la côte balte bénéficie d'un ensoleillement un peu supérieur à celui de la côte de la mer du Nord. Le Schleswig-Holstein, entre Baltique et mer du Nord, connaît un hiver assez modéré compte tenu de sa latitude.

▶ Dans la vaste plaine qui s'étend du Nord des Pays-Bas à la frontière polonaise, la rigueur de l'hiver s'accentue graduellement sur un axe nord-ouest/sud-est, c'est-à-dire à mesure que l'on s'éloigne des deux mers. De décembre à février, le brouillard n'est pas rare. Les chutes de neige, fréquentes, rendent parfois la circulation difficile, notamment dans la région de Berlin. Au sud de cette grande plaine, l'altitude accentue la rigueur des températures hivernales, que ce soit sur les hauteurs du Harz, celles du massif de Thuringe ou les pittoresques reliefs de la « Suisse saxonne » ; on peut d'ailleurs y skier. Mai, juin et les mois d'été sont les périodes qui reçoivent le plus de précipitations, souvent orageuses. La fin de la saison estivale et le début de l'automne sont tout indiqués pour parcourir les magnifiques forêts de Thuringe qui abritent de nombreux châteaux Renaissance, baroques ou rococo.

▶ Dans la moitié Sud du pays, la diversité géographique impose des climats variés. À l'Ouest, les coteaux du Rhin et de la Moselle reçoivent suffisamment de soleil pour être bien adaptés à la culture de la vigne ; l'automne y est particulièrement agréable. L'hiver des villes rhénanes s'adoucit à mesure que le Rhin approche de la mer. Tout au Sud, on pratique le ski de fond sur les hauteurs de la Forêt-Noire et le ski alpin dans les stations de Haute-Bavière. Il n'est pas si rare qu'en mai Munich reçoive encore une averse neigeuse. Entre le massif de Bohême et les Alpes allemandes, la vallée du Danube (Ratisbonne, Ulm) est ouverte aux influences les plus continentales.

Dans toute cette région, et suivant leurs orientations, les vallées basses peuvent être particulièrement brumeuses, surtout en hiver.

Du mois de mai au mois d'août, l'essentiel des précipitations tombe, pour une bonne part sous la forme de fortes averses orageuses. Dans ces régions, l'été, plutôt chaud, connaît ses températures les plus élevées en juillet.

▸ Si l'on excepte le plein hiver, à moins que l'on aille y faire du ski, il n'y a pas de période à déconseiller formellement pour voyager en Allemagne. Il reste que la période qui va **de la fin du mois d'août à la fin de septembre** est, d'après nous, particulièrement adaptée au voyage.

VALISE : pour un départ hivernal sur les côtes de la mer du Nord, on n'oubliera pas qu'une température modérément basse peut, associée au vent et à l'humidité, s'accompagner d'une sensation thermique très inférieure. En été, les soirées peuvent être assez fraîches dans toute l'Allemagne. On emportera de quoi se protéger d'une bonne averse orageuse.

FOULE : pression touristique moyenne. Juillet et août restent les mois les plus fréquentés, alors que la période décembre-janvier est la plus tranquille. Les États-Unis et les Pays-Bas, puis le Royaume-Uni fournissent à l'Allemagne les plus importants groupes de visiteurs. Les Français – moins de 5 % du total – sont moins nombreux que les Suédois ou les Italiens. ●

moyenne des températures maximales / moyenne des températures minimales

	J	F	M	A	M	J	J	A	S	O	N	D
Rostock	**2**	**3**	**6**	**10**	**16**	**19**	**21**	**21**	**18**	**13**	**8**	**4**
	-2	-2	1	4	8	12	14	14	11	7	3	0
Hambourg	**2**	**4**	**7**	**12**	**17**	**20**	**22**	**22**	**18**	**13**	**7**	**4**
	-3	-2	0	4	8	11	13	12	10	6	2	-1
Berlin	**2**	**4**	**8**	**13**	**19**	**22**	**23**	**22**	**19**	**13**	**7**	**3**
	-3	-2	0	4	8	11	13	13	10	6	2	-1
Hanovre	**3**	**4**	**8**	**13**	**18**	**21**	**22**	**22**	**19**	**14**	**8**	**4**
	-2	-2	0	3	7	10	12	12	10	6	2	-1
Essen	**4**	**5**	**8**	**12**	**17**	**20**	**22**	**22**	**19**	**14**	**8**	**5**
	0	0	2	5	9	11	13	13	11	8	4	1
Francfort	**3**	**5**	**10**	**15**	**19**	**23**	**24**	**24**	**20**	**14**	**8**	**4**
	-2	-1	2	5	9	13	14	14	11	7	3	0
Nuremberg	**2**	**4**	**9**	**14**	**19**	**23**	**24**	**24**	**20**	**14**	**7**	**3**
(300 m)	-4	-3	0	3	8	11	12	12	9	5	1	-2
Munich	**1**	**3**	**9**	**14**	**18**	**21**	**23**	**23**	**20**	**14**	**7**	**2**
(450 m)	-5	-4	0	3	7	11	12	12	9	4	0	-3
Constance	**2**	**5**	**10**	**14**	**19**	**22**	**24**	**23**	**20**	**14**	**7**	**3**
(450 m)	-2	-1	1	4	8	12	14	14	11	7	2	-1

nombre d'heures par jour hauteur en mm / nombre de jours

	J	F	M	A	M	J	J	A	S	O	N	D
Rostock	**1**	**2**	**3,5**	**6**	**8**	**8**	**7,5**	**7**	**5**	**3,5**	**2**	**1**
	45/10	35/8	40/9	40/9	50/8	60/9	70/10	60/9	55/9	45/9	50/11	55/11
Hambourg	**1,5**	**2,5**	**3,5**	**5,5**	**7**	**7**	**6,5**	**6,5**	**4,5**	**3**	**2**	**1**
	60/12	40/9	55/11	50/10	60/10	75/11	85/12	70/11	70/11	65/10	70/12	70/12

	J	F	M	A	M	J	J	A	S	O	N	D
Berlin	**1,5**	**2,5**	**4**	**5,5**	**7**	**7,5**	**7**	**7**	**5**	**3,5**	**2**	**1**
	45/10	40/9	40/8	45/9	55/9	70/10	55/9	65/9	45/9	40/8	50/10	55/11
Hanovre	**1,5**	**2,5**	**3,5**	**5,5**	**7,5**	**7**	**7**	**7**	**4,5**	**3,5**	**2**	**1**
	50/11	35/9	50/10	50/10	65/10	75/11	65/10	65/10	55/9	40/9	50/11	60/12
Essen	**1,5**	**2,5**	**3,5**	**5**	**6**	**6**	**6**	**6**	**4,5**	**3,5**	**2**	**1**
	80/14	60/11	75/13	70/12	75/12	95/12	90/11	80/10	75/10	70/10	85/13	90/14
Francfort	**1,5**	**2,5**	**3,5**	**5,5**	**7**	**7,5**	**7**	**7**	**5**	**3,5**	**1,5**	**1**
	55/10	45/10	40/8	45/9	55/9	75/11	70/11	75/10	55/9	50/9	55/10	55/10
Nuremberg	**1,5**	**3**	**4**	**5,5**	**7**	**7,5**	**7,5**	**7**	**5,5**	**4**	**2**	**1,5**
	45/10	40/9	45/9	50/10	65/11	75/11	70/10	65/9	50/9	45/7	45/10	50/10
Munich	**1,5**	**2,5**	**4**	**5,5**	**6,5**	**7**	**7,5**	**7**	**5,5**	**4**	**2**	**1,5**
	45/9	45/9	45/9	55/10	90/11	110/12	100/11	100/11	70/9	50/7	55/10	50/10
Constance	**1,5**	**2,5**	**4**	**5,5**	**6,5**	**7**	**8**	**7**	**5,5**	**3**	**2**	**1**
	50/10	50/9	50/10	70/11	85/13	105/13	100/12	90/12	70/9	55/8	65/10	60/10

température de la mer : moyenne mensuelle

	J	F	M	A	M	J	J	A	S	O	N	D
Baltique	3	2	3	5	9	13	17	17	15	12	8	5
Mer du Nord	4	4	5	7	10	13	16	17	16	13	9	6

Angola

Superficie : 1 250 000 km². Luanda (latitude 8°51'S ; longitude 13°14'E) : GMT + 1 h . Durée du jour : maximale (décembre) 12 heures 30, minimale (juin) 11 heures 30.

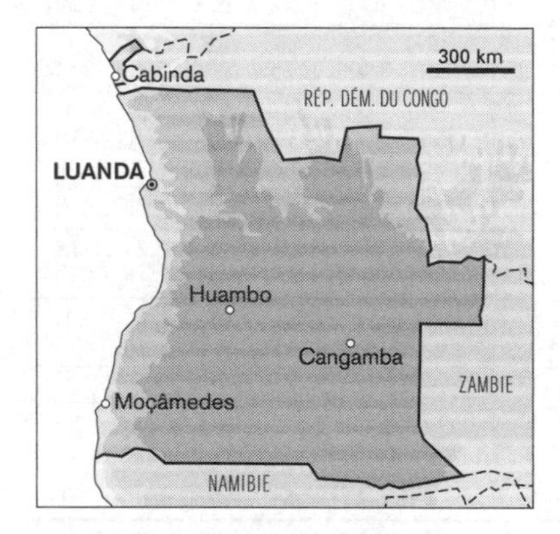

Le climat angolais se caractérise par deux saisons sans périodes intermédiaires :

▶ La **saison sèche, de mai à septembre**, dite *cacimbo*, est sans doute la meilleure période pour voyager en Angola. La chaleur, en général assez modérée, reste en tout cas très supportable. À noter toutefois, sur la plaine côtière, l'abondance de brouillard créé par le courant froid de Benguela, et qui a pour conséquence un ensoleillement médiocre, surtout au Sud (voir Moçâmedes), entre juillet et septembre.
Dans certaines régions du plateau qui occupe l'essentiel du pays (par exemple, dans la région de Malange et des chutes de la rivière Lucala), on observe à cette saison des écarts de températures tout à fait spectaculaires entre le jour et la nuit (voir Cangamba) : il gèle parfois aux petites heures du matin en juin-juillet, alors qu'il fait très chaud dans la journée.
Dans la chaîne montagneuse qui borde le littoral, il peut aussi faire très frais la nuit. La meilleure saison pour visiter les réserves (Quiçama, Cameia, Milando, Luando...) se situe entre mi-août et décembre (voir chapitre « Kenya »).

▶ L'intensité de la **saison des pluies**, d'octobre à avril, varie suivant les régions : sur la côte, les pluies sont peu importantes, voire quasi inexistantes dans sa partie Sud, qui est un prolongement du désert du Namib. Elles augmentent à mesure que l'on s'éloigne de la mer et deviennent assez abondantes sur les zones les plus élevées de l'intérieur.
Dans la région de Luanda, la saison des pluies est interrompue, au mois de janvier de certaines années, par une très brève période sèche, le « petit *cacimbo* ». C'est une saison chaude et étouffante dans l'ensemble, un peu moins au Sud de la côte et dans les régions élevées où les nuits restent tempérées.

▶ Le courant froid de Benguela est responsable de la fraîcheur de l'eau de mer le long de toute la moitié sud du littoral.

▶ Dans l'enclave de Cabinda, enserrée, au nord, entre l'ex-Zaïre (Congo-Kinshasa) et le Congo (Brazzaville), les pluies tombent à peu près à la même période qu'à Luanda, mais elles sont plus abondantes. Le ciel est très souvent obstrué par d'épais nuages bas, même durant la saison sèche.

VALISE : vêtements très légers, amples et d'entretien facile ; veste ou pull pour les soirées dans l'intérieur du pays. Pendant la saison des pluies, anorak.

SANTÉ : risques de paludisme toute l'année, particulièrement de novembre à avril ; zones de résistance à la Nivaquine et multirésistance. Vaccination contre la fièvre jaune recommandée ; vaccin antirabique conseillé pour de longs séjours.

BESTIOLES : des moustiques toute l'année, actifs la nuit. ●

moyenne des températures maximales / moyenne des températures minimales

	J	F	M	A	M	J	J	A	S	O	N	D
Luanda	**30** 24	**31** 24	**31** 24	**31** 24	**29** 23	**27** 20	**24** 18	**24** 18	**26** 20	**28** 22	**29** 23	**30** 23
Cangamba (1 325 m)	**29** 17	**29** 17	**31** 17	**32** 14	**32** 11	**30** 9	**28** 8	**31** 8	**32** 13	**31** 15	**29** 16	**29** 16
Huambo (1 700 m)	**25** 14	**25** 14	**25** 15	**25** 14	**26** 11	**25** 8	**25** 8	**27** 10	**29** 13	**27** 14	**25** 14	**25** 15
Moçâmedes	**26** 18	**28** 20	**29** 21	**28** 19	**25** 15	**22** 14	**20** 13	**21** 14	**22** 15	**23** 16	**26** 17	**26** 18
Cabinda	**30** 23	**31** 23	**31** 23	**30** 23	**29** 23	**26** 21	**26** 18	**26** 19	**27** 21	**28** 23	**29** 23	**28** 23

nombre d'heures par jour hauteur en mm / nombre de jours

	J	F	M	A	M	J	J	A	S	O	N	D
Luanda	**7** 25/2	**7** 35/3	**7** 100/7	**7** 125/9	**8** 20/2	**7** 0/0	**6** 0/0	**5** 1/0	**5** 2/0	**5** 6/2	**6** 35/3	**7** 25/3
Cangamba	**4** 225/12	**5** 185/13	**5** 170/13	**7** 4/6	**9** 1/1	**10** 0/0	**10** 0/0	**9** 5/1	**8** 5/1	**6** 40/5	**5** 130/12	**4** 215/14
Huambo	**5** 210/16	**5** 180/14	**5** 230/17	**6** 145/10	**8** 16/2	**9** 0/0	**9** 0/0	**8** 1/0	**7** 19/3	**5** 125/13	**5** 230/18	**5** 230/17
Moçâmedes	**7** 8/1	**7** 11/1	**7** 18/2	**8** 13/1	**7** 2/0	**5** 0/0	**4** 0/0	**4** 1/0	**4** 1/0	**5** 2/0	**7** 3/0	**7** 3/0
Cabinda	**4** 60/5	**4** 110/6	**5** 85/7	**5** 120/8	**3** 60/3	**3** 1/0	**3** 0/0	**2** 1/4	**2** 6/2	**2** 35/6	**2** 115/8	**3** 90/6

température de la mer : moyenne mensuelle

	J	F	M	A	M	J	J	A	S	O	N	D
Luanda	26	27	27	27	26	23	22	21	22	24	25	25
Moçâmedes	21	22	24	24	22	19	18	17	18	19	20	21

Antarctique

Superficie : 14 000 000 km^2. Amundsen-Scott (latitude 90°00'S ; longitude 0°E)) : .

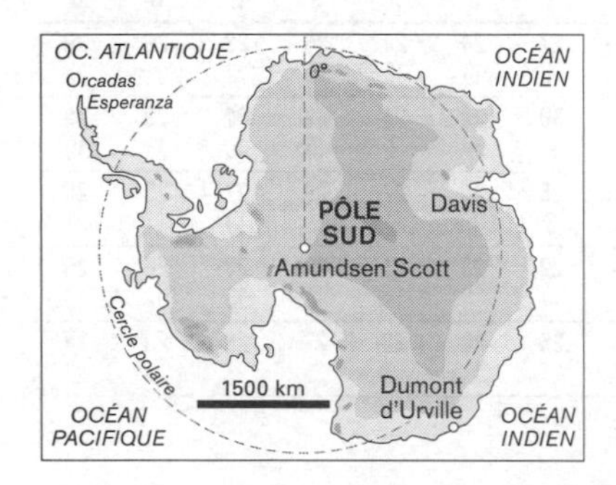

En partie constitué par un vaste plateau central élevé (la base américaine Amundsen-Scott, au pôle Sud, est située à 2 800 m d'altitude), l'Antarctique est le plus froid, le plus venteux et le plus sec des continents.

▶ Durant les mois les plus froids, de juin à août, les températures habituelles du plateau central varient entre – 45° et – 70° (un record de – 89,6° a été relevé en 1983 sur la base russe de Vostok). Pendant la saison « chaude », de décembre à février, le thermomètre remonte entre – 40° et – 15°.

▶ Sur le bord du continent (voir Davis et Dumont-d'Urville), les températures se font moins extrêmes qu'à l'intérieur. Pendant l'été austral, elles sont le plus souvent positives en milieu de journée.

▶ Le vent est un facteur essentiel du climat antarctique. Par temps calme, la sécheresse de l'air rend les températures plus supportables que ce à quoi on s'attend, mais dès que le vent se lève, le *wind chill factor* aidant, il n'y a pas d'autre issue que de chercher à s'abriter. Au moment de leur formation, au centre de l'Antarctique, les vents catabatiques demeurent généralement modérés (de 10 km/h à 20 km/h) ; ils prennent de la vitesse en glissant sur la calotte glacière et arrivent sur les régions côtières à des vitesses de 30 km/h à 70 km/h. Mais, dans certaines conditions, ces vents peuvent atteindre des vitesses considérables (324 km/h enregistrés en juin 1977 sur la base française de Dumont-d'Urville). Les vents catabatiques, qui sévissent toute l'année, se lèvent aussi soudainement qu'ils s'arrêtent. Ils sont cependant moins forts et moins fréquents en décembre et janvier. À Dumont-d'Urville, on compte en janvier une moyenne de sept jours avec des vents supérieurs à 100 km/h et une moyenne de 14 jours en août.

▶ Dans ces régions, les rares précipitations prennent surtout la forme de cristaux de glace plutôt que de flocons de neige. Dès que le vent prend une certaine force, il peut soulever du sol des quantités phénoménales de cristaux de glace : on parle alors de *blizzard.* En cas de *blizzard,* rare en décembre et janvier, la visibilité peut se limiter à quelques mètres, voire être nulle.

▶ Ushuaïa, en Terre de Feu (voir chapitre « Argentine »), est la principale base de départ du tourisme antarctique qui se limite à la période décembre-février pour éviter les conditions extrêmes du long hiver crépusculaire. Ces voyages consistent pour l'essentiel en escales et débarquements sur les îles Shetland et Orcades du Sud (voir Base Orcadas) et sur la partie de la péninsule antarctique qui est en deçà du cercle polaire (voir Base Esperanza). Ces latitudes connaissent des températures bien moins rigoureuses que celles du continent antarctique proprement dit. Mais les précipitations y sont moins négligeables et le soleil, même pendant ces mois d'été austral, est très souvent masqué par les nuages ou la brume.

VALISE : les organisateurs des croisières vers l'Antarctique mettent généralement à la disposition des voyageurs des vêtements spécifiques adaptés aux conditions polaires. La protection contre le froid commence par se prémunir contre le vent (vêtements « respirants », en Gore-Tex, doublés de « au vent »). Les sous-vêtements de soie ou de laine sont indiqués. Lunettes et crèmes solaires à haute protection indispensables.

FOULE : les voyages vers l'Antarctique, pour une grande part au départ d'Ushuaïa (Argentine), se développent : on escomptait plus de 20 000 croisiéristes pendant l'été austral 2005-2006, dont 40 % d'Américains, 15 % d'Allemands et de Britanniques, 7 % d'Australiens. Les Français, environ 300, restent très minoritaires. ●

moyenne des températures maximales / moyenne des températures minimales

	J	F	M	A	M	J	J	A	S	O	N	D
Orcadas	**3**	**3**	**2**	**0**	**- 2**	**- 5**	**- 5**	**- 5**	**- 2**	**- 0**	**2**	**3**
(Argentine)	- 1	- 1	- 2	- 5	- 8	- 12	- 14	- 13	- 9	- 6	- 3	- 1
Esperanza	**3**	**2**	**0**	**- 3**	**- 6**	**- 7**	**- 7**	**- 6**	**- 3**	**- 0**	**1**	**3**
(Argentine)	- 2	- 3	- 6	- 11	- 13	- 15	- 15	- 15	- 11	- 7	- 5	- 2
Davis	**3**	**0**	**- 6**	**- 10**	**- 12**	**- 13**	**- 14**	**- 14**	**- 13**	**- 9**	**- 3**	**2**
(Australie)	- 1	- 5	- 11	- 16	- 19	- 19	- 20	- 21	- 20	- 15	- 8	- 2
Dumont-d'Urville	**2**	**1**	**- 6**	**- 10**	**- 11**	**- 12**	**- 12**	**- 13**	**- 11**	**- 10**	**- 4**	**1**
(France)	- 3	- 4	- 12	- 17	- 19	- 20	- 20	- 21	- 19	- 17	- 10	- 4
Amundsen-Scott	**- 26**	**- 38**	**- 51**	**- 54**	**- 54**	**- 55**	**- 56**	**- 56**	**- 55**	**- 49**	**- 37**	**- 26**
(États-Unis)	- 30	- 43	- 57	- 61	- 62	- 62	- 63	- 63	- 62	- 54	- 40	- 29

nombre d'heures par jour hauteur en mm / nombre de jours

	J	F	M	A	M	J	J	A	S	O	N	D
Orcadas	**1,5**	**1,5**	**1**	**1**	**0,5**	**0,4**	**0,5**	**1**	**1,5**	**1,5**	**2**	**2**
	45/*	75/*	75/*	75/*	65/*	50/*	45/*	50/*	50/*	50/*	45/*	45/*
Esperanza	*	*	*	*	*	*	*	*	*	*	*	*
	55/*	65/*	75/*	60/*	55/*	45/*	55/*	70/*	60/*	55/*	65/*	60/*
Davis	**9**	**6**	**3**	**2,5**	**0,7**	**0**	**0,2**	**2**	**4**	**5,5**	**7,5**	**9,5**
	2/*	6/*	10/*	11/*	12/*	9/*	7/*	5/*	4/*	4/*	3/*	2/*
Dumont-d'Urville	**9,5**	**7**	**5,5**	**3,5**	**1,5**	**0,3**	**0,7**	**2,5**	**5**	**8,5**	**11**	**11,5**
	/	*/*	*/*	*/*	*/*	*/*	*/*	*/*	*/*	*/*	*/*	*/*
Amundsen-Scott	*	*	*	*	*	*	*	*	*	*	*	*
(2 850 m)	0,1/0	0/0	0/0	0/0	0/0	0/0	0/0	0/0	0/0	0/0	0/0	0,1/0

Antilles (Îles des Petites)

(Anguilla, Saint-Martin, Antigua-et-Barbuda, Saint-Barthélemy, Saint-Kitts-et-Nevis, Montserrat, Guadeloupe, Désirade, Marie-Galante, Saintes, Dominique, Martinique, Sainte-Lucie, Saint-Vincent-et-les-Grenadines, Grenade, Barbade…) Fort-de-France (latitude 14°37'N ; longitude 61°04'O) : GMT - 4 h . Durée du jour : maximale (juin) 13 heures, minimale (décembre) 11 heures 30.

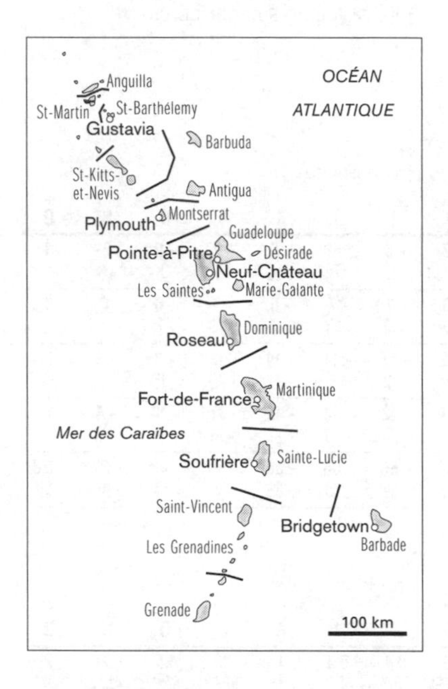

La meilleure saison pour passer des vacances sur les îles des Petites Antilles est bien sûr la saison **sèche**, appelée « carême », qui s'étend, à quelques variantes près, **de février à avril** : les températures sont très agréables, chaudes sans excès, et le soleil très présent malgré quelques averses orageuses.

La **saison des pluies**, dite « hivernage », dure de juin-juillet à novembre. Il fait alors plus chaud et plus humide, voire étouffant lorsque les alizés – les « rois des Antilles » –, heureusement très fréquents, ne rafraîchissent pas l'atmosphère. Le mois d'octobre reste le plus humide. Les averses, violentes et spectaculaires mais de courte durée, tombent surtout en fin d'après-midi : le soleil peut donc néanmoins briller une bonne partie de la journée. C'est aussi la saison des cyclones, surtout d'août à octobre, avec un maximum pendant les trois premières semaines de septembre. Citons le cas du cyclone *Hugo* qui fit, dans la nuit du 16 au 17 septembre 1989, des dégâts considérables en Guadeloupe, avant de continuer sa course jusqu'en Floride. Ou encore *Luis*, venu ravager l'île de Saint-Martin le 4 septembre 1995.

Si vous partez aux Antilles pendant la saison des pluies, choisissez bien votre côte : les côtes orientales (ou atlantiques), dites « au vent », sont plus arrosées que les côtes Ouest (ou caraïbes), dites « sous le vent ».

Les pluies sont particulièrement abondantes dans les îles qui ont un relief accentué, telles que Basse-Terre en Guadeloupe, la Dominique et la Martinique, sur lesquelles il peut tomber à certains endroits plus de 8 m d'eau par an. En contrepartie, sur ces îles volcaniques, la floraison est particulièrement spectaculaire lors de cette saison : flamboyants, tulipiers, lianes Saint-Jean, etc., émaillent de leurs couleurs somptueuses une végétation toujours luxuriante.

Les îles plates, calcaires ou coralliennes, telles que Anguilla, Barbuda, Saint-Martin, Antigua, Désirade, Marie-Galante, Les Saintes et Grande-Terre en Guadeloupe, Barbade, sont plus sèches et souvent pourvues de belles plages de sable abritées derrière des barrières de corail.

On se baigne toute l'année aux Antilles dans une eau délicieusement tiède : elle peut dépasser 28° de juillet à octobre et ne descend pas au-dessous de 26° durant la saison sèche, qui est aussi la haute saison touristique (janvier à avril).

VALISE : quelle que soit la saison, vêtements très légers et amples en coton ou en lin de préférence ; tennis ou sandales en plastique pour marcher sur les récifs coralliens ; de quoi se protéger des averses.

SANTÉ : pour l'île de Grenade, vaccination antirabique fortement conseillée.

BESTIOLES : des moustiques toute l'année (surtout actifs après le coucher du soleil). Méfiez-vous des oursins qui sont venimeux.

FOULE : depuis longtemps très fréquentée par les Nord-Américains, notamment en hiver, cette région s'est aussi imposée comme l'une des grandes destinations pour les Européens. Mars (Martinique, Saint-Martin, Barbade) et avril (Anguilla, Sainte-Lucie) sont les mois de plus grande affluence. Juillet et août font aussi le plein, alors que septembre et octobre constituent une période creuse commune à toutes les îles. À défaut de trouver des plages désertes, on peut choisir ses compagnons de bronzage : ils viennent majoritairement des États-Unis à Anguilla, Grenade, Saint-Kitts et Saint-Martin ; du Royaume-Uni sur les plages d'Antigua et de Barbade ; et de France à La Martinique et en Guadeloupe. Quant aux Allemands, ils restent discrets dans les Petites Antilles et préfèrent investir Cuba et Saint-Domingue. ●

moyenne des températures maximales / moyenne des températures minimales

	J	F	M	A	M	J	J	A	S	O	N	D
Gustavia (St-Barthélemy)	**27** 23	**28** 23	**28** 23	**29** 24	**30** 24	**30** 25	**30** 25	**30** 25	**31** 25	**30** 25	**29** 24	**28** 23
La Guérite (St-Kitts)	**27** 22	**27** 21	**28** 22	**28** 23	**29** 24	**29** 24	**30** 24	**30** 24	**30** 24	**29** 24	**29** 23	**28** 23
Plymouth (Montserrat)	**20** 21	**28** 21	**29** 21	**30** 22	**31** 23	**31** 25	**31** 25	**31** 25	**32** 23	**31** 23	**29** 23	**28** 22
Pointe-à-Pitre (Guadeloupe)	**28** 19	**28** 19	**29** 19	**29** 21	**30** 22	**30** 23	**30** 23	**31** 23	**31** 23	**30** 22	**30** 21	**29** 20
Neuf-Château (Guadeloupe)	**26** 18	**26** 18	**26** 18	**27** 19	**28** 20	**28** 21	**28** 21	**28** 22	**29** 20	**28** 20	**28** 20	**27** 19
Roseau (Dominique)	**29** 20	**29** 19	**31** 20	**31** 21	**31** 22	**32** 23	**32** 23	**32** 23	**32** 23	**32** 22	**31** 22	**30** 21
Fort-de-France (Martinique)	**27** 21	**27** 21	**28** 22	**29** 22	**29** 23	**29** 23	**29** 23	**29** 24	**30** 24	**29** 23	**29** 23	**28** 22
Soufrière (Sainte-Lucie)	**28** 21	**28** 21	**29** 21	**31** 22	**31** 23	**31** 23	**31** 23	**31** 23	**31** 23	**30** 22	**29** 22	**28** 21
Bridgetown (Barbade)	**29** 22	**29** 21	**30** 22	**30** 22	**31** 23	**31** 24	**30** 23	**31** 23	**31** 23	**30** 23	**30** 23	**29** 22

nombre d'heures par jour hauteur en mm / nombre de jours

	J	F	M	A	M	J	J	A	S	O	N	D
Gustavia	**8** 60/14	**9** 40/9	**9** 40/8	**9** 55/9	**8** 90/12	**9** 55/10	**8** 85/11	**9** 90/12	**8** 110/14	**8** 105/14	**8** 95/13	**8** 95/13
La Guérite	**8** 95/15	**8** 50/9	**9** 60/9	**8** 60/8	**8** 95/10	**8** 90/10	**8** 110/14	**8** 130/14	**8** 155/14	**8** 150/13	**7** 155/15	**7** 115/14
Plymouth	**8** 120/12	**8** 85/9	**9** 100/9	**8** 90/8	**8** 95/10	**8** 110/13	**8** 155/14	**8** 180/16	**8** 170/13	**7** 195/14	**7** 180/16	**7** 140/13

Antilles

	J	F	M	A	M	J	J	A	S	O	N	D
Pointe-à-Pitre	**7**	**8**	**8**	**8**	**8**	**8**	**7**	**8**	**7**	**7**	**7**	**7**
	90/15	60/11	70/10	115/11	160/14	145/14	205/18	190/17	245/18	245/18	210/17	145/17
Neuf-Château	**6**	**6**	**7**	**6**	**6**	**6**	**6**	**7**	**6**	**6**	**7**	**6**
(300 m)	230/19	165/14	130/14	285/18	390/19	325/18	355/22	365/20	410/20	445/21	430/20	325/20
Roseau	*	*	*	*	*	*	*	*	*	*	*	*
	125/16	75/10	75/13	60/10	95/11	200/15	275/22	260/22	225/16	200/16	225/18	160/16
Fort-de-France	**8**	**8**	**9**	**9**	**8**	**7**	**8**	**8**	**7**	**7**	**8**	**8**
	105/17	80/12	65/13	90/13	130/15	180/18	245/22	230/21	255/19	225/18	205/18	135/17
Soufrière	*	*	*	*	*	*	*	*	*	*	*	*
	135/18	90/13	95/13	85/10	150/16	220/21	240/23	270/22	250/21	235/19	230/20	195/19
Bridgetown	**9**	**9**	**9**	**9**	**9**	**8**	**9**	**9**	**8**	**8**	**8**	**8**
	65/12	40/9	35/7	50/7	70/7	105/14	140/19	145/15	170/15	175/15	180/14	95/13

température de la mer : moyenne mensuelle

	J	F	M	A	M	J	J	A	S	O	N	D
Pointe-à-Pitre	25	25	25	26	26	27	28	28	28	28	27	26
Fort-de-France	25	25	25	26	26	27	28	28	28	28	27	26
Bridgetown	25	25	25	26	26	27	27	28	28	27	27	26

Arabie Saoudite

Superficie : 1 960 000 km². Riyad (latitude 24°42'N ; longitude 46°43'E) : GMT + 3 h . Durée du jour : maximale (juin) 13 heures 30, minimale (décembre) 10 heures 30.

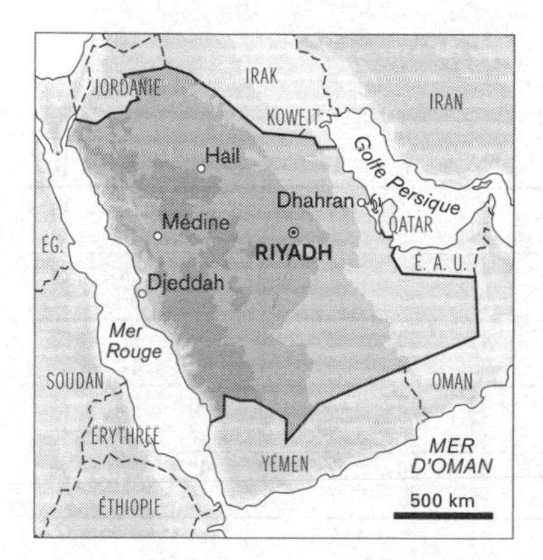

Dans cet immense pays en grande partie désertique, le climat est généralement très chaud et aride. Il y a cependant des nuances importantes selon les régions :

- Sur la *tihama*, plaine côtière qui borde la mer Rouge (voir Djedda), la chaleur est très forte toute l'année, avec des écarts assez faibles entre le jour et la nuit. Elle est rendue encore plus désagréable par une humidité persistante, qui voile le ciel et enveloppe les côtes d'une épaisse brume de chaleur. Cette humidité ne se dissipe que lorsque souffle le *simoun*, vent brûlant et poussiéreux qui vient du désert. Les mois les moins suffocants sont **décembre, janvier et février**.

Sur le littoral du golfe Persique, à l'Est, le climat est à peu près le même qu'au bord de la mer Rouge d'avril à octobre, mais, le reste de l'année, il fait moins chaud dans la journée et les nuits sont presque fraîches.

On se baigne rarement sur les côtes saoudiennes, ou alors tout habillé(e) : sachez que la température de la mer ne descend jamais au-dessous de 20° – en janvier – et peut dépasser 30° en juin.

- Dans les régions montagneuses et sur le haut plateau qui occupent l'Ouest et le Centre du pays, l'atmosphère est de moins en moins humide à mesure que l'on progresse vers l'intérieur. La variation des températures est plus importante, à la fois entre le jour et la nuit, et d'une saison à l'autre : à Riyad et à Médine, le thermomètre chute de plus de 20° entre le jour et la nuit. Entre mi-novembre et fin février, il fait froid la nuit, et il peut geler. Dans les régions élevées du Nord (voir Hail), il peut même faire vraiment froid en milieu de journée durant cette période.
- Dans le Sud-Est du pays, occupé par le très inhospitalier désert de Rub al-Khali, le climat est encore plus difficile à affronter, même pour les Bédouins. Il ne pleut que très exceptionnellement.
- Il n'existe pas, à l'heure actuelle, de données statistiques concernant l'ensoleillement en Arabie Saoudite. Le ciel est le plus souvent sans nuages, avec quelques restrictions : en « hiver », pendant les périodes orageuses, le temps peut être couvert durant d'assez longues périodes sur le plateau central et sur la côte du golfe Persique. Même chose sur l'Assir, massif montagneux qui surplombe la côte Ouest, lorsqu'il pleut. (On peut se référer aux moyennes d'ensoleillement données pour les Émirats arabes unis.)

VALISE : de mai à octobre, vêtements très légers ; évitez les couleurs sombres, trop chaudes, mais optez pour une mode très pudique : les shorts sont mal acceptés, même pour les hommes ; quant aux minijupes, débardeurs et robes décolletées, inutile d'y songer. En hiver, ajoutez une veste, un ou deux pulls pour les soirées et des tenues plus chaudes si vous prévoyez un voyage dans le Nord.

SANTÉ : quelques risques de paludisme dans les provinces du Sud et de l'Ouest, excepté les villes de Djedda, Médine, Makkah et Taif. Quelques zones de résistance à la Nivaquine et multirésistance. Vaccin méningo-coccique A + C obligatoire durant la période du pèlerinage à La Mecque.

BESTIOLES : des moustiques toute l'année, particulièrement actifs après le coucher du soleil. ●

moyenne des températures maximales / moyenne des températures minimales

	J	F	M	A	M	J	J	A	S	O	N	D
Hail (910 m)	**16** 3	**18** 3	**23** 7	**27** 10	**32** 16	**37** 20	**37** 22	**38** 21	**36** 18	**32** 15	**23** 11	**16** 5
Dhahran	**20** 11	**22** 11	**26** 15	**31** 20	**38** 24	**41** 28	**42** 29	**42** 29	**39** 26	**34** 22	**28** 17	**23** 12
Riyad (620 m)	**20** 8	**23** 10	**28** 14	**32** 19	**39** 24	**41** 26	**43** 27	**42** 27	**40** 24	**35** 19	**27** 14	**22** 9
Médine (640 m)	**24** 12	**26** 13	**30** 17	**34** 21	**39** 25	**42** 28	**39** 28	**42** 29	**41** 27	**36** 22	**30** 17	**25** 13
Djedda	**29** 21	**29** 18	**31** 20	**33** 22	**35** 24	**37** 25	**38** 26	**37** 27	**36** 26	**35** 24	**32** 22	**30** 20

nombre d'heures par jour hauteur en mm / nombre de jours

	J	F	M	A	M	J	J	A	S	O	N	D
Hail	* 10/3	* 15/1	* 13/2	* 6/1	* 10/2	* 0/0	* 0/0	* 0/0	* 0/0	* 1/0	* 3/5	* 13/3
Dhahran	* 14/3	* 15/3	* 20/3	* 12/2	* 1/0	* 0/0	* 0/0	* 0/0	* 0/0	* 1/0	* 5/1	* 11/2
Riyad	**7** 11/3	**8** 10/3	**8** 24/4	**8,5** 29/5	**9** 8/2	**11** 0/0	**11** 0/0	**10** 1/0	**9,5** 0/0	**9** 1/0	**8,5** 6/1	**7** 11/2
Médine	* 8/2	* 1/1	* 8/2	* 12/2	* 5/2	* 0/0	* 0/0	* 0/0	* 0/0	* 1/0	* 9/3	* 4/1
Djedda	* 14/3	* 6/2	* 1/0	* 5/1	* 2/1	* 0/0	* 0/0	* 0/0	* 1/0	* 2/1	* 12/3	* 12/3

Argentine

Superficie : 2 770 000 km². Buenos Aires (latitude 34°35'S ; longitude 58°29'O) : GMT - 3 h . Durée du jour : maximale (décembre) 14 heures 30, minimale (juin) 10 heures. Durée du jour à Ushuaïa (Terre de Feu), maximale 17 heures 30, minimale 7 heures.

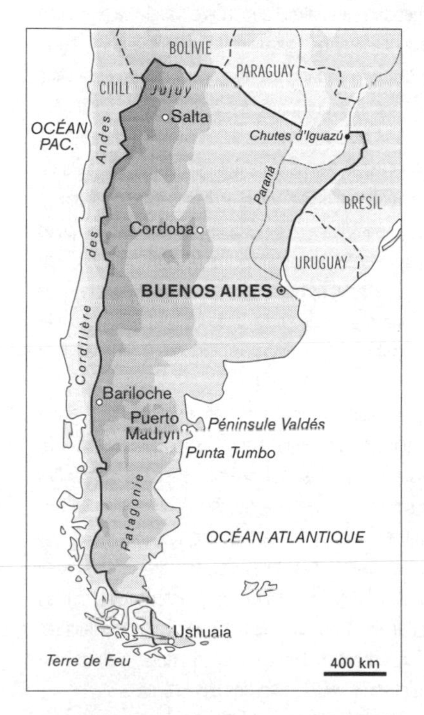

L'Argentine, qui s'étend sur 3 700 km de long, connaît une grande variété climatique, du Nord-Est subtropical au climat froid et rude de la Terre de Feu. Elle est entièrement située dans l'hémisphère Sud : les saisons y sont donc inversées par rapport à la France.

▶ Si vous prévoyez de parcourir durant le même séjour à la fois l'extrême Sud (Terre de Feu, lago Argentino) et l'extrême Nord (chutes d'Iguazú, Jujuy), ne cherchez pas la saison idéale pour entreprendre un tel voyage : elle n'existe pas. Toutefois, dans un pareil cas, nous opterions pour les mois où le climat est le plus clément au Sud (**décembre à mars**), quitte à risquer un peu de canicule au Nord.

▶ Au Nord-Est du pays (voir Iguazú), climat humide et lourd avec des averses violentes mais de courte durée de novembre à mars ; le soleil reste très présent durant cette période. De mai à septembre, les températures sont très agréables dans la journée, un peu fraîches la nuit, et les orages encore assez fréquents. La crue des eaux de l'Iguazú culmine en mars, et la période où les chutes sont le plus spectaculaires se situe entre janvier et mai.

▶ Au Nord-Ouest (voir Salta), d'octobre à mars, il fait chaud dans la journée et assez frais la nuit ; c'est la saison pluvieuse. De mai à septembre, les journées sont douces, mais les nuits froides ; le ciel est assez souvent nuageux bien que les pluies soient presque inexistantes durant cette période.

▶ À Buenos Aires, les étés sont chauds et humides, avec des orages. Pendant cette saison, on se baigne au Sud de Buenos Aires (Mar del Plata) ; cependant, l'eau reste toujours assez fraîche : de 18° à 19°. En hiver (juin à août), les températures ne sont jamais très basses, mais l'humidité les rend parfois pénibles, surtout le matin. La météo locale donne d'ailleurs, en plus de la température réelle, la « sensation thermique » qui, du fait de l'humidité, est en hiver sensiblement plus basse. Un vent frais, le *sudestada*, se manifeste de temps à autre dans toute cette région, particulièrement sur la côte atlantique. La meilleure saison à Buenos Aires est le printemps (**fin septembre à début décembre**), c'est aussi la saison des grands tournois de polo qui se conclut, à la mi-décembre, par la finale du fameux « Abierto de Palermo ».

▶ Le climat de la partie Sud des Andes (voir Bariloche) est assez voisin de celui des Alpes. On y skie de juin à août, sur les magnifiques pistes de Bariloche et de Las Lenas.

RENDEZ-VOUS NATURE

VALDÉS, EN PATAGONIE

➧ De part et d'autre de la péninsule Valdés, le golfe San José et le golfe Nuevo accueillent, chaque année, près d'un millier de **baleines franches** venues s'y reproduire. Leur arrivée s'étale de mai à juin et elles repartent vers l'Antarctique en novembre et décembre. Les baleineaux naissent (en toute discrétion) d'août à fin octobre, avec un pic en **septembre**. Ce mois est aussi celui où l'on observe le plus fréquemment des accouplements. **Octobre**, alors que le printemps est installé, reste idéal pour observer les mères escortées de leurs petits.

➧ Environ 30 000 **éléphants de mer** se regroupent sur les plages de la péninsule, notamment à Punta Norte. Seule au monde à être établie sur le continent, cette colonie demeure, de nos jours, la seule en expansion. Début août, l'essentiel des mâles sont déjà sur les plages et attendent l'arrivée des femelles pour les engager dans leur harem. Les naissances, suivies des accouplements 20 jours plus tard, ont lieu de septembre à fin octobre. C'est la **première semaine d'octobre** que les effectifs sont les plus nombreux sur les plages. Après de courts séjours en mer pour se nourrir, les éléphants de mer reviennent sur la côte en décembre et janvier pour muer ; cela avant de se disperser, fin janvier ou février, jusqu'à l'hiver suivant.

➧ Les **otaries**, à demeure dans la région, se regroupent pour la période de reproduction. Punta Norte et Puerto Piramides sont les lieux de rassemblement les plus importants. Les mâles occupent les plages la première quinzaine de décembre, suivis des femelles, qui arrivent 15 jours après. Les naissances, **de fin décembre à mi-février**, sont suivies une semaine après de l'accouplement. La nurserie se poursuit encore pendant plusieurs semaines, avant une relative dispersion en avril.

➧ Les **orques** résident dans la région, mais on ne les observe vraiment qu'en **février**, et surtout en **mars et début avril**, et dans une moindre mesure de fin septembre à début novembre, quand ils se rapprochent des plages de Punta Norte pour guetter leurs proies favorites : les jeunes et tendres otaries et les éléphanteaux de mer au moment de leurs premiers bains de mer. Parfois, la chasse est organisée en famille... Un spectacle rare que l'on n'observe qu'ici et sur les îles Crozet.

➧ Les plages de Punta Tombo, à 170 km au sud de Puerto Madryn, voient arriver chaque année plus de 250 000 couples de **pingouins** venus y nicher. Les mâles arrivent en éclaireurs **à la fin du mois d'août**. Les femelles, qui débarquent à la mi-septembre, sont fécondées, et les œufs incubés en octobre. Le nombre de naissances culmine la dernière semaine de novembre. Le petit pingouin sort du nid, couvert de duvet, en **janvier**. Il mue et se retrouve vite sur la plage, puis plonge et joue dans la mer avant même février. En **mars et avril**, leur vie d'adulte commence par la migration vers le Sud du Brésil.

➧ En Patagonie (voir Puerto Madryn), les pluies demeurent relativement rares toute l'année ; en hiver, le temps est sec et plutôt ensoleillé, mais, bien que les températures ne soient jamais très basses, le vent augmente considérablement la rigueur du climat. Il faut savoir que, même quand il fait 10°, un vent de force 5 donne une impression de « froid ». Au printemps et en été, climat doux, ensoleillé, mais toujours venté.

➧ En Terre de Feu (voir Ushuaïa), hiver froid ; été toujours frais mais pas désagréable. Là encore, le vent se laisse rarement oublier, avec une intensité maximale de novembre à février.

VALISE : au Nord, d'octobre à avril, vêtements très légers et amples, en fibres naturelles de préférence, un lainage ou deux, éventuellement un anorak type K-way ; le reste de l'année, ajouter quelques vêtements de demi-saison. À Buenos Aires, vêtements de plein été de décembre à mars ; lainages et veste chaude de juin à août. En Patagonie et en Terre de Feu, vêtements confortables et chauds, qui coupent le vent (blouson, anorak, etc.), chaussures de marche.

SANTÉ : d'octobre à mai, faibles risques de paludisme dans quelques zones rurales des provinces de Salta et de Jujuy.

BESTIOLES : des moustiques dans la partie Nord du pays et, près de Buenos Aires, dans le delta du rio Paraná ; surtout pendant la saison des pluies.

FOULE : le décrochage, il y a cinq ans, du peso par rapport au dollar a fait considérablement baisser le coût d'un séjour en Argentine, devenue un pays bon marché. Cela a favorisé une forte progression du nombre des visiteurs. La pression touristique reste cependant modérée, surtout si l'on considère l'immensité du pays. Les Chiliens constituent une part importante des visiteurs. En janvier et, dans une moindre mesure, en février, la période des vacances d'été des Argentins, avions et hôtels peuvent être pleins. ●

moyenne des températures maximales / moyenne des températures minimales

	J	F	M	A	M	J	J	A	S	O	N	D
Salta	**28**	**28**	**26**	**23**	**21**	**21**	**21**	**21**	**25**	**26**	**27**	**27**
(1 220 m)	15	16	15	12	7	5	4	6	9	12	14	16
Chutes d'Iguazú	**33**	**32**	**31**	**26**	**23**	**20**	**21**	**22**	**25**	**27**	**30**	**32**
	22	22	21	17	14	12	12	12	14	16	18	21
Córdoba	**31**	**30**	**28**	**24**	**21**	**18**	**18**	**21**	**23**	**25**	**28**	**30**
(420 m)	16	16	14	11	7	3	3	4	7	11	13	16
Buenos Aires	**29**	**28**	**26**	**22**	**18**	**14**	**14**	**16**	**18**	**21**	**24**	**28**
	17	17	16	12	8	5	6	6	8	10	13	16
Bariloche	**22**	**22**	**19**	**15**	**10**	**7**	**6**	**8**	**10**	**14**	**18**	**21**
(830 m)	7	7	5	2	1	- 1	- 1	- 1	0	2	5	7
Puerto Madryn	**27**	**27**	**24**	**21**	**16**	**12**	**12**	**14**	**17**	**19**	**23**	**26**
	13	13	11	8	4	2	1	2	4	7	8	12
Ushuaïa	**14**	**14**	**13**	**9**	**6**	**4**	**4**	**6**	**8**	**11**	**12**	**13**
	5	5	3	1	- 2	- 3	- 4	- 3	- 1	2	2	4

nombre d'heures par jour hauteur en mm / nombre de jours

	J	F	M	A	M	J	J	A	S	O	N	D
Salta	**6**	**5**	**4**	**5**	**5**	**5**	**6**	**7**	**6**	**5**	**6**	**6**
	175/14	150/13	95/12	25/6	6/3	3/1	2/1	4/1	5/2	25/6	60/8	120/12
Chutes d'Iguazú	**9**	**9**	**9**	**9**	**9**	**9**	**8**	**7**	**8**	**9**	**8**	**9**
	150/10	135/9	165/11	140/9	155/10	155/10	130/8	80/7	130/8	145/9	125/8	140/9
Córdoba	**9**	**8**	**7**	**7**	**6**	**5**	**6**	**7**	**7**	**8**	**9**	**9**
	100/10	90/8	95/9	40/5	25/4	10/3	8/2	15/3	30/4	75/7	90/8	110/10
Buenos Aires	**9**	**9**	**7**	**7**	**5**	**4**	**5**	**6**	**6**	**7**	**9**	**9**
	110/7	120/7	120/8	120/7	110/6	85/7	65/6	70/7	75/7	120/8	110/8	100/8
Bariloche	**11**	**10**	**8**	**6**	**4**	**3**	**4**	**5**	**6**	**8**	**10**	**11**
	35/6	12/4	30/7	50/9	140/16	90/16	145/17	105/15	50/11	25/6	16/5	20/5

Argentine

	J	F	M	A	M	J	J	A	S	O	N	D
Puerto Madryn	**10** 6/3	**10** 14/4	**8** 17/4	**7** 11/3	**5** 19/5	**4** 11/5	**5** 15/5	**6** 13/4	**7** 15/5	**9** 17/4	**10** 13/3	**10** 14/4
Ushuaïa	**6** 60/13	**6** 50/12	**4** 55/11	**3** 45/12	**2** 50/13	**1** 45/19	**1** 45/10	**3** 50/8	**5** 40/7	**6** 35/11	**6** 50/11	**6** 50/13

température de la mer : moyenne mensuelle

	J	F	M	A	M	J	J	A	S	O	N	D
Mar del Plata	18	19	18	17	15	13	11	10	11	13	15	17
Puerto Madryn	15	16	15	14	12	10	8	8	8	9	12	14
Ushuaïa	7	8	7	7	6	5	3	3	4	5	6	6

Arménie

Superficie : 30 000 km^2. Erevan (latitude 40°08'N ; longitude 44°28'E) : GMT + 3 h . Durée du jour : maximale (juin) 15 heures, minimale (décembre) 9 heures 30.

Située à mi-chemin entre la mer Noire et la mer Caspienne, mais sans débouché sur l'une d'elles, presque entièrement occupée par de hauts plateaux hérissés de massifs volcaniques, l'Arménie subit un climat rude et contrasté.

▶ En hiver, on est d'autant plus surpris par le froid que la latitude du pays laisserait augurer des températures plus clémentes. Les 200 000 habitants de Goumri, il est vrai située à 1 500 m d'altitude, subissent ainsi, tôt le matin, des températures équivalentes à celles de Moscou. En cours de journée cependant, la température y dépasse nettement celle de la capitale russe. De temps en temps, un vent de *fœhn* vient réchauffer l'atmosphère.
Les chutes de neige ne sont pas très fréquentes, mais la température la fixe au sol quelques semaines à Erevan ; trois mois près du lac Sevan, à 2 000 m d'altitude.

▶ Au printemps, le mois de mai connaît un maximum de pluies. Cependant, elles sont peu importantes en valeur absolue et tombent essentiellement sous la forme d'orages violents, notamment dans la région d'Erevan et sur toute la façade Sud-Ouest du pays.

▶ De toutes les régions caucasiennes (Géorgie, Azerbaïdjan, sud de la Russie), celle d'Erevan offre sur l'année le taux le plus élevé de jours totalement libres de nuages : en moyenne, 106 jours. Ils sont pour une grande part comptabilisés en été. Pendant cette saison, le temps est assez chaud et sec, sans pour autant que les orages soient rares. Signalons deux situations particulières : celle du Nord-Ouest du pays, où les pentes exposées aux masses d'air venues de la mer Noire reçoivent des pluies considérables ; et, tout au Sud du pays, le climat de la région de Meghri (ville sur les bords de l'Araxe) permet la culture du coton et de fruits tropicaux.

▶ L'Arménie offre aux voyageurs ses meilleures conditions climatiques pendant les saisons intermédiaires : **fin avril à mi-juin** et **mi-septembre à mi-octobre**.

VALISE : à la fois continentale et située à des altitudes conséquentes, l'Arménie connaît des écarts de température importants entre le jour et la nuit. Les soirées restent donc froides au printemps et en automne et peuvent être très fraîches même en été : un vêtement chaud n'est donc jamais superflu. ●

Voir tableaux page suivante

Arménie

moyenne des températures maximales / moyenne des températures minimales

	J	F	M	A	M	J	J	A	S	O	N	D
Goumri	**- 4**	**- 2**	**4**	**12**	**18**	**22**	**25**	**26**	**22**	**16**	**9**	**1**
(1 500 m)	- 14	- 13	- 6	0	6	8	13	12	7	1	- 2	- 9
Erevan	**1**	**3**	**12**	**18**	**24**	**29**	**32**	**33**	**28**	**21**	**13**	**6**
(900 m)	- 7	- 5	1	7	11	14	18	18	13	8	3	- 2

nombre d'heures par jour hauteur en mm / nombre de jours

	J	F	M	A	M	J	J	A	S	O	N	D
Goumri	**3**	**5**	**5**	**6**	**8**	**10**	**12**	**11**	**8**	**7**	**5**	**3**
	25/10	25/9	35/9	60/10	80/12	70/11	60/7	35/6	35/6	40/6	25/6	35/8
Erevan	**3**	**4**	**5**	**7**	**9**	**11**	**12**	**11**	**10**	**8**	**5**	**3**
	23/7	25/6	30/6	42/8	50/9	25/6	13/3	10/2	12/2	25/4	28/5	22/6

Aruba, Bonaire, Curaçao

Superficie : 930 km^2. Willemstad (latitude 12°12'N ; longitude 68°58'O) : GMT - 4 h . Durée du jour : maximale (juin) 13 heures, minimale (décembre) 11 heures 30.

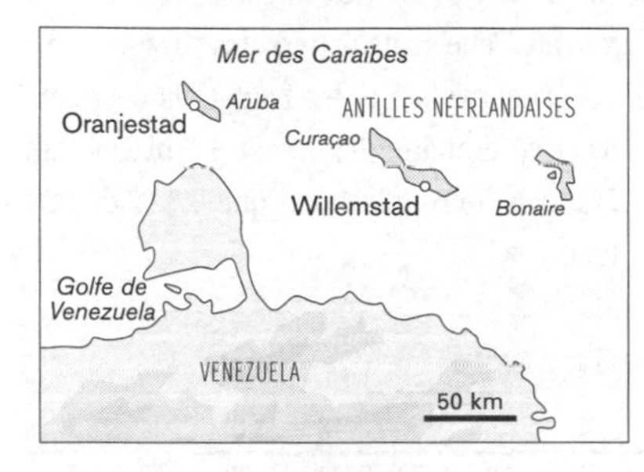

Les « îles A-B-C » (Aruba, Bonaire et Curaçao), ancrées au large des côtes vénézuéliennes et dont les deux dernières appartiennent toujours à la province autonome des Antilles hollandaises, reçoivent assez peu de pluies tout au long de l'année, excepté d'octobre à décembre. Ces îles sont en principe à l'abri des cyclones (quoique *Lenny*, pourtant passé très au large, ait fait quelques dégâts en 1999), mais les tempêtes tropicales sont moins rares. Ces îles comptent ainsi parmi les plus ensoleillées des îles Caraïbes. La faiblesse des précipitations explique la relative aridité de leurs paysages.

▶ Les températures sont élevées toute l'année, mais l'*alizé* qui souffle quasi continuellement – au point que les cactus eux-mêmes poussent inclinés – les rend supportables. On distingue cependant les côtes « au vent » (Nord et Nord-Est), surtout rocheuses, battues par le ressac et assez peu hospitalières, et les côtes « sous le vent » (Sud et Sud-Ouest), où de belles plages sablonneuses sont baignées par des eaux calmes, protégées par une barrière corallienne.

Il y a peu de différences climatiques entre les trois îles, quoique Aruba, la plus occidentale, reçoive moins de précipitations et bénéficie d'un très léger bonus d'ensoleillement. Le vent y souffle aussi avec un peu plus de force.

▶ S'il fallait désigner la meilleure période, nous choisirions **février et mars**, mois secs inclus dans la période la « moins

RENDEZ-VOUS NATURE

Les belles éponges...

Bonaire fait figure d'exemple dans le monde entier pour la protection de son environnement sous-marin. Les premières mesures ont été prises dès le début des années 1960 ; la pêche sous-marine est interdite depuis 1972 et le Parc marin a été créé en 1979. Près de la moitié des visiteurs viennent ici pour pratiquer la plongée.

On peut plonger toute l'année dans de bonnes conditions. L'essentiel des sites, notamment réputés pour la beauté de leurs spongiaires (éponges), sont répartis sur la côte occidentale de l'île. Ils sont donc à l'abri des vents d'est, dominants, qui soufflent une grande partie de l'année. En septembre et pendant la première moitié d'octobre, le vent est au plus bas et reste très modéré jusqu'en décembre. Cette période offre ainsi l'occasion de visiter les quelques sites sous-marins situés au nord et à l'est de l'île, bien moins accueillants le reste de l'année.

Certaines années, le plus souvent en juillet et sur un ou deux jours, un phénomène d'*upwelling* fait baisser la température de la mer, et la remontée de micro-organismes des profondeurs limite alors la visibilité.

chaude ». Mais, à condition d'aimer la chaleur, on peut séjourner toute l'année sur les « A-B-C », le mois d'août offrant l'ensoleillement maximal.

VALISE : en toute saison, vêtements légers, sandales de plastique pour marcher sur les récifs coralliens.

BESTIOLES : quelques moustiques...

FOULE : forte pression touristique. Juillet et décembre sont les mois les plus fréquentés. Juin reçoit le moins de visiteurs. La Hollande, pour des raisons historiques, fournit à elle seule le tiers des voyageurs. Le Venezuela voisin et les États-Unis occupent dans ce domaine les 2 e et 3 e places. Les Français ne représentent que 0,3 % du flux total. ●

moyenne des températures maximales / moyenne des températures minimales

	J	F	M	A	M	J	J	A	S	O	N	D
Oranjestad (Aruba)	**30** 24	**30** 24	**31** 25	**31** 25	**32** 26	**32** 26	**32** 26	**32** 26	**32** 27	**32** 26	**32** 25	**30** 25
Willemstad (Curaçao)	**30** 24	**30** 24	**30** 25	**31** 25	**31** 26	**32** 26	**32** 26	**32** 26	**32** 26	**32** 26	**31** 25	**30** 24

nombre d'heures par jour hauteur en mm / nombre de jours

	J	F	M	A	M	J	J	A	S	O	N	D
Oranjestad	**8,5** 40/8	**8,5** 20/4	**9** 9/2	**8,5** 14/2	**8,5** 15/2	**9** 17/3	**9** 30/5	**9,5** 25/4	**8,5** 35/4	**8** 65/7	**8** 75/10	**8** 65/11
Willemstad	**8,5** 45/9	**8,5** 25/6	**8,5** 14/3	**8,5** 20/3	**8,5** 20/2	**9** 20/3	**9** 40/6	**9,5** 45/5	**8,5** 45/5	**8** 85/8	**8** 100/10	**8** 100/11

température de la mer : moyenne mensuelle

	J	F	M	A	M	J	J	A	S	O	N	D
Mer des Caraïbes	26	26	26	26	27	27	27	28	28	28	28	27

Australie

Superficie : 7 690 000 km^2. Sydney (latitude 33°52'S ; longitude 151°02'E) : GMT + 10 h . Durée du jour : maximale (décembre) 14 heures 30, minimale (juin) - 10 heures.

Située dans l'hémisphère austral, l'île-continent a pour sa seule partie tempérée, au Sud, des saisons inversées par rapport à celles de l'Europe, mais toute sa partie Nord est régie par un climat tropical.

Étant donné son immensité, la meilleure période pour y voyager diffère donc selon les régions. Les saisons intermédiaires – les mois de **mai et septembre**, ou mieux encore **avril et octobre** – vous permettront d'échapper à la fois au plus désagréable de la saison des pluies dans le Nord, et aux ciels couverts et au froid (relatif) de l'hiver austral dans le Sud.

Au Nord de l'Australie – le « Top End », de la péninsule de Dampier au Cap York –, le climat est tropical (voir Darwin, Daly Waters, Cairns, Dampier) : la saison sèche, *the dry*, de mai à mi-octobre, avec des journées très chaudes et des nuits plus fraîches, surtout dans l'intérieur du pays, et la saison des pluies, *the wet*, de décembre à mars, avec des températures très élevées, une forte humidité qui peut être pénible et des pluies très abondantes sur les régions côtières. Certaines routes et pistes peuvent être fermées pendant cette saison.

Cette dernière période est la moins plaisante dans le Nord de l'Australie, d'autant plus que les cyclones, surtout de février à mi-mars, y font parfois des dégâts considérables, ainsi *Larry* le 19 mars 2006.

La mer, elle, reste à une température agréable toute l'année : entre 24° et 29°.

Sur la **côte Est**, de Brisbane à Sydney, les pluies se répartissent plus également tout au long de l'année, avec cependant des périodes plus arrosées entre décembre et mars vers Brisbane, entre janvier et juin vers Sydney.

Les températures sont agréables en toute saison, mais très fraîches la nuit en hiver (juin à août). Se baigner en cette saison, vers Sydney, est réservé aux courageux : dans cette rade, la température de l'eau ne dépasse pas 17°. En revanche, à Brisbane, elle descend rarement en dessous de 19° ; et à hauteur de la Grande Barrière de corail, elle est toujours bonne.

En **Australie occidentale** (voir Perth), le climat est très agréable **d'octobre à début mai** : journées très ensoleillées et chaudes, nuits fraîches. La région souffre parfois de la sécheresse au milieu de l'été. En hiver, de juin à septembre, il fait un peu frais et surtout il pleut fréquemment.

Tout au **Sud** de l'Australie et en Tasmanie (voir Melbourne, Hobart), les hivers sont plus marqués : nuits froides, vent coupant, ciel souvent nuageux ; mais les gelées sont rares et il ne neige qu'au-dessus de 1 000 m (entre juin et août, on skie dans l'État de Victoria, notamment à Mount Buller, et dans les Snowy Mountains, au Sud-Ouest de Canberra). Les étés sont agréables, chauds sans excès, avec des nuits fraîches. Les pluies, assez modérées, se distribuent uniformément tout au long de l'année.

Si vous aimez l'eau fraîche, le Sud de l'Australie est pour vous : la température de la mer atteint rarement 20°.

▶ Dans l'*Outback*, immense désert intérieur (voir Alice Springs, Giles, Oodnadatta), le climat reste torride dans la journée d'octobre à mars et de violents orages éclatent parfois ; durant cette période, les nuits sont heureusement assez douces. En hiver, de mai à août, les journées sont tempérées et les nuits froides. Les meilleures périodes sont le début et la fin de cette saison (**avril-mai, août-septembre**).

VALISE : les Australiens sont peu formalistes sur la question de l'habillement ; d'octobre à avril, des vêtements légers, analogues à ceux que vous porteriez dans le Sud de la France en été, seront tout à fait adaptés dans

RENDEZ-VOUS NATURE

Sous la Grande Barrière

Le plus vaste des sites naturels classé « Patrimoine mondial » par l'Unesco, la **Grande Barrière de corail**, s'étend sur 2 000 km au large de l'Australie : de Cap York, pointe extrême au Nord-Est du pays, à la hauteur de Gladstone vers le Sud.

▶ Pour les « récifs du Nord » *(Far northen reefs)*, qui s'étendent au large de la péninsule de York et se prolongent jusqu'en Papouasie, les plongeurs confirmés embarquent en croisières plongée depuis Lockart River, ou Cairns, exclusivement de fin août à fin décembre, avant l'arrivée des pluies et la période des cyclones. **Novembre**, moins venté, permet l'accès au versant extérieur des récifs pour découvrir cette zone peu fréquentée et encore intacte. C'est ici l'époque de la reproduction du corail et de la présence des raies Manta et des requins-baleines.

▶ Plus au Sud, on plonge toute l'année sur *Ribbon reefs*. Les récifs sont seulement à 25 km au large et l'on peut donc embarquer à la journée, solution la plus économique. *Ribbon reefs* est aussi très adapté à la plongée avec masque et tuba – par certains endroits, le récif corallien remonte à moins de 2 m de la surface. La meilleure saison va **de la fin du mois d'août à la mi-décembre**.

Les petits rorquals migrent devant *Ribbon reefs* entre mai et septembre, et **juin et juillet** sont les mois les plus favorables pour les observer. Vers novembre (précisément, quatre ou cinq jours après la pleine lune qui suit le moment où la mer atteint 27° de température), la nuit *sex on the reef* est celle où les coraux évacuent au même moment œufs et sperme. Cet événement initie une réaction en chaîne qui a pour conséquence le développement du zooplancton attirant près des récifs requins-baleines, raies Manta et rorquals.

▶ Plus au Sud encore, de Townsville à Gladstone, la saison des pluies est de moins en moins marquée, les jours sont encore plus ensoleillés et le vent diminue. Mais la Grande Barrière s'éloigne des côtes. Les récifs deviennent alors moins accessibles. On trouve cependant des îles coralliennes, comme Heron Island ou Lady Helliott Island, endroits rêvés, mais coûteux, adaptés aux amateurs de tuba et aux plongeurs débutants.

Les baleines à bosse fréquentent cette zone Sud **de juin à octobre**. **Décembre-février**, quand la concentration en plancton est maximale, est la saison privilégiée pour l'observation de raies Manta. Les tortues sont communes **d'octobre à fin février**, époque où elles viennent déposer leurs œufs. De février à début avril, des groupes de centaines de bébés tortues commencent leur vie en mer, mais ce spectacle est plus difficile à surprendre.

La haute saison touristique va du 31 juillet au 31 janvier, avec une pointe du 15 novembre au 15 janvier. Mais les prix diffèrent assez peu tout au long de l'année.

▶ Loin de la Grande Barrière, sur la côte Nord-Ouest de l'Australie, rendez-vous est pris en **mars et avril** sur le récif de Ningaloo pour plonger avec les requins-baleines.

les grandes villes (aucun problème pour les ferventes du short, de la minijupe, etc.). Le reste de l'année, des vêtements plus chauds et un imperméable sont nécessaires. Dans l'*Outback*, vêtements de sport, chaussures de marche. Pour se promener sur les récifs coralliens, des sandales de plastique ou des tennis.

BESTIOLES : certains coquillages magnifiques que l'on a envie de ramasser, sur la Grande Barrière notamment, sont hérissés d'épines empoisonnées dont les piqûres sont très douloureuses ; plus dangereux encore, le *stone fish*, qui porte sur le dos des piquants au poison violent (ne jamais se promener nu-pieds sur les récifs). Dans les eaux tropicales australiennes, attention aux *sea wasps* (guêpes de mer) et aux méduses, très venimeuses (de décembre à mars surtout).

FOULE : faible pression touristique, surtout si l'on considère l'immensité du pays. Mais le tourisme y est en forte progression. L'affluence, toute relative, atteint son maximum au mois de décembre, au début de l'été austral. L'Australie accueille alors deux fois plus de visiteurs qu'en mai et juin, c'est-à-dire à la fin de l'automne, période la plus calme. Le Japon et la Nouvelle-Zélande à égalité, suivis du Royaume-Uni et des États-Unis, fournissent à eux quatre 60 % des visiteurs. Mais, comme la Nouvelle-Zélande, l'Australie a enregistré ces dernières années une hausse notable des visiteurs des pays de l'Union européenne. ●

moyenne des températures maximales / moyenne des températures minimales

	J	F	M	A	M	J	J	A	S	O	N	D
Darwin	**32**	**32**	**32**	**33**	**32**	**31**	**31**	**31**	**32**	**33**	**33**	**33**
	25	25	25	24	22	20	19	21	23	25	25	25
Daly Waters	**37**	**36**	**35**	**34**	**31**	**29**	**29**	**32**	**36**	**38**	**39**	**38**
	24	23	22	19	16	13	12	13	18	21	23	24
Cairns	**31**	**31**	**30**	**29**	**28**	**26**	**26**	**27**	**28**	**29**	**30**	**31**
	24	24	23	22	20	18	17	18	19	21	22	23
Dampier	**36**	**36**	**36**	**34**	**30**	**27**	**26**	**28**	**31**	**33**	**34**	**36**
	26	27	26	23	18	15	14	15	17	20	22	25
Alice Springs	**36**	**35**	**32**	**28**	**23**	**20**	**20**	**22**	**27**	**31**	**34**	**36**
(550 m)	21	20	18	13	8	5	4	6	10	15	18	20
Giles	**37**	**36**	**34**	**29**	**24**	**21**	**20**	**22**	**27**	**32**	**34**	**36**
	24	23	21	16	11	8	7	9	13	17	20	22
Oodnadatta	**38**	**37**	**34**	**28**	**23**	**20**	**19**	**22**	**26**	**30**	**34**	**36**
	23	22	19	14	10	7	6	7	11	15	18	21
Brisbane	**29**	**29**	**28**	**26**	**23**	**21**	**20**	**22**	**24**	**26**	**28**	**29**
	21	20	19	16	13	11	9	10	13	16	18	20
Perth	**30**	**30**	**28**	**25**	**21**	**18**	**17**	**18**	**20**	**22**	**25**	**27**
	18	18	17	14	12	10	9	9	10	12	14	16
Adélaïde	**28**	**20**	**26**	**22**	**19**	**16**	**15**	**16**	**18**	**21**	**24**	**26**
	16	16	14	12	10	8	7	8	9	11	13	15
Sydney	**26**	**26**	**25**	**23**	**20**	**18**	**17**	**18**	**20**	**22**	**24**	**25**
	19	19	18	15	12	10	9	10	12	14	16	18
Melbourne	**26**	**26**	**24**	**21**	**17**	**14**	**13**	**15**	**17**	**20**	**22**	**24**
	15	15	14	12	9	7	6	7	9	10	12	14
Hobart	**22**	**22**	**20**	**18**	**15**	**12**	**12**	**13**	**15**	**17**	**19**	**20**
(Tasmanie)	12	12	11	9	7	5	4	5	6	8	10	11

Voir tableaux page suivante

Australie

nombre d'heures par jour — hauteur en mm / nombre de jours

	J	F	M	A	M	J	J	A	S	O	N	D
Darwin	**5,5** 420/21	**6** 360/20	**7** 320/19	**8,5** 100/9	**9,5** 25/2	**10** 2/1	**10** 1/0	**10,5** 6/1	**10** 15/2	**9,5** 70/7	**8,5** 140/12	**7** 240/16
Daly Waters	**7** 165/12	**6,5** 160/12	**8** 120/8	**9** 25/3	**9** 5/1	**9,5** 7/1	**10** 2/0	**10** 2/0	**9,5** 5/1	**9** 25/3	**8,5** 55/7	**8** 100/10
Cairns	**7** 400/18	**6** 450/19	**6,5** 420/19	**6,5** 200/17	**6,5** 95/14	**7,5** 50/9	**7,5** 30/8	**7,5** 30/8	**8** 35/8	**8,5** 40/8	**8,5** 100/11	**7,5** 180/14
Dampier	**10,5** 30/3	**10,5** 65/5	**9,5** 40/4	**10** 20/2	**9** 30/3	**9** 35/3	**9** 15/2	**10** 6/1	**11** 2/1	**11,5** 1/0	**12** 1/0	**11,5** 13/2
Alice Springs	**10** 40/5	**10** 45/5	**10** 35/3	**9,5** 20/3	**8,5** 20/2	**8,5** 15/2	**9,5** 14/2	**10** 10/2	**10** 9/2	**10** 20/3	**10** 25/5	**10** 40/5
Giles	**10** 30/5	**9,5** 50/6	**9,5** 35/5	**9** 18/3	**8,5** 20/4	**8** 18/3	**9** 10/2	**10** 10/2	**10** 10/2	**10,5** 14/3	**10,5** 25/5	**10** 35/5
Oodnadatta	**11** 30/4	**10,5** 25/3	**10** 14/2	**9** 11/2	**8** 15/3	**7,5** 12/2	**8** 10/2	**9** 9/2	**9,5** 10/2	**10** 13/3	**10,5** 12/3	**11** 14/3
Brisbane	**7,5** 160/13	**6,5** 160/13	**6,5** 145/14	**7,5** 95/11	**7** 75/9	**7** 65/7	**7,5** 55/7	**8** 45/6	**8,5** 45/7	**8,5** 75/9	**8,5** 95/10	**9,5** 130/11
Perth	**10,5** 8/3	**10** 14/3	**9** 20/4	**7,5** 45/7	**6** 120/13	**5** 180/17	**5,5** 170/17	**6,5** 140/16	**7,5** 80/13	**9** 55/11	**10** 25/6	**10,5** 13/3
Adélaïde	**10,5** 18/4	**10** 19/3	**8,5** 25/5	**7,5** 35/8	**5,5** 55/13	**4,5** 55/13	**5** 65/16	**6** 50/15	**7** 45/13	**8,5** 40/11	**9** 25/7	**9,5** 25/6
Sydney	**7,5** 130/11	**7,5** 120/11	**7** 160/12	**7** 130/10	**6** 100/11	**6** 130/11	**6,5** 55/9	**8** 100/9	**8** 65/9	**8** 80/10	**7,5** 100/11	**8** 80/10
Melbourne	**8** 45/8	**7,5** 40/7	**6** 45/9	**5** 45/11	**4** 45/14	**3** 40/14	**3,5** 60/15	**4,5** 60/15	**5** 50/14	**6,5** 60/14	**6** 55/11	**7,5** 55/10
Hobart	**8** 40/11	**7** 40/10	**6,5** 45/11	**5** 50/12	**4** 45/13	**4** 55/13	**4,5** 55/14	**5** 50/14	**6** 55/15	**6,5** 60/16	**7** 60/14	**7,5** 55/12

température de la mer : moyenne mensuelle

	J	F	M	A	M	J	J	A	S	O	N	D
Darwin	30	30	29	27	26	26	26	26	27	28	29	29
Perth	20	20	21	21	20	19	18	18	18	19	19	20
Adelaïde	18	19	19	18	17	16	15	14	14	15	16	17
Sydney	20	21	20	20	20	19	17	17	18	18	19	20
Brisbane	25	26	25	24	23	22	20	21	20	22	23	24
Cairns	28	29	28	27	26	25	24	24	25	26	27	28
Hobart	15	16	16	15	14	13	12	11	12	12	13	14

Autriche

Superficie : 84 000 km². Vienne (latitude 48°15'N ; longitude 16°22'E) : GMT + 1 h . Durée du jour : maximale (juin) 16 heures, minimale (décembre) 8 heures.

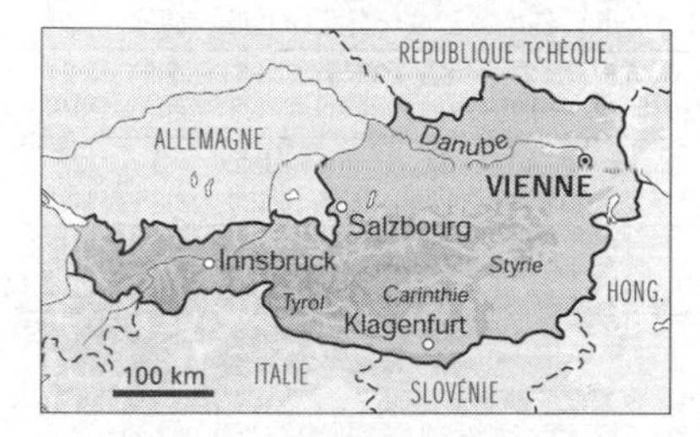

Le **printemps** et l'**automne** – particulièrement **mai, juin et septembre** – sont de bonnes périodes pour découvrir Vienne et Salzbourg, les deux grandes capitales autrichiennes du baroque et de la musique. Les autres saisons, sans être formellement contre-indiquées, ont chacune leurs inconvénients : les hivers du bassin viennois, sans être excessivement rigoureux, sont assez froids et souvent brumeux ; juillet et août sont souvent assez humides et orageux à Vienne, et carrément pluvieux à Salzbourg.

De la mi-mai à la fin du mois de septembre, on peut s'adonner aux plaisirs des randonnées dans les différents massifs des Alpes autrichiennes, des paysages pittoresques du Tyrol aux rivieras des lacs de Carinthie et à la verte Styrie. Les forêts alpines offrent alors d'excellents abris aux marcheurs surpris par les averses ou les orages, il est vrai assez fréquents en été. On peut aussi pratiquer le ski d'été dans certaines stations.

L'**hiver** autrichien est par excellence la saison du ski (**de décembre à avril**) dans ce pays aux trois quarts montagneux. Les stations situées en altitude, nombreuses au Tyrol, offrent des pistes bien ensoleillées, alors que les vallées restent souvent plongées dans le brouillard. C'est dans cette même région, cependant, que sévit le plus régulièrement le *fœhn*, vent chaud et sec, qui peut, en hiver, provoquer des diminutions spectaculaires de l'enneigement ou des avalanches. Plus à l'Est, la Carinthie connaît le *jauk*, variété locale du même vent.

VALISE : de juin à septembre, vêtements d'été et lainages, veste pour les soirées toujours fraîches. De novembre à mars, lainages, manteau d'hiver, écharpe, gants, etc. En toute saison, imperméable ou parapluie peuvent être utiles.

FOULE : un flux touristique modéré, en baisse depuis quelques années, et assez inégalement réparti sur l'année. L'Autriche accueille en juillet et en août 10 fois plus de monde qu'en novembre, mois des plus basses eaux du tourisme. Plus de la moitié des visiteurs de l'Autriche viennent de l'Allemagne voisine. Moins de 4 % de France. ●

moyenne des températures maximales / moyenne des températures minimales

	J	F	M	A	M	J	J	A	S	O	N	D
Vienne	**3** -2	**5** -1	**10** 3	**15** 6	**20** 10	**24** 14	**25** 16	**25** 15	**20** 12	**14** 7	**8** 3	**4** 0
Salzbourg (430 m)	**2** -5	**4** -3	**9** 0	**14** 3	**19** 7	**22** 11	**23** 13	**23** 13	**20** 9	**14** 5	**8** 0	**3** -3
Innsbruck (580 m)	**3** -5	**6** -4	**11** 0	**15** 4	**20** 8	**23** 11	**25** 13	**24** 13	**21** 9	**15** 5	**8** 0	**4** -4
Klagenfurt (470 m)	**0** -7	**5** -5	**10** -1	**15** 3	**20** 8	**24** 11	**26** 13	**25** 13	**21** 9	**14** 4	**6** -1	**1** -5

Autriche

nombre d'heures par jour hauteur en mm / nombre de jours

	J	F	M	A	M	J	J	A	S	O	N	D
Vienne	**2** 35/7	**3** 40/8	**4** 45/8	**5,5** 50/8	**7** 60/9	**7,5** 70/9	**8** 65/9	**7,5** 60/8	**5,5** 55/7	**4,5** 40/6	**2** 50/8	**1,5** 45/8
Salzbourg	**2,5** 65/11	**3,5** 60/10	**4** 65/11	**5** 85/12	**6** 130/13	**6,5** 150/15	**7** 160/15	**6,5** 150/14	**5,5** 90/10	**4,5** 65/9	**2,5** 75/10	**2** 70/12
Innsbruck	**2,5** 45/8	**4** 40/8	**4,5** 55/9	**5,5** 55/10	**6** 85/11	**6** 110/13	**7** 140/14	**6,5** 110/13	**6** 80/9	**5,5** 60/8	**3** 65/9	**2,5** 55/9
Klagenfurt	**2,5** 30/5	**4** 35/5	**5** 50/6	**6** 65/8	**7** 80/9	**7,5** 110/12	**8** 120/10	**7,5** 100/10	**6** 90/7	**4,5** 85/7	**2** 80/7	**1,5** 50/5

Azerbaïdjan

Superficie : 87 000 km². Bakou (latitude 40°21'N ; longitude 49°50'E) : GMT + 3 h 30 . Durée du jour : maximale (juin) 15 heures, minimale (décembre) 9 heures 30.

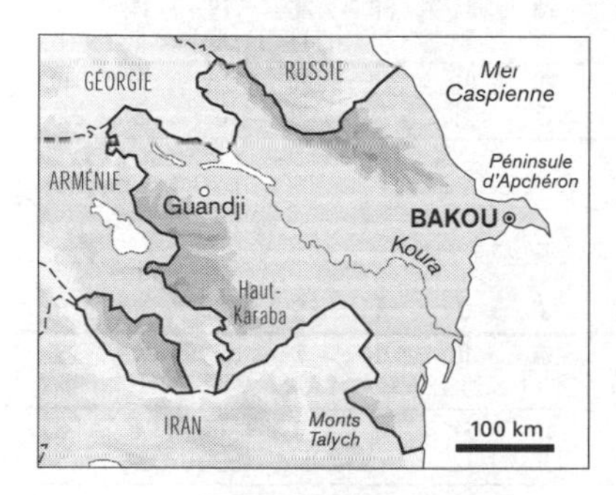

Limité au nord par la chaîne du Grand Caucase, à l'ouest par les contreforts du Petit Caucase, au sud par les monts Talych, l'Azerbaïdjan s'ouvre largement sur la mer Caspienne.

▶ En **hiver**, le pays est en règle générale bien protégé des influences polaires par la chaîne du Grand Caucase. La basse vallée du Koura et les côtes de la mer Caspienne connaissent à cette période de nombreux jours, certes frais, mais clairs et secs. Régulièrement cependant, un redoutable vent du nord de type *bora*, profite du passage entre le Caucase et la mer pour venir refroidir Bakou et le littoral. À l'inverse, la péninsule d'Apchéron, au nord de la capitale, peut, de temps à autre, voir grimper sa température en quelques heures sous l'effet du *fœhn*.
À l'ouest de l'Azerbaïdjan, si quelques tempêtes de neige peuvent avoir lieu en altitude, la couche neigeuse est rarement très épaisse. Mais, dans la région du Haut-Karabakh notamment, le froid peut être très rigoureux. Dans les plaines et sur les rives de la mer Caspienne, il arrive souvent qu'il ne neige pas du tout l'hiver.

▶ Au **printemps**, l'Ouest du pays connaît les plus fortes précipitations. Rien de très important cependant, dans la mesure où l'Azerbaïdjan est globalement peu arrosé – exception faite toutefois de la région des monts Talych, à l'extrême Sud du pays (en moyenne, 1 250 mm par an à Astara).

▶ L'**été** est très chaud, plus on s'éloigne de la mer Caspienne, mais aussi très sec. La région de Bakou et la péninsule d'Apchéron sont régulièrement balayées par un vent du nord, souvent chargé en poussière.

▶ C'est en **automne** que les monts Talych et l'extrémité Sud de la côte reçoivent leur maximum de pluies – en moyenne près de 200 mm/mois, de septembre à novembre. Le taux d'humidité est alors élevé, près de 80 %. Dans le reste du pays, le climat reste assez agréable.

▶ Les saisons intermédiaires sont les plus propices à un voyage en Azerbaïdjan : **de la fin avril à la fin juin, septembre et octobre**.

VALISE : ne pas oublier des vêtements coupe-vent en hiver. Se rappeler que les soirées peuvent être très fraîches jusqu'en mai et à partir d'octobre. Les porteurs de lentilles de contact emporteront une bonne vieille paire de lunettes pour les périodes de vent de poussière. La majorité de la population azerbaïdjanaise est de tradition musulmane, les voyageuses éviteront les tenues qui pourraient choquer.

SANTÉ : faibles risques de paludisme au Sud du pays. ●

Voir tableaux page suivante

Azerbaïdjan

moyenne des températures maximales / moyenne des températures minimales

	J	F	M	A	M	J	J	A	S	O	N	D
Guandji (300 m)	**7** - 1	**8** - 1	**13** 3	**17** 7	**24** 13	**28** 16	**31** 19	**30** 19	**26** 15	**19** 10	**14** 5	**9** 1
Bakou	**7** 0	**8** 0	**10** 2	**15** 7	**22** 13	**26** 18	**29** 21	**29** 21	**25** 19	**20** 14	**14** 8	**10** 2

nombre d'heures par jour hauteur en mm / nombre de jours

	J	F	M	A	M	J	J	A	S	O	N	D
Guandji	**3** 12/5	**4** 14/4	**4** 17/5	**5** 40/8	**7** 40/8	**10** 50/8	**10** 25/4	**9** 17/4	**7** 25/5	**5** 25/5	**4** 11/4	**3** 18/4
Bakou	**3** 25/7	**4** 16/6	**5** 25/6	**6** 25/5	**8** 17/4	**11** 13/3	**11** 8/2	**10** 7/2	**8** 15/3	**6** 30/5	**4** 35/7	**3** 25/7

Bahamas

Superficie : 14 000 km^2. Nassau (latitude 25°03'N ; longitude 77°28'O) : GMT - 5 h . Durée du jour : maximale (juin) 14 heures, minimale (décembre) 10 heures 30.

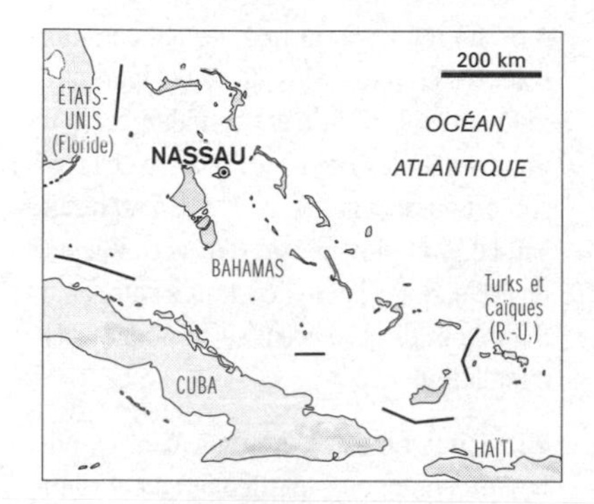

Il fait (presque) toujours beau aux Bahamas : ciel dégagé, soleil, brises soutenues qui tempèrent les excès de chaleur.

Cependant, de décembre à mars, il fait parfois un peu frais pour passer ses journées sur les plages lorsque le vent souffle fort.

Il est donc peut-être préférable de partir **entre avril et août**. Durant cette période tombe l'essentiel des pluies, qui, toutefois, ne risquent pas de gâcher votre séjour puisqu'elles sévissent surtout en fin de journée ou pendant la nuit, sous forme de grosses averses.

La partie méridionale de l'archipel peut être touchée par un ouragan. Ils sévissent généralement en septembre ou en octobre, ainsi *Frances* et *Jeanne*, en septembre 2004, mais atteignent plus rarement les Bahamas que le reste des Antilles.

Déjà bonne pendant les mois d'hiver, la mer est chaude en été : sa température peut atteindre 29° au mois d'août.

VALISE : des vêtements très légers, en fibres naturelles de préférence ; un anorak pendant la saison des pluies ; un ou deux pull-overs, une veste ou un blouson pour les soirées de novembre à avril.

FOULE : une pression touristique très forte, même en basse saison. Les mois les plus fréquentés – mars en premier lieu, puis avril et juillet – reçoivent près de deux fois plus de visiteurs que septembre et octobre, mois « creux », quoiqu'ils ne le soient que très relativement. Il s'agit d'un tourisme à 90 % d'origine nord-américaine, à moins de 1 % d'origine hexagonale.

moyenne des températures maximales / moyenne des températures minimales

	J	F	M	A	M	J	J	A	S	O	N	D
Nassau	**25** 17	**26** 17	**27** 18	**28** 20	**30** 21	**31** 23	**32** 24	**32** 24	**32** 24	**30** 23	**28** 21	**26** 18

nombre d'heures par jour hauteur en mm / nombre de jours

	J	F	M	A	M	J	J	A	S	O	N	D
Nassau	**7** 40/8	**7,5** 50/6	**8,5** 55/7	**9** 70/8	**8,5** 110/10	**8** 220/15	**9** 160/16	**8,5** 240/19	**7** 160/17	**7** 165/15	**7,5** 80/9	**7** 50/9

température de la mer : moyenne mensuelle

	J	F	M	A	M	J	J	A	S	O	N	D
Nassau	24	24	24	25	26	27	28	28	28	27	26	25

Bangladesh

Superficie : 144 000 km². Dacca (latitude 23°46'N ; longitude 90°23'E) : GMT + 6 h . Durée du jour : maximale (juin) 13 heures 30, minimale (décembre) 10 heures 30.

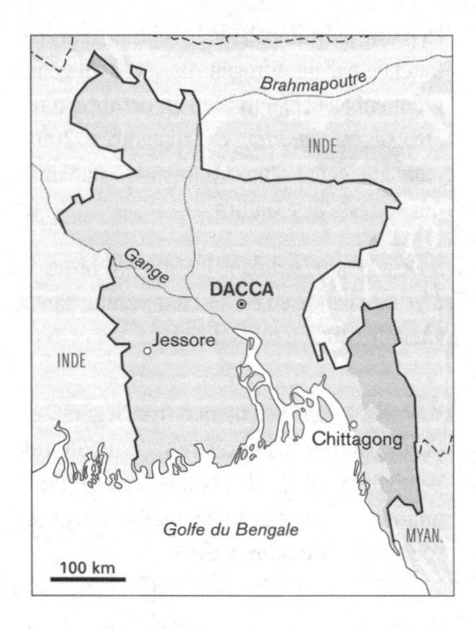

La courte saison fraîche, **de la fin novembre à la fin février**, est la meilleure période pour se rendre dans ce pays oublié des dieux. Il fait chaud pendant la journée, frais le soir, l'air est relativement humide, mais sans excès ; il pleut rarement et le ciel est clair.

De fin février à fin mai, les températures sont très élevées ; elles atteignent leur maximum au mois d'avril, et l'humidité, toujours importante, les rend accablantes. Cette saison est aussi celle des *nor' westers*, orages soudains et violents souvent accompagnés de grêle, qui éclatent de temps à autre en fin d'après-midi et peuvent se prolonger pendant la nuit.

La mousson arrive normalement en juin. Les précipitations, particulièrement abondantes en juillet, durent jusqu'en septembre ou octobre. C'est l'Est du pays qui reçoit les pluies les plus diluviennes, au Sud-Est (voir Chittagong), mais surtout au Nord-Est, région en comparaison de laquelle le Sud-Ouest (voir Jessore) semble aride ! Partout, le taux d'humidité de l'air est très élevé. Le ciel est plombé et la chaleur encore plus pénible, de jour comme de nuit. Dans ce pays amphibie, essentiellement occupé par l'immense delta où se mêlent les eaux du Gange et celles du Brahmapoutre, il est parfois difficile à cette époque de distinguer où finit la terre et où commence l'eau. Les crues

La saison des pluies au Bengale

« 4 juillet, 1893.

Le matin on aperçoit un petit rayon de soleil. Hier, la pluie a cessé un peu et il y a eu une éclaircie, mais les nuages s'amoncellent si lourdement sur les bords du ciel qu'il n'y a pas beaucoup d'espoir de voir durer l'éclaircie. C'est comme si un lourd tapis de nuages avait été roulé sur le côté, qu'à tout instant une brise tracassière pourrait en soufflant redéployer entièrement, couvrant toute trace de ciel bleu et de soleil doré. Quelle réserve d'eau contient le ciel cette année ! Le fleuve a déjà atteint les bancs de sable bas, menaçant de submerger toutes les cultures sur pied. Les malheureux paysans, désespérés, coupent et emportent en bateau des bottes de riz à demi mûr. Je les entends se lamenter sur leur sort alors qu'ils passent à côté de mon bateau. Il est facile de comprendre combien il est déchirant pour un cultivateur d'être obligé de récolter le riz juste avant qu'il ne soit mûr. »

Extrait des *Feux du Bengale*,
de Rabindranath Tagore.

des deux grands fleuves et de leurs affluents provoquent régulièrement des inondations dévastant récoltes, routes, maisons... La fin de la mousson, vers octobre, s'accompagne de vents violents.

▸ Des cyclones viennent périodiquement semer la mort et la désolation dans le Sud du pays, le long du golfe du Bengale. Ces catastrophes arrivent principalement en octobre et novembre ; mais rien n'exclut qu'elles soient plus précoces, ou plus tardives. Ainsi, en 1989, l'un des cyclones les plus meurtriers des cinquante dernières années (près de 150 000 victimes) a frappé un 30 avril.

VALISE : de mars à octobre, les vêtements les plus légers possibles, en coton ou en lin ; inutile d'espérer supporter un imperméable et le parapluie est d'une efficacité très limitée. De décembre à février, vous pouvez avoir besoin d'un pull-over, d'une veste ou d'un blouson.

SANTÉ : vaccination antirabique fortement conseillée. Risques de paludisme toute l'année, excepté à Dacca. Résistance élevée à la Nivaquine et multirésistance.

BESTIOLES : des moustiques toute l'année ; ils attaquent la nuit mais également en milieu de journée dans les régions élevées. ●

moyenne des températures maximales / moyenne des températures minimales

	J	F	M	A	M	J	J	A	S	O	N	D
Dacca	**25** 13	**28** 15	**32** 20	**33** 23	**33** 24	**32** 26	**31** 26	**31** 26	**32** 26	**31** 24	**29** 19	**26** 14
Jessore	**26** 10	**28** 13	**33** 18	**36** 23	**35** 25	**33** 26	**31** 26	**32** 26	**32** 25	**32** 23	**29** 16	**27** 11
Chittagong	**26** 13	**28** 15	**31** 19	**32** 23	**32** 24	**31** 25	**30** 25	**30** 25	**31** 24	**31** 23	**29** 18	**27** 14

nombre d'heures par jour hauteur en mm / nombre de jours

	J	F	M	A	M	J	J	A	S	O	N	D
Dacca	**9** 14/1	**9** 25/2	**9** 45/3	**8** 160/7	**7** 245/10	**5** 345/14	**4** 350/19	**4** 365/18	**5** 240/14	**7** 170/6	**8** 30/2	**9** 20/0
Jessore	**10** 14/1	**9** 25/2	**9** 35/2	**9** 90/5	**8** 180/9	**5** 275/13	**4** 315/18	**4** 305/16	**5** 195/12	**8** 135/6	**9** 20/2	**10** 16/10
Chittagong	**9** 10/1	**9** 25/1	**9** 60/2	**8** 115/5	**7** 285/10	**4** 510/15	**4** 645/19	**4** 570/15	**5** 345/11	**7** 230/7	**8** 55/2	**9** 17/1

température de la mer : moyenne mensuelle

	J	F	M	A	M	J	J	A	S	O	N	D
Chittagong	25	25	27	28	29	29	29	29	28	27	27	26

Belarus

Superficie : 208 000 km². Minsk (latitude 53°52'N ; longitude 27°32'E) : GMT + 2 h . Durée du jour : maximale (juin) 17 heures, minimale (décembre) 7 heures 30.

Le Belarus, encore souvent nommé Biélorussie, est essentiellement occupé par de vastes plaines. On trouve quelques régions de collines dans la moitié Nord du pays (Minsk est situé à 240 m d'altitude) et une grande dépression marécageuse au Sud. Cet ensemble sans reliefs très marqués offre un climat homogène qui varie d'abord en fonction de la continentalité.

▶ L'hiver bélarussien est froid, offrant des températures de plus en plus rigoureuses à mesure que l'on va vers le Nord, mais surtout vers l'Est – toujours ce facteur de continentalité qui prime sur celui de la latitude. Au Sud-Ouest du pays, la couverture de neige s'installe en moyenne à la mi-décembre pour disparaître aux premiers jours de mars. Au Nord-Ouest, elle reste presque quatre mois et il faut attendre le début avril pour que la neige cède la place à la boue. Durant ces semaines de dégel, l'époque de la *rapoutitsa*, les déplacements en dehors des grandes villes peuvent poser des problémes.

▶ Le véritable printemps, court, tient presque dans le mois de mai à lui tout seul. Juin à peine arrivé, et c'est déjà l'été, avec des températures qui varieront peu jusqu'à la fin du mois d'août. C'est en été, surtout en août, que tombent les précipitations les plus importantes ; souvent sous forme de fortes averses orageuses. Il n'empêche que, pendant cette période estivale, l'ensoleillement est généralement assez satisfaisant. Ainsi, la période qui va **de la fin mai à la mi-septembre** est certainement la plus propice pour visiter le Belarus.

▶ On parlera d'automne en septembre et au tout début d'octobre, mais ses douceurs dépassent rarement la première quinzaine de ce dernier mois. À partir de cette époque, le brouillard devient très fréquent – cela jusqu'à la fin janvier – et le soleil assez rare. Novembre et décembre sont certainement les périodes les moins recommandables pour se rendre au Belarus.

VALISE : en hiver, de quoi lutter contre le froid et une bonne tempête de neige. En été, les soirées peuvent être fraîches, aussi un bon pull-over est-il nécessaire. ●

moyenne des températures maximales / moyenne des températures minimales

	J	F	M	A	M	J	J	A	S	O	N	D
Vitbesk	**-5**	**-3**	**2**	**10**	**18**	**21**	**22**	**21**	**16**	**9**	**2**	**-2**
	-12	-10	-6	1	7	11	12	11	7	3	-2	-8
Minsk	**- 4**	**- 3**	**2**	**11**	**18**	**21**	**22**	**22**	**17**	**10**	**3**	**- 1**
	- 10	- 9	- 5	2	8	11	13	12	8	3	- 1	- 6
Brest	**- 2**	**0**	**5**	**13**	**19**	**22**	**24**	**23**	**19**	**12**	**5**	**1**
	- 7	- 6	- 2	3	8	12	13	12	9	4	0	- 4

nombre d'heures par jour — hauteur en mm / nombre de jours

	J	F	M	A	M	J	J	A	S	O	N	D
Vitbesk	**1,5** 40/11	**2,5** 30/9	**4** 40/9	**5,5** 40/8	**8** 50/8	**9,5** 80/10	**9** 90/12	**7,5** 75/10	**5,5** 65/11	**3** 50/10	**1** 55/12	**1** 50/13
Minsk	**1,5** 40/10	**2,5** 35/9	**4** 40/10	**6** 40/9	**8** 60/9	**9** 85/11	**8,5** 90/11	**7,5** 70/9	**5,5** 60/9	**3** 50/9	**1** 50/11	**1** 50/12
Brest	**1,5** 35/9	**2,5** 35/8	**4** 30/8	**5,5** 40/8	**7,5** 60/10	**8** 70/10	**8,5** 80/10	**8** 75/9	**5,5** 50/8	**3,5** 40/7	**1,5** 50/10	**1** 45/11

Belgique

Superficie : 30 000 km². Bruxelles (latitude 50°48'N ; longitude 04°21'E) : GMT + 1 h. Durée du jour : maximale (juin) 16 heures 30, minimale (décembre) 8 heures.

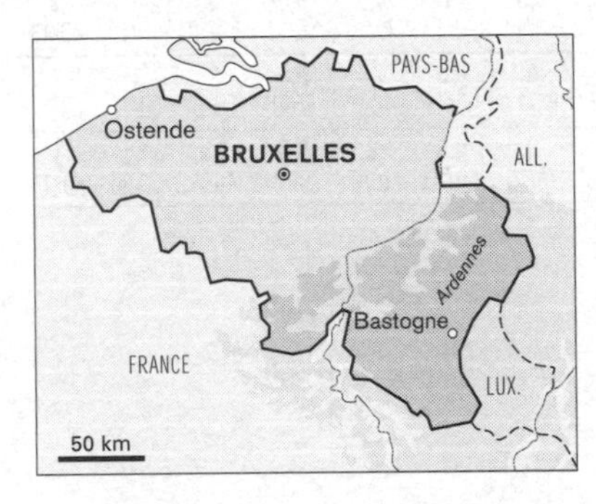

Le climat belge est plutôt instable, moyennement ensoleillé, avec des précipitations fréquentes. Il est plus doux sur la côte (voir Ostende) qu'à l'intérieur du pays, ce contraste s'accentuant à mesure que l'on s'approche des Ardennes.

La meilleure saison pour découvrir les villes d'art du plat pays se situe **entre fin mai et fin septembre** : on risque une petite ondée de temps en temps, mais le soleil est malgré tout assez présent, et les températures restent agréables dans la journée. En plein été (juillet-août), on peut se baigner sur les immenses plages de sable de la côte belge. Cependant, l'eau, toujours fraîche, dépasse rarement 18° et le littoral est assez venté.

À l'est du pays, les Ardennes belges connaissent un hiver rude. Certaines années, on y pratique même le ski de fond. Les Ardennes offrent un cadre magnifique pour faire des randonnées en forêt **en été** et **au début de l'automne**. Dès la mi-octobre, les températures fraîchissent nettement.

VALISE : de juin à septembre, vêtements d'été et de demi-saison. En hiver, vêtements chauds, imperméable ou parapluie.

FOULE : le flux touristique atteint son apogée en juillet et août, décembre et janvier représentant les mois les plus délaissés. Un tourisme à plus de 80 % d'origine européenne où, dans l'ordre, Britanniques, Allemands, Néerlandais et Français sont les plus nombreux. ●

moyenne des températures maximales / moyenne des températures minimales

	J	F	M	A	M	J	J	A	S	O	N	D
Ostende	**5** 1	**6** 2	**9** 3	**11** 6	**15** 10	**18** 11	**19** 13	**20** 13	**19** 12	**15** 8	**10** 5	**6** 2
Bruxelles	**4** -1	**7** 0	**10** 2	**14** 5	**18** 8	**22** 11	**23** 12	**22** 12	**20** 11	**15** 7	**9** 3	**6** 0
Bastogne (515 m)	**3** -3	**4** -3	**9** 0	**12** 2	**17** 6	**20** 9	**22** 11	**21** 10	**18** 8	**13** 4	**7** 1	**4** -1

nombre d'heures par jour hauteur en mm / nombre de jours

	J	F	M	A	M	J	J	A	S	O	N	D
Ostende	**2** 50/10	**3** 50/9	**5** 40/7	**6** 35/8	**7** 30/7	**8** 35/7	**7** 60/8	**7** 55/9	**5** 60/7	**4** 75/9	**2** 65/10	**2** 55/10
Bruxelles	**2** 75/14	**3** 60/11	**4** 50/10	**5** 55/11	**6** 55/10	**7** 55/10	**6** 80/11	**6** 75/10	**5** 70/11	**4** 70/11	**2** 70/11	**1** 70/13
Bastogne	**2** 70/13	**2** 70/11	**4** 50/10	**6** 50/9	**7** 70/9	**7** 80/9	**7** 85/10	**6** 105/10	**5** 70/10	**4** 60/10	**2** 75/12	**1** 85/12

température de la mer : moyenne mensuelle

	J	F	M	A	M	J	J	A	S	O	N	D
Ostende	6	6	6	8	11	13	16	17	16	14	11	9

Belize

Superficie : 23 000 km². Belize (latitude 17°31'N ; longitude 88°12'O) : GMT - 6 h . Durée du jour : maximale (juin) 13 heures, minimale (décembre) 11 heures.

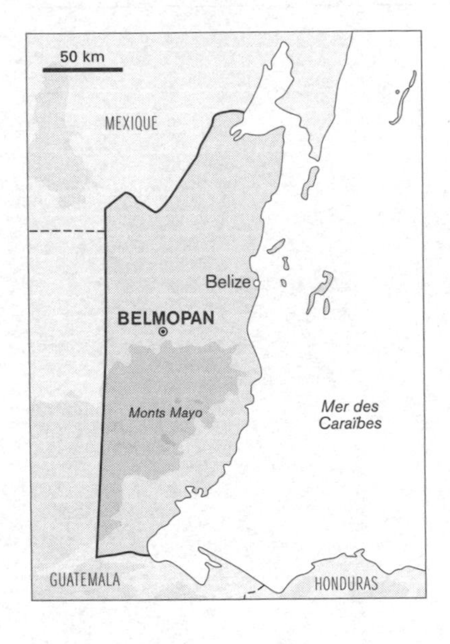

Le meilleur moment pour se rendre au Belize, l'ex-Honduras britannique, se situe entre les mois de **février et avril**. La moitié Nord de ce petit pays au climat chaud et pluvieux connaît alors une saison que l'on peut qualifier de « sèche » sans se couvrir de ridicule (voir Belize). À Punta Gorda, au sud de la côte, cette saison est beaucoup moins marquée. Il y tombe deux fois plus de pluie qu'à Belize City.

En tout état de cause, quel que soit le moment, vous aurez peu de chance d'échapper à un taux d'humidité élevé, assez désagréable durant les mois les plus arrosés (juin à novembre) et sur les terres basses, au Nord du pays. Au Sud, sur les hauteurs des monts Mayo, qui culminent à 1 400 m, la chaleur est plus modérée, donc l'humidité plus supportable.

RENDEZ-VOUS NATURE

Au fond du *Blue hole*

Au large du Belize se trouve la plus longue barrière de corail de tout l'hémisphère Nord. Atolls, cayes, mangroves, lagons et estuaires forment un système exceptionnel, dont le fameux *Blue hole*, une sorte de gouffre, est le site le plus fameux. L'ensemble a été classé « Patrimoine mondial » en 1996.

On plonge toute l'année à Belize. Mais les jours où soufflent les *northers*, de mi-décembre à début mars, la visibilité dans l'eau est moindre et le clapotis rend la plongée inconfortable pour les adeptes du seul tuba. L'agitation de la mer peut même condamner plusieurs jours de suite les sorties des bateaux.

La période qui va **de mi-mars à fin mai** est la meilleure, avec un vent modéré et encore la saison sèche.

La longue saison des pluies est cependant assez peu ventée, notamment d'août à octobre, période où la mer est la plus calme, en dehors naturellement des rares cyclones. Les sites de plongée étant éloignés de la côte, les alluvions drainées dans la mer par les pluies ont peu d'influence sur la clarté de l'eau.

Au regard du nombre des visiteurs et compte tenu de l'étendue de ses richesses sous-marine, Belize est la destination caraïbe la moins chargée. La haute saison touristique commence le 15 décembre et s'achève après les vacances de Pâques. Les plongeurs viennent d'abord des États-Unis et la semaine de Thanksgiving (fin novembre) est donc très courue. Si l'on tient compte que l'affluence touristique et les prix baissent quelque peu après les vacances de Pâques, **la deuxième quinzaine de mai** est un bon créneau pour plonger à Belize.

Si les cyclones sont peu fréquents à Belize, ils peuvent être très destructeurs, comme *Keith* qui a frappé le Nord du pays le 4 octobre 2002. C'est pourquoi, dès 1970, une nouvelle capitale, Belmopan, a été créée à 80 km à l'intérieur des terres.

VALISE : en toute saison, des vêtements très légers, un pull et de quoi vous protéger des averses. De décembre à février, ajoutez un ou deux lainages : une vague de « fraîcheur » n'est pas exclue à cette saison.

SANTÉ : risques de paludisme toute l'année en dehors des zones urbaines.

BESTIOLES : moustiques toute l'année, surtout actifs la nuit.

FOULE : une assez forte pression touristique. Les États-Unis fournissent à eux seuls plus du tiers des voyageurs au Belize. Les Britanniques constituent le plus fort contingent européen. ●

moyenne des températures maximales / moyenne des températures minimales

	J	F	M	A	M	J	J	A	S	O	N	D
Belize	**28** 19	**29** 20	**30** 22	**31** 23	**32** 24	**31** 25	**31** 24	**31** 24	**31** 24	**30** 23	**29** 21	**28** 20

nombre d'heures par jour hauteur en mm / nombre de jours

	J	F	M	A	M	J	J	A	S	O	N	D
Belize	**6,5** 140/12	**7** 75/7	**8** 60/5	**9** 50/4	**8,5** 105/7	**6,5** 260/15	**7** 240/15	**7,5** 190/14	**6** 280/16	**6,5** 250/15	**6** 180/13	**5,5** 170/14

température de la mer : moyenne mensuelle

	J	F	M	A	M	J	J	A	S	O	N	D
Mer des Caraïbes	27	26	27	28	28	28	29	29	29	29	28	27

Bénin

Superficie : 113 000 km². Cotonou (latitude 6°21'N ; longitude 02°23'E) : GMT + 1 h. Durée du jour : environ 12 heures toute l'année.

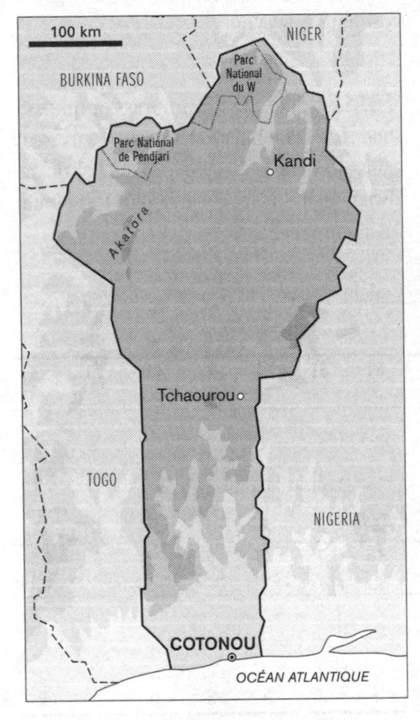

▸ La meilleure période pour faire un voyage au Bénin est la **grande saison sèche, de novembre à mars**.

Sur la côte (voir Cotonou), le ciel, souvent nuageux le matin, est dégagé l'après-midi, mais la capitale béninoise connaît un fort taux d'humidité tout au long de l'année qui rend la chaleur étouffante. On peut se baigner toute l'année sur les belles plages du littoral (à condition de faire attention à la barre, assez dangereuse par endroits). Sur les plateaux situés plus au nord (voir Tchaourou, Kandi), la chaleur impose une vie au ralenti en milieu de journée (le thermomètre atteint souvent 40°), mais l'air est plus sec et les nuits sont relativement fraîches. L'*harmattan*, brûlant et poussiéreux ou chargé de sable, souffle du désert pendant toute la saison sèche. Durant cette période, les brumes sèches sont fréquentes le matin dans le Nord.

Le parc national de la Pendjari et le parc du W (créé conjointement avec le Niger et le Burkina Faso), situés tous les deux à l'extrême nord du pays, sont accessibles de décembre à mai : le meilleur moment pour les visiter est la fin de cette période (voir chapitre « Kenya »).

▸ D'avril à octobre survient la **saison des pluies**, interrompue sur la côte par une petite saison sèche, en août-septembre (durant laquelle le ciel reste très nuageux et l'humidité pénible à supporter). Dans la moitié Nord du pays, la saison des pluies est ininterrompue, mais moins abondante, sauf sur les hauteurs de l'Akatora, au Nord-Ouest, où les mois de septembre et octobre sont en général particulièrement arrosés. Dans le Nord, il pleut surtout en fin d'après-midi et la nuit, et sur la côte plutôt la nuit et le matin.

VALISE : vêtements légers de coton ou de lin de préférence, faciles à laver ; lainage pour les soirées dans le Nord en hiver ; les épaules nues ne choquent personne au Bénin, mais il n'en va pas de même pour les minijupes et shorts féminins. Pendant la saison des pluies, un anorak léger à capuche vous sera utile. Pour visiter les réserves, vêtements résistants de couleurs neutres, chaussures de marche.

SANTÉ : vaccination contre la fièvre jaune obligatoire ; vaccin antirabique conseillé pour de longs séjours. Risques de paludisme toute l'année ; résistance à la Nivaquine et multirésistance.

BESTIOLES : moustiques toute l'année, surtout actifs la nuit. ●

moyenne des températures maximales / moyenne des températures minimales

	J	F	M	A	M	J	J	A	S	O	N	D
Kandi	**35** 19	**36** 20	**37** 23	**35** 23	**33** 22	**31** 21	**28** 21	**28** 21	**29** 20	**31** 20	**33** 19	**34** 21
Tchaourou (330 m)	**35** 19	**36** 21	**36** 23	**35** 23	**33** 22	**31** 21	**27** 21	**28** 21	**29** 21	**29** 20	**33** 18	**34** 21
Cotonou	**29** 24	**30** 25	**30** 26	**30** 25	**29** 24	**27** 23	**27** 23	**27** 23	**27** 23	**28** 24	**29** 24	**29** 24

nombre d'heures par jour hauteur en mm / nombre de jours

	J	F	M	A	M	J	J	A	S	O	N	D
Kandi	**9** 0/0	**9** 1/0	**9** 8/1	**8** 30/3	**8** 90/7	**8** 150/10	**5** 190/13	**6** 280/18	**9** 220/16	**9** 50/5	**9** 2/0	**9** 0/0
Tchaourou	**8** 7/1	**8** 15/1	**8** 60/4	**7** 105/6	**7** 140/10	**6** 160/13	**3** 165/12	**3** 160/11	**4** 215/16	**6** 160/11	**7** 16/2	**8** 7/1
Cotonou	**7** 3/1	**7** 50/2	**7** 100/5	**7** 135/8	**7** 200/12	**5** 340/21	**4** 120/12	**5** 20/5	**5** 80/6	**6** 165/8	**8** 70/4	**7** 19/1

température de la mer : moyenne mensuelle

	J	F	M	A	M	J	J	A	S	O	N	D
Golfe du Bénin	27	27	28	28	27	26	26	26	25	25	26	27

Bermudes

Superficie : 53 km². Fort George (latitude 32°N ; longitude 63°E) : GMT - 4 h . Durée du jour : maximale (juin) 14 heures 30, minimale (décembre) 10 heures.

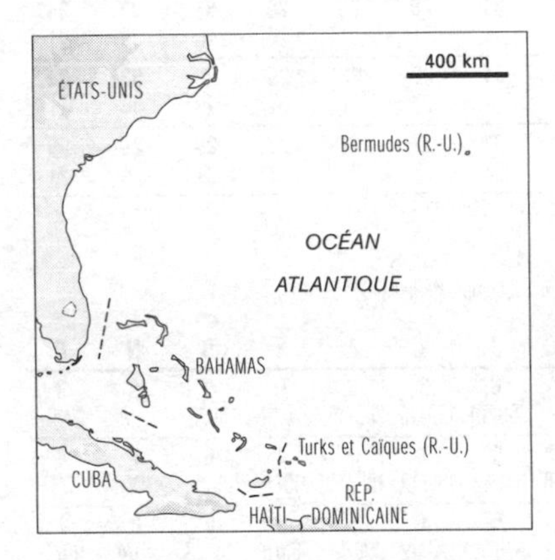

Le Gulf Stream, qui entraîne à la latitude déjà élevée des Bermudes les eaux tropicales des Antilles, permet à ces îles de bénéficier d'un climat chaud et humide sans excès et contribue à en faire un lieu de séjour enchanteur.

▸ **D'avril à septembre**, le soleil ne chôme pas ; la mer, pas très chaude au début de cette période, se réchauffe vite ; la chaleur est parfois forte en juillet et août, mais grâce aux brises marines elle demeure en général très supportable.

▸ **Entre décembre et mars**, les températures restent très agréables, un peu fraîches cependant pour se baigner. Les jours sont plus courts et moins ensoleillés.

▸ Les pluies, réparties sur toute l'année, avec cependant un maximum entre août et octobre, tombent essentiellement sous forme d'averses drues et brèves qui n'affectent pas sensiblement l'ensoleillement, mais permettent l'épanouissement d'une végétation luxuriante. Bien que cela soit rare, les ouragans peuvent toucher les Bermudes, surtout en septembre et octobre. Ainsi *Fabian*, le plus violent depuis 80 ans, qui a fait plusieurs victimes et d'importants dégâts le 5 septembre 2003.

VALISE : de juin à octobre, vêtements de plein été, légers et amples, en coton ou autres fibres naturelles de préférence ; de quoi vous protéger des averses. De décembre à avril, ajoutez un ou deux pull-overs, une veste ou un blouson.

BESTIOLES : des moustiques en été, surtout actifs après le coucher du soleil.

FOULE : très forte pression touristique. Août, puis juin et juillet sont les mois de plus grande affluence. Janvier et février, mois les moins fréquentés, reçoivent en comparaison quatre fois moins de monde. Des visiteurs à près de 90 % d'origine nord-américaine et parmi les Européens, 80 % de Britanniques et, à peu de chose près, 3 % de Français. ●

moyenne des températures maximales / moyenne des températures minimales

	J	F	M	A	M	J	J	A	S	O	N	D
Fort George	**20** 15	**19** 14	**20** 15	**22** 16	**24** 19	**27** 22	**30** 24	**30** 24	**29** 23	**27** 21	**24** 19	**21** 16

nombre d'heures par jour hauteur en mm / nombre de jours

	J	F	M	A	M	J	J	A	S	O	N	D
Fort George	**5** 105/13	**5** 95/12	**6** 110/11	**8** 105/8	**8** 115/7	**9** 95/8	**10** 110/10	**9** 145/12	**8** 145/12	**6** 160/13	**6** 115/11	**5** 115/13

température de la mer : moyenne mensuelle

	J	F	M	A	M	J	J	A	S	O	N	D
Fort George	20	19	19	20	22	24	26	27	26	25	23	21

Bhoutan

Superficie : 47 000 km². Thimphu (latitude 27°39'N ; longitude 89°20'E) : GMT + 5 h 30 . Durée du jour : maximale (juin) 14 heures, minimale (décembre) 10 heures 30.

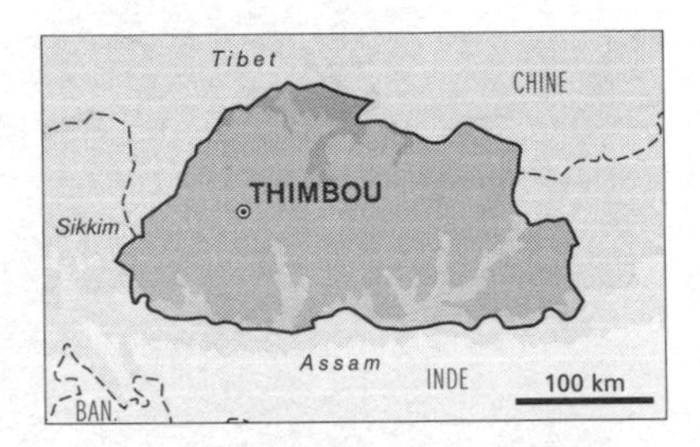

Il n'existe pas de statistiques climatiques très complètes concernant le Bhoutan, petit royaume enserré entre le Tibet, le Sikkim et l'Assam. Cependant, comme au Népal, on peut y distinguer essentiellement trois zones climatiques :

- Au Sud, à moins de 1 500 m d'altitude, une ceinture chaude et humide avec des pluies de mousson (de mi-juin à septembre), d'autant plus importantes que l'on va vers l'Ouest du pays.
- Les régions comprises entre 1 500 et 3 000 m d'altitude connaissent un climat tempéré et frais ; avec des différences notables suivant l'exposition des vallées. Elles sont moins touchées par la mousson, particulièrement à l'Est où ne tombe que 1 m de précipitations par an environ.
- Les régions élevées du Nord, au-dessus de 3 000 m, ont un climat de type alpin, quoique plus rude ; avec des précipitations, essentiellement en été, qui ne dépassent pas 500 mm par an.
- La saison la plus agréable au Bhoutan, quelle que soit l'altitude, est bien entendu la saison sèche, **de novembre à avril**.

VALISE : vêtements légers en coton, confortables et pratiques, pour la journée ; pull-overs, veste chaude pour les soirées. De quoi se protéger de la pluie pendant la mousson. Vêtements adaptés, si vous projetez un trekking.

SANTÉ : risques de paludisme ; zones de résistance à la Nivaquine et multirésistance.

BESTIOLES : des moustiques toute l'année dans les basses vallées.

FOULE : un nombre de visiteurs très contingenté, encore moins de 10 000 ces dernières années. Américains et Japonais réunis représentent plus de la moitié de tous les voyageurs au Bhoutan. Britanniques et Allemands sont les plus nombreux des Européens, assez loin devant les Français qui composent environ 5 % du total. ●

Bolivie

Superficie : 1 099 000 km². La Paz (latitude 16°30'S ; longitude 68°10'E) : GMT - 4 h . Durée du jour : maximale (décembre) 13 heures, minimale (juin) 11 heures.

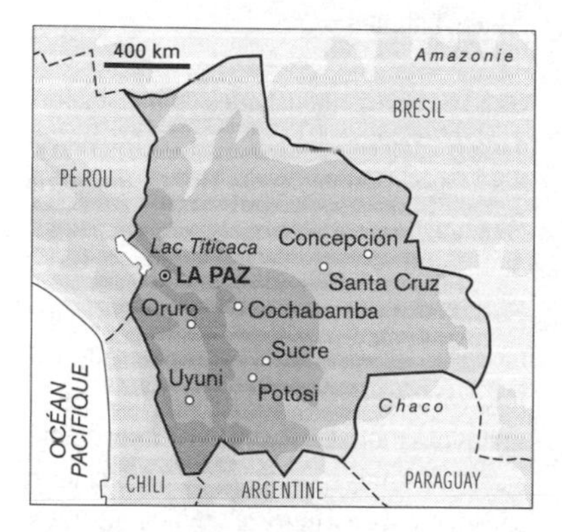

▶ Il ne fait jamais très chaud dans la partie élevée des Andes boliviennes (La Paz, Uyuni, Potosi) ; les matins d'hiver peuvent même être glacials. De fin avril à octobre-novembre, c'est la saison sèche. Les précipitations, particulièrement rares au cœur de l'hiver (juin et juillet), tombent alors le plus souvent sous la forme de brèves giboulées de grésil. Les températures, parfois chaudes l'après-midi, baissent brusquement une fois le soleil couché. Mais l'extrême sécheresse de l'air permet de bien supporter ce froid, qui est vif quand le vent souffle. La pureté des ciels et l'excellente visibilité rendent les extraordinaires paysages boliviens particulièrement saisissants. Naturellement, les températures augmentent quand l'altitude diminue. À Sucre, et plus encore dans le bassin bien abrité de Cochabamba (2 500 m), on enregistre des écarts de 7° à 10° avec La Paz.

▶ L'hiver est aussi la saison sèche dans les plaines du Sud-Est et du Nord qui, si elles sont beaucoup moins peuplées que la partie andine, occupent plus de 70 % du territoire. Au Sud-Est, le Chaco bolivien a un climat voisin de son équivalent paraguayen. À partir du Centre du pays, un climat de type amazonien prédomine, de plus en plus nettement à mesure que l'on va vers le Nord (voir Concepción). La saison sèche y est moins marquée ; il fait chaud dans la journée, moins chaud cependant en juin-juillet, qui connaît des jours balayés par des vents froids venus d'Argentine et des nuits qui peuvent même être fraîches.

▶ L'été, de novembre à mars, est la saison pluvieuse, très peu marquée cependant en bordure de la frontière chilienne, une des régions les plus arides du monde.
En altitude, les températures de la journée ne sont guère plus élevées que celles enregistrées en hiver ; les minima sont, en revanche, sensiblement moins rigoureux.
Dans les plaines, dès Santa Cruz, la chaleur estivale est forte et l'atmosphère d'autant plus étouffante que l'on descend dans le bassin amazonien. L'importance des pluies rend alors souvent les déplacements très aléatoires.

▶ L'hiver austral, de juin à septembre, est souvent conseillé pour un voyage sur l'*Altiplano* bolivien (La Paz, lac Titicaca, salar d'Uyuni et Potosi). Mais en juillet, et dans une moindre mesure en juin et en août, les températures nocturnes sont rigoureuses et le vent fréquent. En réalité, **avril-mai** et **septembre-novembre** sont les meilleures périodes pour visiter l'ensemble de la Bolivie, en prenant soin cependant de commencer son voyage par les régions hautes dans le premier cas, et par les régions basses dans le second.

VALISE : quelle que soit la date de votre voyage, il est essentiel de prévoir à la fois des vêtements très légers, en coton ou autres fibres naturelles, et des vêtements chauds (pull-over, anorak qui puisse vous protéger du vent) faciles à mettre ou à enlever en fonction des changements brusques de température (vous n'aurez aucun mal à trouver de très chauds lainages sur place). Pendant la saison des pluies, ajoutez un anorak type K-way. En Amazonie, des vêtements de coton couvrant bras et jambes vous seront utiles (à cause des moustiques).

SANTÉ : risques de paludisme toute l'année en dessous de 2000 m d'altitude ; zones de résistance à la Nivaquine et multirésistance dans la région amazonienne. Pas de risques dans la région de La Paz, les départements d'Oruro et de Potosi, et les villes de Cochabamba, Sucre et Santa Cruz. Vaccination contre la fièvre jaune souhaitable, sauf pour les voyageurs ne séjournant que sur l'*Altiplano*. Vaccin antirabique conseillé pour de longs séjours. En haute altitude (Potosi est à 4 000 m), attention au *soroche*, le mal des montagnes qui se traduit par des symptômes tels que maux de tête, fatigue, insomnie, palpitations cardiaques, essoufflement : vous devez laisser à votre organisme le temps de s'habituer à la raréfaction de l'oxygène en altitude, en évitant les efforts soutenus et en ralentissant votre rythme habituel.

BESTIOLES : moustiques toute l'année dans les régions basses et dans les vallées des régions montagneuses (très actifs le soir et la nuit).

FOULE : un flux touristique encore très modeste. Juillet et août, en plein hiver austral, sont les deux mois où se concentrent les visites des touristes européens et nord-américains. À l'opposé, la période de décembre à février attire les touristes chiliens et argentins. Globalement, les voyageurs sont pour moitié originaires d'Amérique latine, et pour environ 30 % d'Europe occidentale – les Français représentant de 3 % à 4 % du total. Les deux périodes que nous conseillons pour un voyage en Bolivie sont aussi celles où les touristes se font rares. ●

moyenne des températures maximales / moyenne des températures minimales

	J	F	M	A	M	J	J	A	S	O	N	D
La Paz (3 650 m)	**18** 7	**18** 7	**18** 7	**18** 6	**18** 4	**17** 3	**16** 2	**17** 3	**18** 4	**19** 5	**19** 6	**19** 6
Cochabamba (2 500 m)	**25** 12	**24** 12	**25** 11	**26** 11	**25** 9	**24** 7	**24** 6	**25** 8	**26** 9	**27** 10	**27** 11	**26** 12
Concepción	**31** 20	**30** 20	**30** 19	**30** 17	**28** 15	**27** 14	**28** 13	**30** 14	**31** 16	**32** 18	**32** 19	**31** 19
Santa Cruz	**30** 21	**30** 21	**30** 20	**28** 19	**26** 17	**24** 16	**25** 15	**27** 16	**30** 18	**30** 19	**31** 20	**31** 21
Sucre (2 900 m)	**21** 10	**21** 10	**22** 10	**22** 9	**22** 7	**21** 5	**21** 4	**22** 6	**22** 7	**23** 9	**23** 10	**22** 10
Potosi (4 000 m)	**17** 4	**16** 4	**16** 4	**16** 3	**16** - 1	**14** - 2	**13** - 3	**14** - 1	**16** 1	**17** 3	**17** 4	**17** 4
Uyuni (3 650 m)	**21** 5	**20** 4	**20** 3	**18** - 2	**15** - 6	**12** - 8	**12** - 9	**15** - 8	**16** - 6	**19** - 3	**21** 0	**21** 3

nombre d'heures par jour hauteur en mm / nombre de jours

	J	F	M	A	M	J	J	A	S	O	N	D
La Paz	**5** 110/19	**5,5** 90/16	**6** 65/14	**7** 25/7	**8,5** 10/3	**10** 6/2	**10** 5/2	**9** 11/3	**8,5** 30/7	**7** 30/9	**6** 45/10	**6** 80/15

	J	F	M	A	M	J	J	A	S	O	N	D
Cochabamba	**6,5** 125/15	**6,5** 100/14	**7** 65/10	**7,5** 17/4	**8,5** 5/1	**9** 1/0	**9,5** 2/1	**9** 5/1	**8,5** 7/2	**8,5** 17/4	**8** 45/10	**7** 90/12
Concepción	**6** 185/14	**6** 150/13	**6,5** 130/11	**7** 70/7	**8** 65/5	**8,5** 35/5	**9** 25/2	**8,5** 30/3	**8** 50/5	**7** 90/7	**6** 145/10	**6** 135/12
Santa Cruz	**6** 185/13	**6,5** 130/11	**6,5** 120/10	**7** 100/8	**7,5** 90/9	**8** 70/8	**8,5** 50/5	**8,5** 40/4	**8** 65/5	**7** 105/7	**6,5** 125/9	**6** 165/11
Sucre	**6** 145/17	**6** 110/15	**6,5** 110/11	**7** 40/7	**8,5** 3/2	**8,5** 2/1	**9** 4/1	**8,5** 10/2	**8** 30/6	**8** 55/7	**7,5** 75/11	**6,5** 120/14
Potosi	**5,5** 100/15	**6,5** 100/15	**7** 60/14	**8** 12/4	**9** 5/1	**9** 2/1	**9,5** 1/0	**9,5** 4/1	**8,5** 13/2	**8** 25/4	**7,5** 45/8	**6,5** 90/14
Uyuni	**8,5** 55/10	**8** 60/6	**8** 50/6	**9** 8/2	**9** 3/1	**8** 3/1	**8,5** 1/0	**9,5** 4/1	**9,5** 5/1	**10** 3/1	**10** 8/2	**10** 30/5

Bosnie-et-Herzégovine

Superficie : 51 000 km^2. Sarajevo (latitude 43°52'N ; longitude 18°26'E) : GMT + 1 h. Durée du jour : maximale (juin) 15 heures 30, minimale (décembre) 9 heures.

Dans la basse vallée de la Neretva (voir Mostar), on trouve un climat assez proche de celui de Dubrovnik (Croatie), avec un été cependant encore plus chaud, dans la mesure où la ville est à quelque distance de la mer et au fond d'une vallée.

Le reste du pays est formé des massifs des Alpes dinariques, qui dépassent 2 000 m d'altitude au Sud-Ouest et descendent au Nord-Est vers la vallée de la Save, frontière naturelle avec la Croatie. Les hivers y sont rudes et assez ventés. La couverture neigeuse reste en moyenne deux mois, de la mi-décembre à la mi-février, à l'altitude de Sarajevo ; beaucoup plus sur les hauteurs qui entourent la ville.
Fréquents coups de *fœhn* au printemps. Les étés, chauds, bénéficient d'un ensoleillement honorable. Les précipitations annuelles sont importantes (2 000 mm) sur les plus hautes altitudes des Alpes dinariques.

VALISE : ne pas oublier que si les températures estivales sont élevées pendant la journée, les soirées peuvent être fraîches au centre du pays, même aux mois de juillet et août.

moyenne des températures maximales / moyenne des températures minimales

	J	F	M	A	M	J	J	A	S	O	N	D
Banja-Luka	**4** -4	**7** -3	**11** 0	**17** 5	**22** 9	**25** 13	**28** 14	**28** 13	**24** 10	**17** 6	**11** 3	**7** -1
Sarajevo (650 m)	**3** -4	**5** -3	**10** 0	**15** 4	**19** 8	**23** 12	**26** 13	**27** 13	**23** 10	**16** 6	**10** 3	**6** -1
Mostar	**9** 2	**11** 3	**14** 5	**19** 9	**24** 13	**28** 16	**32** 19	**32** 19	**27** 16	**21** 11	**14** 7	**11** 5

nombre d'heures par jour hauteur en mm / nombre de jours

	J	F	M	A	M	J	J	A	S	O	N	D
Banja-Luka	**2** 70/11	**3** 70/11	**4** 75/10	**5** 90/10	**7** 100/10	**7** 120/11	**9** 75/9	**9** 65/5	**7** 70/6	**4** 105/8	**2** 105/13	**2** 115/12
Sarajevo	**2** 65/11	**3** 65/10	**4** 60/10	**5** 65/10	**6** 90/12	**8** 90/11	**9** 70/9	**9** 70/6	**7** 80/7	**4** 105/9	**2** 90/11	**2** 85/11
Mostar	**4** 135/10	**4** 130/9	**6** 115/8	**6** 110/9	**7** 105/9	**9** 70/7	**11** 40/4	**10** 50/3	**8** 100/6	**5** 170/10	**4** 200/12	**3** 225/14

Botswana

Superficie : 600 000 km^2. Gaborone (latitude 24°60'S ; longitude 25°95'E) : GMT + 2 h . Durée du jour : maximale (décembre) 13 heures 30, minimale (juin) 10 heures 30.

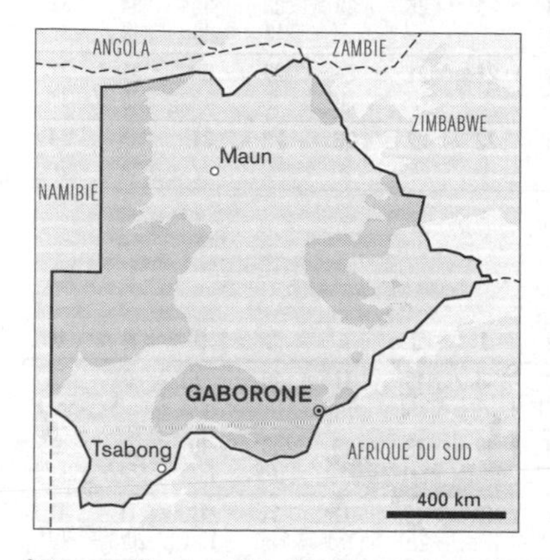

La meilleure période pour visiter le Botswana est la **saison sèche**, particulièrement ensoleillée, de mai à octobre. Le ciel est parfois légèrement voilé par une brume sèche. Il fait chaud, parfois très chaud dans le Nord durant la journée, mais les soirées sont fraîches et les nuits froides – en particulier de juin à août : durant ces trois mois, il gèle très fréquemment dans le désert de Kalahari, vaste plateau de 1 000 m d'altitude moyenne (voir Tsabong), et cela arrive aussi, moins fréquemment, dans le reste du pays.

La saison sèche est aussi le meilleur moment (voir chapitre « Kenya ») pour parcourir les très belles – et encore méconnues – réserves du Botswana. La plupart d'entre elles, que ce soit au Nord (parc national de Chobé, réserve de Moremi) ou au Sud (réserve de Tuli) sont ouvertes toute l'année, mais certaines zones, rendues impraticables par les pluies, sont fermées entre novembre et avril. Signalons cependant que la fin de la saison sèche, particulièrement propice à la découverte de la faune, est également une période de très fortes chaleurs : les températures, en septembre et octobre, peuvent dépasser 40°.

La **saison des pluies** (de novembre à avril) n'est vraiment marquée que dans le Nord (voir Maun) et à l'Est, dans la vallée du Limpopo (voir Gaborone), qui sont les régions les plus peuplées. Dans le reste du pays, occupé par le désert de Kalahari, les pluies sont faibles, mais la chaleur est alors assez torride.

VALISE : durant la bonne saison, vêtements légers pour la journée, lainages, veste chaude pour les soirées. Pour visiter les réserves : chaussures de marche, vêtements de couleurs neutres. Pendant la saison des pluies : surtout des vêtements très légers, un lainage, un anorak type K-way ou éventuellement un parapluie.

SANTÉ : vaccination antirabique fortement conseillée. Risques de paludisme, surtout de novembre à mai, dans la moitié Nord du pays ; zones de résistance à la Nivaquine et multirésistance.

BESTIOLES : il y a des moustiques pendant la durée de la saison des pluies, à toutes les altitudes.

FOULE : assez forte pression touristique. Les visiteurs du Botswana viennent en majorité d'Afrique du Sud. Les Britanniques constituent une bonne partie du modeste contingent de voyageurs originaires d'Europe. ●

Voir tableaux page suivante

Botswana

moyenne des températures maximales / moyenne des températures minimales

	J	F	M	A	M	J	J	A	S	O	N	D
Maun	**32**	**31**	**31**	**31**	**28**	**25**	**25**	**29**	**33**	**35**	**34**	**32**
(940 m)	19	19	17	14	10	6	6	9	13	18	19	19
Gaborone	**31**	**30**	**28**	**26**	**23**	**21**	**21**	**24**	**27**	**30**	**31**	**31**
	17	17	14	10	5	1	1	4	9	13	15	16
Tsabong	**35**	**33**	**31**	**28**	**25**	**22**	**22**	**25**	**28**	**31**	**33**	**34**
(960 m)	18	18	16	11	6	1	1	3	7	12	15	17

nombre d'heures par jour hauteur en mm / nombre de jours

	J	F	M	A	M	J	J	A	S	O	N	D
Maun	**8**	**7**	**8**	**9**	**10**	**10**	**10**	**11**	**10**	**9**	**9**	**7**
	110/10	100/10	85/7	25/3	20/1	1/0	0/0	0/0	1/0	15/3	45/5	80/8
Gaborone	**9**	**9**	**9**	**9**	**10**	**10**	**10**	**10**	**10**	**10**	**9**	**9**
	100/10	100/9	85/7	40/5	20/2	10/1	6/1	3/1	17/2	45/5	65/7	100/8
Tsabong	**11**	**10**	**10**	**10**	**9**	**10**	**10**	**11**	**11**	**11**	**11**	**11**
	35/4	50/5	45/5	30/4	10/2	8/1	2/0	1/0	11/1	13/2	20/3	40/4

Brésil

Superficie : 8 510 000 km². Rio de Janeiro (latitude 22°54'S ; longitude 43°10'O) : GMT - 2 h . Durée du jour : maximale (décembre) 13 heures 30, minimale (juin) 10 heures 30.

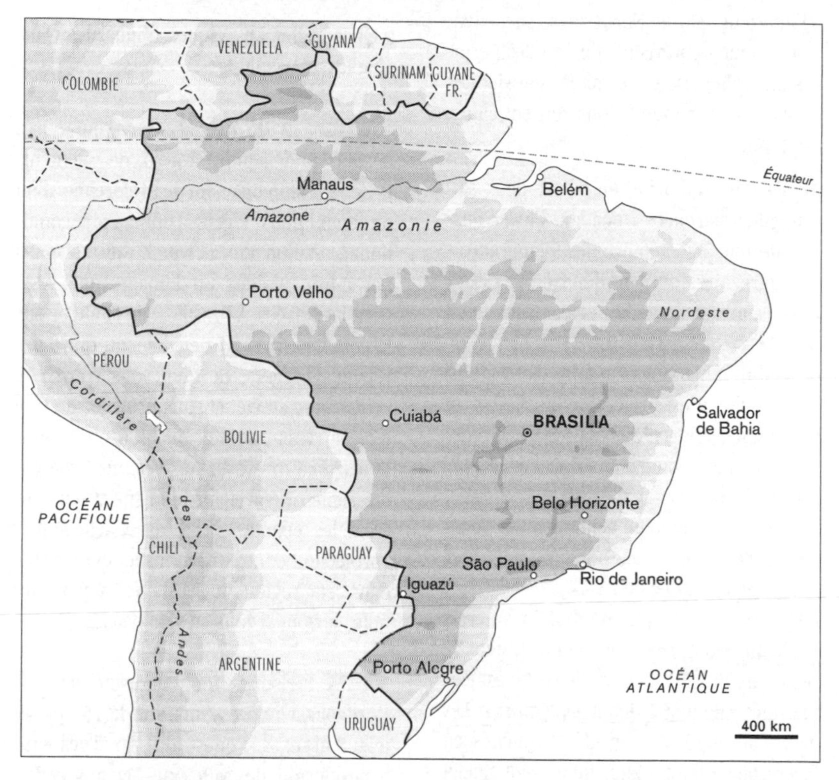

L'immensité du Brésil et la diversité de ses climats ne permettent pas de désigner une saison idéale pour parcourir l'ensemble du pays au cours du même voyage.

▸ L'**Amazonie** (voir Manaus, Belém) est une région chaude, humide et pluvieuse. Au cœur de la forêt, le taux d'humidité est toujours fort. Les orages éclatent souvent en début d'après-midi, mais des averses peuvent aussi survenir à tout autre moment de la journée. Cependant, certaines journées échappent complètement aux pluies, notamment durant la saison « sèche », **de juin à octobre**, qui est certainement la période la plus propice pour voyager en Amazonie.

Précisons qu'au Nord de cette région, au-dessus de l'équateur, la saison sèche est inversée : elle se situe entre novembre et février. D'autre part, plus on s'approche de la côte Nord (Santarém, Belém), plus les pluies sont abondantes.

▸ **Salvador de Bahia**, ses églises baroques et ses longues plages de sable peuvent être appréciés toute l'année. En été, de décembre à mars, il fait chaud et quelquefois un peu lourd ; les averses ne sont pas rares, mais courtes. D'avril à début août, les pluies sont abondantes et parfois prolongées, sans exclure pour autant de bonnes périodes ensoleillées. C'est pourquoi la période intermédiaire (**septembre à mi-décembre**)

est souvent conseillée pour un séjour à Salvador. La température de la mer varie de 25° à 27° selon la saison.
À l'intérieur, dans le Nordeste, se succèdent à un rythme imprévisible de grandes périodes de sécheresse et des pluies diluviennes provoquant des inondations souvent catastrophiques.

À **Rio**, en revanche, on trouve deux saisons plus marquées : pendant l'hiver austral, de juin à septembre, les températures sont agréables (on peut dîner en terrasse) mais la mer est fraîche, et pas seulement pour les *cariocas* (environ 21°). En été, de décembre à mars, il peut faire étouffant au centre-ville (il est préférable de choisir un hôtel climatisé), et c'est la saison des pluies ; mais ne vous inquiétez pas : il fait le plus souvent beau et ensoleillé durant la journée, les averses ne tombant généralement qu'en fin d'après-midi. La température de la mer tourne alors autour de 25°.
À l'intérieur, sur le plateau du Minas Gerais (Belo Horizonte) et, plus au nord, dans la région de Brasília, la période sèche est très marquée (de mai à début septembre). Les nuits sont agréables en été et fraîches en hiver, saison durant laquelle un vent glacial souffle parfois.
Au sud-est de Rio, São Paulo, qui sans être très éloigné de la côte est déjà en altitude, bénéficie de températures assez agréables toute l'année, parfois un peu fraîches en hiver ; mais le ciel est souvent nuageux et le soleil fréquemment voilé dans cette ville, l'une des plus polluées du monde. Les pluies sont très abondantes de fin novembre à la mi-mars.

Au **Sud** du Brésil, la côte (voir Porto Alegre) offre un climat quasi méditerranéen : l'hiver est doux, trop frais cependant pour se baigner ; en été, il fait très chaud dans la journée mais les nuits sont plus douces qu'à Rio ; quant à la mer, elle n'est jamais très chaude.
À l'intérieur, les montagnes du Rio Grande do Sul connaissent, de temps à autre, le gel et la neige en juillet et août.

Quand aller aux chutes d'Iguazú ? (Voir chapitre « Argentine ».)

VALISE : à Rio ou Salvador, vous aurez besoin, de décembre à avril, de vêtements d'été, en coton ou en lin de préférence, d'un ou deux pulls légers (pour l'air conditionné) et d'un anorak type K-way ; de mai à novembre, ajoutez un lainage, une veste pour les soirées. À Brasília, São Paulo ou sur la côte Sud, prévoyez également, outre des vêtements légers, de quoi vous couvrir le soir, même en été, et vous protéger du vent d'hiver (veste, anorak ou blouson) ; pour l'Amazonie, prévoyez des vêtements de coton faciles à entretenir bien sûr et qui couvrent les épaules, les bras et les jambes (protection contre les moustiques) ; même dans cette région, une veste légère peut être utile, surtout si vous êtes en bateau.

SANTÉ : risques de paludisme dans le Nord-Ouest du pays (au nord du 15 e parallèle Sud et à l'ouest du rio Tocantins, à l'exclusion des villes de Manaus et Belém) ; résistance à la Nivaquine et multirésistance en Amazonie. Pour ceux qui voyagent dans cette région, le vaccin contre la fièvre jaune est souhaitable. Vaccin antirabique conseillé pour de longs séjours.

BESTIOLES : les *pernilongos* et autres *borachudos* ne sont que de vulgaires moustiques, qui sont très nombreux hors des villes (actifs après le coucher du soleil). En Amazonie, mouches, araignées, moustiques et autres fourmis pullulent,... et aussi les papillons.

FOULE : les Argentins représentent encore, malgré la crise qui a touché leur pays, près de 40 % des touristes au Brésil, un tourisme d'abord balnéaire, pendant l'été austral, surtout en janvier. Les Français constituent moins de 3 % du flux touristique total vers ce pays. ●

moyenne des températures maximales / moyenne des températures minimales

	J	F	M	A	M	J	J	A	S	O	N	D
Belém	**31**	**30**	**30**	**31**	**31**	**32**	**32**	**32**	**32**	**32**	**32**	**32**
	22	22	22	22	23	22	22	22	22	22	22	22
Manaus	**31**	**31**	**31**	**31**	**31**	**31**	**32**	**33**	**33**	**33**	**32**	**31**
	23	23	23	23	23	23	23	23	24	24	24	24
Porto Velho	**30**	**30**	**29**	**31**	**31**	**30**	**32**	**33**	**33**	**32**	**31**	**31**
	22	22	22	22	21	19	18	19	21	22	22	22
Salvador de Bahia	**30**	**30**	**30**	**29**	**28**	**27**	**26**	**26**	**27**	**28**	**29**	**29**
	24	24	24	23	23	22	21	21	22	22	23	23
Brasília	**27**	**27**	**27**	**27**	**26**	**25**	**25**	**27**	**28**	**28**	**27**	**26**
(912 m)	17	17	17	17	15	13	13	15	16	17	17	17
Cuiabá	**33**	**33**	**33**	**33**	**32**	**31**	**32**	**34**	**34**	**34**	**33**	**32**
	23	23	23	22	20	17	17	18	22	22	23	23
Belo Horizonte	**28**	**29**	**29**	**28**	**26**	**25**	**25**	**26**	**27**	**28**	**28**	**27**
	19	19	19	17	15	13	13	14	16	17	18	18
Rio de Janeiro	**29**	**30**	**29**	**28**	**26**	**25**	**25**	**26**	**25**	**26**	**27**	**29**
	23	23	23	22	20	19	18	19	19	20	21	22
São Paulo	**27**	**28**	**27**	**25**	**23**	**22**	**22**	**23**	**24**	**25**	**26**	**26**
(760 m)	19	19	18	16	14	12	12	13	14	15	17	18
Porto Alegre	**30**	**30**	**28**	**25**	**22**	**19**	**20**	**20**	**22**	**24**	**27**	**29**
	20	21	19	16	13	11	11	12	13	15	17	19

nombre d'heures par jour hauteur en mm / nombre de jours

	J	F	M	A	M	J	J	A	S	O	N	D
Belém	**4,5**	**3,5**	**3,5**	**4**	**6**	**7,5**	**8**	**8,5**	**7,5**	**7,5**	**7**	**6**
	360/26	420/26	435/27	360/26	305/25	140/20	150/16	130/14	140/16	115/14	110/12	215/18
Manaus	**3,5**	**3**	**3**	**4**	**5**	**6**	**7**	**7**	**5**	**5,5**	**5**	**4**
	260/18	290/18	315/19	300/18	260/17	110/11	85/7	60/5	85/7	125/11	180/11	215/15
Porto Velho	**3,5**	**3,5**	**4**	**4**	**4**	**6,5**	**7**	**5**	**5**	**5**	**6**	**4**
	350/22	300/18	310/19	205/17	120/12	40/4	25/3	60/5	85/8	190/16	205/18	330/22
Salvador de Bahia	**8**	**8**	**7,5**	**6,5**	**5,5**	**5,5**	**6**	**6,5**	**7**	**7,5**	**7**	**7,5**
	110/13	120/15	145/18	320/21	325/24	250/23	205/22	135/19	110/14	125/14	120/14	130/14
Brasília	**5**	**5,5**	**6**	**7**	**7,5**	**8,5**	**8,5**	**8,5**	**7**	**5,5**	**5**	**4,5**
	240/19	215/18	190/17	125/11	40/4	9/1	12/1	13/2	50/4	170/13	240/18	250/20
Cuiabá	**5,5**	**5,5**	**6**	**7**	**7**	**7**	**8**	**7,5**	**6**	**7**	**6,5**	**6**
	210/18	200/17	170/18	125/11	55/6	16/3	10/2	11/2	60/5	115/10	155/14	195/18
Belo Horizonte	**6**	**7**	**7**	**7,5**	**8**	**8**	**8,5**	**8,5**	**7**	**6**	**6**	**5,5**
	300/16	190/13	165/12	60/7	30/3	15/2	15/1	15/1	40/4	125/10	225/15	320/19
Rio de Janeiro	**6,5**	**7**	**6,5**	**5,5**	**5,5**	**5,5**	**6**	**6**	**4,5**	**5**	**5,5**	**5,5**
	115/11	105/11	105/13	135/11	85/10	80/8	55/7	50/7	85/9	90/11	95/12	170/14
São Paulo	**5**	**5**	**5**	**5**	**5**	**5**	**5**	**5**	**4,5**	**4,5**	**5**	**4,5**
	240/15	215/14	160/13	75/9	75/9	55/7	45/5	40/5	80/8	125/12	125/13	200/15
Porto Alegre	**8**	**7,5**	**6,5**	**6**	**5,5**	**4,5**	**5**	**5**	**5**	**6,5**	**7**	**8**
	100/9	110/9	100/8	85/7	95/9	130/11	120/10	140/11	140/11	110/9	100/9	100/9

Voir tableau page suivante

Brésil

température de la mer : moyenne mensuelle

	J	F	M	A	M	J	J	A	S	O	N	D
Salvador de Bahia	27	27	27	27	26	26	25	25	24	25	26	26
Rio de Janeiro	25	26	25	25	23	22	21	20	20	21	22	24
Rio Grande do Sul	23	24	23	22	21	19	18	16	17	18	20	22

Brunei

Superficie : 5 800 km². Bandar Seri Begawan (latitude 4°55'N ; longitude 114°55'E) : GMT + 8 h . Durée du jour : environ 12 heures toute l'année.

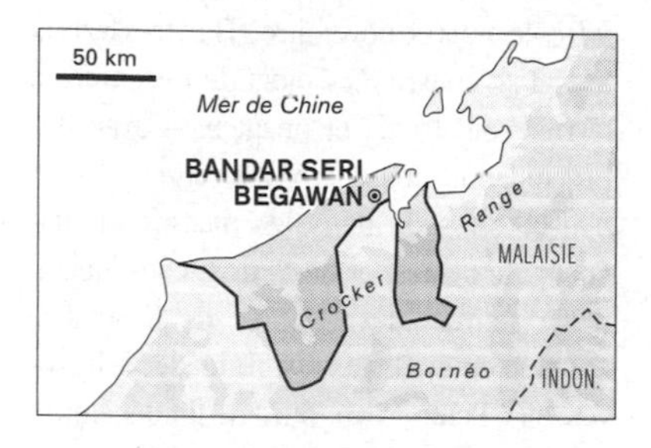

Dans le sultanat de Brunei, petit pays de la taille d'un département français enclavé dans le territoire de la Malaisie orientale, les températures varient peu d'un bout à l'autre de l'année : elles sont élevées pendant la journée et restent chaudes la nuit. Le taux élevé d'humidité rend cette chaleur souvent accablante, sur la plaine côtière comme sur les contreforts de la Crocker Range, à l'intérieur, en particulier pendant la période durant laquelle les pluies sont très abondantes (mai à janvier).

Si vous projetez un voyage au Brunei, que ce soit pour affaires ou pour visiter les palais et les villages lacustres de ce pays pétrolier, choisissez de préférence les mois **de février à mi-avril** : vous essuierez peut-être quelques violents orages à la mi-avril, mais rien de comparable à ce qui tombe le reste de l'année.

La côte, en grande partie marécageuse, envahie par la mangrove, est bordée par la mer de Chine qui, à cette latitude, est chaude toute l'année.

VALISE : en toute saison, vêtements amples et très légers, de préférence sans fibres synthétiques ; inutile d'emporter un imperméable, la chaleur le rendrait difficile à supporter.

BESTIOLES : des moustiques toute l'année, particulièrement sur la côte, surtout actifs à partir du coucher du soleil. Ils ne sont cependant pas vecteurs du paludisme.

FOULE : forte pression touristique. Des visiteurs essentiellement originaires des pays voisins du Sud-Est asiatique. Dans la très modeste part prise par les Européens – moins de 5 % du total –, on trouve 10 Britanniques pour 1 Français. ●

moyenne des températures maximales / moyenne des températures minimales

	J	F	M	A	M	J	J	A	S	O	N	D
Bandar Seri Begawan	**30** 23	**30** 23	**32** 23	**32** 24	**32** 24	**32** 24	**32** 23	**32** 23	**32** 23	**31** 23	**31** 23	**31** 23

nombre d'heures par jour — hauteur en mm / nombre de jours

	J	F	M	A	M	J	J	A	S	O	N	D
Bandar Seri Begawan	**6,5** 280/16	**7** 130/11	**7,5** 130/11	**8** 175/15	**7,5** 240/18	**7** 210/16	**7** 220/16	**7** 205/16	**6,5** 255/19	**6,5** 305/20	**7** 335/23	**7** 345/22

température de la mer : moyenne mensuelle

	J	F	M	A	M	J	J	A	S	O	N	D
Mer de Chine	27	27	28	28	28	28	28	28	28	28	28	27

Bulgarie

Superficie : 110 000 km². Sofia (latitude 42°49'N ; longitude 23°23'E) : GMT + 2 h . Durée du jour : maximale (juin) 15 heures 30, minimale (décembre) 9 heures.

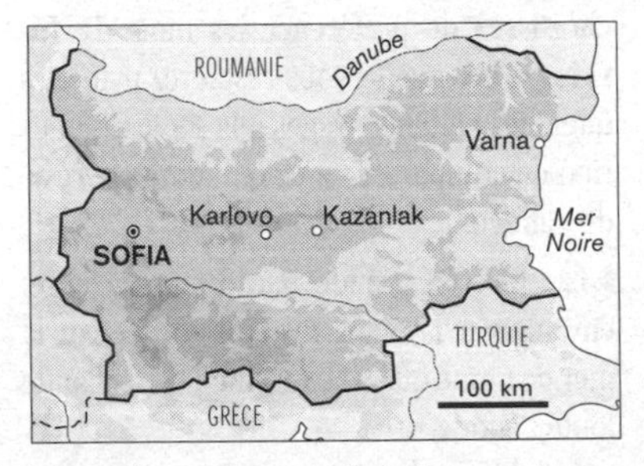

▸ En Bulgarie, la saison balnéaire sur la mer Noire va de juin à la fin septembre. Le temps est généralement au beau fixe avec des nuits agréablement fraîches ; quand il pleut, c'est surtout sous forme d'orages.

▸ Pour connaître l'intérieur du pays, partez de préférence **entre mai et septembre**. Les champs de rosiers fleurissent du 15 mai au 15 juin dans la célèbre vallée des Roses (de Karlovo à Kazanlak), et, dès ce moment, on bénéficie de la chaleur d'un été précoce et ensoleillé. Le début de l'automne – jusqu'à mi-octobre – est particulièrement agréable pour voyager : les orages sont plus rares, et les grandes chaleurs ont disparu.

▸ Dès le mois de novembre, il fait très frais et le ciel se couvre. Les mois de décembre à février sont froids et nuageux – avec des précipitations assez faibles à cette saison. L'hiver est rude dans les massifs montagneux de l'Ouest et du Sud, sur lesquels il neige souvent dès le mois de novembre et jusqu'en avril. La saison de ski, à Borovetz ou à Pamporovo, dure de fin décembre à fin mars.

VALISE : en été, vêtements légers et un ou deux pulls pour les soirées ; un imperméable léger peut être utile. En hiver, vêtements chauds.

FOULE : pression touristique modérée. Juillet et août, en pleine saison balnéaire, sont les mois les plus fréquentés. Les visiteurs issus des anciens pays de l'Est – notamment de la Roumanie – et de la Turquie constituent l'essentiel du flux touristique en Bulgarie. Les Français s'y font assez rares. ●

moyenne des températures maximales / moyenne des températures minimales

	J	F	M	A	M	J	J	A	S	O	N	D
Varna	**6** -1	**6** -1	**11** 2	**16** 7	**22** 12	**26** 16	**30** 19	**29** 18	**26** 14	**21** 11	**13** 6	**7** 1
Sofia (550 m)	**2** -4	**4** -3	**10** 1	**16** 5	**21** 10	**24** 13	**27** 16	**26** 15	**22** 11	**17** 8	**9** 2	**3** -2

nombre d'heures par jour — hauteur en mm / nombre de jours

	J	F	M	A	M	J	J	A	S	O	N	D
Varna	**2** 30/4	**3** 30/5	**4** 25/3	**6** 35/4	**8** 25/4	**9** 65/5	**11** 45/3	**10** 35/3	**8** 25/3	**6** 60/4	**3** 35/5	**2** 65/5
Sofia	**2** 35/6	**3** 30/6	**4** 40/7	**6** 60/8	**7** 85/9	**9** 75/8	**10** 70/7	**10** 65/6	**7** 40/4	**5** 65/7	**3** 50/7	**1** 50/8

température de la mer : moyenne mensuelle

	J	F	M	A	M	J	J	A	S	O	N	D
Varna	7	6	7	10	14	19	22	23	21	17	13	9

Burkina Faso

Superficie : 275 000 km^2. Ouagadougou (latitude 12°21'N ; longitude 01°31'O) : GMT + 0 h . Durée du jour : maximale (juin) 13 heures, minimale (décembre) 11 heures 30.

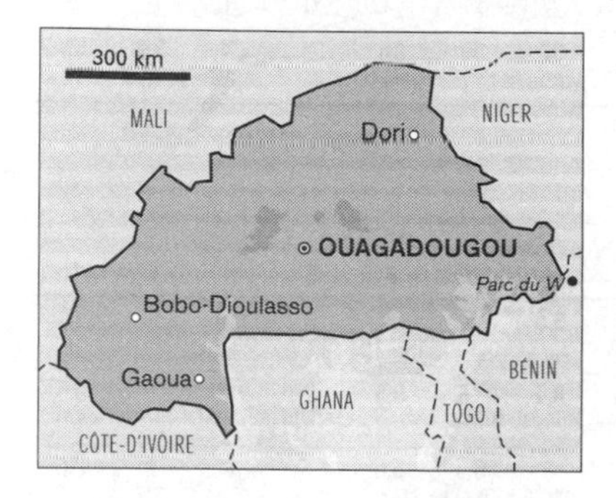

La saison généralement recommandée pour se rendre au Burkina Faso est la saison sèche, en particulier les mois **de décembre à février**, qui permettent d'éviter la plus forte canicule et de visiter le parc du W, les réserves d'Arly, de Po ou des Deux-Balés dans de bonnes conditions (voir chapitre « Kenya »). De plus, à cette période, les nuits, assez douces, permettent à l'organisme une bonne récupération après les grosses chaleurs de la journée.
Il faut cependant préciser que la brume sèche et les tourbillons de poussière, fréquents entre décembre et mars, voilent le ciel et réduisent la visibilité, alors que, durant la saison des pluies, entre deux averses, couleurs et reliefs éclatent dans une atmosphère d'une limpidité surprenante.

La **saison sèche** s'étend d'octobre à fin avril dans la majeure partie du pays. Dans le Nord (voir Dori), quasi désertique, elle dure d'octobre à mai. Les chaleurs les plus extrêmes sont enregistrées à la fin de cette saison sèche, entre mars et mai.

Durant la **saison pluvieuse**, appelée *hivernage* (de mai à fin septembre), les pluies tombent le plus souvent sous forme d'averses orageuses et torrentielles, souvent précédées de brèves tornades. Le mois d'août excepté, elles durent rarement plus de quelques heures, que ce soit dans la capitale, Ouagadougou, ou dans le Sud-Ouest (voir Bobo-Dioulasso) et l'Est, les régions les plus arrosées. Entre juillet et septembre, on note une baisse sensible des températures, mais l'humidité rend la chaleur plus étouffante.

VALISE : vêtements simples et pratiques, en fibres naturelles de préférence, pull-over pour les soirées pendant la saisonsèche. Pour visiter les réserves : vêtements de couleurs neutres, chaussures de marche en toile, foulard ou écharpe de coton pour se protéger de la poussière.

SANTÉ : vaccination contre la fièvre jaune obligatoire ; vaccin antirabique conseillé pour de longs séjours. Dans tout le pays, risques de paludisme toute l'année, particulièrement de mai à septembre ; résistance à la Nivaquine.

BESTIOLES : les moustiques burkinabés sont sur la brèche toute l'année (mais la nuit surtout).

FOULE : peu de voyageurs. En dehors des ressortissants des pays voisins, les Français sont les plus nombreux.

moyenne des températures maximales / moyenne des températures minimales

	J	F	M	A	M	J	J	A	S	O	N	D
Dori	**33**	**37**	**40**	**41**	**41**	**38**	**35**	**33**	**35**	**39**	**37**	**34**
(310 m)	14	16	20	24	27	25	24	23	23	22	18	15

Burkina Faso

	J	F	M	A	M	J	J	A	S	O	N	D
Ouagadougou	**34**	**37**	**39**	**39**	**37**	**34**	**32**	**31**	**32**	**35**	**36**	**34**
(300 m)	16	19	23	26	25	23	22	22	22	22	20	17
Bobo-Dioulasso	**33**	**35**	**36**	**36**	**34**	**32**	**30**	**29**	**30**	**33**	**34**	**33**
(435 m)	18	21	23	24	23	22	21	21	21	21	20	18
Gaoua	**35**	**37**	**37**	**36**	**34**	**32**	**30**	**30**	**31**	**34**	**35**	**35**
	19	21	24	24	23	22	21	21	21	21	20	19

nombre d'heures par jour hauteur en mm / nombre de jours

	J	F	M	A	M	J	J	A	S	O	N	D
Dori	**9,5**	**10**	**9,5**	**9,5**	**9,5**	**9,5**	**9**	**8**	**9**	**9,5**	**10**	**9,5**
	0/0	0/0	2/0	5/2	25/3	75/6	150/9	185/12	90/7	15/3	1/0	0/0
Ouagadougou	**9**	**9**	**9**	**8,5**	**8,5**	**8,5**	**7,5**	**6,5**	**7**	**9**	**9**	**8,5**
	0/0	2/1	5/2	25/3	85/6	115/9	180/11	250/13	150/10	40/4	2/0	1/0
Bobo-Dioulasso	**9**	**9**	**8,5**	**8**	**8**	**8**	**6,5**	**5,5**	**7**	**8**	**9**	**8,5**
	1/0	4/2	20/4	45/5	110/7	125/9	225/11	315/15	210/12	65/6	6/2	2/0
Gaoua	**9**	**9**	**8,5**	**8**	**8**	**7,5**	**6,5**	**5,5**	**6,5**	**8**	**9**	**9**
	4/2	4/2	32/4	80/6	120/7	140/10	180/11	220/14	200/13	85/6	15/3	9/3

Burundi

Superficie : 28 000 km². Bujumbura (latitude 3°19'S ; longitude 29°19'E) : GMT + 2 h . Durée du jour : environ 12 heures toute l'année.

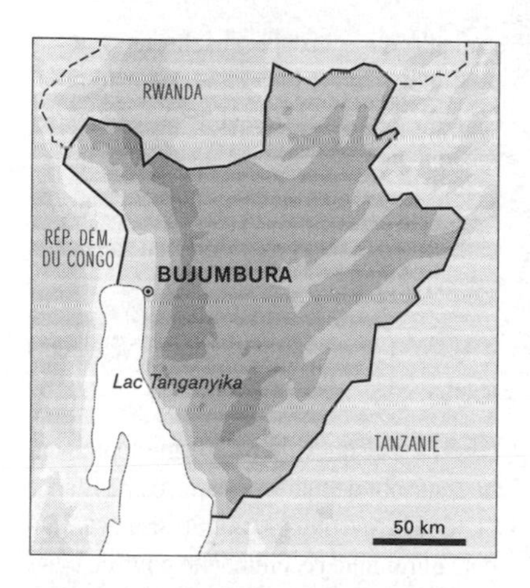

▸ Dans ce petit pays au relief contrasté et accidenté, le climat varie surtout en fonction de l'altitude. Les températures changent peu dans une même région d'une saison à l'autre.

▸ La meilleure saison est sans doute la grande saison sèche, **de juin à septembre,** période la plus ensoleillée, bien que des brumes sèches soient fréquentes le matin. Dans les régions d'altitude moyenne, les journées sont chaudes et ensoleillées, les nuits agréablement fraîches. Sur la crête « Zaïre-Nil » qui culmine à 2 700 m au Burundi, la fraîcheur s'accentue avec l'altitude : il peut geler la nuit pendant la saison sèche.

▸ Les pluies tombent de fin septembre à fin mai, avec une très nette accalmie en décembre-janvier, plus marquée à l'Est du pays. Les pluies, très abondantes sur les régions montagneuses, diminuent progressivement en intensité avec l'altitude. L'humidité est assez forte durant cette période, avec souvent du brouillard le matin.

▸ Sur les bords du lac Tanganyika, il fait chaud toute l'année et assez humide, sauf durant la grande saison sèche : des vents chauds et secs soufflent fréquemment à cette période. L'eau du lac est tiède : 23° environ.

VALISE : emportez à la fois des vêtements d'été pour la journée et des lainages, une veste ou un blouson. D'octobre à mai, un anorak.

SANTÉ : vaccination contre la fièvre jaune recommandée ; vaccination antirabique fortement conseillée. Risques de paludisme toute l'année ; résistance élevée à la Nivaquine et multirésistance.

BESTIOLES : des moustiques toute l'année dans les terres basses. ●

moyenne des températures maximales / moyenne des températures minimales

	J	F	M	A	M	J	J	A	S	O	N	D
Bujumbura (815 m)	**27** 19	**27** 19	**27** 19	**27** 19	**28** 18	**27** 17	**27** 17	**29** 18	**29** 19	**29** 19	**27** 19	**26** 19

nombre d'heures par jour — hauteur en mm / nombre de jours

	J	F	M	A	M	J	J	A	S	O	N	D
Bujumbura	**5** 90/11	**6** 110/12	**6** 120/13	**7** 125/10	**8** 55/6	**9** 11/1	**9** 7/1	**8** 10/1	**8** 30/4	**7** 60/6	**5** 100/13	**5** 115/12

Cambodge

Superficie : 180 000 km². Phnom Penh (latitude 11°33'N ; longitude 104°51'E) : GMT + 7 h . Durée du jour : maximale (juin) 12 heures 30, minimale (décembre) 11 heures 30.

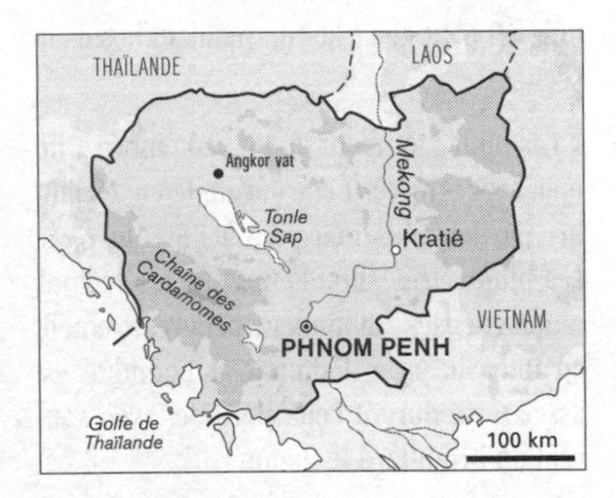

Au Cambodge, le climat est régi par la mousson et se partage en deux saisons :

▸ La **saison des pluies**, qui démarre début mai pour s'achever début novembre dans le Nord du pays (voir Kratié), fin novembre dans le Sud (voir Phnom Penh).
Durant cette saison, l'humidité ambiante rend la chaleur, toujours élevée, pénible à supporter. Les pluies sont très abondantes sur tout le pays, mais plus particulièrement sur les régions montagneuses du Sud-Ouest : les monts des Cardamomes reçoivent environ 5 m de pluie par an. Des typhons peuvent frapper le Cambodge vers la fin de cette période (septembre ou octobre).

▸ La **saison sèche** commence par une période « fraîche », en **novembre et décembre**, en réalité à peine moins torride que la canicule qui s'installe ensuite en mars et avril. Les régions plus élevées sur le pourtour du pays sont les seules à y échapper quelque peu.

▸ La température de la mer, sur le littoral cambodgien, varie entre 26° en janvier et 29° en juillet.

VALISE : pour toute l'année, vêtements légers.

SANTÉ : risques de paludisme toute l'année, surtout de mai à novembre ; résistance élevée à la Nivaquine et multirésistance. Vaccin antirabique recommandé pour de longs séjours.

BESTIOLES : moustiques toute l'année dans les régions basses et forestières et dans les régions montagneuses.

FOULE : pression touristique encore modeste mais en forte progression. Si l'on veut découvrir les temples d'Angkor Vat dans un calme relatif, il vaut mieux éviter décembre, mois de plus grande affluence, et choisir janvier. Mai, juin et septembre sont aussi des mois de basse saison, mais au climat défavorable. Les Américains sont devenus le 1er contingent de voyageurs, devançant les Français, en 2e position. ●

moyenne des températures maximales / moyenne des températures minimales

	J	F	M	A	M	J	J	A	S	O	N	D
Kratié	**32** 20	**34** 22	**35** 23	**36** 24	**34** 24	**33** 24	**31** 23	**32** 24	**31** 24	**31** 23	**31** 21	**31** 20
Phnom Penh	**31** 21	**32** 22	**34** 23	**35** 24	**33** 24	**33** 24	**32** 24	**32** 25	**31** 25	**30** 24	**30** 23	**30** 22

nombre d'heures par jour hauteur en mm / nombre de jours

	J	F	M	A	M	J	J	A	S	O	N	D
Kratié	**8** 9/1	**7** 13/1	**9** 25/2	**7** 110/6	**6** 240/14	**6** 240/15	**4** 345/19	**5** 255/18	**4** 345/19	**6** 175/12	**6** 75/6	**7** 25/2
Phnom Penh	**8** 7/1	**8** 10/1	**9** 40/3	**8** 75/6	**7** 135/14	**6** 155/15	**5** 170/16	**6** 160/16	**4** 225/19	**6** 255/17	**7** 125/9	**8** 45/4

température de la mer : moyenne mensuelle

	J	F	M	A	M	J	J	A	S	O	N	D
Golfe de Thaïlande	26	27	27	28	28	28	29	28	28	27	27	27

Cameroun

Superficie : 475 000 km². Yaoundé (latitude 3°52'N ; longitude 11°32'E) : GMT + 1 h . Durée du jour : environ 12 heures toute l'année.

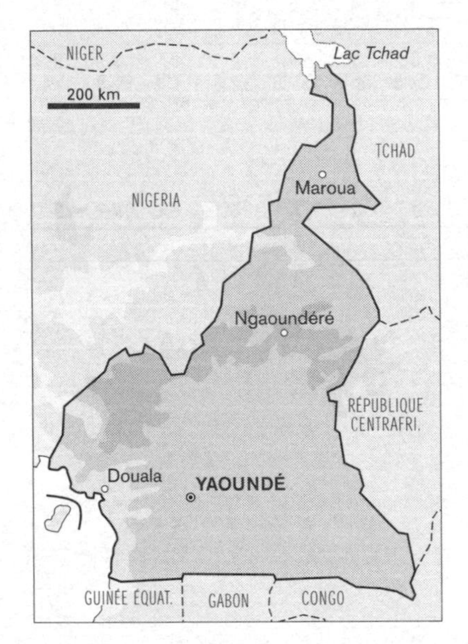

On trouve un éventail de climats assez différents au Cameroun, entre celui, chaud et très humide, du littoral et du Sud du pays, largement recouvert d'une épaisse forêt tropicale, et celui, encore plus chaud mais sec, des savanes sahéliennes du Nord, brûlées par le soleil une bonne partie de l'année.

▶ À **Yaoundé** et sur tout le **plateau sud-camerounais** (voir Moloundou), la saison sèche ne dure que trois mois, de fin novembre à fin février. Le ciel est très souvent nuageux même durant cette période (les éclaircies sont plus fréquentes l'après-midi). Des pluies abondantes tombent de mars à novembre, avec un très net ralentissement entre fin juin et mi-août. Yaoundé, la capitale africaine aux sept collines, doit à sa situation élevée un climat assez agréable, avec des nuits tempérées.

▶ Le **littoral**, surtout dans sa partie Nord jusqu'à l'embouchure du Sanaga (voir Douala), est la région la plus arrosée et la plus humide du pays, ainsi que le versant Ouest du mont Cameroun (4 070 m). Les pluies, très fortes, tombent également de mars à novembre, mais sans aucun ralentissement et avec des maxima diluviens entre juin et septembre. À Douala, le ciel est paradoxalement aussi nuageux en janvier-février, à la fin de la saison sèche, qu'au plus fort de la saison des pluies. Mais novembre et décembre sont des mois bien ensoleillés. L'atmosphère est étouffante presque toute l'année dans la principale ville du pays, et il faut se rendre à Buéa, sur le versant Est du mont Cameroun, ou plus au nord, en pays bamiléké et bamoun, pour trouver un peu de fraîcheur.

À Limbé (plage de sable volcanique) et à Kribi (sable blond), principaux pôles d'attraction balnéaires du pays, on se baigne toute l'année dans une eau qui descend rarement au-dessous de 24° (août-septembre) et grimpe à 28° en mars-avril.

▶ Au **Centre** du pays, le plateau de l'Adamaoua (voir Ngaoundéré) – au nord duquel se trouvent les réserves animalières de Faro, de la Bénoué et de Boubandjidah – jouit d'un climat plus sec et plus tempéré, avec des nuits fraîches toute l'année grâce à l'altitude. L'ensoleillement y est excellent durant la saison sèche, qui dure cinq mois, de novembre à fin mars.

▶ Dans le **Nord** du pays (Maroua, Garoua), de plus en plus aride à mesure que l'on se rapproche du lac Tchad, la saison sèche dure sept mois, d'octobre à avril, durant lesquels souffle l'*harmattan*, vent brûlant du Sahara.

Les températures sont très élevées, en particulier de mars à mai, mois torrides ; mais la sécheresse de l'air les rend relativement

plus supportables que la chaleur humide de la côte.
Au nord de Maroua se trouve le parc national de Wasa, le plus important du pays (éléphants, girafes, antilopes, lions, guépards, léopards y cohabitent). Il est ouvert du 15 novembre au 15 juin, et la meilleure période pour le visiter, ainsi que les réserves déjà citées, se situe entre mi-décembre et mi-avril (voir chapitre « Kenya »).

▶ En conclusion, notre préférence, pour partir à la découverte du Cameroun, va à la saison sèche, bien sûr, et plus précisément aux mois de janvier et février, qui permettent d'éviter à la fois les pluies au Sud et les plus fortes chaleurs au Nord.

VALISE : vêtements très légers, lainages pour les soirées en altitude. Pendant la saison des pluies, anorak léger à capuche.

SANTÉ : vaccination contre la fièvre jaune obligatoire ; vaccin antirabique conseillé pour de longs séjours. Risques de paludisme toute l'année dans tout le pays ; résistance à la Nivaquine et multirésistance élevée dans le Sud du pays.

BESTIOLES : moustiques toute l'année, surtout actifs la nuit.

FOULE : peu de tourisme au Cameroun. Les voyageurs qui s'y rendent viennent de France pour moitié. ●

moyenne des températures maximales / moyenne des températures minimales

	J	F	M	A	M	J	J	A	S	O	N	D
Maroua (420 m)	**33** 18	**36** 20	**39** 24	**40** 25	**37** 24	**34** 22	**31** 21	**30** 21	**31** 21	**35** 21	**36** 20	**33** 18
Ngaoundéré (1 110 m)	**30** 13	**31** 14	**32** 17	**30** 17	**28** 17	**27** 17	**26** 16	**26** 17	**27** 16	**28** 16	**29** 14	**30** 13
Douala	**31** 23	**32** 23	**32** 23	**32** 23	**31** 23	**29** 23	**27** 22	**27** 22	**28** 23	**29** 23	**30** 23	**31** 23
Yaoundé (760 m)	**29** 19	**29** 19	**29** 19	**29** 19	**28** 19	**27** 19	**26** 18	**25** 18	**27** 19	**27** 19	**28** 19	**29** 19
Moloundou (380 m)	**31** 21	**32** 21	**32** 21	**32** 21	**31** 21	**29** 21	**28** 20	**28** 20	**29** 20	**30** 20	**30** 21	**30** 19

nombre d'heures par jour hauteur en mm / nombre de jours

	J	F	M	A	M	J	J	A	S	O	N	D
Maroua	**9** 0/0	**10** 0/0	**9** 2/1	**8** 20/3	**8** 65/6	**7** 170/12	**6** 245/14	**5** 245/15	**6** 190/12	**8** 25/3	**10** 0/0	**10** 0/0
Ngaoundéré	**9** 4/0	**9** 2/1	**7** 40/4	**6** 150/11	**6** 21/18	**5** 23/19	**4** 270/19	**4** 275/20	**4** 240/20	**6** 145/14	**8** 13/2	**9** 2/0
Douala	**4** 60/5	**5** 90/7	**4** 225/13	**6** 240/16	**7** 355/19	**6** 470/22	**4** 710/28	**4** 725/29	**4** 630/26	**6** 400/24	**8** 145/12	**9** 60/5
Yaoundé	**5** 22/2	**6** 65/5	**5** 145/12	**5** 180/14	**5** 205/17	**4** 150/13	**3** 55/6	**3** 75/6	**3** 200/17	**4** 300/22	**5** 125/13	**6** 20/3
Moloundou	**5** 60/3	**6** 90/9	**5** 135/9	**6** 180/14	**6** 145/10	**5** 105/9	**4** 70/6	**4** 95/10	**4** 225/12	**4** 210/13	**5** 135/13	**5** 65/8

température de la mer : moyenne mensuelle

	J	F	M	A	M	J	J	A	S	O	N	D
Atlantique	27	27	28	28	27	26	25	24	25	25	26	27

Canada

Superficie : 9 990 000 km². Montréal (latitude 45°28'N ; longitude 73°45'O) : GMT - 6 h . Durée du jour : maximale (juin) 16 heures, minimale (décembre) 8 heures 30.

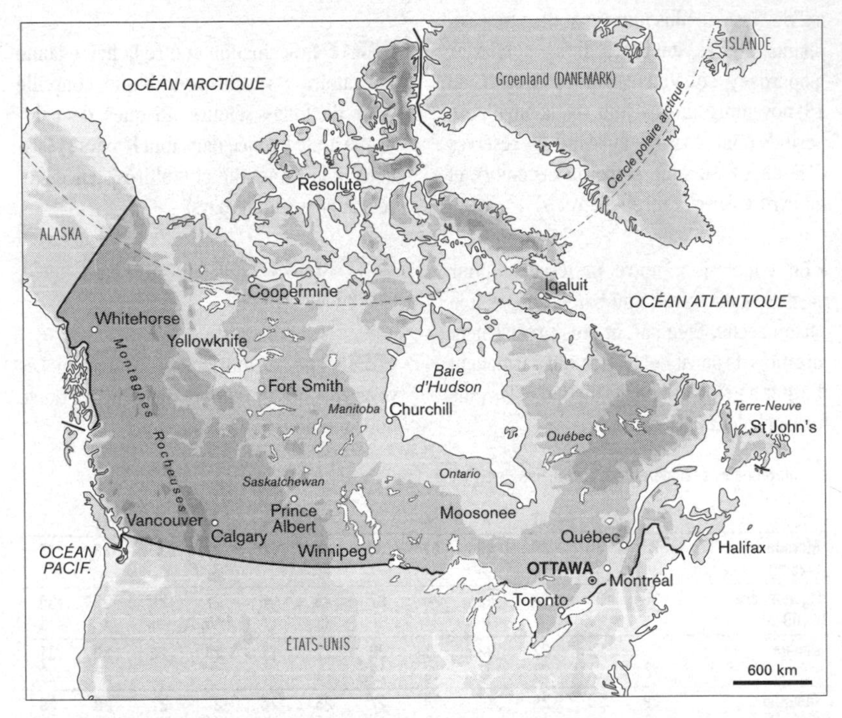

L'automne est généralement reconnu comme la période d'élection pour découvrir le Canada. Mais d'aucuns affirment qu'on ne peut connaître l'âme de ce pays sans y avoir séjourné en hiver...

▶ Au Québec, l'**hiver** commence dès novembre pour ne s'achever que vers la fin avril. Il est encore plus précoce dans l'intérieur du pays et à mesure que l'on remonte vers le Nord.

C'est la saison du ski, des randonnées en motoneige et des courses en raquettes. Le Canada possède de très nombreuses stations de sports d'hiver, dans les Rocheuses bien sûr, mais aussi à proximité de Québec (dans les Laurentides notamment).

Les records de froid sont enregistrés dans le Nunavut et les territoires du Nord-Ouest du pays (voir Resolute, Iqaluit, Yellowknife).

La ville de Québec est recouverte de neige 150 jours par an ; Montréal, un peu plus méridionale, l'est 30 jours de moins. En hiver, comme d'ailleurs dans tout le Canada, méfiez-vous du *barbier* (ou *barber* dans sa version anglophone), épisode de vent fort assorti de précipitations qui gèlent au contact et transforment les moustaches en stalactites et les barbes en buissons d'épines givrés.

Sur le versant Est des Rocheuses (voir Calgary), cet hiver très rigoureux peut être sujet à de spectaculaires revirements sous l'effet du *chinook*, vent chaud et sec du même type que le *fœhn* (on l'a déjà vu faire passer la

RENDEZ-VOUS NATURE

Le Far North de l'écotourisme

Deux cent mille **phoques du Groenland** passent l'hiver dans la région des îles Madeleine, au centre du golfe du Saint-Laurent, pris par les glaces **de décembre à avril**. Les femelles mettent bas les premières semaines de **mars**. Les « **blanchons** », livrés à eux-mêmes deux semaines après leur naissance, se regroupent et s'auto-éduquent avant de partir vers le Groenland en avril.
Au Nouveau Brunswick, la baie de Fundy accueille, **de mai à fin septembre**, le **rorqual commun**, mais aussi la **baleine à bosse** (ou **jubarte**) et, plus rares, quelques **baleines franches de Biscaye**.
▶ Au Québec, la **grande oie des neiges**, migrant des régions arctiques, fait halte quelques semaines sur les rives du Saint-Laurent, depuis Montréal, et celles de son estuaire. Au cap Tourmente, à moins de 1 h en char de Québec, on en compte plus de 100 000, **du 5 au 20 octobre**. Au retour, au début d'avril, on en observe des concentrations de plus de 500 000, sur la rive Sud du lac Saint-Pierre, entre Montréal et Trois-Rivières.
Plus en aval sur l'estuaire, les **marsouins** sont là **de mai à novembre** (effectif maximal **en juillet**). On embarque **d'avril à octobre** pour observer une modeste colonie de **baleines bélugas**, présentes à demeure mais stressées par la pollution et un tourisme agressif. On peut, en été, observer des rorquals communs dans le golfe du Saint-Laurent ; mais c'est surtout un lieu propice pour tenter de voir la **baleine bleue**, le plus grand animal de la planète, d'avril à décembre (avec deux créneaux privilégiés, d'avril à fin juin et d'août à octobre, et notamment près des îles de Mingan et l'île d'Anticosti).
Au Labrador, au Nord du Québec, migrations saisonnières (**juillet et septembre**) des 700 000 **caribous** de la rivière George, le plus important troupeau de cette espèce au Canada.
▶ Sur la baie d'Hudson, Churchill est « capitale mondiale de l'**ours polaire** ». On l'observe **de la mi-octobre à la mi-novembre**, à l'occasion de sa migration vers le Nord. Cette région, particulièrement **de fin mai à mi-juillet**, est un lieu béni pour les amateurs d'oiseaux ; et l'estuaire de la rivière Churchill, **en juillet et août**, un grand rendez-vous de **bélugas**.
▶ Le Nunavut, terres inuits, s'affirme **en été** comme un eldorado de l'écotourisme : rassemblement de 3 000 **bélugas**, avec naissance de jeunes baleinaux, **du 15 juillet au 10 août** au Sud de Resolute (île de Somerset, estuaire du Cunningham). À Qikiqtarjuaq, sur le canal de Davis, obserbations du **narval** et de la **baleine bleue.** Au Nord-Ouest de la baie d'Hudson (Arviat, Hall Beach, Coral Harbor, Baker Lake...) et à Hall Beach : **oiseaux migrateurs**, **phoques annelés**, **morses**, **bélugas**, **bœufs musqués** et migration des **caribous.**
▶ En Colombie britannique, la côte Ouest de l'île de Vancouver (Tofino et Ucluelet) est propice à l'observation des **baleines grises**, en mars et avril (pic pendant la première quinzaine d'avril), quand elles remontent vers le Grand Nord. **D'avril à octobre**, on embarque, sur la côte Est (détroit de Johnston) comme sur la côte Ouest, pour observer **orques et dauphins**. **De décembre à avril**, importants regroupements d' **otaries** à l'est de île, près de Nanaimo.
Les mois d'hiver, le *stormwatching* (le spectacle des tempêtes et de la mer démontée), à l'Ouest de l'île, attire de plus en plus de voyageurs.
Proches de l'Alaska, les côtes des îles de la Reine-Charlotte voient croiser des **orques** à résidence, les **baleines grises** de la **mi-mars à juin**, et abritent les plus importantes colonies d' **otaries boréales** de l'Ouest canadien : nurserie au Sud de l'île, au cap Saint-Jacques, au **début de l'été**.
Terre par excellence pour observer aussi l'**ours noir** et les derniers **grizzlis** canadiens, la Colombie britannique connaît également d'importantes concentrations hivernales de **pygargues à tête blanche**, liées à la présence des saumons venus frayer, nourriture appréciée de cet aigle, emblème des États-Unis. Plus gros oiseau de proie d'Amérique du Nord, on l'observe notamment en **décembre et janvier** près de Squamish, à 50 km au Nord de Vancouver.
▶ Avant le départ, pour ne rien manquer, on consultera le site « www.hww.ca », une mine considérable d'informations très rigoureuses sur la faune et la flore du Canada.

température de – 15° à + 25° en quelques minutes !).
L'hiver est moins rude, mais très venteux, sur la côte atlantique (voir Halifax et St John's). Seule la côte pacifique, à l'Ouest, échappe vraiment aux grands froids (seulement 10 jours par an avec chute de neige à Vancouver) – sans être pour autant à l'abri des précipitations et des tempêtes, très fréquentes.
La fin de l'hiver et le début du printemps (selon les années, de fin mars à début mai à Montréal, 15 jours plus tard à Québec) sont des périodes à déconseiller : le dégel transforme alors les villes en vastes étendues de *slush*, gadoue de neige fondue.

▶ Le **printemps** est bref et, dès le début de juin, il fait chaud dans la journée. L' **été** (jusqu'à fin août) peut être étouffant, en particulier dans les plaines centrales d'Ontario, du Manitoba et du Saskatchewan (voir Winnipeg). À Montréal, les climatiseurs marchent à plein régime. Cependant, même dans les périodes de grande chaleur, les nuits et les soirées restent relativement fraîches. Sur les côtes, l'été est tempéré, et la mer suffisamment froide pour que l'on ne songe pas à se baigner. Les côtes de Terre-Neuve et de la Nouvelle-Écosse ont la réputation d'être souvent perdues dans le brouillard ; mais c'est d'avril à août que ce phénomène est le plus fréquent, près d'un jour sur deux.

▶ L' **automne** est souvent une saison magnifique, flamboyant du pourpre des érables durant de courtes semaines (fin septembre-début octobre). Alternent alors journées fraîches et journées chaudes, où l'on peut encore se promener sans pull-over. Dans les forêts, les insectes ont déjà commencé à battre en retraite.

VALISE : de novembre à avril, « tuque », « doudoune » et « claques » (bonnet de laine ou de fourrure, veste en duvet et couvre-chaussures) sont indispensables pour affronter le froid, ainsi que gants, écharpes, sous-vêtements de soie ou de laine, etc. (Mais sachez aussi que les Canadiens, pour emmagasiner des réserves de chaleur, surchauffent leurs maisons : on y a souvent assez chaud avec une chemise ou un tee-shirt.) Toujours en hiver, vêtements polaires pour le Grand Nord. En été, pour le Sud, vêtements légers mais aussi lainages, veste ou blouson car il fait frais le soir et le matin. Vous apprécierez peut-être, malgré la chaleur, une chemise à manches longues et un pantalon (voir ci-dessous). Au Nord, Resolute, et même Churchill, imposent d'être bien couvert.

BESTIOLES : les plus nuisibles sont les maringouins (moustiques), grand fléau de l'été canadien (ils sont surtout actifs à partir du crépuscule et durant les journées nuageuses) et les mouches noires qui prennent le relais au lever du soleil. Attention, pour vos vêtements, préférez le vert et les couleurs pâles plutôt que le bleu, les couleurs foncées ou fluo, qui attirent ces bestioles que l'on rencontre principalement dans les forêts et les zone humides, mais aussi dans les villes.

FOULE : un flux touristique modéré, surtout si on tient compte de l'immensité du territoire. Juillet et août sont les mois qui reçoivent le plus de visiteurs, cinq fois plus qu'en janvier et février pendant lesquels arrivent cependant les amateurs de sports d'hiver. Hormis les États-Unis, pays frontalier, c'est le Royaume-Uni, loin devant la France et le Japon, qui fournit le plus gros contingent de voyageurs au Canada. On comprendra que les Japonais soient surreprésentés à l'Est et les Français au Québec. ●

moyenne des températures maximales / moyenne des températures minimales

	J	F	M	A	M	J	J	A	S	O	N	D
Resolute	**- 29**	**- 30**	**- 27**	**- 19**	**- 8**	**2**	**7**	**4**	**-3**	**- 12**	**- 20**	**- 26**
(Nunavut)	- 36	- 37	- 34	- 27	- 14	-2	1	-1	-7	- 18	- 27	- 33
Iqaluit	**- 22**	**- 24**	**- 19**	**- 10**	**- 1**	**7**	**12**	**10**	**5**	**- 2**	**- 9**	**- 19**
(Nunavut)	- 30	- 32	- 28	- 19	- 8	0	4	3	0	- 8	- 17	- 27
Yellowknife	**- 23**	**- 19**	**- 11**	**0**	**11**	**18**	**21**	**18**	**10**	**1**	**- 10**	**- 20**
(Terr. du Nord-Ouest)	- 31	- 28	- 23	- 11	0	9	9	10	4	- 5	- 15	- 28
Whitehorse	**- 13**	**- 9**	**- 1**	**7**	**13**	**19**	**21**	**19**	**12**	**4**	**- 6**	**- 11**
(Yukon)	- 22	- 19	- 12	- 5	1	5	8	7	2	- 3	- 13	- 19
Churchill	**- 22**	**- 20**	**- 15**	**-5**	**3**	**12**	**17**	**16**	**9**	**1**	**- 1**	**- 19**
(Manitoba)	- 31	- 29	- 25	- 15	-5	2	7	7	3	-5	- 16	- 27
Prince Albert	**- 13**	**- 8**	**- 1**	**10**	**18**	**22**	**24**	**24**	**17**	**9**	**- 3**	**- 11**
(Saskatchewan)	- 25	- 21	- 14	- 3	4	6	11	10	4	-3	- 12	- 22
Calgary	**- 3**	**0**	**4**	**11**	**17**	**20**	**23**	**22**	**18**	**12**	**3**	**- 1**
(Alberta)	- 15	- 12	- 8	- 2	3	7	10	9	4	- 1	- 8	- 13
Winnipeg	**- 13**	**- 9**	**- 1**	**10**	**19**	**23**	**26**	**25**	**19**	**11**	**- 1**	**- 9**
(Manitoba)	- 22	- 19	- 11	- 2	5	11	14	13	7	0	- 9	- 19
Vancouver	**7**	**7**	**10**	**14**	**17**	**20**	**22**	**22**	**19**	**14**	**9**	**7**
(Colombie-Br.)	3	3	5	7	9	12	14	15	12	8	5	3
St John's	**-1**	**-2**	**1**	**5**	**11**	**16**	**20**	**20**	**16**	**11**	**6**	**1**
(Terre-Neuve)	-9	-9	-6	-2	2	6	11	11	8	3	-1	-6
Québec	**- 8**	**- 6**	**0**	**8**	**17**	**22**	**25**	**24**	**18**	**11**	**3**	**- 5**
(Québec)	- 18	- 16	- 9	- 1	5	10	13	12	8	2	- 4	- 13
Montréal	**- 6**	**- 4**	**2**	**11**	**19**	**24**	**27**	**25**	**20**	**13**	**5**	**- 2**
(Québec)	- 14	- 12	- 6	2	9	14	17	15	11	4	-1	- 10
Ottawa	**- 6**	**- 4**	**2**	**11**	**19**	**24**	**26**	**25**	**20**	**13**	**5**	**-3**
(Ontario)	- 15	- 13	- 7	1	9	13	15	14	10	4	-2	- 10
Halifax	**0**	**0**	**4**	**9**	**14**	**19**	**23**	**23**	**19**	**13**	**8**	**3**
(Nlle-Écosse)	- 8	- 8	- 4	1	5	10	14	15	12	6	1	- 5
Toronto	**- 1**	**0**	**5**	**11**	**18**	**23**	**26**	**25**	**21**	**14**	**7**	**2**
(Ontario)	- 7	- 6	- 2	4	10	15	18	17	13	7	2	- 4

nombre d'heures par jour — hauteur en mm / nombre de jours

	J	F	M	A	M	J	J	A	S	O	N	D
Resolute	**0**	**0**	**4,5**	**9,5**	**10**	**9**	**9**	**6**	**2**	**1**	**0**	**0**
	4/3	3/2	7/4	7/4	10/5	15/6	20/7	35/8	25/7	13/6	7/4	5/3
Iqaluit	**1**	**3,5**	**5,5**	**7,5**	**6,5**	**6,5**	**7**	**5**	**3**	**2**	**1,5**	**0,5**
	20/8	15/7	25/9	30/10	25/5	35/9	60/11	65/12	55/11	35/11	30/9	18/8
Yellowknife	**0**	**0**	**6**	**9**	**11**	**12,5**	**12**	**9**	**5**	**2**	**2**	**0**
	14/9	13/7	13/6	12/4	19/5	30/6	35/7	40/8	35/8	35/12	25/11	17/10
Whitehorse	**1,5**	**3,5**	**4**	**7,5**	**8,5**	**8,5**	**8**	**6**	**4,5**	**3**	**1,5**	**1**
(700m)	17/9	12/7	10/6	7/4	15/6	30/9	40/12	40/12	35/10	25/9	20/9	18/10
Churchill	**2,5**	**4**	**6**	**7**	**6**	**8**	**9**	**7,5**	**3,5**	**2**	**2**	**1,5**
	17/9	17/8	16/8	19/6	32/8	45/10	80/10	65/12	65/13	45/14	35/13	20/10
Prince Albert	**3**	**4**	**5**	**7,5**	**8,5**	**9,5**	**9,5**	**9**	**5,5**	**4,5**	**2,5**	**2,5**
	17/9	12/7	16/7	25/8	50/12	70/12	75/10	60/8	40/8	25/8	17/8	18/9
Calgary	**3,5**	**4**	**5,5**	**7**	**8,5**	**9,5**	**10,5**	**9**	**6,5**	**6**	**4**	**3,5**
(1100 m)	12/8	9/6	18/8	25/8	60/10	80/12	65/13	60/11	45/8	14/5	12/6	12/6
Winnipeg	**4**	**5**	**5,5**	**7,5**	**9**	**9,5**	**10,5**	**9**	**6,5**	**5**	**3**	**3**
	19/10	15/7	25/8	30/7	60/9	90/11	70/10	75/9	55/9	35/8	25/9	18/9

Canada

	J	F	M	A	M	J	J	A	S	O	N	D
Vancouver	**2**	**3**	**4**	**5,5**	**7,5**	**8**	**9,5**	**8,5**	**6**	**4**	**2**	**1,5**
	180/17	180/15	160/15	120/14	85/12	70/10	55/7	50/7	75/9	150/13	240/18	230/18
St John's	**3,5**	**3**	**4,5**	**5,5**	**6,5**	**7**	**7**	**7**	**6**	**4,5**	**3**	**3**
	150/21	130/18	130/19	120/17	100/15	100/14	90/12	110/13	130/9	160/18	140/19	150/21
Québec	**3,5**	**4**	**5**	**6**	**7**	**7,5**	**8**	**7**	**5**	**4**	**2,5**	**2,5**
	85/17	70/14	90/13	85/12	110/13	120/13	130/13	120/13	130/13	80/13	100/15	110/18
Montréal	**3,5**	**4**	**5**	**6**	**7**	**8**	**8**	**8**	**6**	**4**	**3**	**2,5**
	75/12	65/11	85/11	80/11	90/12	90/12	100/11	100/11	100/11	85/11	100/12	90/14
Ottawa	**3,5**	**4,5**	**5**	**6,5**	**7,5**	**8,5**	**9**	**8**	**5,5**	**4,5**	**2,5**	**2,5**
	65/15	50/11	65/11	70/11	80/12	90/11	90/11	90/11	85/13	85/13	80/13	75/15
Halifax	**3,5**	**4**	**4,5**	**5,5**	**6,5**	**7,5**	**8**	**7,5**	**6**	**5**	**3**	**3**
	150/12	110/9	130/11	120/13	120/13	110/11	110/10	100/9	110/10	140/12	150/13	160/13
Toronto	**3**	**4**	**5**	**6,5**	**7,5**	**8,5**	**9**	**8**	**7**	**4,5**	**2,5**	**2,5**
	60/14	60/11	65/12	70/11	75/11	70/10	70/9	80/9	85/9	65/10	75/12	70/13

température de la mer : moyenne mensuelle

	J	F	M	A	M	J	J	A	S	O	N	D
Halifax	1	1	1	1	5	9	14	16	14	11	8	3
Vancouver	9	8	9	10	11	13	14	15	14	12	11	10

Canaries (Îles)

Superficie : 7 400 km^2. Las Palmas (latitude 27°56'N ; longitude 15°23'O) : GMT + 0 h. Durée du jour : maximale (juin) 14 heures, minimale (décembre) 10 heures 30.

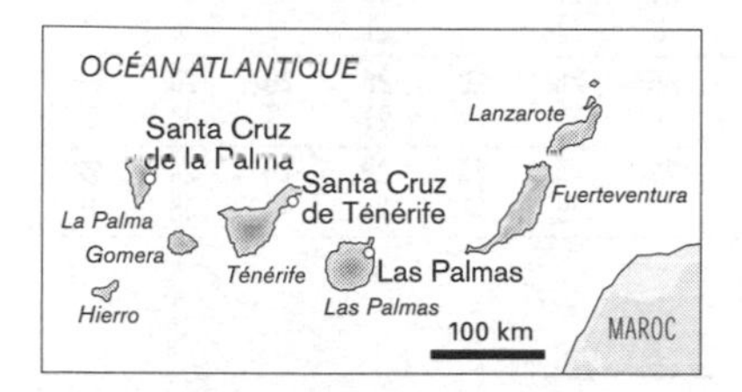

S'il fallait désigner le mois idéal pour se rendre aux Canaries, nous choisirions **juin**, incontestablement le mois le plus « régulier » de l'année. Le soleil est omniprésent, le souffle des alizés continu et agréable, et les périodes de temps perturbé sont rares, de même que les vagues de chaleur. C'est aussi une bonne époque pour quitter les côtes, grimper sur les anciens volcans qui dominent les îles de La Palma, Ténérife et de la Grande-Canarie, et admirer leurs paysages étonnamment contrastés.

Le grand soleil est bien sûr aussi garanti en **juillet et août**. Mais quand les vents d'Est apportent un air brûlant et desséchant d'origine saharienne, il peut faire trop chaud, même sur les côtes. Sur les îles les plus orientales, le *sirocco* s'accompagne souvent de vents de sable.

L'automne commence très bien, mais finit souvent sous la pluie. Novembre est, en effet, le mois le plus pluvieux de l'année sur la plus grande partie des Canaries. Les versants des reliefs « au vent », c'est-à-dire tournés vers le nord et le nord-est, sont les plus arrosés.

L'hiver, généralement doux et agréable, est particulièrement sec et ensoleillé quand souffle le vent d'Est depuis l'Afrique. De temps à autre, les Canaries subissent des *borrascas*, de courtes périodes de pluies diluviennes provoquées par l'arrivée de dépressions qui naissent au Sud des Açores.

Aux Canaries, la mer n'est jamais trop froide pour les intrépides, et toujours trop fraîche pour ceux qui apprécient les bains chauds et prolongés. En hiver, les Scandinaves y trouvent une eau à 18° ou 19°, c'est-à-dire plus chaude que celle des côtes de leur pays en plein été. En revanche, ceux qui pensent que les Canaries ressemblent à l'Afrique, et qu'en Afrique la mer est toujours chaude, seront déçus : elle n'atteint 20° qu'en juin et plafonne à 22° ou 23° en août et septembre. À noter que les eaux des îles les plus éloignées de la côte africaine bénéficient d'un léger bonus.

VALISE : en été, des vêtements légers en coton ou autres fibres naturelles, un pull, des sandales et des chaussures de marche ; le reste de l'année, ajouter quelques lainages, une veste et un imperméable.

FOULE : les îles Canaries reçoivent plus de 10 millions de visiteurs, tout le long de l'année : en premier lieu, des Britanniques, en progression constante, puis des Allemands, en baisse relative. Les autres nationalités, dont les Français, arrivent très loin derrière. Juin, pourtant climatiquement favorable, et mai sont les mois les plus calmes, alors que mars est le mois de plus grande affluence. ●

Voir tableaux page suivante

Canaries

moyenne des températures maximales / moyenne des températures minimales

	J	F	M	A	M	J	J	A	S	O	N	D
Santa Cruz de la Palma	**21** 15	**21** 14	**21** 15	**21** 16	**22** 16	**24** 18	**25** 19	**26** 21	**26** 21	**26** 19	**24** 18	**22** 16
Santa Cruz de Ténérife	**21** 14	**21** 14	**22** 15	**23** 16	**24** 17	**26** 19	**28** 21	**29** 21	**28** 21	**26** 19	**23** 16	**22** 16
Las Palmas	**21** 14	**22** 14	**22** 15	**22** 16	**23** 17	**24** 18	**25** 19	**26** 21	**26** 21	**26** 19	**24** 18	**22** 16

nombre d'heures par jour hauteur en mm / nombre de jours

	J	F	M	A	M	J	J	A	S	O	N	D
Santa Cruz de la Palma	**5** 80/9	**6** 6/4	**7** 35/4	**8** 20/4	**9** 10/3	**10** 2/0	**11** 1/0	**10** 2/0	**8** 10/3	**7** 40/4	**5** 115/9	**5** 75/7
Santa Cruz de Ténérife	**6** 40/5	**7** 7/4	**7** 30/3	**8** 15/2	**10** 5/1	**11** 1/1	**11** 0/0	**11** 0/0	**8** 3/1	**7** 30/3	**6** 50/6	**6** 60/6
Las Palmas	**6** 30/5	**7** 20/3	**8** 20/3	**8** 10/2	**10** 4/1	**11** 1/0	**11** 0/0	**11** 0/0	**9** 4/1	**7** 25/3	**7** 50/6	**6** 40/6

température de la mer : moyenne mensuelle

	J	F	M	A	M	J	J	A	S	O	N	D
Atlantique	19	18	18	19	19	20	21	22	23	22	21	19

Cap-Vert (Îles du)

Superficie : 4 000 km². Praia (latitude 14°54'N ; longitude 23°31'O) : GMT - 1 h . Durée du jour : maximale (juin) 13 heures, minimale (décembre) 11 heures.

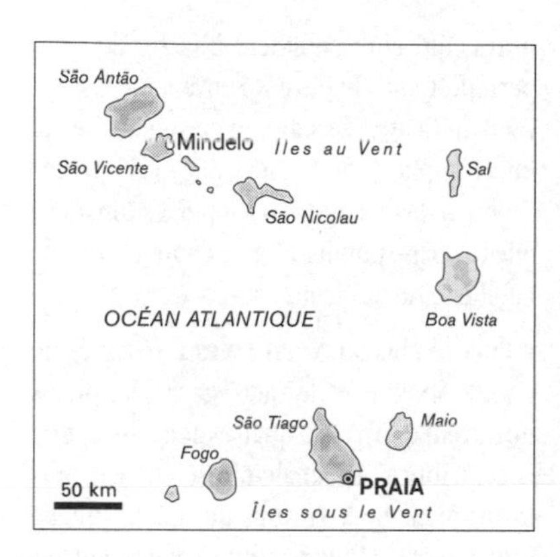

▶ Le climat cap-verdien est d'une extrême sécheresse, longtemps responsable de *fomas* (« famines », en portugais) périodiques freinant le développement de ce pays, qui s'ouvre au tourisme.

Le vent, autre constante des îles du Cap-Vert, souffle avec une force redoublée vers janvier ; moins fort en juillet-août, il laisse parfois pendant cette période quelques jours de calme plat.

▶ Les températures varient assez peu d'un mois à l'autre, que ce soit dans les îles *barlavento*, « au vent » (voir Mindelo), ou dans les îles *sotavento*, « sous le vent » (voir Praia). Il fait un peu plus frais entre décembre et mai.

VALISE : des vêtements légers, un coupe-vent, un ou deux pulls, une veste (surtout de décembre à mai) ; des chaussures de marche confortables, sandales ; un anorak léger pour août et septembre.

SANTÉ : faibles risques de paludisme. ●

moyenne des températures maximales / moyenne des températures minimales

	J	F	M	A	M	J	J	A	S	O	N	D
Mindelo	**23**	**22**	**23**	**24**	**24**	**26**	**27**	**27**	**26**	**26**	**26**	**24**
(São Vicente)	19	19	19	19	19	21	22	23	23	23	22	21
Praia	**25**	**25**	**26**	**26**	**27**	**28**	**28**	**29**	**29**	**29**	**28**	**26**
(São Tiago)	20	19	20	21	21	22	24	24	25	24	23	22

nombre d'heures par jour hauteur en mm / nombre de jours

	J	F	M	A	M	J	J	A	S	O	N	D
Mindelo	*	*	*	*	*	*	*	*	*	*	*	*
	2/1	4/2	0/0	0/0	0/0	0/0	4/2	16/3	35/4	25/3	12/3	4/2
Praia	**6**	**6,5**	**6,5**	**7**	**6,5**	**6**	**5**	**5**	**6**	**6,5**	**6,5**	**5**
	1/0	2/0	0/0	0/0	0/0	0/0	9/2	50/5	80/7	50/4	14/2	5/1

température de la mer : moyenne mensuelle

	J	F	M	A	M	J	J	A	S	O	N	D
Atlantique	23	22	21	22	23	25	25	26	27	27	26	24

Centrafrique

Superficie : 620 000 km². Bangui (latitude 4°23'N ; longitude 18°34'E) : GMT + 1 h. Durée du jour : maximale (juin) 12 heures 30, minimale (décembre) 11 heures 30.

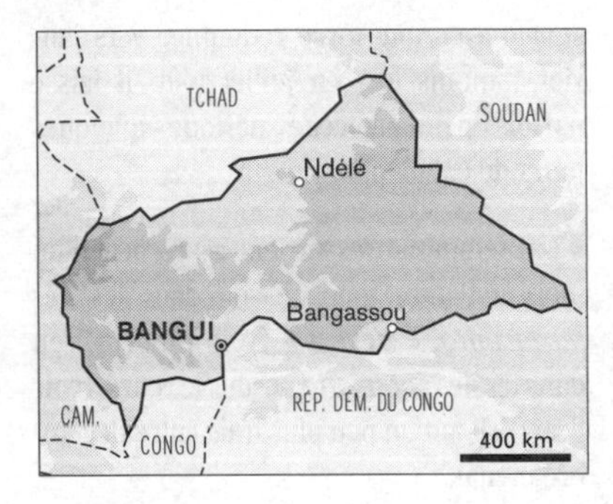

▶ La meilleure période pour se rendre à **Bangui** et dans tout le Sud du pays, couvert d'une forêt dense et humide, correspond aux trois mois de la saison sèche, **de décembre à mars**. Les températures restent très élevées, comme elles le sont dans l'ensemble du pays toute l'année durant, mais alors la chaleur est moins pénible à supporter en raison d'une relative baisse de l'humidité ambiante.

Le ciel est souvent nuageux dans le Sud, d'où un ensoleillement assez médiocre même durant la saison sèche.

Le reste de l'année, les pluies, fortes et prolongées, tombent surtout la nuit, en début de matinée et d'après-midi. Au Sud-Est (Obo, Djema, réserve de Zemongo), elles sont moins abondantes.

▶ Plus on va vers le Nord et plus la saison sèche se prolonge : à **Ndélé**, elle dure six mois. C'est pourquoi, si vous projetez de visiter la réserve de Bamingui-Bangoran, vous choisirez plutôt les mois **de février à mars**, qui correspondent à la fin de cette période (voir chapitre « Kenya »).

Dans le Centre du pays, la saison sèche est interrompue en février par les petites « pluies des mangues », appelées ainsi car elles correspondent à l'époque de la cueillette de ces fruits.

▶ Encore plus au **Nord** (Birao, réserves de l'Aouk-Aoakole et de Yata-Ngaya), les pluies ne durent que trois à quatre mois, de fin mai à septembre. La chaleur est encore plus forte qu'au Sud, surtout durant la longue saison sèche. L'*harmattan* souffle en janvier et février sur toute la moitié Nord du pays, provoquant des tourbillons de poussière dans l'extrême Nord sahélien.

VALISE : vêtements de plein été en fibres naturelles de préférence, pull ; les femmes ne portent ni shorts ni minijupes en Centrafrique. Pendant la saison des pluies, un anorak type K-way, ou un parapluie dans les villes. Pour visiter les réserves, porter de préférence des couleurs neutres ; prévoir un foulard pour se protéger des vents de poussière.

SANTÉ : vaccination contre la fièvre jaune obligatoire ; vaccin antirabique conseillé pour de longs séjours. Risques de paludisme toute l'année dans tout le pays ; résistance élevée à la Nivaquine et multirésistance.

BESTIOLES : moustiques toute l'année, surtout actifs après le coucher du soleil. ●

moyenne des températures maximales / moyenne des températures minimales

	J	F	M	A	M	J	J	A	S	O	N	D
Ndélé	**37**	**37**	**37**	**37**	**33**	**31**	**30**	**29**	**31**	**32**	**34**	**36**
(600 m)	19	21	23	23	22	21	21	21	20	20	18	18

	J	F	M	A	M	J	J	A	S	O	N	D
Bangassou	**34**	**34**	**33**	**33**	**32**	**31**	**30**	**30**	**31**	**31**	**32**	**33**
(500 m)	18	19	21	21	21	20	19	19	19	19	19	17
Bangui	**33**	**34**	**33**	**33**	**32**	**31**	**29**	**30**	**31**	**31**	**31**	**32**
(390 m)	20	20	21	21	21	21	20	20	20	20	20	19

nombre d'heures par jour hauteur en mm / nombre de jours

	J	F	M	A	M	J	J	A	S	O	N	D
Ndélé	**9**	**9**	**8**	**7**	**7**	**6**	**5**	**5**	**5**	**6**	**8**	**9**
	6/0	35/1	15/2	45/4	215/14	155/12	210/16	260/18	270/18	200/14	15/2	0/0
Bangassou	**7**	**7**	**6**	**6**	**7**	**6**	**5**	**4**	**5**	**5**	**6**	**7**
	13/2	60/4	110/9	120/9	225/16	200/14	215/14	190/16	205/15	260/18	120/10	40/2
Bangui	**7**	**7**	**6**	**6**	**6**	**5**	**4**	**4**	**5**	**5**	**6**	**7**
	20/2	45/5	125/9	130/10	170/14	135/12	185/14	225/17	185/16	200/17	100/10	35/3

Chili

Superficie : 760 000 km^2. Santiago (latitude 33°27'S ; longitude 70°42'O) : GMT - 4 h . Durée du jour : maximale (décembre) 14 heures 30, minimale (juin) 10 heures.

Le Chili, qui s'étire sur environ 4 000 km connaît bien évidemment des climats extrêmement divers.

On y trouve, au Nord, une des régions les plus sèches du monde – à Iquique, entre Arica et Antofagasta, il est arrivé qu'on doive attendre 14 ans pour voir tomber la pluie –, alors qu'au Sud il pleut 325 jours par an à Bahia Felix, un peu au-dessus du détroit de Magellan !

Dans le **tiers supérieur** du pays, d'Arica à La Serena, s'étend donc une région désertique où les pluies sont particulièrement rares (voir Arica, Antofagasta). Sur la côte cependant, les *camanchacas*, des brouillards dus au courant froid de Humboldt, sont fréquents surtout durant l'hiver austral (juin à septembre). L'**été** (décembre à mars), très ensoleillé, est rarement d'une chaleur accablante grâce à ce courant et à la sécheresse de l'air. La température de la mer ne dépasse 18° que de décembre à avril.

À l'intérieur, sur la *puna* andine, le ciel est d'une pureté intense toute l'année. En été, les journées sont chaudes, mais les nuits restent froides.

Le **Centre** du pays, de part et d'autre de Santiago, a un climat tempéré. Dans la capitale, le **printemps** et l' **automne** sont des saisons très agréables. Durant l'été, sec et ensoleillé, les matinées et les soirées sont souvent fraîches, alors qu'en début d'après-midi les pointes de chaleur peuvent être pénibles, d'autant que cette ville, située dans une cuvette, partage, avec Mexico et São Paulo, la palme de la pollution en Amérique latine. En hiver, il fait froid la nuit, frais et surtout humide pendant la journée.

Sur la côte, à la même latitude que Santiago, le port de Valparaiso et les plages de Viña del Mar ne subissent pas en été les inconvénients que connaît la capitale. Tout le monde peut y bronzer, mais seuls ceux qui apprécient l'eau fraîche s'y baignent.

C'est à l'est de cette région, au cœur des Andes, que sont installées les plus importantes stations de sports d'hiver (Portillo, La Parva...). La saison commence vers le 15 juin et se prolonge parfois jusqu'à la fin du mois de novembre dans certaines stations.

Plus on va vers le **Sud** et plus les pluies sont abondantes. Concepción, qui connaît encore un été chaud et assez ensoleillé pendant la journée, est pluvieuse en hiver ; Valdivia reçoit déjà près de 2,5 m de pluies par an, surtout d'avril à septembre. La région de Puerto Montt, l'île de Chiloé, la région des lacs, que surplombent des volcans encore en activité, se visitent de préférence **entre la fin du printemps et le début de l'automne**. Sur les côtes, l'hiver est brumeux mais jamais très rigoureux.

▶ Depuis Puerto Montt, la *Carretera Austral* se lance vers le sud, sans pour autant atteindre Punta Arenas. C'est entre ces deux villes, sur des côtes déchiquetées, le long de glaciers dévalant vers la mer, que l'on observe des records de précipitations – auxquels échappent cependant Punta Arenas et sa région. L'**été** est, là encore, la meilleure période pour entreprendre le voyage. Les vents, soutenus et têtus, arriveront sans peine à vous persuader qu'il y fait très froid en hiver et très frais en été.

▶ L'**île de Pâques** (voir chapitre « Pacifique Sud »), presque à mi-chemin entre la côte chilienne et la Polynésie, a une saison chaude bien ensoleillée – **de novembre à mai** – et une saison plus fraîche de juin à octobre. Le vent souffle avec vigueur quelle que soit la saison et les pluies sont assez également réparties sur toute l'année ; quant à la température de la mer, elle varie entre 20° (de juin à octobre) et 23°-24° (de décembre à avril).

VALISE : en été, des vêtements légers, quelques lainages, un anorak ou une veste coupe-vent pour le Sud. En hiver, des vêtements de demi-saison, un bon pull-over, une veste chaude pour les soirées, un imperméable ou un parapluie pour Santiago ; ajouter quelques vêtements légers pour le Nord, ou des vêtements chauds (manteau ou anorak en duvet) pour le Sud.

FOULE : l'affluence touristique vers le Chili reste très modérée, d'autant plus que les Argentins, qui comptaient pour moitié des visiteurs, se sont fait plus rares après la crise de 2002, mais le nombre de voyageurs nord-américains et européens progressent sensiblement. Janvier (le mois des vacances d'été pour les Chiliens) est le mois le plus fréquenté ; viennent ensuite février et mars. Juin, au début de l'hiver, est le mois le plus calme. ●

moyenne des températures maximales / moyenne des températures minimales

	J	F	M	A	M	J	J	A	S	O	N	D
Arica	**26** 18	**27** 18	**26** 17	**24** 16	**22** 14	**20** 14	**19** 13	**19** 13	**20** 13	**21** 14	**23** 15	**25** 17
Antofagasta	**24** 16	**24** 16	**22** 15	**20** 12	**19** 12	**18** 11	**16** 10	**17** 10	**18** 11	**18** 12	**20** 14	**22** 15
Santiago (520 m)	**29** 12	**28** 11	**27** 9	**23** 7	**18** 5	**14** 3	**15** 3	**17** 4	**19** 6	**22** 7	**26** 9	**28** 11
Concepción	**25** 11	**25** 10	**22** 8	**19** 7	**16** 6	**14** 6	**13** 5	**14** 4	**16** 5	**18** 7	**21** 9	**23** 10
Punta Arenas	**14** 7	**14** 7	**12** 5	**10** 4	**7** 2	**5** 1	**4** -1	**6** 1	**8** 2	**11** 3	**12** 4	**14** 6

nombre d'heures par jour hauteur en mm / nombre de jours

	J	F	M	A	M	J	J	A	S	O	N	D
Arica	**11** 0,5/0	**10** 0/0	**8** 0/0	**7** 0/0	**6** 0/0	**6** 0/0	**5** 0/0	**4** 0/0	**5** 0/0	**6** 0/0	**7** 0/0	**8** 0/0
Antofagasta	**11** 0/0	**10** 0/0	**8** 0/0	**7** 0,5/0	**6** 0/0	**6** 2/0	**6** 2/0	**5** 1/0	**6** 1/0	**6** 1/0	**7** 0/0	**9** 0/0

Chili

	J	F	M	A	M	J	J	A	S	O	N	D
Santiago	**11** 2/0	**10** 3/0	**9** 4/1	**7** 14/1	**4** 60/5	**4** 85/6	**4** 75/6	**4** 55/5	**5** 30/3	**7** 15/3	**9** 6/1	**11** 4/0
Concepción	**8** 17/2	**8** 20/3	**7** 50/5	**5** 85/9	**3** 210/15	**2** 250/17	**3** 240/16	**4** 180/14	**5** 105/12	**7** 60/8	**8** 45/7	**9** 30/4
Punta Arenas	**8** 35/6	**6** 30/5	**6** 45/7	**5** 45/9	**3** 50/6	**3** 40/8	**3** 40/6	**4** 40/5	**5** 35/5	**7** 25/5	**7** 30/5	**8** 35/8

température de la mer : moyenne mensuelle

	J	F	M	A	M	J	J	A	S	O	N	D
Arica	21	22	21	20	19	17	17	16	17	17	18	20
Antofagasta	20	21	20	19	17	16	15	15	16	17	18	19
Valparaiso	17	18	17	16	15	14	13	13	13	14	15	16
Concepción	16	17	16	15	14	13	12	12	12	13	14	15

Chine

Superficie : 9 600 000 km². Pékin (latitude 39°57'N ; longitude 116°19'E) : GMT + 8 h. Durée du jour : maximale (juin) 15 heures, minimale (décembre) 9 heures 30. Durée du jour à Canton : maximale (juin) 14 heures, minimale (décembre) 10 heures 30.

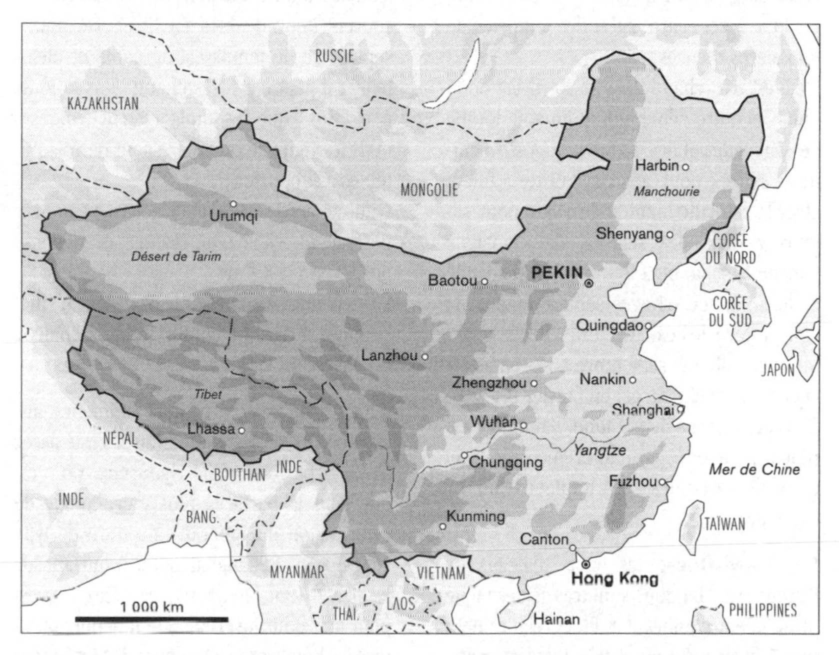

Contrairement à une croyance très répandue, qui la situe plutôt parmi les « pays chauds », la Chine offre une palette climatique d'une diversité presque inégalée. Des hivers quasi sibériens du Nord du pays aux moiteurs tropicales des étés méridionaux, en passant par toutes les nuances de ses climats tempérés, on trouve de tout, climatiquement parlant, dans l'empire du Milieu. On conçoit donc aisément qu'il n'est guère possible de suggérer une saison idéale pour parcourir la Chine en tous sens au cours d'un seul séjour.
Cependant, on peut affirmer que le **printemps** – très bref, en fait le mois d'avril – et l'**automne**, surtout de la mi-septembre à la mi-octobre, vous permettront au mieux d'éviter les extrêmes climatiques chinois, bien que l'automne soit aussi l'époque des typhons qui, de temps en temps, viennent ravager les régions littorales du Sud du pays. Parfois, ils peuvent faire sentir leurs effets plus à l'intérieur des terres, voire jusqu'à Pékin. Ajoutons que, dans de nombreuses grandes métropoles chinoises, la pollution atteint des seuils qui en font un critère important d'inconfort.

La Chine du **Nord-Est** (voir Harbin) connaît des hivers extrêmement froids, particulièrement dans le Nord de la Mandchourie, où ils durent près de six mois, de novembre à mi-avril. Au Sud de la Mandchourie (voir Shenyang), les températures sont agréables dès avril et jusqu'à octobre. À Pékin et dans la grande plaine qui s'étend au sud de la capitale, jusqu'à Kaifeng et Soutchéou, il fait également très froid en hiver, surtout lorsque souffle le « vent jaune » venu de Mongolie, glacial et chargé de poussière. Déforestation et érosion des sols aidant, ces tempêtes de poussière sont, depuis 20 ans, de plus en plus fréquentes à la fin de l'hiver et au début du printemps ; en avril 2006, Pékin a, à cet égard, subit des tempêtes de poussières records.

L'été est très chaud dans le Nord-Est de la Chine, et entre début juin et fin août tombe l'essentiel des pluies. La *nomenklatura* chinoise et les « nouveaux capitalistes » fuient alors la canicule humide de Pékin pour séjourner dans des stations de montagne comme Lushan, ou à Beidaihe, le Deauville chinois. Sur ces rivages septentrionaux, la température de l'eau de mer ne dépasse 20° qu'entre juillet et septembre (24° en août) et elle est proche du gel en janvier !

Dans cette partie de la Chine, l'automne est réputé pour être particulièrement doux et ensoleillé, avec des ciels lumineux, un air sec et pur.

Au **Nord-Ouest**, les hauts plateaux de l'Ordos (voir Baotou) sont très arides : il ne pleut qu'entre juillet et août, et relativement peu. L'hiver y est aussi très froid et venté, l'été un peu moins chaud que dans la plaine, grâce à l'influence de l'altitude.

Le plateau continental de Dzoungarie, au nord du Tibet (voir Urumqi), a un climat du même type, en plus accentué encore. La sécheresse de l'air y est extrême, et les vents soufflent avec violence, surtout en hiver et au printemps.

Entre la Dzoungarie et le Tibet, le désert du Tarim, tout aussi sec, est beaucoup plus chaud : les températures sont souvent positives en hiver au milieu de la journée et atteignent fréquemment 25° dès avril.

Au **Tibet**, le climat est bien sûr très rude : fréquentes tempêtes de poussière, de sable ou de neige, températures très contrastées. Outre les effets produits sur l'organisme par la raréfaction de l'air, l'altitude commande les variations climatiques :

– au-dessous de 3 900 m (voir Lhassa), d'octobre à mars, les nuits sont polaires, mais les journées seraient assez clémentes sans le vent constant, qui donne une impression de froid vif et pénétrant ; les routes sont souvent impraticables en hiver. De mai à septembre, le temps est agréable et ensoleillé ; il peut faire très chaud dans la journée (alors que les nuits restent froides), mais les vents de poussière sont parfois pénibles à supporter ;

– au-dessus de 3 900 m, le gel est à peu près permanent, et la température ne dépasse pas 5° en plein jour.

La meilleure saison pour le trekking au Tibet se situe entre mars et juin, avant la chaleur du plein été.

En **Chine centrale**, qui commence au-dessous du 35e parallèle, l'hiver reste assez froid, et parfois même rigoureux. Ce n'est que dans la partie la plus méridionale de cette région qu'apparaît une flore de type subtropical. À Shanghai même, pourtant sur la mer, il vaut mieux arriver assez couvert pour un séjour hivernal, d'autant que, mis à part les hôtels pour étrangers, les intérieurs sont assez mal ou pas du tout chauffés. En été, en revanche, la Chine centrale connaît des températures élevées. Nankin, Chungking et Wuhan, sur les bords du Yangzi Jiang, sont réputées pour être alors de vraies fournaises. Les précipitations sont assez abondantes de juin à septembre, et dans une ville comme Shanghai, l'humidité et les nuages fréquents accentuent la moiteur étouffante de l'air.

En **Chine du Sud** (voir Canton, Hong Kong, Yulin), on connaît enfin un véritable climat subtropical. On voit même des cocotiers s'épanouir dans le Sud de la province de Canton et sur l'île de Hainan. L'hiver de la Chine du Sud offre des températures « printanières » et les gelées restent rares ; les périodes intermédiaires sont brèves. En été, les températures sont élevées, et les précipitations abondantes de mai à août. Pendant cette saison, on subit une atmosphère humide et étouffante, et à vrai dire assez éprouvante. Fin août-début septembre est la période préférée des typhons qui provoquent des dégâts considérables. À savoir : du 15 mai au 15 juin et du 15 octobre au 15 novembre, Canton est assaillie par des milliers de visiteurs du monde entier, attirés par les foires aux articles chinois d'exportation.

VALISE : en hiver, vêtements très chauds, matelassés ou doublés de fourrure (les Chinois en fabriquent d'excellents), sauf en Chine du Sud (vêtements de demi-saison). En été, vêtements pratiques et légers, lainage ; en dehors de Pékin, Canton, Hong Kong, Shanghai, évitez les tenues très dénudées si vous n'avez pas envie de choquer. Au Tibet, pour faire face aux changements brusques de température et au vent, emportez des vêtements faciles à superposer, à enlever ou remettre progressivement, et un foulard pour vous protéger de la poussière. Aux intersaisons : vêtements légers pour la journée, lainages et veste pour les soirées dans le Nord ; vêtements légers dans le Sud. Les chaussures chinoises en toile sont également très confortables pour les longues marches.

SANTÉ : faibles risques de paludisme au-dessous de 1 500 m d'altitude : de juillet à novembre dans quelques zones rurales du Nord-Est ; de mai à décembre dans le Centre ; toute l'année dans le Hainan et le Yunnan, où l'on observe des zones de forte résistance à la Nivaquine.

BESTIOLES : des moustiques durant l'été en Chine du Nord, et toute l'année en Chine du Sud.

FOULE : faible pression touristique si l'on considère l'ensemble du pays et l'importance de la population, mais un tourisme assez concentré sur quelques circuits bien balisés. Allemands, Britanniques et Français comptent chacun pour environ 6 % du tourisme en Chine, si l'on fait abstraction des visiteurs des pays du Sud-Est asiatique, dont une majorité sont eux-mêmes d'origine chinoise. ●

moyenne des températures maximales / moyenne des températures minimales

	J	F	M	A	M	J	J	A	S	O	N	D
Harbin	**- 14**	**- 9**	**0**	**12**	**21**	**26**	**28**	**27**	**20**	**12**	**- 2**	**- 12**
	- 26	- 23	- 12	- 1	7	14	18	17	8	0	- 12	- 22
Urumqi	**- 10**	**- 8**	**1**	**15**	**24**	**27**	**30**	**28**	**23**	**11**	**- 1**	**- 8**
(912 m)	- 22	- 19	- 9	3	12	15	18	16	10	1	- 11	- 18
Shenyang	**- 7**	**- 2**	**5**	**16**	**23**	**28**	**30**	**29**	**23**	**16**	**4**	**- 5**
(416 m)	- 18	- 16	- 7	2	11	16	20	19	11	3	- 6	- 15
Baotou	**- 5**	**- 2**	**7**	**15**	**23**	**28**	**29**	**27**	**22**	**16**	**5**	**- 3**
(1 040 m)	- 19	- 16	- 7	0	8	14	17	15	6	0	- 9	- 17
Pékin	**1**	**4**	**11**	**21**	**27**	**31**	**31**	**30**	**26**	**20**	**10**	**2**
	- 11	- 8	- 1	7	13	19	21	20	14	6	- 2	- 8
Qingdao	**3**	**4**	**8**	**14**	**20**	**26**	**27**	**27**	**25**	**20**	**12**	**5**
	- 5	- 4	1	6	12	21	23	23	18	12	5	- 2
Lanzhou	**1**	**7**	**12**	**18**	**24**	**27**	**29**	**27**	**22**	**17**	**8**	**3**
(1 510 m)	- 14	- 9	- 2	4	10	14	16	16	11	4	- 5	- 11
Zhengzhou	**5**	**8**	**14**	**21**	**27**	**32**	**32**	**31**	**27**	**22**	**14**	**8**
	- 5	- 3	2	9	14	20	23	22	16	10	3	- 3
Shanghai	**8**	**8**	**13**	**19**	**25**	**28**	**32**	**32**	**28**	**23**	**17**	**12**
	1	1	4	10	15	19	23	23	10	14	7	2

Chine

	J	F	M	A	M	J	J	A	S	O	N	D
Lhassa	**7**	**9**	**12**	**16**	**19**	**24**	**23**	**22**	**21**	**17**	**13**	**9**
(3 680 m)	- 10	- 7	- 2	1	5	9	9	9	7	1	- 5	- 9
Chungqing	**11**	**13**	**18**	**23**	**27**	**29**	**33**	**32**	**28**	**22**	**17**	**12**
	6	7	11	15	19	21	24	25	20	16	12	7
Fuzhou	**15**	**15**	**18**	**23**	**26**	**30**	**34**	**33**	**30**	**26**	**22**	**18**
	8	8	10	15	19	23	25	25	23	19	15	10
Kunming	**23**	**22**	**29**	**31**	**30**	**29**	**28**	**28**	**28**	**27**	**25**	**23**
(1 890 m)	6	6	9	13	17	20	20	20	19	16	12	8
Canton	**18**	**18**	**21**	**25**	**29**	**31**	**32**	**32**	**31**	**29**	**25**	**21**
	9	10	14	18	22	24	24	24	23	21	15	11
Hong Kong	**18**	**17**	**19**	**24**	**28**	**29**	**31**	**31**	**29**	**27**	**23**	**20**
	13	13	16	19	23	26	26	26	25	23	18	15
Yulin	**25**	**26**	**28**	**30**	**31**	**31**	**31**	**31**	**30**	**30**	**27**	**25**
	17	19	21	23	25	25	25	25	24	22	19	17

nombre d'heures par jour hauteur en mm / nombre de jours

	J	F	M	A	M	J	J	A	S	O	N	D
Harbin	**6**	**8**	**8**	**8**	**8**	**9**	**9**	**8**	**7**	**7**	**6**	**6**
	4/1	6/1	17/3	25/3	45/7	90/9	165/10	120/11	55/7	36/5	15/2	8/2
Urumqi	**6**	**5**	**6**	**7**	**10**	**9**	**9**	**9**	**9**	**7**	**5**	**5**
	8/10	15/11	15/7	35/8	25/5	35/6	16/7	35/5	15/4	45/9	20/11	11/10
Shenyang	**6**	**7**	**8**	**8**	**8**	**9**	**7**	**7**	**8**	**7**	**6**	**6**
	6/2	6/2	14/5	30/6	65/10	95/12	175/15	160/12	75/9	40/6	25/4	10/3
Baotou	**7**	**7**	**8**	**9**	**9**	**10**	**9**	**8**	**9**	**8**	**6**	**7**
	1/1	4/2	4/3	19/4	30/6	30/7	80/10	75/10	30/6	25/4	4/3	1/1
Pékin	**7**	**7**	**8**	**8**	**9**	**9**	**7**	**7**	**8**	**7**	**6**	**6**
	3/1	5/1	8/2	20/2	35/4	80/6	190/10	160/9	45/4	16/3	8/2	3/1
Qingdao	**6**	**6**	**7**	**7**	**8**	**7**	**6**	**7**	**7**	**7**	**6**	**5**
	11/3	9/2	19/2	35/3	40/4	75/6	150/10	150/9	85/5	35/3	20/2	17/1
Lanzhou	**5**	**5**	**5**	**6**	**6**	**7**	**7**	**7**	**5**	**5**	**5**	**5**
	1/1	3/1	8/4	14/4	35/7	40/7	65/10	90/12	55/10	18/4	4/2	2/1
Zhengzhou	**6**	**6**	**6**	**7**	**8**	**9**	**8**	**8**	**7**	**6**	**6**	**6**
	10/3	15/4	30/6	50/6	45/6	70/7	135/12	130/11	65/8	40/6	35/6	9/3
Shanghai	**4**	**4**	**4**	**5**	**5**	**5**	**7**	**7**	**5**	**6**	**5**	**4**
	55/6	40/9	65/9	60/9	90/9	160/11	150/9	155/9	195/11	110/4	75/6	45/6
Lhassa	**6**	**6**	**6**	**6**	**7**	**6**	**5**	**7**	**6**	**6**	**7**	**6**
	2/0	13/1	7/1	5/1	25/2	63/5	120/10	90/7	65/4	13/2	2/1	0/0
Chungqing	**2**	**2**	**3**	**4**	**4**	**4**	**7**	**7**	**4**	**2**	**2**	**2**
	17/4	20/4	40/7	95/9	145/13	180/11	140/6	120/6	145/11	110/13	50/9	20/6
Fuzhou	**4**	**3**	**4**	**5**	**5**	**5**	**8**	**8**	**6**	**5**	**5**	**4**
	55/10	80/13	120/15	140/15	210/18	230/17	120/9	140/12	150/12	30/6	30/7	30/8
Kunming	**6**	**8**	**9**	**8**	**7**	**4**	**3**	**4**	**5**	**5**	**6**	**6**
	30/9	10/5	15/4	30/8	160/17	250/25	370/28	340/27	170/21	170/20	65/13	35/11
Canton	**4**	**3**	**3**	**3**	**5**	**5**	**7**	**7**	**7**	**7**	**6**	**5**
	30/5	65/8	100/11	185/12	255/15	290/17	265/16	250/13	150/10	50/4	50/3	35/5
Hong Kong	**5**	**4**	**3**	**4**	**5**	**5**	**8**	**6**	**6**	**7**	**7**	**6**
	30/4	60/5	70/6	135/8	330/13	480/17	235/15	415/15	365/13	35/5	45/3	17/3
Yulin	*	*	*	*	*	*	*	*	*	*	*	*
	11/3	7/2	2/3	28/4	150/10	195/14	150/14	190/16	290/19	190/12	55/6	40/5

température de la mer : moyenne mensuelle

	J	F	M	A	M	J	J	A	S	O	N	D
Yulin	22	22	23	25	27	28	30	28	28	27	24	23
Hong Kong	19	19	21	23	25	27	29	28	28	28	23	21
Shanghai	9	8	11	14	18	23	26	27	25	22	17	13
Qingdao	6	5	7	9	14	19	23	26	23	20	15	9
Beidaihe lat. Pékin	0	1	2	6	12	17	22	24	22	18	12	5

Chypre

Superficie : 9 200 km². Lefkosia/Nicosie (latitude 35°09'N ; longitude 33°17'E) : GMT + 2 h . Durée du jour : maximale (juin) 14 heures 30, minimale (décembre) 10 heures.

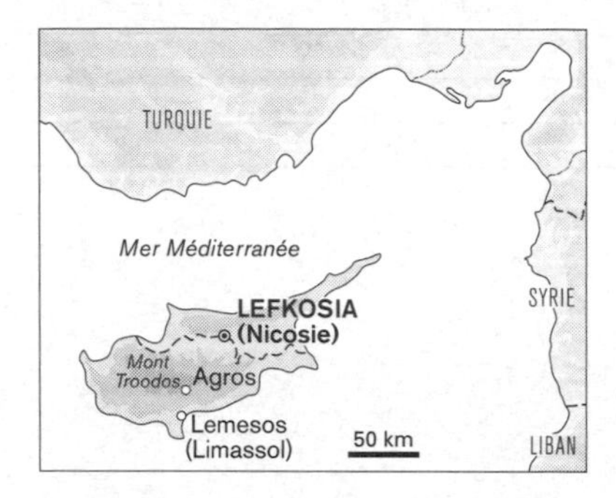

Ce pays encore divisé a pour territoire l'île la plus chaude de la Méditerranée. Mais sur la côte Sud, le vent est assez fréquent tout au long de l'année.

▶ Chypre bénéficie d'un long **été**, de la mi-mai à la fin septembre. L'ensoleillement est alors très important, et les amateurs de plage se baignent dans une mer tiède. Sur les côtes, les brises marines modèrent les effets de la chaleur, alors qu'à cette période la canicule peut dissuader d'un voyage à l'intérieur, du moins dans la plaine de Nicosie. À l'Ouest, dans les régions élevées autour du mont Troodos, on peut trouver un peu de fraîcheur dans les forêts.

▶ Pour visiter l'île et partir à la découverte des vestiges gréco-romains ou des monastères byzantins, **début avril à mi-mai** et **octobre** sont de bonnes périodes ; si la mer est encore fraîche en avril, la baignade reste très agréable en octobre.

▶ Les **hivers** chypriotes sont doux dans la plaine et sur les côtes. Le mont Troodos (1 950 m), particulièrement son versant occidental, reçoit des précipitations abondantes entre décembre et février. Pendant quelques semaines, on peut même y skier.

VALISE : de mai à octobre, vêtements d'été très légers, en coton ou en lin ; pull pour le soir. En hiver, vêtements assez chauds, imperméable coupe-vent ou parapluie.

FOULE : dans la partie grecque de l'île, flux touristique en hausse et forte pression pendant la saison balnéaire. Les visiteurs sont surtout d'origine européenne et, encore en 2006, très majoritairement Anglais. On comptait alors sur les plages chypriotes 50 Britanniques, 8 Allemands, 2 Hollandais et 2 Suisses pour 1 Français. Les visiteurs sont nombreux de mai à octobre, avec un pic en juillet et août. Janvier est le mois le moins fréquenté. ●

moyenne des températures maximales / moyenne des températures minimales

	J	F	M	A	M	J	J	A	S	O	N	D
Lefkosia	**15** 6	**16** 6	**19** 7	**25** 11	**30** 15	**34** 18	**36** 22	**37** 22	**33** 19	**28** 15	**22** 10	**17** 7
Agros (950 m)	**10** 3	**10** 3	**13** 5	**18** 10	**23** 13	**27** 17	**30** 20	**30** 20	**28** 17	**22** 12	**15** 8	**11** 4
Lemesos	**17** 8	**17** 8	**19** 9	**23** 13	**26** 16	**30** 19	**32** 21	**33** 22	**31** 19	**28** 16	**21** 12	**17** 9

nombre d'heures par jour hauteur en mm / nombre de jours

	J	F	M	A	M	J	J	A	S	O	N	D
Lefkosia	**5,5** 75/9	**6,5** 45/10	**7,5** 35/8	**9** 20/4	**11** 17/3	**12,5** 9/1	**12,5** 1/0	**12** 1/0	**10,5** 7/1	**8** 20/3	**7** 32/5	**6** 75/9

	J	F	M	A	M	J	J	A	S	O	N	D
Agros	**4,5** 85/12	**5,5** 55/10	**6** 45/8	**8** 20/5	**9,5** 25/4	**11** 5/2	**11,5** 2/1	**10,5** 1/0	**9,5** 2/1	**8** 25/4	**6** 50/6	**5** 80/10
Lemesos	**6** 60/11	**6,5** 50/9	**7,5** 40/7	**9** 13/4	**11** 13/2	**12,5** 1/0	**12,5** 0/0	**12** 0/0	**10,5** 0/1	**9** 18/3	**7** 45/5	**5,5** 80/10

température de la mer : moyenne mensuelle

	J	F	M	A	M	J	J	A	S	O	N	D
Lemesos	18	17	17	18	19	23	25	27	26	24	22	19

Colombie

Superficie : 1 140 000 km². Bogotá (latitude 4°38'N ; longitude 74°05'O) : GMT - 5 h . Durée du jour : environ 12 heures toute l'année.

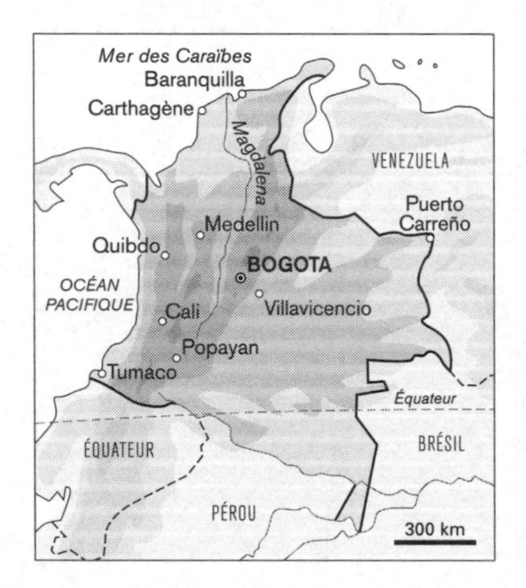

▶ C'est bien sûr pendant les saisons sèches qu'il est conseillé de voyager en Colombie, c'est-à-dire, pour la plus grande partie du pays, **de décembre à mars**. Cependant, dans certaines régions, quelle que soit l'époque choisie, l'overdose de pluies est assurée.

▶ Au **Nord**, la côte caraïbe (voir Barranquilla) connaît une saison sans pluies et bien ensoleillée de fin décembre à fin avril. La chaleur est à peine moins forte que le reste de l'année, mais c'est cependant la meilleure saison pour visiter Carthagène et ses fortifications de l'époque coloniale, ou pour se baigner, sur les plages bordées de cocotiers. Le Nord de la côte est très aride ; en revanche, près de la frontière avec le Panamá, s'il ne pleut que modérément à cette époque, le reste de l'année est très arrosé.

▶ Dans tout le **Centre** du pays, on observe généralement une saison sèche plus ou moins prononcée de décembre à mars et parfois un ralentissement des précipitations au milieu de la saison des pluies. Il pleut surtout dans l'après-midi et en soirée, les matinées étant relativement épargnées. Le climat dépend ici essentiellement de l'altitude. Au-dessus de Bogotá, au climat toujours frais, le ciel demeure gris une bonne partie de l'année, avec une sensible amélioration de décembre à fin février. 1 000 m plus bas, à Medellín, il fait chaud pendant la journée, mais les matinées peuvent être fraîches. On dit de cette ville, célèbre pour ses orchidées, que le printemps y est éternel. À Cali (965 m), comptez encore 4° de plus qu'à Medellín. Dans les terres basses (moins de 700 m d'altitude), vous n'avez aucune chance d'échapper à la suffocante chaleur des tropiques.

▶ Les autres régions, que ce soit l'**Est** du pays ou la **côte pacifique** (voir Tumaco) sont très pluvieuses. La base orientale des Andes, qui fait face au bassin amazonien, est particulièrement arrosée : Villavicencio, à 2 000 m en contrebas de la capitale, reçoit plus de 4 m d'eau par an, avec un répit sensible de novembre à février. Mais tous les records sont battus du côté de l'océan Pacifique, et cette fois-ci pas de trêve : dans les vallées des fleuves San Juan et Atrato, parallèles à la partie Nord de la côte, jamais moins de 500 mm/mois ! Quant à la ville de Quibdo, elle est la plus « rincée » de toutes les Amériques : plus de 8 m d'eau par an. La beauté des sites vaut cependant largement que l'on plonge dans cette chaleur moite et éprouvante. En plus de ses *aguaceros* déments, entre lesquels le soleil apparaît, le Pacifique vous offre aussi de magnifiques plages quasi désertes et une mer chaude.

VALISE : vous aurez besoin à la fois de vêtements d'été très légers, en coton ou autres fibres naturelles, de lainages et d'un imperméable ou d'un anorak.

SANTÉ : risques de paludisme toute l'année en dessous de 1000 m d'altitude dans les zones rurales avec résistance à la Nivaquine ; multirésistance en Amazonie, mais, sur la côte caraïbe, pas de risques à Barranquilla, Carthagène et dans l'île de San Andrés. Vaccination contre la fièvre jaune souhaitable pour les voyageurs séjournant en dehors de Bogotá et des grandes villes de la côte caraïbe. Vaccin antirabique conseillé pour de longs séjours.

BESTIOLES : attention, le crépuscule venu, il n'y a pas de couvre-feu pour les moustiques dans les régions basses, et particulièrement sur la côte pacifique.

FOULE : très faible pression touristique liée à une situation très conflictuelle. Les visiteurs viennent en majorité du Venezuela voisin. Les Français représentent moins de 1 % des voyageurs. ●

moyenne des températures maximales / moyenne des températures minimales

	J	F	M	A	M	J	J	A	S	O	N	D
Barranquilla	**31** / 23	**32** / 24	**32** / 24	**33** / 25	**33** / 25	**33** / 25	**33** / 25	**33** / 24	**33** / 24	**32** / 24	**32** / 24	**31** / 24
Medellín (1 450 m)	**28** / 17	**28** / 17	**28** / 17	**28** / 17	**28** / 17	**28** / 15	**28** / 17	**28** / 17	**28** / 17	**27** / 17	**27** / 17	**27** / 17
Puerto Carreño	**35** / 23	**36** / 24	**36** / 25	**35** / 25	**33** / 24	**31** / 23	**31** / 23	**31** / 23	**32** / 24	**33** / 24	**34** / 24	**34** / 23
Bogotá (2 550 m)	**16** / 6	**17** / 7	**17** / 8	**16** / 9	**16** / 9	**16** / 8	**15** / 8	**15** / 7	**16** / 7	**16** / 8	**16** / 8	**16** / 6
Popayán (1 750 m)	**24** / 13	**24** / 13	**25** / 14	**25** / 14	**25** / 14	**25** / 13	**25** / 12	**25** / 12	**24** / 12	**24** / 13	**24** / 14	**24** / 14
Tumaco	**29** / 23	**29** / 23	**29** / 23	**29** / 23	**29** / 23	**29** / 23	**29** / 23	**29** / 23	**29** / 23	**29** / 23	**29** / 23	**29** / 23

nombre d'heures par jour hauteur en mm / nombre de jours

	J	F	M	A	M	J	J	A	S	O	N	D
Barranquilla	**9** 5/1	**8,5** 0/0	**8** 1/0	**7** 15/3	**6** 120/8	**6,5** 85/8	**7** 65/5	**6,5** 110/9	**5,5** 150/12	**5,5** 160/12	**6,5** 75/7	**8** 30/2
Medellín	**5,5** 65/11	**5** 80/12	**5** 130/16	**4,5** 160/21	**4,5** 200/22	**5,5** 160/18	**6,5** 120/16	**6** 150/20	**5** 180/21	**4,5** 210/23	**4,5** 150/19	**5** 95/14
Puerto Carreño	**8,5** 45/2	**8** 18/3	**7,5** 40/5	**6,5** 130/13	**4,5** 270/20	**4** 450/25	**4,5** 460/25	**5** 340/24	**5** 190/20	**6,5** 180/17	**7** 100/10	**8** 30/4
Bogotá	**6** 30/7	**5** 45/10	**4,5** 65/13	**4** 100/17	**4** 95/16	**4** 55/16	**4,5** 45/16	**4,5** 40/13	**4** 70/15	**3,5** 110/17	**4** 90/16	**5** 55/11
Popayán	**5** 200/18	**4,5** 180/15	**4,5** 120/19	**4** 200/21	**3,5** 170/21	**5** 85/14	**5,5** 50/9	**5** 65/10	**4** 120/15	**3,5** 250/22	**4** 330/24	**4,5** 250/21
Tumaco	**3** 330/19	**4,5** 290/19	**5,5** 300/18	**5** 360/22	**4** 370/25	**3** 230/23	**4** 220/20	**3,5** 110/17	**3** 140/17	**3,5** 130/15	**3,5** 150/12	**3** 160/16

température de la mer : moyenne mensuelle

	J	F	M	A	M	J	J	A	S	O	N	D
Mer des Caraïbes	26	25	25	26	27	27	28	28	28	27	27	26
Pacifique	26	26	26	26	26	26	26	25	26	27	26	26

Comores

Superficie : 2 500 km^2. Moroni (latitude 11°42'S ; longitude 43°14'E) : GMT + 3 h . Durée du jour : maximale (décembre) 13 heures, minimale (juin) 11 heures 30.

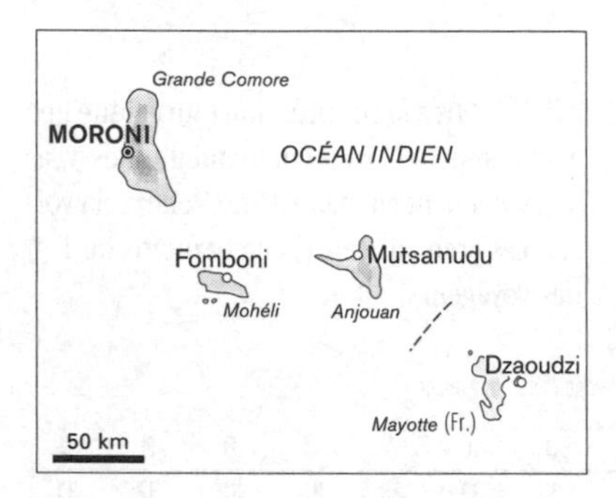

Si vous projetez un voyage aux Comores, évitez de préférence la **saison chaude**, de novembre à mai, pluvieuse et humide, qui s'accompagne de fréquents orages et d'épisodes venteux, surtout en janvier et février, limités cependant à décembre-mars pour le territoire français de Mayotte.
Durant cette période, les pluies sont cependant très inégalement réparties en fonction de l'altitude et de l'exposition. En effet, les îles les plus élevées de cet archipel volcanique, et surtout la Grande Comore et Anjouan, sont beaucoup plus arrosées que les îles à faible relief, comme le territoire français de Mayotte. D'autre part, les côtes Ouest, exposées à la mousson, reçoivent plus de pluies que les côtes Est, qui sont « sous le vent ». Ainsi sur la Grande Comore, le volcan du Karthala (2 400 m) reçoit 5 m d'eau par an, alors que Moroni, sur la côte « au vent », en reçoit moitié moins, et Tumbuni, sur la côte « sous le vent », seulement le quart.
À l'autre extrême de l'archipel, au Sud-Est, Mayotte est l'île la moins arrosée. Les pluies y tombent pour une bonne part en début d'après-midi. La saison sèche, qui commence dès avril, y est beaucoup plus marquée, en particulier sur la côte orientale (voir Dzaoudzi).

Les Comores restent normalement à l'écart des trajets des cyclones. *Kamisy*, le dernier a l'avoir frappée, est passé il y a plus de 20 ans, en avril 1984.

La meilleure saison pour séjourner aux Comores reste donc indiscutablement la **saison sèche**, dite « fraîche », bien que les températures soient encore chaudes durant cette période. Elle s'étend **d'avril à novembre**, à Mayotte et **de mai à octobre** sur les autres îles. C'est la saison la plus ensoleillée, surtout, là encore, sur les côtes exposées à l'Est. Les alizés, les *Kusi*, soufflent alors du Sud-Est, surtout de mai à août ; le vent souffle en fin de nuit et se calme l'après-midi.
En octobre, selon les années, on observe une ou deux semaines pluvieuses, appelées « la pluie des mangues », qui rend les mangues de décembre encore plus belles.
On se baigne toute l'année sur les plages de sable blanc (plus petites et moins nombreuses que celles des autres îles de l'océan Indien) ou de sable volcanique.

VALISE : vêtements légers en coton ou en lin de préférence, pull ou veste pour les soirées de la saison « fraîche », tennis ou autres chaussures confortables pour marcher dans la Grande Île, dont le sol est très accidenté. Les Comores sont un pays musulman : évitez les minijupes et les shorts (pour les femmes), etc. Emportez aussi un anorak, un jean si vous prévoyez une randonnée sur le Karthala ou sur les M'Tingui.

SANTÉ : risques de paludisme toute l'année dans tout le pays ; zones de résistance élevée à la Nivaquine et multirésistance. Par précaution, on s'informera des dernières nouvelles du chikungunya (transmis par un moustique du genre *Aedes*) sur le site de l'Institut de veille sanitaire (www.invs.sante.fr).

BESTIOLES : moustiques toute l'année, surtout actifs la nuit.

FOULE : flux touristique encore faible, bien qu'en hausse, vers Mayotte, et surtout d'origine métropolitaine. Mais tourisme en récession sur la Grande Comore. ●

RENDEZ-VOUS NATURE

Plonger avec les baleines

Mayotte se distingue du reste des îles des Comores par l'importance de ces récifs coralliens. Pour partir y plonger, les périodes d'intersaisons, **de mi-mars à mi-juin et de mi-septembre à mi-décembre** sont souvent conseillées. Si de janvier à mi-mars, la mer est mauvaise quand soufflent les *kashkazi*, vents de moussons qui viennent du nord et du nord-ouest, on plonge tout le reste de l'année. La saison sèche n'est cependant pas à l'abri de périodes venteuses, accompagnées d'une mer agitée, et la saison humide offre souvent des périodes de soleil radieux et de calme plat.
Au large de Mayotte, la barrière de corrail ceinture un vaste lagon protégé de la houle, où les mégaptères (baleines à bosse) se réunissent en nombre **de fin juillet à fin octobre** pour s'accoupler, mettre bas et allaiter leurs baleineaux. La meilleure période pour les observer commence à la mi-août. On observe aussi les baleines à la Grande Comore, à Anjouan et surtout à Mohéli dont elles apprécient particulièrement les hauts-fonds. Les tortues, qui viennent pondre à Mayotte et à Mohélie, se donnent en spectacle toute l'année, comme de nombreuses espèces de dauphins.

moyenne des températures maximales / moyenne des températures minimales

	J	F	M	A	M	J	J	A	S	O	N	D
Moroni (Grande Comore)	**30** 23	**30** 23	**31** 23	**30** 23	**29** 21	**28** 20	**28** 19	**28** 18	**28** 19	**29** 20	**30** 22	**31** 23
Dzaoudzi (Mayotte)	**31** 24	**30** 24	**30** 24	**30** 24	**30** 23	**28** 22	**27** 21	**27** 21	**28** 22	**29** 23	**31** 23	**31** 24

nombre d'heures par jour hauteur en mm / nombre de jours

	J	F	M	A	M	J	J	A	S	O	N	D
Moroni	**5,5** 425/17	**6** 275/13	**6,5** 245/14	**6** 340/14	**6,5** 230/8	**7** 160/10	**7** 295/9	**7** 135/8	**7** 110/8	**8** 85/9	**7,5** 130/9	**6** 200/13
Dzaoudzi	**6** 280/17	**6** 220/14	**7** 175/11	**7,5** 85/7	**8** 35/4	**8** 15/2	**8,5** 10/2	**8,5** 13/2	**8** 20/3	**7,5** 45/4	**7** 60/5	**6,5** 150/11

température de la mer : moyenne mensuelle

	J	F	M	A	M	J	J	A	S	O	N	D
Océan Indien	28	28	28	28	27	26	25	25	25	26	27	28

Congo (Brazzaville)

Superficie : 340 000 km^2. Brazzaville (latitude 4°15'S ; longitude 15°14'E) : GMT + 1 h. Durée du jour : maximale (décembre) 12 heures, minimale (juin) 11 heures 30.

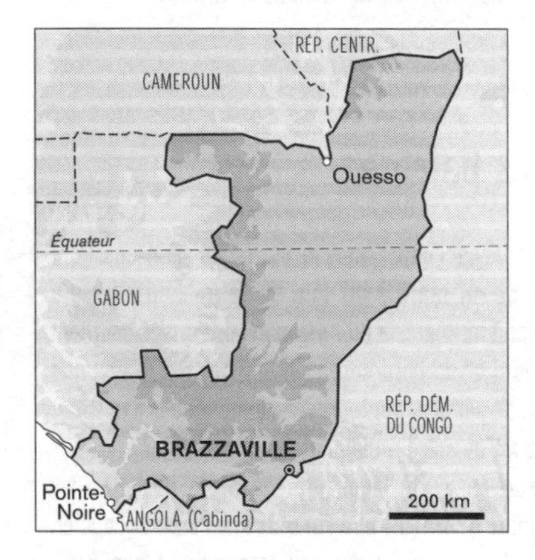

La **saison sèche**, de début juin à fin septembre, est la meilleure période pour circuler dans ce pays couvert d'une dense forêt équatoriale sur les deux tiers de son territoire.

Cependant, même à cette saison, une constante humidité – en particulier sur la côte et dans le Nord-Est du pays (voir Ouesso) – peut rendre la chaleur assez pénible à supporter, et le ciel est souvent nuageux.

La mer offre alors une température agréable, quoique plus fraîche que le reste de l'année.

La saison sèche est bien marquée sur toute la moitié Sud du pays. Le mois d'août reste sans doute le mois idéal pour observer les animaux des réserves de la Léfini, du mont Fouari et de Nyanga (voir chapitre « Kenya »).

En remontant vers le Nord (Makoua, parc national d'Odzala), la saison sèche se fait de moins en moins nette, pour ne plus être, près d'Ouesso, qu'un simple ralentissement des pluies.

Durant la **saison des pluies** – de fortes averses orageuses dans la journée et le soir –, les régions les plus arrosées au Sud du pays sont le plateau Koukouya, au nord de Brazzaville, sur lequel il pleut deux fois plus que sur la capitale, et les monts du Mayombé, qui longent la côte.

On note une baisse des pluies de décembre à février, vraiment nette seulement dans le Nord.

VALISE : vêtements les plus légers possible, en fibres naturelles de préférence ; pull pour les soirées, surtout en saison sèche.

SANTÉ : vaccination contre la fièvre jaune obligatoire. Risques de paludisme toute l'année dans tout le pays ; résistance élevée à la Nivaquine et multirésistance.

BESTIOLES : moustiques toute l'année, surtout actifs après le coucher du soleil. ●

moyenne des températures maximales / moyenne des températures minimales

	J	F	M	A	M	J	J	A	S	O	N	D
Ouesso	**31**	**32**	**32**	**32**	**31**	**30**	**29**	**29**	**30**	**30**	**30**	**30**
(350 m)	20	20	21	21	21	21	21	21	21	21	21	20
Brazzaville	**30**	**31**	**31**	**32**	**30**	**28**	**27**	**28**	**30**	**30**	**30**	**29**
	21	21	22	22	21	18	17	18	20	21	21	21
Pointe-Noire	**30**	**30**	**31**	**30**	**29**	**27**	**25**	**25**	**26**	**28**	**29**	**29**
	24	24	24	24	23	20	18	19	21	23	23	24

nombre d'heures par jour hauteur en mm / nombre de jours

	J	F	M	A	M	J	J	A	S	O	N	D
Ouesso	**5** 55/4	**6** 80/5	**5** 150/9	**6** 130/8	**6** 150/11	**5** 115/9	**4** 80/6	**4** 155/10	**4** 220/13	**5** 22/14	**5** 15/11	**5** 85/6
Brazzaville	**4** 120/9	**5** 125/8	**5** 185/10	**5** 210/13	**4** 135/8	**4** 2/0	**4** 1/0	**5** 2/0	**4** 3/3	**4** 140/9	**5** 225/13	**4** 195/12
Pointe-Noire	**5** 150/9	**5** 210/10	**5** 225/12	**5** 180/11	**4** 90/5	**4** 1/0	**4** 0/0	**4** 2/1	**2** 13/4	**3** 70/10	**4** 165/12	**5** 145/9

température de la mer : moyenne mensuelle

	J	F	M	A	M	J	J	A	S	O	N	D
Atlantique	27	27	27	28	27	25	23	23	24	25	26	26

Congo (Kinshasa)

Superficie : 2 350 000 km^2. Kinshasa (latitude 4°23'S ; longitude 15°26'E) : GMT + 1 h. Durée du jour : environ 12 heures toute l'année.

Dans la majeure partie de l'ex-Zaïre, le climat est chaud et humide toute l'année. Il y a néanmoins des périodes plus agréables que d'autres, différentes selon les régions :

- Dans la cuvette du fleuve Congo, au Centre du pays, occupée par une forêt dense et difficilement pénétrable dans les zones non habitées, l'humidité est permanente, le ciel souvent nuageux et il pleut beaucoup.

Sa partie Sud (voir Kinshasa, Kananga) connaît cependant une saison sèche, **de juin à septembre**, sans conteste la meilleure période. En remontant vers le Nord, à mesure que l'on s'approche de l'équateur, cette saison sèche est moins marquée. À partir de l'équateur commence à se dessiner une saison sèche inversée (de décembre à février) d'abord peu marquée, puis plus nette au Nord du pays (voir Gemena). Dans cette région, **février** reste le meilleur mois (le moins humide).

- Dans les régions élevées du Nord-Est et de l'Est (région des Lacs et du parc animalier du lac Kivu), les températures sont agréables grâce à l'altitude, parfois même fraîches la nuit, et l'air beaucoup moins humide.

- Au Sud du pays, sur le plateau minier, la chaleur est plus modérée et la saison sèche est nettement plus étendue et très ensoleillée : à Lubumbashi, elle dure d'avril à octobre. La meilleure période se situe **entre avril et août** (en septembre-octobre, il fait très chaud dans la journée). Février est le mois le plus humide.

- Sur l'étroite bande côtière, le climat offre plus de fraîcheur qu'à l'intérieur du pays pendant la saison sèche (mi-mai à mi-octobre). On peut se référer aux chiffres donnés pour Cabinda (voir chapitre « Angola »).

VALISE : en toute saison, vêtements très légers, en fibres naturelles de préférence ; un ou deux pulls pour les soirées.

SANTÉ : risques de paludisme toute l'année dans tout le pays ; zones de résistance élevée à la Nivaquine et multirésistance. Vaccination obligatoire : fièvre jaune. Vaccination souhaitable : rage, typhoïde.

BESTIOLES : moustiques toute l'année, surtout actifs après le coucher du soleil. ●

moyenne des températures maximales / moyenne des températures minimales

	J	F	M	A	M	J	J	A	S	O	N	D
Gemena	**31**	**32**	**32**	**32**	**31**	**30**	**29**	**29**	**30**	**30**	**30**	**31**
(450 m)	18	19	20	20	20	20	19	20	19	19	19	18
Kisangani	**30**	**31**	**31**	**30**	**30**	**30**	**29**	**28**	**29**	**29**	**29**	**29**
(490 m)	20	19	20	20	20	20	19	20	19	20	20	20

	J	F	M	A	M	J	J	A	S	O	N	D
Kinshasa (360 m)	**30** 22	**31** 22	**31** 22	**32** 22	**30** 22	**28** 18	**27** 17	**28** 18	**30** 20	**30** 22	**30** 22	**30** 22
Kananga (660 m)	**29** 20	**29** 20	**30** 20	**30** 20	**31** 20	**31** 18	**30** 18	**30** 19	**30** 19	**30** 19	**29** 20	**29** 20
Lubumbashi (1 290 m)	**27** 17	**27** 17	**27** 17	**27** 15	**27** 12	**25** 9	**25** 8	**28** 11	**31** 14	**32** 16	**29** 17	**27** 16

nombre d'heures par jour hauteur en mm / nombre de jours

	J	F	M	A	M	J	J	A	S	O	N	D
Gemena	**7** 40/2	**7** 65/4	**6** 135/8	**6** 165/9	**6** 190/10	**5** 180/9	**5** 185/10	**5** 250/13	**5** 205/11	**6** 210/12	**6** 130/7	**7** 55/4
Kisangani	**7** 85/6	**7** 100/6	**6** 150/10	**6** 150/11	**6** 175/11	**5** 125/9	**5** 145/10	**4** 170/10	**5** 180/12	**5** 240/15	**6** 180/13	**6** 125/10
Kinshasa	**4** 130/8	**5** 140/8	**5** 180/10	**6** 210/12	**5** 135/9	**5** 5/0	**4** 1/0	**5** 4/0	**4** 35/3	**4** 140/9	**5** 235/13	**4** 170/11
Kananga	**5** 130/9	**4** 125/9	**5** 205/12	**5** 175/12	**7** 90/6	**9** 16/1	**7** 17/1	**6** 50/4	**6** 120/8	**6** 165/11	**5** 240/13	**4** 245/13
Lubumbashi	**4** 255/20	**4** 265/19	**6** 210/17	**8** 55/7	**9** 3/1	**10** 0/0	**10** 0/0	**10** 0/0	**10** 3/1	**9** 30/4	**6** 165/14	**4** 260/20

température de la mer : moyenne mensuelle

	J	F	M	A	M	J	J	A	S	O	N	D
Atlantique	27	27	27	28	27	25	23	23	24	25	26	26

Corée du Nord

Superficie : 120 000 km². Pyongyang (latitude 39°01'N ; longitude 125°49'E) : GMT + 9 h . Durée du jour : maximale (juin) 15 heures, minimale (décembre) 9 heures 30.

◗ D'un point de vue climatique, l'automne est la meilleure saison en Corée du Nord. Il est bref, **de la mi-septembre à fin octobre**, mais ensoleillé, lumineux et sec, avec des températures douces (nuits très fraîches).

L' **hiver** très froid, plus encore à l'Ouest du pays (voir Pyongyang) qu'à l'Est (voir Wonsan), est également une saison ensoleillée et sèche ; la neige est donc rare, mais les rivières restent gelées jusqu'à la mi-avril. Un vent glacial venu de Sibérie souffle fréquemment, et il peut faire – 40° la nuit dans les régions montagneuses du Nord du pays.

◗ Le **printemps**, tout aussi court que l'automne, ne s'annonce que durant le mois d'avril. C'est aussi une bonne saison, quoique souvent un peu brumeuse (avec parfois un léger crachin et le désagréable « vent jaune », qui descend de Mandchourie chargé de poussière de lœss).

◗ L' **été**, qui s'installe dès la fin de mai, est chaud, humide et pluvieux, surtout en juillet et août. C'est la seule période de l'année où l'eau de mer dépasse 20°.

VALISE : en hiver, manteau chaud, gants, etc. Printemps et automne : vêtements de demi-saison, imperméable. En été : vêtements légers, un ou deux lainages. Dans ce pays de l'intégrisme marxiste-léniniste, les shorts et les minijupes choquent. ●

moyenne des températures maximales / moyenne des températures minimales

	J	F	M	A	M	J	J	A	S	O	N	D
Wonsan	**1** -8	**2** -7	**7** -2	**15** 4	**21** 10	**24** 15	**27** 19	**27** 20	**23** 14	**18** 8	**11** 1	**3** -5
Pyongyang	**-1** -11	**2** -8	**9** -2	**17** 5	**23** 11	**27** 17	**29** 21	**29** 21	**25** 14	**18** 7	**9** 0	**2** -7

nombre d'heures par jour hauteur en mm / nombre de jours

	J	F	M	A	M	J	J	A	S	O	N	D
Wonsan	**7** 30/3	**7** 30/4	**7** 45/5	**8** 70/5	**8** 85/7	**7** 125/9	**6** 275/14	**6** 310/13	**7** 180/9	**7** 70/5	**6** 60/5	**6** 30/3
Pyongyang	**6** 13/4	**7** 11/3	**8** 25/4	**8** 50/5	**9** 70/7	**9** 90/8	**7** 270/13	**7** 230/10	**8** 100/7	**8** 40/6	**6** 35/6	**6** 16/4

Corée du Sud

Superficie : 98 000 km^2. Séoul (latitude 37°34'N ; longitude 126°58'E) : GMT + 9 h . Durée du jour : maximale (juin) 15 heures, minimale (décembre) 9 heures 30.

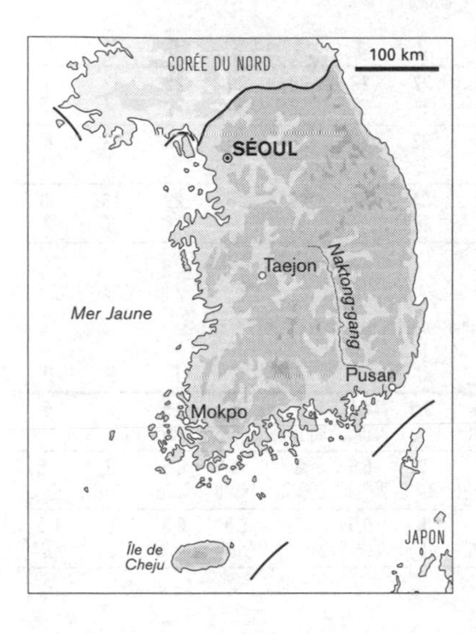

▶ L'automne est la meilleure saison pour se rendre au « pays du Matin calme ». **De mi-septembre à fin octobre**, l'air est doux et sec, la lumière très pure et les forêts se colorent de pourpres flamboyants.

▶ L'**hiver**, froid et sec, commence fin novembre et dure jusqu'à fin mars dans le Nord (voir Séoul), fin février dans le Sud (voir Pusan). L'hiver, à Séoul, ressemble davantage – la neige en moins – à celui des pays scandinaves qu'à celui de Palerme, qui est pourtant à la même latitude que la capitale sud-coréenne : le ciel est d'un bleu intense, des vents polaires et chargés de poussière soufflent du nord. En hiver, l'estuaire du Naktong, au nord de Pusan, accueille des myriades d'oiseaux fuyant la Sibérie et la Mandchourie.

▶ Le **printemps**, tardif et bref, est une saison agréable bien que les pluies démarrent dès avril, surtout sur le littoral Est, la région la plus arrosée du pays. En mai, les azalées en fleur envahissent les collines ; Coréens et visiteurs vont admirer la splendide et fugace éclosion des fleurs de cerisier dans la région de Pusan.

▶ L'**été** – de début juin à mi-septembre – est chaud, pluvieux et lourd, surtout en juillet-août. On peut alors profiter des plages coréennes (surtout sur les côtes Est et Sud, autour de Mokpo et de Pusan, la côte Ouest étant encombrée par la vase des hautes marées). Dans le Sud, la température de la mer dépasse 20° entre juin et octobre.
Mais l'été reste la saison préférée des typhons, qui peuvent se révéler meurtriers, comme cela a été le cas avec *Maemi*, en septembre 2003.

▶ Une originalité climatique : les météorologues sud-coréens voient leur tâche très simplifiée par une alternance cyclique particulière à la péninsule, qui permettrait de prévoir, avec peu de risques d'erreur, quatre belles journées à la suite de trois jours de mauvais temps (grand froid en hiver, pluie en été).

VALISE : en été, vêtements légers ; inutile de se charger : vous trouverez sur place, à des prix imbattables, tout ce dont vous pouvez avoir besoin comme jeans, tee-shirts, etc. ; anorak léger ou parapluie (que vous pourrez aussi acheter sur place) ; pensez à emporter des chaussures sans lacets faciles à enlever à l'entrée des maisons et des temples. En hiver, vêtements chauds (manteau ou anorak en duvet, etc.).

FOULE : faible pression touristique. Le mois d'octobre est, de toute l'année, celui

Corée du Sud

qui reçoit le plus de visiteurs, au contraire de janvier et février, très vides. Les Japonais représentent encore la moitié des voyageurs, les Français moins de 0,5 %. ●

moyenne des températures maximales / moyenne des températures minimales

	J	F	M	A	M	J	J	A	S	O	N	D
Séoul	**2** -6	**4** - 4	**10** 1	**18** 7	**23** 13	**27** 18	**29** 22	**30** 22	**26** 17	**20** 10	**12** 3	**4** - 3
Taejon	**3** -6	**6** -4	**11** 0	**19** 6	**24** 12	**27** 17	**30** 22	**30** 22	**26** 16	**20** 8	**13** 2	**6** -4
Pusan	**8** - 1	**9** 0	**13** 5	**18** 10	**22** 14	**24** 18	**27** 22	**29** 23	**26** 19	**22** 14	**16** 8	**10** 2

nombre d'heures par jour hauteur en mm / nombre de jours

	J	F	M	A	M	J	J	A	S	O	N	D
Séoul	**5** 25/5	**5,5** 25/5	**6,5** 45/6	**7** 80/7	**7,5** 100/8	**6,5** 140/9	**4,5** 330/15	**5** 350/15	**6** 140/8	**6,5** 50/6	**5** 50/7	**5** 25/6
Taejon	**5** 30/7	**5** 35/7	**6,5** 60/7	**7** 90/7	**8** 100/8	**7** 170/10	**5,5** 290/15	**6** 300/15	**6** 140/8	**6,5** 55/6	**5** 55/6	**4,5** 30/7
Pusan	**6,5** 35/5	**6** 45/5	**6,5** 85/7	**6,5** 130/8	**7** 150/8	**6** 220/10	**5,5** 260/12	**7** 240/11	**5,5** 170/8	**6,5** 65/5	**6** 6/5	**6,5** 25/4

température de la mer : moyenne mensuelle

	J	F	M	A	M	J	J	A	S	O	N	D
Mer Jaune (latit. de Séoul)	5	5	5	8	13	17	22	24	23	19	14	9
Mer du Japon (Pusan)	12	11	11	12	15	19	24	26	24	20	16	12

Costa Rica

Superficie : 51 000 km^2. San José (latitude 9°56'N ; longitude 84°05'O) : GMT - 6 h . Durée du jour : maximale (juin) 12 heures 30, minimale (décembre) 11 heures 30.

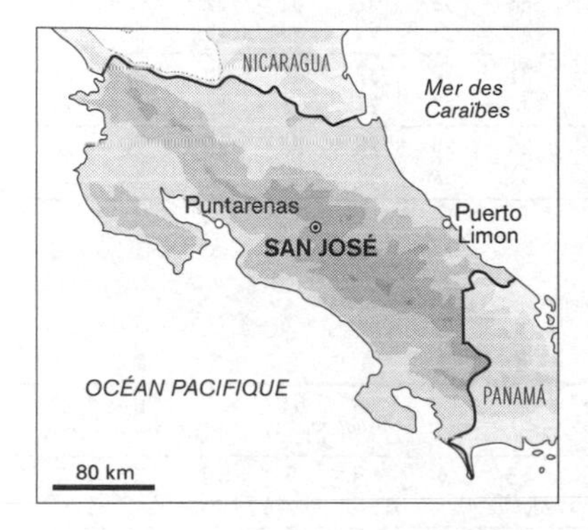

▸ Le voyageur aura tout intérêt à choisir la période qui va **de décembre à avril** pour se rendre au Costa Rica. C'est la **saison sèche**, du moins dans tout le plateau central (San José) et sur la côte pacifique qui jouissent alors d'un bon ensoleillement. Notons que le plateau central est assez venté tout au long de l'année, et particulièrement pendant cette saison sèche. Les températures varient essentiellement en fonction de l'altitude : la capitale bénéficie de la chaleur agréable des *tierras templadas* (de 800 à 1 500 m) ; il peut y faire frais le matin ou en soirée. Il fait nettement moins chaud sur les cordillères volcaniques *(tierras frias)* qui culminent à 3 800 m et où il peut geler la nuit. Les côtes et les plaines basses *(tierras calientes)* ont des températures élevées. Cette saison est aussi la meilleure pour se rendre sur les nombreuses et belles plages de la moitié Nord de la côte pacifique.

▸ La **saison des pluies**, toujours sur la côte pacifique et le plateau central, dure de mai à novembre, époque des fortes chaleurs. Sur la côte pacifique, dans la moitié sud, la plus arrosée, l'atmosphère est la plus lourde. Les précipitations tombant surtout à partir de l'après-midi, on peut cependant profiter dans tout le pays de belles matinées très ensoleillées.

▸ Du côté caraïbe (voir Puerto Limon), il n'y a pas de saison sèche. Ici, spécialement dans la partie Nord, la moiteur ambiante laisse peu de répit et incite, tout au long de l'année, à plonger dans une mer chaude.

VALISE : quelle que soit la date de votre voyage, des vêtements d'été, amples et très légers, un ou deux pull-overs et une veste pour les soirées en altitude ; de mai à novembre, un imperméable léger, un anorak ou un parapluie.

SANTÉ : risques de paludisme peu virulent toute l'année, dans les zones rurales en dessous de 800 m d'altitude.

BESTIOLES : pendant la saison des pluies, les moustiques sont assez envahissants dans les régions basses.

FOULE : pression touristique modérée mais en progression sensible ces dernières années, avec le développement de l'écotourisme. Décembre, janvier et février, puis juillet sont les mois les plus fréquentés ; mai, juin et novembre, les mois où les voyageurs se font le plus rares. Près de 40 % des voyageurs viennent des États-Unis. Parmi les Européens, Espagnols, Allemands, Britanniques et Italiens distancent largement les Français. ●

Voir tableaux page suivante

Costa Rica

moyenne des températures maximales / moyenne des températures minimales

	J	F	M	A	M	J	J	A	S	O	N	D
Puntarenas	**34** / 23	**35** / 23	**35** / 23	**35** / 23	**33** / 22	**33** / 23	**32** / 23	**32** / 23	**32** / 23	**32** / 23	**31** / 22	**32** / 22
Puerto Limon	**29** / 20	**30** / 20	**30** / 21	**30** / 21	**31** / 22	**31** / 22	**30** / 22	**30** / 22	**30** / 22	**30** / 22	**30** / 21	**29** / 21
San José (1 120 m)	**24** / 14	**24** / 14	**26** / 15	**26** / 17	**27** / 17	**26** / 17	**25** / 17	**26** / 16	**26** / 16	**25** / 16	**25** / 16	**24** / 14

nombre d'heures par jour hauteur en mm / nombre de jours

	J	F	M	A	M	J	J	A	S	O	N	D
Puntarenas	**8,5** 6/1	**9** 2/0	**9** 6/1	**8,5** 30/4	**6,5** 190/14	**5** 220/17	**5,5** 175/16	**5,5** 230/20	**5,5** 290/21	**5,5** 250/20	**6** 115/11	**7,5** 32/4
Puerto Limon	**5** 320/20	**5,5** 200/15	**5,5** 195/12	**6** 290/15	**5,5** 280/15	**4,5** 280/16	**4** 410/24	**4,5** 290/18	**5** 165/13	**5,5** 200/15	**5** 370/20	**5** 400/22
San José	**7** 15/2	**8** 5/0	**8** 20/2	**7** 45/5	**5** 230/17	**4** 240/20	**4** 210/20	**4** 240/21	**4** 310/22	**4** 305/22	**5** 145/13	**6** 40/4

température de la mer : moyenne mensuelle

	J	F	M	A	M	J	J	A	S	O	N	D
Mer des Caraïbes	26	26	27	27	28	28	28	28	28	27	27	27
Pacifique	26	27	27	28	28	28	27	27	27	27	27	26

Côte d'Ivoire

Superficie : 320 000 km^2. Abidjan (latitude 5°15'N ; longitude 03°56'O) : GMT + 0 h . Durée du jour : environ 12 heures toute l'année.

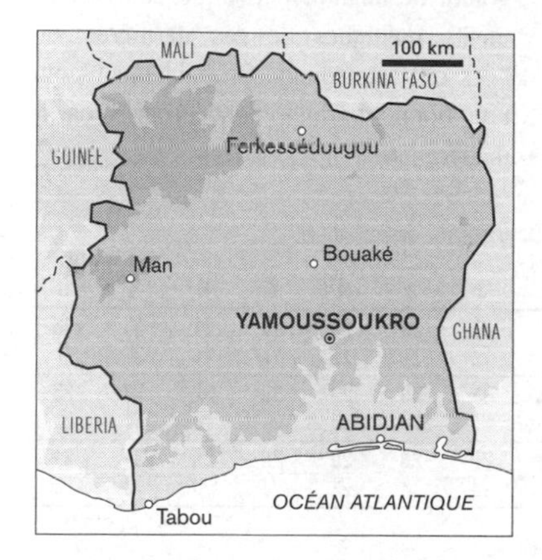

Le climat ivoirien varie sensiblement selon que l'on se trouve sur la côte et dans les régions forestières qui occupent près de la moitié du sud du pays, ou dans la savane quasi soudanienne, au Nord.

▶ Dans le **Sud** du pays, il y a deux saisons des pluies : la première, de mi-avril à juillet, est la plus importante ; la seconde, après une petite saison « presque sèche » en août et septembre, dure deux mois (octobre et novembre).

Dans les régions où il pleut le plus, comme la partie occidentale de la côte (2 m de pluies par an à Tabou, près de la frontière libérienne), ou la région montagneuse autour de Man, la seule période relativement sèche va de mi-décembre à février.

Ailleurs, et notamment à Abidjan, les pluies tombent souvent en fin de journée ou la nuit, laissant la place à de belles éclaircies. Évitez absolument le mois de juin, de loin le plus arrosé.

Sachez également que, durant les pluies, dès que l'on s'éloigne de la côte où soufflent en général quelques brises, on doit s'accoutumer, et parfois non sans mal, à une chaleur de serre suffocante et lourde, et à un ciel souvent plombé.

Pendant la grande saison sèche (décembre à mi-avril), l'humidité ambiante s'atténue quelque peu, et le soleil est plus souvent présent.

À condition d'éviter les parties du littoral où la barre rend les sports nautiques dangereux, on peut se baigner toute l'année (par exemple, sur les plages de Grand-Bérébi ou autour d'Abidjan).

▶ Plus on se dirige vers le Nord et plus le climat devient sec, ce qui rend la chaleur, pourtant très forte surtout en saison sèche, beaucoup plus supportable que sur la côte, d'autant que, dans ces régions, les nuits sont souvent assez fraîches et permettent à l'organisme de récupérer.

▶ Dans la moitié **Nord** du pays (environ à partir de Bouaké), il n'y a qu'une saison des pluies, d'avril à fin octobre, avec un point culminant en août, suivie d'une saison sèche de cinq à six mois, durant laquelle souffle l'*harmattan*, chaud et desséchant. L'air est souvent limpide et le ciel dégagé entre deux averses durant la saison des pluies ; la saison sèche est plus ensoleillée que dans la zone des forêts.

À l'extrême Nord (voir Ferkessédougou), la saison des pluies est encore moins longue (de mai à octobre) et moins virulente.

▶ En conclusion, la saison climatiquement la plus agréable pour un séjour en Côte d'Ivoire est certainement la **saison sèche**, en particulier les mois **de décembre à mars**.

VALISE : en saison sèche, vêtements très légers en coton ou en lin de préférence, en quantité suffisante (on se change souvent) et pull-over, « au cas où ». Vous trouverez d'ailleurs sur les marchés d'Abidjan des tailleurs qui vous feront des vêtements sur mesure en 24 ou 48 heures.

SANTÉ : vaccination contre la fièvre jaune obligatoire ; vaccination antirabique fortement conseillée. Risques de paludisme toute l'année ; zones de résistance à la Nivaquine et multirésistance.

BESTIOLES : moustiques toute l'année, actifs la nuit.

FOULE : la Côte d'Ivoire n'a jamais été une grande destination touristique, et les événements politiques de ces dernières années ont interrompu, probablement pour une bonne période, tout progrès en la matière. ●

moyenne des températures maximales / moyenne des températures minimales

	J	F	M	A	M	J	J	A	S	O	N	D
Ferkessédougou	**34**	**35**	**35**	**34**	**33**	**31**	**29**	**29**	**30**	**31**	**33**	**33**
(350 m)	16	20	23	23	23	22	21	21	21	21	20	17
Bouaké	**33**	**34**	**34**	**33**	**33**	**31**	**29**	**29**	**30**	**32**	**33**	**33**
(365 m)	20	21	21	21	22	21	20	20	20	20	21	20
Abidjan	**31**	**32**	**32**	**32**	**31**	**29**	**28**	**28**	**28**	**29**	**31**	**31**
	23	24	24	24	24	23	23	22	23	23	23	23

nombre d'heures par jour — hauteur en mm / nombre de jours

	J	F	M	A	M	J	J	A	S	O	N	D
Ferkessédougou	**9**	**9**	**8**	**8**	**8**	**7**	**6**	**5**	**6**	**8**	**9**	**8**
	5/0	25/1	4/4	80/6	150/9	150/11	185/12	305/16	240/17	120/12	30/3	8/1
Bouaké	**6**	**7**	**7**	**6**	**6**	**4**	**3**	**2**	**4**	**5**	**6**	**5**
	13/1	45/3	90/5	140/7	155/9	135/10	100/8	110/8	225/12	140/10	35/3	25/2
Abidjan	**6**	**7**	**7**	**9**	**6**	**4**	**4**	**4**	**4**	**6**	**7**	**6**
	26/3	40/4	120/7	170/9	365/16	610/19	200/10	35/6	55/9	225/13	190/13	110/7

température de la mer : moyenne mensuelle

	J	F	M	A	M	J	J	A	S	O	N	D
Abidjan	27	27	28	28	27	27	26	25	24	24	26	27

Croatie

Superficie : 56 000 km². Zagreb (latitude 45°49'N ; longitude 15°59'E) : GMT + 1 h. Durée du jour : maximale (juin) 15 heures 30, minimale (décembre) 8 heures 30.

Du golfe de Trieste à Dubrovnik, la Croatie contrôle l'essentiel du littoral de l'ancienne Yougoslavie. Aujourd'hui, les touristes ont retrouvé les côtes d'Istrie et de Dalmatie, très ensoleillées pendant toute la période estivale (les plages y sont plus souvent de gravier que de sable). De la mi-mai à la mi-septembre, un *mistral* local souffle périodiquement sur la côte.

L'automne est l'époque des plus fortes pluviosités. L'hiver, il neige rarement sur la côte : une demi-dizaine de jours dans sa partie la plus septentrionale. Mais, de décembre à la mi-avril, sévit la *bora*, redoutable vent de nord-est qui profite de la relative modestie des reliefs intérieurs pour pousser sur l'Adriatique l'air froid de l'Europe centrale ; ses rafales peuvent être très violentes. Le *jugo* (aussi appelé *juzina* ou *siloko*) souffle depuis le sud ; entre la mi-octobre et la mi-mai, il apporte des nuages bas et la pluie. Ces vents s'accompagnent d'une mer agitée et peuvent bloquer les bateaux au port.

Les températures hivernales diminuent un peu à mesure que l'on remonte la côte (à Rijeka, ancienne Fiume, 9° et 3° pour les moyennes maximales et minimales de janvier), mais il suffit de passer une chaîne côtière pour trouver des froids assez rigoureux, qui s'expliquent par l'arrêt des influences maritimes (voir Gospic).

À l'**intérieur du pays**, il fait froid en hiver, sans rien de très excessif. Les températures sont souvent inférieures dans les basses vallées à celles relevées à une altitude de 500 m. Dans la région de la capitale, la neige reste au sol environ un mois et demi. Le printemps connaît ses jours de *fœhn*, nombreux à Zagreb, où la température grimpe alors de quelques degrés. L'été, assez chaud, notamment aux limites de la grande plaine hongroise, est la saison qui recueille le maximum de pluies, souvent sous forme d'averses orageuses, ce qui n'empêche pas le soleil de faire honorablement son devoir.

On conseillera bien sûr l'été pour les amateurs de vacances balnéaires, et aussi les mois de mai, juin et septembre pour ceux qui veulent parcourir ce pays.

VALISE : ne pas oublier des vêtements coupe-vent, surtout en hiver. Même en été, un bon pull ne sera jamais de trop pour certaines soirées à l'intérieur du pays.

FOULE : le tourisme vers la Croatie a retrouvé, et même dépassé, les sommets atteints à la fin des années 1980. Il est très concentré, en juillet et août, sur la côte et les îles (plus de 400 000 visiteurs sur la seule île de Krk). En 2006, les Allemands (1,6 million) représentent encore à eux seuls près du quart des visiteurs. Italiens, Slovènes, Tchèques et Autrichiens suivaient. Les Français sont sept fois moins nombreux que les Allemands à choisir cette destination. ●

moyenne des températures maximales / moyenne des températures minimales

	J	F	M	A	M	J	J	A	S	O	N	D
Zagreb	**3** -2	**5** -1	**11** 3	**17** 8	**21** 12	**25** 15	**27** 17	**27** 16	**22** 13	**15** 8	**9** 4	**4** 0
Gospic (570 m)	**3** -6	**4** -6	**9** -2	**14** 3	**19** 6	**23** 9	**26** 11	**26** 10	**22** 7	**15** 4	**9** 1	**5** -3
Split	**10** 5	**11** 6	**14** 8	**17** 11	**22** 15	**27** 19	**30** 22	**29** 22	**25** 18	**20** 14	**15** 10	**12** 7

nombre d'heures par jour hauteur en mm / nombre de jours

	J	F	M	A	M	J	J	A	S	O	N	D
Zagreb	**2** 55/9	**3** 50/7	**5** 45/6	**6** 60/8	**7** 85/9	**8** 95/9	**9** 80/8	**9** 75/6	**7** 70/6	**4** 90/9	**2** 90/10	**2** 70/9
Gospic	**2** 120/11	**3** 120/10	**3** 110/10	**5** 105/10	**7** 105/10	**8** 95/8	**10** 70/6	**9** 65/5	**7** 100/6	**5** 180/9	**1** 180/11	**1** 160/11
Split	**4** 80/9	**5** 65/8	**5** 70/8	**6** 60/8	**8** 55/6	**10** 50/4	**12** 25/2	**11** 40/2	**9** 100/5	**7** 160/8	**4** 200/12	**3** 180/11

température de la mer : moyenne mensuelle

	J	F	M	A	M	J	J	A	S	O	N	D
Rijeka	11	11	11	14	17	20	23	24	22	19	16	13
Dubrovnik	13	13	14	15	18	21	23	24	22	20	17	14

Cuba

Superficie : 110 000 km². La Havane (latitude 23°09'N ; longitude 82°21'O) : GMT - 5 h . Durée du jour : maximale (juin) 13 heures 30, minimale (décembre) 11 heures.

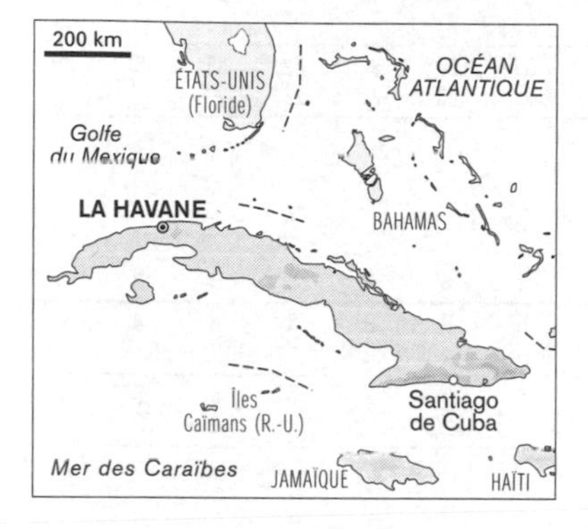

La meilleure saison pour se rendre à Cuba va **de la fin novembre à la mi-avril** ; c'est la **saison « fraîche »**, plus marquée dans cette île que dans le reste des Antilles. Parfois même le froid vient de l'ouest : quand l'air polaire dévale des plaines yankees, le souffle des *nortes* peut provoquer quelques gelées sur les sierras, au-dessus de 300 m d'altitude ; le Sud (voir Santiago de Cuba) est moins sensible à ces brusques rafraîchissements. Les nuits, relativement douces, permettent de récupérer de la chaleur diurne. À cette saison, l'air est moins humide, et la température de la mer comprise entre 25° et 27°.

Pendant la **saison des pluies**, de la fin avril au début du mois de novembre, les températures grimpent, l'humidité est forte et l'atmosphère devient moite, souvent étouffante, malgré le souffle des alizés ; il est alors plaisant de prendre des bains prolongés dans une mer qui atteint facilement 29°. Les pluies tombent essentiellement en fin d'après-midi et marquent un ralentissement en juillet (surtout dans le Sud) ; elles sont plus abondantes sur les côtes et versants des reliefs exposés au nord-est, c'est-à-dire aux alizés.

Les mois de septembre et octobre sont la période préférée des ouragans. Bien que Cuba ne soit pas leur cible favorite, ils ne la dédaignent pas de temps à autre. Ainsi *Michelle*, en novembre 2001, a été le plus violent ouragan à frapper l'île depuis 1952.

VALISE : en toute saison, des vêtements très légers de plein été, un pull ou une veste pour se promener sur les hauteurs (ou pour les soirées à La Havane, entre décembre et avril) ; éventuellement un anorak.

BESTIOLES : moustiques, surtout en été sur la côte, spécialement du côté de Guama ; et crabes de cocotiers (totalement inoffensifs, mais assez bruyants : la nuit, lorsqu'ils se rassemblent par milliers sur les plages à l'époque de la ponte, ils émettent des grincements continus qui troubleront peut-être votre sommeil si vous logez au bord de la mer).

FOULE : soumis à une pression balnéaire importante, mais cependant inférieure à celle de Saint-Domingue, Cuba voit ses plages très fréquentées. La haute saison couvre la période décembre-mars avec une petite résurgence en juillet-août. Mai et juin sont assez tranquilles, mais on ne peut véritablement parler de basse saison que de septembre à décembre. Embargo oblige, les Américains se font rares et ce sont les Canadiens les plus nombreux (20 % du total des voyageurs). En 2006, les Européens se classaient dans l'ordre suivant : Espagnols, Allemands, Italiens et Français. ●

Voir tableaux page suivante

moyenne des températures maximales / moyenne des températures minimales

	J	F	M	A	M	J	J	A	S	O	N	D
La Havane	**26** 18	**26** 18	**27** 19	**29** 21	**30** 22	**31** 23	**32** 24	**32** 24	**31** 24	**29** 23	**27** 21	**26** 19
Santiago de Cuba	**28** 18	**28** 18	**29** 19	**29** 20	**29** 21	**31** 22	**32** 23	**32** 23	**32** 23	**31** 22	**29** 21	**29** 20

nombre d'heures par jour hauteur en mm / nombre de jours

	J	F	M	A	M	J	J	A	S	O	N	D
La Havane	**6** 70/6	**7** 45/4	**8** 45/4	**7** 60/4	**6** 120/7	**6** 165/10	**6** 125/9	**6** 135/10	**5** 150/11	**5** 170/11	**6** 80/7	**6** 60/6
Santiago de Cuba	**7** 30/3	**8** 17/2	**8** 40/4	**7** 70/6	**6** 150/10	**6** 130/11	**7** 55/6	**7** 95/9	**5** 150/11	**5** 215/14	**6** 100/7	**7** 30/3

température de la mer : moyenne mensuelle

	J	F	M	A	M	J	J	A	S	O	N	D
La Havane	25	25	26	26	26	27	28	28	29	28	27	26
Santiago de Cuba	25	25	26	26	27	27	28	29	29	28	27	26

Danemark

Superficie : 43 000 km². Copenhague (latitude 55°38'N ; longitude 12°40'E) : GMT + 1 h . Durée du jour : maximale (juin) 17 heures 30, minimale (décembre) 7 heures.

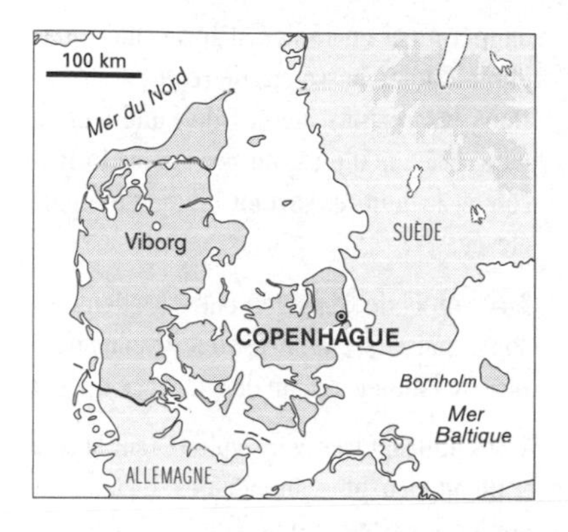

La meilleure période pour visiter le Danemark se situe **entre la fin du mois de mai et la mi-septembre**. Les journées sont longues et les nuits claires et fraîches. Juin, le mois des fêtes, est moins pluvieux que juillet et août. En septembre, le Danemark se pare des couleurs flamboyantes de ses forêts de hêtres.

Les plages sont nombreuses, mais il faut aimer l'eau froide pour se baigner dans la mer du Nord : sa température se hausse péniblement à 16° en août ; la Baltique n'est pas beaucoup plus chaude.

Bornholm, une petite île danoise située au Sud de la mer Baltique, jouit d'un microclimat doux et ensoleillé.

L'hiver est froid et pluvieux, quoique moins rigoureux qu'en Suède et en Norvège. Vent et plafond de nuages bas en font une saison peu agréable, d'autant que les nuits sont longues de novembre à février. La neige dure peu : trois ou quatre semaines par an.

VALISE : en été, emportez des vêtements légers mais aussi un bon pull-over, une veste chaude, un imperméable. En hiver, manteau et lainages chauds.

FOULE : pression touristique modérée. Pour près de la moitié, les visiteurs au Danemark viennent d'un autre pays scandinave, les Suédois étant de loin les plus nombreux, environ 30 %, contingent équivalent à celui des Allemands, les voisins du Sud. Les Français représentent juste un peu plus de 1% du total des visiteurs.

moyenne des températures maximales / moyenne des températures minimales

	J	F	M	A	M	J	J	A	S	O	N	D
Viborg	**2** -3	**2** -4	**5** -2	**11** 1	**16** 5	**19** 9	**21** 11	**21** 11	**17** 8	**12** 5	**7** 2	**4** -1
Copenhague	**2** -2	**2** -2	**5** -1	**10** 3	**16** 7	**19** 11	**22** 14	**21** 13	**17** 10	**12** 7	**7** 3	**4** 1

nombre d'heures par jour hauteur en mm / nombre de jours

	J	F	M	A	M	J	J	A	S	O	N	D
Viborg	**9** 70/12	**10** 45/10	**9** 40/8	**8** 40/9	**8** 40/8	**7** 50/10	**6** 90/11	**5** 95/11	**6** 85/12	**8** 90/12	**10** 70/13	**10** 65/13
Copenhague	**1** 50/12	**2** 40/10	**4** 30/9	**5** 40/10	**8** 45/8	**8** 45/10	**8** 70/11	**7** 65/11	**5** 60/12	**3** 60/12	**1** 50/12	**1** 50/13

température de la mer : moyenne mensuelle

	J	F	M	A	M	J	J	A	S	O	N	D
Mer Baltique	3	3	3	6	9	14	17	17	14	12	7	5
Mer du Nord	4	4	4	6	9	13	16	16	14	12	9	7

Djibouti

Superficie : 23 000 km^2. Djibouti (latitude 11°33'N ; longitude 43°09'E) : GMT + 3 h . Durée du jour : maximale (juin) 13 heures, minimale (décembre) 11 heures 30.

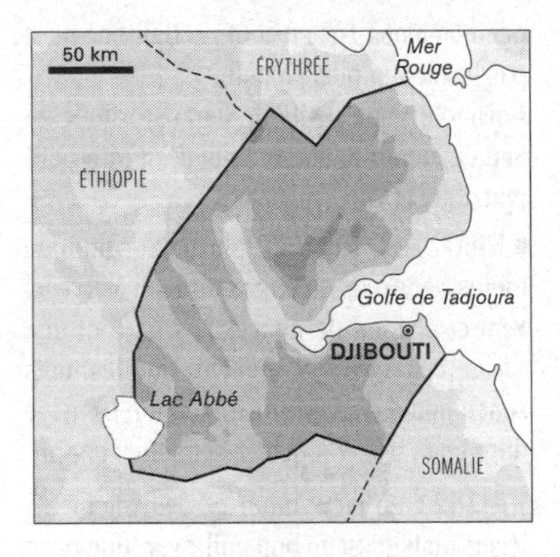

▶ La meilleure période pour se rendre à Djibouti est la **saison « fraîche »**, d'octobre à avril. La chaleur est alors assez comparable à celle d'un été grec. Sur la côte, les alizés soufflent avec constance. Le ciel est souvent moutonneux mais l'atmosphère limpide.

▶ Pendant la **saison chaude**, de juin à septembre, les températures, exceptionnellement élevées, sont rendues encore plus difficiles à supporter par le *khamsin*, vent sec et brûlant. Le soleil est parfois voilé d'une brume sèche et poussiéreuse, surtout en juin-juillet. Sur le littoral, des brises de mer provoquent habituellement une baisse de la température en milieu d'après-midi. Mais l'humidité ne laisse pas de répit.
Dans les régions élevées de l'intérieur du pays, la canicule est un peu moins forte le soir et la nuit, et surtout l'humidité moins élevée.

▶ Les mois de transition entre les deux saisons, mai et septembre, sont les plus pénibles de l'année, du fait de l'absence de vent.

▶ Les pluies, rares et irrégulières sur la côte, sont un peu plus abondantes à l'intérieur sur les massifs du Goda et du Mablas où elles tombent plutôt entre avril et octobre.
Il arrive régulièrement que des orages violents créent d'éphémères torrents furieux.

▶ On se baigne toute l'année sur les plages de sable du golfe de Tadjoura, des îles Musha et Maskali : la mer qui baigne cette côte est parmi les plus chaudes du monde.

VALISE : vêtements très légers et amples, en fibres naturelles de préférence ; évitez les couleurs sombres qui « absorbent » davantage la chaleur que les couleurs claires et, pour les femmes, les robes décolletées, les shorts, etc.

SANTÉ : risques de paludisme dans tout le pays ; zones de résistance élevée à la Niva-

RENDEZ-VOUS NATURE

Plonger aux Sept-Frères

Djibouti compte de superbes sites de plongée autour de récifs coralliens, riches d'une faune et d'une flore aquatiques étonnantes. Ces sites sont épargnés par l'affluence. Juillet et août restent des mois à éviter : outre la canicule, les vents de terre lèvent la mer à contre vague et rendent les sorties dangereuses. Le reste de l'année, on plonge dans le golfe de Tadjoura ; le vent y est assez fort en janvier et à son minimum en mai et septembre ; on y observe les requins-baleines **d'octobre à la mi-janvier**. Sur les récifs des Sept-Frères, à l'entrée de la mer Rouge, **avril-mai** et **septembre-octobre** sont les périodes les plus propices.

quine et multirésistance. La vaccination contre la fièvre jaune reste souhaitable.

BESTIOLES : moustiques en saison fraîche, surtout actifs la nuit. ●

moyenne des températures maximales / moyenne des températures minimales

	J	F	M	A	M	J	J	A	S	O	N	D
Djibouti	**29** 22	**29** 23	**30** 24	**32** 25	**35** 27	**39** 29	**42** 31	**42** 31	**37** 29	**33** 26	**31** 23	**29** 22

nombre d'heures par jour hauteur en mm / nombre de jours

	J	F	M	A	M	J	J	A	S	O	N	D
Djibouti	**8** 10/3	**7,5** 19/2	**8,5** 20/2	**9** 30/1	**10** 15/1	**9,5** 1/0	**8,5** 5/1	**9** 6/1	**9,5** 6/1	**9,5** 15/2	**9** 25/2	**8,5** 13/2

température de la mer : moyenne mensuelle

	J	F	M	A	M	J	J	A	S	O	N	D
Djibouti	25	25	26	28	29	30	30	30	29	29	27	25

Dominicaine (République)

Superficie : 49 000 km². Saint-Domingue (latitude 18°29'N ; longitude 69°54'O) : GMT - 4 h . Durée du jour : maximale (juin) 13 heures, minimale (décembre) 11 heures.

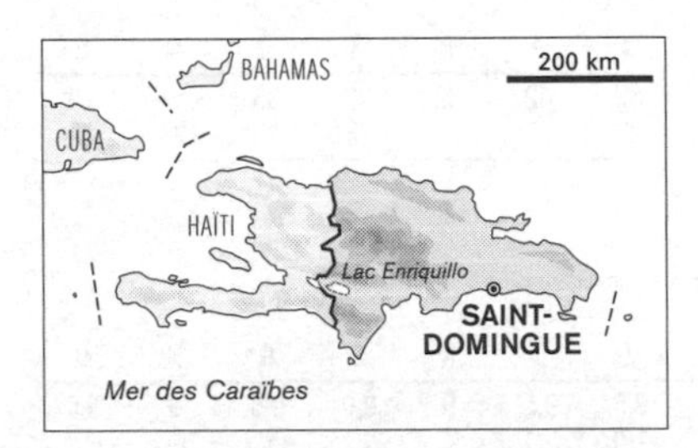

▶ La saison « fraîche », **de décembre à fin avril**, est la meilleure époque pour voyager en République dominicaine. Les températures un peu moins élevées, les pluies plus rares et une atmosphère moins humide imposent ce choix. Il faut cependant distinguer la côte méridionale, où est située Saint-Domingue, de la côte Nord-Est et des versants « sous le vent » des reliefs. Sur la côte Sud et dans les plaines qui s'étendent entre les deux hautes sierras qui barrent l'île d'est en ouest, la saison « sèche » est bien marquée ; les pluies sont même quasi inexistantes dans la région semi-aride du lac Enriquillo à cette époque. Sur la côte Nord-Est, déjà plus arrosée, les écarts de précipitations entre les deux saisons sont moins sensibles ; enfin, sur les versants des montagnes qui s'offrent de plein fouet aux alizés venus de l'est et du nord-est, les pluies sont fréquentes toute l'année.

▶ De mai à octobre, les averses brusques et drues, mais rarement prolongées, n'empêchent pas le soleil de briller ; en revanche, la touffeur ambiante peut empêcher le visiteur de jouir pleinement de son séjour. C'est aussi la saison des ouragans, surtout d'août à octobre, parfois dévastateurs et meurtriers (ce fut le cas, par exemple, des ouragans *David* et *Frédéric*, fin août 1979).

VALISE : quelle que soit la saison, vêtements très légers ; ajouter un lainage pour la saison fraîche.

SANTÉ : quelques risques de paludisme à l'Ouest du pays. Vaccin antirabique conseillé pour de longs séjours.

BESTIOLES : moustiques toute l'année, surtout sur la côte.

RENDEZ-VOUS NATURE

La baie de Samana

La majorité des 10 000 mégaptères (baleines à bosse, ou encore jubartes) qui passent l'hiver dans l'Atlantique Nord, migrent en été vers les Caraïbes pour y mettre bas, préparer les jeunes baleineaux à la longue route du retour et s'accoupler. Le principal contingent se retrouve au Nord de Saint-Domingue, que ce soit dans la baie de Samana, où l'on peut même fort bien les observer depuis la côte (à Punta Balandra, notamment), ou à 80 km au large sur le banc de La Plata, ou celui de La Navidad.

La saison est brève : la majorité des femelles arrivent vers la mi-janvier ; il est très rare d'en apercevoir dès décembre. Elles seront les dernières à partir, vers la mi-mars, de la baie de Samana même si l'on rencontre parfois des mères accompagnées de leur baleineaux jusqu'à la mi-avril sur le banc de la Plata (Silver Bank). La plupart du temps, le nombre de baleines est à son maxima et le spectacle bat son plein **à la mi-février** : apprentissage des jeunes baleineaux et ballets démonstratifs des mâles autour des femelles.

FOULE : plus que Cuba encore, la République dominicaine joue la carte du tourisme de masse. Elle accueille chaque année plus de 2,5 millions de touristes, dont un tiers vient d'Amérique du Nord et la moitié d'Europe (500 000 Allemands et 200 000 Français). Les lieux de villégiature ne désemplissent pas de décembre à août (avec un sommet en juillet). On observe un certain répit de septembre à novembre. ●

moyenne des températures maximales / moyenne des températures minimales

	J	F	M	A	M	J	J	A	S	O	N	D
Saint-Domingue	**29** 19	**29** 19	**29** 19	**29** 21	**30** 22	**31** 22	**31** 22	**31** 23	**31** 22	**31** 22	**30** 21	**29** 19

nombre d'heures par jour hauteur en mm / nombre de jours

	J	F	M	A	M	J	J	A	S	O	N	D
Saint-Domingue	**6** 45/7	**6** 40/6	**7** 40/5	**7** 65/7	**6** 190/11	**6** 175/12	**6** 160/11	**7** 145/11	**7** 170/11	**6** 160/11	**6** 115/10	**6** 65/8

température de la mer : moyenne mensuelle

	J	F	M	A	M	J	J	A	S	O	N	D
Saint-Domingue	25	25	25	26	26	27	27	28	28	28	27	26

Égypte

Superficie : 1 000 000 km². Le Caire (latitude 30°08'N ; longitude 31°34'E) : GMT + 2 h . Durée du jour : maximale (juin) 14 heures, minimale (décembre) 10 heures.

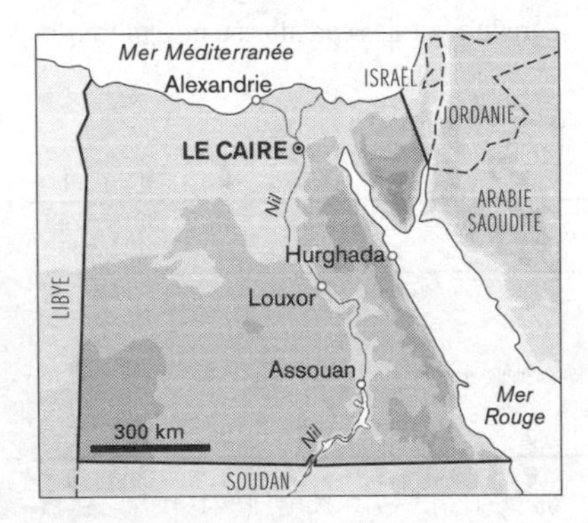

Méditerranéen sur la côte (Alexandrie), le climat égyptien est déjà semi-désertique à la hauteur du Caire, et totalement désertique dans le Sud (Louxor, Assouan, Abou Simbel).

▶ Quand partir à la découverte de l'Égypte des pharaons ? De préférence en **hiver**, c'est-à-dire **de novembre à fin février**. Dans la journée, le temps est alors agréable partout : bien ensoleillé malgré quelques pluies au Nord (voir Alexandrie, Le Caire), sec et tempéré au Sud (voir Louxor, Assouan).
Cependant, les nuits sont très fraîches, voire froides dans le Sud. En novembre, il fait encore très chaud à Louxor, alors qu'en janvier et février, il peut faire un peu trop frais au Caire, même en milieu de journée. Un inconvénient à signaler : à cette période, des régiments de touristes partent en rangs serrés à l'assaut des sites les plus célèbres ; les hôtels et les avions sont combles.

▶ Le **printemps** – mars-avril – est plus chaud, mais c'est la saison où souffle le *khamsin* (autre dénomination du *sirocco*), qui soulève des tempêtes de poussière et de sable brûlant. Il peut sévir jusqu'au mois de mai, parfois si perturbant pour la vie quotidienne qu'il a été surnommé « la onzième plaie d'Égypte ». Certains vols des lignes intérieures doivent être annulés lorsque le vent souffle trop fort pour permettre le décollage. Cette réserve faite, la période est encore bonne pour visiter l'Égypte.

▶ En **été**, il fait très chaud et souvent étouffant dans le Nord (particulièrement au Caire) à cause de l'humidité. Le Sud est torride dans la journée ; toutefois, la canicule y est rendue plus supportable par la sécheresse de l'air. Nous aurions tendance à penser que, pour ceux qui supportent bien la chaleur, le prix à payer n'est pas exorbitant au regard du plaisir qu'il y a à découvrir en toute tranquillité les temples et les pyramides. À condition, bien sûr, de le faire tôt le matin, et de consacrer le début de l'après-midi à une sieste réparatrice.

▶ C'est en **automne** que Le Caire connaît une pollution maximale. Circulation infernale, pollution industrielle, feu d'ordures et brûlis des pailles de riz dans le Delta se combinent pour former, conditions climatiques aidant, un nuage de pollution impressionnant. Il était tel à la fin du mois d'octobre 2003 que l'iman de la mosquée d'al-Azhar a dû s'avouer incapable de distinguer le croissant de lune censé marquer le début du Ramadan.

VALISE : en hiver, vous aurez besoin de vêtements légers pour la journée dans le Sud, mais aussi de vêtements plus chauds (pulls, veste) pour Le Caire et pour les visites matinales (et les nuits si vous descendez dans des hôtels bon marché : souvent, ils ne sont pas chauffés). En été, vêtements très légers, mais toujours un lainage.

SANTÉ : de juin à octobre, faibles risques de paludisme dans la vallée et le delta du Nil, les oasis et quelques zones de la Haute-Égypte. Ces risques sont très minimes pour les voyageurs qui ne s'éloigneront pas des sites archéologiques, et tout à fait absents au Caire et à Alexandrie. Vaccin antirabique conseillé pour de longs séjours.

BESTIOLES : moustiques de juin à octobre, actifs la nuit.

FOULE : ces dernières années, baisse du tourisme due à la situation au Moyen-Orient. Août connaît le plus d'affluence, mais l'essentiel des voyageurs fréquentent alors les zones balnéaires. Pendant la grande saison des croisières sur le Nil, février est le mois le plus tranquille. ●

RENDEZ-VOUS NATURE

Des secrets de la mer Rouge

La mer Rouge est la première destination des plongeurs européens. Au Nord, dans la région de Charm el-Cheikh, et même celle de Hourghada, les récifs coralliens ont quelque peu perdu de leurs attraits, autant à cause de la surfréquentation que de la pollution.
Le grand Sud, mieux préservé, s'ouvre depuis quelques années à la plongée sous forme de croisières plutôt réservées aux plongeurs confirmés. Les périodes **mai-juin** (attention, mai fait le plein) et **mi-septembre-fin octobre** restent les plus propices. Octobre est un mois favorable à l'observation des requins. De décembre à février, l'eau est assez fraîche et les vents forts interdisent souvent les sorties en mer. En juillet et août, la seule façon d'échapper à la canicule qui sévit à terre est de faire le choix des croisières-plongée.

moyenne des températures maximales / moyenne des températures minimales

	J	F	M	A	M	J	J	A	S	O	N	D
Alexandrie	**18** 9	**19** 9	**20** 11	**24** 14	**27** 16	**29** 20	**30** 22	**30** 23	**30** 21	**28** 17	**24** 14	**20** 10
Le Caire	**19** 9	**21** 10	**23** 12	**28** 15	**32** 17	**34** 20	**34** 22	**34** 22	**33** 20	**30** 18	**25** 14	**20** 10
Hourghada	**21** 10	**22** 11	**24** 14	**28** 18	**31** 21	**33** 25	**33** 26	**33** 26	**32** 24	**30** 21	**26** 16	**22** 13
Louxor	**23** 5	**25** 7	**27** 10	**35** 16	**39** 20	**41** 23	**41** 24	**40** 23	**39** 21	**35** 17	**29** 12	**24** 7
Assouan	**21** 8	**25** 10	**30** 14	**35** 19	**39** 23	**41** 25	**41** 26	**40** 26	**39** 24	**38** 20	**28** 15	**24** 11

nombre d'heures par jour hauteur en mm / nombre de jours

	J	F	M	A	M	J	J	A	S	O	N	D
Alexandrie	**6** 50/1	**7,5** 25/3	**8** 13/1	**9** 4/1	**10** 1/0	**12** 0/0	**11,5** 0/0	**11** 0/0	**10** 1/0	**9** 11/1	**7,5** 30/2	**6,5** 50/1
Le Caire	**7** 7/1	**7,5** 4/1	**8,5** 4/0	**9** 2/0	**10** 0/0	**12** 0/0	**11,5** 0/0	**11** 0/0	**9,5** 0/0	**9,5** 1/0	**8** 3/1	**6,5** 5/3
Hourghada	**8,5** 0/0	**10** 0/0	**9** 0/0	**9,5** 0/0	**10** 0/0	**11,5** 0/0	**11,5** 0/0	**10,5** 0/0	**10** 0/0	**9** 2/0	**9** 2/0	**8** 1/0

Égypte

	J	F	M	A	M	J	J	A	S	O	N	D
Louxor	*	*	*	*	*	*	*	*	*	*	*	*
	0/0	0/0	0/0	0/0	0/0	0/0	0/0	0/0	0/0	1/0	0/0	0/0
Assouan	**9,5**	**10**	**10,5**	**10,5**	**11**	**12**	**12**	**11,5**	**10**	**10**	**10**	**9,5**
	0/0	0/0	0/0	0/0	0/0	0/0	0/0	0/0	0/0	0/0	0/0	0/0

température de la mer : moyenne mensuelle

	J	F	M	A	M	J	J	A	S	O	N	D
Méditerranée	17	16	17	18	21	23	25	26	26	24	22	19
Mer Rouge (Hourghada)	19	20	21	23	25	26	27	27	25	23	21	20

Émirats arabes du Golfe

(Koweït, Bahreïn, Qatar, Émirats arabes unis) Abou Dhabi (latitude 24°26'N ; longitude 54°27'E) : GMT + 4 h . Durée du jour : maximale (juin) 14 heures, minimale (décembre) 10 heures 30.

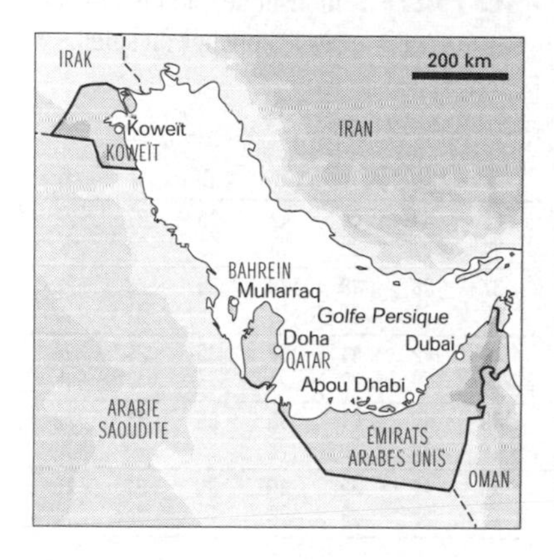

▶ La meilleure période pour voyager dans les pays du golfe Persique se situe **entre novembre et fin avril**. Les températures sont alors agréables dans la journée, et les nuits fraîches (voire froides, surtout au Koweït où il arrive que thermomètre descende à 0°).

▶ **De fin avril à fin octobre**, la chaleur est torride – 50° n'ont rien d'exceptionnel en milieu de journée –, et l'humidité ambiante, due à l'évaporation des eaux du golfe, rend cette chaleur suffocante et très inconfortable. Si vous êtes contraint de faire un voyage dans le golfe à cette saison, sachez cependant que l'air conditionné est très répandu dans les hôtels, les restaurants, etc. (et que les horaires de bureau sont établis en fonction des heures les moins chaudes). Pendant cette saison chaude, un vent brûlant, le *shammal*, peut provoquer des tempêtes de sable rendant toute circulation impossible. Dans les Émirats arabes unis, *Al-Haffar* et *Barih Thorayya*, respectivement fin mai et début juin, sont les noms de ses épisodes les plus violents. Le *shargi* souffle surtout sur cette ancienne côte des Pirates en automne.

▶ Les pluies, très faibles, tombent entre novembre et avril. Partout, on doit dessaler l'eau de mer et irriguer pour pouvoir cultiver, sauf au Bahrein, qui possède quelques sources d'eau douce, et dans l'émirat de Ras al-Khaym (au Nord-Ouest de la presqu'île d'Oman), un peu plus arrosé.

Les mirages

L'étendue d'eau fraîche et miroitante qui apparaît parfois au voyageur traversant un désert, si elle est bien illusoire, n'est cependant pas nécessairement le produit délirant d'un esprit dérangé par la chaleur et la soif. Il s'agit d'un phénomène optique, ou plutôt de deux phénomènes différents :

– dans les déserts chauds comme le Sahara ou le désert d'Arabie, la chaleur intense produit l'apparence d'une nappe liquide au-dessus de laquelle tout ce qui se trouve à une certaine hauteur (palmiers, montagnes) semble flotter et se refléter à l'envers. C'est un phénomène assez courant, que l'on observe parfois – en moins spectaculaire – dans des endroits aussi peu exotiques que nos routes et autoroutes ;

– le mirage proprement dit, lui, donne l'illusion de la présence proche d'objets qui, en temps normal, seraient trop éloignés pour être visibles. Produit par une réfraction de la lumière lorsque l'air froid, proche du sol, et l'air chaud des couches supérieures de l'atmosphère entrent en contact, ce phénomène reste plus exceptionnel. On l'observe surtout dans les déserts froids comme le désert de Gobi ou dans l'Arctique.

VALISE : bien que moins intransigeants que leurs voisins saoudiens, les Émirats sont des pays où la tradition musulmane est omniprésente : robes décolletées et courtes, shorts sont à bannir pour les femmes. Ajoutez un pull et une veste dans votre valise pour les soirées d'hiver et les ambiances climatisées.

BESTIOLES : moustiques toute l'année, surtout actifs après le coucher du soleil. ●

moyenne des températures maximales / moyenne des températures minimales

	J	F	M	A	M	J	J	A	S	O	N	D
Koweït	**18**	**21**	**25**	**31**	**38**	**43**	**43**	**44**	**42**	**35**	**27**	**22**
(Koweït)	7	9	13	18	24	28	29	28	25	19	14	9
Muharraq	**20**	**21**	**25**	**29**	**34**	**37**	**38**	**38**	**36**	**33**	**28**	**22**
(Bahreïn)	14	15	18	21	26	29	31	31	28	25	21	16
Doha	**22**	**23**	**27**	**32**	**38**	**41**	**42**	**41**	**39**	**35**	**29**	**24**
(Qatar)	13	14	17	21	25	28	29	29	27	23	19	15
Dubai	**24**	**25**	**28**	**33**	**37**	**39**	**40**	**41**	**39**	**35**	**31**	**26**
(EAU)	14	15	17	21	24	27	30	30	27	24	20	16
Abou Dhabi	**24**	**25**	**29**	**33**	**38**	**40**	**42**	**42**	**40**	**36**	**31**	**26**
(EAU)	12	13	16	19	23	25	28	29	26	22	17	14

nombre d'heures par jour hauteur en mm / nombre de jours

	J	F	M	A	M	J	J	A	S	O	N	D
Koweit	**6,5**	**8**	**7,5**	**7,5**	**8,5**	**10**	**10**	**10**	**9,5**	**8**	**7,5**	**6,5**
	25/3	16/2	13/2	15/2	3/1	0/0	0/0	0/0	0/0	4/0	15/3	18/3
Muharraq	**7,5**	**8**	**7,5**	**8,5**	**10**	**11,5**	**10,5**	**10,5**	**10,5**	**10**	**8,5**	**7,5**
	15/2	17/2	13/2	9/1	1/0	0/0	0/0	0/0	0/0	1/0	5/1	13/2
Doha	**8**	**8**	**8**	**9**	**10,5**	**11,5**	**10,5**	**10,5**	**10**	**10**	**9**	**8**
	13/2	17/2	16/2	9/1	4/0	0/0	0/0	0/0	0/0	0/0	3/0	12/1
Dubai	**8**	**8,5**	**8,5**	**10**	**11,5**	**11,5**	**10,5**	**10,5**	**10,5**	**10**	**9,5**	**8**
	17/5	25/4	25/5	8/2	1/0	0/0	1/0	0/0	0/0	1/0	2/1	14/3
Abou Dhabi	**8**	**8**	**8**	**9,5**	**11**	**11,5**	**10**	**10**	**10**	**10**	**9,5**	**8,5**
	7/1	20/3	15/3	6/1	1/0	0/0	0/0	0/0	0/0	0/0	1/0	5/1

température de la mer : moyenne mensuelle

	J	F	M	A	M	J	J	A	S	O	N	D
Dubai (EAU)	21	21	22	25	29	31	32	33	32	30	27	23

Équateur

Superficie : 285 000 km². Quito (latitude 0°08'N ; longitude 78°29'O) : GMT - 5 h. Durée du jour : 12 heures toute l'année.

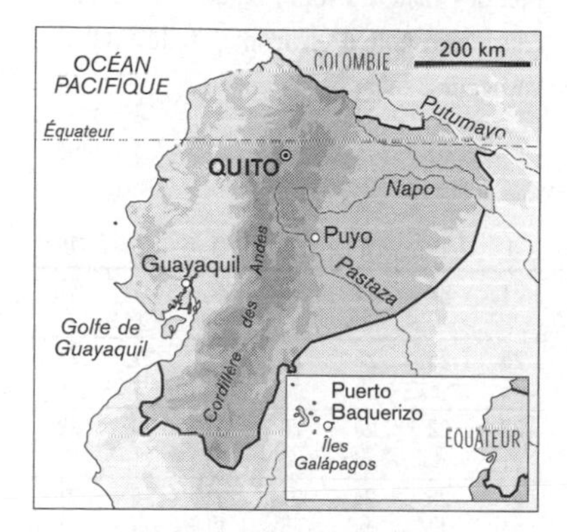

Trois climats très différents coexistent en Équateur : celui de la côte, celui de la Cordillère andine (la *Sierra*) et celui de la zone amazonienne (l'*Oriente*).

▶ Sur les **terres basses de la côte** (voir Guayaquil), la période la plus agréable est sans doute la saison sèche, qui va **de juin à novembre** *(el verano)*. C'est la saison la moins chaude. La saison des pluies *(el invierno)* commence fin décembre et finit en mai ; ces pluies sont plus abondantes sur la partie Nord du littoral à la végétation exubérante. Le long des plages du Sud, dans une région semi-aride, la température de la mer, de 21° en septembre, grimpe à 25° en avril.

▶ Dans la **Cordillère** (voir Quito), le climat est tempéré toute l'année. Plus on monte en altitude, plus les nuits sont fraîches. Il pleut beaucoup d'octobre à mai : la saison la plus ensoleillée et la plus agréable, dans la capitale, se situe **entre juin et août**. Souvent, décembre-janvier, *el veranillo del Niño* (le petit été de l'enfant) est une période propice. Pour gagner les neiges éternelles des superbes volcans équatoriens, on évitera la période juin-août trop ventée sur les sommets.

▶ Dans la **partie amazonienne** (voir Puyo), la pluie ne cesse de tomber abondamment, quelle que soit la saison. Bien que les températures ne soient pas très élevées, l'humidité permanente donne dans cette région un avant-goût de « l'Enfer vert ».

▶ L'**archipel des Galapagos** (voir Puerto Baquerizo) a un climat capricieux et très variable suivant les années, selon le jeu changeant des courants marins (le *Humboldt* et *el Niño*). **De janvier à mai** : sur les côtes, saison des pluies sous forme d'averses dispersées avec de longues périodes ensoleillées. C'est sans doute la meilleure période pour visiter les Galapagos : la mer est calme et le vent faible ; de plus, c'est l'époque de la ponte pour nombre des espèces qui ont choisi ces îles comme refuge : tortues, iguanes, geckos, phoques, pingouins, etc. (les plages sont d'ailleurs un peu embouteillées). Dans l'intérieur, il pleut très peu. De juin à décembre, il ne pleut pas sur les côtes, mais le soleil est voilé d'un brouillard léger, la *garua*. En revanche, sur les hauteurs, il pleut et le brouillard est plus intense.

VALISE : si vous voyagez à la fois sur la côte et dans la *Sierra*, emportez des vêtements légers en coton ou en lin de préférence, des lainages, une veste chaude, un imperméable ou un anorak à capuche, des chaussures imperméables. Dans la région amazonienne, vous serez peut-être content(e), malgré la chaleur, de porter un pantalon long et une chemise à manches pour vous protéger des moustiques.

SANTÉ : quelques risques de paludisme toute l'année en dessous de 1 500 m d'altitude ; résistance à la Nivaquine et multirésistance en Amazonie. Vaccination contre la fièvre jaune souhaitable pour les voyageurs séjournant dans les zones rurales de la partie Est du pays. Vaccin antirabique conseillé pour de longs séjours.

BESTIOLES : les moustiques font des ravages toute l'année dans la région amazonienne, et sur la côte à la saison des pluies.

FOULE : assez faible pression touristique. Le voisin colombien et les États-Unis comptent à eux deux pour plus de la moitié dans le flux des visiteurs vers l'Équateur. Les Français représentent environ 3 % du total des voyageurs. ●

moyenne des températures maximales / moyenne des températures minimales

	J	F	M	A	M	J	J	A	S	O	N	D
Quito	**22**	**21**	**21**	**21**	**22**	**21**	**22**	**23**	**23**	**22**	**21**	**21**
(2 820 m)	8	8	8	9	8	8	7	7	7	8	8	8
Puyo	**26**	**26**	**26**	**26**	**26**	**25**	**25**	**26**	**27**	**27**	**27**	**27**
(950 m)	17	17	17	17	17	16	16	16	16	16	17	17
Guayaquil	**31**	**30**	**31**	**31**	**30**	**29**	**28**	**28**	**29**	**29**	**29**	**29**
	23	23	23	23	22	21	20	20	20	21	21	22
Puerto Baquerizo	**29**	**30**	**30**	**30**	**29**	**27**	**25**	**24**	**24**	**25**	**26**	**27**
(Galapagos)	23	23	23	23	22	21	19	19	18	19	20	21

nombre d'heures par jour hauteur en mm / nombre de jours

	J	F	M	A	M	J	J	A	S	O	N	D
Quito	**6**	**5**	**5**	**4**	**6**	**6**	**7**	**6**	**6**	**5**	**5**	**6**
	120/13	130/14	155/17	185/19	130/16	55/9	20/4	25/4	80/9	135/16	95/12	105/12
Puyo	**2**	**3**	**2**	**2**	**2**	**3**	**3**	**3**	**3**	**3**	**3**	**3**
	300/21	295/19	390/22	455/23	325/22	390/22	340/22	345/21	355/21	360/23	365/21	370/21
Guayaquil	**3**	**4**	**5**	**5**	**5**	**4**	**4**	**5**	**5**	**4**	**3**	**5**
	210/15	290/17	290/17	225/12	55/4	11/1	4/1	0/0	0/0	1/0	2/1	30/4
Puerto Baquerizo	**6**	**8**	**8**	**8**	**8**	**8**	**6**	**6**	**5**	**5**	**6**	**6**
	50/9	65/6	85/5	35/4	16/3	2/1	4/3	5/4	7/6	7/6	5/4	7/10

température de la mer : moyenne mensuelle

	J	F	M	A	M	J	J	A	S	O	N	D
Golfe de Guayaquil	24	26	25	25	24	23	22	22	21	22	22	23
Puerto Baquerizo	25	26	27	27	26	25	24	23	23	23	23	24

Érythrée

Superficie : 120 000 km². Asmara (latitude 15°20'N ; longitude 38°58'E) : GMT + 3 h. Durée du jour : maximale (juin) 13 heures, minimale (décembre) 11 heures.

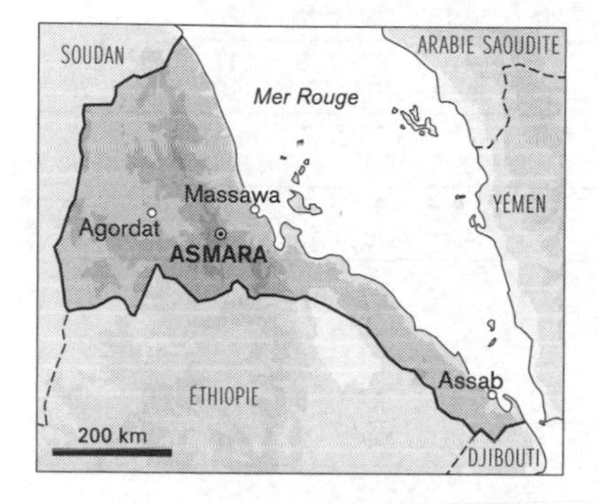

▸ Le territoire de cet État, né officiellement en mai 1993, correspond à la partie Nord de l'ancienne Éthiopie et s'allonge tout au long de la mer Rouge. Le climat est de type tropical, mais varie de manière très sensible avec l'altitude et l'éloignement de la mer.

▸ La partie la plus **occidentale** du pays (voir Agordat), frontalière avec le Soudan et séparée de la mer Rouge par le relief, connaît des températures élevées. Cependant, les records de température se rencontrent dans les parties les plus basses de la dépression des Danakils, dans la partie **orientale** du pays. Cette région criblée de lacs salés (on peut descendre jusqu'à – 80 m en dessous du niveau de la mer) a des moyennes annuelles de température parmi les plus élevées du globe.

▸ Dans les régions en **altitude**, comme celle de la capitale Asmara, les variations des moyennes de température sont assez limitées tout au long de l'année : les températures diurnes sont chaudes, mais sans excès ; la nuit, il fait doux, voire frais.
En pleine saison des pluies – juillet et août –, ces régions de hauts plateaux subissent de fréquents et longs orages.

VALISE : dans les régions basses, vêtements de coton, légers et faciles à laver. Sur les hauts plateaux, il faut des vêtements plus chauds, des lainages pour les soirées, un anorak pour la saison des pluies.

SANTÉ : risques de paludisme en dessous de 2 000 m d'altitude, toute l'année ; zones de résistance élevée à la Nivaquine et multirésistance. Vaccination contre la fièvre jaune souhaitable ; vaccination antirabique conseillée pour les longs séjours.

BESTIOLES : moustiques toute l'année dans les régions basses. ●

moyenne des températures maximales / moyenne des températures minimales

	J	F	M	A	M	J	J	A	S	O	N	D
Massawa	**29**	**29**	**30**	**33**	**38**	**39**	**39**	**39**	**37**	**33**	**33**	**30**
	20	21	22	24	25	27	29	29	27	25	23	21
Asmara	**23**	**24**	**25**	**26**	**26**	**26**	**25**	**24**	**23**	**22**	**22**	**22**
(2 320 m)	7	8	9	11	12	12	12	12	13	12	10	9
Agordat	**33**	**34**	**37**	**39**	**40**	**39**	**35**	**33**	**36**	**38**	**37**	**35**
(630 m)	18	18	18	21	24	24	23	22	23	23	22	20
Assab	**29**	**30**	**32**	**34**	**37**	**37**	**39**	**38**	**37**	**34**	**31**	**30**
	22	23	24	26	27	29	30	31	29	26	24	22

Voir tableaux page suivante

Érythrée

nombre d'heures par jour — hauteur en mm / nombre de jours

	J	F	M	A	M	J	J	A	S	O	N	D
Massawa	**8** 25/4	**7** 35/6	**8** 15/3	**9** 20/2	**10** 3/1	**9** 1/0	**8** 8/1	**9** 1/0	**9** 2/1	**9** 18/2	**10** 20/2	**8** 45/3
Asmara	**10** 2/0	**10** 2/1	**9** 10/3	**8** 40/5	**8** 40/5	**6** 35/5	**4** 170/17	**4** 124/14	**6** 35/5	**10** 8/2	**10** 10/2	**10** 2/1
Agordat	* 0/0	* 0/0	* 1/0	* 2/1	* 20/1	* 35/2	* 105/8	* 150/11	* 45/5	* 3/1	* 2/0	* 0/0
Assab	**9** 2/1	**9** 2/0	**9** 2/0	**9** 1/0	**10** 1/0	**9** 0/0	**8** 4/1	**8** 2/0	**9** 2/0	**10** 1/0	**9** 5/1	**9** 12/2

température de la mer : moyenne mensuelle

	J	F	M	A	M	J	J	A	S	O	N	D
Mer Rouge	23	24	26	27	28	30	30	29	28	27	26	24

Espagne

Superficie : 505 000 km^2. Madrid (latitude 40°24'N ; longitude 03°41'O) : GMT + 1 h. Durée du jour : maximale (juin) 15 heures, minimale (décembre) 9 heures 30.

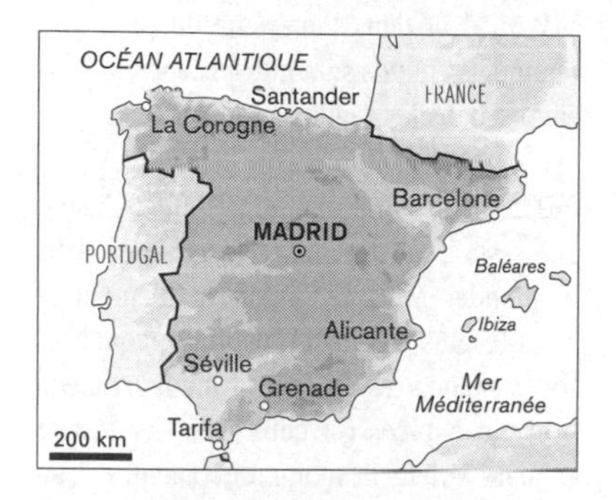

Du Nord atlantique pluvieux à l'agréable littoral méditerranéen, du rude hiver castillan à l'été torride d'Andalousie, l'Espagne offre une grande variété de situations climatiques.

Pour parcourir le pays de long en large, préférez les périodes qui vont **de mi-avril à mi-juin** et **du début septembre à la mi-octobre**. Pour vous baigner, vous trouverez toujours une plage ensoleillée et une mer accueillante **de juin à fin septembre**.

▶ **Du Pays basque à la Galice** (voir La Corogne), au Nord du Portugal, la côte atlantique connaît un climat pluvieux, notamment en automne. Les températures sont douces en hiver, le gel peu fréquent et la chaleur modérée en été. C'est une côte venteuse – en moyenne cinq jours de vents forts par mois de novembre à mars. Brouillard et brume ne sont pas rares, même en été.

▶ Les **plateaux du centre** connaissent un hiver assez rigoureux mais plutôt sec. Les sierras qui dominent la Castille, comme la Sierra de Guadarrama, au Nord de Madrid, sont enneigées et l'on y skie. Le début du printemps peut être encore frais et pluvieux dans la capitale. L'été, il fait très chaud durant la journée et l'on profite d'autant plus des soirées et des nuits madrilènes pour récupérer. En automne, les matinées commencent à rafraîchir dès la mi-octobre et c'est en novembre que Madrid reçoit le plus de précipitations.

▶ Sur la **côte méditerranéenne**, l'hiver se fait plus doux à mesure que l'on descend vers le Sud. Des îles Baléares, Ibiza dispose du climat le plus privilégié. Alicante et Carthagène affichent, dès février, six heures de soleil par jour. Le printemps connaît des orages, notamment à Barcelone, et précède un été chaud, mais sans trop d'excès car tempéré par les brises. L'arrière-saison est très agréable, mais en octobre et surtout en novembre la pluie n'est pas rare. Elle tombe le plus fréquemment sous la forme de courts et violents orages.

▶ En **Andalousie**, Séville comme Grenade bénéficient d'un hiver modéré : températures fraîches, voire froides le matin, et très douces l'après-midi. Il neige sur la Sierra Nevada qui culmine à 3 500 m et dont les pentes sont ouvertes aux skieurs. Le printemps est très agréable, hormis quelques épisodes de *leveche*, vent sec et chaud soufflant d'Afrique et chargé de sable et de poussière. Ce qui distingue le plus le climat andalou, c'est son été torride pendant lequel le thermomètre approche fréquemment les 40° à l'ombre. Séville détient d'ailleurs le record européen de température : 50° relevé le 4 août 1881. Dès le mois de juin et jusqu'à la fin septembre, il fait très chaud à l'intérieur des terres, à Cordoue plus encore qu'à Séville, un peu moins à Grenade. La tombée de la nuit... et des températures est alors un soulagement. Le soleil n'est pas en reste : en juillet, une partie de la vallée de Guadalquivir, de la Sierra Morena et, plus au Nord, de l'Estrémadure, affichent 13 heures d'ensoleillement quotidien.

Les côtes andalouses connaissent une chaleur estivale plus modérée. Sur la façade atlantique, le brouillard n'est pas exceptionnel dans le golfe de Cadix ; côté Méditerranée, la mer, rafraîchie par l'océan, n'est jamais très chaude. Toute la zone du détroit de Gibraltar (Tarifa) est venteuse. Le *levante*, vent d'est, souffle surtout de juillet à octobre et le *vendaval*, fort vent du sud-ouest, en hiver ; ce qui n'empêche pas des températures hivernales particulièrement clémentes.
L'Andalousie, surtout sa partie atlantique, connaît, de novembre à février, une période peu avare en pluies.

VALISE : en été, vêtements très légers, sandales, mais, même en cette saison, vous pourrez avoir besoin d'un pull ou d'une veste pour les soirées. En hiver, des vêtements de demi-saison et un imperméable peuvent suffire sur la côte méditerranéenne, quoi qu'un bon pull soit souvent utile. Mais à Madrid et dans l'intérieur du pays, des vêtements chauds sont indispensables ; plus encore dans les régions montagneuses.

FOULE : forte pression touristique. L'Espagne reste la 3e destination touristique dans le monde. Août est incontestablement le mois le plus fréquenté, pendant lequel les zones balnéaires du littoral méditerranéen sont surpeuplées. Novembre, janvier, février et mars voient le moins de visiteurs. L'an dernier, 15 millions de Britanniques, 10 millions d'Allemands et 6 millions de Français ont passé des vacances en Espagne (Baléares et Canaries comprises). ●

moyenne des températures maximales / moyenne des températures minimales

	J	F	M	A	M	J	J	A	S	O	N	D
Santander	**12** 7	**13** 7	**14** 8	**15** 9	**17** 11	**20** 14	**22** 16	**23** 17	**22** 15	**19** 13	**15** 10	**13** 8
La Corogne	**13** 8	**13** 7	**14** 8	**15** 9	**17** 11	**20** 14	**22** 15	**22** 16	**21** 15	**19** 13	**16** 10	**14** 8
Barcelone	**13** 5	**14** 5	**15** 6	**17** 9	**20** 12	**24** 16	**27** 19	**27** 19	**25** 17	**21** 13	**17** 8	**14** 6
Madrid	**10** 2	**11** 3	**15** 5	**17** 7	**22** 10	**27** 14	**31** 18	**31** 17	**26** 14	**20** 10	**13** 5	**10** 3
Alicante	**17** 6	**18** 7	**19** 8	**21** 10	**24** 13	**28** 17	**30** 19	**31** 20	**29** 18	**25** 14	**20** 10	**17** 7
Séville	**15** 5	**17** 6	**20** 8	**23** 10	**27** 13	**31** 16	**35** 19	**35** 19	**32** 17	**26** 13	**20** 9	**16** 6
Grenade	**12** 2	**14** 3	**17** 5	**19** 7	**23** 10	**28** 14	**34** 17	**33** 17	**29** 14	**22** 9	**16** 5	**13** 3
Tarifa	**16** 11	**16** 11	**17** 12	**18** 13	**20** 15	**22** 17	**24** 19	**25** 20	**24** 19	**22** 17	**19** 14	**17** 12
Ibiza	**15** 8	**16** 8	**17** 9	**19** 11	**22** 14	**26** 18	**29** 20	**30** 21	**27** 19	**24** 16	**19** 12	**16** 9

nombre d'heures par jour hauteur en mm / nombre de jours

	J	F	M	A	M	J	J	A	S	O	N	D
Santander	**3** 120/16	**3,5** 95/14	**4** 100/15	**5** 110/16	**5,5** 90/17	**6,5** 60/13	**7** 55/12	**6,5** 80/14	**5,5** 100/14	**4,5** 130/15	**3,5** 160/15	**2,5** 140/17
La Corogne	**3** 120/16	**3,5** 95/14	**4** 100/15	**5** 110/16	**5,5** 90/17	**6,5** 60/13	**7** 55/12	**6,5** 80/14	**5,5** 100/14	**4,5** 130/15	**3,5** 160/15	**2,5** 140/17

	J	F	M	A	M	J	J	A	S	O	N	D
Barcelone	**4,5** 40/5	**5** 40/6	**6** 50/6	**7** 50/7	**8** 55/7	**9** 40/3	**10** 25/5	**9** 60/6	**7** 80/6	**6** 95/7	**5** 75/6	**4,5** 50/6
Madrid	**5** 45/10	**5,5** 45/10	**6,5** 35/8	**7,5** 55/11	**9,5** 40/10	**10,5** 25/7	**12** 15/3	**11** 10/2	**8,5** 30/5	**7** 45/8	**5** 65/10	**4,5** 55/10
Alicante	**6** 20/6	**6,5** 25/5	**7,5** 25/5	**8** 35/7	**9,5** 30/6	**10** 25/4	**11** 4/1	**10** 9/2	**8,5** 40/5	**7,5** 65/6	**6** 45/6	**5,5** 35/6
Séville	**6** 85/10	**6** 75/10	**6** 55/8	**8** 60/9	**9** 30/6	**11** 20/4	**12** 2/<1	**11** 8/<1	**9** 20/4	**7** 60/8	**6** 75/9	**5** 90/10
Grenade	**5** 50/9	**5** 45/9	**6** 40/8	**7** 40/9	**9** 30/8	**10** 20/4	**11** 2/1	**10,5** 3/2	**7,5** 16/4	**6,5** 40/7	**5** 55/9	**5** 50/9
Tarifa	**5** 110/12	**5** 100/12	**6** 75/10	**7** 60/9	**8,5** 35/6	**9,5** 15/4	**10** 1/1	**9,5** 4/2	**7,5** 16/4	**6,5** 65/8	**5,5** 110/11	**5** 130/13
Ibiza	**5,5** 35/9	**6** 30/8	**6,5** 40/9	**7,5** 35/9	**9** 25/7	**10** 14/4	**11** 6/2	**10** 25/4	**8** 40/7	**7** 65/9	**5,5** 50/9	**5** 55/10

température de la mer : moyenne mensuelle

	J	F	M	A	M	J	J	A	S	O	N	D
Santander	13	12	12	13	15	17	19	20	19	17	15	14
Cadix	15	15	15	16	17	18	20	21	20	19	18	16
Alicante	15	14	14	15	17	21	24	26	25	22	19	16
Barcelone	13	13	13	14	16	20	23	24	23	20	17	15
Ibiza	15	14	14	15	17	21	24	26	25	22	19	16

Estonie

Superficie : 45 000 km². Tallinn (latitude 59°25'N ; longitude 24°48'E) : GMT + 2h . Durée du jour : maximale (juin) 18 heures 30, minimale (décembre) 6 heures.

▶ Un froid humide, un ciel souvent nuageux, tel est l'hiver estonien. Plus de trois mois de couverture neigeuse à l'intérieur du pays, environ de la mi-décembre à la fin mars, nettement moins sur les côtes et les grandes îles de Sarema et de Khiuoma.

▶ Une fois la période de la fonte des neiges passée, qui transforme la campagne en bourbier, on commence à parler de printemps. Il faut cependant attendre le mois de mai pour véritablement bénéficier de « températures printanières ».

▶ Au solstice de juin, les nuits de Tallinn sont courtes et restent fraîches. Les températures diurnes, alors rarement excessives, n'augmenteront pas beaucoup plus en juillet et août. L'ensoleillement est satisfaisant ; encore faut-il, particulièrement ici, comparer la durée d'ensoleillement à la durée totale du jour. La période comprise **entre la mi-juin et la fin du mois d'août** est certainement la plus favorable à un voyage en Estonie. On voit les températures baisser rapidement dès la fin de septembre et à la mi-octobre, on trouve déjà des jours froids.

VALISE : si, en hiver, le pays ne connaît pas de températures extrêmes, l'humidité y rend le froid pénétrant. On se couvrira donc en conséquence. L'été, on n'oubliera pas les soirées qui restent fraîches et la pluie. ●

moyenne des températures maximales / moyenne des températures minimales

	J	F	M	A	M	J	J	A	S	O	N	D
Tallinn	**-2** -8	**-2** -8	**2** -5	**8** 0	**14** 5	**19** 10	**21** 12	**20** 11	**15** 8	**9** 3	**3** -1	**-1** -5
Tartu	**-4** -10	**-3** -11	**2** -5	**8** 0	**15** 6	**20** 10	**22** 11	**21** 10	**15** 9	**8** 2	**2** -1	**-2** -7

nombre d'heures par jour hauteur en mm / nombre de jours

	J	F	M	A	M	J	J	A	S	O	N	D
Tallinn	**1** 50/11	**2** 35/8	**4** 30/8	**6** 35/7	**9** 40/8	**10** 55/8	**9** 80/11	**7,5** 75/12	**4,5** 70/11	**3** 75/11	**1** 65/14	**0,5** 55/14
Tartu	**1** 30/8	**2,5** 25/7	**4,5** 25/7	**6** 35/7	**8,5** 55/8	**9,5** 60/9	**8,5** 70/10	**7** 85/11	**4,5** 65/11	**3** 55/11	**1** 50/10	**0,5** 40/10

température de la mer : moyenne mensuelle

	J	F	M	A	M	J	J	A	S	O	N	D
Tallinn	1	0	1	2	5	11	15	16	13	9	6	3
Pärnu	1	0	1	3	7	13	16	17	13	10	6	4

États-Unis

Superficie : 8 100 000 km². New York (latitude 40°42'N ; longitude 74°01'O) : GMT - 5 h . Durée du jour : maximale (Juin) 15 heures, minimale (décembre) 10 heures 30. Los Angeles (34°03'N ; 118°14'O) : décalage horaire, GMT – 8 h. Durée du jour : maximale (juin) 14 heures 30, minimale (décembre) 10 heures.

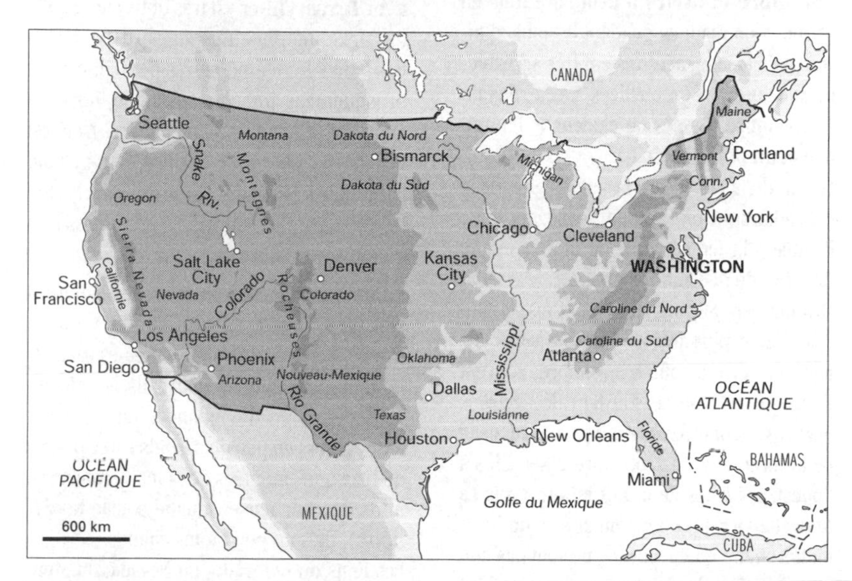

La meilleure époque pour se rendre à **New York** est sans doute le début de l'automne, de la mi-septembre à la Toussaint ; les températures restent encore chaudes et les journées ensoleillées, après des débuts de matinée parfois brumeux. Les hivers sont rudes et prolongés, et les bourrasques de neige fréquentes. Mai et juin sont également des mois agréables, bien qu'à cette période le temps soit souvent instable. L'été est chaud, ensoleillé, souvent orageux, mais la forte humidité ambiante peut rendre cette saison pénible dans la *Big Apple*.
Près de New York (Long Island), on ne se baigne qu'en été (18° ou 19° en juillet et août).

Plus au Nord, en **Nouvelle-Angleterre** (du Maine au Connecticut, voir Portland), l'automne est aussi une saison privilégiée, et l'occasion d'admirer les splendeurs de l'été indien. Il fait doux dans la journée et très frais la nuit. La fin du printemps et l'été y sont aussi très attrayants, les désagréments de l'humidité étant beaucoup moins sensibles hors des grandes villes, que ce soit sur la côte ou dans les forêts et autour des lacs de l'intérieur. L'hiver est en général très froid et enneigé. À cette saison, de nombreux habitants de la côte est partent en week-end faire du ski dans les stations du Vermont, du Maine et de l'État de New York.

Dans tout le **Sud-Est** des États-Unis, de la Caroline du Sud à la Louisiane (voir Atlanta, New Orleans), les meilleures saisons sont également le **printemps** et l' **automne** ; ce sont des périodes ensoleillées, avec des nuits plutôt fraîches mais des journées très agréables. Les températures restent assez douces en hiver dans la journée. L'été est généralement très chaud, et très humide. Ces États et celui de la Floride subissent parfois le passage de cyclones, essentiellement d'août à octobre. Citons *Andrew*, en 1992, qui a causé des dégâts records.

La **Floride** (voir Miami), qui bénéficie d'un climat quasi subtropical, est un cas particulier. La haute saison se situe **entre novembre et avril** : il peut faire frais en soirée et en matinée pendant les mois d'hiver, mais les journées restent très agréablement chaudes et ensoleillées. En été, de juin à septembre, l'excès de chaleur et l'humidité peuvent incommoder.
Le Sud de la Floride est la seule région de la côte atlantique où l'on peut se baigner toute l'année : la température de la mer est de 22°-23° de décembre à avril.
Des États du Sud-Est des États-Unis, la Floride est le plus exposé aux ouragans. Ils peuvent sévir d'août à novembre, souvent destructeurs : on se souvient de *Charley*, *Frances*, *Ivan* et *Jeanne* qui se sont succédé de la mi-août à fin septembre 2004. Plus à l'ouest, les côtes de la **Louisiane** (voir La Nouvelle-Orléans) qui connaissent un hiver moins chaud qu'en Floride, ne sont pas non plus à l'abri des ouragans. Certes moins fréquents, ils peuvent cependant être dévastateurs comme l'a prouvé *Katrina* le 31 août 2005.

Les **grandes plaines centrales**, du Michigan et du Dakota du Nord à l'Oklahoma, connaissent un climat continental, c'est-à-dire avec de très grands écarts de température entre l'été et l'hiver. Les pluies sont assez faibles, et le soleil très présent, même en hiver.
Au Nord (voir Bismarck), il fait très chaud en été durant la journée mais les nuits restent assez fraîches. Les hivers sont glacials, surtout quand souffle le blizzard. Ils sont un peu moins rigoureux dans la région des Grands Lacs, mais ventés : Chicago est surnommée *The Windy City*.
À mesure que l'on descend vers le Sud (voir Kansas City), les températures hivernales sont moins rudes, mais les étés sont encore plus chauds que dans le Nord.
Dans cette région, l'Oklahoma et l'Arkansas sont les États les plus fréquemment touchés par les tornades, brèves mais très violentes ; elles peuvent se former toute l'année, avec une probabilité accrue en mars et avril.

Au **Texas**, l'hiver est très doux sur le golfe du Mexique, plus frais au Nord (voir Dallas), mais les températures peuvent baisser brusquement lorsque souffle le *norther*, amenant des vagues d'air polaire. L'été est torride mais assez sec à Dallas, et très chaud et humide à Houston. Sur le littoral, et selon les années, les ouragans sont possibles d'août à novembre.

Dans la chaîne des **montagnes Rocheuses** (voir Denver et Salt Lake City), on retrouve, du Nord au Sud, les mêmes caractéristiques climatiques que dans les plaines centrales, avec des nuances dues à l'altitude : hivers un peu plus froids (avec parfois de brusques montées de la température, au nord des Rocheuses, quand souffle le *chinook*), étés un peu moins chauds.
Les États du Colorado, du Nevada, du Montana, la région de Salt Lake City abondent en stations de ski réputées pour leur belle neige poudreuse (Squaw Valley, Vail, Copper Mountain...).

La partie **Nord de la côte pacifique** (voir Seattle) est la région la plus arrosée des États-Unis. Les précipitations tombent essentiellement durant l'hiver, relativement doux. La meilleure saison pour visiter cette partie de la côte est l' **été**, assez sec et bien ensoleillé.

Plus au Sud, **San Francisco** a la particularité de connaître de faibles écarts de température d'une saison à l'autre : en été, les températures sont en principe très agréables dans la journée, mais elles peuvent baisser brusquement lorsque le vent souffle, ce qui est fréquent, et les nuits sont fraîches ; en hiver, il fait doux dans la journée mais il pleut souvent et les nuits sont froides. Les brouillards sont très fréquents, ce qui n'empêche pas un bon ensoleillement général, surtout d'**avril à septembre**.

▸ Dans le **Sud de la Californie** (voir Los Angeles), le climat est de type méditerranéen, avec des hivers particulièrement doux et des étés secs et chauds sans excès. Cependant, une dizaine de fois par an, aussi bien en hiver qu'en été, la côte de cette région est balayée par le redoutable *Santa Ana*, un vent violent, sec et poussiéreux qui souffle parfois plusieurs jours durant.
L'eau est très fraîche sur les plages de la côte Ouest : elle ne dépasse pas 17° à San Francisco en plein été. Tout au Sud, à San Diego, elle n'atteint 20° qu'entre fin juillet et début octobre. C'est plutôt dissuasif, d'autant qu'il y a beaucoup de courants dangereux.
Du littoral pacifique, on peut chaque année observer la migration des baleines : fin novembre, elles arrivent au large de l'Oregon ; mi-décembre, elles défilent devant San Francisco, et à Noël, elles saluent San Diego.

▸ Dès que l'on pénètre à l' **intérieur de la Californie**, au Nord ou au Sud, l'altitude fait baisser les températures (sur les chaînes côtières et dans la Sierra Nevada). Par ailleurs, les régions désertiques à l'Est et au Nord-Est de Los Angeles (désert de Mojave, Death Valley) sont à éviter en été, de même que Phoenix (Arizona), qui est alors torride. Avec un taux d'ensoleillement annuel de 90 %, Yuma, à la limite de l'Arizona et de la Californie, reste la ville la plus ensoleillée des États-Unis.

VALISE : en été, il vous faudra surtout des vêtements légers, un ou deux pulls ou une veste pour l'air conditionné, et quelques vêtements un peu plus chauds si vous allez à Seattle ou pour les soirées en altitude, dans les parcs nationaux. En hiver, vêtements chauds (manteau, chaussures, imperméable) partout sauf en Floride (vêtements d'été plus quelques lainages) et dans les États du Sud (vêtements de demi-saison, imperméable).

BESTIOLES : moustiques et moucherons sévissent un peu partout en été (dans les grandes plaines du Centre, dans les bois du Maine et de l'Oregon, mais aussi à New York...).

FOULE : il n'y a pas de considérables écarts d'affluence touristique au cours de l'année aux États-Unis, la Floride surtout, et aussi la Californie, étant d'importantes destinations d'hiver. Reste que, globalement, juillet et août sont les mois les plus fréquentés et alors que novembre, janvier et février le sont presque deux fois moins. Les États-Unis, il est vrai très vastes, sont, après la France, la 2e destination touristique dans le monde. Quoi que ce pays ait connu, ces dernières années, une certaine désaffection liée à l'image assez antipathique qu'en a donné G. W. Bush. Les Canadiens à eux seuls constituent plus de 40 % de ce flux touristique. Japonais et Britanniques occupent, loin derrière, les 2e et 3e rangs. Les Français représentent moins de 2 % du total. ●

moyenne des températures maximales / moyenne des températures minimales

	J	F	M	A	M	J	J	A	S	O	N	D
Seattle (Washington)	**8** 2	**10** 3	**12** 4	**15** 6	**18** 8	**21** 11	**24** 13	**24** 13	**21** 11	**15** 8	**10** 4	**8** 2
Bismarck (Nord-Dakota)	**- 6** - 18	**- 2** - 13	**2** - 7	**13** -1	**21** 6	**25** 11	**29** 14	**28** 13	**22** 7	**15** 0	**4** -8	**- 3** - 15
Portland (Maine)	**0** - 11	**1** - 9	**6** - 4	**11** 2	**17** 7	**23** 12	**26** 15	**25** 14	**20** 9	**14** 3	**8** - 2	**2** - 7

États-Unis

	J	F	M	A	M	J	J	A	S	O	N	D
Chicago	**-1**	**1**	**8**	**14**	**21**	**26**	**29**	**27**	**23**	**17**	**8**	**1**
(Illinois)	- 10	- 7	- 2	3	9	14	18	17	12	6	0	- 6
Salt Lake City	**4**	**6**	**12**	**16**	**21**	**27**	**32**	**31**	**25**	**18**	**10**	**4**
(Utah)	- 3	- 1	3	6	10	14	19	19	14	8	2	-3
New York	**3**	**5**	**10**	**16**	**21**	**26**	**29**	**28**	**24**	**18**	**12**	**6**
(NY)	- 3	- 2	2	7	12	17	20	20	16	10	4	0
Denver	**6**	**8**	**12**	**16**	**21**	**28**	**31**	**30**	**26**	**19**	**11**	**7**
(Colorado)	- 10	- 7	- 3	1	7	12	15	14	8	2	- 4	- 8
Kansas City	**3**	**7**	**13**	**19**	**25**	**30**	**32**	**31**	**28**	**21**	**12**	**6**
(Missouri)	- 6	- 3	2	8	14	19	22	21	16	9	2	-3
Cleveland	**0**	**2**	**8**	**14**	**20**	**25**	**27**	**26**	**22**	**16**	**9**	**3**
(Ohio)	- 7	- 6	-2	3	9	14	17	16	12	7	2	- 4
Washington	**6**	**8**	**13**	**19**	**24**	**29**	**31**	**30**	**26**	**20**	**14**	**8**
(DC)	- 6	- 4	0	4	10	15	18	17	13	6	1	- 3
San Francisco	**14**	**16**	**17**	**18**	**19**	**20**	**20**	**21**	**22**	**21**	**18**	**15**
(Californie)	6	9	9	10	11	12	13	13	13	12	8	6
Los Angeles	**20**	**21**	**21**	**23**	**24**	**26**	**28**	**29**	**26**	**26**	**23**	**20**
(Californie)	9	10	11	12	14	16	18	19	18	15	12	9
Atlanta	**12**	**14**	**17**	**23**	**27**	**30**	**32**	**31**	**28**	**23**	**17**	**12**
(Géorgie)	1	3	6	10	15	19	21	21	18	12	6	2
Phoenix	**18**	**21**	**24**	**28**	**33**	**39**	**40**	**39**	**36**	**30**	**23**	**18**
(Arizona)	6	8	10	14	19	24	27	26	23	17	10	6
Dallas	**12**	**16**	**20**	**24**	**29**	**33**	**35**	**35**	**31**	**25**	**18**	**14**
(Texas)	1	4	8	12	17	21	24	23	20	14	7	3
New Orleans	**17**	**19**	**23**	**26**	**30**	**32**	**33**	**33**	**31**	**27**	**22**	**18**
(Louisiane)	7	9	12	15	20	23	24	24	22	17	12	8
Miami	**24**	**24**	**26**	**27**	**30**	**31**	**32**	**32**	**31**	**29**	**27**	**25**
(Floride)	16	17	18	20	23	24	25	25	24	23	20	17

nombre d'heures par jour hauteur en mm / nombre de jours

	J	F	M	A	M	J	J	A	S	O	N	D
Seattle	**2,5**	**4**	**5,5**	**7**	**8**	**8,5**	**10**	**9**	**7**	**4,5**	**2,5**	**1,5**
	130/16	105/13	95/13	65/11	45/8	35/6	20/3	25/5	40/7	80/10	140/15	140/15
Bismarck	**5**	**5,5**	**7**	**8**	**9,5**	**10,5**	**11,5**	**10**	**8**	**6**	**4**	**4**
(500 m)	11/4	12/3	20/4	35/6	55/7	85/9	65/7	55/5	40/5	30/3	17/3	11/3
Portland	**5,5**	**6**	**6,5**	**7**	**8**	**9**	**9**	**8,5**	**7,5**	**6,5**	**5**	**4,5**
	100/9	75/8	110/9	110/9	95/9	85/9	85/8	75/8	80/7	110/8	120/10	110/10
Chicago	**4,5**	**5**	**6**	**7**	**9**	**10,5**	**10**	**9**	**8**	**6**	**4**	**3,5**
	45/7	40/7	65/9	90/10	85/9	90/8	85/8	110/8	80/8	65/7	75/8	60/8
Salt Lake City	**4**	**6**	**8**	**8**	**10,5**	**12,5**	**13**	**11,5**	**10**	**8**	**5**	**3,5**
(490 m)	40/6	40/6	50/8	55/6	40/7	20/4	17/3	15/3	30/4	40/5	40/6	30/7
New York	**5,5**	**6**	**7**	**7,5**	**8**	**8,5**	**8,5**	**8,5**	**7,5**	**7**	**5**	**4,5**
	100/8	80/7	110/8	110/8	120/9	95/8	110/8	110/8	110/7	95/6	110/8	100/8
Denver	**7**	**7,5**	**8**	**9**	**9,5**	**10,5**	**10,5**	**10**	**9**	**8**	**6,5**	**6**
(1 600 m)	12/3	12/3	35/6	50/6	60/7	40/6	55/6	45/6	30/5	25/4	25/4	15/3
Kansas City	**6**	**6**	**7**	**8,5**	**9**	**10**	**10,5**	**9,5**	**8**	**7**	**6**	**4,5**
(310 m)	30/5	30/5	60/8	85/8	130/10	110/8	100/7	90/7	110/7	85/6	55/6	40/5
Cleveland	**3,5**	**4,5**	**5,5**	**7**	**8,5**	**10**	**10**	**8,5**	**7,5**	**5,5**	**3**	**2,5**
	65/9	55/9	75/11	85/11	85/10	100/9	90/8	95/8	95/8	70/8	85/11	80/11
Washington DC	**4,5**	**5,5**	**7**	**7,5**	**8,5**	**9,5**	**9**	**8,5**	**7,5**	**6,5**	**5**	**4,5**
	80/8	65/7	90/8	75/8	100/9	90/8	95/8	90/7	95/7	80/6	75/7	75/7

	J	F	M	A	M	J	J	A	S	O	N	D
San Francisco	**6** 120/8	**7,5** 100/7	**8,5** 85/8	**10,5** 40/5	**10,5** 14/2	**10,5** 3/1	**10** 0/0	**9,5** 2/0	**9** 7/1	**8** 30/3	**6** 80/5	**5** 85/9
Los Angeles	**7,5** 70/5	**8** 75/4	**8,5** 45/4	**10** 30/3	**9** 3/1	**9** 3/1	**11,5** 0/0	**11** 0/0	**9,5** 5/1	**8** 10/1	**7,5** 30/2	**7** 60/4
Atlanta **(310 m)**	**5,5** 120/10	**6** 110/8	**7** 130/9	**8,5** 90/7	**9,5** 100/8	**9,5** 90/8	**9** 120/10	**8,5** 90/8	**7,5** 100/6	**7,5** 80/6	**6** 100/7	**5,5** 95/8
Phoenix **(340 m)**	**8** 20/3	**9** 19/3	**10,5** 25/3	**12** 6/1	**13** 4/1	**13,5** 2/1	**12** 25/3	**11,5** 25/3	**11** 18/2	**10** 20/2	**8,5** 18/2	**8** 25/3
Dallas	**6** 50/5	**6,5** 60/5	**7,5** 75/6	**8** 80/7	**8,5** 130/8	**10** 80/5	**11** 55/4	**10** 50/4	**8,5** 60/6	**7,5** 100/6	**6** 65/5	**5,5** 65/5
New Orleans	**5** 150/8	**6** 140/8	**7** 130/7	**8,5** 120/6	**9** 110/7	**9** 160/10	**8,5** 170/11	**8** 160/11	**7,5** 140/9	**8** 75/5	**6** 130/7	**5** 130/8
Miami	**7** 55/5	**7,5** 50/5	**9** 55/5	**10** 75/5	**9,5** 130/9	**9,5** 200/14	**10** 120/13	**9,5** 180/14	**8,5** 190/14	**8,5** 130/11	**7,5** 85/7	**7** 55/5

température de la mer : moyenne mensuelle

	J	F	M	A	M	J	J	A	S	O	N	D
Portland	2	2	2	3	6	10	15	17	15	12	10	5
Miami	23	22	22	23	25	27	28	28	28	27	25	23
New Orleans	20	19	20	22	25	27	28	29	28	27	23	20
Los Angeles	15	15	15	15	16	16	18	19	19	18	17	16
San Francisco	13	13	13	13	14	15	15	16	16	15	15	14
Seattle	9	9	10	10	11	13	14	15	15	13	11	10

Éthiopie

Superficie : 1 130 000 km². Addis-Abeba (latitude 9°00'N ; longitude 38°44'E) : GMT + 3 h . Durée du jour : maximale (juin) 12 heures 30, minimale (décembre) 11 heures 30.

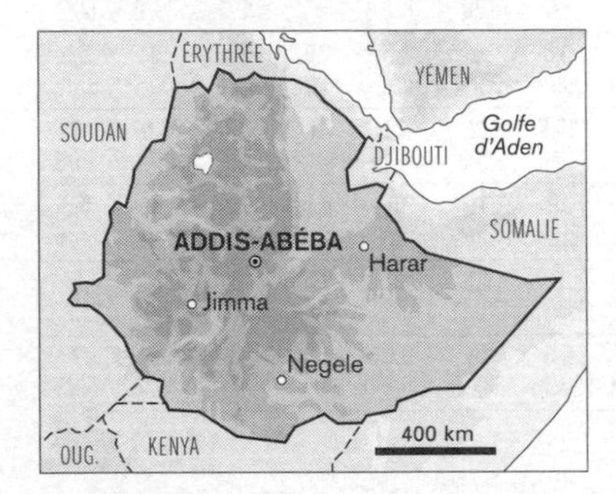

▶ L'Éthiopie est un pays tropical dont le climat varie surtout en fonction de l'altitude : alors qu'au Nord-Est, la dépression des Danakils, parsemée de lacs salés, est une région semi-désertique et torride, les hauts plateaux abyssins qui occupent la plus grande partie du pays ont un climat plus tempéré.
Il y a quelques années, l'Éthiopie a connu une période de sécheresse catastrophique, responsable de grandes famines. En 2000 et 2001, la partie Est du pays a de nouveau subi la sécheresse.

▶ Addis-Abeba, au centre des **hauts plateaux** (voir Harar et Jimma), est réputé pour bénéficier d'un des climats les plus sains du monde. Sur l'ensemble des hautes terres, les températures sont toujours agréables dans la journée et fraîches la nuit, voire froides d'octobre à février. Les pluies, en principe abondantes de juin à septembre, atteignent leur maximum en juillet-août, qui sont aussi les mois les plus orageux.

▶ Le **Sud** (voir Neguelli) connaît des températures diurnes plus élevées. Cette région verdoyante aux collines douces ressemble davantage à la campagne anglaise qu'à l'image que l'on se fait habituellement d'un paysage africain. Les précipitations y tombent essentiellement pendant deux périodes : les grandes pluies en avril-mai et les petites pluies en octobre-novembre.

VALISE : dans les régions basses, vêtements de coton très légers, pratiques et faciles à laver. À Addis-Abeba, il faut des vêtements un peu plus chauds et des lainages pour les soirées ; prévoir un imperméable léger ou un anorak pour la saison des pluies.

SANTÉ : risques de paludisme au-dessous de 2 000 m d'altitude, toute l'année ; zones de résistance élevée à la Nivaquine et multirésistance. Vaccination contre la fièvre jaune recommandée ; vaccination antirabique conseillée pour de longs séjours. ●

moyenne des températures maximales / moyenne des températures minimales

	J	F	M	A	M	J	J	A	S	O	N	D
Harar	**25**	**26**	**27**	**27**	**27**	**26**	**24**	**23**	**24**	**26**	**26**	**26**
(1 750 m)	13	14	14	15	15	14	14	14	14	14	13	13
Addis-Abeba	**23**	**24**	**25**	**25**	**25**	**23**	**20**	**20**	**21**	**22**	**22**	**22**
(2 450 m)	6	7	9	10	9	10	11	11	10	7	4	5
Jimma	**27**	**27**	**27**	**26**	**25**	**24**	**22**	**22**	**23**	**25**	**26**	**26**
(1 750 m)	12	13	13	14	14	14	14	14	14	12	10	10
Negele	**28**	**28**	**28**	**25**	**24**	**24**	**24**	**24**	**26**	**25**	**25**	**26**
(1 500 m)	12	13	13	14	12	13	12	12	12	13	12	11

nombre d'heures par jour hauteur en mm / nombre de jours

	J	F	M	A	M	J	J	A	S	O	N	D
Harar	**8**	**8**	**7**	**8**	**7**	**7**	**4**	**4**	**6**	**7**	**9**	**10**
	11/2	30/4	60/7	110/12	120/12	100/12	140/14	135/15	100/14	45/5	25/2	10/1
Addis-Abeba	**9**	**9**	**8**	**7**	**7**	**5**	**2**	**3**	**5**	**9**	**9**	**9**
	16/4	45/4	70/5	85/7	95/7	135/11	280/14	295/16	190/13	25/3	15/1	6/2
Jimma	**8**	**6**	**7**	**6**	**6**	**5**	**3**	**4**	**6**	**7**	**6**	**7**
	40/4	50/5	80/7	180/9	150/10	220/12	230/11	210/14	190/12	85/6	40/4	35/3
Negele	*	*	*	*	*	*	*	*	*	*	*	*
	8/2	4/1	35/5	170/11	100/11	8/1	6/1	7/1	16/2	120/12	50/5	25/3

Fidji (Îles)

Superficie : 18 000 km². Suva (latitude 18°08'S ; longitude 178°26'E) : GMT + 12 h . Durée du jour : maximale (décembre) 13 heures 30, minimale (juin) 11 heures.

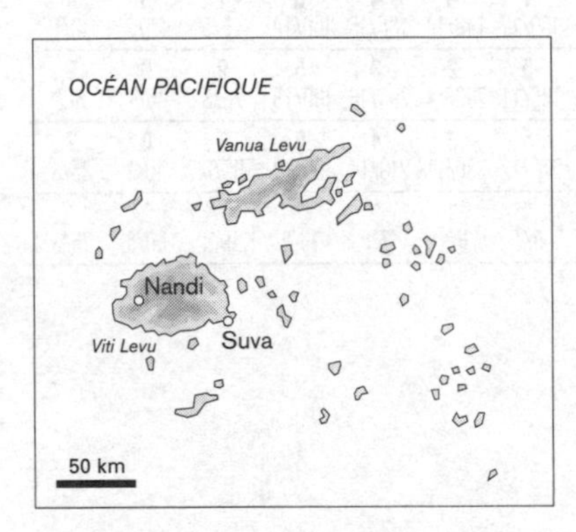

▸ La saison « fraîche », **de juin à octobre**, est la meilleure période pour jouir des petits paradis fidjiens. C'est la saison sèche, assez marquée à l'Ouest sur les côtes « sous le vent » des deux îles principales (voir Nadi), beaucoup moins sur les côtes orientales (voir Suva). Les centaines de petites îles coralliennes dispersées dans le Pacifique, autant d'endroits rêvés pour tout oublier de la civilisation, reçoivent, quant à elles, moins de précipitations, leur relief ne faisant pas obstacle aux alizés.

▸ Durant la saison des pluies, **de fin novembre à avril**, des trombes d'eau se déversent sur l'archipel, plus encore sur les reliefs, essentiellement sous la forme de brèves et intenses averses, parfois suivies d'inondations. L'ensoleillement reste satisfaisant, et c'est surtout la chaleur humide, assez étouffante, qui peut éventuellement être dissuasive. Les tempêtes ne sont pas rares et c'est aussi la saison d'éventuels cyclones, plus fréquents en janvier et février ; mais c'est à la mi-décembre 2002 que *Ami*, le dernier typhon destructeur, a frappé.

▸ Au large des côtes, la température de la mer oscille, suivant la saison, entre 24° et 28° ; elle est toujours un peu plus chaude dans les lagons.

VALISE : en toute saison, des vêtements légers, simples et pratiques, en fibres naturelles de préférence ; tennis ou sandales de plastique pour marcher sur les récifs coralliens. Pendant la saison des pluies, de quoi vous protéger des averses.

BESTIOLES : les moustiques s'activent dès le coucher du soleil.

RENDEZ-VOUS NATURE

Dans la mer de Koro

La diversité de la faune (près de 1 200 espèces de poissons recensées) et la qualité du « corail mou » font la renommée des sites de plongée le long des îles Viti Levu et Vanua Levu, et dans la mer de Koro. L'eau est la plus claire et offre une visibilité maximale entre mai et octobre, mais elle est aussi un peu plus fraîche que le reste de l'année. Il faut aussi compter sur un peu de vent. À partir de novembre, l'élévation de la température de la mer s'accompagne du développement du plancton qui limite la visibilité mais permet, en revanche, d'observer les grands poissons pélagiques qui s'en nourrissent. La pleine saison des cyclones voit alterner des vents forts et des mers très calmes. Si janvier-mars reste la période la plus souvent choisie par les centres de plongée pour leur fermeture annuelle, elle est aussi élue par des plongeurs malins qui limitent les risques en plongeant à l'Est des Fidji, plus rarement touché par les cyclones. Ils profitent ainsi la plupart du temps d'une mer particulièrement calme et chaude... et de prix plus modérés.

FOULE : assez forte pression touristique. Juillet et août sont les mois les plus fréquentés, février le moins. Les visiteurs (environ 400 000 par an) viennent d'abord d'Australie (25 % du total) puis des États-Unis et de Nouvelle-Zélande. Les Britanniques comptent pour plus de la moitié des Européens. ●

moyenne des températures maximales / moyenne des températures minimales

	J	F	M	A	M	J	J	A	S	O	N	D
Nadi	**32** 23	**32** 23	**31** 23	**21** 22	**30** 20	**29** 19	**28** 18	**29** 18	**30** 19	**30** 20	**31** 21	**31** 22
Suva	**31** 24	**31** 24	**31** 24	**30** 23	**28** 22	**28** 21	**27** 20	**27** 20	**27** 21	**28** 22	**29** 23	**30** 23

nombre d'heures par jour hauteur en mm / nombre de jours

	J	F	M	A	M	J	J	A	S	O	N	D
Nadi	**7** 300/16	**6,5** 300/16	**6** 320/17	**6,5** 160/11	**7** 80/6	**7** 65/5	**7** 45/4	**7,5** 60/4	**7,5** 75/5	**7,5** 100/8	**7,5** 140/10	**7,5** 160/12
Suva	**6,5** 310/21	**6** 290/20	**5,5** 370/21	**5** 390/19	**5** 270/18	**4,5** 160/16	**4,5** 140/16	**5** 160/15	**4,5** 180/15	**5** 230/17	**6** 260/17	**6** 260/19

température de la mer : moyenne mensuelle

	J	F	M	A	M	J	J	A	S	O	N	D
Pacifique	28	28	28	28	27	26	25	25	25	26	27	27

Finlande

Superficie : 340 000 km². Helsinki (latitude 60°19'N ; longitude 24°58'E) : GMT + 2 h . Durée du jour : maximale (juin) 19 heures, minimale (décembre) 6 heures.

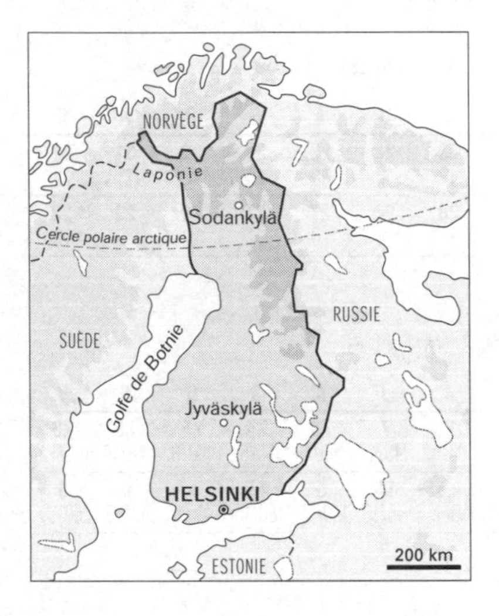

Ce pays ne connaît pratiquement que deux saisons violemment contrastées, l'hiver et l'été, à peine séparées par un printemps fulgurant et spectaculaire, et un automne très bref mais éclatant de couleurs.

La Finlande est sans doute le pays nordique qui offre au voyageur l'**hiver** le plus dépaysant. Il dure au moins cinq mois dans le Sud du pays (voir Helsinki), de fin octobre à début avril, et plus de sept mois en Laponie (voir Sodankylä), de fin septembre à mi-mai. Un manteau blanc recouvre alors tout le pays ; les nuits sont interminables, les fleuves et les innombrables lacs gelés. Même le golfe de Botnie peut être pris par les glaces.

RENDEZ-VOUS NATURE

Soleil d'une nuit d'été

En Laponie (dont la limite Sud-Est est à peu près le 66 e degré de latitude Nord), le soleil n'apparaît plus au-dessus de l'horizon à partir de novembre ou décembre, selon les régions. Le « jour » n'est plus qu'un clair-obscur incertain, parfois zébré des jets lumineux des aurores boréales. Les avions atterrissent sur des skis et les camions roulent en procession sur les lacs gelés comme sur des autoroutes. Mais lorsque au froid implacable (- 40° ou – 50° sont couramment enregistrés à Inari, au Nord de la Laponie finlandaise) s'ajoutent le blizzard et les tempêtes de neige qu'il provoque, il n'y a plus d'autre possibilité que de se terrer chez soi.

Les premiers craquements de la fonte des glaces se font entendre début mai dans le Sud. De mi-mai à mi-juin, la grande débâcle transforme les routes en bourbiers, les villes en cloaques et les rivières en torrents furieux charriant d'énormes blocs de glace dans un vacarme assourdissant.

L'été s'installe brusquement vers la mi-juin, alors que les dernières neiges ont à peine disparu dans le Nord. Le soleil est de plus en plus chaud (le thermomètre grimpe fréquemment au-dessus de 20°) et, au Nord du cercle polaire, il ne se couche plus dès la fin mai. On dort très peu en Laponie à cette époque, pour profiter de chaque heure de ces quelques mois de douceur et de lumière. Fin juin-début juillet, la toundra se couvre d'un prodigieux tapis de fleurs sauvages. Les seuls nuages de l'été lapon sont ceux que forment les moustiques qui, après avoir hiberné eux aussi pendant la longue nuit polaire, mettent à rude épreuve la patience des touristes et des Lapons, qui se promènent en agitant autour d'eux de petites branches feuillues. Heureusement, les moustiques ont des horaires (après 18 heures). Début septembre, la neige refait son apparition au Nord de la Laponie – après un automne flamboyant, aussi fugace que le printemps l'avait été. La neige est beaucoup plus abondante à l'Ouest de la Laponie, sur les montagnes norvégiennes et suédoises, que dans la plaine finlandaise.

La Finlande est, durant tout ce long hiver, le pays idéal pour les amateurs de ski de fond et de randonnée. Février et mars offrent la neige la meilleure. Mais la saison se prolonge beaucoup plus tard en Laponie ; entre mi-avril et mi-mai, lorsque les jours sont déjà très longs et réchauffés par le soleil, on rencontre des skieurs en maillot de bain.

▸ Après une tardive fonte des neiges – il peut encore geler à la fin du mois de mai –, l' **été** s'impose presque brutalement. Tout s'épanouit en un clin d'œil, les fleurs poussent à toute allure, les Finlandais profitent des très longues journées, de la douceur de l'air et du soleil. La belle saison dure trois mois : dès le début de septembre, la fraîcheur revient.

VALISE : en été, vêtements légers et confortables pour les journées chaudes (pantalon et chemise à manches longues pour se protéger des moustiques dès le coucher du soleil) ; lainages et veste ou blouson chaud pour matinées et soirées, anorak à capuche. En hiver, anorak en duvet ou manteau matelassé, bottes et gants fourrés, etc.

BESTIOLES : des moustiques tout l'été dans toute la région des lacs, et surtout en Laponie.

FOULE : pression touristique modérée. Juillet est le mois où la Finlande reçoit le plus de visiteurs ; janvier, février et avril, les mois où les voyageurs se font le plus rares. Suédois et Russes, la géographie le commande, sont les voyageurs les plus nombreux en Finlande ; suivent les Allemands. Notons aussi un fort contingent britannique. Les Français représentaient en 2005 4 % des visiteurs de ce pays. ●

moyenne des températures maximales / moyenne des températures minimales

	J	F	M	A	M	J	J	A	S	O	N	D
Sodankylä	**- 9** - 20	**- 8** - 18	**- 3** - 13	**3** - 7	**10** 0	**17** 7	**19** 9	**16** 7	**10** 2	**2** - 4	**- 4** - 10	**- 8** - 17
Jyväskylä	**- 5** - 12	**- 5** - 13	**0** - 8	**6** - 3	**14** 2	**19** 8	**21** 10	**19** 9	**12** 4	**6** 0	**0** - 5	**- 3** - 10
Helsinki	**- 2** - 7	**- 2** - 8	**1** - 4	**7** 0	**14** 6	**19** 11	**21** 14	**19** 13	**14** 8	**9** 4	**4** - 1	**0** - 5

nombre d'heures par jour hauteur en mm / nombre de jours

	J	F	M	A	M	J	J	A	S	O	N	D
Sodankylä	**0,5** 35/9	**2** 30/0	**4,5** 30/7	**6,5** 30/7	**8** 35/7	**9,5** 55/9	**9** 65/11	**6** 60/11	**3,5** 55/10	**2** 50/10	**0,5** 40/10	**0** 35/9
Jyväskylä	**1** 40/10	**2,5** 30/8	**4** 35/9	**6** 35/8	**8** 35/8	**9** 60/10	**8** 80/11	**6,5** 85/12	**4** 65/11	**2,5** 60/11	**1** 55/11	**0,5** 45/10
Helsinki	**1** 45/9	**2,5** 35/8	**4** 40/8	**6** 40/8	**9** 30/6	**10** 50/8	**9** 65/10	**7** 80/11	**4,5** 65/10	**3** 75/11	**1,5** 65/12	**1** 60/12

température de la mer : moyenne mensuelle

	J	F	M	A	M	J	J	A	S	O	N	D
Helsinki	1	0	1	2	5	11	15	16	13	9	5	3

France

Superficie : 547 000 km². Paris (latitude 48°58'N ; longitude 02°27'E) : GMT + 1 h . Durée du jour : maximale (juin) 16 heures, minimale (décembre) 8 heures 30.

Le climat de la France est de manière générale tempéré, c'est-à-dire sans extrêmes. Cependant, exposée à la fois aux influences continentales, océaniques et méditerranéennes, la France offre une grande diversité de nuances climatiques : nous ne traiterons que des principales.

À l'**Ouest**, le climat est océanique : des pluies fréquentes tout le long de l'année, mais rarement intenses ; des hivers doux, humides, surtout sur les côtes bretonnes, du Cotentin et du Pays basque ; des étés assez frais. La zone comprise entre l'estuaire de la Loire (Nantes) et le bassin d'Arcachon bénéficie, de manière générale, d'un bon ensoleillement, alors que la grisaille est souvent le lot du littoral de la mer du Nord.
Des îles bretonnes comme Bréhat, au large de Paimpol, ou Belle-Île, au Sud de Quiberon, bénéficient de microclimats plus doux, plus secs et ensoleillés que sur le continent : des palmiers, des figuiers et même des mimosas y poussent en pleine terre.
L'océan Atlantique n'est jamais très chaud ; à la hauteur de Royan, la température de l'eau reste encore aux environs de 17° en juin et ne frise les 20° qu'au mois d'août ; comptez 2° de moins pour la côte Sud de la Bretagne. La situation ne s'améliore pas sur les côtes de la Manche : 15° et 18° à Saint-Malo en juin et août, 14° et 17° au Touquet.

Les régions plus centrales (**Bassin parisien, Val-de-Loire, Nivernais, Champagne**), par leur éloignement des influences atlantiques, connaissent des saisons plus contrastées – hivers plus froids, étés plus chauds – et des précipitations nettement moins abondantes que sur les côtes.

On peut parler d'un climat continental modéré pour le **quart Nord-Est** de la France ; les régions montagneuses exceptées, c'est ici que l'on observe les hivers les plus rigoureux. Si Nancy et Strasbourg sont les plus froides des grandes villes françaises (76 jours de gel en moyenne à Strasbourg), elles restent cependant très fréquentables même au cœur de l'hiver, d'autant plus que les vents y sont faibles. Pendant les saisons intermédiaires (printemps et automne), assez brèves, il fait chaud, parfois orageux en été, bien que les nuits restent en général assez fraîches.

Le climat méditerranéen s'impose sur le **littoral**, **de Menton à Perpignan**, et sur les plaines côtières de la **Corse**. Il se caractérise par la rareté des pluies d'été, l'excellent ensoleillement et la chaleur en général sans excès qui règnent en cette saison. Les hivers sont doux et les pluies tombent essentiellement à la fin de l'automne et en début d'hiver. La zone qui va de Beaulieu-sur-Mer à Menton est sans aucun doute la plus privilégiée, avec seulement deux jours de gel en moyenne par an. Plus à l'ouest, de Toulon à Montpellier, le *mistral*, qui dévale depuis Valence et ne se laisse jamais oublier plus de quelques jours tout au long de l'année, ainsi que la *tramontane*, qui sévit, quant à elle, sur le Languedoc et le Roussillon, consti-

tuent l'élément le plus déplaisant de ce climat méditerranéen, particulièrement en hiver et au printemps.
La Méditerranée a une température d'environ 20° en juin. Entre Menton et Nice, elle atteint 24° en août, et 22°-23° de Marseille à Perpignan.

▸ En **montagne** (Alpes et Pyrénées pour la haute montagne, Massif central, Vosges et Jura pour les massifs moins élevés), on observe un écart important entre les températures diurnes et nocturnes et on compte une baisse moyenne de température d'environ 6° pour une élévation de 1 000 m. Les hivers sont froids et les étés en général chauds et orageux (avec des nuits fraîches). Les températures varient cependant beaucoup suivant l'exposition des versants et selon que la région est ou non soumise aux influences maritimes ou continentales. Ainsi, pour ce qui est des altitudes moyennes (900-1 500 m), c'est dans le massif jurassien (départements du Doubs et du Jura) que l'on relève régulièrement les températures les plus basses. En altitude, la nébulosité est, pour l'ensemble des massifs, généralement plus importante en été qu'en hiver.
Les grands domaines skiables sont multiples en France, que ce soit en Haute-Savoie, en Savoie, dans les Alpes du Sud, près de la frontière italienne ou dans les Hautes-Pyrénées. On pratique le ski d'été sur glacier dans des stations comme l'Alpe-d'Huez, les Deux-Alpes, Tignes, Val-d'Isère... Les stations du Vercors, du Jura et des Vosges sont plutôt consacrées au ski de fond.

VALISE : de juin à septembre, vêtements d'été et de demi-saison. Pull souvent utile en soirée. En hiver, vêtements chauds. Imperméable ou parapluie, automne et printemps compris.

FOULE : forte pression touristique. Août puis juillet sont les mois où la France accueille le plus de visiteurs. À l'opposé, février, novembre et décembre sont, de ce point de vue, les mois les plus calmes. Parmi les voyageurs, les Britanniques sont de loin les plus nombreux, suivis des Allemands et des Italiens qui les talonnent. Le contingent américain représentait près de 10 % des visiteurs ; il a subi une forte baisse ces dernières années. ●

moyenne des températures maximales / moyenne des températures minimales

	J	F	M	A	M	J	J	A	S	O	N	D
Lille	**6** 1	**7** 1	**10** 3	**13** 5	**17** 8	**20** 11	**23** 13	**23** 13	**19** 10	**15** 8	**9** 3	**7** 2
Paris	**7** 3	**8** 3	**12** 5	**15** 7	**19** 11	**22** 13	**24** 15	**24** 15	**21** 12	**16** 9	**10** 5	**8** 4
Strasbourg	**4** -1	**6** -1	**11** 2	**15** 5	**20** 9	**22** 12	**25** 14	**25** 14	**21** 10	**15** 7	**8** 2	**5** 0
Brest	**9** 4	**9** 4	**11** 5	**13** 6	**16** 8	**18** 11	**21** 13	**21** 13	**19** 12	**15** 9	**12** 6	**10** 5
Clermont-Ferrand	**7** 0	**9** 1	**12** 2	**15** 4	**19** 8	**23** 11	**26** 13	**26** 13	**22** 10	**17** 7	**11** 3	**8** 1
Lyon	**6** 0	**8** 1	**12** 3	**15** 5	**20** 10	**23** 13	**27** 15	**27** 15	**22** 12	**16** 8	**10** 4	**7** 2
Bordeaux	**10** 3	**12** 4	**15** 5	**17** 6	**21** 11	**23** 13	**27** 15	**27** 15	**24** 13	**19** 10	**14** 6	**11** 4
Toulouse	**9** 2	**11** 3	**14** 4	**16** 6	**20** 10	**24** 13	**28** 16	**28** 16	**24** 13	**19** 10	**13** 5	**10** 3
Nice	**12** 5	**13** 5	**14** 7	**17** 10	**20** 13	**23** 16	**26** 19	**26** 19	**24** 17	**21** 13	**16** 8	**14** 6

France

	J	F	M	A	M	J	J	A	S	O	N	D
Marseille	**11** 3	**13** 4	**15** 6	**18** 9	**22** 13	**26** 16	**29** 19	**29** 19	**25** 15	**20** 11	**15** 7	**12** 4
Perpignan	**12** 4	**13** 5	**15** 6	**18** 9	**22** 13	**26** 16	**29** 19	**28** 18	**25** 16	**20** 12	**15** 7	**13** 5
Ajaccio	**13** 4	**14** 4	**15** 5	**17** 7	**21** 10	**25** 14	**28** 16	**28** 16	**26** 15	**22** 12	**17** 7	**14** 5

nombre d'heures par jour hauteur en mm / nombre de jours

	J	F	M	A	M	J	J	A	S	O	N	D
Lille	**1,5** 60/12	**3** 45/9	**3,5** 60/12	**5,5** 50/11	**6,5** 65/11	**6,5** 70/11	**6,5** 60/9	**6,5** 50/8	**5** 65/10	**3,5** 65/11	**2** 70/13	**1,5** 65/12
Paris	**2** 55/10	**3** 45/9	**4,5** 50/10	**5,5** 55/9	**6,5** 65/11	**7,5** 55/9	**8** 60/8	**7,5** 45/7	**6** 55/8	**4,5** 60/9	**2,5** 50/9	**1,5** 60/11
Strasbourg	**1,5** 30/8	**3** 35/8	**4** 35/9	**5,5** 45/9	**6,5** 80/12	**7** 75/12	**7,5** 65/11	**7** 55/9	**5,5** 60/9	**3,5** 55/9	**2** 50/9	**1,5** 45/9
Brest	**2** 140/18	**3** 120/15	**4** 100/15	**6** 85/12	**7** 75/11	**7** 55/9	**7,5** 50/9	**6,5** 60/9	**5,5** 90/11	**4** 120/15	**2,5** 120/16	**2** 140/18
Clermont-Ferrand	**2,5** 30/6	**3,5** 25/6	**4,5** 25/6	**5,5** 45/9	**6** 85/12	**7,5** 65/9	**8,5** 55/7	**7,5** 70/8	**6,5** 65/7	**4,5** 55/7	**3** 40/6	**2,5** 35/6
Lyon	**2** 55/9	**3** 50/9	**4,5** 55/9	**6** 70/9	**7** 90/11	**8,5** 80/9	**9,5** 60/7	**8,5** 70/7	**7** 85/8	**4,5** 95/11	**2,5** 75/9	**2** 55/9
Bordeaux	**3** 95/12	**4** 85/11	**5** 70/11	**6,5** 80/12	**7** 85/12	**8** 65/9	**9** 55/7	**8** 60/8	**7** 90/10	**5,5** 95/11	**3,5** 110/13	**2,5** 110/13
Toulouse	**3** 50/12	**4** 50/9	**5,5** 55/10	**6** 65/10	**6,5** 75/10	**8** 65/8	**9** 45/5	**8** 50/6	**7** 55/7	**5,5** 55/8	**3,5** 50/8	**2,5** 50/8
Nice	**5** 80/7	**5,5** 75/6	**6,5** 70/6	**7,5** 60/6	**8,5** 50/5	**10** 35/4	**11** 15/2	**10** 30/3	**8** 55/4	**6,5** 110/6	**5** 110/7	**5** 75/6
Marseille	**5** 55/6	**5,5** 45/5	**7** 40/5	**8** 60/6	**9,5** 40/5	**11** 25/4	**12** 14/2	**10,5** 30/3	**8,5** 60/4	**6,5** 85/7	**5** 50/5	**4,5** 55/6
Perpignan	**5** 50/5	**6** 45/5	**6,5** 45/5	**7** 55/6	**8** 50/6	**9** 30/4	**10** 16/3	**9** 30/4	**7,5** 50/4	**6** 90/6	**5** 60/5	**4,5** 55/5
Ajaccio	**4,5** 75/9	**5** 70/8	**6** 60/8	**7,5** 55/7	**9** 40/6	**10,5** 18/4	**11,5** 12/1	**11** 16/2	**9** 45/4	**7** 90/7	**5** 95/10	**4** 80/9

température de la mer : moyenne mensuelle

	J	F	M	A	M	J	J	A	S	O	N	D
Le Conquet (Finistère)	10	9	10	11	12	14	16	17	16	15	13	11
Royan (Charente-Maritime)	11	11	11	12	14	16	18	20	18	17	14	12
Sète (Hérault)	12	12	13	13	15	18	21	22	21	18	15	13
Nice (Alpes-Maritimes)	13	12	13	14	16	20	22	23	22	19	16	14
Ajaccio (Corse)	13	13	13	14	16	20	22	23	22	19	17	15

Gabon

Superficie : 268 000 km². Libreville (latitude 0°27'N ; longitude 09°25'E) : GMT + 1 h. Durée du jour : environ 12 heures toute l'année.

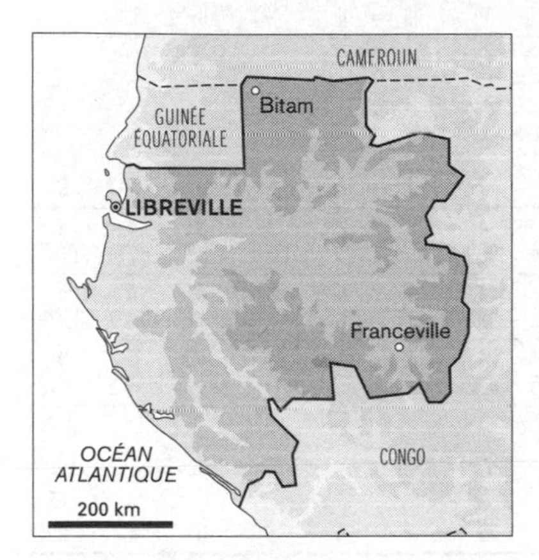

Pays équatorial, le Gabon a un climat chaud et humide toute l'année, avec une saison sèche et une saison des pluies. Chaque saison présentant ses avantages et ses inconvénients, il nous est difficile d'en recommander une de préférence à l'autre. Mais si votre programme inclut la visite des réserves (de Wonga-Wongé, de Petit Loango ou du parc national de Lopé-Okanda, etc.), choisissez plutôt la fin de la saison sèche (voir chapitre « Kenya »).

▶ Durant la **saison sèche**, de début juin à mi-septembre, la chaleur est moins excessive, et l'humidité baisse quelque peu. Mais, paradoxalement, cette période offre un ciel le plus souvent nuageux.

▶ En effet, si la **saison des pluies** se manifeste par des averses torrentielles (surtout en octobre-novembre), lorsqu'elles s'arrêtent, elles font en général place à un ciel lavé et à de belles périodes ensoleillées.

Les régions les plus arrosées sont la côte, en particulier dans sa partie Nord (voir Libreville), les monts de Cristal, à la frontière de la Guinée équatoriale, et les alentours du mont Iboundji.

Au Nord (voir Bitam), les pluies sont moins abondantes et la saison sèche un peu moins marquée. La saison des pluies marque un très net ralentissement de décembre à février, ralentissement que l'on retrouve très atténué dans le reste du pays.

▶ Dans la partie Sud de la côte, le courant froid de *Benguela* produit encore, bien que très atténuée, une légère baisse des températures et des pluies. Mais la mer reste assez chaude pour que l'on puisse s'y baigner toute l'année.

VALISE : vêtements très légers, en fibres naturelles de préférence ; les femmes éviteront de porter shorts et minijupes. Pour la saison des pluies, vous pouvez emporter un anorak très léger (il fait trop chaud pour supporter un imperméable). Pour visiter les réserves, vêtements de couleurs neutres, chaussures de marche en toile.

SANTÉ : vaccination contre la fièvre jaune obligatoire. Risques de paludisme toute l'année dans tout le pays ; résistance élevée à la Nivaquine et multirésistance.

BESTIOLES : des moustiques toute l'année, surtout actifs après le coucher du soleil. ●

moyenne des températures maximales / moyenne des températures minimales

	J	F	M	A	M	J	J	A	S	O	N	D
Bitam	**29**	**30**	**30**	**30**	**30**	**28**	**27**	**27**	**28**	**29**	**29**	**29**
(600 m)	20	20	20	20	20	20	19	19	20	20	20	20

Gabon

	J	F	M	A	M	J	J	A	S	O	N	D
Libreville	**30** 24	**31** 23	**31** 23	**31** 23	**30** 24	**29** 23	**28** 22	**28** 22	**29** 23	**29** 23	**30** 23	**30** 24
Franceville (430 m)	**29** 20	**30** 20	**31** 20	**31** 20	**29** 20	**28** 19	**27** 18	**28** 18	**29** 19	**29** 19	**29** 19	**29** 20

nombre d'heures par jour hauteur en mm / nombre de jours

	J	F	M	A	M	J	J	A	S	O	N	D
Bitam	**4** 50/4	**4** 70/5	**4** 180/11	**4** 190/14	**4** 230/14	**4** 100/8	**3** 25/4	**2** 40/4	**3** 275/15	**3** 300/20	**4** 210/14	**4** 75/7
Libreville	**6** 205/14	**6** 290/15	**5** 265/17	**6** 395/19	**5** 245/15	**4** 40/3	**4** 1/0	**4** 11/5	**3** 105/13	**3** 360/22	**4** 415/21	**5** 260/16
Franceville	**5** 200/10	**5** 205/11	**5** 260/12	**6** 205/11	**5** 240/15	**4** 15/2	**4** 2/0	**5** 15/1	**4** 105/7	**4** 275/15	**5** 285/18	**5** 160/12

température de la mer : moyenne mensuelle

	J	F	M	A	M	J	J	A	S	O	N	D
Atlantique	27	27	28	28	27	25	24	24	24	25	26	26

Gambie

Superficie : 11 000 km^2. Banjul (latitude 13°21'N ; longitude 16°34'O) : GMT + 0 h . Durée du jour : maximale (juin) 13 heures, minimale (décembre) 11 heures.

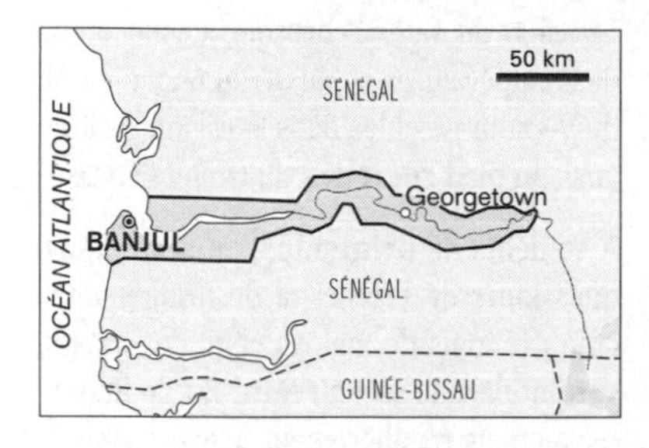

La meilleure période pour séjourner en Gambie est la **saison sèche, de novembre à mai**. La chaleur est alors tempérée sur la côte (voir Banjul) par des brises venues de la mer, les nuits sont agréables et l'ensoleillement excellent. Dans l'intérieur du pays, il fait beaucoup plus chaud et le thermomètre grimpe fréquemment à 40°, mais les nuits restent douces (voir Georgetown).

Durant « l'hivernage », nom donné en Afrique tropicale à la **saison des pluies**, ces dernières sont abondantes, surtout sur la côte. Les températures baissent légèrement, mais l'humidité les rend plus pénibles à supporter. Cependant, de très belles périodes ensoleillées sont courantes en juin et en octobre : c'est surtout de mi-juillet à mi-septembre qu'il vaut mieux éviter le voyage.

VALISE : vêtements très légers, amples, en coton ou en lin de préférence ; les femmes éviteront shorts et minijupes. Pour la saison des pluies, éventuellement un anorak.

SANTÉ : vaccination contre la fièvre jaune conseillée ainsi que le vaccin antirabique, pour de longs séjours. Risques de paludisme toute l'année dans tout le pays. Zones de résistance à la Nivaquine et multirésistance.

BESTIOLES : moustiques toute l'année, surtout actifs la nuit. ●

moyenne des températures maximales / moyenne des températures minimales

	J	F	M	A	M	J	J	A	S	O	N	D
Georgetown	**35** 16	**37** 17	**39** 20	**40** 22	**39** 23	**36** 24	**32** 23	**31** 23	**32** 23	**34** 23	**35** 19	**34** 16
Banjul	**31** 18	**32** 19	**33** 20	**32** 20	**31** 21	**32** 23	**31** 24	**31** 24	**32** 24	**33** 24	**33** 23	**31** 20

nombre d'heures par jour hauteur en mm / nombre de jours

	J	F	M	A	M	J	J	A	S	O	N	D
Georgetown	**6,5** 1/0	**7** 1/0	**7,5** 0/0	**7** 1/0	**6,5** 9/2	**4,5** 105/9	**3,5** 200/14	**3,5** 270/17	**4** 230/16	**5** 85/8	**5,5** 5/2	**6** 1/0
Banjul	**8,5** 1/0	**9** 1/0	**9,5** 0/0	**10** 0/0	**9,5** 2/1	**8** 60/5	**7** 240/15	**6** 380/18	**7** 260/17	**8** 90/8	**8,5** 12/2	**8** 0/0

température de la mer : moyenne mensuelle

	J	F	M	A	M	J	J	A	S	O	N	D
Atlantique	23	22	21	22	24	26	26	26	26	27	27	25

Géorgie

Superficie : 70 000 km². Tbilissi (latitude 41°41'N ; longitude 44°57'E) : GMT + 3 h . Durée du jour : maximale (juin) 15 heures 30, minimale (décembre) 9 heures.

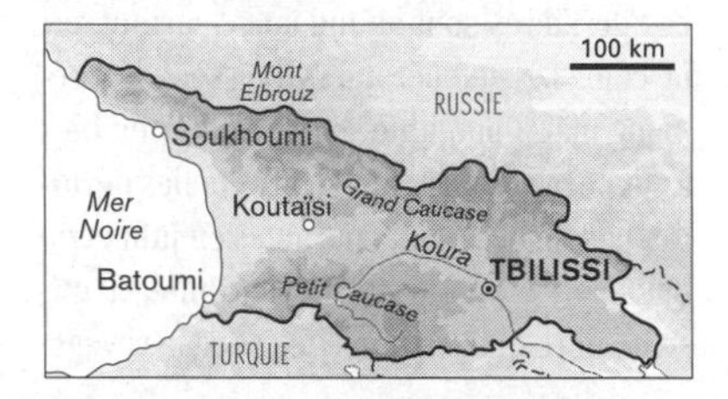

Bordée dans toute sa partie occidentale par les rives de la mer Noire et encadrée respectivement au Nord et au Sud par les hautes chaînes du Grand Caucase et du Petit Caucase, la Géorgie comprend, dans sa partie orientale, le plateau de Souram, puis la partie haute de la vallée du Koura, fleuve qui descend vers l'est se jeter dans la mer Caspienne. Cette géographie diversifiée s'accompagne de régimes climatiques assez contrastés.

▶ Les côtes de la Géorgie (voir Soukhoumi et Batoumi) offrent un **hiver** aux températures assez clémentes, en tout cas les plus douces de l'ancien Empire soviétique. Le Grand Caucase, qui culmine à 5 700 m (mont Elbrouz), protège en effet cette région des influences polaires.

Les précipitations sont importantes, essentiellement sous forme de pluies ; sur la côte, il ne neige en moyenne pas plus d'une dizaine de jours par an.

Les températures baissent nettement à l'Est du pays (voir Tbilissi), mais le froid y est sec. Les précipitations, plus rares, tombent souvent sous forme de neige (elle reste fixée environ deux semaines en janvier dans la région de la capitale). En altitude, le brouillard est fréquent.

Les effets du *foehn* – brusque augmentation des températures et baisse du taux d'humidité – sont notables dans la région de Koutaïsi, au pied des reliefs du Grand Caucase.

▶ Au début du **printemps**, on trouve quelques jours de brume ou de bruine sur la côte ; le mois de mai est celui des orages, surtout dans le secteur Nord-Est du littoral. Ils mettent régulièrement à mal vignes et vergers. Tout cela n'empêche pas le soleil de s'en sortir honorablement.

▶ L' **été**, les températures augmentent en fonction de l'éloignement de la mer Noire. La région de Koutaïsi connaît périodiquement un vent très chaud qui, s'il dure plusieurs jours, arrive à flétrir toute la végétation.

▶ En **automne**, la côte reçoit le plus de précipitations, mais le soleil est aussi présent qu'au printemps. Les pentes du Grand Caucase bénéficient en septembre et en octobre de ciels très dégagés et de températures agréables.

▶ Le **printemps** et l' **été** ont chacun leurs avantages et l' **automne** offre des températures agréables. Si l'on note que l'hiver géorgien n'a pas de quoi effrayer, on en conclura qu'aucune période n'est à éviter à tout prix.

VALISE : emportez de quoi vous protéger de la pluie, quelle que soit la saison, si vous projetez un séjour sur les rives de la mer Noire. En hiver, des vêtements bien chauds si vous devez vous rendre dans les montagnes du Caucase. ●

moyenne des températures maximales / moyenne des températures minimales

	J	F	M	A	M	J	J	A	S	O	N	D
Soukhoumi	**9** 2	**10** 3	**13** 5	**17** 9	**21** 13	**25** 17	**28** 20	**28** 20	**25** 16	**21** 13	**16** 8	**12** 4

	J	F	M	A	M	J	J	A	S	O	N	D
Koutaïsi	**8** 1	**9** 2	**13** 5	**18** 8	**23** 13	**26** 16	**28** 18	**28** 19	**26** 16	**21** 12	**15** 8	**11** 4
Batoumi	**11** 1	**12** 2	**14** 3	**16** 6	**22** 11	**25** 15	**27** 18	**28** 18	**25** 15	**22** 11	**17** 7	**14** 5
Tbilissi (500 m)	**7** -1	**8** 0	**13** 3	**17** 8	**24** 12	**28** 16	**31** 19	**30** 18	**26** 15	**20** 9	**14** 5	**9** 1

nombre d'heures par jour hauteur en mm / nombre de jours

	J	F	M	A	M	J	J	A	S	O	N	D
Soukhoumi	**3** 115/13	**3** 120/13	**4** 110/13	**5** 120/13	**7** 100/13	**8** 100/10	**9** 110/10	**9** 115/9	**8** 135/9	**6** 110/9	**4** 130/10	**3** 135/11
Koutaïsi	**3** 105/10	**4** 130/11	**5** 100/11	**6** 110/11	**7** 85/10	**8** 105/10	**7** 105/12	**8** 85/10	**7** 115/9	**6** 110/9	**5** 140/10	**3** 140/13
Batoumi	**3** 240/13	**4** 205/14	**4** 135/14	**5** 140/14	**7** 80/13	**8** 165/13	**7** 180/14	**7** 235/14	**7** 315/13	**6** 260/11	**4** 300/13	**3** 260/14
Tbilissi	**3** 17/4	**4** 15/4	**5** 25/6	**5** 60/9	**7** 75/8	**9** 55/7	**9** 45/5	**8** 45/6	**7** 45/5	**6** 30/5	**3** 25/5	**3** 20/4

température de la mer : moyenne mensuelle

	J	F	M	A	M	J	J	A	S	O	N	D
Soukhoumi	8	8	9	11	16	21	24	24	22	19	16	11
Batoumi	6	7	9	10	16	21	23	23	21	17	11	8

Ghana

Superficie : 240 000 km^2. Accra (latitude 5°36'N ; longitude 00°10'O) : GMT + 0 h . Durée du jour : environ 12 heures toute l'année.

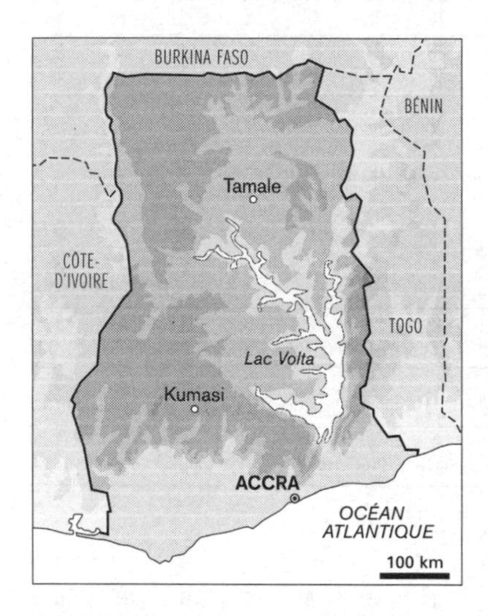

Le moment le plus agréable pour se rendre au Ghana est la **saison sèche (de novembre à mars)**, en tout cas en ce qui concerne la moitié Sud du pays, avec une petite préférence pour novembre et décembre, les mois les plus ensoleillés.
Le climat est généralement chaud et humide dans cette **moitié Sud**, aux paysages verdoyants et boisés. La saison des pluies s'étend de fin mars à fin octobre, mais les mois à éviter sont surtout mai et juin. La région la plus arrosée est la partie Ouest de la côte, balayée par la mousson (plus de 2 m de pluies entre Takoradi et la frontière ivoirienne). La région de Kumasi est également assez pluvieuse ; en revanche, il ne pleut que modérément sur la côte orientale (voir Accra). Le long des plages ghanéennes, la mer est chaude toute l'année.

Dans la **moitié Nord** du pays (voir Tamalé), région de savanes, la chaleur est encore plus forte, avec des maxima souvent torrides entre novembre et avril, mais l'humidité diminue et les pluies sont de moins en moins abondantes à mesure que l'on se rapproche du Burkina Faso.
Dans l'extrême Nord, c'est la sécheresse qui règne pendant quatre à six mois de l'année, sous l'influence notamment de l'*harmattan*, vent chaud et poussiéreux soufflant du Sahara.

VALISE : vêtements très légers en fibres naturelles de préférence ; préférez les couleurs claires, moins chaudes à porter que les couleurs sombres. Pour la saison des pluies, un anorak léger.

SANTÉ : vaccination contre la fièvre jaune obligatoire. Risques de paludisme toute l'année dans tout le pays ; zones de résistance à la Nivaquine et multirésistance.

BESTIOLES : moustiques toute l'année, actifs la nuit. ●

moyenne des températures maximales / moyenne des températures minimales

	J	F	M	A	M	J	J	A	S	O	N	D
Tamale	**36**	**37**	**37**	**36**	**33**	**31**	**29**	**29**	**30**	**32**	**34**	**35**
	21	23	24	24	24	22	22	22	22	22	22	20
Kumasi	**30**	**33**	**33**	**32**	**31**	**29**	**28**	**27**	**28**	**30**	**31**	**31**
	19	21	22	22	22	22	21	21	21	21	21	20
Accra	**32**	**32**	**32**	**32**	**31**	**29**	**27**	**27**	**28**	**30**	**31**	**31**
	23	24	24	24	23	23	22	21	22	23	21	23

nombre d'heures par jour — hauteur en mm / nombre de jours

	J	F	M	A	M	J	J	A	S	O	N	D
Tamale	**8** 2/0	**9** 9/1	**8** 50/3	**8** 90/6	**8** 120/8	**7** 130/10	**5** 130/10	**4** 190/12	**5** 215/16	**8** 100/9	**10** 13/1	**9** 5/1
Kumasi	**6** 25/2	**7** 65/5	**7** 135/10	**7** 140/10	**6** 190/12	**5** 225/15	**3** 115/11	**2** 75/10	**3** 170/14	**5** 200/17	**7** 95/11	**6** 30/3
Accra	**7** 16/1	**7** 35/2	**7** 75/5	**7** 80/5	**7** 145/9	**5** 195/11	**5** 50/5	**5** 16/3	**6** 40/5	**7** 80/7	**8** 40/3	**8** 18/2

température de la mer : moyenne mensuelle

	J	F	M	A	M	J	J	A	S	O	N	D
Accra	27	27	27	28	28	27	26	26	25	26	27	27

Grèce

Superficie : 130 000 km^2. Athènes (latitude 37°58'N ; longitude 23°43'E) : GMT + 2 h. Durée du jour : maximale (juin) 15 heures, minimale (décembre) 9 heures 30.

L'été grec, **de début juin à mi-septembre**, est particulièrement sec, ensoleillé et chaud. Pour qui ne rêve que de bains de mer et de bronzage, c'est la saison idéale.

Sur les côtes du Nord de la Grèce, les fortes chaleurs sont tempérées par des brises légères qui soufflent régulièrement dans l'après-midi ; en mer Égée, le *meltem* souffle impitoyablement de juillet à septembre et rend parfois la mer dangereuse. À la même époque, la côte Nord de la Crète bénéficie d'agréables brises ; en revanche, sur la côte Sud – incontestablement la plus sauvage et la plus belle – alternent périodes calmes et périodes où souffle un vent violent qui peut durer plusieurs jours.

L'été, en revanche, n'est pas l'époque la plus indiquée pour visiter les sites archéologiques de l'intérieur du pays ou grimper sur le mont Parnasse, à moins de se lever tôt pour échapper à la canicule. À Athènes, pourtant près de la côte, mais il est vrai une des villes les plus polluées d'Europe, les périodes sans vent en juillet et en août sont souvent pénibles ; et la montée vers l'Acropole en fin de matinée peut alors se transformer en véritable Golgotha. Aux grandes chaleurs, le *néfos* (nuage créé par les gaz d'échappement et la pollution industrielle) recouvre la région de la capitale. De nombreux Athéniens et aussi des touristes – surtout les personnes âgées et fragiles – sont alors victimes de troubles cardiaques et respiratoires.

Les amateurs de Grèce antique choisiront de préférence le **printemps**, **mai** notamment, et le **début de l'automne** pour parcourir les ruines grecques et romaines sans craindre une chaleur excessive.

Au printemps, ils apprécieront une Grèce déjà bien ensoleillée et couverte de fleurs sauvages, aux vergers resplendissants. Il fait chaud dans la journée et les nuits sont douces. Dès le début du mois de mai, les excursions peuvent toujours se conclure par un plongeon dans une mer encore un peu fraîche mais très acceptable.

En automne, les raisins sèchent au soleil sur le bord des routes, et la mer reste accueillante : sa température ne redescend en dessous de 20° qu'au mois de novembre. Dès la mi-octobre cependant, le soleil manque d'ardeur et la pluie se rappelle à notre souvenir.

L' **hiver** grec, assez pluvieux, a la réputation, justifiée, d'être doux ; l'Acropole n'est cependant jamais à l'abri de l'avancée d'un front froid, et il arrive qu'elle soit recouverte de neige. D'autre part, cette douceur n'est pas de tradition sur les hauteurs du Centre et de l'Est du pays : à Florina (690 m), près de la frontière macédonienne, les moyennes des maxima et des minima en janvier ne sont respectivement que de 4° et de – 3°, et l'on pratique le ski de randonnée dans la région du mont Olympe, point culminant de la Grèce (2 900 m).

VALISE : en été, vêtements en coton ou en lin de préférence, un ou deux pull-overs et une veste légère pour les soirées et pour vous protéger du vent (surtout si vous prenez un bateau). Aux intersaisons, vêtements légers également, mais aussi veste chaude ou blouson et lainages. En hiver, vêtements chauds et de demi-saison, imperméable.

FOULE : toujours une forte pression touristique (environ 16 millions de visiteurs en 2005), d'autant plus que la Grèce est devenue l'une des destinations estivales préférées des touristes de l'Europe centrale. Juillet et août accueillent le plus grand nombre de visiteurs, alors concentrés en bord de mer. Janvier et février sont au cœur de la basse saison. Les compatriotes de Lord Byron constituent toujours le principal contingent de visiteurs (environ 20 % du total) et les Allemands les suivent de près. Très loin derrière, les Italiens, puis les Néerlandais au coude à coude avec les Français. ●

moyenne des températures maximales / moyenne des températures minimales

	J	F	M	A	M	J	J	A	S	O	N	D
Thessalonique	**8** 2	**12** 3	**14** 5	**20** 10	**25** 14	**29** 18	**32** 21	**32** 21	**28** 17	**22** 13	**16** 9	**11** 4
Athènes	**13** 6	**14** 7	**15** 8	**20** 11	**25** 16	**30** 20	**33** 23	**33** 23	**29** 19	**24** 15	**19** 12	**15** 8
Naxos	**14** 10	**15** 10	**16** 11	**19** 13	**23** 16	**26** 20	**27** 22	**28** 22	**26** 20	**24** 18	**20** 15	**17** 12
Rhodes	**15** 7	**16** 8	**17** 9	**20** 11	**25** 15	**29** 19	**32** 21	**33** 22	**29** 19	**25** 15	**21** 12	**17** 9
Héraklion	**16** 9	**16** 9	**17** 10	**20** 12	**23** 15	**27** 19	**29** 21	**29** 22	**27** 19	**24** 16	**21** 14	**18** 11

nombre d'heures par jour hauteur en mm / nombre de jours

	J	F	M	A	M	J	J	A	S	O	N	D
Thessalonique	**4** 45/7	**5** 35/5	**5** 40/6	**8** 40/6	**9** 40/6	**10** 40/4	**12** 20/3	**11** 15/2	**8** 30/4	**6** 55/7	**4** 55/8	**4** 55/7
Athènes	**4** 60/10	**5** 35/6	**6** 35/6	**8** 25/4	**9** 25/4	**11** 15/1	**12** 6/1	**12** 7/1	**9** 15/2	**7** 50/6	**5** 55/8	**4** 70/9
Naxos	**4** 90/9	**5** 75/7	**6** 70/6	**8** 20/3	**10** 12/2	**11** 11/1	**12** 2/0	**12** 1/0	**10** 11/1	**7** 45/3	**5** 50/5	**4** 95/9
Rhodes	**4** 165/12	**5** 100/9	**7** 90/7	**9** 20/4	**10** 20/3	**11** 1/0	**12** 1/0	**12** 0/0	**11** 10/1	**8** 80/6	**6** 100/9	**4** 190/13
Héraklion	**4** 95/9	**5** 45/6	**6** 45/7	**8** 25/4	**10** 15/3	**11** 3/1	**12** 1/0	**12** 1/0	**10** 11/2	**7** 65/5	**6** 70/8	**4** 80/9

température de la mer : moyenne mensuelle

	J	F	M	A	M	J	J	A	S	O	N	D
Thessalonique	13	13	13	14	18	21	24	24	23	19	17	14
Athènes	15	14	15	16	18	21	24	24	23	21	18	16
Rhodes	16	15	16	17	19	21	24	25	24	23	20	18
Héraklion	16	15	16	17	19	22	24	25	24	23	21	18

Groenland

Superficie : 2 175 000 km². Ilulissat (latitude 69°13'N ; longitude 51°06'O) : GMT - 3 h . Durée du jour : maximale (juin) 24 heures, minimale (décembre) 0 heure.

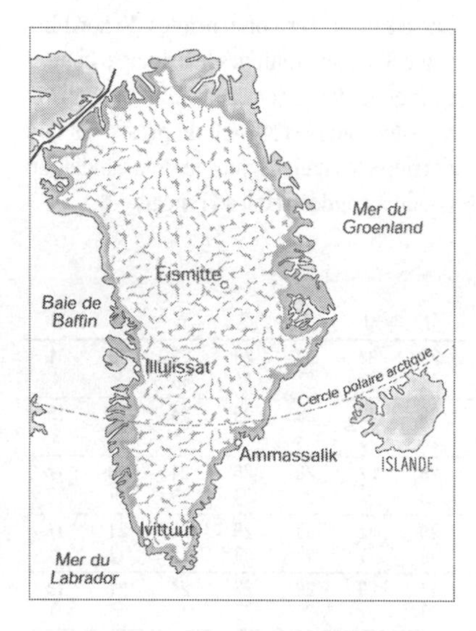

▸ Fort peu de voyageurs auront l'occasion d'atterrir près de la station d'Eismitte, située au cœur de l'immense calotte glaciaire qui recouvre la majeure partie du Groenland. Cette calotte glaciaire qui a cependant déjà, tout particulièrement au Groenland, commencé à subir les effets du réchauffement de la planète.
Cette région autonome danoise est plus hospitalière sur sa bande côtière, libre de glace sur une profondeur de 10 à 200 km. Venant d'Islande, on l'aborde souvent par l'Est (voir Ammassalik, ex-Angmagsalik). C'est pourtant au Sud-Ouest qu'est concentré l'essentiel de l'activité économique et que l'infrastructure touristique est la plus développée.

▸ La moitié Nord du Groenland connaît une longue **nuit polaire** du début du mois de décembre à la mi-janvier. À cette époque, le jour est très court dans le Sud ; c'est pourquoi la saison du ski nordique et des longues randonnées en traîneaux tirés par des chiens ne commence qu'en février. Quand elle s'achève, en mai, le froid a perdu de son mordant et les jours sont déjà très longs. Au Sud (voir Ivittuut ex-Ivigtut), plus arrosé que le Nord, la pluie remplace la neige au début du mois de mai, mais seulement début juin à la hauteur de Jakobshavn.

▸ La **saison « chaude »** ne dure pas plus de quatre mois, pendant lesquels une nature sauvage et quasiment vierge se manifeste avec une force presque brutale. Le long des côtes, le courant du Groenland charrie de grandes masses de glaces d'un bleu translucide. À l'intérieur, on peut accéder à l'*Inlandsis* par hélicoptère. C'est bien sûr la meilleure période pour s'aventurer au Groenland, non seulement pour la température (qui reste très fraîche, même au Sud), mais aussi pour le soleil de minuit, que l'on peut observer à partir d'Ilulissat (ex-Jakobshavn). Le Sud est assez pluvieux même à cette saison. À remarquer que, durée du jour aidant, on trouve au Groenland un des étés les plus ensoleillés de la planète !

▸ Septembre est froid, et en octobre on parle déjà d'hiver. Les nuits, longues, sont parfois brusquement illuminées par les aurores boréales. Le Groenland est une région où le vent ne se laisse jamais oublier très longtemps, mais, en hiver, il se manifeste avec le plus de force, de temps à autre sous forme de tourmentes, les ***piterak***, qui ont une force comparable à celle des typhons tropicaux.

VALISE : pendant la belle saison, des vêtements chauds, des chaussures imperméables ou des bottes, quelques chemises ou tee-shirts pour les belles journées (il peut faire 20° !), un anorak ou une veste imperméable contre la pluie et le vent. Le reste de l'année, un équipement adapté aux très grands froids : sous-vêtements de soie ou de laine, couvre-chef en laine ou en fourrure, bottes fourrées, anorak en duvet, etc.

BESTIOLES : les moustiques eux non plus n'ont pas une minute à perdre en été... ●

moyenne des températures maximales / moyenne des températures minimales

	J	F	M	A	M	J	J	A	S	O	N	D
Eismitte	**- 33**	**- 37**	**- 33**	**- 27**	**- 14**	**- 10**	**- 8**	**- 11**	**- 18**	**- 26**	**- 30**	**- 33**
	- 43	- 48	- 45	- 42	- 27	- 21	- 19	- 23	- 30	- 38	- 43	- 44
Ilulissat	**- 10**	**- 10**	**- 9**	**- 4**	**4**	**9**	**12**	**10**	**5**	**0**	**- 4**	**- 8**
	- 17	- 18	- 17	- 13	- 3	3	5	4	- 1	- 6	- 11	- 14
Ammassalik	**- 4**	**- 4**	**- 2**	**2**	**6**	**10**	**12**	**11**	**7**	**2**	**- 1**	**- 3**
	- 10	- 11	- 10	- 7	- 1	2	4	3	2	- 3	- 6	- 8
Ivittuut	**- 2**	**- 1**	**1**	**4**	**9**	**13**	**14**	**13**	**9**	**5**	**1**	**- 1**
	- 9	- 8	- 7	- 3	1	4	6	5	3	- 1	- 5	- 7

nombre d'heures par jour hauteur en mm / nombre de jours

	J	F	M	A	M	J	J	A	S	O	N	D
Eismitte	**0**	**2**	**6**	**10**	**13**	**16**	**10**	**10**	**8**	**4**	**0,5**	**0**
	*/	*/	*/	*/	*/	*/	*/	*/	*/	*/	*/	*/
Ilulissat	*	*	*	*	*	*	*	*	*	*	*	*
	10/5	15/5	15/5	15/6	18/4	19/3	30/4	30/4	40/6	30/6	20/6	17/5
Ammassalik	*	*	*	*	*	*	*	*	*	*	*	*
	60/8	75/8	60/8	55/7	55/7	40/6	40/6	55/6	85/8	90/9	90/9	65/8
Ivittuut	*	*	*	*	*	*	*	*	*	*	*	*
	90/8	115/9	80/7	70/6	90/7	90/6	80/7	100/8	165/9	165/9	140/9	75/7

Guatemala

Superficie : 110 000 km^2. Guatemala (latitude 14°35'N ; longitude 90°32'O) : GMT - 6 h . Durée du jour : maximale (juin) 13 heures, minimale (décembre) 11 heures.

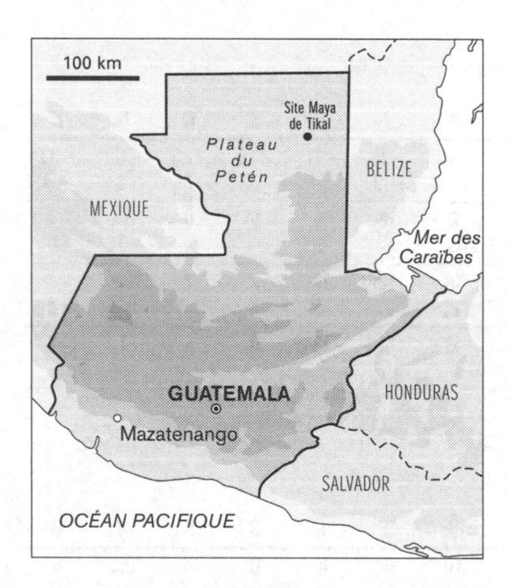

La meilleure saison pour aller au Guatemala se situe **de la fin novembre au début avril**. C'est la **saison sèche**, *el verano*, très marquée sur la côte pacifique et dans les bassins montagneux du Centre (voir Guatemala), nettement moins sur la partie Nord des montagnes (Coban), qui est exposée aux alizés venus de la mer Caraïbe. Quant au plateau du Petén, où se trouve le fantastique site maya de Tikal, la saison « sèche » y est plus courte et... encore moins sèche.

Au Guatemala, dont les volcans culminent à plus de 4 000 m, l'altitude est le facteur déterminant pour les températures : à Guatemala, elles sont à cette saison agréablement chaudes pendant la journée et fraîches le soir ; sur les hautes terres (plus de 2 000 m), principalement concentrées à l'Ouest du pays, il fait frais ou même froid ; enfin, dans les basses terres *(tierras calientes)*, il fait vraiment chaud (voir Mazatenango) et l'on est heureux de se baigner dans une mer toujours assez chaude.

Pendant la **saison des pluies**, de mai à fin octobre, l'atmosphère se fait plus lourde, même en altitude, et les sommets des volcans, ponctuations nécessaires des grandioses paysages guatémaltèques, restent trop souvent perdus dans la brume. Dans la capitale, sauf en début de matinée, le soleil se fait prier. C'est l'époque où, particulièrement sur la côte pacifique, les orages sont fréquents et violents. Le 1er novembre 1998, le cyclone *Mitch*, bien que déjà très affaibli, y a provoqué des dégâts sévères.

VALISE : en toute saison, vêtements très légers, en fibres naturelles de préférence, pull et veste, ou blouson pour les soirées dans la capitale. Des vêtements plus chauds si l'on projette de monter en altitude. Pendant la saison des pluies, anorak ultraléger à capuche.

SANTÉ : risques de paludisme, peu virulent, surtout d'avril à octobre, en dessous de 1 500 m d'altitude. Vaccination antirabique conseillée pour de longs séjours.

BESTIOLES : moustiques toute l'année sur la côte (surtout actifs du crépuscule à minuit) et dans les vallées des régions montagneuses (actifs en milieu de journée).

FOULE : une pression touristique modérée. Juillet et août, puis décembre, sont les mois qui voient le plus de voyageurs. Septembre, mai et juin sont à l'opposé. Plus du quart des visiteurs sont Américains. Côté européen, les Italiens dépassent en nombre les Allemands et les Français. ●

moyenne des températures maximales / moyenne des températures minimales

	J	F	M	A	M	J	J	A	S	O	N	D
Guatemala (1 300 m)	**23** 12	**25** 12	**27** 14	**28** 14	**29** 16	**27** 16	**26** 16	**26** 16	**26** 16	**24** 16	**23** 14	**22** 13
Mazatenango	**32** 17	**32** 17	**33** 18	**33** 19	**32** 20	**30** 19	**31** 18	**31** 18	**30** 18	**30** 18	**30** 17	**30** 17

nombre d'heures par jour hauteur en mm / nombre de jours

	J	F	M	A	M	J	J	A	S	O	N	D
Guatemala	**6** 8/3	**6** 2/1	**6** 12/3	**5** 30/4	**4** 150/13	**2** 275/21	**3** 205/19	**3** 180/18	**2** 230/20	**4** 125/15	**5** 20/5	**6** 8/3
Mazatenango	**6** 10/1	**6** 5/1	**6** 35/3	**5** 100/7	**5** 260/17	**4** 445/22	**4** 370/21	**4** 350/22	**4** 470/23	**5** 420/21	**6** 50/5	**6** 20/2

température de la mer : moyenne mensuelle

	J	F	M	A	M	J	J	A	S	O	N	D
Mer des Caraïbes	25	25	26	26	27	28	29	28	28	28	27	27
Pacifique	27	27	27	27	28	28	28	28	28	28	27	26

Guinée

Superficie : 246 000 km². Conakry (latitude 9°31'N ; longitude 13°43'O) : GMT + 0 h. Durée du jour : maximale (juin) 12 heures 30, minimale (décembre) 11 heures 30.

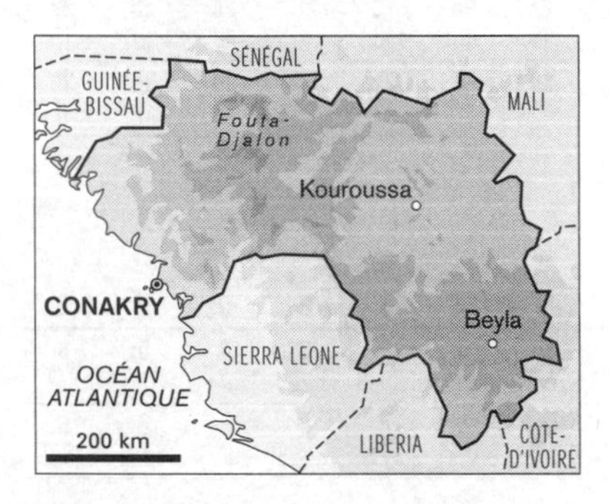

La meilleure période pour un séjour en Guinée est la **saison sèche**, **de début décembre à fin avril**, en ce qui concerne le littoral (voir Conakry). Si vous prévoyez de vous déplacer à l'intérieur du pays, partez de préférence au début de cette saison sèche, en décembre ou janvier : en effet, les pluies débutent dès le mois de mars dans le Sud-Est (voir Beyla) et, de février à mai, la chaleur est vraiment écrasante dans tout le Nord (voir Kouroussa). Heureusement, à l'intérieur, les nuits sont nettement plus fraîches que sur la côte.
La saison sèche est aussi la période où souffle l'*harmattan*, vent saharien qui se fait sentir jusque sur la côte.

La température de la mer reste agréable toute l'année.

La **saison des pluies** est d'une extrême virulence sur la côte, avec des maxima considérables en juillet-août. Les pluies sont encore très fortes mais un peu moins diluviennes sur le massif du Fouta-Djalon, au Nord-Ouest et au Centre du pays, et elles s'atténuent progressivement jusqu'à être assez modérées dans l'extrême Nord, à proximité du Mali.

VALISE : pour toute l'année, vêtements très légers, d'entretien facile, en coton ou en lin de préférence. Pour la saison des pluies, anorak léger ou parapluie (à vrai dire peu efficaces l'un comme l'autre pour lutter contre les déluges guinéens).

SANTÉ : vaccination contre la fièvre jaune recommandée ; vaccin antirabique conseillé pour de longs séjours. Risques de paludisme toute l'année dans tout le pays ; résistance à la Nivaquine et multirésistance.

BESTIOLES : dès la tombée de la nuit, pas de quartier pour les moustiques : c'est votre peau ou la leur. ●

moyenne des températures maximales / moyenne des températures minimales

	J	F	M	A	M	J	J	A	S	O	N	D
Kouroussa	**33**	**35**	**38**	**37**	**35**	**31**	**31**	**30**	**31**	**32**	**34**	**33**
(370 m)	14	16	20	21	21	20	20	20	20	20	18	14
Conakry	**31**	**31**	**31**	**32**	**31**	**29**	**28**	**27**	**29**	**30**	**31**	**31**
	22	23	23	23	24	23	22	22	23	23	24	23
Beyla	**31**	**32**	**32**	**31**	**31**	**29**	**28**	**27**	**28**	**28**	**29**	**30**
(690 m)	17	19	19	19	19	19	18	18	19	18	18	16

nombre d'heures par jour hauteur en mm / nombre de jours

	J	F	M	A	M	J	J	A	S	O	N	D
Kouroussa	**9**	**9**	**8**	**8**	**8**	**7**	**6**	**5**	**5**	**7**	**9**	**8**
	1/1	5/0	20/2	65/5	95/8	205/14	265/15	330/17	340/17	150/12	25/3	5/0

	J	F	M	A	M	J	J	A	S	O	N	D
Conakry	**8**	**8**	**8**	**7**	**6**	**5**	**3**	**2**	**4**	**6**	**7**	**7**
	1/0	2/0	5/1	17/3	155/10	565/221	320/29	995/27	715/24	330/18	120/8	10/1
Beyla	**9**	**9**	**8**	**7**	**7**	**7**	**6**	**5**	**5**	**7**	**9**	**8**
	8/1	40/3	115/9	155/10	185/13	215/15	235/15	265/17	285/19	175/13	85/7	25/2

température de la mer : moyenne mensuelle

	J	F	M	A	M	J	J	A	S	O	N	D
Conakry	25	24	24	25	26	27	26	26	26	27	27	26

Guinée-Bissau

Superficie : 36 000 km². Bissau (latitude 11°52'N ; longitude 15°35'O) : GMT + 0 h . Durée du jour : maximale (juin) 13 heures, minimales (décembre) 11 heures 30.

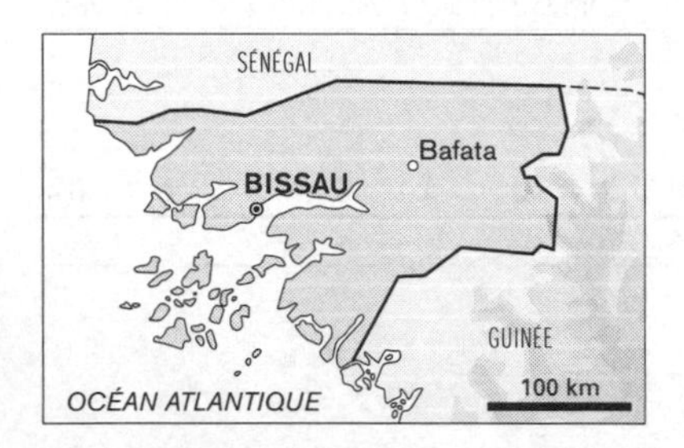

La période idéale pour se rendre en Guinée-Bissau est la **saison sèche, de décembre à mai**. À cette période de l'année, le soleil est généreux, il fait souvent très chaud dans la journée mais soirées et nuits sont relativement douces. L'air est sec grâce à l'*harmattan*, ce vent du désert souvent chargé de poussière qui souffle alors sur l'ensemble du pays. Sur les nombreuses plages de ce petit pays encore peu équipé sur le plan hôtelier, mais qui pourrait bien devenir dans les prochaines années un nouveau paradis pour voyageurs exigeants, on se baigne dans une eau agréable.

Évitez la **saison des pluies**, et surtout les mois de juillet à septembre, extrêmement pluvieux. De plus, la chaleur devient plus désagréable à cause de l'humidité persistante. Mais, même à cette période, le soleil reste assez présent, surtout sur le littoral.

VALISE : ce que vous avez de plus léger, en fibres naturelles de préférence, un pull ou une veste pour une éventuelle fraîcheur le soir pendant la saison sèche ; n'oubliez pas un foulard ou une écharpe de coton pour vous protéger des vents de poussière. Pendant la saison des pluies, un anorak.

SANTÉ : vaccination contre la fièvre jaune recommandée. Risques de paludisme toute l'année dans tout le pays. Résistance à la Nivaquine et multirésistance.

BESTIOLES : moustiques toute l'année, surtout actifs après le coucher du soleil. ●

moyenne des températures maximales / moyenne des températures minimales

	J	F	M	A	M	J	J	A	S	O	N	D
Bafata	**33**	**36**	**38**	**39**	**38**	**34**	**31**	**30**	**31**	**32**	**33**	**32**
	16	18	20	22	23	23	22	22	22	22	21	17
Bissau	**32**	**33**	**34**	**34**	**33**	**32**	**30**	**29**	**30**	**31**	**32**	**31**
	19	19	20	21	22	23	23	23	23	23	22	20

nombre d'heures par jour hauteur en mm / nombre de jours

	J	F	M	A	M	J	J	A	S	O	N	D
Bafata	**8**	**8,5**	**9**	**9**	**8,5**	**6,5**	**5,5**	**4,5**	**5,5**	**7**	**7,5**	**7,5**
	0/0	1/0	0/0	2/0	30/2	150/11	315/21	440/23	350/20	180/12	25/2	1/0
Bissau	**8**	**8,5**	**8,5**	**8,5**	**8**	**7,5**	**7**	**6**	**6**	**6**	**6**	**6**
	0/0	1/0	0/0	1/0	25/2	150/11	450/22	580/24	400/21	180/12	30/2	2/0

température de la mer : moyenne mensuelle

	J	F	M	A	M	J	J	A	S	O	N	D
Atlantique	24	23	22	23	25	26	26	26	27	27	27	26

Guinée équatoriale

Superficie : 28 000 km². Malabo (latitude 3°46'N ; longitude 8°46'E) : GMT + 1 h . Durée du jour : environ 12 heures toute l'année.

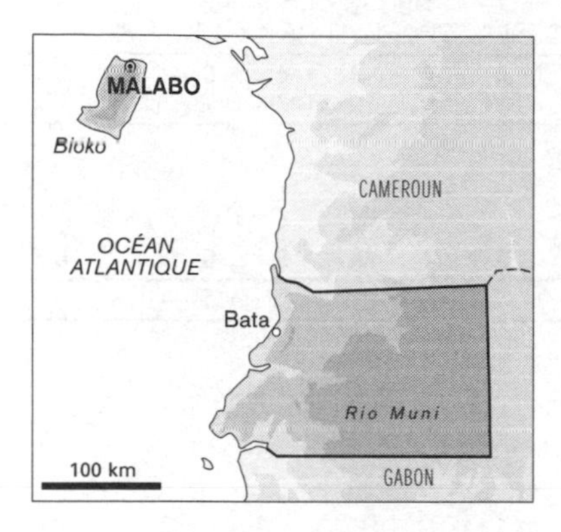

◗ Le climat de ce petit pays est très chaud et extrêmement humide toute l'année, avec des variations entre ses deux territoires qui concernent surtout la saison des pluies.
Un explorateur espagnol, Iradier, décrivait ainsi la Guinée équatoriale : « On marche dans l'eau, on respire dans l'eau, on vit dans l'eau. »

◗ Dans l'île de Bioko, où se trouve Malabo, la capitale, la période où il pleut le plus se situe entre mai et octobre – très nettement à éviter car l'humidité atteint un taux très désagréable pour un organisme non accoutumé. Le ciel est alors presque constamment nuageux et bas.
De novembre jusqu'en mars soufflent des vents chauds et secs, les *tornados*, parfois très violents comme leur nom l'indique, mais qui assainissent quelque peu l'air. Les pluies sont alors moins fortes, très faibles en décembre et janvier, mais brouillard humide et nuages épais restent très fréquents.

◗ Dans la partie continentale, le Rio Muni, les pluies connaissent, au contraire, une très nette accalmie **entre début juin et fin septembre** : c'est la période la moins inconfortable (voir Bata).
Le reste de l'année, les pluies tombent très fortes, parfois diluviennes, sur cette région couverte d'une épaisse forêt. Évitez surtout avril et octobre. Nuages et brouillards sont également une donnée climatique constante au Rio Muni.

◗ On peut se baigner toute l'année sur les rivages de Guinée équatoriale : la température de l'eau varie entre 23° en juillet et 30° en avril.

VALISE : vêtements très légers, amples, en quantité suffisante pour pouvoir se changer fréquemment ; contre la pluie, emportez un anorak léger.

SANTÉ : risques de paludisme toute l'année dans tout le pays ; résistance élevée à la Nivaquine et multirésistance. Vaccination contre la fièvre jaune recommandée.

BESTIOLES : moustiques toute l'année, surtout actifs après le coucher du soleil. ●

moyenne des températures maximales / moyenne des températures minimales

	J	F	M	A	M	J	J	A	S	O	N	D
Malabo	**31**	**32**	**31**	**32**	**31**	**29**	**29**	**29**	**30**	**30**	**30**	**31**
(Bioko)	19	21	21	21	22	21	21	21	21	21	22	21
Bata	**30**	**31**	**31**	**31**	**30**	**29**	**28**	**28**	**29**	**29**	**30**	**30**
(Rio Muni)	24	23	23	23	24	23	22	21	22	23	23	24

Voir tableaux page suivante

Guinée équatoriale

nombre d'heures par jour — hauteur en mm / nombre de jours

	J	F	M	A	M	J	J	A	S	O	N	D
Malabo	**3**	**4**	**4**	**3**	**3**	**2**	**1**	**2**	**1**	**2**	**3**	**3**
	30/3	65/4	105/8	180/9	240/12	280/13	190/12	170/10	245/14	265/13	90/8	40/3
Bata	**6**	**6**	**5**	**5**	**5**	**4**	**4**	**4**	**4**	**3**	**4**	**5**
	220/14	290/15	275/17	395/19	255/15	80/4	55/3	75/5	125/13	370/22	430/22	245/17

température de la mer : moyenne mensuelle

	J	F	M	A	M	J	J	A	S	O	N	D
Atlantique	27	27	28	28	27	26	25	24	25	25	26	27

Guyana

Superficie : 215 000 km². Georgetown (latitude 6°49'N ; longitude 58°11'O) : GMT - 4 h . Durée du jour : environ 12 heures toute l'année.

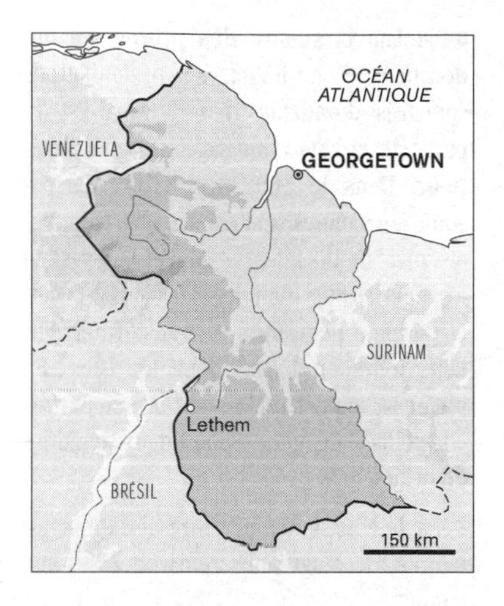

▶ Les températures sont élevées toute l'année, de jour comme de nuit, et il n'existe pas de mois vraiment exempt de pluies. Mais, entre deux violentes averses, le soleil fait de durables apparitions.

▶ Sur la côte (voir Georgetown) et dans toute la partie Nord du pays, on évitera de préférence la grande saison des pluies, entre fin avril et mi-août, et la petite saison des pluies, en décembre et janvier. Les mois les plus arrosés et les plus humides sont juin et décembre. La meilleure période se situe en **septembre et octobre**.

▶ Sur les hauteurs qui s'étendent au Centre-Est et au Sud du pays, les pluies sont encore plus importantes.
Au Sud-Est, la région de Lethem est une des seules à connaître une véritable saison sèche, de novembre à mars, qui s'accompagne d'une forte canicule.

VALISE : vêtements légers.

SANTÉ : vaccin contre la fièvre jaune recommandée. Risques de paludisme dans les zones rurales en dessous de 900 m d'altitude ; résistance élevée à la Nivaquine et multirésistance.

BESTIOLES : moustiques toute l'année dans les régions basses. ●

moyenne des températures maximales / moyenne des températures minimales

	J	F	M	A	M	J	J	A	S	O	N	D
Georgetown	**29** 24	**29** 24	**29** 24	**30** 25	**30** 25	**29** 24	**30** 24	**30** 24	**31** 25	**31** 25	**30** 24	**29** 24
Lethem	**32** 23	**33** 23	**33** 24	**32** 24	**31** 24	**30** 23	**30** 23	**31** 23	**33** 24	**34** 25	**33** 24	**33** 24

nombre d'heures par jour — hauteur en mm / nombre de jours

	J	F	M	A	M	J	J	A	S	O	N	D
Georgetown	**6** 250/17	**7** 120/13	**7** 115/12	**7** 180/12	**6** 295/20	**6** 345/23	**7** 280/21	**8** 185/16	**8** 90/7	**7** 95/9	**7** 150/10	**6** 315/20
Lethem	**7** 30/6	**8** 30/5	**7** 30/6	**6** 110/10	**5** 300/21	**5** 375/23	**5** 340/22	**6** 225/21	**8** 80/11	**8** 50/9	**7** 35/6	**7** 25/5

température de la mer : moyenne mensuelle

	J	F	M	A	M	J	J	A	S	O	N	D
Georgetown	26	26	26	26	27	27	27	28	28	27	27	26

Guyane française

Superficie : 86 000 km². Cayenne (latitude 4°50'N ; longitude 52°22'O) : GMT - 3 h . Durée du jour : environ 12 heures toute l'année.

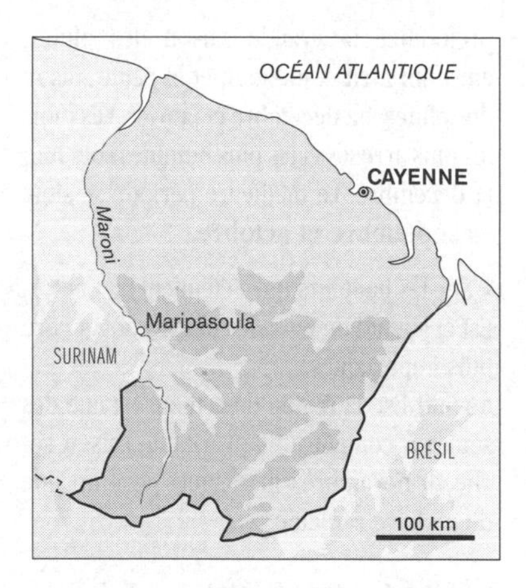

Pour voyager en Guyane, choisissez de préférence la période qui va **de la mi-août à la mi-novembre**, c'est-à-dire la **saison sèche**, en particulier septembre et octobre, qui sont les mois les plus ensoleillés. Les journées sont très chaudes mais souvent rafraîchies par les alizés ; c'est aussi l'époque où l'humidité est la moins forte, et où les nuits sont agréables.

La bonne période pour se rendre aux Antilles allant de février à avril, nous ne recommandons pas, contrairement à ce qui est parfois proposé, de coupler un voyage aux Antilles et un voyage en Guyane.

Pendant la **saison des pluies**, de mi-décembre à mi-juillet, les précipitations sont très abondantes dans le Nord-Est du pays, sur la côte (voir Cayenne) et à l'intérieur. Dans le Sud-Ouest (voir Maripasoula), les pluies sont encore plus fréquentes, mais moins intenses. Mai et juin restent les mois les plus humides et les plus arrosés, et Cayenne peut alors se transformer certains jours en bagne pour touristes. En pleine saison des pluies, on observe parfois « le petit été de mars », une à deux semaines de beau temps.

Sur la côte, la température de la mer est toujours très agréable : environ 27° toute l'année.

VALISE : en toute saison, des vêtements très légers et amples, éventuellement un anorak ; un lainage léger pour la saison sèche.

SANTÉ : vaccination contre la fièvre jaune obligatoire. Hors la zone côtière, des risques de paludisme toute l'année, avec résistance élevée à la Nivaquine et multirésistance, à proximité des fleuves.

BESTIOLES : moustiques toute l'année ; ils prennent leur service après le coucher du soleil. ●

moyenne des températures maximales / moyenne des températures minimales

	J	F	M	A	M	J	J	A	S	O	N	D
Cayenne	**29**	**29**	**29**	**29**	**29**	**30**	**30**	**31**	**32**	**32**	**31**	**30**
	23	23	23	23	23	22	22	22	21	21	22	22
Maripasoula	**30**	**30**	**30**	**30**	**30**	**30**	**31**	**32**	**32**	**33**	**32**	**31**
	22	22	22	22	22	22	21	21	21	21	21	22

nombre d'heures par jour hauteur en mm / nombre de jours

	J	F	M	A	M	J	J	A	S	O	N	D
Cayenne	**5** 340/19	**5** 275/16	**6** 300/16	**6** 350/16	**5** 320/21	**6** 410/20	**8** 180/15	**8** 70/8	**9** 30/4	**9** 45/5	**8** 120/10	**6** 245/19
Maripasoula	**5** 235/20	**5** 220/18	**5** 280/18	**6** 295/19	**5** 405/23	**6** 290/22	**7** 200/20	**8** 145/15	**9** 80/10	**9** 65/7	**8** 110/10	**6** 205/18

température de la mer : moyenne mensuelle

	J	F	M	A	M	J	J	A	S	O	N	D
Cayenne	26	27	27	27	27	28	28	28	28	27	27	27

Haïti

Superficie : 28 000 km^2. Port-au-Prince (latitude 18°33'N ; longitude 72°20'O) : GMT - 5 h . Durée du jour : maximale (juin) 13 heures, minimale (décembre) 11 heures.

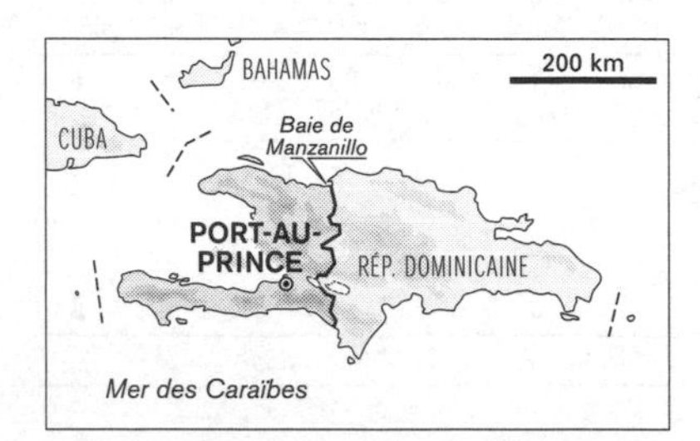

La meilleure saison pour se rendre en Haïti se situe **entre décembre et mars**. C'est la **saison sèche**, qui a quelques semaines d'avance sur celle des Antilles françaises. À cette époque, les pluies, peu abondantes, tombent essentiellement la nuit, ce qui contribue à faire d'Haïti une des régions les plus ensoleillées de toutes les Antilles. Certaines régions sont même très arides, notamment la baie de Manzanillo et la plaine centrale ; d'autres, comme les côtes Nord et surtout les versants Nord-Est des reliefs, sont moins sèches. Les températures sont élevées, mais leurs effets sont souvent modérés par le souffle des alizés.

La **saison des pluies** dure d'avril à octobre, mais marque un ralentissement vers le mois de juin. Les violents orages tropicaux, surtout en fin d'après-midi, transforment les rues de Port-au-Prince en véritables torrents. La chaleur y est très forte pendant cette période et l'humidité la rend éprouvante. Malgré tout, le ciel est souvent dégagé.
De juillet à novembre, Haïti reste exposé aux ouragans, d'autant plus meurtriers que le pays est très pauvre. Ainsi, le passage de *Gordon* fit plus de 1 000 morts en novembre 1994, et *Jeanne*, près de 3 000 morts dans la région de Gonaives en septembre 2004.

VALISE : vêtements d'été toute l'année et, de décembre à mars, un ou deux lainages.

SANTÉ : des risques de paludisme dans tout le pays, agglomérations comprises, toute l'année. Vaccin antirabique conseillé pour de longs séjours.

BESTIOLES : des moustiques sévissent toute l'année. ●

moyenne des températures maximales / moyenne des températures minimales

	J	F	M	A	M	J	J	A	S	O	N	D
Port-au-Prince	**31** 20	**31** 20	**32** 21	**32** 22	**32** 22	**33** 23	**34** 23	**34** 23	**33** 23	**32** 22	**31** 22	**31** 21

nombre d'heures par jour — hauteur en mm / nombre de jours

	J	F	M	A	M	J	J	A	S	O	N	D
Port-au-Prince	**9** 30/3	**9** 35/5	**9** 75/7	**8** 155/11	**8** 190/13	**8** 110/8	**9** 65/7	**8** 135/11	**7** 165/12	**7** 160/12	**8** 80/7	**8** 45/3

température de la mer : moyenne mensuelle

	J	F	M	A	M	J	J	A	S	O	N	D
Mer des Caraïbes	25	25	25	26	26	27	27	28	28	28	27	26

Hawaii

Superficie : 17 000 km². Honolulu (latitude 21°21'N ; longitude 157°56'O) : GMT - 12 h . Durée du jour : maximale (juin) 13 heures 30, minimale (décembre) 11 heures.

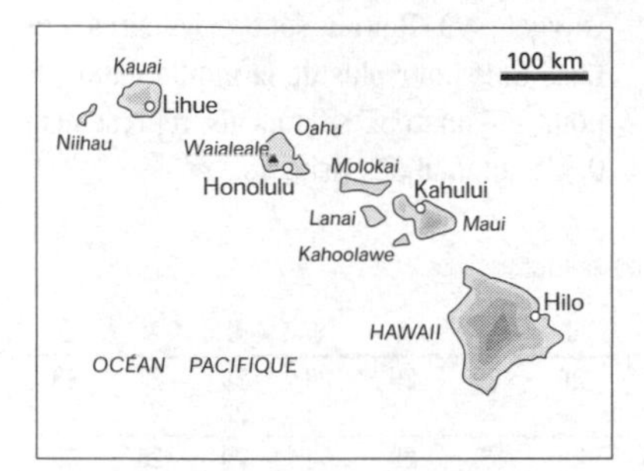

Les Hawaiiens divisent leur année en deux saisons : l'été (***kau***, dans la langue locale) et l'hiver ***(hooilo)***, termes qui, dans la mesure où les températures restent élevées tout le long de l'année, rendent mal compte de ce qui les différencie :

▶ L'**été – de mai à début octobre**, avec des variantes selon les régions –, est incontestablement la meilleure saison pour goûter au paradis en version hawaiienne ; encore faut-il ne pas se tromper de côte : les côtes Ouest, « sous le vent » (par exemple, Honolulu et Kahului), sont alors particulièrement ensoleillées ; elles reçoivent peu de pluies, et les effets de la chaleur humide sont modérés par des alizés soutenus et rafraîchissants. Les côtes exposées directement aux vents du nord-est (voir Hilo) reçoivent des précipitations plus abondantes, surtout sous la forme de fortes et brèves averses, et jouissent d'un ensoleillement plus modeste. C'est sur les pentes Nord-Est d'un ancien volcan de l'île Kauai (le mont Waialeale) que l'on enregistre le record mondial des moyennes des précipitations annuelles : près de 12 m d'eau... L'été est aussi la saison où sévissent, il est vrai assez rarement, les ouragans.

▶ En **hiver**, les températures sont un peu moins élevées, mais les pluies plus abondantes et le ciel incontestablement plus nuageux. Il n'en reste pas moins qu'un jour sans soleil demeure l'exception. Alors qu'en été les surfeurs investissent les côtes Sud, ils émigrent à cette saison vers le Nord. Les gigantesques vagues déferlantes dont ils font leurs délices battent, à cette période de l'année, de fracassants records de hauteur. L'hiver est aussi la saison des tempêtes, plus nombreuses que les ouragans d'été, mais moins destructrices.

▶ Si, quelle que soit la saison, vous avez l'intention de grimper sur les volcans qui surplombent ces îles, n'oubliez pas que la

RENDEZ-VOUS NATURE

Mégaptères et ukulélé

Après s'être gavées tout l'été dans les hautes latitudes, notamment les régions côtières de l'Alaska, près de 4 000 baleines à bosse (près des deux tiers du stock du Pacifique Nord) migrent régulièrement pour se reproduire en hiver aux îles Hawaii. On les observe au Nord et au Sud de l'île d'Oahu, celle d'Honolulu, comme près de toutes les autres îles de l'archipel. Mais c'est dans la région dite « des quatre îles » (comprise entre les îles de Maui, Molokai, Kahoolawe et Lanai) que, de janvier à avril, la concentration de baleines est la plus importante.
On situe le pic de fréquentation des baleines **de fin février à fin mars** ; un peu plus tôt à Kawaihae Bay, sur l'île d'Hawaii, située plus à l'Est. Riches en promontoires, les îles Hawaii sont particulièrement bien adaptées à l'observation des baleines depuis la terre ferme.

température diminue à mesure que l'on monte. Sur les sommets (à plus de 4 000 m pour certains d'entre eux), il n'est pas rare qu'il neige.

VALISE : de mai à octobre, vêtements très légers, de préférence en fibres naturelles ; de novembre à avril, ajoutez un ou deux lainages légers, une veste, éventuellement un anorak très léger à capuche.

FOULE : très forte pression touristique. Les voyageurs à Hawaii sont originaires des États-Unis pour plus de la moitié, japonais pour un quart. Les Français représentent 0,3 % du total des visiteurs. ●

moyenne des températures maximales / moyenne des températures minimales

	J	F	M	A	M	J	J	A	S	O	N	D
Lihue (Kauai)	**26** 19	**26** 18	**26** 19	**26** 20	**27** 21	**28** 22	**29** 23	**29** 23	**29** 23	**28** 22	**27** 21	**26** 20
Honolulu (Oahu)	**27** 19	**26** 19	**26** 19	**27** 20	**28** 21	**29** 22	**29** 23	**29** 23	**30** 23	**29** 22	**28** 21	**26** 20
Kahului (Maui)	**27** 18	**27** 18	**28** 18	**28** 19	**29** 19	**30** 21	**30** 22	**31** 22	**31** 21	**30** 21	**29** 20	**27** 19
Hilo (Hawaii)	**26** 17	**26** 17	**26** 17	**26** 18	**27** 19	**28** 19	**28** 20	**28** 20	**28** 20	**28** 20	**27** 19	**26** 18

nombre d'heures par jour hauteur en mm / nombre de jours

	J	F	M	A	M	J	J	A	S	O	N	D
Lihue	**6** 150/11	**6,5** 85/9	**6,5** 110/11	**6,5** 85/12	**80** 65/10	**8,5** 45/9	**8,5** 55/13	**8,5** 45/11	**8** 60/10	**7** 110/12	**5,5** 140/13	**5** 130/12
Honolulu	**7** 90/7	**7,5** 55/5	**8,5** 55/6	**8,5** 40/5	**9** 30/3	**9,5** 14/2	**10** 15/3	**10** 11/3	**9** 20/4	**8** 55/5	**6,5** 75/6	**6,5** 100/7
Kahului	**7** 100/8	**7,5** 75/5	**8** 70/7	**8** 45/6	**9** 20/3	**9,5** 7/2	**9,5** 10/3	**9** 11/3	**9** 10/2	**8** 30/4	**7** 65/	**7** 85/8
Hilo	**5** 250/14	**5,5** 260/14	**5** 350/20	**4,5** 390/22	**5** 250/22	**6** 160/21	**5,5** 250/24	**5,5** 240/22	**5,5** 220/20	**4,5** 240/20	**4** 370/21	**4** 300/18

température de la mer : moyenne mensuelle

	J	F	M	A	M	J	J	A	S	O	N	D
Pacifique	24	24	24	24	25	26	26	26	27	27	26	25

Honduras

Superficie : 112 000 km². Tegucigalpa (latitude 14°04'N ; longitude 87°13'O) : GMT - 7 h . Durée du jour : maximale (juin) 13 heures, minimale (décembre) 11 heures 30.

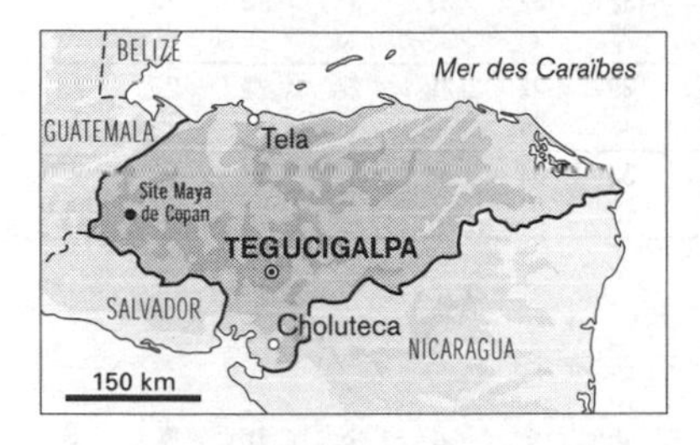

La **saison sèche**, *el verano*, qui dure à peu de chose près **de la mi-novembre à fin avril**, sauf sur la cote caraïbe, est la meilleure saison pour se rendre au Honduras.

Sur les hauteurs qui occupent la plus grande partie du pays, la chaleur reste forte pendant la journée, mais l'altitude en tempère les excès ; le soir, il peut faire frais, et même froid dans certains petits villages accrochés à des montagnes qui culminent à près de 3 000 m. Si l'on excepte tout le littoral caraïbe, les pluies sont à cette époque peu fréquentes et l'ensoleillement important. C'est la bonne période pour se rendre sur le site maya de Copan, situé à une altitude de 1 100 m près de la frontière guatémaltèque, ou encore pour descendre vers la petite fenêtre pacifique du pays, le golfe de Fonseca, et piquer une tête dans une mer tiède (27°–28°).

Cependant, sur la côte caraïbe (voir Tela) et dans les vallées et les plaines de la région ouvertes aux alizés, on peut seulement parler d'un net ralentissement des pluies de fin février à mi-juin. Sur ces plages du Nord, la température de la mer oscille entre 26° et 28°.

La **saison des pluies**, ***el invierno*, de mai à octobre**, est aussi celle où les températures sont le plus élevées ; l'humidité de l'atmosphère aidant, la chaleur peut être étouffante même à Tegucigalpa, la capitale, pourtant située à 1 000 m d'altitude. Mais c'est sur les basses terres de la côte caraïbe que la moiteur de l'air incommode vraiment. Cette région, qui reçoit deux fois plus de pluies que le Centre et le Sud du pays, n'est pas à l'abri des cyclones. Ainsi, à la fin du mois d'octobre 1998, *Mitch* fit des milliers de morts et des dégâts considérables.

VALISE : vêtements de plein été, en fibres naturelles de préférence, amples et d'entretien facile ; un ou deux pulls, une veste ou un blouson pour les régions élevées ; un anorak très léger à capuche.

SANTÉ : risques de paludisme, peu virulent, toute l'année, excepté dans les zones urbaines, le département d'Ocotepeque et à plus de 1 000 m d'altitude. Vaccination antirabique conseillée pour de longs séjours.

BESTIOLES : moustiques toute l'année sur la côte, surtout actifs du crépuscule à minuit.

FOULE : pression touristique modérée. Pour l'essentiel, les voyageurs viennent d'Amérique du Nord, dont de nombreux amateurs de plongée. Les Français représentent moins de 1 % des visiteurs. ●

Voir tableaux page suivante

Honduras

moyenne des températures maximales / moyenne des températures minimales

	J	F	M	A	M	J	J	A	S	O	N	D
Tela	**27** 19	**28** 20	**30** 21	**31** 22	**32** 23	**32** 23	**32** 23	**31** 23	**31** 23	**30** 22	**29** 21	**28** 20
Tegucigalpa (1 010 m)	**26** 14	**27** 15	**29** 16	**30** 17	**30** 18	**29** 18	**28** 18	**29** 18	**28** 18	**27** 18	**26** 16	**25** 15
Choluteca	**35** 23	**36** 23	**37** 24	**35** 25	**35** 24	**33** 23	**34** 24	**34** 24	**33** 23	**33** 23	**33** 23	**34** 23

nombre d'heures par jour hauteur en mm / nombre de jours

	J	F	M	A	M	J	J	A	S	O	N	D
Tela	* 270/12	* 220/8	* 120/5	* 90/4	* 80/5	* 150/10	* 200/12	* 230/13	* 250/12	* 390/14	* 410/13	* 420/13
Tegucigalpa	**7** 5/1	**8** 5/1	**8,5** 10/1	**8** 45/2	**7** 145/9	**6** 160/12	**6** 80/9	**6,5** 90/9	**6** 180/13	**6,5** 110/10	**6,5** 40/4	**7** 10/2
Choluteca	**9,5** 2/0	**10** 5/1	**9,5** 8/8	**8** 30/3	**7,5** 290/13	**7** 270/17	**7,5** 140/10	**7,5** 240/14	**6,5** 360/20	**7,5** 280/15	**8** 80/4	**9** 9/1

température de la mer : moyenne mensuelle

	J	F	M	A	M	J	J	A	S	O	N	D
Mer des Caraïbes	26	26	27	27	27	28	28	28	28	28	27	27

Hongrie

Superficie : 93 000 km². Budapest (latitude 47°31'N ; longitude 19°02'E) : GMT + 1 h . Durée du jour : maximale (juin) 16 heures, minimale (décembre) 8 heures 30.

Le climat de la Hongrie est de type continental modéré, puisque la chaîne des Carpates la protège au Nord et à l'Est des influences polaires et sibériennes. Compte tenu de sa latitude, le pays bénéficie d'un bon ensoleillement (à Budapest, il est supérieur de 15 % à celui de Paris).

▸ L'**hiver**, qui commence à la mi-novembre, est froid et long. Les précipitations, guère abondantes à cette saison, tombent souvent sous forme de neige, aussi bien sur les massifs montagneux du Nord du pays que dans la Grande Plaine, à l'Est.

▸ Après un mois d'avril assez doux, un mois de mai aux températures très agréables dans la journée, bien ensoleillé malgré de fortes averses, l'été commence, aussi long que l'hiver. Il fait très chaud, mais partout l'ardeur du soleil est contrebalancée par la fraîcheur des nuits. La Grande Plaine orientale, région la moins pluvieuse du pays, souffre parfois de sécheresse à la fin de l'été, et le niveau du Danube lui-même baisse considérablement. La **fin du mois d'août et septembre** sont sans doute les moments les plus propices à un voyage en Hongrie : il y fait moins chaud, et surtout plus sec qu'en juin et juillet, mois durant lesquels éclatent souvent de violents orages. C'est en outre la saison des vendanges dans de nombreux vignobles hongrois, parmi lesquels le fameux tokay.

▸ Les Magyars et les touristes peuvent profiter tout l'été des plages de la Riviera hongroise (la température de l'eau monte à 22° pendant les mois les plus chauds), c'est-à-dire les 200 km de rivage du lac Balaton.

VALISE : de juin à septembre, vêtements d'été légers, quelques lainages et une veste ou un blouson pour les soirées, éventuellement un imperméable ou un parapluie. De mi-novembre à mi-avril, vêtements chauds, manteau, bottes ou chaussures imperméables.

FOULE : la pression touristique est assez forte. Août est très nettement le mois le plus fréquenté. Janvier et février sont les plus délaissés. Un flux touristique quasi exclusivement d'origine européenne, en premier lieu issu des voisins d'Europe centrale. Environ 1% des visiteurs viennent de France. ●

moyenne des températures maximales / moyenne des températures minimales

	J	F	M	A	M	J	J	A	S	O	N	D
Budapest	**1**	**4**	**10**	**17**	**22**	**26**	**28**	**27**	**23**	**16**	**9**	**4**
	-4	-2	2	7	11	15	16	16	12	7	3	-1
Szeged	**2**	**4**	**10**	**17**	**22**	**26**	**28**	**28**	**24**	**17**	**9**	**4**
	-4	-3	1	6	11	15	17	16	12	7	3	-1

Voir tableau page suivante

Hongrie

nombre d'heures par jour — hauteur en mm / nombre de jours

	J	F	M	A	M	J	J	A	S	O	N	D
Budapest	**2** 35/8	**3** 45/7	**5** 40/7	**7** 45/7	**8** 70/8	**9** 70/8	**10** 55/7	**9** 45/6	**7** 35/6	**5** 55/8	**2** 70/9	**1** 45/9
Szeged	**2** 35/8	**3** 35/7	**5** 35/7	**7** 40/7	**8** 60/8	**9** 65/7	**10** 50/6	**10** 45/6	**8** 40/6	**5** 45/8	**2** 60/8	**2** 40/9

Inde

Superficie : 3 300 000 km^2. New Delhi (latitude 28°35'N ; longitude 77°12'O) : GMT + 5 h 30. Durée du jour : maximale (juin) 14 heures, minimale (décembre) 10 heures 30.

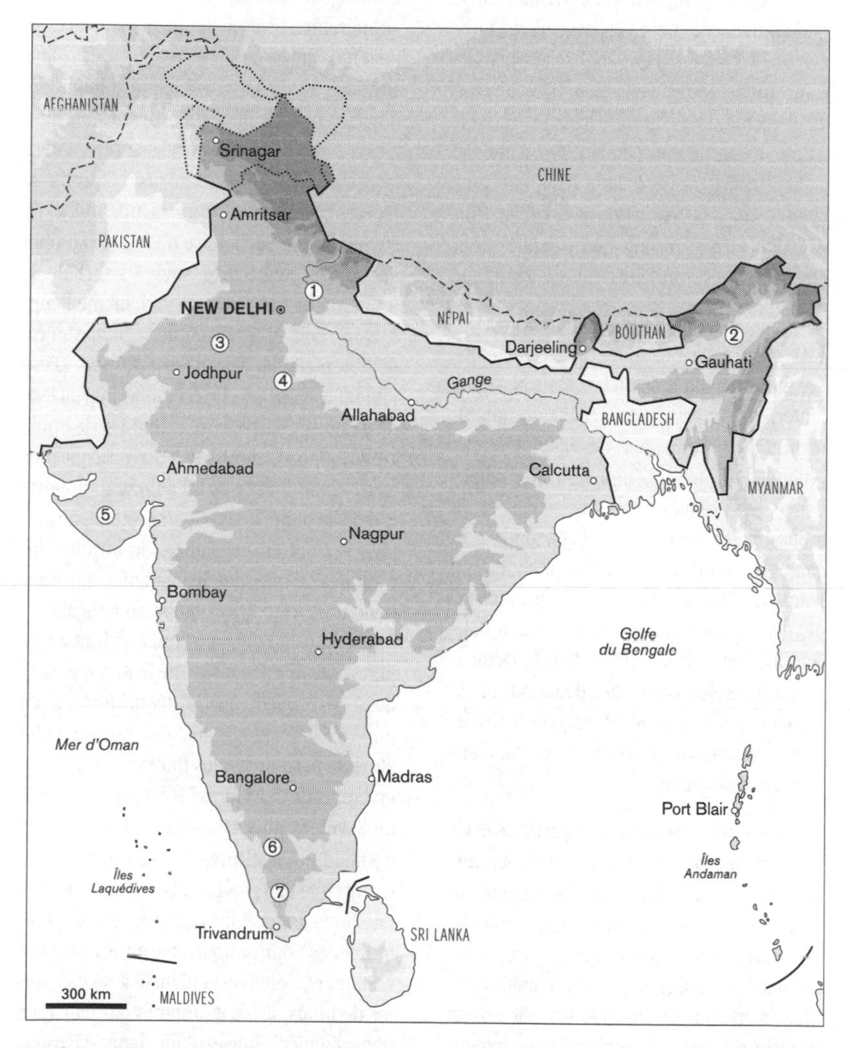

L'Inde connaît trois grandes saisons : l'hiver, l'été et la saison de la mousson, c'est-à-dire la saison des pluies.

▶ **L'hiver, de la mi-novembre à mars**, est la meilleure saison pour un voyage en Inde ; à condition naturellement d'exclure les hauteurs himalayennes de son itinéraire – c'est-à-dire essentiellement le Cachemire (voir Srinagar), le Ladakh, le Sikkim (voir Darjeeling) et le Nord de l'Assam –, régions froides en cette saison. Dans la majeure partie du pays, les températures sont le plus souvent chaudes, mais sans grands excès. Il peut même faire très frais ou froid la nuit et le matin au Penjab (voir Amritsar), dans la région de New Delhi, au Rajasthan

(voir Jodhpur), et dans l'Uttar Pradesh (voir Allahabad).
Excepté dans le Sud-Est de l'Inde (voir Madras) et à la pointe Sud (voir Trivandrum), qui connaissent encore en novembre et décembre les pluies d'une mousson plus tardive, l'air est sec et le ciel bleu. Il fait de plus en plus chaud à partir de février. Que ce soit à Goa, ou sur les côtes du Kerala, ou encore à Pondichéry, on se baigne dans une mer chaude dont la température est d'environ 27° (vous trouverez une mer paisible sur la côte Ouest, alors qu'elle est assez agitée sur la côte orientale).

▶ Au mois d'avril commence le caniculaire **été** indien. Le mois de mai – calme plat dans l'intérieur du pays – est accablant, notamment à New Delhi, une des villes les plus polluées au monde. On attend avec impatience les premières grosses pluies de la mousson. Le seul moyen d'échapper à la canicule est de se réfugier en altitude. Aux temps de l'Empire britannique, les gouvernements de la région de Madras et du Bengale avaient respectivement fait de Ootacamund (sur les Ghats occidentaux) et de Darjeeling leur capitale d'été ; certaines familles indiennes fortunées respectent encore cette tradition.

▶ La **mousson** est attendue à partir de la fin du mois de mai : elle fait la une des grands quotidiens, qui suivent sa progression au jour le jour. Accompagnée de vents violents, elle arrive par l'Ouest (Bangalore, Goa, Bombay) ; empêchée par les hauteurs des Ghats d'atteindre la côte Sud-Est, elle arrose le reste du pays de manière assez irrégulière ; certaines années notamment, le Penjab reste tragiquement sec. En principe, les pluies de cette mousson atteignent leur apogée en juillet, puis diminuent et cessent entre la fin septembre (au Nord-Ouest) et la fin octobre (au Nord-Est).
Toujours accueillie comme une délivrance, la mousson peut aussi, quand elle est trop tardive, trop violente, ou qu'elle se prolonge, provoquer sécheresses, inondations et catastrophes. Si, dans un premier temps, le voyageur voit toujours avec satisfaction la température baisser de quelques degrés, il peut finir par se lasser des déluges, des jours sombres et du taux très élevé d'humidité, d'autant que les pluies diluviennes ne sont, c'est le moins que l'on puisse dire, guère favorables aux déplacements à travers le pays. Mais il reste alors la possibilité de gagner soit le Cachemire ou le Ladakh dont les vallées intérieures sont à l'abri de la mousson et qui vivent alors leur meilleure saison ; soit, si la saison de la mousson est déjà avancée, le Nord-Ouest du pays (Penjab, Rajasthan) où elle est moins marquée et plus courte ; soit encore le Sud-Est de l'Inde (Madras) où la mousson n'arrivera que plus tard. Cette mousson d'automne apporte moins de pluie, mais elle s'accompagne parfois, surtout en novembre, de formidables cyclones, d'une violence inouïe, qui frappent alors les côtes du golfe du Bengale.
Conseillons au voyageur qui tiendrait à tout prix à savoir ce que signifie le mot « pluie » de se précipiter, dès le début du mois de juin, à Cherrapunji, au Nord-Est, qui subit alors sa période la plus imbibée : 5 m d'eau en moins de deux mois ! Il est vrai qu'il s'agit de la ville la plus arrosée de toute l'Asie...
▶ Attention, **cyclones** : bien moins fréquents que dans les Caraïbes ou à l'Ouest du Pacifique, les cyclones qui frappent les côtes indiennes sont pourtant parmi les plus dévastateurs. Seuls de la planète à ne pas porter de noms, ils sont désignés par leur rang dans l'année, suivie d'une lettre (B pour golfe du Bengale, les plus féroces, et A pour golfe Arabique). En 1999, le 05B, formé au large de la Thaïlande, est venu un 29 octobre semer la mort (environ 10 000 victimes) dans l'État d'Orissa. Côté golfe Arabique, des cyclones ont frappé en juin la partie Nord de la côte indienne lors de deux années consécutives (1998 et 1999). Dans le Nord de

l'océan Indien, les cyclones se répartissent en effet sur les périodes avril-juin et fin septembre-novembre.

▸ Port Blair, la dernière ville qui figure sur nos tableaux, est la principale agglomération des îles Andaman, situées entre la Birmanie et Sumatra et dépendant de l'Union indienne. **Janvier, février et mars** sont les mois les plus propices à un séjour sur ces îles.

▸ Les données climatiques détaillées concernant le Ladakh sont limitées ; sachez seulement que cette région, dont l'altitude dépasse 3 500 m, a un climat très sec et des précipitations (neige ou pluie suivant la saison) peu fréquentes. **De mai à octobre** – la bonne période pour y voyager –, les maxima varient entre 20° et 30° et les minima entre 0° et 8°.

VALISE : de novembre à mars, vêtements très légers et confortables, faciles d'entretien, en fibres naturelles de préférence, un ou deux pulls, et une veste ou un blouson pour les soirées et les matinées dans le Nord ; prévoyez des sandales ou des chaussures sans lacets pour visiter les temples (on se déchausse à l'entrée) et aussi des chaussures fermées pour marcher dans les zones rurales (à cause des serpents) ; si vous avez l'intention de voyager dans les régions himalayennes, il vous faudra en outre des vêtements chauds (anorak en duvet, bonnet, gants, etc.) et bien sûr des chaussures de marche. Pendant la mousson, un parapluie n'est pas inutile.

SANTÉ : vaccination contre la rage fortement conseillée. Risques de paludisme toute l'année ; zones de résistance à la Nivaquine et, dans l'État d'Assam, multirésistance.

BESTIOLES : l'Inde est l'un des pays où les serpents font le plus de victimes ; les voyageurs se font très rarement mordre, mais faites tout de même attention en zone rurale. Les moustiques sont présents partout, sauf dans les régions montagneuses du Nord, en hiver.

FOULE : à l'exception de quelques sites phares, faible pression touristique, surtout

RENDEZ-VOUS NATURE

Sur la piste de Shere Khan

Principales réserves animalières ainsi que, pour chacune, la saison idéale d'observation (les numéros permettent de localiser les réserves sur la carte) :

1. Le parc de Corbett (Uttar Pradesh), au pied de l'Himalaya, refuge du tigre, du léopard et des éléphants sauvages (**mars et avril**).
2. Kaziranga (Assam), l'un des derniers territoires du rhinocéros unicorne d'Asie (**février et mars**).
3. Sariska (Rajasthan), paradis des oiseaux, du sambar, de l'antilope nilgaut et de la gazelle chinkara. On assiste au repas des tigres auxquels on sacrifie régulièrement du bétail, plus rarement un touriste (**décembre à février**) !
4. Keolado Ghana (Bharatpur), réserve d'oiseaux aquatiques parmi lesquels la grue « sarus » ; au sec vivent des antilopes noires (**août et septembre**, saison des migrations).
5. La forêt de Gir (Gujarat) est le seul endroit où l'on croise encore le fameux lion indien (**janvier à mai**).
6. Mudumalai et Bandipur (Tamil Nadu et Mysore), troupeaux de bisons sauvages (**avril et mai**).
7. Periyar (Kerala), où l'on se rend aux différents points d'observation en bateau et à dos d'éléphant (**février à mai**).

si l'on considère l'importance du pays et de sa population. En décembre, l'Inde accueille le plus de visiteurs, au contraire de mai, avril et juin. Parmi les voyageurs venus d'Europe, environ un tiers, les Britanniques sont les plus nombreux. Les Français représentent moins de 5 % du total des voyageurs. ●

moyenne des températures maximales / moyenne des températures minimales

	J	F	M	A	M	J	J	A	S	O	N	D
Srinagar	**5**	**7**	**14**	**19**	**25**	**30**	**31**	**30**	**29**	**23**	**17**	**9**
(Cachemire)	- 2	- 1	3	7	11	14	18	15	12	5	- 1	- 2
Amritsar	**19**	**23**	**28**	**34**	**38**	**40**	**36**	**34**	**34**	**31**	**26**	**21**
(Penjab)	5	6	12	17	21	25	26	25	24	24	17	9
New Delhi	**21**	**24**	**29**	**36**	**40**	**39**	**35**	**34**	**34**	**34**	**28**	**23**
	6	10	14	20	26	28	27	26	24	18	11	7
Darjeeling	**8**	**9**	**13**	**16**	**17**	**18**	**19**	**19**	**18**	**16**	**13**	**10**
(Sikkim)	2	3	6	9	11	14	14	14	13	10	6	3
Jodhpur	**24**	**27**	**32**	**37**	**41**	**40**	**36**	**34**	**34**	**35**	**31**	**26**
(Rajasthan)	9	11	16	21	26	28	27	25	24	18	13	10
Gauhati	**24**	**26**	**30**	**32**	**31**	**32**	**32**	**32**	**32**	**30**	**28**	**25**
(Assam)	11	13	17	20	23	25	26	26	25	22	17	13
Allahabad	**24**	**26**	**33**	**39**	**42**	**39**	**33**	**32**	**33**	**32**	**29**	**24**
(Uttar Pradesh)	8	10	16	22	27	28	27	26	25	20	12	8
Ahmedabad	**29**	**31**	**36**	**40**	**42**	**39**	**34**	**32**	**34**	**36**	**34**	**30**
(Gujarat)	14	16	20	24	26	27	26	25	24	23	19	15
Calcutta	**26**	**29**	**34**	**36**	**35**	**34**	**32**	**32**	**32**	**32**	**29**	**26**
(Bengale)	13	15	20	24	25	26	26	26	26	23	18	13
Nagpur	**29**	**31**	**36**	**40**	**43**	**37**	**31**	**31**	**32**	**33**	**30**	**28**
(Maharashtra)	14	17	21	25	28	26	24	24	24	21	17	14
Bombay	**28**	**28**	**30**	**32**	**33**	**31**	**30**	**29**	**30**	**32**	**32**	**30**
(Maharashtra)	19	20	22	24	26	26	25	24	24	24	23	20
Hyderabad	**29**	**32**	**36**	**38**	**40**	**35**	**31**	**30**	**30**	**31**	**30**	**29**
(Andhra Pradesh)	15	17	20	24	27	24	23	22	22	20	16	14
Madras	**30**	**31**	**33**	**35**	**39**	**38**	**36**	**35**	**34**	**32**	**30**	**29**
(Tamil Nadu)	20	20	22	26	28	27	26	26	25	24	22	20
Bangalore	**27**	**30**	**33**	**34**	**33**	**29**	**28**	**28**	**28**	**28**	**27**	**26**
(Karnataka)	14	16	18	21	21	19	19	19	18	18	17	15
Trivandrum	**30**	**31**	**31**	**31**	**31**	**29**	**28**	**29**	**29**	**29**	**29**	**30**
(Kerala)	23	24	26	26	26	25	24	24	25	24	24	24
Port Blair	**29**	**30**	**30**	**30**	**31**	**29**	**28**	**29**	**29**	**29**	**29**	**29**
(îles Andaman)	24	25	26	26	26	25	25	25	25	24	24	23

nombre d'heures par jour hauteur en mm / nombre de jours

	J	F	M	A	M	J	J	A	S	O	N	D
Srinagar	**3**	**4**	**5**	**6**	**8**	**8**	**8**	**8**	**8**	**8**	**7**	**4**
(1 580 m)	75/8	70/7	105/10	80/10	65/7	35/5	60/7	65/7	30/4	30/4	18/2	35/5
Amritsar	**7**	**8**	**8**	**10**	**10**	**9**	**7**	**8**	**8**	**9**	**9**	**7**
	35/4	11/2	25/3	8/2	11/2	30/3	170/10	170/11	105/5	55/2	10/1	15/2
New Delhi	**7**	**8**	**8**	**9**	**8**	**6**	**6**	**6**	**7**	**9**	**9**	**8**
	20/3	20/2	14/2	11/1	25/1	80/4	220/12	240/11	120/6	18/2	4/0	9/1
Darjeeling	**8**	**8**	**7**	**6**	**5**	**3**	**2**	**3**	**4**	**6**	**8**	**9**
(2 120 m)	20/2	25/4	55/6	110/10	185/18	520/24	715/28	575/26	420/30	115/7	14/2	5/1

	J	F	M	A	M	J	J	A	S	O	N	D
Jodhpur	**9**	**9**	**9**	**10**	**11**	**10**	**7**	**6**	**8**	**10**	**10**	**9**
	8/1	5/1	2/1	2/0	6/1	30/3	120/8	145/9	45/3	7/1	3/0	1/0
Gauhati	**8**	**8**	**8**	**8**	**7**	**5**	**5**	**5**	**6**	**7**	**8**	**8**
	11/1	18/3	55/5	170/10	275/17	290/17	300/17	265/15	190/12	90/6	10/2	5/1
Allahabad	**8**	**9**	**9**	**10**	**10**	**7**	**5**	**5**	**7**	**9**	**9**	**9**
	20/3	20/3	14/2	5/1	8/1	100/7	285/16	335/18	195/11	40/4	6/1	6/1
Ahmedabad	**10**	**10**	**10**	**10**	**11**	**9**	**5**	**4**	**7**	**10**	**10**	**10**
	4/1	0/0	1/0	2/0	5/1	80/6	315/16	215/14	165/7	13/1	5/1	1/0
Calcutta	**8**	**9**	**9**	**9**	**8**	**5**	**4**	**4**	**5**	**7**	**8**	**8**
	13/1	25/2	25/2	45/4	130/8	260/15	300/21	305/21	290/17	160/9	35/2	3/1
Nagpur	**9**	**10**	**9**	**10**	**10**	**6**	**3**	**4**	**5**	**8**	**9**	**10**
(310 m)	14/2	20/2	22/2	20/3	13/2	210/12	405/20	290/16	175/12	65/4	17/1	3/1
Bombay	**9**	**10**	**9**	**10**	**10**	**5**	**2**	**3**	**5**	**8**	**9**	**9**
	2/0	1/0	0/0	3/1	16/3	520/10	710/20	420/16	300/11	90/7	20/3	2/1
Hyderabad	**10**	**10**	**8**	**9**	**9**	**7**	**4**	**5**	**6**	**8**	**9**	**9**
(550 m)	2/0	11/2	13/2	25/3	30/3	105/8	165/15	145/13	165/11	70/5	25/2	6/1
Madras	**9**	**9**	**10**	**10**	**9**	**7**	**5**	**6**	**7**	**7**	**7**	**7**
	24/2	7/1	15/1	25/2	50/2	55/7	85/10	125/11	120/9	265/12	310/11	155/7
Bangalore	**8**	**9**	**9**	**9**	**8**	**5**	**3**	**4**	**5**	**6**	**6**	**7**
(920 m)	3/1	10/1	6/1	45/4	115/9	80/9	115/13	145/14	145/11	185/11	55/5	16/2
Trivandrum	**9**	**9**	**8**	**7**	**6**	**4**	**4**	**6**	**6**	**6**	**6**	**8**
	20/2	20/2	45/4	120/9	250/13	330/22	210/19	165/15	125/12	270/15	205/14	75/6
Port Blair	**9**	**9**	**9**	**9**	**5**	**3**	**4**	**4**	**4**	**6**	**7**	**8**
	40/3	20/2	16/2	65/7	395/17	600/25	470/24	450/23	440/23	360/19	215/13	105/8

température de la mer : moyenne mensuelle

	J	F	M	A	M	J	J	A	S	O	N	D
Bombay	25	25	26	28	28	28	27	27	27	27	27	26
Trivandrum	27	27	28	28	28	28	27	27	27	27	27	27
Madras	26	27	27	28	29	28	28	28	28	28	27	26
Port Blair	27	27	28	28	29	28	28	28	27	27	27	27

Indonésie

Superficie : 1 920 000 km^2. Jakarta (latitude 6°11'S ; longitude 106°50'E) : GMT + 7 h . Durée du jour : maximale (décembre) 12 heures 30, minimale (juin) 11 heures 30.

▶ En Indonésie, le climat est chaud et humide toute l'année. Choisissez de préférence pour y partir la **saison sèche**, **de mai à octobre**, et plus particulièrement les mois de juin à septembre, les plus secs et les plus ensoleillés dans les îles méridionales et orientales de l'archipel. Cette saison sèche, assez nette à Jakarta, est très marquée au Centre et à l'Est de Java, à Bali, au Sud de l'île de Sulawesi (voir Ujung Pandang), à Florès et à Timor-Ouest. Elle l'est un peu moins en Irian Jaya (moitié occidentale de l'île de Nouvelle-Guinée), où la chaleur et l'humidité ne s'atténuent quelque peu que dans les régions montagneuses.

On profitera du début ou de la fin de la saison sèche, tout en évitant les grandes marées touristiques, en se rendant à Bali en **mai, septembre ou octobre**.

▶ À Sumatra et à Bornéo, il pleut toute l'année avec un léger ralentissement entre juin et septembre (voir Medan, Pontianak). Les plus fortes pluies tombent entre décembre et mars, mois à éviter en priorité. Elles varient en intensité selon l'altitude et l'exposition : les côtes Ouest et Sud, ainsi que les montagnes sont particulièrement arrosées.

À Bali, il pleut deux fois plus au Nord qu'au Sud. Tout à l'Est, les îles Moluques connaissent une inversion de la saison sèche, qui commence ici en octobre.

En Indonésie, les pluies tombent surtout dans l'après-midi, provoquant parfois des inondations qui bloquent la circulation dans les grandes villes. Les matinées sont très belles, lumineuses et ensoleillées, ce qui fait que de nombreux voyageurs prennent le pli de se lever tôt (d'autant que la nuit tombe, brusquement, vers 18 heures toute l'année). Il faut également s'accoutumer à l'humidité qui peut être pénible, surtout en plaine.

▶ En altitude, la douceur du climat a conduit à l'établissement de nombreuses stations résidentielles et de cure (Bogor, Bandung). Il y fait assez frais dans la journée et parfois froid la nuit. Mais il y pleut souvent et beaucoup : Bogor détient le record mondial du nombre de jours avec orages (322 jours par an !).

▶ La mer est délicieusement chaude : entre 26° et 29° toute l'année, mais il faut se méfier des courants, très forts à certains endroits, et même parfois des requins.

VALISE : vêtements très légers, amples, en fibres naturelles de préférence ; au moins un pull-over chaud et une veste pour séjourner dans les régions élevées ; un anorak léger, des tennis. À Bali, qui a réussi à préserver jusqu'à présent sa culture et son mode de vie malgré les invasions touristiques de ces 20 dernières années, le port d'une écharpe nouée autour de la taille est obligatoire pour pénétrer dans un temple.

SANTÉ : excepté à Bali, quelques risques de paludisme au-dessous de 1 500 m d'altitude ; zones de résistance à la Nivaquine et multirésistance.

BESTIOLES : moustiques toute l'année, sauf dans les régions élevées.

FOULE : une pression touristique encore faible, à l'exception de Bali, dont la hausse a été retardée par l'attentat en octobre 2002 et par le tsunami de décembre 2004. Le flux touristique est bien réparti tout le long de l'année, avec, cependant, des pointes en juillet et décembre. Des voyageurs d'abord asiatiques, en premier lieu venus de Singapour (plus du quart des visiteurs). La présence des Français demeure très modeste, comme d'ailleurs celle des Européens en général, à l'exception des Hollandais pour des raisons historiques. Bali concentre encore l'essentiel du tourisme à destination de l'Indonésie, avec une forte présence australienne. ●

RENDEZ-VOUS NATURE

Au cœur des Célèbes

Paradis des plongeurs confirmés, les fonds indonésiens bénéficient assurément d'une biodiversité inégalée. Les îles du parc national de Bunaken, au nord de Sulawesi, dans la mer des Célèbes, offre des structures de tombants uniques au monde. La meilleure saison va **d'avril à la mi-octobre** ; mai, juin et septembre ont l'avantage d'être moins fréquentés. De fin octobre à fin mars, des coups de vent d'ouest peuvent interdire toute sortie en mer.

Aux Moluques, les période **avril-mai et octobre-novembre** offrent les meilleures chances d'observer de gros poissons.

En revanche, dans l'archipel de Banggai, ou depuis l'île de Salayar, respectivement à l'est et au sud de Sulawesi, la saison est inversée : la période conseillée pour se livrer aux plaisirs de la plongée va **de novembre à avril.**

moyenne des températures maximales / moyenne des températures minimales

	J	F	M	A	M	J	J	A	S	O	N	D
Medan	**29**	**31**	**31**	**32**	**32**	**32**	**32**	**32**	**31**	**30**	**30**	**29**
(Sumatra)	22	22	22	23	23	22	22	22	22	22	22	22
Pontianak	**31**	**32**	**32**	**32**	**32**	**32**	**32**	**32**	**32**	**32**	**31**	**31**
(Bornéo)	23	24	24	24	24	24	23	23	24	24	24	24
Ujung Pandang	**29**	**29**	**29**	**30**	**30**	**30**	**30**	**31**	**31**	**31**	**30**	**29**
(Sulawesi)	23	24	23	23	23	22	21	21	21	22	23	23
Jakarta	**29**	**29**	**30**	**31**	**31**	**31**	**31**	**31**	**31**	**31**	**30**	**29**
(Java)	23	23	23	24	24	23	23	23	23	23	23	23
Kupang	**31**	**31**	**32**	**32**	**32**	**31**	**31**	**31**	**31**	**31**	**32**	**32**
(Timor-Ouest)	26	26	25	25	25	24	23	23	23	24	25	26

Voir tableaux page suivante

Indonésie

nombre d'heures par jour hauteur en mm / nombre de jours

	J	F	M	A	M	J	J	A	S	O	N	D
Medan	**7**	**8**	**7**	**7**	**7**	**7**	**7**	**7**	**6**	**6**	**6**	**6**
	140/9	90/6	105/7	130/9	175/10	130/8	135/8	180/11	210/12	260/16	245/16	230/14
Pontianak	**5**	**7**	**6**	**6**	**6**	**7**	**7**	**6**	**5**	**5**	**6**	**6**
	275/17	210/13	240/15	275/16	280/16	220/13	165/10	205/12	230/13	365/19	385/21	320/19
Ujung Pandang	**5**	**6**	**6**	**8**	**8**	**8**	**9**	**10**	**10**	**10**	**9**	**5**
	685/23	535/20	425/18	150/10	90/8	75/6	35/4	10/2	15/2	45/5	180/11	610/22
Jakarta	**4**	**5**	**6**	**7**	**7**	**7**	**7**	**8**	**8**	**7**	**6**	**5**
	300/18	300/17	210/15	145/11	115/9	95/7	65/5	45/4	65/5	110/8	140/12	205/14
Kupang	**6**	**7**	**6**	**6**	**6**	**6**	**5**	**5**	**7**	**5**	**5**	**5**
	130/11	120/11	140/12	110/10	85/6	25/3	10/2	5/1	2/1	20/2	50/6	140/11

température de la mer : moyenne mensuelle

	J	F	M	A	M	J	J	A	S	O	N	D
Ouest Sumatra	28	29	28	28	28	28	28	27	27	27	28	28
Sud Bornéo	28	28	28	28	29	28	27	26	27	27	27	28
Flores	28	28	28	29	29	27	26	26	26	27	28	28
Nlle-Guinée occ.	28	28	28	29	29	28	26	26	26	27	28	29

Irak

Superficie : 440 000 km². Bagdad (latitude 33°20'N ; longitude 44°24'E) : GMT + 3 h. Durée du jour : maximale (juin) 14 heures 30, minimale (décembre) 10 heures.

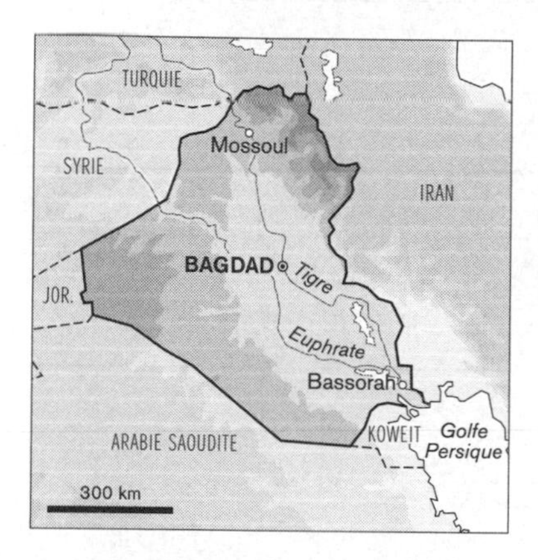

▶ Le climat irakien se caractérise d'abord par des **étés** brûlants : le thermomètre peut grimper à 50° entre juin et septembre, aussi bien au Nord qu'au Sud du pays. La sécheresse est totale ; dans le Nord (voir Mossoul), les nuits apportent un léger répit. C'est aussi la saison de prédilection du *shamal*, un vent du nord qui souffle surtout l'après-midi. Surtout soulevés par le *sharki*, un vent du sud-ouest, de violents vents de sable peuvent se lever tout au long de l'année. C'est en juillet qu'ils sont le plus fréquents, mais on se souvient des tempêtes de sable en mars 2003, au début de l'offensive anglo-américaine.

▶ En **hiver**, les journées sont douces et les nuits plutôt froides dans le Sud (voir Bassorah). La température fraîchit encore à mesure que l'on se dirige vers le Nord, où il fait très frais dans la journée et souvent vraiment froid la nuit entre décembre et février. Durant ces trois mois, il gèle et il neige fréquemment sur les collines et les montagnes qui forment, au Nord-Est, les contreforts des chaînes du Taurus et du Zagros.

▶ Du point de vue climatique, les saisons les plus agréables en Irak sont le début du printemps et la fin de l'automne (surtout à la **fin du mois de mars** et **de mi-octobre à mi-novembre**, des périodes chaudes, sans excès, bien ensoleillées).

▶ Les steppes et les montagnes du Nord, c'est-à-dire les régions kurdes, sont les seules régions qui échappent à l'aridité, grâce aux précipitations qui tombent entre novembre et avril. Partout ailleurs, les pluies, très insuffisantes, ne permettent qu'à une végétation de type désertique de subsister (sauf dans l'immense delta mésopotamien, région de marais et de paysages amphibies).

VALISE : de décembre à février, vêtements de demi-saison, veste chaude ou manteau. De mai à octobre : vêtements très légers, en coton de préférence, et adaptés au monde musulman. Aux intersaisons : vêtements d'été et lainages.

SANTÉ : de mai à novembre, quelques faibles risques de paludisme, peu virulent, en dessous de 1 500 m d'altitude.

BESTIOLES : moustiques, surtout en été dans les régions basses. ●

moyenne des températures maximales / moyenne des températures minimales

	J	F	M	A	M	J	J	A	S	O	N	D
Mossoul	**13** 2	**15** 3	**19** 6	**25** 10	**33** 15	**40** 20	**43** 23	**43** 22	**39** 17	**31** 11	**22** 7	**15** 3

Irak

	J	F	M	A	M	J	J	A	S	O	N	D
Bagdad	**16** 4	**19** 6	**23** 10	**29** 15	**36** 20	**41** 23	**43** 25	**43** 25	**40** 21	**33** 16	**25** 10	**18** 5
Bassorah	**19** 7	**21** 9	**25** 13	**31** 18	**36** 24	**39** 27	**41** 28	**41** 26	**40** 23	**35** 18	**27** 13	**20** 8

nombre d'heures par jour — hauteur en mm / nombre de jours

	J	F	M	A	M	J	J	A	S	O	N	D
Mossoul	**5** 70/10	**6** 65/8	**7** 65/9	**8** 55/7	**10** 20/4	**12** 1/0	**12** 0/0	**12** 0/0	**11** 0/0	**9** 7/1	**7** 45/5	**7** 60/7
Bagdad	**6** 25/4	**7** 25/4	**8** 30/4	**9** 16/3	**10** 7/1	**12** 0/0	**11** 0/0	**11** 0/0	**11** 0/0	**9** 3/1	**7** 20/3	**6** 25/4
Bassorah	**7** 25/3	**8** 17/3	**9** 25/3	**8** 20/3	**10** 7/1	**11** 0/0	**10** 0/0	**11** 0/0	**10** 0/0	**9** 1/0	**8** 30/2	**7** 40/4

Iran

Superficie : 1 650 000 km^2. Téhéran (latitude 32°37'N ; longitude 51°40'E) : GMT + 3 h 30 . Durée du jour : maximale (juin) 14 heures 30, minimale (décembre) 9 heures 30.

Le **début du printemps (fin mars à début mai)** et l' **automne (début octobre à mi-novembre)** sont les meilleures périodes pour voyager en Iran si vous projetez de vous rendre à la fois sur le plateau central, sur les bords de la mer Caspienne, au Nord, et sur le littoral du golfe Persique, au Sud. À ces époques, on a le plus de chances d'échapper aux différents extrêmes climatiques (froid, chaleur, humidité) qui caractérisent certaines régions de ce pays.

▸ L'essentiel de l'Iran est occupé par un vaste plateau continental dont l'altitude varie entre 1 000 et 1 500 m (voir Tabriz, Téhéran, Ispahan et Chiraz) ; l'hiver y est rude et l'été torride.
En hiver, la neige n'est pas rare à Téhéran et Ispahan ; fréquente à Tabriz, elle reste plusieurs mois sur les sommets des montagnes qui leur servent de toile de fond. Dès le début juin, une forte chaleur s'installe, encore que la sécheresse de l'air la rende assez supportable et que les nuits, grâce à l'altitude, restent relativement fraîches, du moins au Nord. Mais cette saison est aussi celle des vents de poussière, notamment du terrible *bad-i-sad-o-bist-roz*, ou « vent de 120 jours », qui balaie constamment tout l'Est du pays, de juin à septembre.
Le printemps est, en revanche, la saison idéale pour visiter les palais d'Ispahan, ancienne capitale de l'Iran, ou les fastueux jardins de Chiraz. La température est agréable durant la journée, voire déjà très chaude dès le début du mois de mai ; mais attention, les nuits restent fraîches, et même encore froides au début du mois d'avril.

▸ Au **Nord** du pays, le rivage de la mer Caspienne est la seule région du pays à recevoir plus de 1 m de pluies par an, assez bien réparties sur toute l'année, bien que plus fréquentes au printemps et en automne. L'hiver y est doux mais humide, et l'été assez nuageux et souvent étouffant.

▸ Les rives du **golfe Persique** (voir Bandar Abbas) connaissent des hivers agréablement chauds (de décembre à février). En revanche, dès que la température commence à monter (mi-mars), la très forte humidité transforme cette région en un véritable enfer qu'il vaut mieux éviter, tout particulièrement entre juin et septembre.

VALISE : aux intersaisons, vêtements légers pour la journée (très légers et de préférence sans fibres synthétiques pour le Sud, vêtements de demi-saison pour l'intérieur du pays) et lainages, veste chaude pour les soirées et matinées. De décembre à février, vêtements d'hiver, sauf dans le Sud. En été, vêtements très légers et, pour les femmes, suffisamment couvrants pour ne pas provoquer les réactions de l'intégrisme chiite.

SANTÉ : de mars à novembre, risques de paludisme, peu virulent, dans les zones rurales situées à une altitude inférieure à 1 500 m ; surtout dans le Sud du pays, le long du golfe Persique. Mais dans le Sud-Est, zones de résistance à la Nivaquine et multirésistance.

BESTIOLES : moustiques de mars à novembre, sauf dans les régions élevées au Centre et au Nord, actifs surtout la nuit. ●

moyenne des températures maximales / moyenne des températures minimales

	J	F	M	A	M	J	J	A	S	O	N	D
Tabriz (1 360 m)	**1** - 7	**4** - 5	**10** 0	**17** 6	**23** 11	**29** 15	**33** 20	**32** 19	**28** 14	**20** 8	**12** 2	**5** - 3
Meched (980 m)	**7** - 5	**9** - 3	**14** 2	**21** 8	**27** 12	**32** 16	**34** 18	**33** 15	**29** 10	**22** 5	**16** 1	**10** - 3
Téhéran (1 190 m)	**7** - 1	**10** 1	**15** 5	**22** 11	**28** 16	**34** 21	**37** 24	**35** 23	**32** 19	**24** 13	**17** 7	**10** 1
Ispahan (1 550 m)	**9** - 2	**12** 0	**17** 5	**22** 9	**28** 14	**34** 19	**36** 21	**35** 20	**31** 15	**24** 9	**17** 4	**11** - 1
Chiraz (1 490 m)	**12** 0	**15** 1	**19** 5	**24** 9	**31** 13	**36** 17	**38** 20	**37** 19	**34** 14	**28** 9	**21** 4	**14** 1
Bandar Abbās	**23** 12	**24** 14	**28** 18	**32** 21	**36** 25	**38** 28	**38** 30	**38** 30	**37** 28	**35** 24	**30** 18	**26** 14

nombre d'heures par jour hauteur en mm / nombre de jours

	J	F	M	A	M	J	J	A	S	O	N	D
Tabriz	**4** 25/6	**5** 25/6	**5,5** 45/8	**6,5** 55/10	**8,5** 40/7	**11** 18/4	**11,5** 3/1	**11** 4/1	**10** 9/1	**7,5** 30/6	**6** 30/5	**4** 25/6
Meched	**5** 35/6	**5** 35/6	**5** 50/8	**6,5** 50/8	**9** 25/4	**11,5** 3/1	**11,5** 1/0	**11,5** 1/0	**10** 2/1	**8** 11/2	**6,5** 16/3	**5** 25/5
Téhéran	**5,5** 35/6	**6,5** 35/5	**6,5** 35/6	**7,5** 30/5	**9,5** 15/4	**11,5** 3/1	**11** 3/1	**11** 1/0	**10** 1/0	**8** 14/3	**7** 20/3	**5,5** 35/6
Ispahan	**6,5** 17/4	**7,5** 14/3	**8** 18/4	**8** 19/4	**10** 9/2	**11,5** 1/0	**11** 1/0	**10,5** 0/0	**10,5** 0/0	**9** 4/1	**7,5** 10/2	**6,5** 20/4
Chiraz	**7** 80/7	**8** 50/6	**7,5** 50/6	**8,5** 30/4	**10,5** 7/1	**12** 0/0	**11** 1/0	**10,5** 0/0	**10,5** 0/0	**9,5** 5/1	**8** 20/3	**7** 65/6
Bandar Abbās	**7** 40/3	**7,5** 50/3	**7,5** 35/3	**8** 11/1	**10** 5/0	**10** 0/0	**8,5** 1/0	**8,5** 2/0	**9** 1/0	**9** 1/0	**8,5** 5/0	**7,5** 25/2

température de la mer : moyenne mensuelle

	J	F	M	A	M	J	J	A	S	O	N	D
Bandar Abbās	23	22	24	26	28	29	29	30	30	29	27	24

Irlande

Superficie : 70 000 km^2. Dublin (latitude 53°26'N ; longitude 06°15'O) : GMT + 0 h . Durée du jour : maximale (juin) 17 heures, minimale (décembre) 7 heures 30.

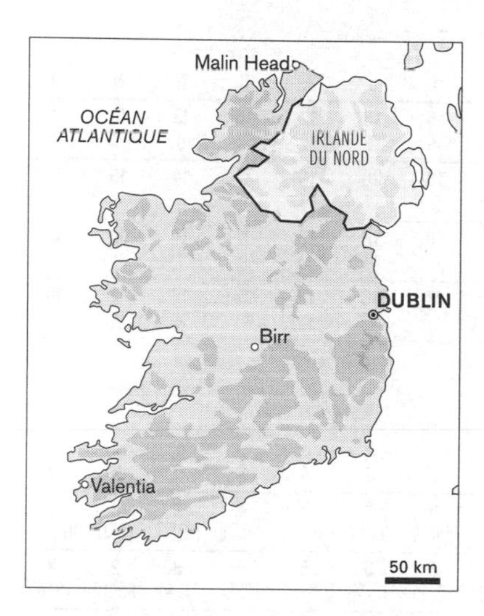

▸ Leur pluie, non seulement ils n'en ont pas honte, les Irlandais, mais ils la revendiquent comme un des attributs essentiels du charme de leur pays, avec ses ciels fantasques, ses landes de bruyère et ses côtes tourmentées. Et puis ces fréquentes averses sont un excellent prétexte pour faire quelques haltes dans les pubs.

La côte Ouest (de Malin Head, au Nord, à l'île de Valentia, au Sud) est la plus arrosée, puisque la plus exposée aux vents océaniques qui balaient l'Irlande tout au long de l'année. La côte orientale est moins pluvieuse : il ne tombe à Dublin que 750 mm de précipitations par an, c'est-à-dire nettement moins qu'à Brest (1 100 mm). Sur tout le pays, le temps change suffisamment pour que l'on puisse toujours espérer un retour du soleil après une averse.

▸ La fin du **printemps** est sans doute la saison la plus favorable à un voyage en Irlande, c'est-à-dire les mois de **mai et juin**, les plus ensoleillés de l'année. Les pluies restent assez modérées et, s'il fait encore très frais en mai, juin est assez doux, du moins dans la journée. Au début de ce mois, la région du Kerry (au Sud-Ouest) est couverte de rhododendrons, que l'on peut apprécier en suivant la *Pink Road* (la route Rose).

▸ L'**été** est aussi une bonne période, bien qu'assez pluvieuse. À Dublin, il peut même faire vraiment chaud certains après-midi, mais, dans l'ensemble, les températures sont douces, sans plus, dans la journée, et les soirées et les nuits restent fraîches. Même en plein été, les côtes irlandaises sont plus propices à la pêche (au requin, par exemple) qu'à la baignade : en effet, la température de la mer reste en dessous de 17°, y compris au mois d'août.

▸ Après un automne pluvieux et nuageux, l'**hiver** irlandais est... pluvieux et venté mais doux, notamment dans le Sud-Ouest, où l'absence de gelées permet à des essences quasi exotiques de prospérer sur l'île de Valentia. La neige est rare en Irlande.

▸ En **avril-mai** et **septembre-octobre**, l'Irlande est une halte obligée pour des millions d'oiseaux en route vers le Sud ou en revenant.

Citons les observatoires d'oiseaux de Cape Clear, au Sud, dans le comté de Cork, et de Copeland, au Nord, dans le comté de Down.

VALISE : en plein été, même si l'on porte des vêtements assez légers, il est prudent d'avoir à portée de main un bon pull-over et un anorak ou un parapluie. En hiver, vêtements chauds et coupe-vent – un *riding-coat* est idéal –, bottes.

FOULE : pression touristique en forte progression ces dernières années, même si la vie est chère dans la prospère Irlande. Une majorité de visiteurs britanniques, 10 % d'Américains qui, pour la majorité d'entre eux, viennent fouler la terre de leurs ancêtres. Avec des contingents de 6 %, Français et Allemands font jeu égal. ●

moyenne des températures maximales / moyenne des températures minimales

	J	F	M	A	M	J	J	A	S	O	N	D
Malin Head	**8** 3	**8** 3	**9** 4	**11** 5	**13** 7	**15** 10	**16** 12	**17** 12	**15** 11	**13** 8	**10** 6	**9** 4
Dublin	**8** 1	**8** 2	**10** 3	**13** 4	**15** 6	**18** 9	**20** 11	**19** 11	**17** 9	**14** 6	**10** 4	**8** 3
Birr	**7** 1	**8** 2	**10** 3	**12** 4	**15** 6	**18** 9	**18** 11	**18** 10	**17** 9	**14** 7	**10** 3	**8** 2
Valentia	**9** 5	**9** 4	**11** 6	**13** 6	**15** 8	**17** 11	**18** 12	**18** 13	**17** 11	**14** 9	**12** 7	**10** 6

nombre d'heures par jour hauteur en mm / nombre de jours

	J	F	M	A	M	J	J	A	S	O	N	D
Malin Head	**1** 100/18	**2** 65/15	**4** 60/12	**5** 55/13	**7** 55/11	**6** 70/13	**5** 95/17	**5** 80/14	**4** 100/16	**2** 100/17	**2** 95/17	**1** 105/19
Dublin	**2** 65/13	**3** 55/10	**3** 50/10	**5** 45/11	**6** 60/10	**6** 55/11	**5** 70/13	**5** 75/12	**4** 70/12	**3** 70/11	**2** 65/12	**2** 75/14
Birr	**2** 75/13	**3** 50/10	**3** 55/11	**4** 65/12	**6** 75/15	**5** 65/13	**4** 75/12	**5** 90/15	**4** 85/13	**3** 90/14	**2** 80/13	**2** 95/15
Valentia	**2** 165/20	**3** 105/15	**4** 105/14	**5** 75/13	**7** 85/13	**6** 80/13	**5** 105/15	**5** 95/15	**4** 120/16	**3** 140/17	**2** 150/18	**1** 170/21

température de la mer : moyenne mensuelle

	J	F	M	A	M	J	J	A	S	O	N	D
Malin Head	9	8	9	9	10	12	14	15	14	12	11	10
Valentia	10	10	10	10	11	13	15	16	15	13	12	11

Islande

Superficie : 105 000 km². Reykjavik (latitude 64°08'N ; longitude 21°56'O) : GMT - 1 h. Durée du jour : maximale (juin) 21 heures, minimale (décembre) 4 heures 30.

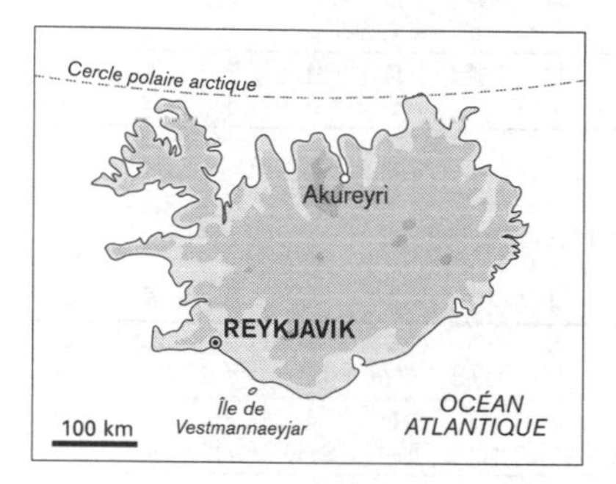

Bien que son nom signifie « pays de glace », le climat de l'Islande n'est pas aussi rigoureux que le laisserait supposer sa situation aux confins du cercle polaire arctique. Il est sensiblement adouci par les effets d'un bras du Gulf Stream, qui longe l'île à l'Ouest et au Sud. En revanche, le conflit entre influence polaire et atlantique entraîne une instabilité climatique caractéristique : les tempêtes sont souvent violentes et le grand vent fréquent. Sur l'île de Vestmannaeyjar, au Sud du pays, on enregistre pendant l'hiver des vitesses de vent records. Signalons qu'il pleut moins au Nord du pays.

▸ Les randonneurs et amateurs de paysages sauvages choisiront la période qui va **de fin mai à mi-septembre** pour admirer les fjords profonds, les glaciers étincelants (un peu plus du dixième du territoire), les immenses champs de lave et les vertes vallées d'Islande. Ils profiteront alors du dépaysement offert par des journées qui durent presque 24 heures (de fin mai à fin juillet). Même en plein été, le ciel est souvent nuageux et le soleil ne brille pas assez longtemps d'affilée pour réchauffer beaucoup l'atmosphère. Il fait toujours frais, et froid pendant la « nuit ». Cependant, n'oubliez pas votre maillot de bain : il existe en Islande de nombreuses sources d'eau chaude aménagées.

La première quinzaine de juin est le meilleur moment pour observer les légions d'oiseaux migrateurs qui colonisent l'Islande au début de l'été.

▸ L'**hiver** islandais fait fuir les voyageurs à cause de ses nuits interminables et de ses tempêtes de neige, excepté peut-être les fans de ski nordique. Certes, l'immensité muette de ces espaces glacés, le sifflement obsédant du blizzard, le jaillissement des aurores boréales ont quelque chose d'effrayant... Mais ils peuvent aussi séduire certains audacieux. Fin février, les journées durent déjà une dizaine d'heures et les vents se calment un peu. C'est la bonne période (jusqu'à mi-avril environ) pour une randonnée à ski de fond dans les immenses territoires inhabités du Nord de l'île, au milieu des volcans et des forêts, ou pour faire du ski alpin dans les stations de sports d'hiver (il en existe près de Reykjavik).

VALISE : de juin à septembre, vêtements confortables de demi-saison, pull-overs, manteau léger ou veste chaude, maillot de bain (voir ci-dessus). En hiver, vêtements chauds, anorak en duvet, bonnet, gants, etc.

FOULE : pression touristique modérée. Juillet est très nettement le mois où l'Islande reçoit le plus de visiteurs.Les Allemands sont les plus nombreux, suivis des Américains, Suédois et Danois. Les Français représentent environ 5 % du total des voyageurs. ●

Voir tableaux page suivante

Islande

moyenne des températures maximales / moyenne des températures minimales

	J	F	M	A	M	J	J	A	S	O	N	D
Akureyri	**1** -4	**1** -4	**3** -3	**3** -1	**10** 3	**13** 6	**14** 8	**13** 7	**11** 5	**7** 1	**3** -2	**1** -3
Reykjavik	**2** -2	**3** -2	**4** -1	**6** 1	**10** 4	**12** 7	**14** 9	**14** 8	**11** 6	**7** 3	**4** 0	**2** -1

nombre d'heures par jour hauteur en mm / nombre de jours

	J	F	M	A	M	J	J	A	S	O	N	D
Akureyri	**0,2** 45/11	**1** 40/10	**3** 45/11	**4** 30/8	**5** 18/7	**5** 25/8	**5** 30/9	**4** 35/8	**3** 45/9	**2** 50/10	**0,4** 45/11	**0** 55/12
Reykjavik	**1** 90/14	**2** 65/12	**4** 60/12	**5** 55/12	**6** 40/10	**6** 40/10	**6** 50/10	**5** 55/12	**4** 65/13	**2** 95/14	**1** 80/14	**0,3** 80/15

température de la mer : moyenne mensuelle

	J	F	M	A	M	J	J	A	S	O	N	D
Reykjavik	5	4	5	5	6	8	9	10	9	7	6	6

Israël

Superficie : 20 800 km^2. Tel-Aviv (latitude 32°04'N ; longitude 34°47'E) : GMT + 2 h . Durée du jour : maximale (juin) 14 heures, minimale (décembre) 10 heures.

Les périodes les plus agréables pour séjourner en Israël sont soit les intersaisons, de **mars à mai** et **octobre-novembre**, soit l'**été** : tout dépend en définitive des régions que l'on projette de visiter.

▶ Sur la **côte** (voir Tel-Aviv, Haïfa), le climat est sec, chaud et ensoleillé d'avril à novembre ; juillet et août sont extrêmement chauds, mais des brises marines rafraîchissent l'atmosphère. Les hivers, courts (décembre à fin février), sont doux et pluvieux. La température de l'eau de mer, de 17° de janvier à mars, dépasse 23° de juin à octobre (27° en août).

▶ Dans les **régions élevées** de l'intérieur, en particulier en Galilée, au Nord, l'hiver est plus froid et encore plus arrosé que sur la côte. Des chutes de neige ne sont pas exceptionnelles à Nazareth. Il peut aussi neiger quelques jours à Jérusalem qui, au temps de Noël, est envahie de pèlerins de confessions diverses. L'été est très chaud, ensoleillé et assez venté. Grâce à l'altitude, les nuits sont relativement fraîches.

▶ Dans les **dépressions orientales** (lac de Tibériade, mer Morte) et surtout dans les régions désertiques du **Sud** du pays (voir Eilat), la chaleur est torride de mai à septembre : à éviter durant cette période pour ceux qui craignent la canicule. Les hivers sont très doux et plus secs que dans le reste du pays. Eilat est très agréable en mars-avril et de novembre à mi-décembre : soleil dans la journée, fraîcheur le soir et la nuit.

VALISE : de mai à octobre, vêtements d'été légers, un ou deux pulls et une veste pour les soirées en altitude. De décembre à février : vêtements de demi-saison et manteau léger ou veste chaude, imperméable (inutile à Eilat). Intersaisons à Eilat : vêtements d'été.

FOULE : le tourisme a considérablement chuté depuis quelques années ; pas de très grands écarts d'affluence tout au long de l'année, si ce n'est un creux assez marqué en janvier. Parmi les touristes européens – 60 % des visiteurs –, Allemands, Français et Britanniques sont, dans cet ordre, les plus nombreux. Les Américains représentent, quant à eux, environ le quart des voyageurs. ●

Israël

moyenne des températures maximales / moyenne des températures minimales

	J	F	M	A	M	J	J	A	S	O	N	D
Haïfa	**18** 9	**19** 10	**22** 11	**25** 14	**28** 17	**29** 20	**31** 23	**32** 24	**31** 22	**29** 19	**26** 15	**20** 11
Tel-Aviv	**18** 9	**19** 10	**23** 11	**25** 14	**27** 17	**28** 19	**31** 22	**32** 23	**31** 21	**29** 18	**25** 14	**20** 10
Jérusalem (810 m)	**13** 5	**13** 6	**18** 8	**23** 10	**27** 14	**29** 16	**31** 17	**31** 18	**29** 17	**27** 15	**21** 12	**15** 7
Eilat	**21** 10	**23** 11	**26** 12	**31** 14	**36** 18	**38** 24	**39** 26	**40** 26	**37** 25	**33** 21	**28** 16	**23** 12

nombre d'heures par jour hauteur en mm / nombre de jours

	J	F	M	A	M	J	J	A	S	O	N	D
Haïfa	**8** 180/13	**8** 145/11	**9** 25/7	**10** 18/4	**11** 3/1	**12** 1/0	**12** 1/0	**12** 0/0	**11** 0/0	**10** 13/2	**8** 70/7	**7** 170/11
Tel-Aviv	**6** 130/10	**7** 95/8	**7** 60/9	**9** 15/3	**11** 4/1	**12** 0/0	**12** 0/0	**12** 0/0	**10** 2/1	**9** 18/2	**8** 80/6	**6** 130/9
Jérusalem	**6** 130/9	**7** 135/11	**7** 65/7	**10** 30/3	**11** 3/1	**14** 2/0	**13** 0/0	**13** 0/0	**11** 1/0	**9** 13/1	**7** 70/4	**6** 85/7
Eilat	**7** 2/1	**8** 5/1	**8** 5/2	**9** 3/1	**10** 0/0	**11** 0/0	**11** 0/0	**11** 0/0	**10** 0/0	**9** 2/1	**9** 9/2	**7** 25/3

température de la mer : moyenne mensuelle

	J	F	M	A	M	J	J	A	S	O	N	D
Haïfa	17	16	17	18	20	23	26	27	26	24	21	19
Eilat	19	20	21	23	25	26	27	27	25	23	21	19

Italie

Superficie : 300 000 km². Rome (latitude 41°48'N ; longitude 12°14'E) : GMT + 1 h. Durée du jour : maximale (juin) 15 heures 30, minimale (décembre) 9 heures 30.

L'Italie, pays du soleil ? C'est vrai, bien sûr, en ce qui concerne les rivieras abritées et le Sud, mais pour le reste du pays, il faut nuancer.

▶ Au **Nord** de l'Italie, la plaine du Pô connaît des hivers assez froids et couverts, avec de fréquents brouillards. Les températures sont alors plus basses à Milan qu'à Paris. Du nord soufflent le *maestral* et la *tramontane*. Ces rigueurs continentales sont atténuées sur la côte orientale (voir Venise) par l'influence adoucissante de la mer Adriatique. En hiver, cette côte est cependant régulièrement balayée par un vent froid, la *bora*. Dans l'intérieur, l'été est ensoleillé mais souvent chaud et lourd, et la pluie tombe sous forme d'orages.
L'été, Venise est souvent envahie de myriades d'insectes et l'on y respire les relents qui émanent de la lagune polluée. Cela, ajouté à l'affluence touristique, convainc que cette saison n'est pas la meilleure pour flâner dans la cité des Doges.
Dans le Nord de l'Italie, il faut encore distinguer le climat de montagne des Alpes italiennes (ski durant les mois d'hiver), les climats protégés de la région des lacs (Majeur, Côme, Garde...) et de la côte ligurienne (voir Gênes), de Vintimille à Livourne : l'hiver y est plus doux, plus sec et lumineux que dans la plaine du Pô, et les étés y sont toujours agréables, très ensoleillés.

▶ À partir de Florence et dans le **Centre**, le climat hivernal, assez pluvieux, s'adoucit sensiblement, excepté sur les hauteurs de l'Apennin, souvent enneigées et aussi très ventées. De mai à fin septembre, on bénéficie d'un temps chaud, ensoleillé et assez sec : c'est, en dehors des jours de canicule, une bonne époque pour séjourner en Toscane, en Ombrie ou sur la côte des Marches. En octobre, les pluies deviennent plus abondantes, et le ciel est assez couvert en novembre et décembre.

▶ Dans tout le **Sud**, qui commence au-delà de Rome, les étés sont très chauds, secs et ensoleillés sur les côtes ; ils peuvent être torrides dans les collines et les plaines intérieures, particulièrement en Sardaigne et en Sicile, surtout quand souffle le *sirocco*, vent sec et brûlant d'origine africaine. Durant cette saison, il pleut rarement, généralement sous forme d'orages violents.
En hiver, la saison la plus arrosée, les températures sont modérées, bien que les hauteurs qui dominent Palerme soient parfois recouvertes de neige. Le printemps est une bonne période pour visiter le Sud de l'Italie, la Sicile et la Sardaigne, surtout en mai-juin : à Pâques, le beau temps n'est pas toujours garanti.

▶ En résumé, pour voyager à travers l'Italie, et surtout pour accomplir un périple des innombrables villes d'art, petites ou grandes, les saisons les plus agréables nous paraissent être la **fin du printemps** et le **début de l'automne**, mais aussi l'été pour ceux que la chaleur n'incommode pas et qui projettent quelques haltes sur les plages (à savoir : *Ferragosto*, le 15 août à l'italienne, est sans doute encore plus férié que son homologue français).

VALISE : en été, pour toute l'Italie, vêtements très légers, pull-over, veste ou blouson de toile ; ajoutez de quoi vous protéger d'une averse pour la Lombardie et quelques vêtements plus chauds pour les séjours dans les Alpes. En hiver : vêtements chauds, manteau, bottes, parapluie ou imperméable.

FOULE : forte pression touristique, bien qu'en stagnation ces dernières années. Juillet et août reçoivent un maximum de visiteurs, surtout concentrés sur le littoral. Les musées italiens sont rarement déserts, mais janvier-février, au cœur de la basse saison, offrent une affluence moindre. ●

moyenne des températures maximales / moyenne des températures minimales

	J	F	M	A	M	J	J	A	S	O	N	D
Milan	**5** -2	**8** 0	**13** 3	**18** 7	**22** 11	**26** 15	**29** 18	**28** 17	**24** 13	**18** 9	**10** 4	**6** -1
Venise	**6** -1	**8** 1	**12** 4	**16** 8	**21** 12	**25** 16	**28** 18	**27** 17	**24** 14	**18** 9	**12** 4	**7** 0
Gênes	**11** 5	**12** 6	**14** 8	**17** 11	**21** 14	**24** 18	**27** 21	**27** 21	**24** 18	**20** 14	**15** 9	**12** 6
Florence	**10** 2	**12** 3	**15** 5	**19** 8	**23** 11	**27** 14	**31** 17	**30** 17	**26** 15	**21** 11	**15** 6	**10** 3
Pescara	**11** 2	**12** 3	**14** 5	**18** 7	**22** 11	**26** 15	**29** 17	**29** 17	**25** 14	**21** 11	**16** 7	**12** 3
Rome	**12** 3	**14** 4	**16** 5	**19** 8	**24** 11	**28** 15	**31** 18	**31** 18	**27** 15	**23** 11	**17** 7	**13** 4
Naples	**12** 4	**13** 5	**15** 6	**18** 8	**23** 12	**26** 16	**29** 18	**29** 18	**26** 15	**22** 12	**17** 8	**14** 5
Brindisi	**13** 6	**13** 7	**15** 8	**18** 10	**22** 14	**26** 18	**29** 21	**29** 21	**26** 18	**22** 15	**18** 11	**14** 8
Cagliari (Sardaigne)	**14** 6	**15** 6	**16** 7	**19** 9	**23** 12	**27** 16	**30** 19	**30** 19	**27** 17	**23** 14	**18** 10	**15** 7
Palerme (Sicile)	**15** 10	**15** 10	**16** 11	**18** 13	**22** 16	**25** 20	**28** 23	**29** 24	**27** 22	**23** 18	**19** 15	**16** 12

nombre d'heures par jour hauteur en mm / nombre de jours

	J	F	M	A	M	J	J	A	S	O	N	D
Milan	**2** 70/7	**3** 70/7	**5** 85/8	**6** 90/8	**7** 110/10	**8** 80/8	**9** 65/6	**8** 95/8	**6** 70/6	**4,5** 100/7	**2** 100/8	**2** 60/6
Venise	**2,5** 60/7	**3,5** 50/6	**4,5** 60/7	**6** 70/9	**7,5** 85/9	**8** 85/9	**9,5** 65/6	**8,5** 85/7	**6,5** 65/5	**6** 70/7	**2,5** 90/8	**2** 55/6
Gênes	**4** 110/7	**4,5** 95/7	**5** 110/8	**6,5** 85/8	**7** 75/7	**8** 55/5	**9,5** 30/3	**8,5** 80/6	**6,5** 100/6	**6** 140/9	**3,5** 110/8	**3,5** 85/6
Florence	**3,5** 75/9	**4** 70/8	**5** 80/9	**6,5** 75/9	**7** 70/9	**8,5** 55/6	**10** 40/4	**9** 75/6	**7** 80/6	**5** 90/7	**3,5** 110/10	**3** 90/9
Pescara	**3** 55/6	**3,5** 55/7	**5** 65/7	**6,5** 65/6	**8** 35/5	**8,5** 45/5	**10** 35/4	**9** 55/5	**7,5** 60/6	**5,5** 75/7	**3,5** 70/7	**3** 75/9
Rome	**4** 85/9	**4,5** 80/8	**5,5** 70/9	**6,5** 65/8	**8,5** 50/6	**9,5** 40/4	**10,5** 25/2	**9,5** 35/3	**8** 75/5	**6,5** 100/7	**4** 110/10	**3,5** 95/10

	J	F	M	A	M	J	J	A	S	O	N	D
Naples	**3,5** 110/10	**4** 100/10	**5** 85/9	**6** 75/9	**8** 50/6	**9** 35/4	**10** 25/2	**9,5** 45/4	**8** 80/7	**6** 130/9	**4** 160/11	**3,5** 120/11
Brindisi	**4** 60/9	**4,5** 65/8	**5,5** 70/8	**6,5** 35/6	**8,5** 30/4	**10** 19/3	**11** 10/2	**10** 25/3	**8** 45/4	**6** 70/6	**4,5** 75/8	**3,5** 70/9
Cagliari	**4,5** 45/8	**4,5** 55/8	**6** 45/7	**7** 35/6	**8,5** 25/4	**9,5** 10/2	**11** 3/1	**10** 9/2	**8** 30/4	**6,5** 55/6	**5** 55/8	**4** 55/8
Palormo	**4** 70/10	**5** 65/10	**6** 60/9	**7** 45/6	**9** 25/3	**10** 12/2	**11** 5/1	**10** 12/2	**8,5** 40/4	**7** 95/9	**5** 95/9	**4** 80/10

température de la mer : moyenne mensuelle

	J	F	M	A	M	J	J	A	S	O	N	D
San Remo	13	12	13	14	16	20	22	23	21	19	17	14
Naples	14	13	14	15	18	21	24	25	23	21	18	16
Palerme	15	14	14	15	17	21	24	25	24	22	19	16
Cagliari	14	13	14	15	17	21	23	24	23	21	18	15
Pescara	13	12	13	15	17	20	23	24	22	19	16	14
Venise	10	9	11	14	16	20	23	24	22	18	15	12

Jamaïque

Superficie : 11 000 km². Kingston (latitude 17°56'N ; longitude 76°47'O) : GMT - 5 h . Durée du jour : maximale (juin) 13 heures, minimale (décembre) 11 heures.

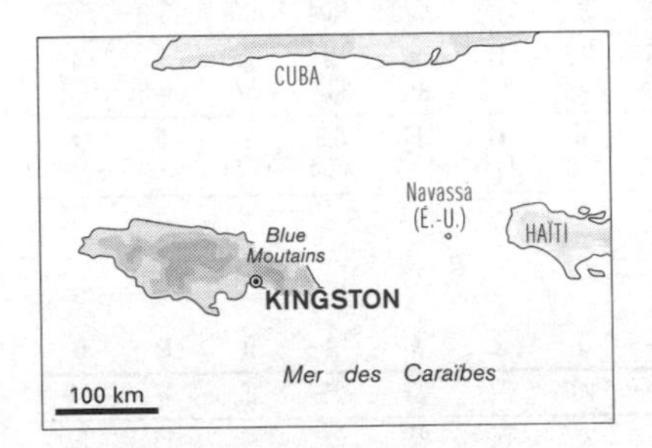

▶ Quand partir pour la Jamaïque ? De préférence **entre novembre et avril**. La chaleur est un peu moins forte qu'en été et surtout l'air est moins humide, ce qui modère la touffeur ambiante. Pendant cette saison, les températures peuvent fraîchir sous l'effet de vents venus du nord, les *nortes*.
La côte Nord, où se succèdent baies sablonneuses et éperons rocheux, est la plus belle ; malheureusement, elle reçoit, surtout à l'Est, nettement plus de pluies que la côte Sud (où est située Kingston). Le climat de la capitale, protégée par les Blue Mountains, est particulièrement aride durant cette période.

▶ La **saison des pluies**, de mai à octobre, connaît un très net ralentissement vers le mois de juin. Les précipitations sont très abondantes sur le versant oriental des reliefs, mais, d'une manière générale, la Jamaïque est moins arrosée que les Antilles françaises. Les averses, fréquentes mais courtes, ont peu d'effet sur la durée d'ensoleillement. En revanche, les températures élevées associées à l'humidité de l'air et à la relative paresse des alizés peuvent rendre alors le séjour assez éprouvant...
Les ouragans qui frappent régulièrement l'île, surtout de la mi-août à octobre, sont parfois très destructeurs.

VALISE : quelle que soit la saison, vêtements légers ; de décembre à avril, un pull ou une veste légère ; et de mars à octobre, de quoi vous protéger des averses.

BESTIOLES : les moustiques s'activent surtout pendant la saison des pluies.

FOULE : mars et juillet sont les mois les plus courus. Septembre et octobre font figure de période creuse, mais les écarts d'affluence tout le long de l'année restent moindres. Les voyageurs sont à 80 % d'origine nord-américaine. Dans cette île presque ignorée des Français, les Européens sont à 60 % des Britanniques. ●

moyenne des températures maximales / moyenne des températures minimales

	J	F	M	A	M	J	J	A	S	O	N	D
Kingston	**30** 19	**30** 19	**30** 20	**31** 21	**31** 22	**32** 23	**32** 23	**32** 23	**32** 23	**31** 23	**31** 22	**31** 21

nombre d'heures par jour — hauteur en mm / nombre de jours

	J	F	M	A	M	J	J	A	S	O	N	D
Kingston	**8** 20/3	**9** 18/3	**9** 10/3	**9** 35/4	**8** 140/6	**8** 115/5	**8** 50/3	**8** 90/7	**8** 85/7	**7** 170/9	**8** 50/6	**8** 25/2

température de la mer : moyenne mensuelle

	J	F	M	A	M	J	J	A	S	O	N	D
Mer des Caraïbes	25	26	26	26	27	27	28	28	29	28	27	26

Japon

Superficie : 378 000 km². Tokyo (latitude 35°41'N ; longitude 139°46'E) : GMT + 9 h . Durée du jour : maximale (juin) 15 heures 30, minimale (décembre) 9 heures 45.

Le climat, au pays du Soleil levant, est assez pluvieux toute l'année et se divise en quatre saisons bien marquées dont la durée est variable du Nord au Sud.
Les deux saisons les plus agréables pour visiter le Japon sont incontestablement le **printemps** et l'**automne**.

Dès le début du mois de mars, on peut suivre à la trace la progression du **printemps** grâce à un indice infaillible : la floraison des cerisiers. Elle se produit fin mars à Okinawa et à Kyushu (voir Naha, Kagoshima), mi-avril à Tokyo, et seulement mi-mai ou fin mai à Hokkaido, l'île la plus septentrionale, proche des côtes sibériennes (voir Sapporo). Le printemps, moins pluvieux que l'été, est assez ensoleillé. Dès le mois d'avril, la température est agréable à Tokyo, Kyoto et dans tout le Sud du Japon. Mai et début juin sont sans doute les mois les plus plaisants dans tout l'archipel.

L'**été** est la saison la plus arrosée. Il commence par une saison des pluies courte et violente, la « pluie des prunes » (juin-juillet), spécialement marquée au Sud. La moiteur de l'air rend la chaleur pénible à supporter, en particulier dans les grandes villes du Sud de Honshu et à Kyushu. À Hokkaido, l'été est moins pluvieux et moins chaud, donc plus agréable que dans les autres îles.
C'est également la saison des typhons qui font chaque année des dégâts, surtout d'août à début octobre. Ils frappent surtout Kyushu et Shikoku, les deux îles méridionales de l'archipel ; mais Tokyo n'est pas toujours épargnée. À cet égard, 10 typhons ont frappé l'archipel en 2004 ; un record, très certainement lié au réchauffement climatique, et en l'occurence au réchauffement des eaux du Pacifique.

En **automne**, il fait chaud dans le Sud jusqu'à mi-novembre, et très doux dans la majeure partie du pays jusqu'à fin octobre. Un agréable vent frais chasse l'humidité de l'été.

En **hiver**, les chutes de neige sont abondantes de décembre à mars sur Hokkaido et sur la moitié occidentale de Honshu, l'île principale, permettant de skier sur les principaux sommets. Sur ces régions, le ciel est le plus souvent couvert, avec de brèves éclaircies. L'hiver est glacial dans tout Hokkaido, où la neige bloque souvent les communications, sauf au Nord-Est de l'île, abrité des vents humides.
À Tokyo et Osaka, c'est une période froide mais peu pluvieuse, et en général lumineuse et ensoleillée.

Grâce à un courant chaud, le ***kuroshio***, on peut se baigner dès le mois de mai dans le Sud de l'archipel (la température de la mer est alors de 23°), dès juin près de Tokyo (27° en août). Mais plus au Nord, l'eau est au contraire très fraîche (5° en hiver !) ; elle atteint tout de même 22° en août au Sud de

Hokkaido, où l'on se baigne en général en juillet et août.

VALISE : pour Tokyo, de décembre à mars, vêtements d'hiver ; de mai à octobre, vêtements d'été et imperméable très léger ou parapluie. Sauf dans les stations balnéaires, shorts, minijupes ou débardeurs sont mal adaptés aux habitudes vestimentaires des Japonais. Et n'oubliez pas que l'on se déchausse tout le temps au Japon (à l'entrée d'une maison, d'un temple, ou même d'un restaurant) : si vous n'avez que des chaussures à lacets, vous allez souffrir... Pour Hokkaido, fourrures ou vêtements matelassés très chauds seront nécessaires en hiver, alors que, dans les îles méridionales au contraire, des vêtements de demi-saison suffiront.

BESTIOLES : d'affreux cancrelats, aussi inoffensifs qu'impopulaires, envahissent villes et campagnes en été.

FOULE : flux touristique modéré et assez régulier. Un peu plus d'affluence en avril, juillet, août, octobre, et léger creux en février ; les voyageurs viennent pour moitié de Corée du Sud et de Taïwan. En 2005, les contingents nord-américains et européens (environ 30% à eux deux) dépassaient encore le contingent chinois, en forte hausse. ●

RENDEZ-VOUS NATURE

Sous les cerisiers en fleur

Chaque année, la floraison des cerisiers fait la une des journaux japonais. On célèbre *Ohanami*, « la vue des fleurs », dans tout le pays. En général, l'île d'Okinawa donne le départ **la dernière semaine de mars** ; le front de floraison *(sakura senzen)* est à Tokyo **début avril** et les cerisiers de Hokkaido achèvent le cycle **fin avril**. Le parc du château d'Osaka, celui du château de Hirosaki dans le département d'Aomori, le parc d'Ueno à Tokyo, la colline d'Arashiyama à Kyoto et le parc d'Yoshinoyama à Nara sont parmi les lieux les plus prisés pour fêter le printemps et se rendre sous les cerisiers en fleur. La variété de cerisier favorite des Japonais est *Somei-yoshino (Prunus xyedoensis)* dont les fleurs présentent cinq pétales ; elles se fanent et se détachent de l'arbre au bout de trois ou quatre jours seulement.

Le Japon connaît aussi son été indien ; vers la **mi-septembre**, le flamboiement pourpre des érables embrase le pays tout entier. C'est aussi la meilleure époque pour approcher le Japon traditionnel. Dans les temples bouddhistes et les sanctuaires shintoïstes, baignés d'une douce lumière dorée, la foule des pèlerins afflue. L'automne est, en effet, la saison des pèlerinages et des mariages. On croise dans les parcs de jeunes mariés en kimonos de cérémonie brodés d'or et d'argent, le visage poudré et maquillé selon les règles traditionnelles. Le spectacle est particulièrement magnifique à Kyoto, qui est à la fois une métropole moderne et l'âme du Japon sacré.

moyenne des températures maximales / moyenne des températures minimales

	J	F	M	A	M	J	J	A	S	O	N	D
Sapporo (Hokkaido)	**- 2** - 12	**- 1** - 11	**2** - 7	**11** 0	**16** 4	**21** 10	**24** 14	**26** 16	**22** 11	**16** 4	**8** - 2	**1** - 8
Niigata (Honshu)	**4** - 1	**4** - 1	**8** 1	**15** 6	**19** 11	**24** 16	**28** 21	**30** 22	**26** 18	**19** 12	**14** 6	**8** 1

	J	F	M	A	M	J	J	A	S	O	N	D
Tokyo	**8**	**9**	**12**	**17**	**22**	**24**	**28**	**30**	**26**	**21**	**16**	**11**
(Honshu)	- 2	- 1	2	8	12	17	21	22	19	13	6	1
Osaka	**8**	**9**	**12**	**18**	**23**	**27**	**31**	**32**	**28**	**22**	**17**	**11**
(Honshu)	0	1	3	8	13	18	23	23	19	13	7	3
Kagoshima	**12**	**12**	**16**	**20**	**23**	**26**	**29**	**31**	**28**	**24**	**18**	**13**
(Kyushu)	3	3	6	11	14	19	23	23	21	15	9	4
Naha	**19**	**19**	**21**	**24**	**27**	**29**	**32**	**31**	**31**	**27**	**24**	**21**
(Okinawa)	13	13	15	18	20	24	25	25	24	21	18	14

nombre d'heures par jour hauteur en mm / nombre de jours

	J	F	M	A	M	J	J	A	S	O	N	D
Sapporo	**3**	**4**	**5**	**7**	**7**	**7**	**6**	**6**	**6**	**5**	**4**	**3**
	110/17	80/14	65/12	65/10	60/8	65/9	100/9	110/10	145/11	110/12	110/13	105/15
Niigata	**2**	**3**	**5**	**7**	**7**	**7**	**7**	**8**	**6**	**5**	**4**	**2**
	195/22	125/19	120/17	100/12	95/10	125/11	190/13	105/11	175/13	165/14	170/18	265/24
Tokyo	**6**	**6**	**6**	**6**	**6**	**5**	**6**	**7**	**5**	**4**	**5**	**5**
	50/6	60/7	110/10	130/11	130/12	160/12	160/11	160/10	210/13	170/12	95/8	40/5
Osaka	**5**	**5**	**6**	**7**	**7**	**6**	**7**	**8**	**6**	**5**	**5**	**5**
	45/7	60/7	95/11	125/10	120/11	195/12	175/10	120/7	170/12	120/9	80/7	50/5
Kagoshima	**5**	**5**	**6**	**6**	**6**	**5**	**7**	**8**	**7**	**6**	**6**	**6**
	75/10	115/10	150/13	230/13	250/14	455/15	345/13	220/11	215/11	120/8	90/7	80/8
Naha	**4**	**4**	**4**	**5**	**5**	**7**	**9**	**8**	**7**	**6**	**5**	**4**
	120/13	135/13	165/12	165/12	245/14	330/13	180/9	295/15	165/11	155/9	145/10	115/10

température de la mer : moyenne mensuelle

	J	F	M	A	M	J	J	A	S	O	N	D
Naha	19	19	21	23	24	25	28	28	27	25	22	20
Kagoshima	18	17	16	18	20	23	26	27	26	24	22	19
Yokohama	15	14	14	16	18	22	25	27	25	23	20	17
Niigata	8	7	9	10	13	17	22	25	23	19	16	12

Jordanie

Superficie : 92 000 km². Amman (latitude 31°57'N ; longitude 35°57'E) : GMT + 2 h . Durée du jour : maximale (juin) 14 heures, minimale (décembre) 10 heures.

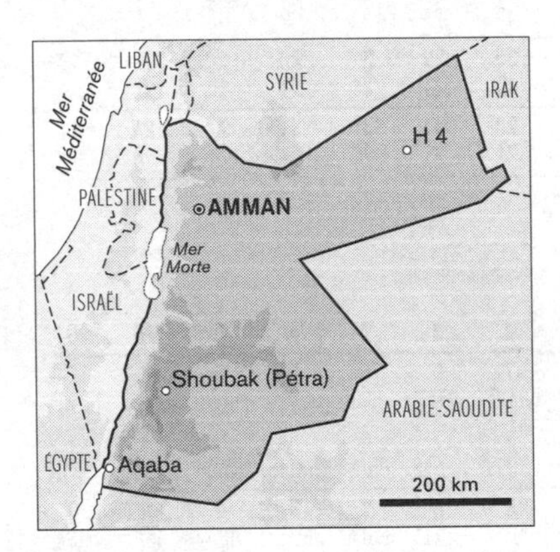

Le climat jordanien varie surtout en fonction de l'altitude.

▶ Dans les régions basses, qu'il s'agisse d'Aqaba, du rivage de la mer Morte ou des zones désertiques au Sud et à l'Est du pays, l'été est torride : évitez de préférence les mois de mai à septembre. Aqaba est, en revanche, très agréable **entre novembre et avril**.

Le climat désertique (voir H 4) se caractérise, outre la sécheresse, par une amplitude thermique considérable : nuits fraîches en plein été, alors que dans la journée il règne une chaleur écrasante ; journées très fraîches et nuits froides en hiver (le gel est fréquent). Les mois d' **avril, mai, octobre et novembre** sont les plus appropriés pour un voyage dans ces régions, riches en vestiges de la dynastie omeyyade (châteaux d'Amra et d'Azraq, à l'est d'Amman).

▶ Dans les régions situées en altitude (voir Amman, Shoubak), l'hiver est assez froid et pluvieux, mais pourtant bien ensoleillé ; le gel et la neige n'ont rien d'exceptionnel. Après un printemps court et peu arrosé, l'été, très ensoleillé et chaud, est tout à fait supportable grâce à la sécheresse de l'air et à la douceur des nuits.

Si vous projetez, par exemple, une visite des sites archéologiques (Jerash, Pétra...), vous pouvez sans problème l'envisager en été, en vous déplaçant de préférence en dehors des heures chaudes. Mais l'automne demeure la saison la plus agréable pour un tel voyage.

VALISE : en hiver, dans les régions élevées, vêtements chauds, imperméable ; de mai à octobre, vêtements légers de plein été (ni épaules ni genoux découverts pour les femmes...) et pulls pour les soirées. À Aqaba, des vêtements de demi-saison suffisent en hiver.

FOULE : la situation au Moyen-Orient a porté un coup sévère au développement du tourisme vers la Jordanie. Si l'on comptait 500 000 visiteurs sur le site de Pétra en 2000, ils étaient deux fois moins nombreux en 2005. Ce tourisme reste majoritairement d'origine régionale (Syrie, Arabie Saoudite, Égypte et pays du Golfe). Juillet, août et septembre sont les mois les plus fréquentés ; janvier, le moins. ●

moyenne des températures maximales / moyenne des températures minimales

	J	F	M	A	M	J	J	A	S	O	N	D
H 4	**14**	**17**	**21**	**26**	**32**	**36**	**38**	**38**	**34**	**29**	**22**	**17**
(686 m)	3	4	8	11	16	18	19	20	17	13	8	4
Amman	**13**	**14**	**18**	**23**	**28**	**31**	**32**	**33**	**31**	**27**	**21**	**15**
(766 m)	4	4	6	9	13	16	18	18	16	14	10	5

	J	F	M	A	M	J	J	A	S	O	N	D
Shoubak	**9**	**10**	**14**	**19**	**22**	**26**	**27**	**28**	**26**	**23**	**17**	**12**
(1 365 m)	0	0	3	5	7	10	13	14	10	8	5	1
Aqaba	**21**	**23**	**27**	**31**	**35**	**39**	**40**	**41**	**36**	**33**	**28**	**23**
	10	10	14	18	22	24	26	25	24	21	16	12

nombre d'heures par jour hauteur en mm / nombre de jours

	J	F	M	A	M	J	J	A	S	O	N	D
H4	**7**	**8**	**9**	**11**	**12**	**14**	**13**	**12**	**11**	**10**	**8**	**7**
	9/1	13/2	10/2	11/2	7/1	0/0	0/0	0/0	0/0	3/1	10/1	14/2
Amman	**7**	**7**	**8**	**10**	**11**	**13**	**13**	**13**	**11**	**10**	**8**	**6**
	65/8	65/8	35/4	15/3	4/1	0/0	0/0	0/0	0/0	5/1	30/4	50/5
Shoubak	**7**	**9**	**10**	**10**	**12**	**13**	**13**	**12**	**11**	**10**	**8**	**6**
	70/8	70/8	65/7	18/3	6/2	0/0	0/0	0/0	0/0	2/0	30/4	75/7
Aqaba	**7**	**8**	**8**	**9**	**10**	**11**	**11**	**11**	**10**	**9**	**8**	**7**
	3/1	5/1	4/1	5/1	0/0	0/0	0/0	0/0	0/0	0,5/0	3/1	8/1

température de la mer : moyenne mensuelle

	J	F	M	A	M	J	J	A	S	O	N	D
Aqaba	19	20	21	23	25	26	27	27	25	23	21	19

Kazakhstan

Superficie : 2 720 000 km^2. Astana (latitude 51°08'N ; longitude 071°22'E) : GMT + 4 h . Durée du jour : maximale (juin) 15 heures 30, minimale (décembre) 9 heures.

Ouvert sur la Sibérie au Nord, le plus grand pays d'Asie centrale est limité à l'Est et au Sud par les hauts reliefs de l'Altaï et du Tien Chan.

C'est pendant les saisons intermédiaires, **de la mi-mai à la mi-juin**, ou **à la mi-septembre**, que le Kazakhstan offre les conditions climatiques les plus propices au voyage.

▶ Le climat du Kazakhstan est fortement marqué par son caractère continental : hiver très froid, été très chaud. C'est un climat sec aux précipitations limitées et même quasiment inexistantes en été dans certaines régions (voir Kzyl-Orda). Ce pays est aussi fameux pour ses tempêtes de poussière qui n'ont rien de très agréable ; au Nord du pays, les environs d'Aktyoubinsk, de Kustanay et de Pavlodar sont particulièrement touchés par ce phénomène. Si, en Asie centrale, l'atmosphère a si souvent cet aspect un peu gris ou blanchâtre, elle le doit aux particules qui peuvent rester plusieurs jours en suspension avant de retomber au sol.

▶ En **hiver**, le froid rigoureux mais sec est finalement assez supportable, sauf quand il se trouve associé à des vents forts. Tout à l'Est par exemple, les vents venus de Chine et compressés dans les cols étroits qui séparent les deux pays font de la région du lac Alakol une des plus venteuses du pays, surtout en décembre et en janvier (à cette époque, un thermomètre placé au vent enregistre régulièrement des minima nocturnes inférieurs à – 50°). Les chutes de neige ne sont pas très fréquentes dans les plaines ; suivant la longitude, la neige recouvre la terre durant un à quatre mois, mais d'une couche rarement très épaisse.

▶ Au début du **printemps** (mais aussi parfois en janvier), la moitié Sud du pays subit périodiquement des tempêtes venues d'Iran. Elles apportent un air chaud et peuvent remonter jusqu'au lac Balkhach. Mai et juin, plus calmes, bénéficient généralement de températures agréables.

▶ L'**été** est très chaud, souvent torride, mais sec. Le Kazakhstan connaît de temps à autre le phénomène du *soukhoviei*, surtout en juillet : ce vent chaud associé à la sécheresse du sol et de l'air peut griller les récoltes sur pied au moment de leur pleine croissance. L' **automne** est court, et dès la mi-octobre, les températures nocturnes descendent fréquemment en dessous de 0°.

▶ Un coup d'œil sur les statistiques d'Omsk (voir chapitre « Russie ») et celles de Tachkent (voir chapitre « Ouzbékistan ») donnera un aperçu du climat des régions respectivement la plus septentrionale et la plus méridionale du Kazakhstan.

VALISE : en hiver, un voyage dans les steppes de l'Asie centrale impose d'être chaudement vêtu et protégé du vent. En été, on n'oubliera pas une écharpe de coton adaptée aux vents de poussière... On tiendra aussi compte des importants écarts de température entre le jour et la nuit, particulièrement au printemps et en automne où le froid peut succéder en soirée à des températures élevées dans l'après-midi. Les voyageuses doivent savoir que des vêtements trop décontractés risquent de choquer la population musulmane. ●

moyenne des températures maximales / moyenne des températures minimales

	J	F	M	A	M	J	J	A	S	O	N	D
Astana (350 m)	**- 13** / - 21	**- 11** / - 21	**- 5** / - 11	**9** / - 3	**20** / 6	**26** / 13	**29** / 15	**26** / 12	**20** / 7	**10** / - 2	**- 3** / - 11	**- 9** / - 18
Aktyoubinsk (220 m)	**- 10** / - 19	**- 9** / - 19	**- 1** / - 10	**12** / 0	**23** / 8	**27** / 13	**29** / 16	**27** / 13	**21** / 7	**10** / 0	**1** / - 6	**- 7** / - 15
Semipalatinsk (200 m)	**- 12** / - 21	**- 10** / - 20	**- 4** / - 14	**10** / - 3	**21** / 6	**27** / 13	**29** / 15	**27** / 13	**20** / 6	**11** / - 1	**- 2** / - 11	**- 9** / - 18
Karaganda (550 m)	**- 10** / - 21	**- 8** / - 20	**- 3** / - 15	**8** / - 4	**21** / 5	**25** / 10	**28** / 14	**24** / 10	**20** / 4	**11** / - 4	**- 2** / - 12	**- 4** / - 14
Atyran	**- 4** / - 12	**- 3** / - 12	**5** / - 4	**17** / 4	**26** / 12	**30** / 16	**33** / 19	**31** / 17	**24** / 11	**14** / 3	**6** / - 2	**- 1** / - 9
Kzyl-Orda	**- 5** / - 14	**- 3** / - 12	**6** / - 6	**18** / 4	**26** / 11	**31** / 16	**32** / 17	**30** / 14	**24** / 10	**15** / 1	**5** / - 6	**- 3** / - 11
Almaty (850 m)	**- 3,5** / - 14	**- 2** / - 13	**6** / - 6	**17** / 3	**22** / 9	**26** / 13	**29** / 15	**28** / 14	**22** / 8	**14** / 1	**5** / - 6	**- 1** / - 12

nombre d'heures par jour hauteur en mm / nombre de jours

	J	F	M	A	M	J	J	A	S	O	N	D
Astana	**4** 17/5	**5** 14/4	**6** 14/3	**8** 20/5	**9,5** 35/6	**11** 35/6	**11** 50/7	**9,5** 40/6	**7,5** 25/4	**4,5** 30/7	**3,5** 20/6	**3** 17/5
Aktyoubinsk	**3** 20/6	**5** 19/5	**5,5** 20/5	**8** 25/5	**10** 25/5	**10,5** 35/5	**10,5** 30/5	**9,5** 25/4	**7,5** 25/5	**4,5** 30/6	**2,5** 25/5	**2** 25/6
Semipalatinsk	**3,5** 16/5	**9** 16/5	**6,5** 17/4	**8** 18/4	**10** 25/6	**11** 30/5	**11** 35/6	**10** 30/5	**8** 19/4	**4,5** 25/6	**3,5** 25/7	**3** 20/6
Karaganda	**3,5** 20/6	**5** 19/6	**6** 18/5	**7,5** 20/5	**9,5** 35/7	**11** 35/6	**10,5** 40/7	**10** 35/6	**8** 20/4	**4,5** 35/8	**3,5** 25/7	**3** 20/7
Atyran	**3** 11/3	**5** 10/3	**5,5** 14/4	**8** 12/3	**10** 14/3	**11** 17/3	**11** 16/3	**10,5** 14/2	**9** 12/3	**6,5** 13/3	**3,5** 17/4	**2,5** 13/4
Kzyl-Orda	**4** 13/5	**5** 15/5	**7** 14/5	**8** 14/3	**11** 11/3	**12** 5/1	**14** 4/1	**12** 3/1	**11** 4/1	**8** 7/2	**5** 10/4	**4** 14/5
Almaty	**4** 30/6	**4,5** 35/6	**5** 70/10	**6,5** 105/10	**8** 105/10	**9,5** 65/7	**10** 30/5	**9,5** 25/4	**8** 30/4	**6** 60/7	**4** 55/7	**3,5** 30/6

Kenya

Superficie : 582 000 km^2. Nairobi (latitude 1°18'S ; longitude 36°46'E) : GMT + 3 h . Durée du jour : environ 12 heures toute l'année.

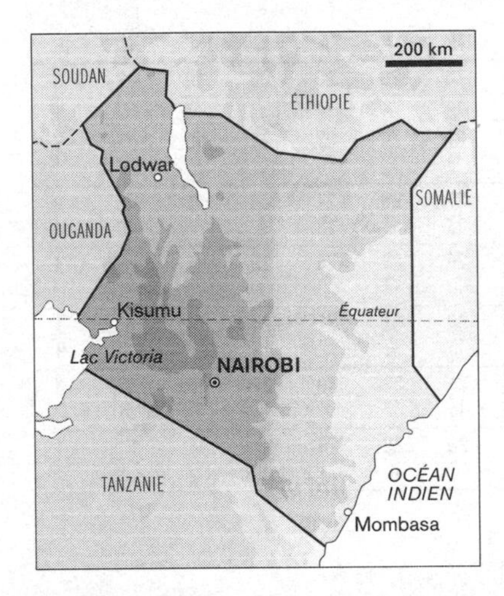

Bien que le Kenya soit un pays équatorial, des climats très variés y coexistent : chaud et humide sur la côte (voir Mombasa) ; torride et quasi désertique dans la région du lac Turkana, au Nord (voir Lodwar), où souffle un vent violent et desséchant ; très agréable dans les régions de plateaux et de montagnes du Centre, de l'Ouest et du Nord (vallée du Rift, réserves de Masaï-Mara, Amboseli, Tsavo, Meru, Samburu, etc. : voir Nairobi), même si les soirées y sont assez fraîches, et froides au-dessus de 3 000 m. Signalons que le Kenya subissait encore, au printemps 2002, une sécheresse sévère commencée il y a plusieurs années, surtout dans la partie Nord-Est du pays.

▶ Ceux qui vont d'abord au Kenya pour y voir des animaux sauvages – notamment les « cinq grands » : léopards, lions, éléphants, buffles, rhinocéros, ou les centaines de milliers de flamants roses du lac Nakuru – auront tout avantage à choisir soit les mois de **janvier et février**, soit la période qui va de **juillet à octobre** (bien que les principales réserves restent ouvertes toute l'année). Ils éviteront ainsi les deux saisons des pluies (la « pluie des haricots » et la « pluie du mil ») et seront dans les conditions les plus favorables pour observer les animaux (voir encadré ci-après). À souligner cependant : l'affluence touristique en juillet et août impose de réserver longtemps à l'avance. Il faut savoir aussi que, en juillet et août, on peut assister à un fantastique spectacle au sud de la réserve de Masaï-Mara : celui de la migration de plus d'un million de gnous.

Autour du lac Victoria, les températures et l'humidité sont en général plus élevées, et il pleut davantage que sur le plateau central (voir Kisumu).

Si vous prévoyez une balade en montagne (monts Kenya et Aberdare), sachez que la saison des pluies rend impraticables certains itinéraires sur piste, et que le froid peut être vif le soir et la nuit.

▶ Si vous avez choisi de faire un safari balnéaire, il est préférable d'éviter, sur les plages de sable kényanes, la pleine saison des pluies (d'avril à juillet), encore qu'il ne s'agisse que de violentes mais brèves averses tropicales, laissant vite la place au soleil. Les mois d' **août et septembre** sont une bonne période, précédant la plus forte canicule (de décembre à mars).

VALISE : vêtements pratiques et légers, en coton ou en lin de préférence, et un ou deux pulls pour les soirées toujours fraîches à l'intérieur du pays ; des sandales de plastique pour ne pas se blesser sur les coraux à marée basse. Pour visiter les réserves, vêtements de couleurs neutres et chaussures de marche en toile. Pour la montagne, des vêtements chauds sont bien sûr indispensables.

SANTÉ : risques de paludisme toute l'année en dessous de 2 000 m d'altitude, excepté à Nairobi ; zones de résistance élevée à la Nivaquine et multirésistance. Vaccinations contre la fièvre jaune et la typhoïde vivement conseillées.

BESTIOLES : les éléphants (il suffit de leur laisser le passage) sont beaucoup moins redoutables que les moustiques (toute l'année sur la côte et dans l'intérieur, surtout actifs la nuit).

FOULE : pression touristique assez forte. Un tourisme en majorité d'origine européenne, Britanniques et Allemands fournissant les plus gros contingents. Les Français représentent environ 5 % du total des visiteurs. ●

RENDEZ-VOUS NATURE

Cachés dans les herbes

Voici trois bonnes raisons pour visiter les réserves africaines à la fin de la saison sèche.

C'est la période où la végétation est la moins abondante, ce qui permet de mieux observer la faune. Pendant la saison des pluies, même les éléphants peuvent disparaître dans un océan d'herbes gigantesques, à quelques mètres de la piste...
Les animaux se rassemblent autour des quelques rivières ou mares qui ne sont pas asséchées, alors que, plus tôt dans la saison, les points d'eau ne manquant pas, la faune est plus disséminée.
Quant aux routes et aux pistes, elles sont bien sûr en meilleur état pendant la saison sèche que pendant la saison des pluies, qui les rend parfois impraticables, souvent incertaines.

moyenne des températures maximales / moyenne des températures minimales

	J	F	M	A	M	J	J	A	S	O	N	D
Lodwar	**36** 22	**37** 23	**36** 24	**35** 24	**35** 25	**34** 24	**33** 24	**33** 24	**35** 24	**35** 24	**35** 24	**35** 23
Kisumu (1 146 m)	**31** 17	**31** 17	**30** 18	**29** 18	**28** 17	**28** 17	**28** 17	**28** 16	**29** 16	**31** 17	**30** 17	**30** 17
Nairobi (1 650 m)	**25** 11	**26** 11	**26** 12	**24** 14	**23** 13	**22** 11	**21** 9	**22** 10	**24** 10	**25** 12	**23** 13	**23** 12
Mombasa	**32** 23	**32** 24	**33** 24	**31** 24	**29** 23	**29** 21	**28** 20	**28** 20	**29** 21	**30** 22	**31** 23	**32** 23

nombre d'heures par jour — hauteur en mm / nombre de jours

	J	F	M	A	M	J	J	A	S	O	N	D
Lodwar	**10** 8/1	**10** 5/1	**9** 20/3	**9** 40/5	**10** 25/3	**10** 8/1	**9** 13/3	**10** 9/1	**10** 3/1	**10** 8/1	**9** 10/1	**10** 13/2
Kisumu	**9** 55/7	**9** 70/8	**8** 160/12	**8** 195/18	**8** 175/17	**8** 100/12	**7** 70/10	**7** 95/12	**8** 80/11	**8** 65/11	**7** 105/11	**8** 105/10
Nairobi	**9** 90/9	**10** 70/7	**9** 95/13	**7** 155/17	**6** 190/18	**6** 30/5	**4** 17/5	**4** 20/5	**6** 35/7	**7** 65/8	**7** 190/16	**8** 115/11
Mombasa	**8** 25/5	**9** 15/3	**9** 60/7	**7** 200/15	**6** 320/19	**7** 110/14	**7** 90/14	**8** 65/15	**8** 70/12	**9** 85/10	**9** 95/9	**9** 60/9

température de la mer : moyenne mensuelle

	J	F	M	A	M	J	J	A	S	O	N	D
Mombasa	27	27	28	28	27	26	25	24	25	26	27	27

Kirghizistan

Superficie : 198 000 km². Bishkek (latitude 42°90'N ; longitude 73°80'E) : GMT + 5 h . Durée du jour : maximale (juin) 15 heures 30, minimale (décembre) 9 heures.

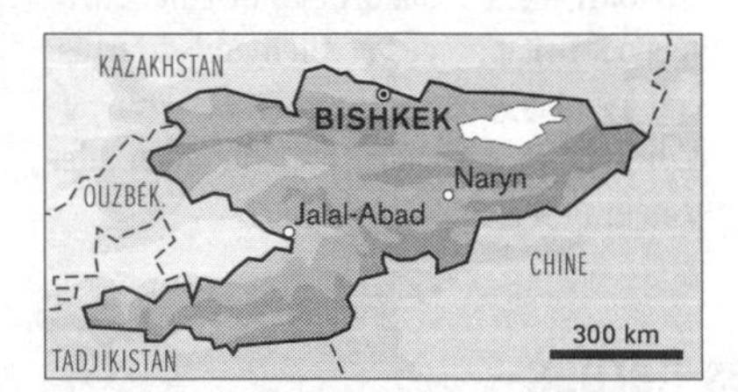

Près de la moitié du Kirghizistan est situé à des altitudes supérieures à 3 000 m. Le massif montagneux du Tien shan y culmine tout à l'est à 7 400 m. Sur sa frange Nord – les pentes des monts de Kirghizistan où s'étend Bishkek, la capitale – et au Sud-Ouest, en bordure de la dépression de Fergana, les altitudes sont inférieures à 1 000 m. La majorité de la population habite ces dernières régions.

Pays continental, le Kirghizistan connaît donc un hiver rigoureux, mais assez ensoleillé, et un long été très chaud. Pays montagneux, il affiche aussi des écarts de température importants entre le jour et la nuit.

Les courtes saisons intermédiaires – **de fin avril à début juin** et **de septembre à début octobre** – sont les périodes les plus propices à un voyage dans ce pays.

▸ L'hiver est froid et sec. Un vent, de type *bora*, souffle surtout en altitude. Parfois aussi, certaines pentes du massif de Tien shan et celles, orientées au nord, des monts du Kirghizistan peuvent voir leur neige fondre sous les effets du *fœhn*. Les températures sont plus clémentes dans la vallée de Fergana (voir Jalal-Abad), à l'abri des influences sibériennes, mais particulièrement rigoureuses sur le Tien shan (voir Naryn).

▸ Le printemps est court : en mai, les journées sont chaudes mais sans excès, et les nuits encore très fraîches. Un long été lui succède : très chaud, du moins aux altitudes modérées, et sec.

Le Nord-Est du pays, la partie la plus aride du pays, est assez venteux ; selon les périodes, le *ulan*, un vent d'ouest, ou le *santash*, un vent d'est, s'impose sur la région du lac d'Yssyk-Köl.

Les précipitations, globalement assez modestes, tombent principalement en fin d'automne et surtout au printemps. Elles sont plus abondantes dans les régions les plus élevées où elles peuvent se maintenir en été. Dans la région du glacier Fedchenko, il peut même neiger en juillet et en août.

Comme tous les pays d'Asie centrale, le Kirghizistan offre régulièrement à ses visiteurs quelques tempêtes de poussière, assez fréquentes dans les parties les plus basses, mais plus rares quand on dépasse 2 000 m d'altitude.

VALISE : en hiver, un voyage au Kirghizistan impose d'être chaudement vêtu et protégé du vent. En été, on prévoira une écharpe de coton adaptée aux vents de poussière. On tiendra aussi compte des importants écarts de température entre le jour et la nuit, particulièrement au printemps et en automne où, en soirée, le froid peut succéder aux températures élevées de l'après-midi. Les voyageuses doivent savoir que des vêtements trop décontractés risquent de choquer la population de tradition musulmane. ●

moyenne des températures maximales / moyenne des températures minimales

	J	F	M	A	M	J	J	A	S	O	N	D
Bishkek (760 m)	**3** -9	**3** -7	**10** 0	**18** 6	**23** 11	**28** 15	**32** 17	**30** 16	**25** 10	**17** 4	**10** -1	**5** -5
Naryn (2 040 m)	**-11** -22	**-7** -18	**1** -6	**13** 2	**18** 6	**20** 8	**24** 10	**24** 11	**20** 6	**11** 1	**1** -8	**-7** -16
Jalal-Abad (750 m)	**4** -6	**6** -3	**13** 3	**19** 9	**26** 12	**31** 17	**32** 19	**31** 18	**27** 12	**18** 6	**12** 2	**7** -3

nombre d'heures par jour hauteur en mm / nombre de jours

	J	F	M	A	M	J	J	A	S	O	N	D
Bishkek	**4,5** 25/6	**4,5** 30/6	**’5** 50/8	**6,5** 75/8	**8,5** 65/7	**10** 35/4	**10,5** 17/3	**10** 12/2	**9** 17/3	**6,5** 45/6	**4,5** 45/6	**3,5** 30/5
Naryn	**4,5** 10/3	**5** 14/4	**’6** 20/6	**7** 35/7	**8** 50/9	**9,5** 55/10	**10,5** 40/7	**10** 20/4	**9** 18/3	**7** 15/3	**5** 12/3	**4** 10/3
Jalal-Abad	**4,5** 35/4	**5** 45/6	**’6** 70/7	**7** 65/9	**8** 55/8	**9,5** 20/4	**11** 11/3	**10** 5/1	**9** 7/2	**7** 40/4	**5** 35/5	**4** 50/7

Laos

Superficie : 237 000 km². Vientiane (latitude 17°57'N ; longitude 102°34'E) : GMT + 7 h . Durée du jour : maximale (juin) 13 heures, minimale (décembre) 11 heures.

Le climat laotien, rythmé par la mousson, se divise en deux saisons.

▶ Le commencement de la **saison sèche**, de début novembre à fin février, est incontestablement la période la plus agréable : le ciel est dégagé et d'un bleu intense, sauf dans le Nord (voir Luang Prabang) où il reste assez souvent nuageux ; dans les vallées (voir Luang Prabang, Vientiane, Savannakhet), la chaleur reste très supportable dans la journée et les nuits sont fraîches ; il peut même faire froid en montagne.
De mars à début mai, c'est la période des grandes chaleurs, pénibles surtout dans les régions basses du pays où se trouvent les principaux centres urbains. Dans les régions montagneuses, qui occupent une grande partie du territoire laotien, le climat reste plus tempéré.

▶ De début mai à mi-octobre, c'est la **saison des pluies** : des averses torrentielles s'abattent sur le pays, provoquant de fortes crues du Mékong et de ses affluents, et de fréquentes inondations. Les pluies sont moins abondantes dans les vallées que dans la montagne, au Nord et à l'Est du pays. Mais, dans tout le pays, l'humidité, s'ajoutant aux températures élevées, peut être très pénible pour des organismes non entraînés. Sans parler des typhons qui, venant de mer de Chine, aboutissent parfois sur le Laos à la fin de cette période.

VALISE : en saison sèche, vêtements légers, pull-overs pour les soirées. Pendant la saison des pluies, ajoutez éventuellement un anorak très léger type K-way.

SANTÉ : vaccination antirabique fortement conseillée. Risques de paludisme toute l'année, particulièrement de mai à septembre, excepté à Vientiane ; résistance élevée à la Nivaquine et multirésistance.

BESTIOLES : moustiques toute l'année dans les régions forestières (actifs la nuit) et dans les régions montagneuses (surtout actifs en milieu de journée). ●

moyenne des températures maximales / moyenne des températures minimales

	J	F	M	A	M	J	J	A	S	O	N	D
Luang Prabang	**28** 14	**32** 15	**34** 17	**35** 21	**35** 23	**34** 24	**32** 24	**32** 23	**33** 23	**32** 21	**29** 18	**27** 15
Vientiane	**28** 14	**30** 17	**32** 19	**34** 23	**32** 24	**31** 24	**30** 24	**31** 24	**31** 24	**30** 21	**29** 18	**29** 15
Savannakhet	**28** 14	**30** 18	**33** 19	**34** 23	**32** 24	**31** 24	**30** 23	**30** 24	**31** 24	**29** 21	**30** 18	**29** 16

nombre d'heures par jour / hauteur en mm / nombre de jours

	J	F	M	A	M	J	J	A	S	O	N	D
Luang Prabang	**5**	**6**	**6**	**5**	**5**	**5**	**4**	**4**	**6**	**7**	**5**	**4**
	17/2	20/2	35/4	80/8	130/13	155/13	205/17	260/19	145/12	65/6	16/3	10/1
Vientiane	**8**	**8**	**7**	**8**	**7**	**5**	**5**	**5**	**8**	**8**	**8**	**8**
	15/1	14/2	25/4	80/7	225/15	260/17	260/18	355/18	385/16	50/7	16/1	1/1
Savannakhet	**10**	**9**	**9**	**9**	**7**	**6**	**6**	**5**	**5**	**8**	**10**	**10**
	6/1	18/2	20/4	85/7	180/14	250/15	240/16	325/18	280/15	60/6	3/1	0/0

Lesotho

Superficie : 30 000 km². Maseru (latitude 29°20'S ; longitude 27°50'E) : GMT + 2 h. Durée du jour : maximale (décembre) 14 heures, minimale (juin) 10 heures.

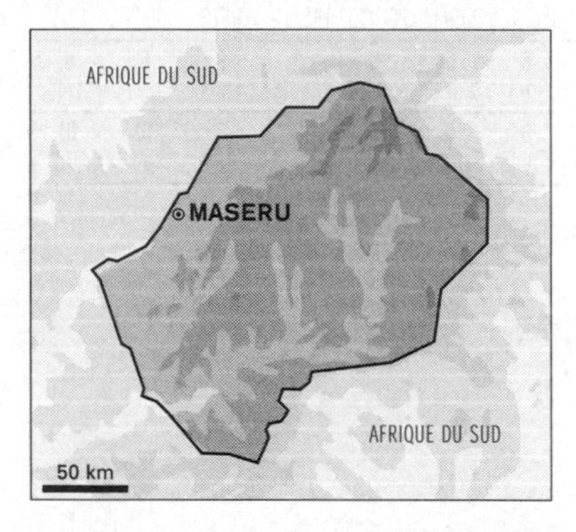

Le climat de ce petit pays de l'hémisphère austral, enclavé dans le Sud-Est de l'Afrique du Sud, est à la mesure de son relief montagneux et sauvage : très contrasté, et soumis à de brusques changements.

▶ L'**été** austral, de novembre à février, est sans doute la saison la plus agréable : les journées sont très chaudes mais les nuits fraîches, voire froides dans les régions élevées qui constituent la majeure partie du territoire. (Maseru, la capitale, est située au cœur des terres basses, les seules cultivables.) Il peut même neiger en décembre à Mokhotlong (2 400 m).

C'est aussi la saison des pluies, qui tombent sous forme d'orages de courte durée, souvent très violents entre octobre et avril ; elles sont trop peu abondantes pour empêcher longtemps le soleil de briller.

À savoir cependant : certaines routes de montagne, comme celle qui mène aux spectaculaires chutes de Semonkong, au Centre du pays, ne sont accessibles que durant les mois « secs ».

▶ En **hiver** (mai à septembre), les températures ne restent assez douces durant la journée que dans les régions les moins élevées (voir Maseru), et les nuits sont très froides partout. Les précipitations, faibles à cette saison, tombent parfois sous forme de neige sur tout le pays.

VALISE : pendant l'été austral, vêtements légers, pratiques et confortables, pull-overs, blouson ou veste pour les soirées ; imperméable léger ou anorak. De mai à septembre, des vêtements chauds sont indispensables. ●

moyenne des températures maximales / moyenne des températures minimales

	J	F	M	A	M	J	J	A	S	O	N	D
Maseru (1 510 m)	**30** 15	**28** 14	**26** 12	**23** 7	**19** 3	**17** -2	**17** -1	**20** 1	**23** 5	**26** 9	**27** 11	**29** 14

nombre d'heures par jour — hauteur en mm / nombre de jours

	J	F	M	A	M	J	J	A	S	O	N	D
Maseru	**10** 85/9	**9** 100/10	**7** 90/9	**8** 55/6	**7** 30/4	**8** 9/2	**8** 15/2	**9** 16/2	**9** 20/3	**10** 55/6	**10** 70/7	**10** 80/8

Lettonie

Superficie : 64 000 km². Riga (latitude 56°58'N ; longitude 24°04'E) : GMT + 2 h . Durée du jour : maximale (juin) 18 heures, minimale (décembre) 6 heures 30.

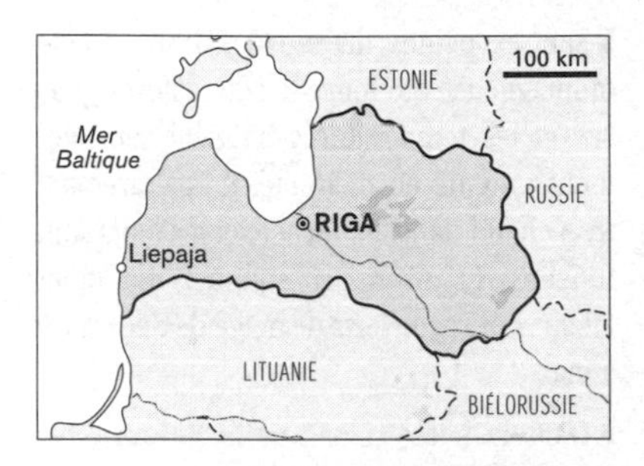

▸ En Lettonie, la présence de la mer Baltique adoucit la rigueur des températures hivernales. Il n'empêche que, s'il n'est pas aussi rigoureux qu'à Moscou, le froid est là ; et il est humide.
À Riga, la neige tient en moyenne trois mois, de la mi-décembre à la mi-mars ; un peu moins à Liepaja, située sur une côte plus ouverte.

▸ Dans la seconde quinzaine de mars et le début avril, la gadoue laissée par la fonte des neiges peut rendre la circulation difficile. On ne parlera sérieusement de printemps qu'à partir de la mi-avril. Dès le début du mois de juin, le temps prend son rythme de croisière pour tout l'été.

▸ Moins nuageux qu'en hiver, le ciel de Lettonie n'est cependant pas toujours immaculé en été. Les chiffres d'ensoleillement doivent être interprétés en tenant compte de la durée totale du jour. Les températures diurnes sont rarement très élevées et les nuits peuvent être fraîches. L' **été** reste la saison la plus favorable pour visiter la Lettonie. L'automne passe assez vite et dès le début du mois de novembre, c'est déjà l'hiver.

VALISE : si, en hiver, le pays connaît rarement des températures extrêmes, l'humidité y rend le froid pénétrant. L'été, emportez de quoi vous couvrir pour les soirées fraîches et vous protéger d'une bonne pluie. ●

moyenne des températures maximales / moyenne des températures minimales

	J	F	M	A	M	J	J	A	S	O	N	D
Riga	**-2** -8	**-2** -8	**3** -5	**10** 1	**16** 6	**20** 10	**22** 12	**21** 12	**16** 8	**11** 4	**4** -1	**0** -5
Liepaja	**0** -5	**1** -5	**3** -3	**8** 2	**14** 6	**18** 11	**20** 13	**20** 13	**16** 10	**11** 6	**6** 1	**2** -2

nombre d'heures par jour hauteur en mm / nombre de jours

	J	F	M	A	M	J	J	A	S	O	N	D
Riga	**1** 35/9	**2** 25/7	**4** 30/8	**6** 40/9	**8,5** 45/9	**9,5** 65/9	**8,5** 85/11	**7,5** 75/11	**5** 75/12	**3** 60/12	**1,5** 55/12	**0,5** 45/12
Liepaja	**1** 55/12	**2,5** 40/9	**4** 35/9	**6** 35/7	**9** 40/8	**10** 50/7	**9** 65/9	**8** 80/10	**6** 85/12	**3,5** 75/11	**1,5** 75/14	**1** 70/13

température de la mer : moyenne mensuelle

	J	F	M	A	M	J	J	A	S	O	N	D
Liepaja	2	1	2	3	7	12	16	17	15	11	7	5

Liban

Superficie : 10 500 km^2. Beyrouth (latitude 33°49'N ; longitude 35°29'E) : GMT + 2 h . Durée du jour : maximale (juin) 14 heures 30, minimale (décembre) 10 heures.

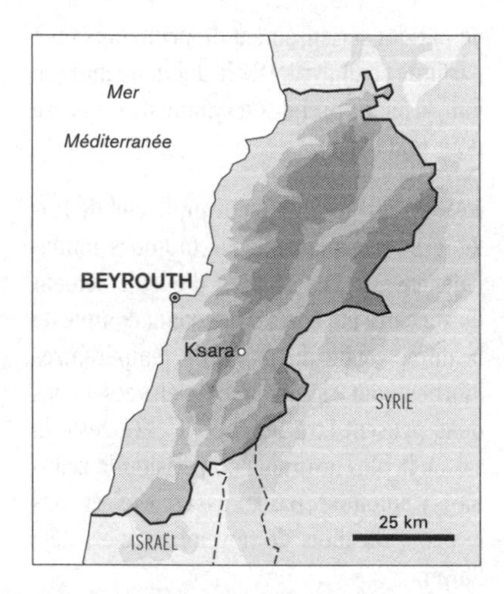

▶ Dans la **plaine côtière** (voir Beyrouth), l'été est chaud et très humide, bien que les pluies se fassent rares entre juin et septembre. L'hiver est doux et pluvieux. Vers mars-avril, le *khamsin* dessèche et réchauffe l'air une dizaine de jours.

▶ Sur les pentes du **mont Liban**, chaîne montagneuse qui longe la côte, l'air est plus sec et les températures baissent sensiblement : même en plein été, il fait rarement trop chaud dans la journée, et les nuits sont fraîches. En hiver, les sommets du mont Liban sont recouverts de neige de décembre à mai.

▶ Dans la haute plaine de la **Bekaa** (voir Ksara), à l'Est du pays, l'hiver est assez rude. Il gèle et il neige parfois. En été, les journées sont lumineuses et sèches, très chaudes et même souvent torrides en juillet-août, mais il fait frais la nuit grâce à l'altitude.
Au Nord de la Bekaa, l'aridité s'accentue : la région de Baalbek et de Hermel est semi-désertique.

VALISE : en été, vêtements légers mais aussi pull-overs pour les soirées sur les hauteurs. En hiver, vêtements chauds, imperméable. ●

moyenne des températures maximales / moyenne des températures minimales

	J	F	M	A	M	J	J	A	S	O	N	D
Beyrouth	**17** 9	**18** 9	**20** 11	**22** 13	**25** 16	**28** 19	**29** 21	**30** 22	**29** 21	**26** 18	**23** 14	**19** 11
Ksara **(918 m)**	**12** 2	**12** 2	**15** 4	**21** 7	**26** 10	**29** 13	**32** 15	**33** 16	**30** 13	**25** 10	**19** 7	**13** 3

nombre d'heures par jour hauteur en mm / nombre de jours

	J	F	M	A	M	J	J	A	S	O	N	D
Beyrouth	**4** 190/15	**5** 105/12	**6** 95/9	**8** 35/5	**10** 19/2	**12** 1/0	**11** 0/0	**11** 1/0	**10** 5/1	**8** 35/4	**7** 100/8	**5** 150/12
Ksara	**5** 155/15	**6** 140/12	**7** 70/10	**9** 40/5	**11** 14/2	**13** 1/0	**12** 0/0	**12** 0/0	**11** 1/1	**9** 19/3	**9** 60/7	**5** 125/12

température de la mer : moyenne mensuelle

	J	F	M	A	M	J	J	A	S	O	N	D
Beyrouth	17	16	17	18	20	24	25	27	27	25	21	19

Liberia

Superficie : 111 000 km². Monrovia (latitude 6°18'N ; longitude 10°48'O) : GMT + 0 h . Durée du jour : maximale (juin) 12 heures 30, minimale (décembre) 11 heures 30.

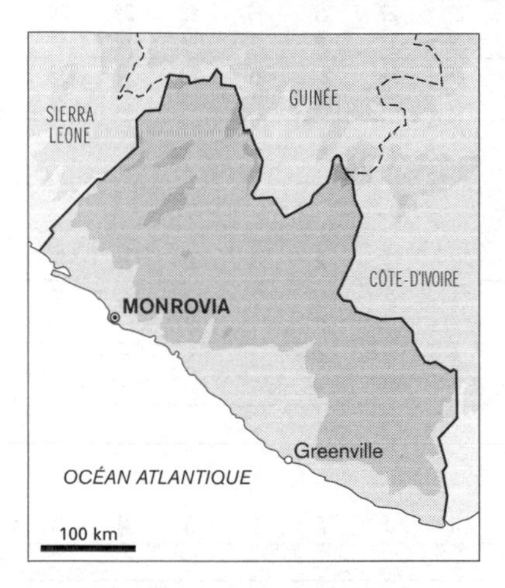

Le climat libérien est très humide et chaud toute l'année, avec une assez faible différence de température entre le jour et la nuit sur la côte (voir Monrovia, Greenville), alors que, dans les régions de plateaux et de petite montagne de l'intérieur, les nuits sont nettement plus fraîches.

▶ La meilleure saison au Liberia est la **saison « sèche »**, de fin novembre à mars. L'*harmattan*, chaud mais très sec, souffle alors du Sahara, ce qui fait baisser le taux d'humidité jusque sur la côte et rend la chaleur plus supportable. Mais le ciel reste assez souvent couvert ou brumeux même à cette période sur le littoral. Les pluies ne font que ralentir durant cette saison au Sud de la côte, alors que, dans la région de Monrovia, il pleut très peu en **janvier et février** (les meilleurs mois).
À l'intérieur du pays, à mesure que l'on progresse vers le Nord, le climat devient moins humide et plus sain. La fin de cette saison est la bonne période – en temps de paix – pour observer les animaux sauvages (lions, éléphants, léopards, antilopes...), nombreux dans la savane du Nord du pays (voir chapitre « Kenya »).

▶ La **saison des fortes pluies** débute en avril par des tempêtes violentes. Les pluies sont torrentielles de début mai à fin octobre, particulièrement sur la côte (où elles marquent, en général, un net répit en août).
La chaleur devient alors très inconfortable, les communications sont difficiles.
L'intérieur du pays est moins arrosé (deux fois moins de pluies au Nord du pays que sur le littoral).

▶ La mer bénéficie d'une température agréable toute l'année. Malheureusement, un fort ressac la rend dangereuse en de nombreux endroits de la côte. Quoique, à vrai dire, le Liberia recèle surtout d'autres dangers qui n'ont rien à voir avec la violence des éléments naturels.

VALISE : pour toute l'année, des vêtements légers : amples, de couleurs claires et faciles à entretenir.

SANTÉ : risques de paludisme toute l'année dans tout le pays ; résistance à la Nivaquine et multirésistance. Vaccination contre la fièvre jaune obligatoire.

BESTIOLES : moustiques toute l'année, surtout actifs la nuit. ●

Voir tableaux page suivante

Liberia

moyenne des températures maximales / moyenne des températures minimales

	J	F	M	A	M	J	J	A	S	O	N	D
Monrovia	**30** 23	**29** 23	**31** 23	**31** 23	**30** 22	**27** 23	**27** 22	**27** 23	**27** 22	**28** 22	**29** 23	**30** 23
Greenville	**32** 22	**32** 22	**33** 22	**32** 22	**31** 22	**29** 22	**29** 23	**28** 22	**29** 22	**29** 22	**31** 20	**32** 22

nombre d'heures par jour hauteur en mm / nombre de jours

	J	F	M	A	M	J	J	A	S	O	N	D
Monrovia	**8** 30/4	**8** 55/3	**8** 95/8	**7** 215/12	**5** 515/22	**3** 975/24	**2** 995/21	**5** 375/17	**3** 745/24	**3** 770/22	**6** 235/16	**7** 130/9
Greenville	**7** 130/6	**7** 175/7	**7** 190/8	**7** 150/7	**4** 590/23	**3** 525/22	**3** 370/20	**6** 85/5	**4** 550/22	**3** 640/22	**6** 165/14	**6** 160/10

température de la mer : moyenne mensuelle

	J	F	M	A	M	J	J	A	S	O	N	D
Monrovia	27	27	27	27	27	27	26	25	26	26	27	27

Libye

Superficie : 1 760 000 km². Tripoli (latitude 32°57'N ; longitude 13°12'E) : GMT + 1 h . Durée du jour : maximale (juin) 14 heures 30, minimale (décembre) 10 heures.

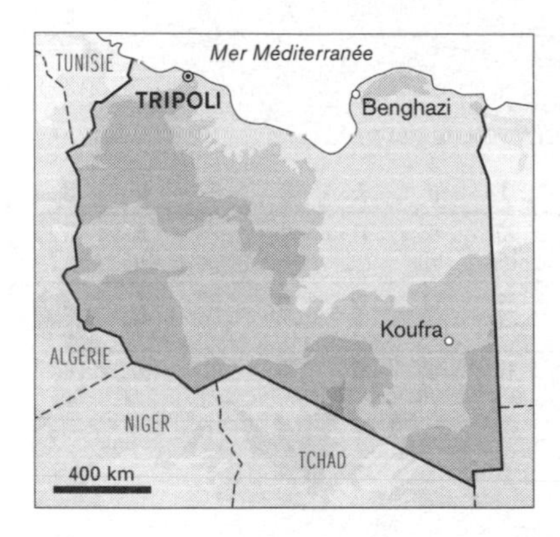

Vous rencontrerez en Libye deux climats assez différents, selon que vous vous trouverez sur la côte, au climat méditerranéen sauf en son Centre (désert de Syrte), ou à l'intérieur du pays, désertique à 90 %.

▶ Sur la **côte** (voir Tripoli, Benghazi), les mois de transition, **avril-mai** et **septembre-octobre**, sont sans doute les plus agréables. Cependant, même en plein été, s'il fait très chaud dans la journée, les nuits ne sont pas étouffantes.
L'hiver est la saison pluvieuse sur le littoral : la quasi-totalité des pluies tombe entre octobre et mars. Durant cette saison, il fait toujours bon dans la journée, mais soirées et nuits sont très fraîches, surtout de décembre à mars. Il peut même geler sur les hauteurs de la Cyrénaïque. Le brouillard est assez courant en hiver.

▶ Dans le reste du pays, **désert** parsemé d'oasis et de quelques rares agglomérations comme Sebha, la chaleur est torride dans la journée d'avril à octobre, plus modérée le reste de l'année (voir Koufra). Le désert libyen détient le record mondial de la température la plus haute : 58 °C à Al Aziziyah. En hiver, les nuits sont réellement froides. Les pluies, très rares, tombent sous forme d'averses violentes qui transforment les *wadi* (cours d'eau le plus souvent asséchés) en torrents dévastateurs (voir aussi chapitre « Algérie »).

▶ Le *ghlibi*, un vent de sable chaud et sec soulevant de grandes quantités de poussière jaune et brûlant les cultures, se fait sentir surtout au printemps. Il souffle par périodes allant de 24 heures à trois jours.

VALISE : de mai à octobre, vêtements de plein été, en coton ou en lin de préférence, et une veste légère ou un pull-over ; bien entendu, ni jupes courtes, ni épaules nues, ni décolletés pour les femmes. En hiver, vêtements de demi-saison, imperméable. Dans les régions sahariennes, vêtements chauds pour le soir et la nuit, chèche pour se protéger de la poussière.

SANTÉ : de février à août, faibles risques de paludisme dans la région du Fezzan (au Sud-Ouest du pays).

BESTIOLES : moustiques d'avril à octobre dans les oasis du Sud, surtout actifs après le coucher du soleil. ●

moyenne des températures maximales / moyenne des températures minimales

	J	F	M	A	M	J	J	A	S	O	N	D
Tripoli	**17**	**18**	**20**	**23**	**25**	**29**	**30**	**31**	**30**	**28**	**23**	**18**
	8	9	10	13	16	19	21	22	21	18	13	9

Libye

	J	F	M	A	M	J	J	A	S	O	N	D
Benghazi	**17**	**18**	**21**	**24**	**28**	**29**	**29**	**30**	**27**	**26**	**24**	**20**
	8	10	11	13	16	19	22	22	18	17	14	11
Koufra	**21**	**23**	**27**	**33**	**37**	**39**	**38**	**38**	**36**	**32**	**27**	**22**
	5	7	10	15	20	22	23	23	21	16	11	6

nombre d'heures par jour hauteur en mm / nombre de jours

	J	F	M	A	M	J	J	A	S	O	N	D
Tripoli	**6**	**7**	**7**	**9**	**10**	**10**	**12**	**11**	**9**	**7**	**6**	**5**
	60/8	40/5	19/3	14/2	3/1	1/0	1/0	1/0	10/1	30/4	40/6	65/7
Benghazi	**6**	**8**	**8**	**9**	**10**	**11**	**13**	**12**	**10**	**8**	**7**	**6**
	65/14	35/8	20/7	5/2	7/2	1/0	0/0	1/0	4/1	20/4	30/7	65/12
Koufra	**9**	**9**	**10**	**10**	**11**	**11**	**12**	**12**	**10**	**10**	**10**	**8**
	0/0	0,5/0	0/0	0/0	0/0	0/0	0/0	0,5/0	0,5/0	0/0	0/0	0/0

température de la mer : moyenne mensuelle

	J	F	M	A	M	J	J	A	S	O	N	D
Benghazi	17	16	16	17	19	22	25	26	25	23	21	18
Tripoli	16	15	16	17	19	22	24	25	25	23	20	18

Lituanie

Superficie : 65 000 km². Vilnius (latitude 54°38'N ; longitude 25°17'E) : GMT + 2 h . Durée du jour : maximale (juin) 17 heures 30, minimale (décembre) 7 heures.

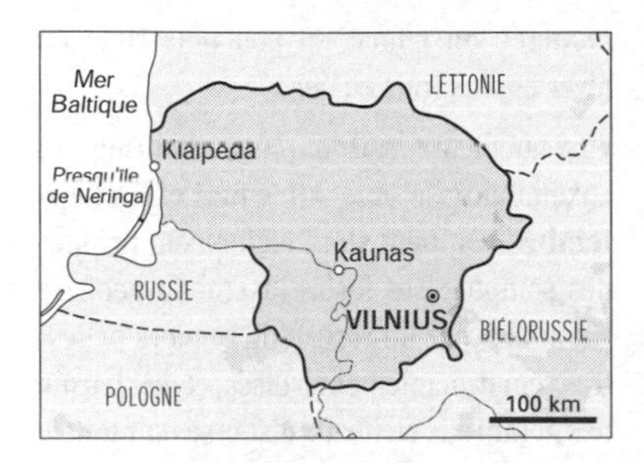

La continentalité aidant, les températures hivernales de Vilnius sont sensiblement équivalentes à celle de Tallinn (Estonie), située à 500 km au nord, mais sur la mer.
La capitale offre un hiver froid. Il est moins rigoureux, mais plus humide à Klaipeda, principal port du pays. Dans la région de Kaunas, la couverture neigeuse – moins de 20 cm d'épaisseur – dure de la mi-décembre à la mi-mars ; moins sur la côte.

Le printemps, court, commence à la mi-avril, après que la neige fondue a transformé pendant une ou deux semaines la campagne en bourbier. Les températures grimpent rapidement, puis se stabilisent dès la mi-juin et resteront sensiblement égales jusqu'à la fin août. Le soleil le dispute aux nuages. Tout au sud, la presqu'île de Neringa bénéficie d'un microclimat et d'un meilleur ensoleillement.
L'**été** s'impose comme la saison la plus propice pour un voyage en Lituanie.
Les températures baissent en septembre ; elles sont, dès le début de novembre, comparables à celles de l'hiver en France.

VALISE : des vêtements chauds en hiver. Pour l'été, de quoi se couvrir pendant les soirées fraîches et se protéger d'une bonne pluie.

moyenne des températures maximales / moyenne des températures minimales

	J	F	M	A	M	J	J	A	S	O	N	D
Klaipeda	**-1**	**-1**	**3**	**9**	**15**	**18**	**20**	**20**	**17**	**12**	**6**	**2**
	-5	-5	-2	2	7	11	13	13	10	7	2	-3
Vilnius	**-5**	**-3**	**1**	**12**	**18**	**21**	**23**	**22**	**17**	**11**	**4**	**-3**
	-11	-10	-7	2	7	11	12	11	8	4	-1	-7

nombre d'heures par jour hauteur en mm / nombre de jours

	J	F	M	A	M	J	J	A	S	O	N	D
Klaipeda	**1**	**2,5**	**4**	**6**	**8,5**	**9,5**	**9**	**8**	**5,5**	**3**	**1,5**	**1**
	50/12	30/8	40/9	35/8	40/8	55/8	75/10	85/11	90/13	80/12	90/15	70/13
Vilnius	**1**	**2,5**	**4**	**5,5**	**8**	**7,5**	**7**	**7**	**4,5**	**3**	**1**	**1**
	40/10	40/9	40/9	45/9	60/9	75/10	80/11	70/11	65/11	55/10	55/12	55/12

température de la mer : moyenne mensuelle

	J	F	M	A	M	J	J	A	S	O	N	D
Mer Baltique	2	1	2	3	7	12	16	17	15	11	7	5

Luxembourg

Superficie : 2 500 km^2. Luxembourg (latitude 49°37'N ; longitude 06°03'E) : GMT + 1 h . Durée du jour : maximale (juin) 16 heures, minimale (décembre) 8 heures.

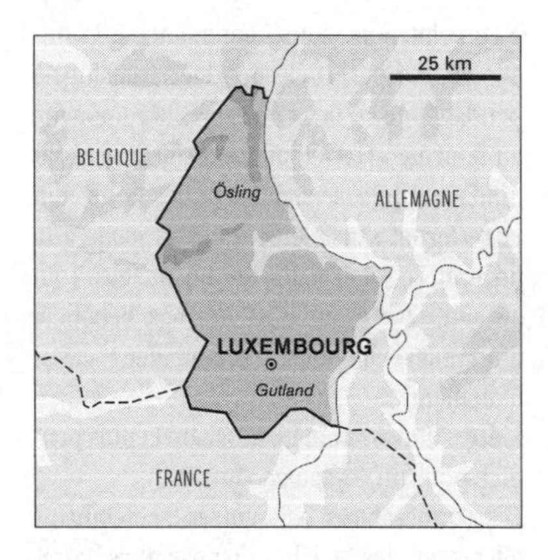

Le menu climatique du Luxembourg est assez arrosé et relativement équilibré : étés modérément chauds et ensoleillés, avec des nuits qui restent très fraîches ; automnes assez pluvieux, au ciel nuageux et bas dès le mois d'octobre ; hivers froids et gris (neige fréquente en janvier et février) ; printemps plus secs, mais frais.

Le tiers Nord du pays, appelé Ösling, le « mauvais pays », par contraste avec le Gutland, le « bon pays », doit à son altitude modérée un climat un peu plus rude en hiver et plus frais en été.

La meilleure saison pour séjourner au Luxembourg se situe **entre mai et fin septembre**. On peut alors pleinement profiter des somptueuses forêts luxembourgeoises, sillonnées par un réseau de sentiers pédestres remarquablement balisés, et du charme des nombreux châteaux dispersés sur tout le territoire.

Fin septembre est souvent une période privilégiée, l'été indien embrasant alors les forêts grand-ducales qui s'étendent des portes de la ville de Luxembourg jusqu'au Nord du pays.

VALISE : en été, vêtements légers mais aussi un ou deux pull-overs, veste ou blouson, imperméable. En hiver, vêtements chauds, manteau, imperméable.

FOULE : des visiteurs d'Europe occidentale à plus de 90 %. Les Français se placent nettement après les Belges, les Néerlandais et les Allemands. ●

moyenne des températures maximales / moyenne des températures minimales

	J	F	M	A	M	J	J	A	S	O	N	D
Luxembourg	**3** -1	**4** -1	**10** 1	**14** 4	**18** 8	**21** 11	**23** 13	**22** 12	**19** 10	**13** 6	**7** 3	**4** 0

nombre d'heures par jour — hauteur en mm / nombre de jours

	J	F	M	A	M	J	J	A	S	O	N	D
Luxembourg	**2** 75/13	**2** 55/10	**5** 45/8	**6** 55/9	**7** 60/9	**7** 65/10	**7** 65/10	**6** 75/10	**5** 65/10	**3** 55/10	**1** 65/11	**1** 70/12

Macédoine

Superficie : 25 000 km². Skopje (latitude 41°59'N ; longitude 21°28'E) : GMT + 1 h . Durée du jour : maximale (juin) 15 heures 30, minimale (décembre) 9 heures.

La population de la plus orientale des Républiques de l'ancienne Yougoslavie est surtout concentrée dans la vallée du Vardar, principal fleuve qui débouche dans le golfe de Salonique, en Grèce.

L'hiver est froid, surtout quand le *vardarac* souffle dans la vallée du fleuve. Cousin de la redoutable *bora*, il n'en a heureusement pas toute la vigueur. La couverture neigeuse est généralement suffisante pour skier dans la région de Tetovo. À proximité de la capitale en revanche, la neige ne reste généralement que deux ou trois semaines. Les températures, agréables en mai, peuvent être très élevées dès la mi-juin. Pendant toute la période estivale, les jours de canicule sont fréquents. En accord avec le régime climatique méditerranéen, cette saison connaît le minimum de précipitations.

Mai, juin et septembre restent les mois les plus propices à la découverte de la Macédoine.

VALISE : en hiver, on pensera aux vêtements coupe-vent pour se protéger du *vardarac*. Pour l'été, il faut se souvenir que les soirées peuvent être fraîches en altitude, même s'il a fait très chaud pendant la journée. ●

moyenne des températures maximales / moyenne des températures minimales

	J	F	M	A	M	J	J	A	S	O	N	D
Skopje	**5**	**8**	**12**	**20**	**23**	**28**	**31**	**31**	**26**	**19**	**12**	**7**
(250 m)	-3	-2	1	5	10	13	15	14	11	6	3	-1
Bitola	**4**	**8**	**10**	**16**	**21**	**26**	**29**	**30**	**25**	**18**	**11**	**7**
(600 m)	-4	-2	0	5	9	12	14	13	10	6	3	-1

nombre d'heures par jour hauteur en mm / nombre de jours

	J	F	M	A	M	J	J	A	S	O	N	D
Skopje	**2**	**4**	**4**	**7**	**7**	**9**	**10**	**10**	**7**	**5**	**2**	**2**
	40/7	30/5	30/6	40/5	55/8	45/5	30/4	30/2	35/4	60/6	55/8	55/6
Bitola	**2**	**4**	**5**	**6**	**8**	**9**	**11**	**11**	**8**	**5**	**3**	**3**
	55/9	50/7	55/8	50/7	60/9	45/6	35/4	40/3	45/5	70/8	75/10	60/8

Madagascar

Superficie : 587 000 km². Antananarivo (latitude 18°54'S ; longitude 47°32'E) : GMT + 3 h . Durée du jour : maximale (décembre) 13 heures 30, minimale (juin) 11 heures.

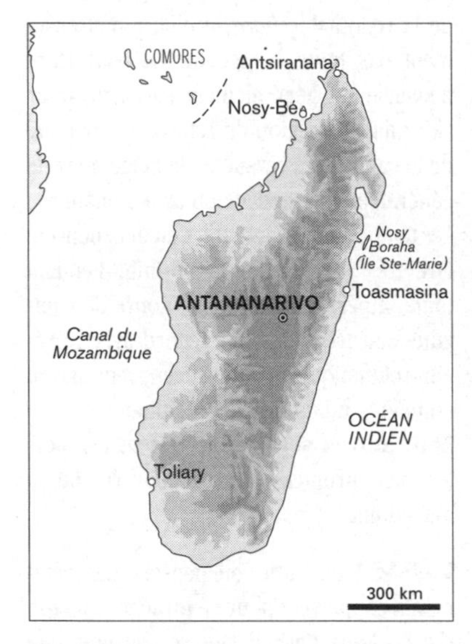

▶ Le climat malgache, chaud toute l'année sur les côtes, se fait plus tempéré sur les plateaux. En ce qui concerne les pluies, leur régime est si variable selon les régions que les mois de **septembre et octobre** sont les seuls à permettre de visiter l'ensemble de l'« île rouge » dans de bonnes conditions au cours du même séjour.

▶ Sur la côte orientale (voir Toamasina), ce sont en effet les deux mois durant lesquels il pleut le moins que de belles éclaircies se développent, en général l'après-midi. Cette côte subit toute l'année des pluies très abondantes venues de l'est, qui se partagent entre la saison des pluies à proprement parler (novembre-mars), la saison pluvieuse (avril-mai), et... la saison où il pleut des crachins tièdes (juin-août) ! Les cyclones ne sont pas rares entre mi-janvier et début mars – le cyclone *Geralda*, qui s'est abattu sur l'île en février 1994, a été le plus dévastateur qu'ait connu Madagascar depuis 1927 ; plus récemment, le 6 février et le 7 mars 2004, *Elita* et *Gafilo* ont durement frappé le pays. La violence des pluies coupe alors les routes et emporte les ponts. Cela dit, entre deux averses diluviennes, le soleil fait de fréquentes apparitions.

C'est donc souvent sous une pluie battante que, à la mi-août, des baleines à bosse se rassemblent devant Nosy Boraha (île Sainte-Marie) pour donner naissance à leur progéniture...

▶ À l'**intérieur** du pays, dans les régions élevées couvertes de savanes tropicales (voir Antananarivo), il y a une saison sèche, **d'avril à octobre** inclus, durant laquelle il fait souvent beau et modérément chaud. Les mois de juin à août correspondent à l'hiver austral : il peut faire très frais, voire froid le

RENDEZ-VOUS NATURE

Plonger à Nosy-Bé

La région de Nosy-Bé offre les meilleures conditions de plongée à Madagascar et accueille les plongeurs confirmés comme les débutants. La bonne saison va de mai à mi-décembre, avec une prédilection pour le créneau **septembre-octobre.** Les matinées, avec une mer très calme, offrent souvent des conditions idéales. Les après-midi sont parfois assez venteuses de fin septembre à la mi-janvier. On observe les requins-baleines **de mi-septembre à janvier** et quelques baleines à bosse **de juin à octobre.** Février, avec une pluie qui tombe sous forme de crachin, est le mois le moins favorable.

soir. Durant la saison sèche, ces plateaux sont balayés par un vent qui soulève des tourbillons de poussière rouge.
Les pluies, abondantes surtout de mi-novembre à fin mars, sont violentes mais d'assez courte durée pour permettre au soleil de briller assez souvent. Elles tombent le plus souvent dans l'après-midi.

▶ La **côte Ouest** est beaucoup moins pluvieuse que la côte Est. Au Nord-Ouest, dans la région de Nosy-Bé, la « Tahiti de l'océan Indien », la saison sèche s'étend **de mai à octobre**. Toutefois, même pendant la saison des pluies, l'île de Nosy-Bé reste ensoleillée une bonne partie de la journée. En novembre et décembre, les précipitations tombent essentiellement sous la forme d'orages quasi quotidiens qui éclatent en fin d'après-midi. En février, en revanche, le crachin prédomine.
Tout au Nord (Diego Suarez), le *varatraza* s'installe d'avril à fin novembre. Cet alizé puissant souffle avec une force toute particulière de juillet à octobre et fait de cette

RENDEZ-VOUS NATURE

« Megaptera noaeangliae »

Megaptera, association « pour l'observation et la conservation des mammifères marins de l'océan Indien » (www.megaptera-oi.org et, sur place, www.princesse-bora.com), dispose des informations les plus pointues sur le séjour des baleines à bosse, ou mégaptères, sur les côtes malgaches.
Les premières à arriver sont les femelles allaitantes en fin de lactation, suitées de leur progéniture née l'année précédente et en cours de sevrage. Elles quittent leurs aires d'alimentation, en Antarctique, à partir d'avril pour atteindre le cap Sud de Madagascar courant juin.
Puis arrivent, avec une semaine de retard, les baleines immatures, jeunes adultes ne se reproduisant pas encore. Ensuite, c'est au tour des mâles reproducteurs, puis des femelles en repos de cycle reproducteur. Enfin, les femelles prêtes à mettre bas arrivent avec trois semaines à un mois de retard sur les premières arrivées.
Les premiers cétacés sur le départ sont les femelles fécondées en août-septembre, accompagnées des femelles en repos de cycle reproducteur, suivies des individus immatures, cela par vagues successives distantes d'une semaine à 10 jours. Les femelles accompagnées de leur veau de l'année, en début de lactation, restent plus longtemps dans ces eaux chaudes pour permettre aux nouveau-nés d'entamer leur migration dans les meilleures conditions possibles. Les mâles ferment la marche migratoire courant octobre.
À Sainte-Marie, après la deuxième quinzaine d'août, l'unité de base est le plus souvent constituée d'une mère et de son baleineau. Ce binôme peut se voir escorter soit d'une autre femelle, venant assister la jeune mère, soit d'un mâle attendant le moment propice de l'accouplement. Les mâles reproducteurs sont souvent seuls, mais en période de rut, ils peuvent former des « groupes actifs de surface » : mâles ayant des comportements de compétition visant à se positionner le mieux possible auprès d'une femelle réceptive : sauts, frappes de nageoires pectorales, frappes de caudale, etc. Le pic de naissances se situe **mi-août**, et le pic d'activités et de présence des baleines **de fin-août à début septembre**.
Pour des raisons tenant aux conditions de navigation, l'observation depuis une embarcation est difficile avant août. Il n'y a pas encore de zone d'observation aménagée à terre, excepté celle des scientifiques de Megaptera. Cependant, il n'est pas rare d'observer depuis la plage des individus circulant dans le canal de Sainte-Marie.

région un territoire très apprécié des *wind-surfers*.

Sur la côte Ouest, plus on descend vers le Sud, et plus les pluies se font rares : à Toliary, il ne pleut que très modérément de décembre à mars. C'est une région aride de savanes parsemée d'« arbres à gros ventre ». L'ensoleillement y reste excellent toute l'année.

VALISE : en toute saison, il faut emporter à la fois des vêtements de plage et d'été très légers, et une veste, un anorak à capuche, quelques pulls si on a l'intention de circuler à l'intérieur du pays ; des chaussures couvrantes pour les promenades en brousse, des sandales de plastique pour ne pas se blesser en marchant sur les coraux à marée basse.

SANTÉ : risques de paludisme toute l'année en dessous de 1 600 m d'altitude, surtout sur les côtes. Zones de résistance à la Nivaquine. Par précaution, on s'informera des dernières nouvelles du chikungunya (transmis par un moustique du genre *Aedes*) sur le site de l'Institut de veille sanitaire (www.invs.sante.fr).

BESTIOLES : des moustiques sont signalés un peu partout sur les côtes, surtout de novembre à avril (particulièrement actifs la nuit). Attention aux piqûres des poissons-pierres et aux coquillages venimeux (cônes) que l'on peut rencontrer sur les récifs de corail.

FOULE : une pression touristique encore faible, bien qu'en forte progression ces dernières années. Des touristes venus d'Europe à 80 % – Français, puis Allemands constituant de loin les deux plus importants contingents de visiteurs. ●

moyenne des températures maximales / moyenne des températures minimales

	J	F	M	A	M	J	J	A	S	O	N	D
Antsiranana	**30**	**30**	**31**	**31**	**30**	**29**	**29**	**29**	**30**	**31**	**31**	**31**
(ex-Diego-Suarez)	23	23	23	23	22	20	20	20	20	21	23	23
Nosy-Bé	**31**	**31**	**32**	**32**	**31**	**30**	**30**	**30**	**31**	**32**	**32**	**31**
	23	23	23	22	21	19	18	18	19	21	22	23
Toamasina	**30**	**30**	**29**	**29**	**27**	**25**	**25**	**25**	**26**	**27**	**28**	**29**
(ex-Tamatave)	23	23	22	21	20	18	17	17	17	19	21	22
Antananarivo	**26**	**26**	**26**	**25**	**23**	**21**	**20**	**21**	**24**	**26**	**26**	**26**
(ex-Tananarive)	16	16	16	15	12	10	9	9	11	13	15	16
Toliary	**32**	**32**	**32**	**31**	**29**	**27**	**27**	**28**	**29**	**29**	**30**	**31**
(ex-Tulear)	23	23	22	20	17	15	14	15	16	18	20	22

nombre d'heures par jour hauteur en mm / nombre de jours

	J	F	M	A	M	J	J	A	S	O	N	D
Antsiranana	**6**	**6**	**7**	**8,5**	**9**	**8,5**	**9**	**9**	**9,5**	**10**	**9,5**	**7,5**
	330/16	300/15	180/12	50/6	15/4	18/4	17/4	18/3	9/2	17/3	55/6	170/10
Nosy-Bé	**6**	**6**	**7**	**8**	**9**	**8,5**	**8,5**	**9**	**9,5**	**9**	**8,5**	**7**
	520/21	430/19	300/18	160/12	60/6	45/6	35/5	40/5	40/6	85/7	150/13	360/18
Toamasina	**7,5**	**7**	**6**	**6,5**	**6**	**5,5**	**5,5**	**6**	**7**	**7,5**	**8**	**7**
	420/19	380/18	480/21	330/18	220/17	260/19	300/22	220/20	120/14	130/13	170/14	360/17
Antananarivo	**7**	**6**	**6,5**	**7,5**	**7,5**	**7**	**7**	**7,5**	**8,5**	**8**	**8**	**6,5**
(1 310 m)	270/15	280/15	200/12	65/5	20/2	9/2	10/2	10/1	13/1	75/6	190/11	310/17
Toliary	**10**	**9,5**	**9,5**	**9,5**	**9,5**	**9,5**	**9,5**	**10**	**10**	**10**	**10,5**	**10**
	95/6	90/5	40/3	17/2	15/2	14/2	5/1	6/1	10/1	14/1	25/2	100/5

température de la mer : moyenne mensuelle

	J	F	M	A	M	J	J	A	S	O	N	D
Nosy-Bé	28	28	29	29	28	27	25	25	25	26	27	28
Toamasina	27	28	28	27	26	25	24	23	23	24	25	27
Toliary	27	28	27	27	26	24	23	23	23	24	25	26

Madère

Superficie : 750 km². Funchal (latitude 32°38'N ; longitude 16°54'O) : GMT + 0 h . Durée du jour : maximale (juin) 14 heures, minimale (décembre) 10 heures.

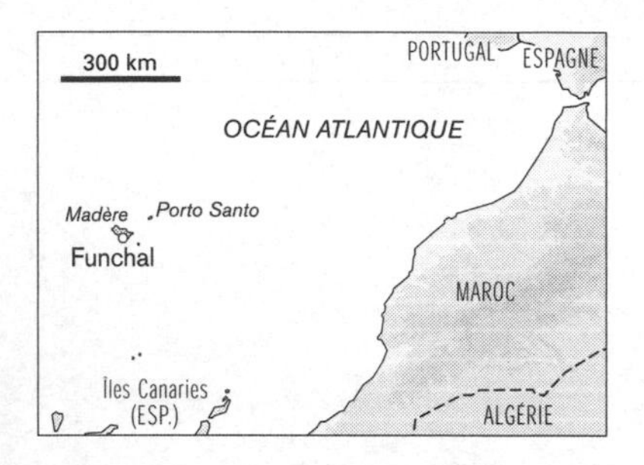

L'« île de l'éternel printemps », située au large de l'Afrique, bénéficie de températures agréables toute l'année.
Cependant, l'automne est souvent orageux et les pluies sont assez fréquentes d'octobre à mars, bien que l'hiver reste une saison assez ensoleillée : la meilleure époque pour y séjourner est donc la fin du printemps et l'été, **de début juin à fin septembre**. C'est la période la plus ensoleillée et la plus chaude, durant laquelle les nuits peuvent être fraîches.

Madère est toujours fleurie, mais c'est bien sûr au printemps que son exubérante végétation offre le spectacle le plus haut en couleurs.

La côte, très accidentée, est peu propice aux baignades en mer : on se baigne surtout dans les nombreuses piscines de l'île, mais aussi sur la grande plage de l'île de Porto Santo, à une heure en bateau de Madère.

VALISE : de juin à septembre, vêtements d'été, pull-over, veste de toile ; des espadrilles ou des tennis pour les promenades sur les rochers. Le reste de l'année, une veste chaude et un imperméable vous seront utiles. ●

moyenne des températures maximales / moyenne des températures minimales

	J	F	M	A	M	J	J	A	S	O	N	D
Funchal	**19**	**18**	**19**	**19**	**19**	**22**	**24**	**26**	**24**	**23**	**22**	**19**
	13	13	13	14	16	17	19	19	19	18	16	14

nombre d'heures par jour hauteur en mm / nombre de jours

	J	F	M	A	M	J	J	A	S	O	N	D
Funchal	**5**	**6**	**7**	**7**	**7**	**7**	**8**	**8**	**8**	**6**	**5**	**5**
	80/7	85/6	70/7	45/4	20/2	5/1	2/0	2/1	30/2	80/7	95/7	95/7

température de la mer : moyenne mensuelle

	J	F	M	A	M	J	J	A	S	O	N	D
Funchal	17	16	16	17	18	20	21	22	22	21	20	18

Malaisie

Superficie : 330 000 km². Kuala Lumpur (latitude 3°08'N ; longitude 101°42'E) : GMT + 8 h . Durée du jour : environ 12 heures toute l'année.

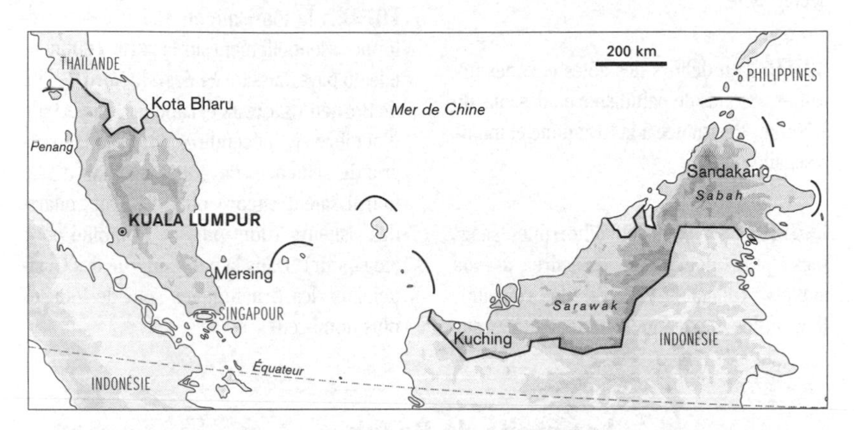

▶ Le climat est uniformément chaud et humide toute l'année en Malaisie – aussi bien dans la péninsule malaise que dans les États orientaux, Sabah et Sarawak. La chaleur lourde est souvent oppressante pour un organisme européen, au moins les premiers jours (mais dans les grandes villes de nombreux hôtels, restaurants, bureaux et magasins sont climatisés). On vit beaucoup le soir et la nuit dans les grandes villes, pour profiter d'une très relative fraîcheur. L'altitude est le seul facteur qui fasse nettement baisser les températures : dans les stations élevées, les soirées sont fraîches et les nuits presque froides.

▶ La meilleure période pour voyager en Malaisie est sans doute celle qui correspond à notre été, **de début juin à fin septembre**. C'est la saison la moins pluvieuse et la plus ensoleillée sur la côte Est (voir Kota Bharu, Mersing) et en Malaisie orientale (voir Sandakan, Kuching). C'est également une bonne saison pour Kuala Lumpur.
Préférez **décembre et mars** ou, à la rigueur, **juin et juillet** si vous pensez vous rendre sur la côte Ouest : c'est entre août et novembre que les pluies orageuses, accompagnées de « coups de Sumatra » (vents violents), sont les plus fortes sur cette côte (voir Penang).
Le parc national de Malaisie (4 300 km² de jungle montagneuse, au Centre du pays) est fermé du 15 novembre au 15 janvier, à cause des pluies.

▶ Dans les régions orientales, évitez surtout les mois de décembre à février : le Sabah et le Sarawak reçoivent à cette période des pluies assez diluviennes pour couper fréquemment les communications. Dans ces régions, les pluies sont surtout nocturnes et matinales (alors qu'à Kuala Lumpur elles tombent souvent l'après-midi).

▶ L'eau de mer, toujours chaude, oscille entre 27° et 29° toute l'année.

VALISE : vêtements très légers, en fibres naturelles de préférence ; éventuellement un anorak, un pull ou une veste si vous comptez séjourner dans les stations de montagne. Emportez des chaussures sans lacets : on se déchausse à l'entrée des maisons et des lieux de culte (que l'on visite jambes et épaules couvertes). La tradition musulmane est particulièrement présente sur la côte Est de Malaisie : les femmes éviteront de porter robes décolletées, vêtements moulants, etc. Sur la côte Ouest, c'est beaucoup plus décontracté.

SANTÉ : en dehors des côtes et zones urbaines, risques de paludisme en dessous de 1 700 m. Résistance à la Nivaquine et multirésistance.

BESTIOLES : en forêt, d'horribles sangsues pourraient s'en prendre à vos mollets (pantalons longs de rigueur). Il y a des moustiques toute l'année sur les côtes et dans les régions à végétation dense.

FOULE : le tourisme en Malaisie se développe essentiellement sur la partie continentale du pays, laissant à l'écart le Nord de l'île de Bornéo (Sarawak et Labuan). La période d'octobre à décembre connaît la plus grande affluence. En 2005, les pays d'Asie fournissaient encore plus des trois quarts des visiteurs (dont plus de la moitié pour Singapour). Dans la part congrue des Occidentaux, les Britanniques sont de loin les plus nombreux. ●

RENDEZ-VOUS NATURE

Les récifs de Sabah

Au nord-est de l'île de Bornéo, l'État de Sabah donne accès aux sites de plongée les plus renommés de Malaisie. À l'est, on plonge dans la mer des Célèbes, notamment autour des iles de Sipadan, Mabul, Kapalai et Lakayan. La période **de juin à septembre** est la plus favorable à l'observation des récifs coralliens et de leurs faunes, avec une préférence pour les deux mois cités, moins fréquentés que juillet et août. Pendant la saison de la mousson du Nord-Est, de mi-octobre à février, le ruissellement des pluies, qui tombent surtout le soir, limite la visibilité dans les fonds marins. C'est aussi l'époque où se développe le plancton qui diminue encore la visibilité dans les profondeurs, mais attire requins-baleines, raies-aigles et raies Manta.

À l'Ouest, Sabah ouvre sur la mer de Chine. La bonne période pour y plonger, notamment autour des îles du parc national de Tunku Abdul Rahmanla, s'étend **de fin mars à début octobre** avec, ici encore, une préférence pour juin et septembre. De novembre à février, si les pluies n'interdisent pas la plongée, elles en limitent le confort, plus encore que sur la côte orientale.

moyenne des températures maximales / moyenne des températures minimales

	J	F	M	A	M	J	J	A	S	O	N	D
Kota Bharu	**29** 22	**30** 23	**31** 23	**32** 24	**33** 24	**32** 24	**32** 23	**32** 23	**31** 23	**31** 23	**29** 23	**29** 23
Penang	**32** 23	**32** 23	**32** 24	**32** 24	**32** 24	**31** 24	**31** 23	**31** 23	**30** 23	**30** 23	**31** 23	**31** 23
Kuala Lumpur	**32** 22	**33** 22	**33** 23	**33** 23	**33** 23	**32** 23	**32** 23	**32** 23	**32** 23	**32** 23	**31** 23	**31** 22
Mersing	**28** 23	**29** 24	**30** 23	**32** 23	**32** 23	**31** 22	**31** 22	**31** 22	**31** 22	**31** 22	**30** 23	**28** 23
Sandakan	**29** 23	**30** 23	**31** 23	**32** 24	**33** 24	**32** 23	**32** 22	**32** 23	**32** 23	**32** 23	**31** 23	**30** 23
Kuching	**30** 23	**30** 23	**31** 23	**32** 23	**33** 23	**33** 23	**32** 23	**32** 23	**32** 22	**32** 23	**31** 23	**30** 23

nombre d'heures par jour / hauteur en mm / nombre de jours

	J	F	M	A	M	J	J	A	S	O	N	D
Kota Bharu	**7** 130/8	**8** 50/5	**8,5** 90/6	**9** 85/5	**8** 100/9	**7** 125/9	**7** 155/11	**7** 170/12	**6,5** 200/14	**6** 270/16	**4,5** 660/20	**5** 570/17
Penang	**8** 70/5	**8,5** 70/6	**7,5** 145/9	**7,5** 220/14	**6,5** 200/14	**7** 180/11	**6,5** 190/12	**6** 240/14	**5,5** 360/18	**5,5** 380/19	**6** 230/15	**6,5** 115/9
Kuala Lumpur	**6** 165/10	**7** 145/11	**6,5** 220/14	**6,5** 280/16	**6,5** 185/13	**6,5** 125/9	**6,5** 130/10	**6** 145/11	**5,5** 190/13	**5,5** 270/17	**5** 280/18	**5,5** 230/15
Mersing	**5,5** 290/12	**7** 125/8	**7,5** 130/8	**7** 125/10	**7** 145/11	**7** 140/11	**6,5** 160/13	**6,5** 175/13	**6** 180/13	**5,5** 200/14	**5** 380/19	**4** 660/20
Sandakan	**5** 440/18	**6** 270/12	**7** 160/10	**8** 110/7	**8** 140/9	**7** 200/12	**7** 195/12	**7** 200/13	**6,5** 240/13	**6** 250/15	**6** 240/18	**5** 460/19
Kuching	**3,5** 690/23	**4** 540/18	**4,5** 360/17	**5,5** 260/17	**6** 240/15	**6,5** 200/14	**6** 185/13	**5,5** 210/15	**5** 270/16	**5** 340/19	**5** 370/22	**4** 480/23

température de la mer : moyenne mensuelle

	J	F	M	A	M	J	J	A	S	O	N	D
Penang	27	27	28	28	28	28	28	27	27	27	27	27
Mersing	26	27	28	28	28	28	28	28	27	28	28	27
Sandakan	27	27	28	28	29	29	28	28	28	28	28	27

Malawi

Superficie : 118 000 km². Lilongwe (latitude 13°58'S ; longitude 33°42'E) : GMT + 2 h . Durée du jour : maximale (décembre) 13 heures, minimale (juin) 11 heures 30.

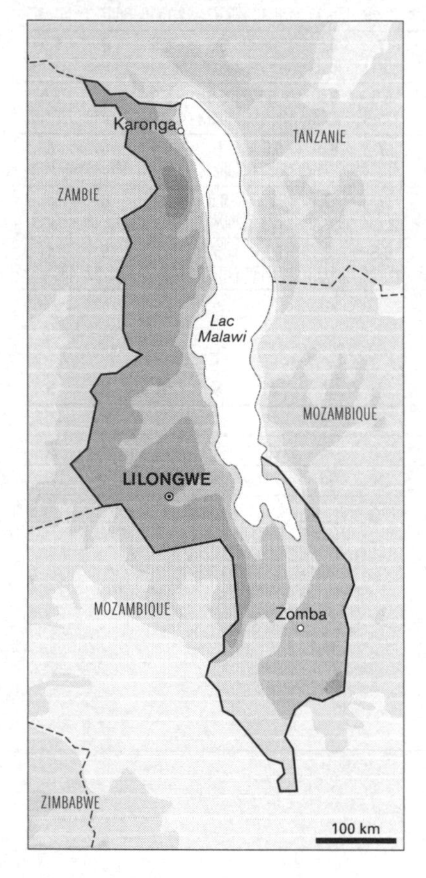

▸ La meilleure période pour se rendre au Malawi est la **saison sèche**, qui s'étend de mai à octobre, et particulièrement la fin de cette saison : le temps est le plus souvent ensoleillé, il fait chaud dans la journée mais les nuits restent fraîches, et même un peu froides à partir de 1 000 m d'altitude (voir Lilongwe, Zomba). Les seules régions à souffrir de canicule sont les basses vallées comme celle du Shire, au Sud.
Les plages qui bordent l'étincelant lac Malawi, encerclé de montagnes, bénéficient alors de brises lacustres qui rendent leur climat plus sec, moins étouffant que le reste de l'année. C'est également une bonne période pour parcourir le pays et découvrir la variété de ses paysages, des forêts tropicales du plateau Nyika, au Nord, jusqu'au majestueux mont Mulanje, au Sud (attention au froid, il peut geler la nuit) ; et c'est enfin le meilleur moment pour visiter les réserves du Parc national, au Nord, et de Kasungu, au Centre (voir chapitre « Kenya »).

▸ Durant la **saison des pluies** (de mi-novembre à mi-avril), celles-ci tombent sous forme d'averses violentes qui permettent au soleil de se manifester assez souvent, mais peuvent rendre certaines pistes impraticables, particulièrement dans l'extrême Sud (Nsange), région la plus arrosée du pays. L'humidité ambiante rend la chaleur assez étouffante.
Les pluies sont d'une manière générale plus fortes sur les hauts reliefs comme le mont Mulanje que sur les bords du lac ou dans la vallée du Shire.

▸ À n'importe quel moment de l'année peut souffler, surtout sur les hautes terres, le *chiperone*, un vent froid du sud-est.

VALISE : en toute saison, vêtements très légers pour les journées et pull-overs pour les soirées ; des vêtements chauds si vous pensez grimper sur le mont Mulanje. Pour visiter les réserves, vêtements de couleurs neutres, chaussures de marche en toile.

SANTÉ : risques de paludisme toute l'année dans tout le pays ; résistance élevée à la Nivaquine et multirésistance. Vaccin antirabique conseillé pour de longs séjours.

BESTIOLES : moustiques toute l'année dans les régions basses. ●

moyenne des températures maximales / moyenne des températures minimales

	J	F	M	A	M	J	J	A	S	O	N	D
Karonga	**30**	**30**	**29**	**29**	**28**	**27**	**27**	**28**	**30**	**32**	**33**	**31**
(480 m)	22	22	21	21	19	16	15	16	17	19	21	22
Lilongwe	**27**	**27**	**27**	**27**	**26**	**24**	**24**	**25**	**25**	**30**	**30**	**28**
(1 130 m)	17	17	16	14	10	8	6	8	10	15	17	18
Zomba	**27**	**27**	**26**	**26**	**24**	**22**	**22**	**24**	**27**	**30**	**29**	**27**
(950 m)	19	19	18	17	14	13	12	13	15	18	19	19

nombre d'heures par jour hauteur en mm / nombre de jours

	J	F	M	A	M	J	J	A	S	O	N	D
Karonga	**5**	**4**	**6**	**7**	**8**	**8**	**9**	**9**	**9**	**10**	**8**	**6**
	185/12	165/13	315/18	185/12	35/5	6/1	1/0	2/0	1/0	4/0	40/3	140/2
Lilongwe	**5**	**5**	**6**	**8**	**8**	**8**	**8**	**9**	**9**	**10**	**8**	**6**
	210/14	210/12	130/9	35/4	5/1	1/1	0/0	2/0	3/0	5/1	70/4	175/12
Zomba	**4**	**5**	**5**	**6**	**6**	**5**	**5**	**7**	**7**	**8**	**7**	**5**
	300/18	270/16	245/17	70/7	19/3	13/2	6/2	8/1	8/1	25/2	120/9	285/16

Maldives

Superficie : 300 km². Malé (latitude 4°45'N ; longitude 73°10'E) : GMT + 5 h . Durée du jour : environ 12 heures toute l'année.

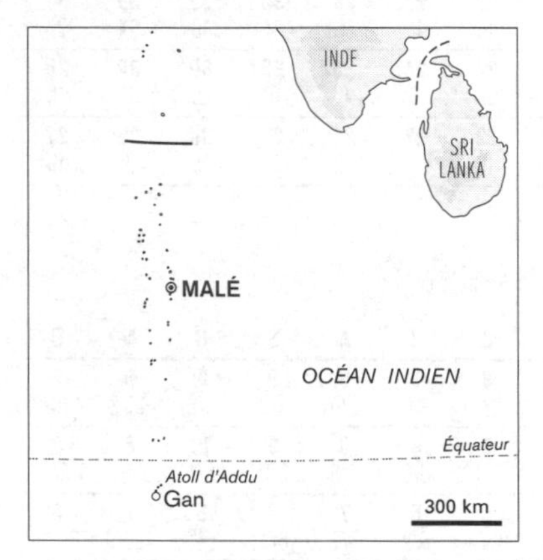

Les 1 200 îles coralliennes de l'archipel des Maldives, au sud-ouest de Sri Lanka, s'égrènent du nord au sud, de l'atoll d'Ihavandhipolhu à l'atoll d'Addu, sur une distance de près de 800 km. Les températures y sont à peu de chose près égales toute l'année : chaudes la nuit comme le jour, et parfois étouffantes durant la saison des pluies lorsque le vent ne souffle pas.

L'archipel est soumis à deux moussons :

La mousson du sud-ouest, l'*hulhangu*, arrive normalement début mai et dure jusqu'en novembre. La pluie tombe en rafales, mais pendant de courtes périodes ; et la mer est souvent agitée. Cette mousson touche avec plus d'intensité les îles situées dans le Nord de l'archipel.

La mousson du nord-est, l'*iruvai*, moins violente, arrive à partir de décembre. Elle est assez discrète au Nord, qui est relativement protégé par l'île de Sri Lanka. En revanche, dans la partie centrale (voir Malé), où débarque la majorité des touristes, les averses sont plus fréquentes, surtout au début de cette mousson. Mais les brises qui soufflent durant cette dernière période rafraîchissent agréablement l'atmosphère.

Les précipitations sont encore un peu plus importantes sur l'atoll le plus méridional, celui d'Addu, situé au-delà de l'équateur (voir Gan).

Pour se consacrer aux bains de soleil, la meilleure époque va donc **de janvier à avril**.

VALISE : en toute saison, vêtements très légers, simples et faciles d'entretien, en fibres naturelles de préférence ; des tennis ou des sandales en plastique pour marcher sur les récifs coralliens.

RENDEZ-VOUS NATURE

Des atolls et des palmes

Le plus vaste ensemble d'atolls coralliens en surface au monde est par conséquent une des premières destinations-plongée. La mer est assez calme et la visibilité sous l'eau maximale **de janvier à avril**. En règle générale, avril, mois de transition entre les deux moussons et aussi le plus calme de l'année, est une période très fréquentée. Juin et dans une moindre mesure septembre sont les mois les plus défavorables, avec une mer houleuse. De juin à octobre, de nombreux bateaux destinés aux croisières-plongée restent au port. Mais les conditions météorologiques permettent cependant les sorties à la journée. Novembre, autre mois de transition assez calme, précède un mois de décembre souvent accompagné de vents forts.

On peut observer des raies Manta toute l'année, mais surtout **d'août à novembre**. On les cherche au Sud-Ouest des atolls de janvier à avril et au Nord-Est de septembre à décembre.

BESTIOLES : moustiques toute l'année, actifs après le crépuscule. Fuyez comme la peste les anémones de mer, qui sont urticantes.

FOULE : une forte pression touristique, d'autant plus que seule une partie de l'archipel est ouverte aux voyageurs. La période de novembre à mars, avec une pointe en janvier, est celle qui connaît le plus d'affluence, pas loin du double de juin, mois le plus tranquille avec mai et juillet. En 2004, Allemands, Italiens et Britanniques constituaient toujours les contingents les plus nombreux. Le souvenir du tsunami a cependant porté un coup sérieux au tourisme toute l'année 2005. Un tourisme qui s'est bien rétabli en 2006. ●

moyenne des températures maximales / moyenne des températures minimales

	J	F	M	A	M	J	J	A	S	O	N	D
Malé (atoll de Malé Nord)	**30** 26	**30** 26	**31** 27	**31** 27	**31** 27	**30** 26	**30** 26	**30** 26	**30** 25	**30** 25	**30** 25	**30** 25
Gan (atoll d'Addu)	**30** 24	**31** 25	**31** 25	**31** 25	**31** 25	**31** 25	**30** 24	**30** 24	**30** 24	**30** 24	**30** 24	**30** 24

nombre d'heures par jour hauteur en mm / nombre de jours

	J	F	M	A	M	J	J	A	S	O	N	D
Malé	**8** 110/6	**8,5** 40/3	**9** 75/5	**8** 130/9	**7,5** 220/15	**7,5** 170/13	**7** 150/12	**7** 170/13	**6,5** 200/15	**7,5** 190/14	**8** 220/13	**7** 220/13
Gan	**7,5** 230/5	**8** 110/4	**9** 170/6	**8** 160/9	**7** 230/14	**7** 150/13	**7,5** 180/12	**7** 190/13	**6,5** 190/15	**7** 280/15	**7,5** 170/13	**7** 230/12

température de la mer : moyenne mensuelle

	J	F	M	A	M	J	J	A	S	O	N	D
Malé	27	28	28	29	29	28	28	28	28	28	28	28

Mali

Superficie : 1 240 000 km². Bamako (latitude 12°38'N ; longitude 08°02'O) : GMT + 0 h . Durée du jour : maximale (juin) 13 heures, minimale (décembre) 11 heures 30.

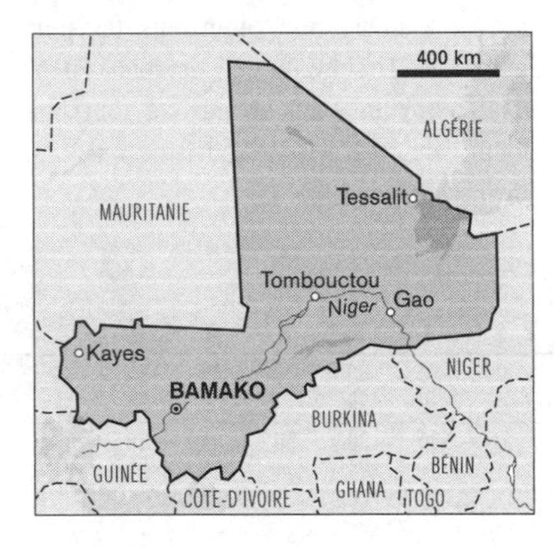

▶ La période la plus agréable au Mali est le début de la **saison sèche**, **de novembre à février**. Le temps est bien sûr au beau fixe, avec des ciels plus blancs que bleus, typiques des régions sahéliennes lorsque la brume sèche voile le soleil. fait très chaud dans la journée, surtout au Sud (voir Bamako, Kayes), mais les nuits sont plus clémentes. Dans la région saharienne au Nord (voir Tessalit), et plus encore dans l'extrême Nord, il arrive que les nuits soient vraiment froides.

Si vous projetez de remonter jusqu'au Sahara, choisissez de préférence les mois de novembre ou décembre : les vents de sable, présents toute l'année dans le Nord, deviennent plus violents à partir de janvier. Ils sont fatigants et peuvent effacer les pistes en les recouvrant de sable (voir chapitre « Algérie »).

▶ La fin de la saison sèche, de mars à mai, est torride dans tout le pays. *Harmattan*, tourbillons de sable irritants pour les muqueuses et brume sèche, sont courants à cette période, surtout dans le Nord du pays.

▶ De mi-mai ou début juin à fin septembre, c'est l'« hivernage », la **saison des pluies** qui tombent sous forme de grosses averses orageuses pouvant durer une journée entière. La chaleur, rendue plus pénible par l'humidité, ne cesse de croître jusqu'en septembre. Mais, après une averse, la luminosité et la pureté de l'air sont remarquables. Les pluies, relativement abondantes dans le Sud les années normales, diminuent progressivement vers le Nord, jusqu'à être presque inexistantes dans la partie désertique du Mali. Dans les périodes de sécheresse comme en a de nouveau connu le Sahel récemment, la saison des pluies peut être écourtée et gravement insuffisante.

Si vous avez l'intention de remonter le fleuve Niger en bateau, vous devrez partir au Mali vers la fin de cette saison des pluies, au plus tard en novembre (voir encadré ci-après).

VALISE : vêtements très légers, amples, faciles à laver (éviter minijupes et shorts

De Bamako à Gao sur le fleuve Niger

En période d'intensité normale des pluies, les bateaux de transport de la Compagnie malienne de navigation (CoMaNav), d'un confort assez rudimentaire mais peu onéreux, circulent sur le Niger de Koulikoro (proche de Bamako) à Kabara (port de Tombouctou), **entre juillet et fin novembre**. À partir d'août, il est possible d'aller jusqu'à Gao. De début décembre à début janvier, en général, seul le tronçon Mopti-Gao est encore navigable.

Plus tard dans la saison, le trajet ne peut plus se faire que sur de grandes pirogues collectives, en général surchargées et encore plus incommodes.

pour les femmes) ; pulls pour les soirées en saison fraîche. Pour une croisière sur le Niger, au moins un pull ou une veste chaude. Pour une randonnée au Sahara, anorak en duvet pour l'hiver, foulard pour se protéger des vents de sable.

SANTÉ : vaccination contre la fièvre jaune obligatoire. Risques de paludisme toute l'année dans tout le pays. Résistance à la Nivaquine.

BESTIOLES : moustiques toute l'année, surtout actifs après le coucher du soleil. ●

moyenne des températures maximales / moyenne des températures minimales

	J	F	M	A	M	J	J	A	S	O	N	D
Tessalit	**27**	**30**	**33**	**37**	**41**	**43**	**42**	**41**	**40**	**38**	**32**	**28**
(520 m)	13	15	18	21	25	29	28	26	26	24	19	14
Tombouctou	**31**	**34**	**36**	**40**	**42**	**42**	**39**	**36**	**38**	**39**	**36**	**31**
	13	15	18	22	26	27	25	24	24	23	18	14
Gao	**31**	**35**	**37**	**40**	**42**	**41**	**39**	**36**	**38**	**39**	**36**	**32**
	15	17	20	24	28	28	26	25	25	25	20	16
Kayes	**34**	**36**	**40**	**41**	**42**	**38**	**33**	**32**	**33**	**36**	**37**	**33**
	17	19	22	25	28	26	24	23	23	23	21	17
Bamako	**33**	**36**	**38**	**39**	**38**	**35**	**32**	**31**	**32**	**34**	**35**	**33**
(340 m)	17	19	22	25	25	23	22	21	21	21	19	17

nombre d'heures par jour — hauteur en mm / nombre de jours

	J	F	M	A	M	J	J	A	S	O	N	D
Tessalit	**9**	**9,5**	**9,5**	**10**	**10**	**9**	**9**	**9**	**9**	**9**	**9**	**8,5**
	1/0	0/0	0/0	1/0	5/1	5/1	15/3	35/4	17/3	2/0	1/0	1/0
Tombouctou	**9**	**9,5**	**9,5**	**9,5**	**9,5**	**9**	**9**	**9**	**9**	**9,5**	**9,5**	**8,5**
	0/0	0/0	0/0	1/0	4/1	17/3	50/6	80/7	30/4	3/1	0/0	0/0
Gao	**9,5**	**9,5**	**9,5**	**9,5**	**9,5**	**9**	**9**	**9**	**9**	**9,5**	**9,5**	**9**
	0/0	0/0	0/0	3/1	8/2	25/3	70/7	95/8	33/4	6/1	0/0	0/0
Kayes	**8,5**	**9**	**9,5**	**10**	**9**	**8**	**7,5**	**7**	**7,5**	**8,5**	**8,5**	**8**
	0/0	1/0	0/0	1/0	15/2	90/7	170/10	220/16	150/11	45/4	5/1	1/0
Bamako	**9**	**9,5**	**9**	**8,5**	**8,5**	**8**	**7,5**	**6,5**	**7,5**	**8**	**9**	**8,5**
	1/0	0/0	4/1	19/3	50/5	120/10	240/16	280/17	195/13	60/5	6/1	1/0

Malte

Superficie : 310 km². La Valette (latitude 35°54'N ; longitude 14°31'E) : GMT + 1 h. Durée du jour : maximale (juin) 14 heures 30, minimale (décembre) 9 heures 30.

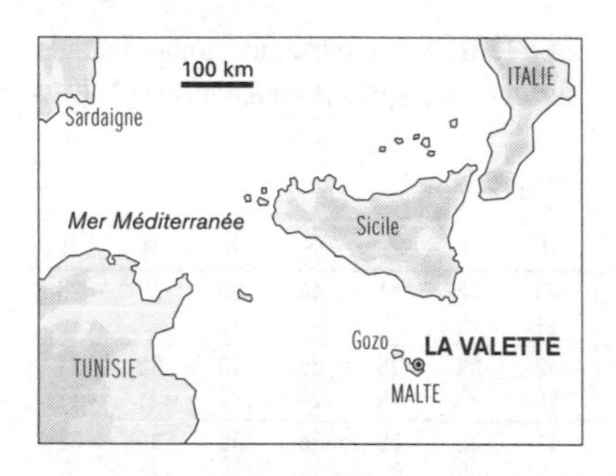

Il ne fait jamais très froid dans les îles maltaises : l'**hiver** reste assez doux mais venté et pluvieux ; le printemps et le début de l'automne sont des périodes idéales pour se promener à l'intérieur de la grande île et visiter les églises et les châteaux construits par les grands maîtres de l'Ordre ; dès le début avril et jusqu'à la mi-octobre, ensoleillement très important.

L'**été** est la meilleure saison pour se baigner dans les criques et sur les quelques plages de sable du Nord des îles de Malte et de Gozo. De fin mai à fin septembre, le ciel est sans un nuage. Durant cette période, les vents, qui, pendant les autres saisons, se font souvent importuns, ont l'avantage de rendre les fortes chaleurs et l'ardeur du soleil plus supportables.

VALISE : de juin à septembre, vêtements légers, de préférence en fibres naturelles, lainage ou veste ; tennis ou espadrilles pour les promenades sur les rochers. En hiver, vêtements légers mais aussi une veste chaude, des pulls-overs, un imperméable ou un anorak qui vous protégera aussi du vent.

FOULE : très forte pression touristique. Août, juillet, septembre et octobre sont, dans cet ordre, les mois qui connaissent le plus d'affluence. Janvier et dans une moindre mesure février et décembre restent les mois « creux ». En 2005, plus du tiers des visiteurs restaient encore britanniques, 16 % allemands et 6 % français.

moyenne des températures maximales / moyenne des températures minimales

	J	F	M	A	M	J	J	A	S	O	N	D
La Valette	**15**	**15**	**17**	**19**	**23**	**27**	**31**	**31**	**28**	**24**	**20**	**17**
	9	9	10	12	15	19	21	22	20	17	14	11

nombre d'heures par jour hauteur en mm / nombre de jours

	J	F	M	A	M	J	J	A	S	O	N	D
La Valette	**5**	**6**	**7**	**8**	**9,5**	**10,5**	**12**	**11**	**8,5**	**7**	**6**	**5**
	90/14	60/10	40/8	25/7	6/3	3/1	0/0	8/1	40/4	90/10	80/11	110/14

température de la mer : moyenne mensuelle

	J	F	M	A	M	J	J	A	S	O	N	D
La Valette	15	14	15	16	18	21	24	25	25	23	20	17

Maroc

Superficie : 447 000 km². Casablanca (latitude 33°34'N ; longitude 07°40'O) : GMT + 0 h . Durée du jour : maximale (juin) 14 heures 30, minimale (décembre) 9 heures 30.

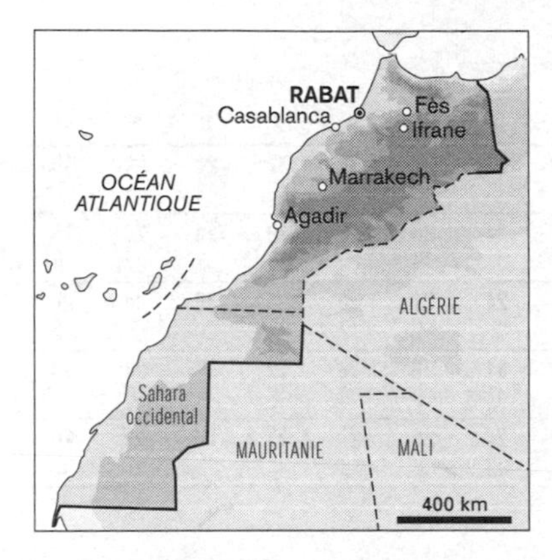

De l'Atlantique au Sahara, des hauts reliefs du Rif et de l'Atlas aux plaines côtières, on trouve au Maroc une mosaïque de climats très différents.

▶ Si le but de votre voyage est d'abord de visiter les **villes impériales** (Fès, Meknès, Marrakech), choisissez de préférence le **printemps** ou l'**automne**. En été, la chaleur peut être étouffante dans les grandes villes, particulièrement au Sud, où soufflent parfois le *chergui* et l'*arifi* (le « rôtisseur »), vents secs et brûlants venus du Sahara. Certains amoureux de Marrakech affirment toutefois que c'est en plein été et en pleine fournaise qu'il faut la découvrir. Et les montagnes, où les nuits restent fraîches même en été, ne sont jamais très loin.

▶ Les **côtes**, elles, sont épargnées par la canicule que connaît l'intérieur. **De mai à octobre**, il fait beau et agréablement chaud sur la côte méditerranéenne et sur la côte atlantique. Mais sachez tout de même que la température de la mer reste plutôt fraîche une bonne partie de l'année du côté atlantique. À Tanger, les étés sont plus chauds que sur le reste de la côte atlantique.

À signaler aussi : entre juillet et septembre, la baie d'Agadir est fréquemment affectée par du brouillard, surtout le matin.
Les hivers sont toujours doux et assez ensoleillés sur les côtes.

▶ Dans les régions montagneuses, l'été est très agréable, l'hiver froid et très arrosé, surtout au Nord. La neige est abondante sur l'Atlas : on peut skier à Ifrane, dans le Moyen-Atlas, ou à Azrou, dans le Haut-Atlas.

▶ De l'autre côté des chaînes montagneuses, les pluies se font de plus en plus faibles à mesure que l'on s'approche du Sahara. Les écarts de températures s'accentuent : à Zagora, dans le grand Sud marocain, les nuits d'hiver peuvent être vraiment froides, et en été il fait encore plus chaud qu'à Marrakech. La période la plus favorable pour une randonnée dans les régions sahariennes se situe **entre octobre et février**.

VALISE : en été, vêtements légers, pull pour les soirées sur les côtes ou en altitude (bien sûr, shorts et minijupes sont peu recommandés pour les femmes). En hiver, vêtements de demi-saison, imperméable ou anorak.

SANTÉ : de mai à octobre, faibles risques de paludisme dans certaines zones rurales des régions de Kenitra, Sidi Kacem et Goulimine. Vaccin antirabique conseillé pour de longs séjours.

BESTIOLES : moustiques en été sur les côtes, surtout actifs après le coucher du soleil.

FOULE : tourisme en forte progression. Distançant nettement août, juillet reçoit le plus de monde. Pas de grands écarts d'affluence le reste de l'année. En 2005, le contingent de voyageurs français (plus du tiers du total) restait quatre fois plus important que l'espagnol et l'allemand. C'est le « balnéaire Sud », c'est-à-dire la région d'Agadir, qui reçoit le plus de visiteurs. ●

moyenne des températures maximales / moyenne des températures minimales

	J	F	M	A	M	J	J	A	S	O	N	D
Fès (415 m)	**16** 4	**17** 5	**20** 8	**23** 9	**26** 12	**31** 15	**36** 18	**36** 18	**32** 16	**26** 13	**21** 8	**16** 6
Casablanca	**17** 9	**18** 9	**19** 11	**20** 12	**22** 15	**24** 17	**26** 19	**26** 20	**26** 19	**24** 15	**20** 12	**18** 10
Ifrane (1 640 m)	**9** - 5	**11** - 3	**13** - 1	**16** 3	**18** 4	**24** 9	**31** 12	**30** 12	**25** 8	**18** 5	**14** 1	**9** - 3
Marrakech (460 m)	**18** 7	**20** 8	**22** 10	**24** 12	**28** 15	**31** 17	**36** 20	**36** 20	**32** 18	**27** 15	**21** 10	**18** 7
Agadir	**20** 9	**22** 9	**22** 11	**22** 12	**24** 15	**24** 16	**26** 18	**27** 18	**27** 17	**26** 15	**23** 12	**20** 8

nombre d'heures par jour hauteur en mm / nombre de jours

	J	F	M	A	M	J	J	A	S	O	N	D
Fès	**5** 80/8	**6** 65/7	**7** 80/8	**8** 65/7	**10** 35/5	**11** 9/1	**12** 3/0	**11** 2/1	**9** 18/2	**8** 55/6	**6** 70/7	**5** 105/9
Casablanca	**5** 65/8	**6** 55/6	**7** 55/7	**9** 40/5	**9** 20/4	**10** 2/1	**10** 0/0	**10** 1/0	**9** 7/1	**7** 40/5	**6** 55/7	**5** 85/9
Ifrane	**5** 11/8	**6** 125/8	**7** 125/10	**8** 115/8	**9** 80/7	**10** 40/5	**11** 8/1	**10** 11/2	**9** 40/5	**7** 135/8	**5** 150/7	**5** 165/9
Marrakech	**7** 30/7	**8** 30/6	**8** 30/6	**9** 30/6	**9** 17/4	**11** 7/2	**12** 2/1	**11** 3/1	**9** 10/1	**8** 20/4	**7** 30/6	**7** 35/8
Agadir	**8** 50/5	**8** 30/4	**9** 25/5	**10** 16/3	**10** 5/2	**10** 1/1	**9** 0/0	**9** 1/1	**8** 6/1	**8** 20/3	**7** 30/4	**7** 40/6

température de la mer : moyenne mensuelle

	J	F	M	A	M	J	J	A	S	O	N	D
Méditerranée	15	15	15	16	18	19	22	23	22	20	18	16
Atl. (Agadir)	17	16	16	17	19	20	21	22	22	21	19	18

Maurice (Île)

Superficie : 2 050 km^2. Port-Louis (latitude 20°06'S ; longitude 57°32'E) : GMT + 4 h . Durée du jour : maximale (décembre) 13 heures 30, minimale (juin) 11 heures.

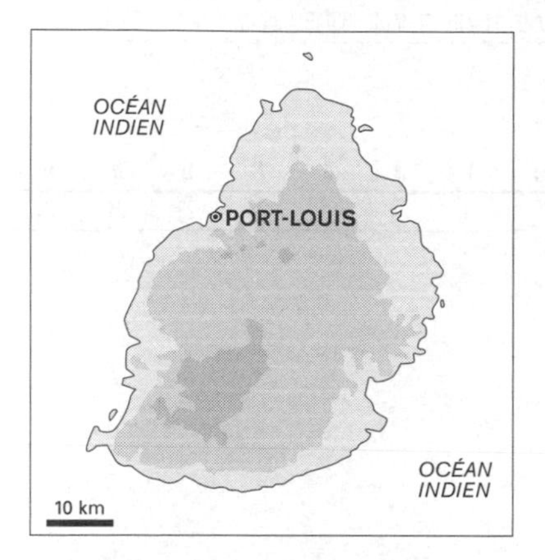

La meilleure période pour résider sur l'île Maurice est celle qui va **de juin à novembre**, les mois les moins chauds et les moins pluvieux. La chaleur est rarement excessive grâce aux brises qui soufflent constamment à cette époque, et les nuits se font agréablement fraîches.

Les pluies, relativement abondantes toute l'année, tombent sous forme de grosses averses orageuses. Sur les côtes, elles durent rarement plus de quelques heures, puis laissent place à de très belles éclaircies. Elles sont plus persistantes et plus fortes sur le plateau et les montagnes du Centre de l'île : il pleut souvent à Curepipe, alors que le soleil brille sur le littoral.

De janvier à mars, le soleil continue à faire de fréquentes apparitions, mais il fait très chaud et humide, même la nuit. C'est la saison des plus fortes pluies et surtout des cyclones, qui menacent régulièrement l'île. Ainsi, le cyclone *Dina* qui a frappé l'île le 22 janvier 2002, causant plusieurs morts et des dégâts très importants.

Les nombreuses plages mauriciennes sont baignées par une mer toujours calme, grâce à la barrière de corail.

VALISE : vêtements légers et pratiques, en coton ou en lin de préférence ; petite laine ou veste pour les soirées sur le plateau, anorak léger. Des sandales de plastique ou des tennis pour marcher sur les récifs de corail.

SANTÉ : faibles risques de paludisme dans les zones rurales du Nord de l'île. Par précaution, on s'informera des dernières nouvelles du chikungunya (transmis par un moustique du genre *Aedes*) sur le site de l'Institut de veille sanitaire (www.invs.sante.fr).

BESTIOLES : les moustiques ne nous quittent plus dès que le soleil se couche.

FOULE : forte pression touristique. La période d'octobre à mars reste la plus fréquentée, avec un pic en décembre et un creux en février. Juin, pourtant climatiquement favorable, est de loin le mois le plus tranquille. En 2005, les Français (deux métropolitains pour un Réunionnais) représentaient presque la moitié des visiteurs. Venaient ensuite les Britanniques, les Sud-Africains, les Allemands et les Italiens. ●

moyenne des températures maximales / moyenne des températures minimales

	J	F	M	A	M	J	J	A	S	O	N	D
Port-Louis	**30** 23	**29** 23	**29** 22	**28** 21	**26** 19	**24** 17	**24** 17	**24** 17	**25** 17	**27** 18	**28** 19	**29** 22

Maurice

nombre d'heures par jour — hauteur en mm / nombre de jours

	J	F	M	A	M	J	J	A	S	O	N	D
Port-Louis	**8** 235/18	**7** 240/18	**6** 385/21	**7** 205/16	**6** 175/19	**6** 115/16	**6** 130/16	**6** 85/16	**7** 85/13	**8** 55/9	**8** 80/10	**8** 170/13

température de la mer : moyenne mensuelle

	J	F	M	A	M	J	J	A	S	O	N	D
Port-Louis	26	27	27	26	25	24	23	22	23	23	24	26

Mauritanie

Superficie : 1 030 000 km². Nouakchott (latitude 18°07'N ; longitude 15°56'O) : GMT + 0 h . Durée du jour : maximale (juin) 13 heures, minimale (décembre) 11 heures.

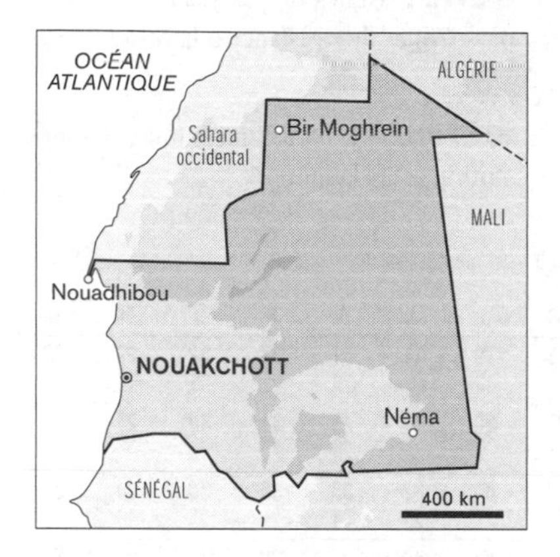

▶ La meilleure saison pour se rendre en Mauritanie se situe **entre novembre et février**. On échappe alors à la grande canicule, les journées sont très chaudes et ensoleillées mais les nuits suffisamment fraîches pour permettre un sommeil réparateur.
De décembre à février-mars souffle parfois, durant la journée, un vent du nord-est, qui peut se transformer en tempêtes de poussière ; mais le plus souvent, des brises de mer, sur la côte, rafraîchissent l'atmosphère.

Au Nord de la côte (Nouadhibou), le brouillard est assez fréquent le matin entre novembre et février.

▶ Les températures augmentent dès le mois de mars pour atteindre leur maximum en mai et restent torrides jusqu'en septembre. Elles sont encore plus élevées à l'intérieur du pays (voir Néma) que sur la côte (voir Nouakchott), qui bénéficie toujours des alizés marins (voir encadré « Destination désert » dans le chapitre « Algérie »).
À Nouadhibou, au Nord du littoral, il fait nettement moins chaud que dans la capitale et le ciel est assez souvent nuageux le matin. Les tempêtes de sable, fréquentes dans la capitale, se produisent surtout en mars-avril.

▶ La saison des pluies, lorsqu'elle a lieu, se situe entre juillet et septembre. Ces précipitations, qui tombent sous forme d'orages torrentiels de courte durée, peuvent rendre certaines pistes impraticables. Les pluies sont presque inexistantes dans le Nord de la Mauritanie, plus conséquentes au Sud, près du fleuve Sénégal (360 mm par an).

Quand l'harmattan se déchaîne

« Ce qui nous incommoda le plus pendant cette horrible journée, ce furent les trombes de sable qui, dans leur course, menaçaient à chaque instant de nous ensevelir. Une de ces trombes surtout, plus considérable que les autres, traversa notre camp, culbuta toutes les tentes, et, nous faisant tournoyer comme des brins de paille, nous renversa pêle-mêle les uns sur les autres : nous ne savions plus où nous étions ; on ne distinguait rien à un pied de distance ; le sable, comme un brouillard épais, nous enveloppait dans de noires ténèbres ; le ciel et la terre semblaient confondus et ne faire qu'un tout (...). Tout le temps que dura cette affreuse tempête, nous restâmes étendus sur le sol, sans mouvement, mourant de soif, brûlés par le sable et battus par le vent. Du moins, nous n'eûmes pas à souffrir de l'ardeur du soleil : son disque, presque caché sous un voile épais de sable, paraissait terne et sans rayons. »
Extrait du *Voyage à Tombouctou* (1830),
de René Caillié.

On peut se baigner toute l'année dans la baie de Tanit, au Nord de Nouakchott, ou dans la baie du Lévrier (Nouadhibou) : la température des eaux les plus poissonneuses du monde varie entre 19° et 27°.

VALISE : vêtements les plus légers possible, amples et d'entretien facile ; pull-overs pour les soirées de novembre à avril ; écharpe en coton pour se protéger le visage des vents de sable.

SANTÉ : risques de paludisme au Sud du pays. Zones de résistance à la Nivaquine.

BESTIOLES : moustiques toute l'année, surtout actifs la nuit.

moyenne des températures maximales / moyenne des températures minimales

	J	F	M	A	M	J	J	A	S	O	N	D
Bir Moghrein	**23** 10	**25** 11	**28** 13	**30** 14	**33** 16	**36** 18	**41** 23	**41** 24	**37** 22	**32** 19	**27** 15	**22** 10
Nouadhibou	**24** 14	**25** 14	**26** 15	**26** 15	**27** 16	**28** 17	**27** 19	**28** 20	**31** 20	**30** 19	**27** 17	**25** 15
Nouakchott	**29** 14	**31** 15	**33** 16	**33** 17	**34** 19	**34** 22	**32** 23	**33** 24	**35** 25	**36** 23	**34** 19	**29** 14
Néma	**32** 18	**35** 20	**38** 23	**40** 27	**43** 30	**42** 29	**39** 27	**37** 25	**38** 26	**39** 26	**37** 24	**32** 19

nombre d'heures par jour hauteur en mm / nombre de jours

	J	F	M	A	M	J	J	A	S	O	N	D
Bir Moghrein	**8,5** 2/0	**9,5** 3/1	**10** 1/0	**10,5** 2/0	**11** 0/0	**11** 1/0	**10,5** 1/0	**10** 4/1	**9** 8/1	**9** 8/1	**8,5** 4/1	**8** 8/1
Nouadhibou	**8,5** 1/0	**9** 2/0	**9,5** 2/0	**10** 1/0	**10** 0/0	**10** 0/0	**9** 1/0	**9** 3/1	**8,5** 7/1	**8,5** 4/1	**8,5** 3/1	**8** 1/0
Nouakchott	**8,5** 1/0	**9** 2/0	**9,5** 2/0	**10** 0/0	**10** 0/0	**9,5** 1/0	**9** 15/2	**9** 40/4	**8,5** 35/3	**8,5** 9/1	**8,5** 3/1	**8** 7/1
Néma	**9** 2/0	**9** 0/0	**9,5** 0/0	**9,5** 5/0	**9,5** 6/1	**9** 25/3	**9** 70/7	**8,5** 105/8	**8,5** 60/6	**8,5** 12/2	**9** 2/0	**8** 2/0

température de la mer : moyenne mensuelle

	J	F	M	A	M	J	J	A	S	O	N	D
Nouakchott	20	19	19	20	20	21	24	26	27	26	24	22

Mexique

Superficie : 1 970 000 km^2. Mexico (latitude 19°24'N ; longitude 99°12'O) : GMT - 6 h . Durée du jour : maximale (juin) 13 heures 30, minimale (décembre) 11 heures.

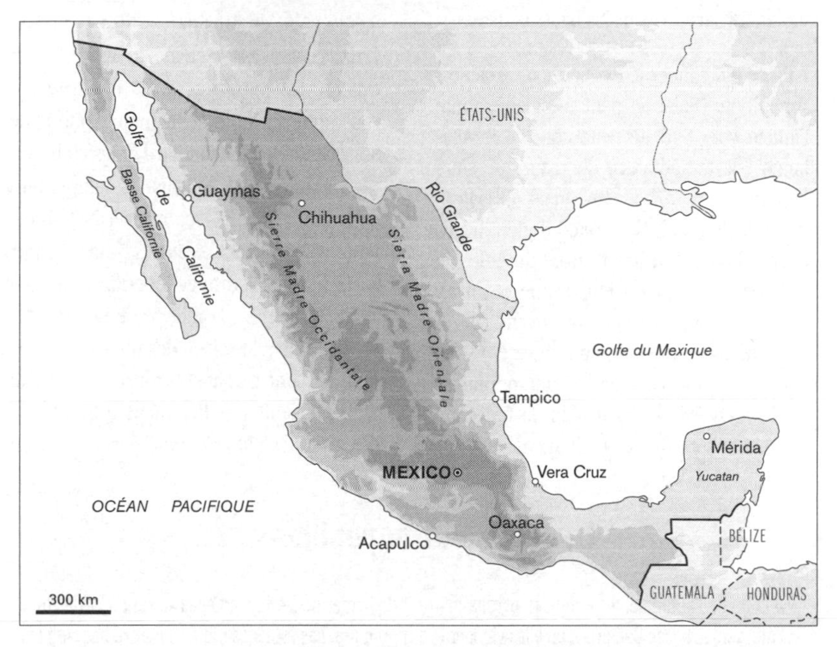

▸ Un immense désert accidenté, peuplé de cactus : cette image du Mexique rabâchée par les westerns ne correspond en réalité qu'à la partie Nord du pays (voir Chihuahua). Sur ces hauts plateaux, la chaleur est en effet écrasante l'été, mais il peut aussi faire froid l'hiver, surtout en altitude.

Il y pleut rarement, sinon sous la forme de violents orages en juillet, août et début septembre.

Les périodes les plus agréables dans cette région demeurent les intersaisons : **mars-avril** et **septembre-octobre**.

▸ Le reste du pays, où sont concentrés les principaux sites archéologiques, connaît deux saisons bien marquées : la saison des pluies et la saison sèche.

Que ce soit dans la région de Mexico (sites aztèques et toltèques), vers Oaxaca (sites zapotèques et mixtèques), à Palenque ou sur la presqu'île du Yucatán (sites mayas et toltèques), les pluies commencent à tomber en mai et sont très abondantes de juin à septembre. Dans la région de Palenque et sur la côte du Yucatán, il pleut aussi le reste de l'année, certes plus modérément. Ces pluies tombent en général à partir du milieu de l'après-midi et peuvent rendre les déplacements difficiles.

Dans ces régions, on passe selon l'altitude des *tierras calientas* (végétation tropicale, chaleur étouffante en particulier pendant les pluies) aux *tierras templadas* (autour de 1 200 m, climat tempéré) et aux *tierras frias* (hauts plateaux, par exemple Mexico, où il fait froid la nuit en hiver ; dans cette ville, la plus polluée des capitales du continent américain, le soleil est toujours un peu voilé, quelle que soit la saison).

Si vous projetez un voyage « archéologique », nous vous conseillons donc, pour éviter la saison des pluies, de choisir la période qui va **d'octobre à avril**, et plus particulièrement les mois d'octobre, mars et avril, durant lesquels le froid nocturne n'est pas encore trop vif sur les hauts plateaux.

▸ En ce qui concerne les plages mexicaines, sur la côte Ouest on peut se baigner toute l'année : au Sud de cette côte (voir Acapulco), la température de la mer se situe toujours entre 27° et 29°, mais on évitera les mois de juin à octobre où il pleut beaucoup. Plus au Nord, à l'entrée du golfe de Californie, la mer est plus froide et on s'y baigne surtout entre mai et novembre. Au fond du golfe, dès que l'on entre dans les terres, on doit affronter des températures torrides en été (à Hermosillo, la moyenne des maxima est de 40° en juin).

Sur la côte Ouest de la basse Californie, l'eau est froide en hiver et jamais très chaude en été (21° en août-septembre).

Sur le golfe du Mexique, à l'Est (voir Vera Cruz), il fait assez chaud même en hiver, excepté les jours où souffle *el Norte*, qui vous contraindra à mettre une petite laine. Sur cette côte, le brouillard et les ciels couverts sont assez fréquents. La température de la mer va de 23° en hiver à 29° en été. Pour y séjourner, les intersaisons (**mars à mai** et **novembre-décembre**) restent assez agréables : la mer n'est pas froide et on échappe à la saison des pluies.

À savoir : entre août et octobre, les côtes du Mexique sont régulièrement frappées par des cyclones *(hurricanes)* parfois destruc-

RENDEZ-VOUS NATURE

La baleine et le papillon

À la fin de l'automne, les **baleines grises** migrent de la mer de Béring, où elles se sont nourries tout l'été, vers la basse Californie, où elles viennent se reproduire. Les femelles prêtes à mettre bas sont les première à rejoindre, à partir de fin décembre, la *Laguna Ojo de Liebre*, et, plus au Sud, la *Laguna San Ignacio* et *Bahia Magdalena*. Plus on va vers le Sud, plus la pression touristique s'allège. À cet égard, il vaut mieux éviter la période du *spring break* des étudiants américains, qui provoque une affluence record.

L'essentiel des naissances des baleines grises ont lieu **entre mi-janvier et mi-février**. Toutes baleines confondues, femelles, mâles et nouveau-nés, l'effectif est à son maximum pendant **les trois dernières semaines de février et début mars.** Le retour vers le Nord est d'abord entrepris par les baleines récemment fécondées, puis par les mâles et les jeunes nés l'année précédente et enfin par les mères avec leur rejeton, dont certaines peuvent s'attarder en basse Californie jusqu'en avril. Février et mars sont aussi les mois les plus favorables pour l'observation des mégaptères (baleines à bosse), tout au Sud de la péninsule, de *Cabo San Lucas* à la *Punta Arena de la Ventana.* En mai et avril, coté golfe de Californie, mais un peu plus au Nord, la baleine bleue paresse dans la baie de La Paz.

▸ Des **papillons monarques** dispersés aux États-Unis et au Canada, une centaine de millions migrent chaque automne vers 13 sites très localisés, à la frontière des États mexicains de Mexico y Michoacán. Les monarques arrivent ponctuellement dans leurs sites d'hivernage, des forêts de pins situées entre 2 400 et 3 100 m d'altitude, **aux premiers jours de novembre**. Ils y restent groupés en colonie hibernantes stables jusqu'en février. Fin février, avec l'élévation de la température, commence la maturation sexuelle et les accouplements. Les papillons quittent ces refuges et migrent vers le Nord **la 3e semaine de mars**, plus rarement pendant la 2e. Les deux sites de *Sierra Chincua* et d'*El Rosario*, peu éloignés, font partie de la Reserva de la biosfera mariposa monarca. Elles accueillent près de 80 % de ces papillons ; l'écotourisme y est autorisé et organisé.

teurs. Citons *Pauline,* qui a frappé Acapulco le 9 octobre 1997 et fait plusieurs centaines de victimes, et plus récemment, en octobre 2005, Wilma qui a fravagé les côtes du Yucatan.

VALISE : de novembre à mars, vêtements très légers, en fibres naturelles de préférence, pour séjourner sur les côtes ; vêtements de demi-saison (pull-overs, veste ou blouson chaud...) pour Mexico et les *tierras templadas*. Le reste de l'année, vêtements d'été, quelques pulls, imperméable léger ou anorak.

SANTÉ : vaccination antirabique fortement conseillée. Quelques risques de paludisme, peu virulent, dans certaines zones rurales. De mai à octobre dans certaines vallées du Centre, en dessous de 1 000 m d'altitude, et sur le littoral du golfe du Mexique, de Tampico à la péninsule du Yucatán ; toute l'année sur la côte pacifique entre Guaymas et la frontière guatémaltèque. Sur les principaux sites archéologiques, les risques sont très faibles pendant la journée, mais plus conséquents si on passe la nuit dans leur voisinage.

BESTIOLES : moustiques et *cucarachas*, surtout dans les forêts et les régions marécageuses, mais aussi sur les côtes.

FOULE : forte pression touristique, essentiellement américaine. Les Européens représentent quelque 3 % de la totalité des voyageurs. Il y a trois touristes américains pour un touriste mexicain à Cancùn, mais ce rapport est inversé à Acapulco. ●

moyenne des températures maximales / moyenne des températures minimales

	J	F	M	A	M	J	J	A	S	O	N	D
Chihuahua (1 420 m)	**18** 2	**20** 3	**24** 7	**28** 11	**32** 15	**34** 19	**32** 18	**31** 18	**29** 16	**27** 11	**22** 6	**19** 2
Guaymas	**23** 13	**24** 14	**26** 16	**29** 18	**32** 21	**34** 25	**35** 27	**35** 27	**35** 27	**32** 22	**28** 19	**24** 14
Mérida	**28** 19	**29** 19	**31** 20	**32** 22	**33** 23	**33** 23	**32** 23	**32** 23	**32** 23	**30** 22	**28** 20	**27** 19
Mexico (2 309 m)	**21** 4	**23** 6	**25** 7	**27** 9	**26** 10	**25** 11	**23** 11	**23** 11	**22** 11	**22** 9	**21** 6	**21** 5
Vera Cruz	**25** 19	**25** 19	**26** 20	**28** 22	**30** 24	**31** 24	**31** 24	**31** 24	**30** 24	**29** 23	**27** 21	**26** 19
Acapulco	**31** 22	**31** 22	**31** 22	**31** 23	**32** 24	**32** 25	**32** 25	**33** 25	**32** 25	**32** 24	**32** 24	**31** 23

nombre d'heures par jour hauteur en mm / nombre de jours

	J	F	M	A	M	J	J	A	S	O	N	D
Chihuahua	**6** 11/2	**7** 2/0	**8** 2/0	**9** 2/0	**9** 10/2	**9** 30/4	**8** 80/7	**7** 80/8	**8** 70/6	**8** 20/3	**7** 10/2	**6** 10/2
Guaymas	**7** 12/2	**8** 7/1	**8** 3/1	**9** 1/0	**10** 0/0	**10** 3/1	**8** 40/5	**8** 60/6	**8** 50/3	**8** 20/1	**7** 7/1	**6** 17/2
Mérida	**5** 30/3	**5** 25/3	**6** 17/2	**6** 20/2	**7** 85/4	**6** 135/10	**6** 130/11	**6** 150/10	**6** 185/13	**5** 95/7	**5** 35/4	**5** 35/4
Mexico	**7** 8/1	**8** 4/2	**8** 9/3	**8** 25/4	**8** 55/11	**7** 110/13	**6** 160/17	**6** 150/17	**6** 120/15	**6** 45/7	**7** 16/2	**7** 7/2

	J	F	M	A	M	J	J	A	S	O	N	D
Vera Cruz	**5** 18/3	**6** 14/3	**5** 10/3	**6** 25/3	**6** 70/5	**7** 270/11	**7** 430/13	**7** 305/13	**5** 385/13	**6** 185/9	**5** 75/8	**5** 25/6
Acapulco	**9** 8/0	**9** 1/0	**9** 0/0	**8** 1/0	**7** 40/2	**7** 275/10	**7** 280/11	**7** 220/10	**6** 385/13	**7** 155/8	**9** 35/1	**9** 11/1

température de la mer : moyenne mensuelle

	J	F	M	A	M	J	J	A	S	O	N	D
Vera Cruz	23	23	24	25	26	27	28	29	28	27	26	24
Acapulco	27	27	27	28	28	28	28	29	28	28	28	27

Micronésie

Guam (latitude 13°27'N ; longitude 114°39'E) : GMT + 10 h . Durée du jour : maximale (juin) 13 heures, minimale (décembre) 11 heures 30.

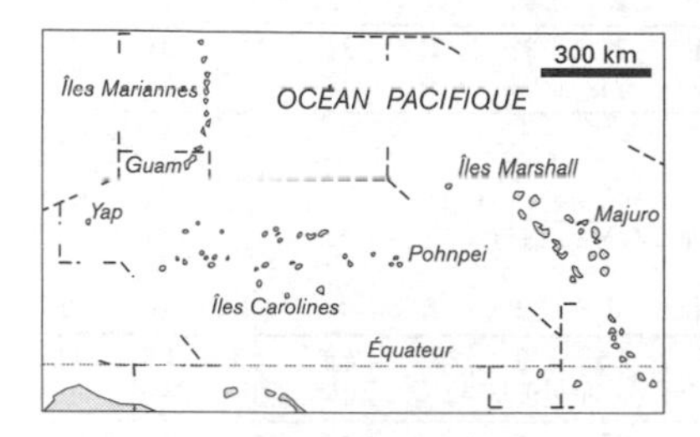

Ces trois archipels des îles Carolines, des îles Mariannes et des îles Marshall, qui forment une nébuleuse de près de 1 500 îles d'origine volcanique ou corallienne, s'étendent dans la moitié Ouest du Pacifique, au Nord de l'équateur. Les îles les plus occidentales de l'archipel des Carolines (voir Yap) se trouvent dans la zone des moussons ; le reste de l'archipel (voir Pohnpei), comme les îles Mariannes et Marshall, appartiennent à la zone équatoriale humide.

Les températures restent quasi constantes toute l'année : il fait très chaud dans la journée, et souvent étouffant lorsque les pluies sont abondantes ; les nuits ne sont guère plus fraîches.
La meilleure époque pour se rendre dans ces régions est donc déterminée par l'importance des pluies et le taux d'humidité. La période qui va **de février à juin**, bien ensoleillée, demeure la plus favorable pour se rendre dans les îles Mariannes (voir Guam) et dans la partie Ouest de l'archipel des Carolines. Dans la partie orientale de cet archipel et aux îles Marshall (voir Majuro), on observe seulement un très léger ralentissement des précipitations en janvier et février. Cependant, quel que soit le moment de l'année, les averses, très violentes mais le plus souvent brèves, laissent une place très honorable au soleil.
À savoir : cette région du Pacifique est périodiquement soumise à de violents typhons qui peuvent survenir en toutes saisons. Quoique la période de décembre à avril soit généralement considérée comme la plus tranquille à cet égard, *Mitag*, le dernier typhon destructeur, a frappé l'île de Yap le 3 mars 2002.

La température de la mer est toujours élevée, de 27° (février) à 29° (de juin à novembre).

VALISE : en toute saison, vêtements légers, faciles à entretenir, en coton de préférence ; éventuellement de quoi se protéger des averses. Pour les femmes, le bikini s'impose...

BESTIOLES : les moustiques attaquent au crépuscule.

FOULE : très forte pression touristique sur les îles Mariannes, notamment celle de Guam. Janvier, février et mars connaissent le plus d'affluence ; mais septembre et août reçoivent presque deux fois moins de visiteurs. Pour plus des trois quarts, ils viennent du Japon. Les îles Marshall voient des visiteurs mieux répartis tout le long de l'année, Japonais et Américains s'y rencontrent à parts égales. ●

moyenne des températures maximales / moyenne des températures minimales

	J	F	M	A	M	J	J	A	S	O	N	D
Guam	**29**	**29**	**29**	**30**	**31**	**31**	**30**	**30**	**30**	**30**	**30**	**29**
(îles Mariannes)	22	21	22	23	23	23	23	23	23	23	23	23

Micronésie

	J	F	M	A	M	J	J	A	S	O	N	D
Yap (îles Carolines)	**30** 23	**30** 23	**31** 23	**31** 24	**31** 24	**31** 23	**31** 23	**31** 23	**31** 23	**31** 23	**31** 23	**30** 23
Majuro (îles Marshall)	**30** 25	**30** 25	**30** 25	**30** 25	**30** 25	**30** 25	**30** 25	**30** 25	**30** 25	**30** 25	**30** 25	**30** 25
Pohnpei (îles Carolines)	**30** 24	**30** 24	**31** 24	**31** 24	**31** 24	**31** 23	**31** 23	**31** 23	**31** 23	**31** 23	**31** 23	**31** 24

nombre d'heures par jour hauteur en mm / nombre de jours

	J	F	M	A	M	J	J	A	S	O	N	D
Guam	**5,5** 140/15	**6** 130/14	**7** 110/14	**7** 110/14	**7** 160/15	**6,5** 160/19	**6** 290/23	**4,5** 400/22	**4,5** 350/22	**4,5** 300/22	**4,5** 260/21	**4,5** 150/19
Yap	**7** 180/17	**7,5** 140/13	**8** 150/14	**8** 140/13	**8** 200/17	**6,5** 330/20	**6** 340/21	**5,5** 360/21	**6** 340/19	**5,5** 310/20	**6,5** 220/19	**6,5** 230/18
Majuro	**7** 175/15	**7** 215/13	**8** 300/13	**7,5** 315/18	**7,5** 325/20	**7** 325/22	**7** 320/22	**7,5** 295/19	**7** 305/20	**6,5** 385/21	**6,5** 405/21	**6,5** 280/18
Pohnpei	**4,5** 310/18	**5** 250/17	**5,5** 350/20	**5,5** 420/22	**5,5** 480/24	**5,5** 420/24	**5,5** 420/24	**5,5** 420/23	**5,5** 370/21	**5** 410/22	**5** 370/22	**4,5** 400/22

température de la mer : moyenne mensuelle

	J	F	M	A	M	J	J	A	S	O	N	D
Guam	27	27	26	27	28	29	30	29	29	29	29	28
Pohnpei	28	28	28	28	29	29	29	29	29	29	29	29
Majuro	27	27	27	28	28	29	29	29	29	29	29	28

Moldavie

Superficie : 34 000 km². Kichinev (latitude 47°01'N ; longitude 28°52'E) : GMT + 2 h . Durée du jour : maximale (juin) 16 heures, minimale (décembre) 8 heures 30.

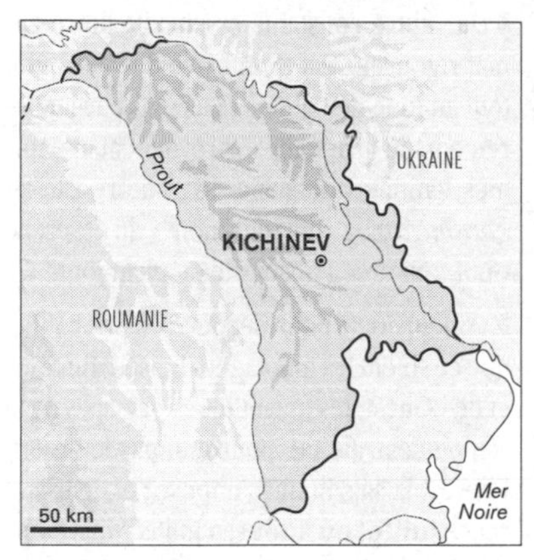

L'**hiver** moldave est assez rigoureux : aucun relief sérieux ne protège en effet le pays des masses d'air polaire, alors que les Capartes l'isolent des influences océaniques. Cependant, plus on va vers le Sud, plus la mer Noire joue son rôle modérateur. La neige, qui reste généralement au sol du début janvier à la mi-février dans le Nord du pays, peut très bien, certaines années, ne pas apparaître du tout au Sud.

Le **printemps** arrivé, les températures grimpent rapidement. Dès le début du mois de mai, elles sont agréables et peuvent même être chaudes. Ce mois est aussi celui d'orages fréquents ; ces derniers s'espacent ensuite de plus en plus jusqu'en août.

En **été**, il tombe le maximum des précipitations. Mais le pays accusant un léger déficit de pluviométrie, la saison estivale est rarement très mouillée. De temps à autre, mais rarement, le Sud du pays subit quelques jours de *soukhoviei* qui dessèche la végétation.
Septembre et début octobre offrent des températures agréables, puis elles diminuent rapidement au seuil de l'hiver.
C'est du mois **de mai à la fin septembre**, que la Moldavie offre les conditions climatiques les plus propices au voyage. Cependant, en plein été, certains jours peuvent être très chauds.

VALISE : vêtements chauds en hiver. Au printemps et en automne, ne pas oublier d'emporter de quoi se couvrir pour les soirées fraîches.

moyenne des températures maximales / moyenne des températures minimales

	J	F	M	A	M	J	J	A	S	O	N	D
Kichinev	**-1**	**1**	**6**	**16**	**23**	**26**	**27**	**27**	**23**	**17**	**10**	**2**
(Chisinau)	-7	-4	-1	5	11	14	16	15	11	7	3	-3

nombre d'heures par jour hauteur en mm / nombre de jours

	J	F	M	A	M	J	J	A	S	O	N	D
Kichinev	**2**	**3**	**4**	**7**	**9**	**9**	**9**	**9**	**7**	**6**	**2**	**1**
	55/10	50/12	40/8	35/6	35/7	70/8	65/7	40/5	45/5	20/4	40/8	45/10

Mongolie

Superficie : 1 565 000 km². Oulan-Bator (latitude 47°55'N ; longitude 106°50'E) : GMT + 8 h . Durée du jour : maximale (juin) 16 heures, minimale (décembre) 8 heures 30.

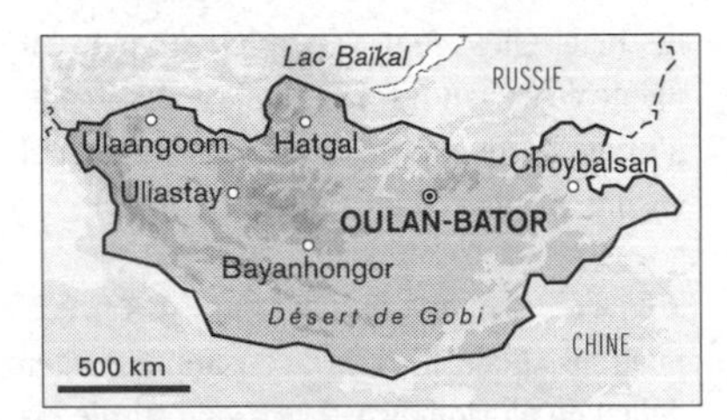

Le climat de la Mongolie est l'un des plus continentaux du monde, avec des hivers extrêmement froids (il fait souvent – 40° la nuit en janvier) et secs.
L'essentiel des précipitations tombe en été, entre mars et octobre. Sur les régions montagneuses du Nord-Ouest, elles sont relativement importantes (de 300 à 500 mm/an) par rapport aux plateaux moins élevés situés plus à l'Est (voir Oulan-Bator) et au désert de Gobi, au Sud. La neige n'est pas rare en altitude, même en été.
Les températures varient peu d'un bout à l'autre du pays ; dans le désert de Gobi, elles accusent quelques degrés de plus qu'à Oulan-Bator.

Une autre constante essentielle de ce climat rigoureux est la violence des vents qui, tout au long de l'année mais plus particulièrement au printemps, provoquent d'énormes tempêtes de sable. Rien ne résiste au *karaburan,* le « blizzard noir » du désert de Gobi, qui crée l'obscurité en plein jour.

Conclusion : pour découvrir la Mongolie, que ce soient les montagnes boisées du Nord et de l'Ouest, les magnifiques paysages de la steppe centrale ou, pourquoi pas le désert, l'été est la saison qui s'impose ; et de préférence **juillet ou août** (en juillet, vous pourrez de plus assister au Naadam, fête nationale, très populaire, qui s'accompagne de multiples réjouissances).

Les journées sans nuages ou peu nuageuses prédominent, mais fréquemment le soleil est voilé par la poussière que soulèvent les vents.

VALISE : de juin à août, vêtements confortables et faciles à superposer ; foulard, veste longue protégeant du vent. En hiver, vêtements très chauds indispensables.

moyenne des températures maximales / moyenne des températures minimales

	J	F	M	A	M	J	J	A	S	O	N	D
Hatgal (1 670 m)	**- 16** / - 30	**- 12** / - 30	**- 4** / - 22	**5** / - 11	**13** / - 4	**18** / 2	**18** / 6	**17** / 4	**13** / - 3	**4** / - 11	**- 6** / - 21	**- 13** / - 27
Ulaangom (930 m)	**- 26** / - 37	**- 23** / - 35	**- 12** / - 25	**6** / - 6	**19** / 4	**24** / 10	**25** / 12	**23** / 10	**17** / 3	**7** / - 5	**- 6** / - 16	**- 21** / - 31
Choybalsan (750 m)	**- 14** / - 25	**- 11** / - 24	**- 1** / - 15	**10** / - 4	**19** / 4	**25** / 11	**27** / 14	**24** / 12	**18** / 5	**9** / - 4	**- 3** / - 15	**- 12** / - 23
Oulan-Bator (1 310 m)	**- 16** / - 26	**- 11** / - 24	**- 2** / - 15	**8** / - 6	**17** / 3	**22** / 8	**23** / 11	**21** / 9	**16** / 2	**7** / - 6	**- 4** / - 16	**- 14** / - 24
Uliastay (1 760 m)	**- 15** / - 28	**- 11** / - 26	**- 2** / - 17	**8** / - 6	**17** / 1	**22** / 7	**22** / 9	**21** / 7	**15** / 1	**7** / - 7	**- 5** / - 19	**- 13** / - 26
Bayanhongor (1 860 m)	**- 11** / - 24	**- 7** / - 22	**- 1** / - 15	**9** / - 6	**17** / 2	**22** / 8	**23** / 10	**22** / 8	**16** / 2	**8** / - 6	**- 3** / - 16	**- 10** / - 22

nombre d'heures par jour hauteur en mm / nombre de jours

	J	F	M	A	M	J	J	A	S	O	N	D
Hatgal	**6**	**7,5**	**8,5**	**9**	**10**	**9,5**	**8,5**	**8,5**	**8**	**7**	**6**	**5**
	1/1	1/0	2/1	8/2	16/3	55/8	85/11	75/10	35/6	12/2	6/1	1/0
Ulaangom	**4,5**	**5,5**	**7,5**	**8,5**	**10**	**10,5**	**10**	**9,5**	**8,5**	**6,5**	**3,5**	**3,5**
	2/1	2/1	3/1	4/1	6/2	25/4	35/7	25/4	13/2	5/1	7/2	4/1
Choybalsan	**6,5**	**7,5**	**8,5**	**9**	**9,5**	**10**	**9,5**	**9,5**	**8,5**	**7,5**	**6,5**	**5,5**
	2/1	2/1	3/1	6/2	14/3	40/6	55/9	45/8	25/5	8/2	3/1	3/1
Oulan-Bator	**5,5**	**7,5**	**8,5**	**9**	**9,5**	**9**	**8**	**8,5**	**8**	**7,5**	**6**	**5**
	1/0	2/1	3/1	8/2	13/3	40/10	60/11	50/14	25/5	6/2	3/1	3/2
Uliastay	**6**	**7,5**	**8,5**	**9**	**10**	**10**	**9,5**	**9,5**	**9**	**7**	**6**	**5,5**
	2/1	2/1	5/2	9/2	15/3	35/6	55/10	50/8	20/4	9/3	5/2	3/1
Bayanhongor	**8,5**	**8**	**9**	**9**	**10,5**	**10,5**	**10**	**9,5**	**9,5**	**8,5**	**7,5**	**6,5**
	2/1	3/1	4/1	9/2	14/2	35/5	55/8	50/6	20/3	7/1	3/1	2/0

Monténégro

Superficie : 14 000 km². Podgorica (latitude 45°49'N ; longitude 15°59'E) : GMT + 1 h . Durée du jour : maximale (juin) 15 heures 30, minimale (décembre) 8 heures 30.

L'hiver est doux sur le littoral, excepté quand souffle l'âpre *levanac* sur les bouches de Kotor. Podgorica, déjà à l'intérieur du pays, voit tomber la pluie, mais assez rarement la neige. L'hiver se fait plus rude sur les hauteurs des Alpes dinariques.

Dès le mois de mai, il fait chaud. Le mois de juin connaît quelques périodes de grosses chaleurs, qui seront le lot du plein été. Sur la côte, les vents viennent modérer les effets des températures élevées. Les pluies sont peu fréquentes et l'ensoleillement important, notamment sur le littoral. En saison, on plonge dans une mer assez chaude : 21° dès juin et encore au début d'octobre ; en août, elle atteint 25°.

À partir d'octobre, l'automne est particulièrement pluvieux dans la partie occidentale du Monténégro. Si, pendant cette période, on atteint sur le littoral des moyennes de précipitations mensuelles de l'ordre de 200 mm, on arrive à des scores très supérieurs dans l'arrière-pays de Kotor, sur les plateaux des chaînes dinariques. Ici, les précipitations annuelles peuvent même atteindre de 4 000 à 5 000 mm, un record pour l'Europe !

Sachant qu'il peut faire trop chaud en été, on choisira plutôt le **printemps** ou le **début de l'automne** si l'on compte se déplacer : mai, juin et septembre sont des périodes propices au voyage.

VALISE : surtout en automne, le parapluie s'impose ; en hiver, n'oubliez pas le *levanac*.

moyenne des températures maximales / moyenne des températures minimales

	J	F	M	A	M	J	J	A	S	O	N	D
Podgorica	**9**	**11**	**14**	**19**	**24**	**29**	**32**	**33**	**28**	**21**	**15**	**12**
	2	3	5	9	14	18	21	21	17	12	8	4

nombre d'heures par jour — hauteur en mm / nombre de jours

	J	F	M	A	M	J	J	A	S	O	N	D
Podgorica	**4**	**4**	**6**	**7**	**8**	**10**	**11**	**11**	**8**	**6**	**4**	**4**
	165/10	180/12	145/9	100/8	105/9	60/5	40/4	50/3	110/6	230/9	210/13	225/12

température de la mer : moyenne mensuelle

	J	F	M	A	M	J	J	A	S	O	N	D
Mer Adriatique	14	13	14	15	17	21	23	24	23	21	17	15

Mozambique

Superficie : 800 000 km². Maputo (latitude 25°58'S ; longitude 32°36'E) : GMT + 2 h. Durée du jour : maximale (décembre) 14 heures, minimale (juin) 10 heures 30.

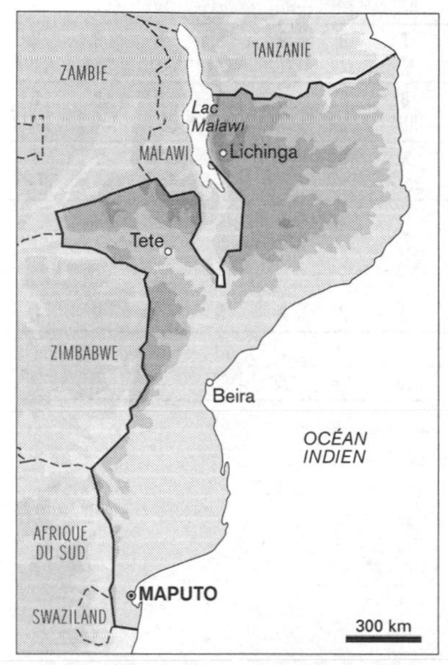

La meilleure saison au Mozambique, pays de l'hémisphère austral, est la **saison sèche**, de mai à mi-octobre. Le temps, alors agréablement chaud et ensoleillé sur la côte, offre des nuits fraîches (voir Beira, Maputo) ; dans l'intérieur du pays, il fait très chaud en plaine durant la journée (voir Tete, où la canicule ne faiblit guère qu'en juin et juillet) et plus frais en montagne (surtout au Nord, voir Lichinga), où les nuits peuvent être presque froides.

L'essentiel des **pluies** tombe entre novembre et mars, relativement abondantes au Sud de la côte et dans la plaine méridionale, nettement plus fortes au Nord, surtout en altitude.
C'est la période la plus chaude. La chaleur devient particulièrement torride dans la vallée du Zambèze (Tete). Sur la côte, humidité et chaleur associées rendent le climat très pénible à supporter.
À cette saison, le Mozambique peut subir des cyclones tels que *Eline*, qui a provoqué d'importantes inondations en février et mars 2000.

VALISE : pendant la saison pluvieuse, vêtements très légers de coton, pull pour les soirées, anorak léger. Pendant la saison sèche, un ou deux pulls supplémentaires et une veste si vous montez vers les régions élevées.

SANTÉ : risques de paludisme toute l'année ; résistance élevée à la Nivaquine et multirésistance. Vaccin antirabique conseillé pour de longs séjours.

BESTIOLES : moustiques toute l'année dans l'ensemble du pays, actifs la nuit. ●

moyenne des températures maximales / moyenne des températures minimales

	J	F	M	A	M	J	J	A	S	O	N	D
Lichinga	**26**	**26**	**25**	**25**	**24**	**22**	**22**	**23**	**26**	**28**	**28**	**26**
(1 360 m)	16	16	16	14	12	10	10	11	12	15	16	16
Tete	**34**	**33**	**33**	**33**	**31**	**29**	**28**	**31**	**34**	**37**	**36**	**34**
	22	23	22	21	18	15	15	17	20	22	23	23
Beira	**31**	**32**	**31**	**30**	**28**	**26**	**25**	**26**	**28**	**29**	**30**	**31**
	26	24	25	22	19	17	16	17	19	21	22	23
Maputo	**30**	**30**	**30**	**29**	**27**	**25**	**25**	**26**	**27**	**28**	**28**	**30**
	22	22	21	19	16	14	14	15	16	18	20	21

Mozambique

nombre d'heures par jour — hauteur en mm / nombre de jours

	J	F	M	A	M	J	J	A	S	O	N	D
Lichinga	**4** 260/21	**4** 260/19	**5** 175/14	**5** 105/10	**7** 25/2	**7** 6/2	**7** 1/0	**7** 3/0	**7** 3/1	**9** 20/2	**8** 35/5	**5** 225/19
Tete	**6** 145/9	**7** 167/10	**8** 80/5	**8** 13/1	**8** 2/1	**7** 4/1	**8** 2/1	**9** 2/0	**9** 2/0	**9** 4/1	**8** 50/4	**7** 130/9
Beira	**8** 265/12	**8** 225/12	**8** 245/12	**8** 105/7	**8** 60/6	**8** 40/5	**8** 35/4	**8** 30/3	**8** 25/3	**8** 30/3	**8** 135/7	**8** 235/10
Maputo	**7** 130/9	**7** 125/8	**7** 100/9	**8** 65/6	**8** 30/3	**8** 25/2	**8** 13/2	**8** 13/2	**8** 40/4	**7** 45/6	**7** 85/8	**7** 190/8

température de la mer : moyenne mensuelle

	J	F	M	A	M	J	J	A	S	O	N	D
Maputo	24	25	25	24	23	22	21	20	21	21	23	24
Beira	25	26	26	25	24	23	22	22	23	23	24	25

Myanmar (ex-Birmanie)

Superficie : 677 000 km^2. Yangon (ex-Rangoon) (latitude 16°46'N ; longitude 96°10'E) : GMT + 6 h 30 . Durée du jour : maximale (juin) 13 heures, minimale (décembre) 11 heures.

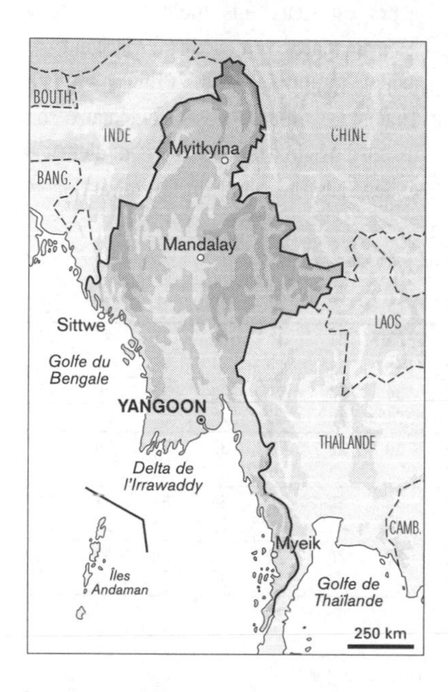

▶ Longtemps fermé, ce pays a ouvert ses portes à des contingents de touristes bien encadrés et aussi, plus récemment, aux voyageurs individuels. C'est de préférence **entre fin octobre et fin février**, la saison « fraîche », que les amateurs de voyages très organisés choisiront de partir pour la Birmanie. Le temps est alors sec, ensoleillé, le ciel d'une grande luminosité et la chaleur reste très supportable partout (mais à Yangon, il commence à faire très chaud en janvier). Les nuits sont même fraîches, et très fraîches dans les régions en altitude comme le pays Chan dont la capitale, Taunggyi (1 500 m), est un des hauts lieux du bouddhisme birman.

▶ De mars à mai, c'est la **saison chaude** : torride en plaine (Yangon, Mandalay), d'autant plus que les pluies commencent à tomber à la fin de cette période, mais agréable en montagne.

Thingyan, la fête de l'Eau, marque la fin de l'année birmane (aux environs du 15 avril).

▶ La **saison des pluies** dure de mai-juin à octobre. Ces pluies sont particulièrement diluviennes sur la côte Nord (voir Sittwe), très fortes encore dans tout le delta de l'Irrawaddy (voir Yangon) et sur la côte du Tenasserim, repaire de contrebandiers et de pirates (voir Myeik).

Elles tombent surtout l'après-midi et le soir, sous forme d'averses courtes et violentes. Mais le ciel reste très souvent nuageux et l'humidité rend la chaleur encore plus désagréable. Sur le plateau et dans la plaine de Mandalay, protégée par les montagnes, il pleut beaucoup moins. Il y a souvent du soleil à Mandalay, alors que Yangoon est noyée sous une pluie battante.

▶ Dans les régions montagneuses situées à l'Est du pays, la chaleur est bien sûr tempérée par l'altitude et les pluies se font abondantes. La saison chaude est très agréable dans ces régions.

Au Nord de Myitkyina, dans la région himalayenne qui s'élève vers le plateau tibétain, il neige au-dessus de 3000 m.

VALISE : des vêtements légers et confortables, faciles à entretenir surtout si vous voyagez (transports et infrastructure hôtelière demeurent assez rudimentaires) ; pas de shorts ni de minijupes pour les femmes dans ce pays au régime sévère ; des tongs ou des sandales faciles à enlever pour les visites des lieux sacrés (on doit se déchausser à l'entrée des pagodes). Durant la saison fraîche, un lainage ou une veste seront indispensables dans le Nord. Saison des pluies : anorak léger à capuche (ou parapluie acheté sur place).

SANTÉ : dans les zones rurales, risques de paludisme toute l'année au-dessous de 1 000 m ; résistance élevée à la Nivaquine et multirésistance. Vaccin antirabique recommandé pour de longs séjours.

BESTIOLES : moustiques d'avril à décembre sur la côte (surtout actifs la nuit) et dans l'intérieur (actifs le jour dans les régions élevées).

FOULE : la période qui va de novembre à mars voit affluer le plus de voyageurs. En mai, juin et septembre, le nombre de voyageurs est deux fois moindre. En 2005, les principaux contingents de voyageurs venaient toujours d'Asie (Taiwan, Japon, Thaïlande, Chine). Les Occidentaux sont d'abord originaires de France, d'Allemagne et des États-Unis, puis du Royaume-Uni. ●

moyenne des températures maximales / moyenne des températures minimales

	J	F	M	A	M	J	J	A	S	O	N	D
Myitkyina	**26** 13	**27** 15	**31** 20	**34** 22	**34** 24	**32** 24	**31** 24	**31** 24	**32** 23	**31** 21	**27** 16	**24** 11
Mandalay	**28** 13	**31** 15	**36** 20	**38** 25	**37** 26	**34** 26	**34** 26	**33** 26	**33** 25	**32** 24	**29** 20	**27** 15
Sittwe (ex-Akyab)	**27** 15	**29** 16	**31** 20	**33** 24	**32** 25	**30** 25	**29** 25	**29** 25	**30** 25	**31** 24	**29** 21	**27** 17
Yangon (ex-Rangoon)	**32** 19	**36** 20	**35** 22	**36** 24	**33** 25	**30** 25	**30** 24	**29** 24	**30** 25	**31** 25	**31** 23	**31** 20
Myeik (ex-Mergui)	**31** 21	**32** 22	**32** 23	**33** 24	**32** 24	**30** 23	**29** 23	**29** 23	**29** 23	**30** 23	**31** 22	**30** 21

nombre d'heures par jour hauteur en mm / nombre de jours

	J	F	M	A	M	J	J	A	S	O	N	D
Myitkyina	**8** 10/1	**8** 25/3	**8** 25/3	**8** 45/5	**7** 160/10	**5** 480/19	**5** 475/21	**5** 430/19	**6** 255/13	**7** 180/9	**8** 40/2	**8** 12/1
Mandalay	**10** 1/0	**9** 5/0	**9** 5/1	**9** 35/3	**8** 150/8	**8** 150/7	**8** 75/6	**7** 100/8	**7** 150/9	**7** 130/7	**9** 65/3	**10** 10/1
Sittwe	* 3/0	* 5/0	* 10/1	* 50/2	* 390/11	* 115/24	* 400/28	* 130/27	* 580/19	* 285/9	* 130/4	* 20/1
Yangon	**10** 2/0	**9** 5/0	**10** 8/1	**10** 50/2	**7** 310/14	**4** 485/23	**3** 580/26	**3** 530/25	**5** 395/20	**6** 180/10	**6** 70/3	**8** 10/1
Myeik	* 25/1	* 5/3	* 80/5	* 130/7	* 425/18	* 760/25	* 835/26	* 760/26	* 630/23	* 310/16	* 95/6	* 20/2

température de la mer : moyenne mensuelle

	J	F	M	A	M	J	J	A	S	O	N	D
Sittwe	25	25	26	28	28	29	28	28	27	27	27	26
Myeik	26	26	27	28	28	28	28	28	27	27	27	26

Namibie

Superficie : 825 000 km². Windhoek (latitude 22°34'S ; longitude 17°06'E) : GMT + 2 h . Durée du jour : maximale (décembre) 13 heures 30, minimale (juin) 11 heures.

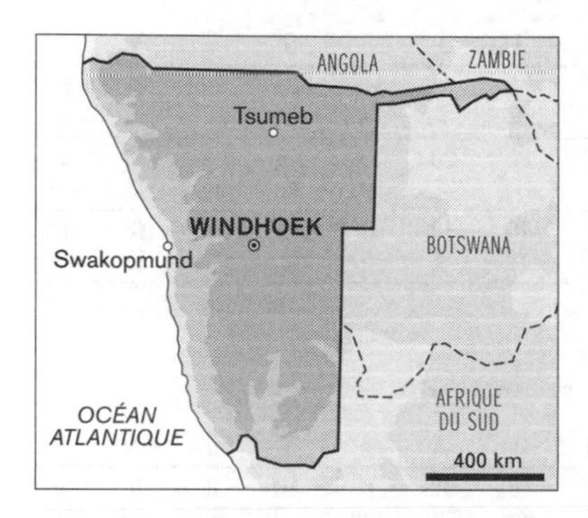

Déroutante **côte de Namibie** : un immense désert au bord de l'eau, aux paysages étranges et fantastiques, pour ainsi dire jamais de pluies et pourtant des nuages assez fréquents, un brouillard matinal, des nuits très fraîches et des journées à peine chaudes...

Les stations balnéaires sont desservies par le courant froid de Benguela, qui empêche la mer de dépasser 18° en plein été austral. Au nord de Swakopmund, l'effet de ce courant s'atténue progressivement, et l'eau peut atteindre 22° ou 23° en mars. La période la plus chaude va **de janvier à mars**.

La saison des otaries – une des plus grandes colonies du monde – bat son plein au Cape Cross et près de Luderitz de novembre à janvier, à l'époque de la reproduction.

À l'intérieur du pays (voir Tsumeb, Windhoek), les températures sont nettement plus élevées dans la journée : il fait très chaud, voire torride dans le Nord de septembre à mars ; mais les nuits restent toujours fraîches grâce à l'altitude.

Il y a une saison des pluies de décembre à mars, assez marquée au Nord-Est, et dont les effets se font de moins en moins sentir à mesure que l'on descend vers le Sud, où il ne pleut quasiment pas.

La meilleure saison pour découvrir la très belle réserve d'Etosha, au Nord – une des plus vastes du monde – et les forêts tropicales de la région de Caprivi se situe **entre fin mars et début septembre** : la période est très ensoleillée, la chaleur pas encore trop accablante et les animaux se rassemblent autour des points d'eau qui ne sont pas encore asséchés, à l'Est du parc (surtout à la fin de cette période, voir chapitre « Kenya »). D'ailleurs le parc d'Etosha ferme ses portes de novembre à fin mars, ainsi que le canyon de la Fish River. Avril et mai sont des mois particulièrement appréciés pour la beauté des paysages, alors encore verdoyants. Toutefois, si vous vous trouvez en Namibie pendant la saison des pluies, ne manquez pas de faire un tour du côté de la dépression de Sossusvlei, au Sud du pays : envahie par la rivière Tsauchab en crue, elle devient un prodigieux point de rassemblement pour une multitude d'oiseaux, d'autruches et d'antilopes.

À éviter en cas de voyages d'affaires : la période de l'Oktoberfest et celle qui va du 15 décembre au 15 janvier, durant lesquelles de nombreux bureaux sont fermés.

VALISE : sur la côte, vêtements de demi-saison. À l'intérieur du pays, de décembre à avril, vêtements très légers et pull-overs pour les soirées, imperméable ou anorak ; le reste de l'année : vêtements d'été, mais aussi veste ou blouson chaud, pulls. Pour visiter les réserves, vêtements de couleurs neutres, chaussures de marche en toile.

SANTÉ : de novembre à mai, quelques risques de paludisme ; résistance à la Nivaquine et multirésistance. Vaccin antirabique conseillé pour de longs séjours.

Namibie

BESTIOLES : moustiques d'octobre à mai dans le désert du Namib et dans la bande de Caprivi (particulièrement actifs pendant la nuit). ●

moyenne des températures maximales / moyenne des températures minimales

	J	F	M	A	M	J	J	A	S	O	N	D
Tsumeb	**31**	**30**	**30**	**29**	**27**	**25**	**25**	**28**	**32**	**34**	**33**	**32**
(1 310 m)	18	18	17	15	10	7	7	10	15	18	18	18
Windhoek	**30**	**28**	**27**	**26**	**23**	**20**	**20**	**23**	**29**	**29**	**30**	**30**
(1 730 m)	17	16	15	13	9	7	6	9	11	15	15	16
Swakopmund	**20**	**21**	**20**	**18**	**18**	**20**	**18**	**16**	**16**	**16**	**18**	**19**
	15	16	15	13	11	11	9	9	10	11	13	14

nombre d'heures par jour hauteur en mm / nombre de jours

	J	F	M	A	M	J	J	A	S	O	N	D
Tsumeb	**8**	**6**	**9**	**9**	**10**	**10**	**11**	**11**	**11**	**9**	**9**	**9**
	120/12	140/12	80/9	40/5	6/1	0/0	0/0	0/0	1/0	19/3	55/6	95/11
Windhoek	**9**	**9**	**9**	**9**	**10**	**10**	**11**	**11**	**11**	**10**	**10**	**9**
	75/8	75/9	80/8	40/3	6/1	1/0	1/0	0/0	1/0	12/2	35/4	45/6
Swakopmund	**7**	**7**	**7**	**8**	**8**	**8**	**8**	**7**	**6**	**7**	**7**	**7**
	1/0	2/0	2/0	2/1	0/0	0/0	0/0	0/0	0/0	0/0	1/0	0/0

température de la mer : moyenne mensuelle

	J	F	M	A	M	J	J	A	S	O	N	D
Swakopmund	19	20	19	19	18	16	16	16	15	15	17	19

Népal

Superficie : 140 000 km². Katmandou (latitude 27°42'N ; longitude 85°12'E) : GMT + 5 h 30 . Durée du jour : maximale (juin) 14 heures, minimale (décembre) 10 heures 30.

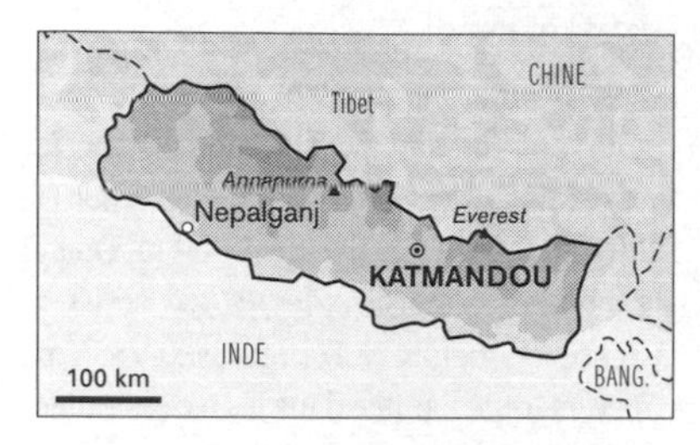

▶ La saison froide, **d'octobre à mi-mars**, est la meilleure période pour voyager au Népal si l'on veut à la fois parcourir les régions basses comme le Teraï, en bordure de la grande plaine du Gange (voir Nepalganj), et s'adonner au trekking sur les contreforts des grands sommets himalayens. C'est une période sèche, bien ensoleillée. Il fait très frais la nuit, voire froid à Katmandou, mais les températures deviennent agréables dès que le soleil fait son apparition. En hiver ont lieu les grandes fêtes traditionnelles du royaume.

Quant aux expéditions de haute montagne sur les sommets de plus de 8 000 m, elles sont surtout organisées en septembre et octobre.

▶ Dès la fin du mois de mars, les températures deviennent excessives en basse altitude, mais la chaleur reste très supportable à Katmandou. La saison chaude finit à l'arrivée de la mousson, généralement en juin.

▶ Les pluies se font très fortes et violentes de mi-juin à fin août, le ciel est le plus souvent nuageux et la chaleur humide pénible à supporter. La mousson, qui dure jusqu'à la fin

RENDEZ-VOUS NATURE

Sur les contreforts de l'Himalaya

Pour pratiquer le trekking, qui ne fait pas appel aux techniques de la haute montagne et n'exige qu'une bonne condition physique et du souffle, la meilleure époque se situe **entre la mi-octobre et la mi-mars**.

Pendant toute cette saison, le ciel est habituellement dégagé et les conditions se révèlent donc parfaites pour admirer les somptueux paysages népalais. Il ne neige jamais à Katmandou, point de passage quasi obligé des « trekkers ».

À une altitude de 4 000 m, d'octobre à décembre, les températures nocturnes tournent autour de – 10°, encore plus basses en janvier et février. En revanche, pendant la journée, sur les versants Sud, elles approchent fréquemment 20° à cette même altitude.

En avril et mai, la chaleur rend la marche plus difficile en dessous de 2 500 m ; de plus, la brume masque les paysages, et les pluies et les orages sont fréquents en fin d'après-midi. Mais c'est aussi l'époque de l'extraordinaire floraison des rhododendrons sauvages, qui, au Népal, forment de véritables arbres de 10 à 15 m de haut, aux fleurs rouges, roses ou blanches selon l'altitude.

De juin à septembre, pendant la saison de la mousson, les pluies violentes et la fonte des neiges rendent de nombreux chemins impraticables et les sommets de l'Himalaya restent cachés dans les nuages.

Pour éviter le mal des montagnes, provoqué par la raréfaction de l'oxygène en haute altitude, limitez les efforts physiques et prenez quelques précautions pendant les premiers jours (voir chapitre « Santé »).

du mois de septembre, est moins intense et un peu plus tardive dans l'Ouest du pays (voir Nepalganj) ; elle est aussi moins marquée dans les vallées protégées ; dans certaines des hautes vallées qui bordent le Tibet, les précipitations sont même quasi inexistantes.

VALISE : d'octobre à mars, vêtements d'été, pull-overs et veste chaude pour le soir et le matin, chaussures de marche. Le reste de l'année, vous aurez surtout besoin de vêtements très légers, en fibres naturelles, d'un ou deux pulls et d'un anorak léger de mai à septembre. Si vous projetez un trekking, un équipement adapté est bien sûr indispensable (en période froide, sous-vêtements de laine et de soie, polaire, bonnet, gants, écharpe, etc.).

SANTÉ : vaccination contre la rage fortement conseillée. Quelques risques de paludisme toute l'année dans les zones rurales du Sud du pays (Teraï), en dessous de 1 200 m d'altitude. Résistance à la Nivaquine.

BESTIOLES : les *tsugas*, de petites sangsues, prolifèrent pendant la saison de la mousson, de juin à septembre. Pour les « trekkers », le seul moyen de les éviter est alors de grimper à plus de 3 000 m. Quand la mousson s'éternise, les *tsugas* sévissent encore en octobre. Les moustiques, eux, opèrent toute l'année dans les basses vallées et dans la plaine, au Sud du pays (surtout actifs en fin de journée).

FOULE : une pression touristique modérée qui a connu une baisse importante avec les récentes crises politiques et le développement d'une guérilla maoïste. Une petite moitié des voyageurs est européenne, avec surtout des Britanniques, des Allemands et des Français. ●

moyenne des températures maximales / moyenne des températures minimales

	J	F	M	A	M	J	J	A	S	O	N	D
Nepalganj	**23** 8	**25** 11	**32** 15	**37** 21	**39** 25	**37** 27	**33** 26	**32** 25	**33** 25	**32** 20	**28** 13	**24** 9
Katmandou (1 340 m)	**18** 2	**20** 4	**25** 7	**29** 12	**29** 15	**29** 19	**29** 21	**28** 20	**28** 19	**27** 13	**23** 8	**19** 3

nombre d'heures par jour hauteur en mm / nombre de jours

	J	F	M	A	M	J	J	A	S	O	N	D
Nepalganj	**7** 20/1	**8** 25/3	**9** 9/1	**10** 8/1	**9** 30/4	**6** 155/10	**5** 310/17	**4** 325/17	**6** 215/10	**7** 40/4	**8** 7/1	**8** 8/1
Katmandou	**7** 15/1	**6** 40/5	**8** 20/2	**9** 60/6	**6** 120/10	**5** 245/15	**3** 375/21	**2** 345/20	**3** 155/12	**6** 40/4	**6** 7/1	**6** 2/0

Nicaragua

Superficie : 130 000 km². Managua (latitude 12°07'N ; longitude 86°11'O) : GMT - 6 h . Durée du jour : maximale (juin) 13 heures, minimale (décembre) 11 heures 30.

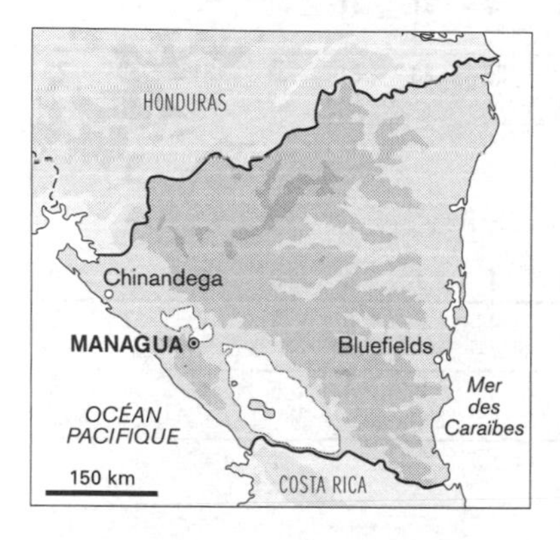

Il est fortement conseillé de choisir la **saison sèche**, *el verano,* pour un voyage au Nicaragua, c'est-à-dire **de décembre à avril**, période durant laquelle la chaleur est plus supportable que le reste de l'année.
Managua, la capitale, à quelques dizaines de kilomètres de la côte pacifique, n'a pas, comme ses voisines centre-américaines, l'avantage d'être située en altitude ; il y fait très chaud toute l'année, particulièrement à la fin de la saison sèche et au début de la saison des pluies *(el invierno)*. On pourra cependant trouver des températures plus modérées sur les chaînes volcaniques du Centre du pays, qui culminent à 2 000 m : vous gagnerez près de 1° de fraîcheur chaque fois que vous vous élèverez de 100 m.
À l'Est, le côté caraïbe est exposé aux alizés. La saison sèche, moins marquée, ne dure que **de fin janvier à avril**.

Pendant la saison des pluies, la moitié Sud de la côte caraïbe reçoit des précipitations records, en juin-juillet notamment (voir Bluefields). C'est aussi au Sud de Bluefields que l'on trouve de très belles plages ; la côte Nord, région où vivent les Indiens Miskitos, est marécageuse. Côté pacifique, les pluies se font moins torrentielles, mais l'air est encore suffisamment lourd pour que l'on plonge avec un grand soulagement dans une mer chaude toute l'année.
À savoir : la côte caraïbe est, en septembre et en octobre, la plus exposée aux ouragans. Ils peuvent parfois être catastrophiques, comme celui qui a détruit Bluefields en 1988.

VALISE : vêtements très légers, amples et faciles à entretenir, en coton ou en lin de préférence. Le soir, chemise à manches longues et pantalon afin d'éviter les moustiques. De quoi se protéger des averses pendant la saison des pluies.

SANTÉ : risques de paludisme, peu virulent, de juin à décembre, excepté dans le centre de certaines agglomérations (Managua, León, Granada, Chinandega et Tipitapa) et au-dessus de 1 000 m d'altitude. Vaccin antirabique conseillé pour de longs séjours.

BESTIOLES : moustiques, surtout de mai à décembre, sur la côte et dans les basses vallées des régions montagneuses, mobilisés du crépuscule à minuit.

FOULE : pression touristique encore faible, mais en hausse. Décembre voit le plus grand nombre de visiteurs. Allemands et Britanniques sont en tête du modeste contingent de voyageurs européens. ●

Voir tableaux page suivante

Nicaragua

moyenne des températures maximales / moyenne des températures minimales

	J	F	M	A	M	J	J	A	S	O	N	D
Managua	**32** 21	**33** 21	**34** 22	**35** 23	**35** 24	**32** 23	**31** 23	**31** 23	**31** 22	**31** 22	**31** 21	**31** 21
Bluefields	**29** 20	**29** 20	**31** 22	**31** 22	**31** 23	**30** 23	**29** 23	**31** 23	**32** 22	**31** 22	**30** 21	**29** 20

nombre d'heures par jour hauteur en mm / nombre de jours

	J	F	M	A	M	J	J	A	S	O	N	D
Managua	**7** 4/2	**8** 1/0	**8** 5/1	**7** 6/1	**6** 75/6	**4** 300/22	**5** 135/20	**6** 130/17	**6** 180/20	**6** 245/19	**7** 60/10	**7** 6/2
Bluefields	**5** 265/21	**6** 130/16	**7** 80/12	**7** 75/12	**5** 345/22	**4** 500/23	**3** 665/24	**4** 545/24	**5** 310/21	**5** 345/21	**5** 390/22	**5** 400/22

température de la mer : moyenne mensuelle

	J	F	M	A	M	J	J	A	S	O	N	D
Mer des Caraïbes	26	26	27	27	27	28	28	28	28	27	27	27
Pacifique	26	27	27	27	27	28	28	28	28	27	27	26

Niger

Superficie : 1 270 000 km². Niamey (latitude 13°29'N ; longitude 02°10'E) : GMT + 1 h. Durée du jour : maximale (juin) 13 heures, minimale (décembre) 11 heures 30.

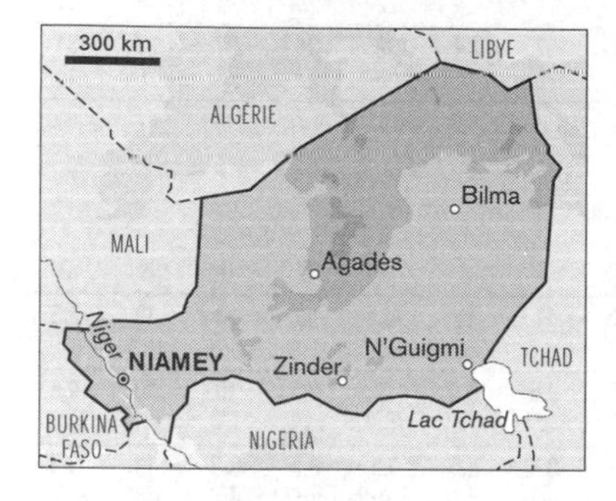

La meilleure période pour partir au Niger est la **saison sèche**, d'octobre-novembre à avril, en choisissant de préférence les mois **de décembre à février**, moins torrides, et durant lesquels les nuits sont fraîches.
C'est également une bonne période pour visiter le parc naturel W du Niger, au sud de Niamey, où se rassemblent éléphants, lions, léopards, hippopotames, etc. (voir chapitre « Kenya »).
Le soleil, toujours présent à cette saison, peut être voilé par une brume sèche, surtout dans le Sud du pays, et parfois même (en avril-mai) par des tempêtes de sable.

Si vous projetez une expédition dans la région saharienne, évitez bien sûr absolument la canicule des mois de mai à septembre (voir Bilma). La chaleur s'y fait plus supportable entre décembre et février, et les nuits, très fraîches ou froides, permettent de récupérer (voir chapitre « Algérie »).

La **saison des pluies**, l'hivernage, dure cinq mois (de juin à octobre) dans le Sud du pays (voir Niamey, Zinder). Rarement diluviennes, les pluies tombent sous forme d'averses orageuses, surtout en fin d'après-midi et la nuit, précédées souvent de bourrasques poussiéreuses.
En cette saison, la chaleur devient difficilement supportable à cause de l'humidité. Plus on remonte vers le Nord, plus les pluies diminuent en durée et en intensité. Elles sont déjà pratiquement inexistantes au niveau d'Agadès. Même le massif montagneux de l'Aïr, en principe un peu plus arrosé, n'échappe pas toujours à des périodes de sécheresse absolue.

VALISE : des vêtements d'été, amples et légers, en coton ou autres fibres naturelles (pour les femmes, mieux vaut éviter minijupes et shorts) ; pendant la saison sèche, un pull pour les soirées ; éventuellement un anorak léger pour la saison des pluies dans le Sud. Si vous allez au Sahara, vous aurez besoin de vêtements chauds pour la nuit, d'une écharpe en coton antipoussière.

SANTÉ : risques de paludisme toute l'année dans tout le pays. Résistance à la Nivaquine. Vaccination contre la fièvre jaune obligatoire.

BESTIOLES : les moustiques nigériens sévissent toute l'année, surtout après le coucher du soleil.

moyenne des températures maximales / moyenne des températures minimales

	J	F	M	A	M	J	J	A	S	O	N	D
Bilma	**26**	**30**	**34**	**39**	**41**	**42**	**41**	**40**	**40**	**38**	**32**	**27**
(335 m)	8	11	15	20	23	24	25	25	23	19	13	10
Agadès	**29**	**32**	**36**	**39**	**41**	**41**	**39**	**37**	**39**	**38**	**33**	**29**
(500 m)	11	14	18	22	25	25	24	23	23	21	16	12

Niger

	J	F	M	A	M	J	J	A	S	O	N	D
N'Guigmi	**29**	**32**	**36**	**39**	**39**	**39**	**37**	**34**	**36**	**37**	**33**	**30**
(300 m)	13	15	19	22	24	24	24	23	23	21	17	13
Zinder	**29**	**33**	**36**	**39**	**39**	**37**	**33**	**31**	**34**	**36**	**33**	**30**
(450 m)	15	17	21	25	26	25	23	22	23	22	19	15
Niamey	**33**	**36**	**39**	**41**	**40**	**37**	**34**	**32**	**34**	**37**	**37**	**34**
	16	18	23	26	27	25	24	23	23	24	20	16

nombre d'heures par jour hauteur en mm / nombre de jours

	J	F	M	A	M	J	J	A	S	O	N	D
Bilma	**9,5**	**10**	**10**	**10**	**10,5**	**11**	**11**	**10,5**	**10**	**10**	**10**	**9,5**
	0/0	0/0	0/0	0/0	0/0	2/0	2/0	9/1	1/0	0/0	0/0	0/0
Agadès	**9,5**	**10**	**9,5**	**9,5**	**9,5**	**9,5**	**9,5**	**9**	**9,5**	**10**	**10**	**9,5**
	0/0	0/0	0/0	2/0	8/1	10/1	40/4	70/7	14/2	1/0	0/0	0/0
N'Guigmi	**9,5**	**9,5**	**9**	**9**	**9,5**	**9,5**	**8,5**	**7,5**	**8,5**	**9,5**	**10**	**9,5**
	0/0	0/0	0/0	1/0	7/1	8/1	65/7	130/9	18/2	0/0	0/0	0/0
Zinder	**9,5**	**10**	**9**	**9,5**	**9,5**	**9,5**	**8,5**	**8**	**9**	**10**	**10**	**9,5**
	0/0	0/0	0/0	1/0	25/3	50/6	135/8	205/12	65/7	6/1	0/0	0/0
Niamey	**9,5**	**9,5**	**9**	**8,5**	**9**	**9**	**8**	**7,5**	**8**	**9**	**9,5**	**9**
	0/0	0/0	3/0	6/1	35/4	80/5	170/10	200/13	95/7	13/2	1/0	0/0

Nigeria

Superficie : 925 000 km². Lagos (latitude 6°35'N ; longitude 03°20'E) : GMT + 1 h . Durée du jour : environ 12 heures toute l'année.

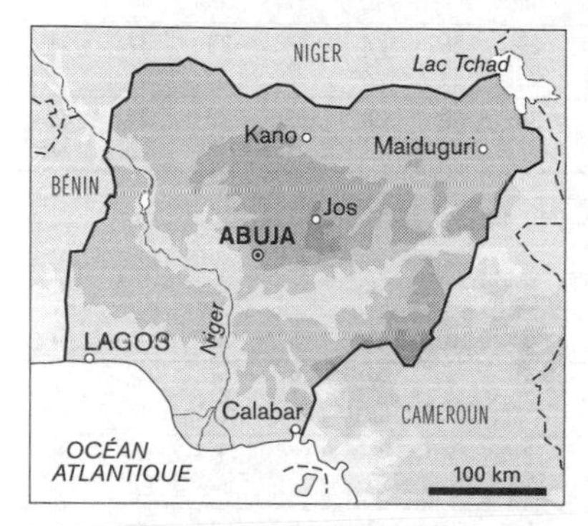

On trouve au Nigeria des climats assez différents selon les régions.
La saison la plus agréable est la **saison sèche**, de novembre à mars ou avril selon les régions, et particulièrement les mois de **novembre et décembre**.
À cette période, il fait encore très chaud sur la côte (voir Lagos, Calabar), y compris la nuit ; les journées peuvent même être torrides, mais l'humidité est un peu moins forte que durant le reste de l'année. Le ciel est assez souvent dégagé après des brumes matinales.
En remontant vers le Nord, on rencontre un climat plus sec et plus sain, très ensoleillé et chaud le jour, avec des nuits fraîches sur les hauteurs du Centre du pays (voir Jos), puis sec et aride dans le Nord (voir Kano, Maiduguri), avec toujours beaucoup de soleil, de chaleur ou de canicule le jour et de fraîcheur la nuit.
L'*harmattan* règne sur le Nord de décembre à mars, provoquant des tempêtes de sable et des tourbillons de poussière qui voilent le ciel.

Sur la côte, la **saison des pluies** dure au moins sept mois, de fin mars à fin octobre. Elle est très marquée à Lagos, où l'atmosphère rappelle alors celle d'une serre chaude et étouffante, et encore plus prononcée à l'Est de la côte (voir Calabar), où elle dure au moins jusqu'à mi-novembre.
En pays yoruba, à l'Est, une petite saison presque sèche, au mois d'août, offre un certain répit.
Les pluies restent encore assez fortes sur les régions élevées du Centre, mais nettement moins au Nord, où elles ne durent que quatre mois (juin à septembre).

La mer est assez chaude toute l'année le long des côtes nigérianes, battues par un ressac assez fort qui ne favorise pas les baignades.

VALISE : en toute saison, vêtements très légers, en fibres naturelles de préférence ; veste ou pull léger pour l'air conditionné à Lagos et pour les soirées dans le Nord pendant la saison fraîche. Pendant la saison des pluies, éventuellement un anorak léger.

SANTÉ : vaccination contre la fièvre jaune recommandée ; vaccin antirabique conseillé pour de longs séjours. Risques de paludisme toute l'année ; résistance à la Nivaquine et multirésistance.

BESTIOLES : moustiques toute l'année sur la côte et à l'intérieur du pays, surtout actifs la nuit. •

moyenne des températures maximales / moyenne des températures minimales

	J	F	M	A	M	J	J	A	S	O	N	D
Kano (470 m)	**30** / 13	**33** / 15	**37** / 19	**38** / 24	**37** / 24	**34** / 23	**31** / 22	**29** / 21	**31** / 21	**34** / 19	**33** / 16	**31** / 13

Nigeria

	J	F	M	A	M	J	J	A	S	O	N	D
Maiduguri (350 m)	**32** 12	**34** 14	**38** 18	**40** 22	**38** 25	**36** 24	**32** 23	**30** 22	**33** 22	**36** 20	**35** 15	**32** 12
Jos (1 220 m)	**28** 14	**30** 16	**32** 18	**31** 19	**29** 18	**27** 18	**25** 17	**24** 17	**27** 17	**29** 17	**29** 16	**28** 14
Lagos	**31** 23	**32** 25	**32** 26	**32** 25	**31** 24	**29** 23	**28** 23	**28** 23	**28** 23	**29** 23	**31** 24	**31** 24
Calabar	**30** 22	**32** 22	**32** 23	**31** 22	**31** 22	**30** 22	**30** 22	**28** 22	**29** 22	**29** 22	**31** 22	**30** 22

nombre d'heures par jour hauteur en mm / nombre de jours

	J	F	M	A	M	J	J	A	S	O	N	D
Kano	**9** 0/0	**9** 0/0	**9** 2/0	**9** 10/1	**9** 70/6	**8** 115/7	**7** 205/12	**7** 310/17	**8** 140/10	**9** 13/1	**9** 0/0	**9** 0/0
Maiduguri	**9** 0/0	**10** 0/0	**10** 0/0	**9** 8/1	**8** 40/3	**8** 70/5	**7** 180/10	**6** 220/14	**7** 105/16	**8** 18/2	**9** 0/0	**9** 0/0
Jos	**9** 0/0	**9** 5/1	**9** 25/2	**9** 100/5	**7** 195/13	**5** 220/14	**5** 320/21	**6** 285/19	**6** 210/15	**8** 40/3	**9** 5/1	**9** 0/0
Lagos	**7** 30/2	**7** 45/2	**7** 100/5	**7** 150/8	**7** 270/13	**5** 460/16	**4** 280/13	**5** 65/7	**5** 140/11	**6** 205/13	**8** 65/5	**7** 2/1
Calabar	**6** 45/2	**6** 70/3	**6** 145/9	**7** 195/11	**6** 315/13	**5** 395/17	**4** 455/19	**5** 435/21	**5** 430/20	**6** 325/17	**7** 190/9	**9** 55/3

température de la mer : moyenne mensuelle

	J	F	M	A	M	J	J	A	S	O	N	D
Lagos	27	27	28	28	27	26	25	24	25	25	26	27

Norvège

Superficie : 325 000 km². Oslo (latitude 59°6'N ; longitude 10°4'E) : GMT + 1 h . Durée du jour : maximale (juin) 18 heures 30, minimale (décembre) 6 heures.

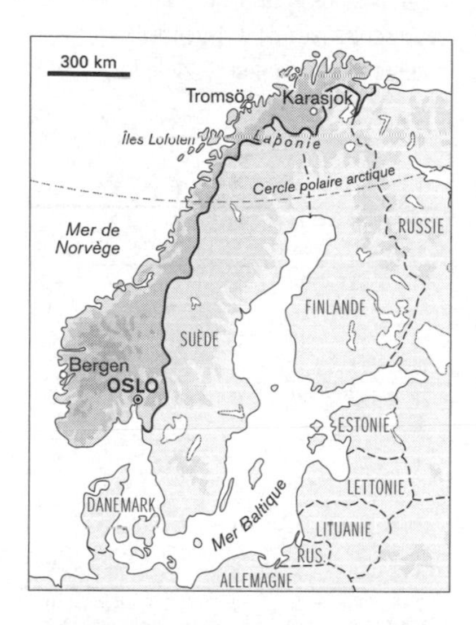

▶ Le climat de toute la **côte Ouest** du pays se distingue nettement de celui de l'intérieur : le courant chaud du Gulf Stream donne à ce littoral des hivers cléments, si l'on considère la latitude. Mais des vents tièdes du sud-ouest apportent aussi des précipitations assez fréquentes toute l'année, particulièrement de septembre à décembre. Elles tombent en général sous forme de neige au Nord de la côte (voir Tromsö) de novembre à mars ou avril, plus rarement au sud (voir Bergen).

L'été (**mi-juin à fin août**) est la meilleure période pour faire une croisière dans les fjords ou des randonnées sur les montagnes qui les bordent et sur les glaciers : les journées sont très longues, assez ensoleillées, il fait frais la nuit mais relativement doux dans le Nord et très bon dans le Sud durant la journée.

Sachez aussi que la mer, à la belle saison, n'est pas tout à fait glaciale...

▶ À l' **intérieur** du pays, l'hiver est rigoureux, d'autant plus bien sûr que l'on va vers le nord, mais les vents se font moins fréquents. Il neige d'octobre à fin avril au Nord, où règne un froid particulièrement glacial de décembre à mars (voir Karasjok). Il fait moins froid durant cette période dans la capitale, au Sud, mais le ciel n'y est guère plus dégagé.

On pratique le ski de fond tout l'hiver dans le Sud de la Norvège, notamment dans la région de Telemark. Il vaut mieux attendre fin mars ou avril pour en faire autant dans le Nord : la neige est encore là, mais les grands froids sont passés et les jours déjà longs.

En été, à latitude égale, il fait un peu plus chaud à l'intérieur du pays que sur le littoral. Malgré des pluies plus abondantes que le reste de l'année, la période est relativement ensoleillée à Oslo.

▶ Au **cap Nord**, on peut contempler le soleil de minuit de la mi-mai à la fin juin, bien qu'il soit parfois masqué par le brouillard. Il est encore visible jusqu'à 500 km plus au sud, mais durant une période plus courte.

▶ Grâce au Gulf Stream, les îles Lofoten, pourtant situées au nord du cercle polaire, jouissent d'un climat plus doux que le continent ; à tel point qu'en hiver les précipitations, assez abondantes, tombent plus souvent sous forme de pluie que de neige. L'été est frais et humide, avec des ciels souvent nuageux.

▶ Pour la partie norvégienne de la **Laponie**, voir chapitre « Finlande ».

VALISE : en été, vêtements légers pour la journée ; pull-over et veste chaude sont nécessaires le soir. Pensez aussi à emporter un imperméable. En hiver, sous-vêtements en laine ou en soie, manteau, anorak en duvet, bottes ou chaussures imperméables, gants, etc.

BESTIOLES : les essaims de moustiques, rares sur la côte, sont le véritable fléau de l'été norvégien à l'intérieur du pays.

FOULE : pression touristique très modérée. Juillet, quand les jours sont encore très longs, reste de loin le mois de la plus forte affluence, novembre se situe à l'opposé. Outre les autres Scandinaves ou Finlandais, les Allemands et les Britanniques sont bien représentés parmi les visiteurs. Les Français comptent environ pour 7 % du total. ●

moyenne des températures maximales / moyenne des températures minimales

	J	F	M	A	M	J	J	A	S	O	N	D
Tromsö	**- 2** - 6	**- 2** - 6	**0** - 5	**3** - 2	**7** 1	**12** 6	**16** 9	**14** 8	**10** 5	**5** 1	**2** - 2	**- 1** - 4
Karasjok	**- 9** - 21	**- 10** - 22	**- 3** - 17	**1** - 9	**7** - 1	**14** 5	**18** 8	**16** 6	**9** 2	**2** - 5	**- 4** - 12	**- 9** - 18
Bergen	**3** 0	**3** - 1	**6** 0	**9** 3	**14** 7	**16** 10	**19** 12	**19** 12	**15** 9	**11** 6	**7** 3	**5** 1
Oslo	**- 2** - 7	**- 1** - 7	**4** - 4	**10** 1	**16** 6	**20** 10	**22** 13	**21** 12	**16** 8	**9** 3	**3** - 1	**0** - 4

nombre d'heures par jour hauteur en mm / nombre de jours

	J	F	M	A	M	J	J	A	S	O	N	D
Tromsö	**0** 95/13	**2** 80/14	**3** 90/13	**6** 65/11	**5** 60/9	**7** 60/11	**8** 55/10	**5** 80/13	**3** 110/15	**2** 115/16	**0,5** 90/13	**0** 95/14
Karasjok	**0** 15/6	**1** 15/6	**4** 15/6	**6** 15/5	**5** 20/6	**6** 45/9	**6** 55/9	**4** 55/10	**2** 40/9	**2** 25/7	**0** 20/7	**0** 20/7
Bergen	**1** 145/16	**2** 140/14	**3** 190/12	**5** 140/14	**6** 85/11	**6** 125/13	**6** 140/15	**6** 170/15	**3** 230/17	**2** 235/19	**1** 210/16	**0,5** 205/18
Oslo	**1** 50/8	**3** 35/7	**5** 25/6	**6** 45/7	**8** 45/7	**8** 70/10	**7** 80/11	**6** 95/11	**5** 80/10	**3** 75/10	**1** 70/11	**1** 65/10

température de la mer : moyenne mensuelle

	J	F	M	A	M	J	J	A	S	O	N	D
Tromsö	5	5	5	6	6	7	9	11	9	7	6	5
Bergen	6	5	6	7	8	10	12	13	12	10	9	7

Nouvelle-Calédonie

Superficie : 19 000 km^2. Nouméa (latitude 22°16'N ; longitude 166°27'E) : GMT + 11 h. Durée du jour : maximale (décembre) 13 heures 30, minimale (juin) 11 heures.

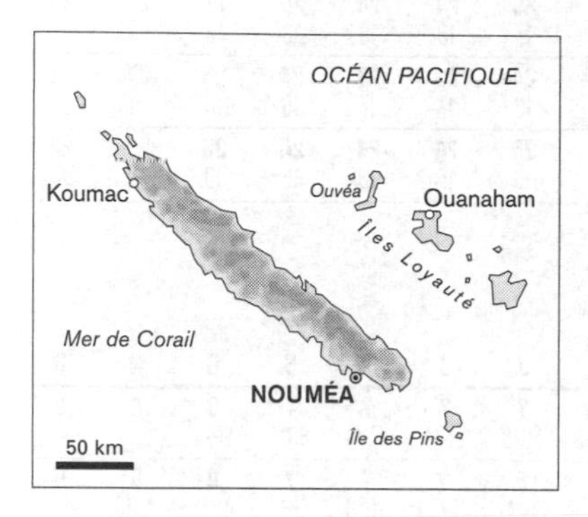

Canaques et Caldoches s'accordent en général pour dire que la meilleure période de l'année est celle qui va **de fin septembre à fin novembre**. C'est la saison sèche qui offre un temps ensoleillé et agréablement chaud ; et l'alizé qui souffle presque en permanence n'est pas mal venu. Sur les plages de la région de Nouméa, les plus belles de l'île, on se baigne dans une eau à la température agréable.

Comme il est de coutume en Nouvelle-Calédonie, à une période tourmentée succède une période de calme. De fin décembre à mars, c'est la **saison chaude et humide**, dite aussi « saison des cyclones ». Peu fréquents, surtout concentrés entre mi-février et mi-mars, ils peuvent cependant être dévastateurs (ainsi *Erica,* qui a frappé la région côtière de Nouméa et l'île des Pins les 13 et 14 mars 2003). De fortes tempêtes, qui s'accompagnent de pluies torrentielles, sont moins rares. Néanmoins, tout cela n'empêche pas le soleil de briller et l'eau d'être chaude ; mais l'air est lourd, souvent étouffant.

Avril et mai négocient le retour au calme et le temps est assez beau. Puis la saison fraîche, toute relative, s'installe de juin à août, pendant laquelle les « coups d'ouest », d'origine polaire, viennent de temps à autre refroidir la Grande Terre. Entre les « coups », on se baigne dans une mer encore accueillante.

Vous devez aussi savoir que, quelle que soit la saison, la côte Est, « au vent », est à peu près deux fois plus arrosée que la côte Ouest, « sous le vent ». Il n'y a cependant pas moins de soleil à l'Est qu'à l'Ouest, mais l'air s'y fait plus humide.

VALISE : en toute saison, vêtements très légers (évitez les tissus synthétiques), éventuellement de quoi vous protéger des averses ; sandales de plastique ou tennis ; pull, veste légère pour les soirées (sauf de décembre à mars).

SANTÉ : la vaccination est recommandée contre la typhoïde. Attention à la « gratte », maladie communiquée par certains poissons pêchés à l'intérieur de la barrière de corail.

BESTIOLES : les moustiques sont particulièrement offensifs pendant la saison des pluies (surtout actifs après le coucher du soleil). Sur la côte, méfiez-vous des poissons urticants et des cônes, coquillages venimeux dont le poison est dangereux (ne pas les saisir à main nue, ne pas se promener nu-pieds sur les récifs).

FOULE : pression touristique soutenue. Pas de grands écarts d'affluence tout le long de l'année, mais un mois de décembre en pointe ; février et juin sont les moins fréquentés. À eux seuls, Japonais, Australiens et Français métropolitains composent 90 % des visiteurs. ●

Nouvelle-Calédonie

moyenne des températures maximales / moyenne des températures minimales

	J	F	M	A	M	J	J	A	S	O	N	D
Koumac	**30**	**30**	**29**	**28**	**27**	**25**	**24**	**24**	**25**	**27**	**28**	**29**
	22	22	22	20	18	17	16	16	16	18	20	21
Nouméa	**29**	**29**	**28**	**26**	**24**	**24**	**23**	**23**	**24**	**25**	**27**	**28**
	23	23	23	21	20	19	17	17	18	19	21	22
Ouanaham	**29**	**29**	**28**	**27**	**26**	**25**	**24**	**24**	**25**	**26**	**27**	**28**
(île Lifou)	22	22	22	20	18	16	15	16	16	18	19	20

nombre d'heures par jour hauteur en mm / nombre de jours

	J	F	M	A	M	J	J	A	S	O	N	D
Koumac	**7**	**7**	**6**	**7**	**7**	**7**	**7**	**7**	**7**	**8**	**8**	**8**
	140/10	135/10	135/10	70/6	120/6	50/5	55/4	45/3	60/4	20/2	45/4	120/7
Nouméa	**8**	**8**	**6**	**7**	**6**	**6**	**6**	**7**	**7**	**9**	**9**	**9**
	105/9	115/10	150/12	115/11	90/11	100/11	95/10	70/8	50/7	45/5	45/5	75/7
Ouanaham	**7**	**7**	**6**	**7**	**6**	**5**	**6**	**6**	**7**	**8**	**8**	**8**
	130/15	250/14	215/17	215/14	125/15	175/13	110/12	110/12	55/10	45/10	130/13	75/11

température de la mer : moyenne mensuelle

	J	F	M	A	M	J	J	A	S	O	N	D
Koumac	26	27	26	26	24	24	23	22	23	24	24	25
Nouméa	25	26	25	25	23	23	22	21	22	23	23	24
Ouanaham	26	27	26	26	24	23	23	22	23	24	24	25

Nouvelle-Zélande

Superficie : 268 000 km^2. Wellington (latitude 41°16'S ; longitude 174°46'E) : GMT + 12 h . Durée du jour : maximale (décembre) 15 heures, minimale (juin) 9 heures.

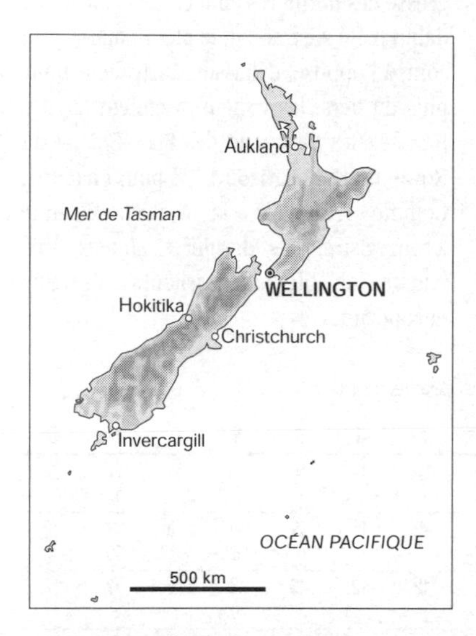

La Nouvelle-Zélande, *Aotearoa*, le « pays du long nuage blanc » pour les Maoris, bénéficie d'un climat assez tempéré pour sa latitude. Située dans l'hémisphère austral, ses saisons sont donc inversées par rapport à celles de l'Europe. Une particularité du climat néo-zélandais est sa grande variabilité, été comme hiver.
La côte Ouest de l'île du Sud se distingue par sa pluviosité (voir Hokitika), plus importante encore dans le Fjordland National Park. À l'opposé, la côte orientale de cette île est la région la plus sèche du pays (voir Christchurch).
Tout le littoral Nord de South Island (face au détroit de Cook) et la pointe orientale de Norh Island (Bay of Plenty, East Cape) bénéficient du meilleur ensoleillement. Mais c'est logiquement à l'extrême Nord-Ouest du pays, le long de la « Ninety miles beach » que l'on rencontre les températures les plus élevées.

▶ L'**été** (décembre à février) est chaud et assez ensoleillé dans l'île du Nord, ou « île fumante » (voir Auckland, Wellington), agréable dans la plus grande partie de l'île du Sud, ou « île de jade », à l'exception de l'extrême Sud et de l'île Stewart, où les températures restent un peu fraîches. Mais l'humidité, élevée en permanence dans ce pays très maritime, contribue à créer une impression de serre chaude à la belle saison.
De décembre à février, on peut affronter l'eau de mer sur certaines côtes sans avoir un tempérament de Spartiate : sa température approche alors 20° sur la côte Nord-Est de l'île du Nord (Auckland), la seule avec le Nord de l'île du Sud à être baignée par une mer assez calme (mais en août, il vaut mieux avoir un scaphandre : elle descend à 14°).
L'été reste la période la plus propice aux randonnées en montagne, dans la région des lacs et des volcans du Nord, ou dans celle des fjords du Sud-Ouest. Il faut savoir que la luminosité des ciels néo-zélandais va de pair avec une irradiation solaire forte : attention aux brûlures.

▶ L'**hiver** est doux : il ne gèle que rarement dans les terres basses de l'île fumante et sur les deux tiers de l'« île de jade ». Dans la partie méridionale de cette dernière, en revanche, chutes de neige et coups de froid polaire sont fréquents. Là encore, l'humidité ambiante intensifie la sensation de froid.
Les neiges éternelles recouvrent les sommets des Alpes néo-zélandaises. On y skie de juillet à octobre.

▶ Les vents, omniprésents, se font beaucoup plus violents également sur la côte Ouest, surtout dans la région des fjords, fantastique théâtre où s'affrontent, en toutes saisons, vents déchaînés et pluies virulentes.
Dans la région de Christchurch, un vent sec et chaud de type *fœhn* provoque parfois une brusque montée des températures. Welling

ton, la capitale, est particulièrement ventée ; quant au Nord de l'île fumante, il essuie parfois une tornade, à la fin de l'été.

VALISE : de décembre à mars, vêtements d'été, pulls, veste coupe-vent et imperméable. De juin à août, vêtements de demi-saison dans le Nord, vêtements chauds dans le Sud, et toujours un imperméable.

BESTIOLES : à la belle saison, moustiques et phlébotomes rivalisent de voracité dans les régions basses : les premiers la nuit, les seconds dans la journée.

FOULE : la fréquentation touristique a progressé ces dernières années. Décembre, en début d'été austral, fait le plein ; mai et juin sont, à l'opposé, délaissés. Australiens pour plus du tiers, les visiteurs viennent aussi à parts égales du Japon, des États-Unis et du Royaume-Uni (environ 12 % pour chacun). Comme l'Australie, la Nouvelle-Zélande a enregistré, ces dernières années, une hausse notable des visiteurs d'origine européenne. ●

moyenne des températures maximales / moyenne des températures minimales

	J	F	M	A	M	J	J	A	S	O	N	D
Auckland	**23**	**24**	**22**	**20**	**17**	**15**	**14**	**15**	**16**	**18**	**20**	**22**
	15	16	15	12	10	8	7	8	9	11	12	14
Wellington	**20**	**21**	**19**	**17**	**14**	**12**	**11**	**12**	**14**	**15**	**17**	**19**
	14	14	13	11	9	7	6	7	8	9	10	12
Hokitika	**19**	**20**	**19**	**17**	**14**	**12**	**12**	**13**	**14**	**15**	**17**	**18**
	12	12	11	8	6	4	3	4	6	7	9	11
Christchurch	**22**	**22**	**20**	**18**	**15**	**12**	**11**	**12**	**15**	**17**	**19**	**21**
	12	12	11	8	5	2	2	3	5	7	9	11
Invercargill	**19**	**19**	**17**	**15**	**12**	**10**	**9**	**11**	**13**	**14**	**16**	**18**
	9	9	8	6	4	2	1	2	4	6	7	8

nombre d'heures par jour hauteur en mm / nombre de jours

	J	F	M	A	M	J	J	A	S	O	N	D
Auckland	**7,5**	**7**	**6**	**5**	**4,5**	**3,5**	**4,5**	**4,5**	**5**	**6**	**6,5**	**7**
	75/8	65/7	95/9	110/11	110/11	140/15	150/16	120/14	120/14	95/12	95/11	90/9
Wellington	**8**	**7,5**	**6**	**5**	**4**	**3**	**4**	**4,5**	**5**	**6**	**7**	**7,5**
	75/7	65/7	95/8	100/9	120/11	150/14	140/13	120/13	100/12	110/12	100/10	85/9
Hokitika	**7**	**6,5**	**5,5**	**4,5**	**3,5**	**3,5**	**4**	**4,5**	**5**	**5**	**6**	**6,5**
	250/13	170/10	210/12	250/13	240/15	230/14	230/14	220/15	250/16	290/17	240/16	280/16
Christchurch	**7,5**	**7**	**6**	**5,5**	**4,5**	**4**	**4**	**4,5**	**5,5**	**6,5**	**7**	**7**
	40/6	40/6	55/6	55/7	55/7	65/9	80/9	70/8	45/7	55/7	45/7	55/7
Invercargill	**6**	**6**	**4,5**	**3,5**	**2,5**	**2,5**	**3**	**4**	**4,5**	**5**	**6**	**6**
	120/13	80/10	95/12	100/13	110/16	100/15	90/14	70/12	80/12	95/14	80/12	100/14

température de la mer : moyenne mensuelle

	J	F	M	A	M	J	J	A	S	O	N	D
Auckland	18	19	19	18	16	15	15	14	14	15	16	17
Wellington	16	17	16	15	14	13	13	12	11	12	13	14
Christchurch	15	16	14	13	13	12	12	11	10	11	12	13
Invercargill	13	13	12	11	10	10	10	9	9	10	11	11

Oman

Superficie : 212 000 km². Mascate (latitude 23°37'N ; longitude 58°35'E) : GMT + 4 h . Durée du jour : maximale (juin) 13 heures 30, minimale (décembre) 10 heures 30.

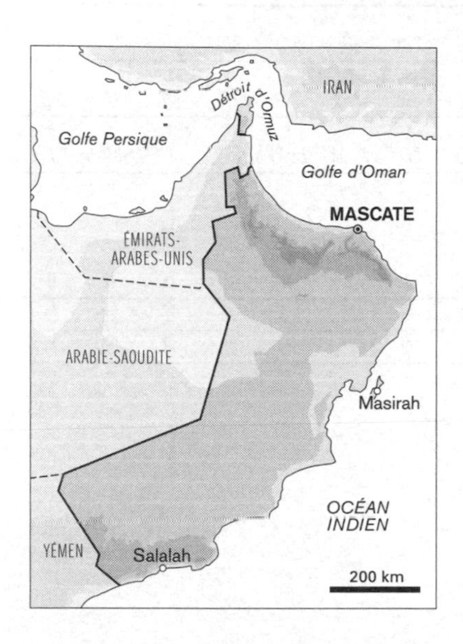

▸ La période la plus propice à un voyage dans le sultanat d'Oman se situe **entre début novembre et fin mars** : sur les côtes, la chaleur est alors très supportable, avec des nuits relativement douces, parfois même fraîches. En janvier, il peut ne pas faire assez chaud pour profiter des plages. Dans les régions élevées de l'intérieur, au Nord du pays, certaines nuits sont assez froides.
C'est aussi la saison des pluies, très faibles sur le littoral, un peu plus abondantes (entre 200 et 300 mm/an) sur la montagne.

▸ Entre mi-avril et octobre, une écrasante canicule s'installe. Des vents brûlants, secs et chargés de poussière balaient souvent le pays en été. Le Dhofar, au Sud (voir Salalah), est la région la moins torride, et la seule à recevoir quelques pluies durant cette période (entre juin et septembre). À cette époque, cette région reçoit la mousson indienne et il y fait assez humide. L'oasis de Salalah et ses environs disparaissent alors dans la brume, puis verdissent à perte de vue.

▸ Il n'existe pas de données statistiques concernant l'ensoleillement à Oman : le ciel est presque toujours bleu, sauf en janvier et février, parfois un peu nuageux dans le Dhofar.

▸ Pour les amateurs de plongée sous-marine (les fonds coralliens sont très beaux à Mascate), les seuls mois où la mer peut être un peu agitée et troublée sont décembre, janvier et février.

VALISE : de décembre à mars, vêtements très légers en coton ou en lin de préférence, et aussi lainage ou veste. Le reste de l'année, ce que vous avez de plus léger (mais laissez dans vos placards les robes très décolletées ou très courtes, etc.).

SANTÉ : quelques risques de paludisme toute l'année dans tout le pays. Zones de résistance à la Nivaquine.

BESTIOLES : moustiques toute l'année, surtout actifs après le coucher du soleil. ●

moyenne des températures maximales / moyenne des températures minimales

	J	F	M	A	M	J	J	A	S	O	N	D
Mascate	**25**	**25**	**29**	**32**	**37**	**38**	**36**	**33**	**34**	**34**	**30**	**26**
	19	19	22	25	30	31	30	29	28	27	23	20
Masirah	**25**	**26**	**29**	**33**	**36**	**34**	**31**	**30**	**30**	**31**	**29**	**27**
	24	24	25	26	28	29	30	30	29	27	25	24
Salalah	**27**	**28**	**30**	**31**	**32**	**32**	**28**	**27**	**29**	**30**	**30**	**28**
	18	19	21	23	25	26	24	23	23	21	20	19

Oman

nombre d'heures par jour — hauteur en mm / nombre de jours

	J	F	M	A	M	J	J	A	S	O	N	D
Mascate	*	*	*	*	*	*	*	*	*	*	*	*
	30/2	18/1	10/1	10/1	3/0	3/0	3/0	2/0	0/0	2/0	10/1	18/2
Masirah	*	*	*	*	*	*	*	*	*	*	*	*
	3/0	3/0	5/1	0/0	3/0	3/0	3/0	2/0	2/0	2/0	3/0	10/1
Salalah	*	*	*	*	*	*	*	*	*	*	*	*
	3/1	3/1	2/0	2/0	3/0	5/1	25/11	25/11	3/1	13/1	3/0	3/1

température de la mer : moyenne mensuelle

	J	F	M	A	M	J	J	A	S	O	N	D
Mascate	24	23	25	27	28	29	28	29	28	28	26	25
Salalah	24	25	26	27	28	29	27	26	26	27	26	25

Ouganda

Superficie : 236 000 km². Kampala (latitude 0°19'N ; longitude 32°36'E) : GMT + 3 h . Durée du jour : environ 12 heures toute l'année.

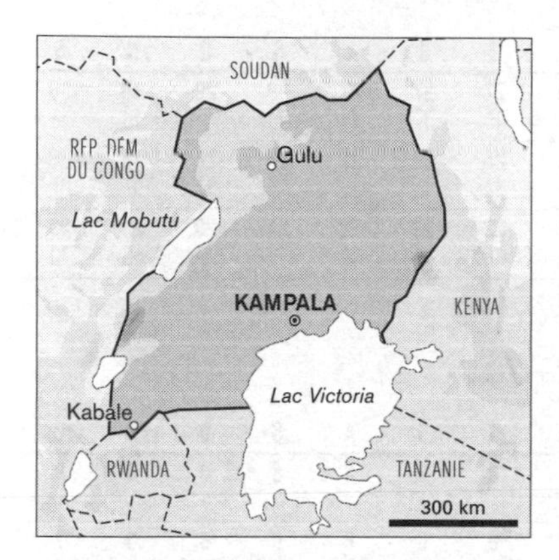

Dans ce pays équatorial, les températures varient peu tout au long de l'année : chaudes ou très chaudes le jour, douces ou fraîches la nuit.
Elles ne varient guère d'une région à l'autre qu'en fonction de l'altitude, qui les fait baisser au point que, à Kabalé, un feu de bois est nécessaire, le soir, pour se réchauffer.

▶ Le croissant fertile autour du lac Victoria (voir Kampala) est une région très pluvieuse : des averses torrentielles s'y déversent surtout en fin d'après-midi, ce qui permet au soleil de briller le reste de la journée, lorsque les brumes matinales se sont dissipées. Il n'est pas rare, durant la saison des pluies, de voir les eaux du lac soulevées en vagues énormes par la tempête. Évitez de préférence les périodes des longues pluies (de mars à mai) et des petites pluies (octobre à décembre), durant lesquelles les abords du lac deviennent humides et étouffants. Le reste de l'année, il pleut moins et des brises lacustres remédient souvent à la moiteur ambiante. Les mois les plus secs, à choisir de préférence pour un séjour dans la capitale, sont **juillet, août et septembre**. Mais il faut savoir que Kampala détient un triste record en Afrique : 242 jours d'orage par an en moyenne...

▶ Dans la moitié Ouest du pays, aussi pluvieuse, la période la plus sèche et la plus ensoleillée se situe **entre décembre et février**. C'est la meilleure période pour découvrir les parcs nationaux de Murchison Falls et de Kidepo Valley, entre autres.
Deux microclimats à l'Ouest du pays : celui de la vallée du Rift qui, y compris dans les régions de lacs, peut être très aride, formant un contraste surprenant avec les forêts tropicales des plateaux qui la surplombent ; celui du mont Ruwenzori (5 125 m), un des plus hauts sommets d'Afrique (à la frontière avec le Congo – ex-Zaïre) ; ses pentes sont perpétuellement noyées dans le brouillard et, même durant la saison sèche, le soleil n'y fait que des apparitions espacées.

▶ Au Nord-Est du pays s'étend une zone aride de savanes semi-désertiques, frappée, ces dernières années, par la sécheresse et la famine. Dans cette région balayée par les vents du nord-est, la saison sèche dure de novembre à avril.

VALISE : quelle que soit la période de votre voyage, vêtements légers de plein été, auxquels il faut ajouter un ou deux pulls pour les soirées et une veste ou un blouson chaud pour les régions un peu élevées. Pour visiter les réserves, vêtements de couleurs neutres (mais ne portez rien qui ressemble à un vêtement militaire).

SANTÉ : vaccination contre la fièvre jaune recommandée, contre la rage fortement conseillée. Risques de paludisme toute l'année, y compris dans les villes ; résistance élevée à la Nivaquine et multirésistance.

Ouganda

BESTIOLES : les moustiques sévissent toute l'année, à l'exception des régions montagneuses ; ils sont particulièrement actifs la nuit. ●

moyenne des températures maximales / moyenne des températures minimales

	J	F	M	A	M	J	J	A	S	O	N	D
Gulu (1 110 m)	**32** 16	**32** 17	**31** 18	**29** 18	**28** 18	**27** 17	**27** 17	**27** 17	**28** 17	**29** 17	**30** 16	**30** 16
Kampala (1 190 m)	**27** 17	**27** 17	**27** 18	**26** 18	**26** 18	**25** 17	**25** 16	**25** 16	**26** 16	**26** 17	**26** 17	**26** 17
Kabale (1 870 m)	**24** 10	**24** 10	**23** 10	**23** 11	**22** 11	**22** 9	**23** 9	**23** 10	**24** 10	**23** 10	**23** 10	**23** 10

nombre d'heures par jour hauteur en mm / nombre de jours

	J	F	M	A	M	J	J	A	S	O	N	D
Gulu	**9** 12/2	**9** 45/4	**8** 90/8	**8** 175/13	**8** 170/13	**8** 150/10	**6** 125/13	**6** 230/14	**8** 125/13	**8** 165/13	**8** 95/8	**9** 45/5
Kampala	**8** 100/7	**7** 85/7	**7** 140/13	**6** 280/18	**6** 255/15	**6** 100/10	**6** 65/7	**6** 90/7	**6** 85/7	**6** 110/10	**6** 145/13	**7** 125/13
Kabale	**5** 60/8	**6** 90/9	**5** 115/12	**4** 135/15	**4** 90/11	**6** 25/4	**6** 20/2	**5** 55/6	**5** 95/10	**5** 100/13	**5** 105/13	**4** 90/11

Ouzbékistan

Superficie : 447 000 km². Tachkent (latitude 41°16'N ; longitude 69°16'E) : GMT + 5 h. Durée du jour : maximale (juin) 15 heures, minimale (décembre) 9 heures.

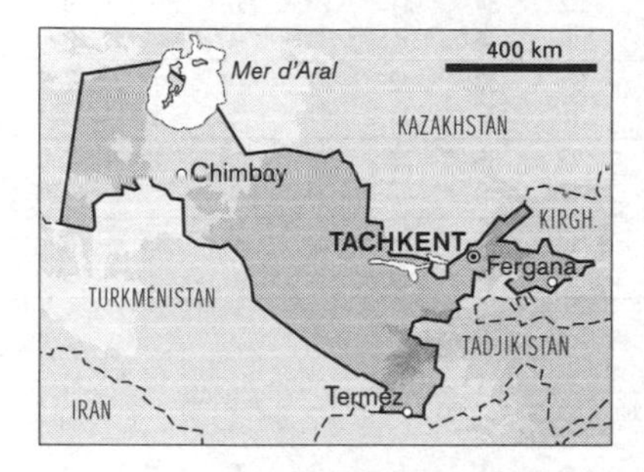

De vastes zones désertiques et leurs oasis occupent la moitié Nord-Ouest du pays. Au Sud-Est, l'altitude s'élève à mesure que l'on s'approche des contreforts du Pamir. Le climat permet la culture irriguée du coton. La majeure partie des Ouzbeks habite cette région Sud-Est que traversait l'antique route de la Soie ; la mythique Samarcande est à mi-chemin entre Tachkent et Termez.

En hiver, hormis les grandes altitudes, c'est dans la partie occidentale du pays que le froid se fait le plus rigoureux ; mais il est sec (voir Chimbay). Quand le vent souffle, il n'est pas exceptionnel qu'un thermomètre placé hors abri puisse enregistrer des minima nocturnes de – 30°. Cependant, les précipitations restant faibles, il neige assez peu. Quand la couverture neigeuse se maintient – en moyenne une année sur deux –, ce n'est que pour deux ou trois semaines en janvier. Périodiquement, surtout en janvier, une tempête vient, depuis la mer Caspienne, balayer les steppes et parfois provoquer, même en plein hiver, des vents de poussière. Au Sud du pays, Tachkent et plus encore Fergana et Termez sont protégées par les reliefs des influences sibériennes. Bien que ces villes soient situées à une altitude plus élevée que Chimbay, elles offrent ainsi des températures hivernales plus modérées. Mais les précipitations y étant un peu plus importantes que dans le Nord, la neige s'y fait plus fréquente. Cette région, tout spécialement la dépression intermontagnarde de Fergana, voit aussi régulièrement des vents de *fœhn* – l'***ursatevskiy*** notamment – faire brusquement grimper la température.

Le début de printemps est l'époque préférée des tempêtes venues d'Iran ; elles apportent désordre et air chaud. La fin du mois de mai marque le début d'un été long, chaud et même torride ; très sec, il ne connaît pour ainsi dire pas la pluie.
Les jours les plus chauds s'accompagnent souvent de vents de poussière. En suspension dans l'air pendant plusieurs jours, les particules donnent à l'atmosphère de ces pays de l'Asie centrale un aspect blanchâtre très typique.
Ce n'est qu'à la fin du mois de septembre que l'on échappe aux grosses chaleurs.
Dans ces régions au climat continental marqué, les saisons intermédiaires sont les plus favorables au voyage. **Avril, mai, septembre et octobre** offrent les meilleures conditions climatiques, avec des décalages (voir tableaux ci-après) selon que l'on se rend au Nord ou au Sud du pays.

VALISE : en hiver, un voyage en Ouzbékistan impose d'être chaudement vêtu et protégé du vent. En été, on n'oubliera pas une écharpe de coton adaptée aux vents de poussière... On tiendra compte des importants écarts de température entre le jour et la nuit, particulièrement au printemps et en automne où le froid peut succéder en soirée à des températures élevées dans l'après-midi. Les voyageuses doivent aussi savoir que des vêtements trop décontractés peuvent choquer la population musulmane. ●

Ouzbékistan

moyenne des températures maximales / moyenne des températures minimales

	J	F	M	A	M	J	J	A	S	O	N	D
Chimbay	**- 2**	**2**	**8**	**19**	**27**	**32**	**34**	**31**	**23**	**17**	**7**	**0**
	- 11	- 9	- 4	5	12	16	18	17	10	3	- 5	- 9
Tachkent	**3**	**7**	**12**	**18**	**26**	**31**	**33**	**32**	**27**	**18**	**12**	**7**
(480 m)	- 6	- 3	3	8	13	17	18	16	11	5	2	- 2
Fergana	**3**	**7**	**15**	**23**	**28**	**33**	**35**	**33**	**27**	**20**	**12**	**7**
(580 m)	- 9	- 6	0	7	12	17	19	17	10	3	- 2	- 6
Termez	**10**	**13**	**19**	**27**	**33**	**39**	**40**	**39**	**33**	**27**	**18**	**12**
(300 m)	4	- 2	3	10	15	19	21	20	13	7	1	- 3

nombre d'heures par jour hauteur en mm / nombre de jours

	J	F	M	A	M	J	J	A	S	O	N	D
Chimbay	**3**	**4**	**6**	**8**	**11**	**12**	**13**	**12**	**10**	**8**	**5**	**4**
	7/4	14/4	13/4	12/4	10/3	6/2	2/1	2/1	3/1	7/2	5/2	8/3
Tachkent	**4**	**4**	**5**	**8**	**10**	**12**	**13**	**12**	**10**	**8**	**5**	**4**
	50/8	50/8	80/9	58/8	32/5	12/3	4/1	3/0	3/0	23/3	45/6	57/8
Fergana	**4**	**4**	**5**	**7**	**9**	**11**	**12**	**12**	**10**	**8**	**5**	**3**
	20/4	16/4	25/5	18/5	19/5	10/3	5/2	3/1	2/1	12/3	19/4	18/4
Termez	**5**	**5**	**6**	**8**	**11**	**12**	**13**	**12**	**11**	**9**	**6**	**5**
	20/5	25/5	30/5	19/4	10/2	1/0,5	0/0	0/0	0/0	3/1	0/0	17/5

Pacifique Sud (îles)

(Cook, Kiribati, Pâques, Salomon, Samoa, Tonga, Wallis-et-Futuna...)

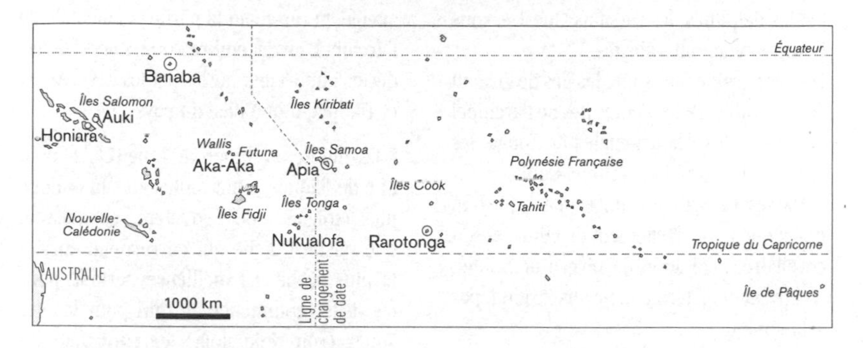

Les îles Fidji, la Nouvelle-Calédonie, la Polynésie française et le Vanuatu étant traités séparément, ce chapitre concerne les autres principaux archipels et îles du Pacifique Sud.

Tous situés dans la zone tropicale humide, ils ont de nombreuses caractéristiques climatiques commune : chaleur élevée toute l'année, le jour comme la nuit (chaleur plus modérée pour les îles situées le plus au sud) ; pluies abondantes, toute l'année également, mais malgré tout un assez bon ensoleillement. Leur climat varie cependant en fonction de leur latitude, de leur longitude et de leur relief.

En effet, les îles d'origine volcanique, aux reliefs marqués, sont plus arrosées que les îles coralliennes, quasiment plates. Ces îles volcaniques sont : les îles Salomon, Wallis-et-Futuna, les trois grandes îles de Samoa, les îles occidentales du royaume de Tonga, les neuf îles qui constituent le Sud de l'archipel Cook (dont Aitutaki et Rarotonga), l'île de Pâques (voir chapitre « Chili ») qui ne

RENDEZ-VOUS NATURE

Groupe V, le retour

Dans l'hémisphère Sud, on distingue cinq groupes de mégaptères (baleines à bosse) selon les secteurs de la région antarctique où elles se nourrissent en été, et les lieux de migration hivernale où elles se reproduisent. La vaste région des îles Fidji, Samoa, Cook et Tonga accueillent, de juin à novembre, les membres du Groupe V. Des cinq groupes, celui-ci est indiscutablement celui qui a subi la plus grande hécatombe liée à la chasse. En effet, la flotte baleinière soviétique a écumé ces parages jusqu'au début des années 1970, soit bien après l'interdiction officielle, en 1962, de la chasse commerciale des mégaptères dans cette région.

Depuis quelques années, les baleines sont de retour. La côte occidentale de l'île Vava'u (îles Tonga) est leur lieu de rendez-vous préféré. **Septembre** reste le mois idéal pour observer, depuis une embarcation, les groupes de baleines accompagnées des jeunes baleineaux. Certains reliefs du littoral (point panoramique de Taofa) offrent aussi d'excellents postes d'observation. Plus au sud, toujours dans l'archipel des îles Tonga, on observe depuis les îles Ha'apai et Eua ces mêmes baleines sur le chemin d'aller (juin) ou de retour (novembre) de Vava'u.

Si rien ne vient contrarier le cours des choses, les îles Samoa, Cook et Fidji devraient aussi devenir d'ici à quelques années des destinations appropriées au *whalewatching*.

culmine cependant qu'à 540 m. Les versants Est des reliefs, exposés aux alizés, reçoivent le plus de pluies, les versants Ouest, « sous le vent », étant plus abrités.
Les îles coralliennes sont : les îles de Kiribati (ex-îles Gilbert), les petites îles de l'archipel de Samoa, les îles orientales de Tonga, les sept îles du Nord de l'archipel Cook.
Certaines d'entre elles sont si plates que l'on craint que le réchauffement du climat et son corollaire, l'élévation du niveau de la mer, n'entraînent à terme leur disparition par submersion.

▶ Les îles Gilbert, Salomon, Wallis-et-Futuna et Samoa ont des températures à peu près constantes toute l'année ; les meilleures périodes pour s'y rendre sont celles où les pluies sont les moins fortes et l'air le moins humide : **de mai à octobre** pour les îles de Kiribati (voir Banaba-île Océan) ; **de juin à septembre** pour Wallis-et-Futuna (voir Aka-Aka) ; **de fin mai à la mi-septembre** pour les îles Samoa (voir Apia). Les ouragans sévissent rarement ; le dernier, *Heta*, a frappé Samoa et Tonga en janvier 2004, environ 10 ans après l'ouragan précédent.
Les îles Salomon sont particulièrement chaudes et humides toute l'année. Sur les grandes îles, les pluies sont plus importantes sur les côtes Sud (voir Auki) que sur les côtes Nord (voir Honiara), qui connaissent un répit plus marqué de mai à novembre. Les cyclones frappent de temps à autre mais atteignent rarement la partie occidentale de l'archipel. En décembre 2002, *Zoe* a fait des dégâts importants sur les petites îles d'Anuta et Tikopia, tout à l'Est du pays.

▶ Les îles des archipels de Tonga et de Cook, l'île de Pâques, situées plus au sud et donc plus éloignées de l'équateur, connaissent une saison fraîche qui correspond aussi à la plus sèche. La meilleure période pour les visiter commence en **mai** pour les îles Tonga (voir Nukualofa), en **juin** pour les îles Cook (voir Rarotonga) et l'île de Pâques, et s'achève partout en **octobre**.

VALISE : vêtements très légers, amples et pratiques, en fibres naturelles de préférence ; pull, veste légère pour les soirées pendant la saison fraîche, éventuellement de quoi se protéger des averses.

SANTÉ : dans l'archipel des îles Salomon, risques de paludisme en dessous de 1 500 m d'altitude ; zones de résistance élevée à la Nivaquine.

BESTIOLES : les moustiques (surtout actifs après le coucher du soleil) et les moucherons (qui se déplacent en formations serrées) se disputeront l'honneur de vous piquer, si vous les laissez faire. ●

moyenne des températures maximales / moyenne des températures minimales

	J	F	M	A	M	J	J	A	S	O	N	D
Banaba (Île Océan) (îles Kiribati)	**31** 25	**31** 25	**31** 25	**31** 25	**31** 25	**31** 25	**31** 25	**31** 25	**32** 25	**32** 25	**32** 25	**31** 25
Auki (îles Salomon)	**31** 24	**30** 24	**30** 23	**30** 23	**30** 23	**30** 23	**29** 22	**29** 22	**30** 23	**30** 23	**30** 23	**31** 24
Honiara (îles Salomon)	**31** 23	**31** 23	**31** 23	**31** 23	**31** 23	**31** 23	**31** 22	**30** 22	**31** 23	**31** 23	**31** 23	**31** 23
Aka-Aka (Wallis-et-Futuna)	**30** 24	**30** 24	**30** 25	**30** 25	**29** 25	**29** 25	**28** 24	**28** 24	**29** 25	**29** 25	**30** 25	**30** 25
Apia (Samoa occidentale)	**30** 24	**29** 24	**30** 23	**30** 24	**29** 23	**29** 23	**29** 23	**29** 24	**29** 23	**29** 24	**30** 23	**29** 23
Nukualofa (îles Tonga)	**29** 22	**29** 23	**29** 23	**28** 22	**26** 20	**25** 18	**25** 18	**24** 18	**25** 18	**26** 19	**27** 21	**28** 21

	J	F	M	A	M	J	J	A	S	O	N	D
Rarotonga (îles Cook)	**29** 23	**29** 23	**28** 23	**27** 22	**26** 21	**25** 19	**25** 18	**25** 18	**25** 19	**26** 20	**27** 21	**28** 22
Île de Pâques	**29** 20	**29** 21	**29** 21	**28** 18	**28** 16	**25** 15	**24** 13	**25** 13	**25** 15	**26** 15	**29** 17	**29** 17

nombre d'heures par jour hauteur en mm / nombre de jours

	J	F	M	A	M	J	J	A	S	O	N	D
Banaba (Île Océan)	* 310/14	* 225/10	* 195/10	* 150/7	* 110/7	* 110/8	* 145/10	* 105/10	* 95/7	* 100/6	* 140/10	* 205/10
Auki	* 390/21	* 380/22	* 410/23	* 240/21	* 220/19	* 180/22	* 230/20	* 220/17	* 210/18	* 220/19	* 210/18	* 300/19
Honiara	* 270/16	* 280/16	* 290/21	* 180/14	* 140/13	* 90/11	* 90/10	* 100/10	* 100/10	* 130/11	* 150/13	* 210/14
Aka-Aka	**6** 320/15	**6** 350/14	**7** 305/15	**7** 245/14	**7** 205/13	**7** 170/11	**7** 180/11	**7** 135/10	**7** 135/9	**7** 280/14	**7** 265/12	**6** 335/13
Apia	**6** 425/22	**6** 370/19	**6** 355/19	**7** 245/14	**7** 170/12	**8** 135/7	**8** 95/9	**8** 105/9	**8** 140/11	**7** 195/14	**7** 260/16	**6** 370/19
Nukualofa	**6** 200/12	**6** 220/11	**6** 225/14	**7** 150/12	**6** 115/11	**6** 90/11	**6** 105/9	**7** 110/7	**6** 110/9	**7** 115/8	**7** 110/8	**6** 130/10
Rarotonga	**5** 235/15	**6** 255/15	**6** 285/16	**6** 195/12	**5** 150/13	**6** 120/11	**6** 110/9	**6** 120/10	**6** 125/8	**6** 135/10	**6** 160/11	**6** 205/12
Île de Pâques	* 120/12	* 95/9	* 115/12	* 105/10	* 115/12	* 110/11	* 90/8	* 75/8	* 70/7	* 95/9	* 115/12	* 125/12

température de la mer : moyenne mensuelle

	J	F	M	A	M	J	J	A	S	O	N	D
Îles Kiribati	28	28	28	28	29	29	29	29	29	29	29	28
Îles Salomon	29	29	29	29	30	29	28	28	28	28	29	28
Wallis-et-Futuna	28	28	28	28	29	28	27	27	27	27	28	28
Îles Samoa	28	28	28	28	29	28	27	27	27	27	28	28
Îles Tonga	26	27	26	26	26	24	24	23	24	24	25	26
Îles Cook	26	27	26	26	26	24	24	23	24	24	25	26
Île de Pâques	24	25	24	23	22	21	21	20	20	21	22	23

Pakistan

Superficie : 805 000 km². Karachi (latitude 24°48'N ; longitude 66°59'E) : GMT + 5 h . Durée du jour : maximale (juin) 14 heures, minimale (décembre) 10 heures 30.

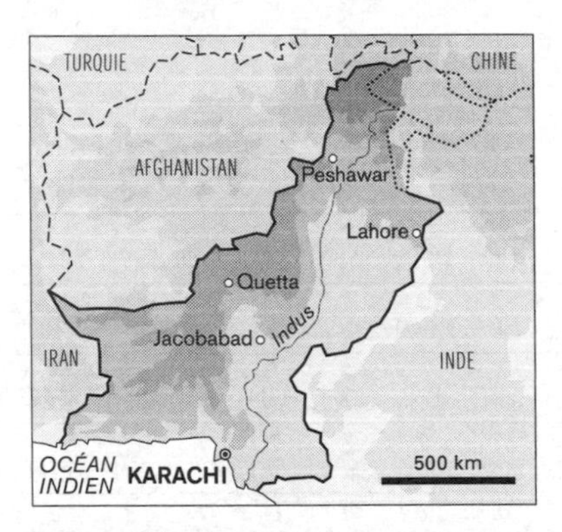

Bordé par l'Himalaya au Nord et la mer d'Oman au Sud, traversé dans toute sa longueur par la grande vallée de l'Indus, le Pakistan connaît des climats suffisamment variés et bien synchronisés pour qu'à chaque saison au moins une de ses régions présente son visage le plus accueillant, quel que soit le moment où l'on s'y rende.

▶ L'**été**, de juin à septembre, est la meilleure période pour se rendre au Nord, dans la partie pakistanaise du Cachemire. Skardu, Gilgit ou Chitral, situées aux environs de 2 000 m d'altitude dans les vallées intérieures de l'Himalaya, sont à l'abri de la mousson et bénéficient d'un climat tempéré particulièrement agréable : chaud mais sans excès le jour, frais le soir. C'est aussi l'époque où les randonneurs s'adonnent au trekking. On peut également aller à Muree (2 100 m), sur le versant Sud de l'Himalaya : les températures y sont agréables, mais c'est la seule région de ce pays où les pluies sont très abondantes. Au Cachemire, passé les premières semaines d'automne, les températures baissent et la neige bloque de nombreux cols jusqu'au printemps, assez tardif.

▶ Le **printemps** et surtout l' **automne**, encore plus ensoleillé, sont fortement conseillés pour se rendre dans toute la région du Béloutchistan (voir Quetta), à l'Ouest du pays, et dans la région de Peshawar, au Nord-Ouest, le long de la frontière afghane. Ces régions connaissent, en effet, un hiver qui, l'altitude aidant, peut être assez rigoureux, et un été très précoce, long et torride. Ici, comme dans tout le Pakistan, le mois le plus chaud est juin, et non juillet, comme il est plus habituel dans l'hémisphère Nord. Les records de chaleur appartiennent à la ville de Jacobabad, dont la moyenne des maxima en juin dépasse 45°, ce qui signifie que les températures de 50° n'y sont pas exceptionnelles.

La meilleure saison pour les expéditions sur les sommets de l'Himalaya se situe en septembre et octobre.

▶ Dans toute la plaine du Pendjab (voir Lahore, Multan) et au Sud-Ouest, dans le Sind désertique et le delta de l'Indus (voir Karachi), la période fraîche (**de novembre à la fin mars**) est la période à élire.

À Karachi, il peut faire frais en soirée, mais, pendant la journée, on se baigne sur les plages de l'océan Indien. À Lahore, capitale historique du Pakistan, les matinées et les soirées sont froides en décembre et janvier, mais le milieu de la journée est printanier ou même chaud.

En été, ces régions sont arrosées par une mousson qui vient de l'Inde. Au mois de juin, les vents marins apportent une forte humidité qui, associée aux températures élevées, rend l'atmosphère très lourde et étouffante, particulièrement dans la région de Karachi, au point que les premières pluies de la mousson (fin juin-début juillet) sont accueillies comme une délivrance. Les orages sont alors fréquents jusqu'en septembre ; cependant, les pluies de mousson restent en général relativement modestes, et sans comparaison avec celles de l'Inde.

VALISE : d'avril à novembre (et dès mai pour Karachi), vêtements très légers, confortables et d'entretien facile, en fibres naturelles ; un pull, une veste légère pour les soirées en altitude. Les shorts sont mal acceptés, même pour les hommes ; quant aux femmes, les vêtements moulants ou décolletés les mettront souvent dans des situations désagréables (maillot une pièce pour les plages de Karachi). En hiver, pulls et veste ou blouson chaud pour les soirées et pour les régions montagneuses.

SANTÉ : risques de paludisme toute l'année en dessous de 2 000 m d'altitude. Résistance à la Nivaquine et multirésistance.

BESTIOLES : moustiques dans tout le pays d'avril à octobre.

FOULE : les Britanniques d'origine pakistanaise représentent l'essentiel des visiteurs. ●

moyenne des températures maximales / moyenne des températures minimales

	J	F	M	A	M	J	J	A	S	O	N	D
Peshawar (360 m)	**17** 4	**19** 6	**24** 11	**29** 16	**37** 21	**41** 25	**39** 26	**37** 26	**36** 22	**31** 14	**25** 8	**19** 4
Lahore	**21** 4	**22** 7	**28** 12	**35** 17	**40** 22	**41** 26	**38** 27	**36** 26	**36** 23	**35** 15	**28** 8	**23** 4
Quetta (1 600 m)	**10** - 3	**12** - 1	**18** 3	**23** 7	**29** 11	**34** 15	**35** 18	**34** 17	**31** 10	**25** 4	**18** - 1	**13** - 3
Karachi	**25** 13	**26** 14	**29** 19	**32** 23	**34** 26	**34** 28	**33** 27	**31** 26	**31** 25	**33** 22	**31** 18	**27** 14

nombre d'heures par jour hauteur en mm / nombre de jours

	J	F	M	A	M	J	J	A	S	O	N	D
Peshawar	**6** 40/3	**7** 40/4	**6** 65/5	**8** 40/3	**9** 40/2	**10** 7/1	**9** 40/2	**9** 40/2	**8** 14/1	**9** 10/1	**8** 10/1	**7** 15/2
Lahore	**7** 30/2	**8** 25/2	**8** 25/3	**10** 15/1	**10** 12/1	**10** 40/3	**8** 122/6	**8** 125/6	**9** 80/3	**9** 9/1	**9** 3/0	**7** 11/1
Quetta	**7** 35/3	**8** 45/4	**8** 40/5	**9** 12/1	**11** 7/1	**12** 1/0	**11** 18/2	**11** 4/1	**10** 1/0	**10** 1/0	**9** 6/1	**7** 25/2
Karachi	**9** 7/1	**9** 11/1	**9** 6/0	**10** 2/0	**10** 0/0	**8** 7/1	**4** 95/3	**5** 50/2	**7** 15/1	**9** 2/0	**9** 2/0	**9** 6/1

température de la mer : moyenne mensuelle

	J	F	M	A	M	J	J	A	S	O	N	D
Karachi	24	24	25	27	28	29	28	27	27	26	26	25

Panamá

Superficie : 78 000 km². Panamá (latitude 8°60'N ; longitude 79°30'O) : GMT - 5 h . Durée du jour : maximale (juin) 12 heures 30, minimale (décembre) 11 heures 30.

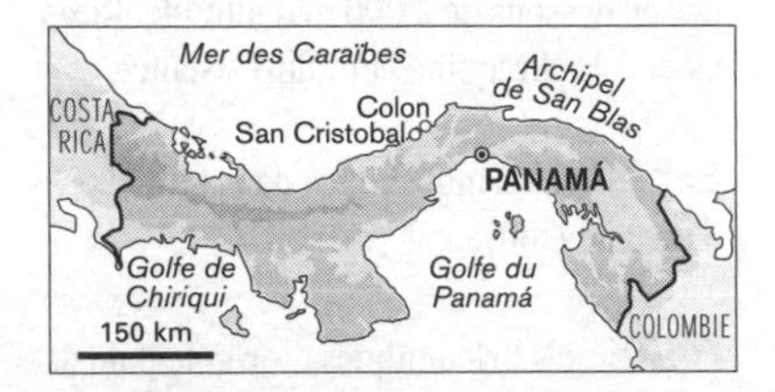

La meilleure saison pour se rendre au Panamá est la **saison dite « sèche »** *(el verano)*, de janvier à avril, époque où l'humidité ambiante est la moins éprouvante et où le soleil se manifeste le plus fréquemment. Sachez cependant que, dans ce pays exceptionnellement arrosé, vous trouverez toute l'année une chaleur lourde qui peut être pénible à supporter.

De mai à novembre se déversent sur le Panamá, pratiquement un jour sur deux, des orages d'après-midi, les *aguaceros*, suivis de pluies qui peuvent durer jusqu'à la nuit. Le ciel est presque constamment plombé et l'on vit dans une moiteur accablante. La région la plus humide et étouffante est, au Sud, la zone frontière avec la Colombie. La partie Ouest du golfe de Panamá, sur le Pacifique, est la mieux abritée des pluies.

Toute l'année, et surtout durant la saison des pluies, il faut monter sur les terres hautes, à l'Ouest du pays en particulier, pour échapper à la chaleur humide des côtes *(tierras calientas)* : ce sont les *tierras templadas* et, plus haut encore, les *tierras frias*. Dans la province de Chiriqui, dont certains paysages évoquent la Suisse, on pourra même retrouver le plaisir de dormir sous une couverture !

Soulignons tout de même un aspect positif de ce climat un peu ingrat : le Panamá est situé à l'écart de la zone des cyclones qui dévastent périodiquement les Caraïbes.

Que ce soit sur les très jolies plages de la côte caraïbe, sur les îles coralliennes de l'archipel de San Blas ou sur la côte pacifique, on peut se baigner toute l'année dans une mer toujours tiède.

VALISE : toute l'année, vêtements amples et très légers (éviter les fibres synthétiques) ; pas d'imperméable (trop chaud) mais éventuellement un parapluie ; des tennis ou des sandales de plastique pour marcher sur les récifs dans les îles.

SANTÉ : risques de paludisme toute l'année en dessous de 800 m d'altitude, excepté dans la zone du canal et dans les villes de Panamá et Colón ; cas de résistance à la Nivaquine et multirésistance observés dans la partie Est du pays. Vaccination contre la fièvre jaune obligatoire pour les voyageurs séjournant dans la province de Darién.

BESTIOLES : moustiques toute l'année sur les côtes (surtout actifs du crépuscule à minuit).

FOULE : pression touristique modérée. États-Unis et Colombie sont les deux pays qui envoient le plus de visiteurs. Les voyageurs français sont peu nombreux. ●

moyenne des températures maximales / moyenne des températures minimales

	J	F	M	A	M	J	J	A	S	O	N	D
San Cristóbal	**29** 24	**29** 24	**29** 25	**30** 25	**30** 24	**30** 24	**29** 24	**29** 24	**30** 24	**30** 24	**29** 24	**29** 24

	J	F	M	A	M	J	J	A	S	O	N	D
Panamá	**31** 22	**32** 22	**32** 22	**32** 23	**31** 23	**30** 23	**31** 23	**31** 23	**30** 23	**29** 23	**29** 23	**31** 23

nombre d'heures par jour hauteur en mm / nombre de jours

	J	F	M	A	M	J	J	A	S	O	N	D
San Cristóbal	**8** 70/8	**8** 40/6	**9** 40/5	**8** 95/8	**6** 315/14	**5** 315/16	**5** 390/17	**5** 385/17	**6** 320/16	**5** 430/16	**5** 645/18	**7** 380/12
Panamá	**7** 40/3	**8** 16/2	**9** 17/1	**9** 75/4	**6** 200/11	**6** 205/12	**4** 185/11	**4** 190/11	**6** 195/12	**5** 255/13	**5** 250/13	**4** 130/8

température de la mer : moyenne mensuelle

	J	F	M	A	M	J	J	A	S	O	N	D
Mer des Caraïbes	26	26	27	27	27	28	28	28	27	27	27	27
Pacifique	26	26	27	28	28	27	27	27	27	27	27	26

Papouasie-Nlle-Guinée

Superficie : 463 000 km². Port Moresby (latitude 9°29'S ; longitude 147°09'E) : GMT + 10 h . Durée du jour : maximale (décembre) 12 heures 30, minimale (juin) 11 heures 30.

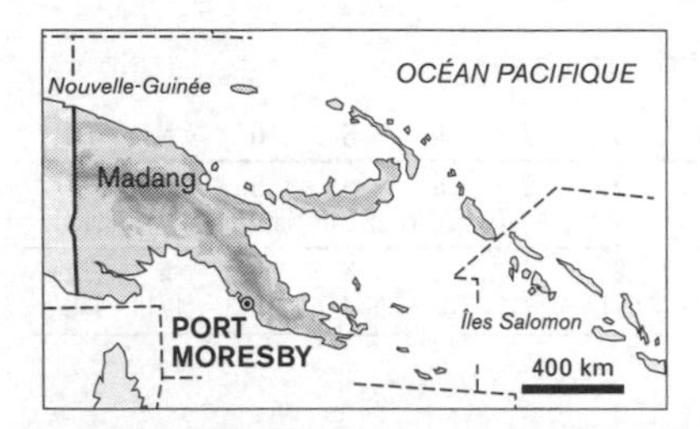

En Papouasie – Nouvelle-Guinée, le climat est chaud et très humide toute l'année dans les terres basses, aussi bien dans la partie orientale de l'île de Nouvelle-Guinée que dans l'archipel Bismarck ou dans les îles Salomon du Nord.

Dans les hautes terres, la température baisse très nettement : vers 2 000 m, il fait très frais ou froid la nuit. Au-dessus, il gèle ou il neige parfois, et l'on peut apercevoir, en se baignant dans les eaux tièdes du golfe de Papouasie, les sommets enneigés et les glaciers des monts Owen Stanley (de 3 000 à 4 000 m).

Pour éviter la période des plus fortes pluies, choisissez de préférence les mois de **juin à septembre** : c'est une saison presque sèche et bien ensoleillée sur le littoral de la mer de Corail (voir Port Moresby), la région la moins humide de Nouvelle-Guinée. Dans les autres régions – grande plaine (voir Madang) et surtout zones montagneuses –, les pluies, très abondantes toute l'année, connaissent durant ces mois une relative accalmie.

Les Highlands reçoivent les déluges les plus spectaculaires : jusqu'à 7 m d'eau par an. Dans ces régions élevées, recouvertes de « forêt de brouillard », au ciel le plus souvent couvert, une brume épaisse stagne en permanence.

Dans l'archipel Bismarck, la Nouvelle-Bretagne est aussi très arrosée (4 à 5 m d'eau par an, sauf dans la région de Rabaul), alors que les autres îles le sont nettement moins.

RENDEZ-VOUS NATURE

Les récifs des trois mers

Avec l'île de Java et l'île de Bornéo, la Papouasie-Nouvelle-Guinée délimite la partie océanique la plus riche en espèces au monde. Réserve inégalée de beauté sous-marine, l'essentiel de ses immenses récifs restent à découvrir. Ils sont d'autant mieux protégés que le pays et la côte sont peu peuplés. Outre ces récifs coralliens, le plongeur appréciera des concentrations spectaculaires d'épaves de la Seconde Guerre mondiale (par exemple, 64 navires japonais au large de Rabaul, en Nouvelle-Bretagne).

On plonge toute l'année sur les côtes de Papouasie-Nouvelle-Guinée. Au Sud, dans la région de Port Moresby, baignée par la mer de Corail, **mai-novembre**, la saison sèche, est la meilleure période, avec une préférence pour juillet et août. Pour les plongées dans la mer de Bismarck, depuis Madang, on profite aussi des meilleures conditions de la mer de mai à novembre, avec un vent minimal au début et à la fin de cette période. À l'est de la Nouvelle-Bretagne, Rabaul offre des sites répartis entre la mer de Bismarck et la mer des Salomon. Cette région, sans vraiment connaître une saison sèche, ne subit, de mai à septembre, que 10 jours avec pluie par mois. Le vent y est très modéré et la meilleure saison de plongée s'allonge d'autant : **de mars à novembre**.

Notons que la Papouasie – Nouvelle-Guinée n'est pas à l'abri des cyclones ; néanmoins, ils sévissent rarement.

▸ L'eau de mer est un délice pour baigneurs frileux : de 26° à 29°, selon la côte et la saison.

VALISE : vêtements très légers ; sandales de plastique ou tennis pour marcher sur les récifs coralliens. Pour les régions d'altitude moyenne, pulls, chaussures de marche en toile. Si vous avez l'intention de grimper plus haut, vêtements chauds.

SANTÉ : risques de paludisme toute l'année au-dessous de 1 800 m ; résistance élevée à la Nivaquine et multirésistance.

BESTIOLES : il y a des moustiques toute l'année en Papouasie – Nouvelle-Guinée ; actifs la nuit, mais aussi le jour quand le ciel est couvert.

FOULE : pression touristique très faible. Août reçoit le plus de voyageurs et janvier le moins. Ces derniers sont pour moitié australiens ; les Britanniques sont les plus nombreux parmi le modeste contingent européen. ●

moyenne des températures maximales / moyenne des températures minimales

	J	F	M	A	M	J	J	A	S	O	N	D
Madang	**31** 24	**30** 24	**31** 23	**31** 23	**31** 24	**31** 23	**31** 23	**31** 23	**31** 23	**31** 24	**31** 24	**31** 24
Port Moresby	**32** 24	**31** 24	**31** 24	**30** 24	**29** 24	**28** 23	**27** 23	**27** 23	**28** 23	**28** 24	**29** 24	**31** 24

nombre d'heures par jour hauteur en mm / nombre de jours

	J	F	M	A	M	J	J	A	S	O	N	D
Madang	**5** 305/17	**5** 300/16	**5** 380/19	**5** 430/18	**7** 385/17	**7** 275/11	**7** 195/11	**7** 120/9	**7** 145/10	**7** 255/11	**6** 340/13	**5** 370/18
Port Moresby	**7** 180/9	**7** 195/8	**8** 170/10	**8** 105/6	**8** 65/3	**9** 35/4	**10** 30/3	**10** 18/2	**10** 25/2	**9** 35/3	**9** 50/4	**8** 110/7

température de la mer : moyenne mensuelle

	J	F	M	A	M	J	J	A	S	O	N	D
Madang	29	28	28	29	29	28	28	28	28	29	29	29
Port Moresby	28	28	28	28	28	27	26	26	27	28	28	28

Paraguay

Superficie : 407 000 km². Asunción (latitude 25°16'S ; longitude 57°38'O) : GMT - 4 h. Durée du jour : maximale (décembre) 14 heures, minimale (juin) 10 heures 30.

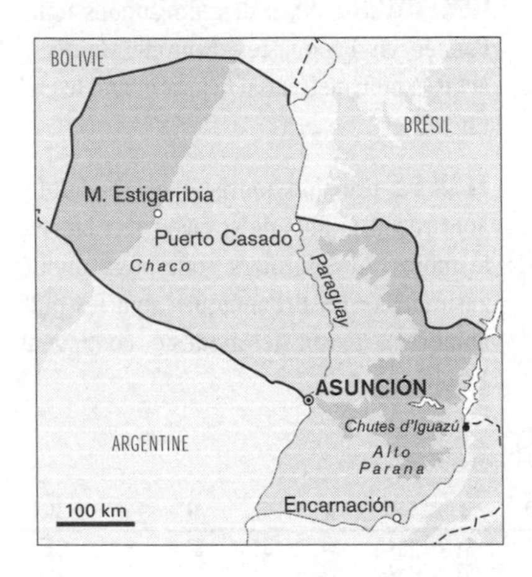

On peut voyager toute l'année au Paraguay. Cependant, si on en a la possibilité, il vaut mieux éviter, d'une part, la canicule du plein été – en décembre et janvier –, d'autre part, juin et juillet, en hiver, qui peuvent être assez frais et peu ensoleillés. Les saisons intermédiaires restent les plus agréables pour parcourir ce pays particulièrement attachant.

▶ Le **printemps** est chaud et humide dans le Sud et l'Est du pays où se trouvent les forêts de l'Alto Parana, peuplées de jaguars, de singes et de perroquets, et qui vous offriront, en septembre et octobre, le spectacle polychrome de la floraison des *lapachos*. Dans le Chaco (voir Mariscal Estigarribia), à l'ouest du rio Paraguay, il fait déjà très chaud. C'est la bonne époque pour remonter le fleuve, de la capitale à Puerto Casado.

▶ En **été**, les températures sont partout très élevées, plus supportables, bien que la chaleur y soit encore plus forte, dans le Chaco où l'air reste assez sec. Les pluies tombent sous forme de violents orages, le plus souvent en fin d'après-midi. Le reste du temps, un soleil implacable règne, et impose l'état d'urgence : à cette saison, un stage à l'ombre est très apprécié pendant les heures les plus chaudes.

▶ Les températures accusent une baisse sensible à la mi-mai. Pendant l' **hiver** austral, elles se maintiennent à un niveau très respectable, si ce n'est que les nuits sont fraîches et que, de temps à autre, la campagne peut se recouvrir de gelées blanches et le Chaco être balayé par des vents froids venus du sud. C'est la saison sèche, assez peu sensible à Encarnación, plus à la hauteur d'Asunción, et très marquée dans le Chaco, qui ne reçoit quasiment pas de pluies en août. Le Paraguay ne connaît pas la neige.

VALISE : en été, vêtements les plus légers possible, amples, en fibres naturelles de préférence. En hiver, vêtements légers pour la journée, pulls, veste ou blouson chaud, chaussettes de laine pour les matinées et les soirées.

SANTÉ : d'octobre à mai, quelques risques de paludisme, peu virulent, dans les régions bordant la frontière avec le Brésil ; cependant, pas de risques aux chutes de l'Iguazú. Vaccin antirabique conseillé pour de longs séjours.

BESTIOLES : moustiques (sauf en hiver), actifs à partir du crépuscule. La nuit, la capitale est traversée à basse altitude par des escadrilles de *cucarachas* volantes ; peu ragoûtantes, ces blattes sont aussi inoffensives que des libellules.

FOULE : les visiteurs sont peu nombreux, Argentins et Brésiliens en constituant l'essentiel, et assez bien répartis sur l'année. Juillet, décembre et janvier sont les mois qui voient cependant le plus de voyageurs ; juin est à l'opposé. ●

moyenne des températures maximales / moyenne des températures minimales

	J	F	M	A	M	J	J	A	S	O	N	D
Mariscal Estigarribia	**36** 23	**35** 23	**33** 21	**30** 18	**28** 16	**25** 15	**26** 13	**30** 16	**33** 18	**34** 20	**35** 22	**36** 23
Asunción	**35** 22	**34** 22	**33** 21	**29** 18	**25** 14	**22** 12	**23** 12	**26** 14	**28** 16	**30** 17	**32** 18	**34** 21
Encarnación	**33** 20	**32** 20	**30** 18	**27** 15	**24** 13	**21** 12	**21** 10	**24** 11	**25** 13	**27** 15	**30** 17	**33** 19

nombre d'heures par jour hauteur en mm / nombre de jours

	J	F	M	A	M	J	J	A	S	O	N	D
Mariscal Estigarribia	**9** 110/8	**8** 110/7	**8** 80/8	**7** 60/5	**7** 40/5	**6** 30/4	**6** 17/2	**7** 4/1	**7** 25/4	**7** 95/6	**9** 85/7	**9** 100/6
Asunción	**9** 165/8	**9** 140/7	**8** 160/7	**8** 140/6	**7** 130/6	**6** 85/6	**6** 55/6	**7** 30/4	**7** 85/6	**8** 145/8	**9** 130/7	**10** 120/6
Encarnación	**8** 125/8	**7** 160/8	**6** 150/8	**6** 180/8	**5** 165/8	**4** 140/9	**5** 105/6	**6** 05/7	**5** 135/9	**6** 190/9	**8** 135/7	**8** 135/7

Pays-Bas

Superficie : 42 000 km². Amsterdam (latitude 52°21'N ; longitude 04°55'E) : GMT + 1 h . Durée du jour : maximale (juin) 17 heures, minimale (décembre) 7 heures 30.

Printemps et **été** sont les meilleures saisons pour séjourner aux Pays-Bas, avec une prédilection pour les mois de mai et d'août qui, relativement à la durée du jour, restent les plus ensoleillés de l'année.

De mi-avril à mi-mai, il fait encore frais dans la journée, assez froid la nuit, mais le soleil commence à réchauffer l'atmosphère. La Hollande se transforme alors en un immense champ de tulipes et autres plantes à bulbe (jacinthes, narcisses, etc.). **De juin à fin septembre**, les températures, suffisamment tempérées, se prêtent aux longues randonnées à vélo à travers les polders, ou dans les plaines intérieures. En été, la pluie tombe surtout en fin d'après-midi sous forme d'orages.

Les Pays-Bas sont bordés de plages de sable, des îles du Waddenzee, au Nord, à la côte zélandaise, au Sud. Mais ces plages sont ventées, plus encore que celles de la Belgique voisine.

Le temps se dégrade dès octobre, avec le vent qui forcit sur les côtes ; novembre se fait très nuageux. Mais l' **hiver** qui arrive peut aussi être une bonne saison pour admirer, dans des musées peu fréquentés à cette époque, les collections de primitifs flamands, les toiles de Rubens, Rembrandt, Vermeer et Van Gogh. Si les côtes sont ventées, le ciel souvent bas et gris, les journées trop courtes, le brouillard et le crachin fréquents, le froid est rarement très vif.

La Hollande est un petit pays, sans relief marqué, au climat par conséquent assez homogène, en témoigne la comparaison des statistiques climatiques d'Amsterdam et de Maastricht. Le vent reste cependant beaucoup plus fort sur les côtes ; et s'il neige, en moyenne, moins de 20 jours par an dans le Sud-Ouest du pays, on atteint le mois au Nord-Est.

VALISE : de juin à septembre, vêtements légers pour la journée, pulls, veste ou blouson pour soirées et matinées. De novembre à mars, vêtements chauds.

FOULE : une pression touristique soutenue, avec un maximum en juillet et août, mais aussi une affluence très notable en avril au début de la floraison des tulipes. Janvier et février sont, en revanche, les mois des musées déserts. Allemands et Britanniques sont les plus nombreux à arpenter le plat pays ; les Français représentent quelque 6 % des visiteurs. ●

moyenne des températures maximales / moyenne des températures minimales

	J	F	M	A	M	J	J	A	S	O	N	D
Amsterdam	**5** 0	**6** 0	**9** 2	**13** 4	**17** 8	**20** 10	**22** 12	**22** 12	**18** 10	**14** 7	**9** 4	**6** 2
Maastricht	**5** - 0	**6** 0	**10** 2	**13** 4	**18** 8	**20** 11	**22** 13	**22** 13	**19** 10	**14** 7	**9** 3	**6** 1

nombre d'heures par jour  hauteur en mm / nombre de jours

	J	F	M	A	M	J	J	A	S	O	N	D
Amsterdam	**1,5** 65/12	**2,5** 45/9	**3,5** 60/11	**5,5** 45/9	**7** 55/9	**6,5** 70/10	**7** 65/10	**6,5** 60/9	**4,5** 75/11	**3,5** 80/12	**2** 85/13	**1** 75/12
Maastricht	**1,5** 60/11	**2,5** 50/9	**3,5** 60/11	**5** 45/10	**6,5** 65/10	**6** 75/11	**6** 70/10	**6** 60/9	**4,5** 60/9	**3,5** 65/10	**2** 65/12	**1,5** 70/13

température de la mer : moyenne mensuelle

	J	F	M	A	M	J	J	A	S	O	N	D
Mer du Nord	5	4	5	7	10	13	16	17	16	13	10	8

Pérou

Superficie : 1 285 000 km^2. Lima (latitude 12°06'S ; longitude 77°02'O) : GMT - 5 h . Durée du jour : maximale (décembre) 13 heures, minimale (juin) 11 heures 30.

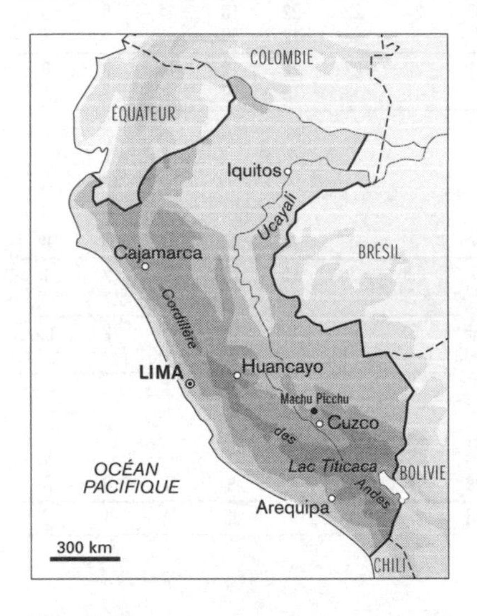

▶ La meilleure saison pour visiter les sites archéologiques et les villes de l'*Altiplano* péruvien est certainement l'hiver austral, **de mai à la mi-septembre**. Les mois de juillet et août, au cœur de cette période, sont aussi les plus propices à un voyage à Iquitos, au Centre de l'Amazonie péruvienne. À cette époque en revanche, de fin mai à début octobre, Lima montre son visage le plus maussade.

▶ Il ne pleut pour ainsi dire jamais dans la capitale et sur toute la côte pacifique du Centre et du Sud du Pérou. Mais, de fin mai à début octobre, un brouillard humide, impalpable crachin, la *garua*, s'installe sur la côte et sur les pentes andines jusqu'à une altitude de 800 m. C'est à peine si le soleil arrive à traverser l'écran nuageux une ou deux heures par jour. Ce phénomène est dû à la présence du courant froid de *Humboldt*. Au-dessus de la limite fatidique des 700 ou 800 m, le soleil est là. Ainsi, une ville comme Arequipa, au Sud, perchée à 2 500 m sur la pente des Andes qui fait face au Pacifique, jouit toute l'année d'un climat agréable : pas de pluies, excepté quelques averses en hiver, un bel ensoleillement, un air sec et des températures agréables en milieu de journée (22°-23° de moyenne des maxima tout au long de l'année), des matinées et des soirées très fraîches. Sur la côte et à Lima, il faut attendre la fin décembre pour profiter du soleil ; les citadins se précipitent alors sur les plages, nagent dans une eau fraîche, ou se livrent aux plaisirs du surf. Dans la capitale, la belle saison dure **de décembre à mars**.

Il faut aller au Nord de la côte pour trouver une eau plus chaude. Certaines années, le courant chaud *el Niño*, venu de l'équateur, provoque, comme en 1997, orages et inondations destructrices sur cette partie du désert côtier (où la brume est rare en hiver).

▶ Sur l'*Altiplano* (voir Huancayo, Cuzco), les températures restent agréables toute l'année en fin de matinée et en début d'après-midi ; cependant, le vent impose souvent que l'on se couvre, notamment sur les rives du lac Titicaca.

Le matin et en soirée, il fait froid, surtout **en hiver**, qui demeure pourtant la meilleure saison pour un voyage dans cette région : les pluies et la neige sont rares et le ciel est alors d'une luminosité peu commune. D'octobre à la fin du mois de mars, vous risquez au contraire de subir pendant des heures un petit crachin glacé fort déplaisant.

Notez que le site de Machu Picchu, situé à 2 000 m d'altitude sur le versant Est des Andes, offre des températures nettement supérieures à celles de Cuzco, dont il n'est pas très éloigné. En revanche, il est particulièrement arrosé, comme tout le versant oriental des Andes. Si vous prévoyez de grimper au-dessus de 3 500 m, donnez à votre corps le temps de s'habituer pour éviter le *soroche*, ou mal des montagnes (voir chapitre « Santé »).

- Dans la forêt amazonienne (voir Iquitos), les orages éclatent régulièrement dès midi. Les mois de **juillet-août** ont l'avantage d'être à la fois moins arrosés, plus ensoleillés et moins chauds ; ce qui ne veut pas dire qu'on n'y étouffe pas... un peu.

VALISE : à Lima, vêtements de demi-saison de juin à octobre, vêtements d'été (avec un ou deux pulls et une veste légère) de décembre à mars. Sur l'*Altiplano,* en toute saison, vous aurez à la fois besoin de vêtements légers et de vêtements chauds et coupe-vent ; en Amazonie, vêtements très légers, en fibres naturelles de préférence, couvrant bras et jambes pour vous protéger des moustiques.

SANTÉ : en dessous de 1 500 m d'altitude, risques de paludisme toute l'année dans les régions Nord et Est du pays ; résistance à la Nivaquine et multirésistance dans la région amazonienne. Vaccination contre la fièvre jaune souhaitable pour les voyageurs se rendant dans les zones rurales de toute la partie Est du Pérou. Vaccin antirabique conseillé pour les longs séjours.

BESTIOLES : des moustiques sur la côte (surtout au Nord, et de décembre à mars à Lima) et dans la région amazonienne (superactifs la nuit, mais pas inactifs le jour).

FOULE : un tourisme à nouveau en hausse. Avant même ses proches voisins, ce sont des États-Unis que vient le plus gros contingent de voyageurs. Les Français représentent environ 3 % des visiteurs, un rang qui reste modeste au regard des autres grands pays européens. ●

Charles Darwin à Lima

« 19 juillet 1835. Nous jetons l'ancre dans la baie de Callao, port de Lima, capitale du Pérou. Nous y séjournons six semaines, mais le pays est en révolution ; aussi les voyages à l'intérieur me sont-ils interdits. Pendant tout le temps de notre séjour, le climat me semble bien moins délicieux qu'on ne le dit ordinairement. Une épaisse couche de nuages surplombe constamment les terres, de telle sorte que, pendant les seize premiers jours, je n'aperçois qu'une seule fois la Cordillère derrière Lima. Ces montagnes, s'élevant les unes derrière les autres et vues par échappées à travers les nuages, offrent un magnifique spectacle. Il est presque passé en proverbe qu'il ne pleut jamais dans la partie inférieure du Pérou. Je ne crois pas que ce soit très exact, car presque tous les jours il tombait une sorte de brouillard suffisant pour rendre les rues boueuses et pour mouiller les habits ; il est vrai qu'on ne donne pas à ce brouillard le nom de pluie ; on l'appelle rosée péruvienne. Il est certain d'ailleurs qu'il ne doit pas pleuvoir beaucoup, car les toits des maisons sont plats et faits tout simplement en boue durcie. Dans ce port, j'ai vu en outre d'innombrables amas de blé restant des semaines entières sans aucun abri.

Je ne saurais dire que ce que j'ai vu du Pérou m'a beaucoup plu ; on prétend, toutefois, que le climat est beaucoup plus agréable en été. »

Extrait de Charles Darwin,
Voyage d'un naturaliste autour du monde, 1839.

Voir tableaux page suivante

moyenne des températures maximales / moyenne des températures minimales

	J	F	M	A	M	J	J	A	S	O	N	D
Iquitos	**31** 22	**32** 22	**32** 22	**32** 22	**31** 21	**29** 21	**27** 20	**27** 21	**28** 21	**29** 21	**30** 22	**31** 22
Cajamarca (2 620 m)	**22** 8	**21** 7	**21** 7	**21** 7	**22** 5	**22** 3	**22** 3	**22** 4	**22** 5	**22** 7	**22** 6	**22** 6
Lima	**26** 19	**26** 19	**26** 19	**24** 17	**22** 16	**19** 15	**18** 14	**18** 14	**19** 14	**20** 15	**22** 16	**24** 17
Huancayo (3 380 m)	**18** 7	**18** 7	**18** 6	**19** 5	**19** 3	**19** 0	**19** 0	**20** 2	**20** 5	**20** 6	**20** 6	**19** 6
Cuzco (3 310 m)	**19** 7	**19** 7	**19** 6	**19** 5	**19** 3	**19** 1	**19** 1	**20** 2	**20** 5	**21** 6	**21** 6	**20** 7

nombre d'heures par jour hauteur en mm / nombre de jours

	J	F	M	A	M	J	J	A	S	O	N	D
Iquitos	**4** 255/17	**4** 275/18	**4** 350/20	**4** 305/19	**4** 270/18	**5** 200/15	**6** 165/14	**6** 155/12	**6** 190/14	**5** 215/16	**4** 245/17	**4** 215/16
Cajamarca	**6** 90/13	**5** 105/17	**5** 115/17	**6** 85/14	**6** 45/9	**7** 12/4	**8** 5/2	**8** 8/2	**7** 60/9	**7** 60/9	**7** 50/8	**7** 80/11
Lima	**6** 1/0	**7** 0,5/0	**7** 0,5/0	**6** 0/0	**4** 0,5/0	**1** 1/0	**1** 2/1	**1** 2/1	**1** 1/0	**3** 0,5/0	**4** 0/0	**5** 0,5/0
Huancayo	**6** 120/16	**5** 125/15	**6** 105/14	**7** 55/9	**7** 25/4	**8** 8/2	**8** 8/2	**8** 14/4	**7** 40/8	**7** 70/10	**7** 65/11	**7** 90/13
Cuzco	**5** 165/18	**5** 150/13	**6** 110/11	**7** 50/8	**8** 15/3	**8** 5/2	**8** 5/2	**8** 10/2	**7** 25/7	**7** 65/8	**6** 75/12	**6** 135/16

température de la mer : moyenne mensuelle

	J	F	M	A	M	J	J	A	S	O	N	D
Callao / Lima	23	24	24	22	22	20	19	19	18	20	21	22

Philippines

Superficie : 300 000 km². Manille (latitude 14°31'N ; longitude 121°00'E) : GMT + 8 h. Durée du jour : maximale (juin) 13 heures, minimale (décembre) 11 heures.

L'archipel des Philippines, 7 107 îles qui s'égrènent sur 3 000 km de long, a un climat uniformément chaud et humide toute l'année, avec une saison des pluies plus marquée au Nord qu'au Sud.

▶ Une bonne période pour voyager aux Philippines se situe **entre décembre et février**, saison (relativement) sèche pour une grande partie de l'archipel : le Nord-Ouest de Luzon, la région de Manille, toutes les côtes Ouest des Visayas et l'ensemble de Palawan (voir Baguio, Manille, Zamboanga). C'est aussi la saison où les températures sont le moins élevées.
Sachez cependant qu'à cette période les côtes orientales de Luzon, de Samar et du Nord de Mindanao subissent des pluies diluviennes apportées par la mousson du Nord-Est (voir Legaspi). Ainsi, fin novembre et début décembre 2004, les typhons *Winnie* et *Nanmadol* ont déclenché des glissements de terrain, favorisés par la déforestation, qui ont fait de très nombreuses victimes au Nord-Est du pays.

▶ Les mois de mars à mai sont encore relativement secs dans les mêmes régions, mais plus chauds, et ces quelques degrés supplémentaires peuvent rendre votre séjour moins agréable. À cette saison, les habitants de Manille vont chercher un peu d'air et de fraîcheur à Baguio et dans les régions élevées de ces îles volcaniques au relief escarpé.

▶ De juin à octobre, la saison des pluies bat son plein à l'Ouest. De la mi-août à la mi-septembre, les typhons sont les plus fréquents ; ils n'atteignent cependant que rarement les îles situées au Sud de Samar.
Les pluies restent dans l'ensemble moins abondantes au Sud (moins de 1,5 m de pluie par an à Tanjay et Zamboanga) qu'au Nord (plus de 4 m à Baguio).
Cette saison des pluies est également la période la moins riche en fêtes, toujours exubérantes et spectaculaires, qu'elles soient religieuses ou profanes.
À savoir : la saison des pluies, souvent en retard, peut ne commencer qu'à la mi-juillet.

VALISE : pour toute l'année, vêtements très légers, un ou deux pulls, un blouson pour séjourner dans les stations d'altitude ; préférer un parapluie, que l'on peut acheter sur place, à un imperméable, qui se transforme vite en cabine de sudation.

SANTÉ : risques de paludisme toute l'année en dessous de 1 000 m, excepté dans les grands centres urbains. Zones de résistance à la Nivaquine et multirésistance.

BESTIOLES : attention aux poissons-pierres et aux coquillages venimeux (cônes) sur les récifs de corail. À la saison des pluies, on peut, en se baignant, faire la désagréable rencontre d'une méduse venimeuse. Il y a des moustiques toute l'année, sauf en altitude (surtout actifs la nuit).

FOULE : en mars et avril, grande affluence touristique ; septembre est le plus tranquille. Américains (25 %), Japonais et Sud-Coréens, les plus nombreux, distancent de loin Britanniques, Allemands et Singapouriens. La place des Français reste très modeste : 1 Français pour 20 Américains. ●

moyenne des températures maximales / moyenne des températures minimales

	J	F	M	A	M	J	J	A	S	O	N	D
Baguio (1 480 m)	**29**	**27**	**29**	**28**	**27**	**27**	**26**	**26**	**26**	**27**	**27**	**28**
	8	8	10	10	12	12	13	13	13	12	10	9
Manille	**30**	**31**	**33**	**34**	**34**	**33**	**31**	**31**	**31**	**31**	**31**	**30**
	21	21	22	23	24	24	24	24	24	23	22	21
Legaspi	**29**	**30**	**31**	**32**	**33**	**33**	**32**	**32**	**32**	**31**	**30**	**29**
	23	23	24	25	25	25	24	24	24	24	24	24
Cebu	**32**	**32**	**33**	**34**	**34**	**34**	**34**	**34**	**33**	**33**	**33**	**32**
	19	19	20	20	21	22	21	21	21	21	20	20
Zamboanga	**31**	**31**	**32**	**31**	**31**	**31**	**31**	**31**	**31**	**31**	**31**	**32**
	23	23	23	23	24	24	23	24	23	23	23	23

nombre d'heures par jour hauteur en mm / nombre de jours

	J	F	M	A	M	J	J	A	S	O	N	D
Baguio	**6**	**7**	**7**	**7**	**6**	**5**	**4**	**4**	**4**	**5**	**5**	**5**
	20/4	20/4	50/6	120/10	350/20	420/23	920/27	995/27	650/25	360/19	160/10	55/6
Manille	**6**	**7**	**8**	**9**	**8**	**7**	**7**	**7**	**6**	**6**	**6**	**6**
	18/3	7/2	6/1	2/2	110/6	235/11	235/15	480/22	270/18	200/13	130/9	55/7
Legaspi	**4**	**4**	**5**	**5**	**5**	**5**	**4**	**4**	**4**	**4**	**4**	**3**
	345/20	235/14	240/14	185/14	225/14	180/13	195/13	235/17	245/16	325/19	490/20	525/20
Cebu	**5**	**5**	**7**	**7**	**6**	**5**	**5**	**5**	**5**	**6**	**5**	**5**
	105/14	70/11	55/11	55/8	120/12	175/16	195/17	155/16	185/17	200/19	165/15	140/16
Zamboanga	**5**	**5**	**6**	**6**	**5**	**5**	**5**	**5**	**5**	**5**	**5**	**5**
	0/5	50/5	45/5	55/6	95/10	130/12	120/12	140/12	140/11	170/11	135/12	95/9

température de la mer : moyenne mensuelle

	J	F	M	A	M	J	J	A	S	O	N	D
Nord du pays	26	25	26	27	28	29	29	29	28	28	27	26
Sud du pays	27	27	28	28	29	29	29	29	29	29	28	28

Pologne

Superficie : 313 000 km². Varsovie (latitude 52°11'N ; longitude 20°58'E) : GMT + 1 h. Durée du jour : maximale (juin) 17 heures, minimale (décembre) 7 heures 30.

La Pologne est le théâtre d'un affrontement permanent entre, d'une part, les influences atlantiques apportant les pluies et adoucissant les températures et, d'autre part, les influences continentales venant de l'Est (froid en hiver, chaleur en été). Ce conflit se traduit par une instabilité caractéristique du climat polonais, qui voit parfois alterner beau temps, brouillard et pluies dans la même journée. L'été et l'hiver, longs et très marqués, réduisent d'autant la durée du printemps et de l'automne.

La meilleure période pour se rendre en Pologne se situe **entre la mi-mai et la mi-septembre**, que ce soit pour visiter Cracovie, la région de Varsovie, les lacs de Mazurie ou les Tatras, ou se rendre en pèlerinage (fête de la Vierge de Czestochowa, le 26 août). Les étés polonais sont chauds, mais sans excès, et moyennement ensoleillés, avec des pluies orageuses assez abondantes (si juillet et août sont les mois les plus arrosés de l'année, août offre cependant les ciels les plus dégagés). Pendant la saison estivale, la région la moins chaude est la côte de la mer Baltique (voir Koszalin). La température de l'eau (assez polluée) est toujours fraîche. L'*été indien* s'appelle ici l'*automne doré*, mais il n'est pas toujours au rendez-vous... Dès octobre en tout cas, les matinées peuvent être très fraîches.

L'hiver polonais, froid et gris, reste très supportable car assez sec. La neige recouvre la plus grande partie de la Pologne, surtout l'Est, de décembre à mi-mars. Janvier est le mois le plus froid. Un froid plus vif au Nord-Est du pays (voir Suwalki) et bien sûr dans les montagnes du Sud, les Carpates. On pratique le ski dans les quelque 30 stations de sports d'hiver des Tatras, notamment à Zakopane, la plus importante.

VALISE : en été, vêtements légers pour la journée, et pull, veste ou blouson pour le matin ; le soir, vêtement de pluie léger. En hiver, vêtements chauds, manteau, imperméable, bottes, écharpes, gants, etc. ●

moyenne des températures maximales / moyenne des températures minimales

	J	F	M	A	M	J	J	A	S	O	N	D
Koszalin	**2**	**3**	**6**	**11**	**17**	**20**	**21**	**21**	**17**	**12**	**6**	**3**
	-3	-2	0	3	7	11	13	12	10	6	2	-2
Suwalki	**-2**	**-1**	**4**	**11**	**18**	**21**	**22**	**22**	**17**	**11**	**4**	**0**
	-7	-6	-3	2	7	10	12	11	7	3	-1	-5
Poznań	**2**	**3**	**8**	**13**	**19**	**22**	**24**	**23**	**19**	**13**	**6**	**3**
	-4	-3	0	3	8	11	13	12	9	5	1	-2
Varsovie	**0**	**2**	**7**	**13**	**19**	**22**	**24**	**23**	**18**	**13**	**6**	**2**
	-5	-4	-1	3	8	11	13	12	9	4	0	-3

Pologne

	J	F	M	A	M	J	J	A	S	O	N	D
Czestochowa	**1**	**3**	**7**	**13**	**18**	**21**	**23**	**22**	**18**	**13**	**6**	**2**
	- 5	- 3	0	3	8	11	12	12	9	5	1	- 3
Cracovie	**1**	**3**	**8**	**14**	**19**	**22**	**23**	**23**	**19**	**14**	**7**	**2**
	- 6	- 4	- 1	3	8	11	13	12	9	4	0	- 4

nombre d'heures par jour hauteur en mm / nombre de jours

	J	F	M	A	M	J	J	A	S	O	N	D
Koszalin	**1**	**2**	**3,5**	**5,5**	**7,5**	**7,5**	**7**	**7**	**4,5**	**3**	**1,5**	**1**
	45/10	30/8	35/8	40/8	55/9	75/9	90/11	75/9	80/11	65/10	70/13	55/12
Suwalki	**1**	**2**	**3,5**	**5**	**7,5**	**8**	**7**	**7**	**5**	**3**	**1**	**1**
	35/9	25/7	35/8	40/9	50/10	75/10	80/11	65/9	55/10	50/9	50/11	40/10
Poznań	**1,5**	**2**	**3,5**	**5**	**7**	**7**	**7**	**6,5**	**4,5**	**3,5**	**1,5**	**1**
	30/8	25/7	35/7	35/7	50/8	60/9	75/10	60/9	45/7	35/7	35/9	40/10
Varsovie	**1,5**	**2**	**3,5**	**5**	**7**	**7,5**	**7,5**	**7**	**5**	**3,5**	**1,5**	**1**
	20/6	20/6	25/7	35/7	50/9	70/9	75/9	60/8	50/8	40/7	40/9	35/8
Czestochowa	**1,5**	**2**	**3**	**4,5**	**6**	**6,5**	**6,5**	**6**	**4,5**	**3,5**	**1,5**	**1**
	35/9	30/8	30/8	40/8	70/10	80/10	85/11	75/9	50/8	40/8	40/10	35/9
Cracovie	**1,5**	**2**	**3**	**4,5**	**6**	**6,5**	**6,5**	**6**	**4,5**	**3,5**	**1,5**	**1**
	35/8	30/8	35/8	50/9	75/11	95/12	85/10	75/9	60/8	50/8	40/9	35/9

température de la mer : moyenne mensuelle

	J	F	M	A	M	J	J	A	S	O	N	D
Mer Baltique	3	2	3	4	8	13	16	17	15	12	8	5

Polynésie française

Superficie : 4 200 km². Papeete (latitude 17°33'S ; longitude 149°37'O) : GMT - 10 h . Durée du jour : maximale (décembre) 13 heures, minimale (juin) 11 heures.

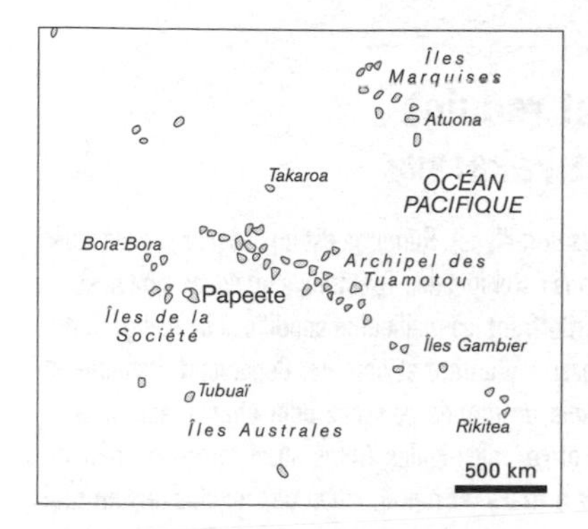

Une des traditions les mieux établies, chez les sirènes de la littérature « exotique » et de l'industrie touristique, est de décrire comme uniformément enchanteur le climat des archipels polynésiens (du Nord au Sud : îles Marquises, Tuamotu, îles de la Société – dont Tahiti –, Gambier, Tubuaï). Pourtant...

▶ ... À Tahiti, par exemple, la période qui va de novembre à début avril n'est pas à proprement parler idyllique. C'est la saison des pluies, des averses violentes et de courte durée : le soleil brille presque autant que le reste de l'année (voir Papeete), mais l'humidité peut rendre la chaleur assez désagréable. Même les nuits peuvent être étouffantes, lorsque le *hupe*, vent de montagne, ne souffle pas.

La côte Est, « au vent », est plus humide et pluvieuse que la côte « sous le vent », à l'Ouest (Papeete) : sur cette dernière côte, les districts de Paéa et de Punaania bénéficient d'un microclimat particulièrement ensoleillé.

Cette répartition des pluies se retrouve dans toutes les îles polynésiennes à relief volcanique prononcé (Tahiti, Mooréa, îles Marquises et Tubuaï). Elle est moins perceptible sur les îles coralliennes plates (Tuamotu, Gambier).

Dans toute cette région du Pacifique, les cyclones restent rares.

▶ **De mi-avril à mi-octobre**, en revanche, les alizés sont plus actifs et les températures fraîchissent légèrement : durant cette période, et notamment en août et septembre, le climat polynésien ressemble à ce que l'on imagine à travers Gauguin et Segalen.

▶ La mer, toujours d'une limpidité extraordinaire à l'écart des « grandes » villes, est particulièrement agréable toute l'année : 26°-28° à la latitude de Tahiti, encore plus chaude dans les lagons et sur les plages abritées derrière les barrières de corail, un peu plus fraîche dans les îles Gambier et Australes.

VALISE : quelle que soit la saison, vêtements amples et légers, de préférence sans fibres synthétiques ; un ou deux pulls légers peuvent être utiles durant la saison fraîche ou pour l'air conditionné ; éventuellement, de quoi se protéger des averses ; sandales de plastique ou tennis pour les promenades sur les récifs coralliens.

BESTIOLES : nuages exaspérants de *nonos* (moucherons) et de moustiques qui attaquent à la nuit tombée. À Tahiti, méfiez-vous des poissons-pierres : leur dos est hérissé d'épines venimeuses (mais ils sont rares dans les sites touristiques et balnéaires). Attention aussi aux cônes, ces coquillages venimeux qu'il ne faut pas ramasser à main nue.

FOULE : pression touristique très soutenue à Tahiti. En Polynésie, les écarts d'affluence restent minimes selon les saisons ; cependant, octobre, novembre et juillet, dans cet ordre, connaissent le plus de visites, et février et mars le moins. Les Américains, largement en tête, suivis des Français métropolitains, des Japonais et des Australiens représentent les deux tiers des visiteurs. ●

RENDEZ-VOUS NATURE

Raies Manta et requins de Rangiroa et Fakarava

Étalé sur 1 800 km², et comptant 240 *motu* (îlots coralliens), Rangiroa est un des plus grands atolls du monde, situé, comme celui de Fakarava, dans l'archipel des Tuamotu, à quelques centaines de kilomètres au Nord-Est de Tahiti. **Avril, mai et juin** offrent les meilleures conditions de plongée : des vents faibles et une mer chaude. On conseille aussi septembre et octobre. Cependant, Rangiroa et Fakarava sont d'abord renommés pour le spectacle de grands poissons dont chaque espèce a sa saison privilégiée : raies Manta **de juillet à octobre**, raies-aigles (dites aussi raies-léopards) **de novembre à mars**, requins-marteaux **de janvier à mars**, et reproduction des requins gris **en mai et juin**. Barracudas, requins pélagiques, tortues et dauphins sont là à demeure. **En mai et juin**, ajoutons aussi, à Fakarava, la reproduction des mérous.

moyenne des températures maximales / moyenne des températures minimales

	J	F	M	A	M	J	J	A	S	O	N	D
Atuona	**31**	**31**	**31**	**30**	**30**	**29**	**28**	**28**	**29**	**29**	**30**	**30**
(îles Marquises)	23	23	24	23	23	23	22	22	22	22	22	23
Takaroa	**29**	**30**	**30**	**30**	**29**	**28**	**28**	**28**	**28**	**29**	**29**	**29**
(îles Tuamotu)	25	25	26	26	26	25	24	24	24	25	25	25
Bora Bora	**30**	**30**	**30**	**30**	**29**	**29**	**28**	**28**	**28**	**29**	**29**	**30**
(îles de la Société)	24	24	24	24	23	23	22	23	23	23	23	24
Papeete	**30**	**30**	**30**	**30**	**29**	**28**	**28**	**28**	**28**	**29**	**29**	**30**
(îles de la Société)	23	23	23	23	22	21	21	20	21	22	23	23
Rikitea	**27**	**28**	**28**	**27**	**26**	**24**	**24**	**23**	**24**	**25**	**25**	**27**
(îles Gambier)	23	23	23	23	21	20	20	19	20	21	21	22
Tubuaï	**28**	**28**	**28**	**27**	**25**	**24**	**23**	**23**	**24**	**24**	**26**	**27**
(îles Australes)	22	23	23	22	20	19	18	18	18	19	20	21

nombre d'heures par jour hauteur en mm / nombre de jours

	J	F	M	A	M	J	J	A	S	O	N	D
Atuona	**8**	**8**	**8**	**8**	**7**	**6**	**7**	**7**	**7**	**8**	**8**	**8**
	90/11	85/10	115/13	100/11	95/12	190/16	115/13	90/13	90/11	65/11	55/9	75/9
Takaroa	**7**	**8**	**8**	**8**	**7**	**8**	**8**	**8**	**8**	**8**	**8**	**7**
	260/18	145/16	125/14	135/14	90/11	100/12	70/10	70/12	80/12	130/15	155/17	180/19
Bora Bora	**6**	**6**	**7**	**8**	**7**	**7**	**7**	**7**	**8**	**7**	**6**	**6**
	250/18	230/17	205/17	155/14	165/13	105/10	115/10	80/9	95/11	125/13	245/16	265/16
Papeete	**7**	**7**	**7**	**8**	**7**	**7**	**7**	**8**	**8**	**7**	**7**	**6**
	365/15	240/13	205/13	130/9	120/8	70/6	75/7	50/5	60/6	95/8	170/11	220/15

	J	F	M	A	M	J	J	A	S	O	N	D
Rikitea	**7** 215/13	**8** 155/11	**7** 170/11	**7** 160/10	**6** 155/12	**5** 180/11	**6** 125/12	**6** 130/9	**7** 125/9	**6** 170/11	**7** 135/9	**6** 205/13
Tubuaï	**7** 215/13	**6** 218/13	**6** 230/12	**5** 190/11	**5** 135/10	**5** 90/8	**6** 135/10	**6** 170/9	**5** 145/9	**5** 110/7	**6** 140/8	**6** 255/11

température de la mer : moyenne mensuelle

	J	F	M	A	M	J	J	A	S	O	N	D
Îles Marquises	27	27	28	28	28	27	27	26	27	27	27	27
Îles Tuamotu	27	27	27	28	28	27	27	26	27	27	27	27
Île de Bora Bora	27	28	28	27	27	26	26	25	26	26	26	27
Île de Tahiti	27	28	28	27	27	26	26	25	26	26	26	27
Îles Gambier	26	26	26	26	25	24	24	24	24	24	24	25
Îles Australes	26	26	26	25	25	24	24	23	24	24	24	25

Porto Rico

Superficie : 9 000 km^2. San Juan (latitude 18°26'N ; longitude 66°00'O) : GMT - 4 h . Durée du jour : maximale (juin) 13 heures, minimale (décembre) 11 heures.

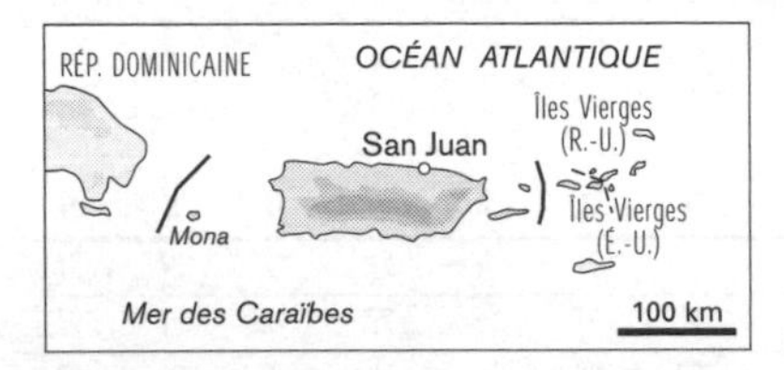

Janvier, février et mars, les meilleurs mois pour séjourner à Porto Rico, offrent la période la plus sèche de la saison « fraîche », qui va de décembre à avril. Elle est particulièrement appréciée des amateurs de voile qui évoluent entre les îles Vierges, situées au large de la côte Est. La chaleur peut se faire très forte dans la journée, mais les brises marines la rendent assez supportable.

De mai à la mi-décembre, c'est la saison des pluies, qui tombent essentiellement sous forme de grosses averses parfois orageuses, surtout en septembre. Mais le soleil brille autant que pendant la saison sèche.

La côte Est (Fajardo, Humacao), la plus exposée aux alizés, reçoit les pluies les plus abondantes ; la côte Nord (San Juan) est également assez humide ; en revanche, la partie Sud-Ouest de l'île, la plus protégée, est presque aride (moins de 400 mm de pluie par an).

L'île de Porto Rico subit parfois des cyclones, le plus souvent entre la mi-août et octobre. Ainsi, *Georges* fit des victimes et de gros dégâts fin septembre 1998.

VALISE : en toute saison, vêtements légers de plein été, en coton ou en lin de préférence ; un pull pour les soirées, parfois fraîches de janvier à mars, et pour la climatisation ; éventuellement, de quoi se protéger des averses.

BESTIOLES : des moustiques, surtout pendant la saison des pluies.

moyenne des températures maximales / moyenne des températures minimales

	J	F	M	A	M	J	J	A	S	O	N	D
San Juan	**28** 21	**28** 21	**29** 22	**29** 23	**30** 24	**31** 25	**31** 25	**31** 25	**31** 25	**31** 24	**30** 23	**28** 22

nombre d'heures par jour hauteur en mm / nombre de jours

	J	F	M	A	M	J	J	A	S	O	N	D
San Juan	**7,5** 75/13	**8** 65/10	**9** 60/8	**9** 95/10	**8,5** 130/13	**8,5** 95/12	**9** 100/14	**8,5** 130/15	**8** 140/13	**7,5** 130/14	**7** 150/15	**7** 110/14

température de la mer : moyenne mensuelle

	J	F	M	A	M	J	J	A	S	O	N	D
San Juan	25	25	25	26	26	27	27	28	28	28	27	26

Portugal

Superficie : 92 000 km². Lisbonne (latitude 38°46'N ; longitude 09°08'O) : GMT + 0 h . Durée du jour : maximale (juin) 14 heures 30, minimale (décembre) 9 heures 30.

▶ Les meilleures saisons pour voyager au Portugal sont le **printemps** – surtout **de fin avril à fin juin** – et l' **automne – septembre, début octobre**, deux périodes ensoleillées, malgré des pluies passagères (un peu plus abondantes au Nord : voir Bragança et Porto). Les températures sont très agréables aussi bien dans les villes que sur les routes de l'intérieur du pays. Au printemps, les maquis se recouvrent de fleurs et les campagnes verdoient ; en automne, on célèbre les vendanges par la fête du Raisin, dans la région de Porto. Mai et octobre sont aussi les saisons des pèlerinages, celui de Fatima étant sans doute le plus impressionnant.

▶ Si vous souhaitez surtout profiter de la mer, choisissez les mois d'été les plus chauds, **juillet et août**. Même à cette saison, l'eau est un peu fraîche : sa température est de 20° environ au Sud entre juillet et octobre, et de 18° ou 19° dans la région de Porto. Il faut savoir aussi, que même en plein été, toute la partie Nord du littoral est parfois brumeuse le matin.

L'été est sec et très chaud dans tout le pays, souvent torride dans les régions méridionales de l'Alentejo et du Ribatejo : la moyenne des températures maximales atteint 34° à Mourão. Ce n'est donc pas la meilleure époque pour s'y déplacer, ni sans doute pour séjourner à Lisbonne, où la chaleur devient plus pénible à supporter, comme dans toutes les grandes villes, malgré la proximité de la mer.

▶ En hiver, les températures restent très douces à Lisbonne et sur toute la façade atlantique, mais il y pleut souvent. En revanche, l'Algarve, au Sud, bénéficie d'un microclimat. C'est une région qui reste assez ensoleillée même en hiver (voir Faro), d'où son surnom de Côte d'Azur portugaise. Elle se couvre en janvier d'une neige très particulière, celle des fleurs d'amandier, de citronnier et d'oranger. Certains jours de chaleur, à Noël, on peut même se baigner (dans une eau certes assez froide : 16°). Plus au Nord et à l'intérieur du pays, il fait nettement plus froid, et une vraie neige recouvre les hauteurs du Trás-os-Montes, à l'est de Porto, et de la Serra da Estrela, à l'est de Coimbra, où l'on skie sur quelques pentes équipées. Notons aussi que le vent sévit sur la basse vallée du Douro, c'est-à-dire la région de Porto, particulièrement en hiver. Dans la basse vallée du Tage (région de Lisbonne), le vent souffle moins fort et à son maximum en été.

VALISE : en été, des vêtements légers pour la journée et des pull-overs, vestes ou blouson pour le soir et le matin. En hiver, des vêtements de demi-saison (un bon pull-over, une veste chaude, un imperméable) suffiront, sauf si vous allez dans le Nord-Est du pays.

FOULE : assez forte pression touristique. Août est, de loin, le mois qui connaît la plus grande affluence, avec une concentration sur les plages de l'Algarve ; février est à l'opposé. Les Espagnols représentent près de la moitié des visiteurs ; viennent ensuite les Britanniques, distançant largement Allemands, Hollandais et Français. ●

moyenne des températures maximales / moyenne des températures minimales

	J	F	M	A	M	J	J	A	S	O	N	D
Bragança (720 m)	**8** 0	**11** 1	**13** 3	**16** 5	**19** 7	**24** 11	**28** 13	**28** 13	**24** 10	**18** 7	**12** 3	**8** 1
Porto	**13** 5	**14** 5	**16** 8	**18** 9	**20** 11	**23** 13	**25** 15	**25** 15	**24** 14	**21** 11	**17** 8	**14** 5
Lisbonne	**14** 8	**15** 8	**17** 10	**20** 12	**21** 13	**25** 15	**27** 17	**28** 17	**27** 16	**22** 14	**17** 11	**15** 8
Faro	**15** 9	**16** 10	**18** 11	**20** 13	**22** 14	**25** 18	**28** 20	**28** 20	**26** 19	**22** 16	**19** 13	**16** 10

nombre d'heures par jour hauteur en mm / nombre de jours

	J	F	M	A	M	J	J	A	S	O	N	D
Bragança	**4** 150/10	**6** 105/8	**6** 135/12	**8** 75/8	**9** 70/8	**10** 40/5	**12** 15/2	**11** 16/2	**8** 40/5	**6** 80/8	**5** 110/9	**4** 145/11
Porto	**5** 160/13	**6** 110/10	**6** 145/14	**8** 85/9	**9** 85/9	**10** 40/5	**11** 20/3	**10** 25/4	**8** 50/6	**6** 105/9	**5** 150/12	**4** 170/13
Lisbonne	**5** 110/11	**6** 75/8	**7** 110/11	**9** 55/7	**10** 45/7	**11** 16/2	**12** 3/1	**12** 4/1	**9** 3/4	**7** 60/7	**6** 95/9	**5** 105/11
Faro	**6** 70/7	**7** 50/6	**7** 70/8	**9** 30/5	**10** 20/3	**12** 5/1	**12** 1/0	**12** 1/0	**9** 18/2	**8** 51/4	**6** 65/7	**6** 65/7

température de la mer : moyenne mensuelle

	J	F	M	A	M	J	J	A	S	O	N	D
Côte Nord	14	13	13	14	15	17	18	19	19	17	16	15
Côte Sud	15	15	15	16	17	18	20	21	20	19	18	16

Réunion (La)

Superficie : 2 500 km^2. Saint-Denis (latitude 20°53'S ; longitude 55°31'E) : GMT + 4 h. Durée du jour : maximale (décembre) 13 heures 30, minimale (juin) 11 heures.

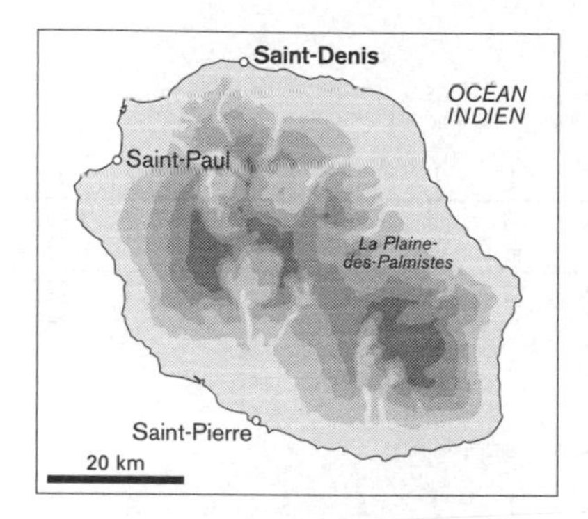

Pour nous autres Z'oreils, la meilleure saison pour goûter les charmes de la Réunion reste sans conteste la **saison sèche**, de mai à novembre, qui est d'ailleurs loin d'être archisèche. En effet, même pendant cette période, la côte orientale, dite « au vent », et surtout les versants Est de cette île au relief volcanique et tourmenté sont très arrosés.

La partie Ouest de l'île est plus à l'abri des précipitations, particulièrement sur la côte « sous le vent » (voir Saint-Denis) où il ne pleut que rarement de juillet à octobre. Les alizés qui soufflent presque constamment rafraîchissent l'atmosphère, et les températures sont très agréables, chaudes sans excès dans la journée, douces la nuit. D'où l'intérêt particulier de cette côte pour les amateurs de plages (les plus belles se situant entre Saint-Paul et Saint-Gilles, alors qu'ailleurs la côte est souvent rocheuse).

Dans l'intérieur de l'île, qui abonde en possibilités de randonnées, la température fraîchit à mesure que l'on prend de l'altitude : sur la Plaine-des-Palmistes, il peut faire assez froid durant la nuit de juin à septembre. Le piton des Neiges (3 070 m) mérite même son nom quelques jours par an.

La fin de cette saison « sèche » correspond à la période de la floraison, qui commence vers la fin septembre (en octobre, pour les 1 000 espèces d'orchidées qui s'épanouissent à la Réunion) : des champs de géranium, de vétyver, de vanille qui embaument l'air, à la cannelle, la « patate-à-Durand » et autres « arbres-à-Kleenex », la flore de l'île étonne par sa richesse et sa variété.

▸ La **saison des pluies** (été austral, de novembre à avril) est la période des « avalasses », pluies torrentielles de courte durée, et plus rarement des cyclones, de mi-janvier à début mars surtout (une fois tous les 10 ans environ, ils peuvent être dévastateurs, comme *Dina*, qui a frappé l'île le 22 janvier 2002, sans faire de morts cependant).

La partie orientale de l'île reçoit des précipitations très abondantes, avec un maximum en mars. C'est d'ailleurs un village réunionnais, Cilaos, qui détient le record mondial toutes catégories du déluge le plus exceptionnel : 1 870 mm de pluies en 24 heures (en mars 1952). Durant cette période, le soleil brille à peu près aussi souvent que pendant la saison sèche, mais la chaleur devient moite et étouffante.

Dans les catégories « 72 heures » et « 10 jours », les records de précipitations ont été atteints en janvier 1980 lors du passage du cyclone *Hyacinthe*.

VALISE : pendant la saison sèche, des vêtements d'été, mais aussi un lainage, une veste ou un blouson pour les promenades à l'intérieur de l'île et pour les soirées. En saison des pluies, vous aurez besoin de vêtements très légers : anorak... Emportez des sandales de plastique ou des tennis pour marcher sur les récifs et dans le lagon.

SANTÉ : on s'informera des dernières nouvelles du chikungunya (transmis par un moustique du genre *Aedes*), sur le site de l'Institut de veille sanitaire (www.invs.sante.fr).

BESTIOLES : des moustiques sur les côtes pendant la saison des pluies (actifs la nuit).

Sur les récifs de corail, attention aux cônes, coquillages venimeux (ne pas les saisir à main nue), et dans l'eau, aux poissons-pierres. ●

moyenne des températures maximales / moyenne des températures minimales

	J	F	M	A	M	J	J	A	S	O	N	D
Saint-Denis	**29** 23	**30** 23	**29** 23	**28** 22	**27** 20	**26** 18	**25** 18	**24** 17	**25** 18	**26** 19	**27** 20	**28** 22
P.-des-Palmistes (1 200 m)	**23** 15	**24** 15	**23** 15	**22** 13	**20** 11	**19** 9	**18** 9	**17** 8	**18** 9	**19** 10	**21** 12	**22** 14

nombre d'heures par jour hauteur en mm / nombre de jours

	J	F	M	A	M	J	J	A	S	O	N	D
Saint-Denis	**8** 265/13	**8** 215/11	**7** 290/12	**7** 160/9	**7** 80/9	**7** 75/10	**7** 70/12	**7** 50/11	**7** 45/7	**7** 45/7	**7** 95/9	**7** 150/10
P.-des-Palmistes	**5** 800/15	**5** 665/15	**4** 970/16	**5** 400/12	**5** 240/11	**4** 195/11	**4** 245/13	**4** 220/12	**5** 195/11	**4** 170/11	**4** 205/11	**4** 375/14

température de la mer : moyenne mensuelle

	J	F	M	A	M	J	J	A	S	O	N	D
Saint-Denis	26	27	27	26	25	24	23	22	23	23	24	26

Roumanie

Superficie : 238 000 km^2. Bucarest (latitude 44°25'N ; longitude 26°06'E) : GMT + 2 h. Durée du jour : maximale (juin) 15 heures 30, minimale (décembre) 9 heures.

Son climat est généralement assez continental – hivers froids et étés chauds –, sauf sur la mer Noire où il est moins contrasté.

▸ Pour profiter des plages de sable fin de la Riviera roumaine (voir Constanţa), la meilleure période se situe **entre juin et la mi-septembre**. Le temps est le plus souvent ensoleillé et chaud, avec quelques orages et des nuits plutôt fraîches. La côte de la mer Noire est, avec l'Est de la Moldavie, la région la moins arrosée de Roumanie. La mer offre alors une température agréable, approchant 25° au mois d'août. Quant à l'hiver doux « vendu » par certaines agences, n'y comptez pas trop, vous risquez d'être déçu...

▸ Si vous désirez visiter l'intérieur de la Roumanie – admirer les fresques byzantines, les monastères et les citadelles de Moldavie et de Valachie, ou partir sur les traces de Dracula à travers les ténébreuses forêts de Transylvanie, ou encore découvrir le charme des quartiers anciens de Bucarest et les réalisations mégalomaniaques du défunt *conducator* –, les meilleures saisons sont la **fin du printemps** et l' **automne**.
Le printemps, court (fin avril-mi-juin) et assez pluvieux, reste malgré tout relativement ensoleillé. On découvre alors que la Roumanie est aussi le pays des fleurs (des roses en particulier), et que le delta du Danube est une des plus vastes réserves naturelles d'oiseaux migrateurs du monde. Au contraire, l'automne, généralement long et bien ensoleillé, baigne d'une idéale lumière dorée la sérénité des monastères et des « cathédrales de bois » du Maramures.

▸ En hiver, le froid se fait particulièrement vif dans les Carpates orientales et méridionales, où la neige tombe en abondance. Même en plaine (voir Bucarest), elle se maintient plus de deux mois par an (mi-décembre à fin février). Les amateurs de ski trouveront des stations de sports d'hiver dans les Carpates où elles commencent à se développer, surtout au nord-ouest de Bucarest.

VALISE : en été, des vêtements très légers mais aussi un ou deux pulls, une veste ou un blouson pour les soirées et les matinées parfois fraîches ; un imperméable ou un anorak léger vous seront peut-être utiles. En hiver, des vêtements chauds, d'autant plus que les maisons et les hôtels sont souvent mal chauffés.

BESTIOLES : invasion de mouches de Columbacz dans la vallée du Danube en été (elles s'attaquent au bétail, mais aussi aux humains).

FOULE : pression touristique soutenue. Juillet et août (la pleine saison balnéaire) connaissent le plus d'affluence ; janvier est le mois le plus creux. Les visiteurs originaires des pays issus de l'ex-URSS et des pays de l'Europe orientale sont largement majoritaires. Les Français représentent moins de 1 % des voyageurs, trois fois moins que les Allemands. ●

Roumanie

moyenne des températures maximales / moyenne des températures minimales

	J	F	M	A	M	J	J	A	S	O	N	D
Cluj-Napoca	**0**	**2**	**10**	**15**	**21**	**24**	**27**	**26**	**22**	**16**	**8**	**2**
(315 m)	- 8	- 6	- 1	4	9	12	14	13	8	4	0	- 4
Bucarest	**1**	**3**	**10**	**18**	**23**	**28**	**30**	**30**	**25**	**18**	**10**	**4**
	- 7	- 5	- 1	5	10	14	16	15	11	6	2	- 3
Constanţa	**3**	**4**	**8**	**13**	**19**	**24**	**27**	**26**	**23**	**17**	**11**	**6**
	- 4	- 2	1	6	11	16	18	17	14	9	4	- 1

nombre d'heures par jour hauteur en mm / nombre de jours

	J	F	M	A	M	J	J	A	S	O	N	D
Cluj-Napoca	**2**	**3**	**5**	**6**	**7**	**8**	**9**	**9**	**7**	**5**	**3**	**2**
	30/6	35/6	25/5	45/7	75/10	80/10	80/8	85/9	35/5	40/5	35/7	30/6
Bucarest	**2**	**3**	**5**	**6**	**8**	**9**	**11**	**10**	**8**	**5**	**2**	**2**
	45/7	25/6	30/6	60/7	75/8	120/9	55/7	45/4	45/4	30/5	35/7	25/7
Constanţa	**3**	**4**	**4**	**6**	**8**	**10**	**11**	**10**	**8**	**5**	**3**	**2**
	30/4	25/4	20/3	30/4	35/4	40/4	35/3	30/3	25/2	40/3	40/5	35/5

température de la mer : moyenne mensuelle

	J	F	M	A	M	J	J	A	S	O	N	D
Mer Noire	6	5	6	9	14	19	22	23	21	16	12	9

Royaume-Uni

Superficie : 245 000 km². Londres (latitude 51°28'N ; longitude 00°19'O) : GMT + 0 h. Durée du jour : maximale (juin) 17 heures, minimale (décembre) 8 heures.

▶ **Mai, surtout, et juin** sont incontestablement les meilleurs mois pour voyager au Royaume-Uni. Outre que les jours sont alors longs – et même très longs en Écosse –, le taux d'ensoleillement atteint alors son maximum de l'année : il frise les 45 % au Sud du pays (voir Plymouth) et dans le Suffolk et le Norfolk, au nord-ouest de Londres. À l'ouest de l'Écosse, la région la plus arrosée (voir Duntulm), ce taux avoisine 30 %. Mais les températures peuvent être encore fraîches, surtout la nuit. Tout le pays offre le spectacle d'un pays fleuri, le jardinage étant le hobby favori de nombreux Britanniques.

On peut aussi préférer l'**été**, en particulier si l'on veut se rendre sur les plages anglaises. Les températures sont les plus élevées dans le quart Sud-Est du pays. Juillet est le mois le plus chaud et le moins venteux de l'année. Les pluies se font aussi plus faibles en été, quoique ce soit moins vrai en Écosse.

▶ Pour savourer le romantisme brumeux de la lande écossaise balayée par les vents le **début de l'automne,** avec ses tapis de bruyère pourpre et mauve, est sans aucun doute une période favorable.

▶ Décembre et plus encore janvier sont les mois où le soleil se fait le plus rare, avec les températures les plus basses et les vents les plus forts. Les tempêtes sévissent fréquemment : surtout à l'Ouest, notamment sur la côte écossaise et le Nord du pays de Galles. Mais les vents sont aussi forts sur la partie côtière du Lincolnshire et du Humberside, à l'Est.

La neige, rare sur les côtes, peut recouvrir les reliefs. En janvier et février, on chausse les skis sur les hautes terres d'Écosse où les pistes culminent à 1 200 m. Dans le Sud, l'hiver est plus doux que sur le continent, surtout sur les côtes, mais il est aussi plus humide. Sur le littoral de Cornouaille, au Sud-Ouest, on trouve même des microclimats qui permettent à des jardins exotiques de s'épanouir.

Concernant l'Irlande du Nord, signalons qu'elle est en partie protégée des vents et des fortes pluies par le reste de l'Irlande.

▶ La Grande-Bretagne a la réputation non usurpée d'être un pays pluvieux. En simplifiant quelque peu, on peut dire que la pluie augmente selon deux axes : à mesure que l'on va de l'est vers l'ouest, et du sud au nord. Les précipitations records sont relevées sur les hauteurs écossaises face à l'Atlantique : plus de 3 000 mm annuels pour le sommet du Ben Nevis (1 340 m). Surtout en Écosse, il s'agit rarement de précipitations fortes, mais essentiellement de pluies fines qui peuvent durer des heures ; ce qui explique le modeste ensoleillement de cette région. L'Est de la Grande-Bretagne est, en revanche, moins arrosé : on ne relève que 630 mm de précipitations annuelles à Kinloss, pourtant située en Écosse mais sur sa façade orientale, et Londres ne reçoit pas beaucoup plus de pluies que Paris.

Autre image encore attachée au Royaume-Uni, le fameux *smog*, mélange de brouillard *(fog)* et de fumées industrielles : il a disparu, du moins dans sa version qui pouvait, en hiver, limiter pendant des jours la visibilité à quelques mètres à Londres, Manchester ou Glasgow. Mais le simple brouillard et la brume restent cependant des éléments importants du climat britannique, ce dont les promeneurs doivent tenir compte, particulièrement sur les hauteurs de Cumbrie (Angleterre), celles des parcs nationaux de Snowdonie et des Brecon Beacons (pays de Galles) et en Écosse. Toujours en Écosse, d'avril à septembre, une brume qui se forme en mer du Nord, le *Haar*, vient parfois envelopper la côte Est, mais, le plus souvent, elle se disperse dans la journée.

Enfin, les vents sont une autre constante britannique, spécialement à l'Ouest et au Nord : dans les Orcades, ils soufflent près de 100 jours par an.

Des climatologues ont établi, du moins pour l'Écosse, le scénario le plus probable lié aux conséquences du réchauffement climatique : on y observerait un adoucissement des températures hivernales, une augmentation notable de la pluviosité (répartie sur l'année) et des vents au printemps. C'est sur la côte orientale que ces changements seraient les plus marqués.

VALISE : en été, vêtements de coton léger, mais aussi lainages et veste chaude. En hiver, vêtements chauds. En toutes saisons, l'imperméable (ou le parapluie) est très utile, comme le « coupe-vent ».

FOULE : les touristes américains sont les plus nombreux au Royaume-Uni, suivis des Français, Allemands, Irlandais et Hollandais. Août et juillet sont les mois les plus fréquentés ; janvier et février les moins. L'Angleterre draine 15 fois plus de voyageurs que l'Écosse et 40 fois plus que le pays de Galles.

moyenne des températures maximales / moyenne des températures minimales

	J	F	M	A	M	J	J	A	S	O	N	D
Lerwick (îles Shetland)	**5** / 1	**5** / 1	**6** / 2	**8** / 3	**10** / 5	**13** / 7	**14** / 9	**14** / 9	**12** / 8	**10** / 6	**7** / 3	**6** / 2
Duntulm	**6** / 2	**6** / 2	**8** / 3	**10** / 4	**13** / 6	**14** / 9	**15** / 10	**16** / 11	**14** / 9	**12** / 7	**9** / 5	**8** / 4
Kinloss	**6** / 0	**7** / 0	**9** / 2	**11** / 3	**14** / 6	**17** / 9	**18** / 10	**18** / 10	**16** / 9	**13** / 6	**9** / 2	**7** / 1
Édimbourg	**6** / 1	**7** / 1	**9** / 2	**11** / 3	**14** / 6	**17** / 9	**18** / 11	**18** / 11	**16** / 9	**13** / 6	**9** / 3	**7** / 1
Belfast	**6** / 1	**7** / 1	**9** / 2	**12** / 4	**15** / 6	**17** / 9	**18** / 11	**18** / 11	**16** / 9	**13** / 7	**9** / 4	**7** / 2
Manchester	**6** / 1	**6** / 1	**9** / 3	**12** / 5	**15** / 7	**18** / 10	**20** / 12	**19** / 12	**17** / 10	**14** / 8	**9** / 4	**7** / 2
Londres	**7** / 1	**7** / 1	**10** / 2	**13** / 4	**16** / 7	**20** / 11	**22** / 12	**21** / 12	**19** / 10	**15** / 8	**10** / 4	**8** / 3
Plymouth	**9** / 3	**8** / 3	**10** / 4	**12** / 6	**15** / 8	**18** / 11	**20** / 13	**19** / 13	**18** / 11	**15** / 9	**11** / 6	**10** / 4
Saint-Hélier (île Jersey)	**9** / 5	**8** / 4	**11** / 6	**13** / 7	**16** / 10	**19** / 13	**21** / 15	**21** / 15	**19** / 14	**16** / 11	**12** / 8	**10** / 6

nombre d'heures par jour — hauteur en mm / nombre de jours

	J	F	M	A	M	J	J	A	S	O	N	D
Lerwick	**0,5** 130/22	**2** 95/17	**3** 120/20	**4,5** 75/15	**5** 60/11	**5** 60/11	**4** 65/12	**4** 80/13	**3** 120/18	**2** 130/20	**1** 140/21	**0,5** 140/22
Duntulm	**1** 135/18	**2** 95/16	**3** 80/14	**5** 85/14	**6** 65/13	**6** 85/14	**4** 115/17	**4** 115/16	**3** 130/17	**2** 160/18	**2** 145/19	**1** 145/20
Kinloss	**1,5** 55/10	**2,5** 40/8	**3,5** 45/10	**4,5** 35/9	**5,5** 45/9	**5,5** 50/10	**5** 55/10	**4,5** 70/12	**3,5** 60/11	**3** 55/11	**2** 60/12	**1** 50/11
Édimbourg	**1,5** 55/12	**2,5** 40/9	**3,5** 50/10	**4,5** 40/9	**5,5** 50/10	**5,5** 50/9	**5,5** 60/10	**4,5** 65/11	**3,5** 65/11	**3** 65/12	**2** 60/11	**1,5** 55/11
Belfast	**1,5** 85/17	**2,5** 60/14	**3** 70/13	**5** 55/13	**6** 60/12	**5,5** 65/13	**5** 65/16	**4,5** 80/14	**3,5** 85/15	**3** 90/16	**2** 80/16	**1** 80/18
Manchester	**1,5** 70/13	**2,5** 50/9	**3** 60/11	**4,5** 50/10	**6** 60/12	**6** 65/11	**5,5** 65/11	**5,5** 80/12	**4** 75/11	**3,5** 75/13	**2** 80/13	**1,5** 80/14
Londres	**1,5** 75/12	**2,5** 50/9	**3,5** 60/11	**5** 55/10	**6,5** 55/9	**6,5** 55/8	**6,5** 45/7	**6** 55/8	**5** 65/9	**3,5** 70/10	**2,5** 75/11	**1,5** 80/12
Plymouth	**2** 110/15	**2,5** 90/12	**4** 85/12	**5** 60/10	**7** 60/9	**7** 60/9	**7** 55/8	**6,5** 70/9	**5,5** 75/10	**3,5** 95/12	**2,5** 100/14	**1,5** 115/15
Saint-Hélier	**2** 90/16	**3** 70/12	**5** 55/10	**7** 45/9	**8** 45/8	**9** 40/7	**8** 50/8	**8** 65/9	**6** 70/12	**4** 75/12	**3** 100/14	**2** 100/16

température de la mer : moyenne mensuelle

	J	F	M	A	M	J	J	A	S	O	N	D
Manche (ouest)	9	9	9	10	11	13	15	16	16	14	12	10
Mer du Nord (Écosse)	8	7	7	8	9	11	13	14	13	11	10	9
Atlantique (ouest-Écosse)	8	7	8	9	10	11	13	14	13	11	9	9
Atlantique (îles Shetland)	8	7	7	7	9	10	12	12	11	10	9	8

Russie

Superficie : 17 000 000 km². Moscou (latitude 55°45'N ; longitude 37°34'E) : GMT + 3 h . Durée du jour : maximale (juin) 17 heures 30, minimale (décembre) 7 heures.

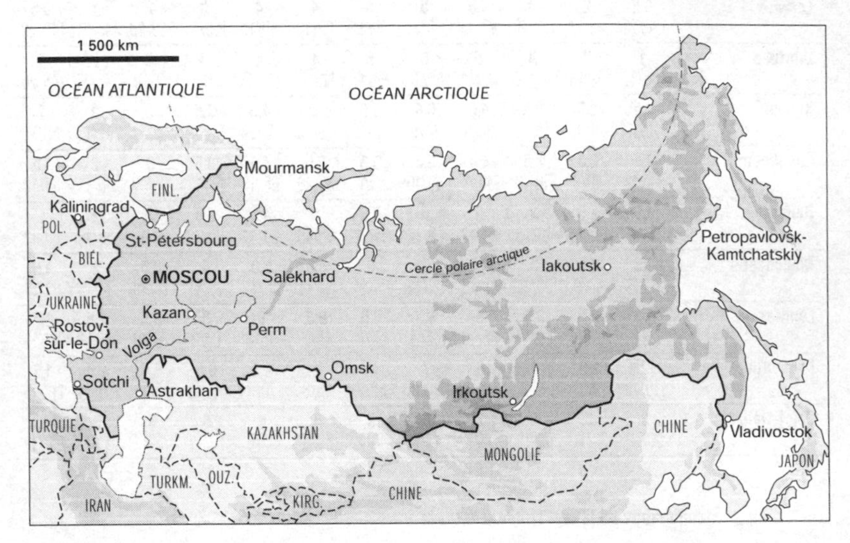

Pour l'essentiel, la Russie est soumise à un climat continental très marqué : hiver froid, saisons intermédiaires courtes et été assez chaud. Sauf exceptions régionales et locales, le pays reçoit des précipitations très modérées.

La **partie européenne de la Russie** – les rives de la mer Noire exclues – connaît un hiver long et rigoureux. Dans la région de Moscou, la neige recouvre le paysage de la mi-novembre à la mi-avril. Les températures diurnes de – 20° ne sont pas exceptionnelles, mais la sécheresse et la modération du vent rendent ce froid assez supportable. Il fait un peu moins froid à Saint-Pétersbourg, située plus au nord mais bénéficiant de l'influence de la mer Baltique. Les courants de la mer de Barents permettent à Mourmansk, pourtant située au-delà du cercle polaire, d'être un port libre de glace et de connaître des températures hivernales sensiblement égales à celles de Moscou. À mesure que l'on va vers l'est, l'hiver se fait plus continental et donc encore plus rigoureux.

Le printemps, tardif et court, arrive fin avril à Moscou. Le ciel est souvent dégagé, les températures montent rapidement, mais restent encore basses la nuit.

C'est l'époque du dégel et de la formation de cette boue, la *raspoutitsa*, qui rend problématique pendant une quinzaine de jours tout voyage à travers la Russie. Juin à peine entamé, l'été est déjà là, chaud dans la journée et parfois orageux au cœur de la Russie, plus tempéré à Saint-Pétersbourg où les « nuits blanches » restent fraîches.

La moitié Sud de la Russie est sujette aux *soukhoviei*, ces périodes de vents chauds qui balaient les plaines et dessèchent les cultures sur pied.

L'automne est précoce. Au mois de septembre, à Moscou, les journées agréables alternent avec des jours déjà frais. À Perm, il neige souvent dès la mi-octobre.

Sur les **bords de la mer Noire**, on peut parler d'un climat presque méditerranéen. En hiver, les températures négatives sont peu fréquentes. Cependant, elles peuvent

s'effondrer quand un vent du nord, du type *bora*, trouve un passage entre les derniers reliefs du Caucase et la mer. Ce vent peut souffler sans discontinuité deux ou trois jours, parfois plus. Cette région est aussi propice aux effets de *foehn*. Au pied du Caucase, les précipitations hivernales sont importantes.
Le printemps se transforme vite en un été chaud et ensoleillé. On se baigne dans la mer Noire du début juin à la fin du mois de septembre : sa température peut approcher 25° au mois d'août.

▸ La **Sibérie**, qui occupe les trois quarts de la fédération de Russie, est d'abord un interminable hiver qui commence, à Irkoutsk par exemple, dès le début d'octobre pour ne s'achever que fin avril. C'est dans le Nord-Est de cette immense région que l'on enregistre les records de froid. Le printemps est très bref et boueux. En été, les températures sont assez chaudes le jour, fraîches la nuit. La Sibérie, la partie Sud surtout, est balayée à intervalles réguliers par des vents de poussière assez désagréables.
Dans les régions les plus septentrionales, on peut difficilement parler de véritable été : aux neuf mois pendant lesquels tempêtes de neige et blizzard sont fréquents succèdent trois mois où le dégel ne porte qu'en surface et produit un cloaque boueux.

▸ La partie la plus orientale de la Sibérie – l'**Extrême-Orient russe** – ouvre sur le Pacifique et ses annexes. À latitude égale, l'hiver y est beaucoup plus rigoureux qu'en Russie occidentale.
À Sakhaline, pourtant une île, située plus au sud que la Grande-Bretagne, la neige ne disparaît des côtes qu'au début du mois de mai. De plus, Vladivostok, avec toute la côte située en contrebas de la chaîne de Sikhote-Alin, reste incontestablement la partie la plus venteuse de Russie – l'île de Sakhaline et la côte orientale de la presqu'île du Kamtchatka n'étant pas en reste. Juin et juillet sont les mois les moins venteux... mais le brouillard bat alors quelques records (on remarquera dans les tableaux suivants qu'à Vladivostok le soleil est moins présent en été qu'en plein hiver).

▸ En résumé : l' **été** reste une bonne saison pour se déplacer et découvrir la partie européenne de la Russie. Pour les régions les plus continentales du pays, on choisira **juin et septembre**. Quant à l'Extrême-Orient russe, il faut s'y rendre **entre la mi-août et la mi-septembre**, pour échapper à la fois aux excès de froid, de vent et de brouillard...

VALISE : l'hiver russe a son charme, à condition d'être bien protégé (bonnet de fourrure, polaire, moufles et bottes fourrées, etc.). En été, vous aurez besoin de

L'hiver russe

« Mais Vladimir ne fut pas plus tôt dans la campagne que le vent commença à souffler, soulevant une telle tourmente de neige qu'on en était tout aveuglé. En un instant, le chemin fut recouvert ; les alentours disparurent dans une brume jaunâtre et trouble à travers laquelle tourbillonnaient les blancs flocons ; le ciel se confondit avec la terre. Vladimir se trouva dans le champ et s'efforça vainement de rejoindre la route. Le cheval avançait au hasard, montant sur les tas de neige, descendant dans les fossés, le traîneau versait à chaque instant. (...) Vladimir traversait une plaine coupée de profonds ravins. La bourrasque ne se calmait pas, le ciel restait obscur. Le cheval peinait ; Vladimir ruisselait de sueur, bien qu'à tout moment il enfonçât dans la neige jusqu'à mi-corps. »
Extrait de Pouchkine,
Récits de feu Ivan Petrovitch Bielkine, 1830.

vêtements légers mais aussi de lainages, d'une veste ou d'un blouson pour les soirées, et d'un vêtement de pluie.

BESTIOLES : la Sibérie, particulièrement au Nord, est infestée de moustiques pendant tout l'été. ●

moyenne des températures maximales / moyenne des températures minimales

	J	F	M	A	M	J	J	A	S	O	N	D
Mourmansk	**- 8** / - 15	**- 8** / - 14	**- 3** / - 12	**2** / - 5	**7** / 1	**14** / 5	**17** / 9	**15** / 8	**10** / 4	**3** / - 1	**- 3** / - 7	**- 6** / - 12
Salekhard	**- 20** / - 30	**- 18** / - 28	**- 11** / - 21	**- 5** / - 16	**2** / - 6	**12** / 4	**20** / 10	**15** / 6	**9** / 0	**2** / - 8	**- 12** / - 20	**- 16** / - 25
Iakoutsk	**- 37** / - 44	**- 31** / - 40	**- 13** / - 30	**0** / - 13	**12** / 0	**21** / 8	**25** / 12	**21** / 8	**11** / 0	**- 4** / - 12	**- 24** / - 33	**- 35** / - 42
Saint-Pétersbourg	**- 5** / - 11	**- 4** / - 10	**1** / - 5	**8** / 0	**15** / 6	**20** / 11	**22** / 14	**20** / 12	**15** / 8	**9** / 4	**2** / - 2	**- 2** / - 7
Perm	**- 11** / - 19	**- 8** / - 16	**0** / - 9	**8** / - 1	**16** / 5	**22** / 10	**24** / 13	**20** / 10	**14** / 6	**4** / - 1	**-3** / - 8	**- 8** / - 15
Moscou	**- 6** / - 12	**- 4** / - 11	**1** / - 5	**11** / 2	**19** / 8	**21** / 11	**23** / 13	**21** / 12	**16** / 7	**8** / 2	**1** / - 3	**- 4** / - 9
Kazan	**- 9** / - 16	**- 8** / - 15	**-1** / - 9	**9** / 1	**19** / 8	**23** / 12	**25** / 15	**23** / 13	**16** / 8	**7** / 6	**- 1** / - 5	**- 7** / - 13
Omsk	**- 13** / - 22	**- 12** / - 21	**- 3** / - 13	**9** / - 2	**18** / 5	**24** / 11	**26** / 14	**22** / 11	**17** / 6	**6** / - 2	**- 4** / - 11	**- 10** / - 19
Kaliningrad	**- 1** / - 6	**0** / - 5	**5** / - 2	**11** / 2	**17** / 7	**21** / 11	**22** / 13	**21** / 12	**17** / 9	**12** / 6	**5** / 1	**2** / -3
Petropavlovsk-Kamchatskiy	**- 6** / - 11	**- 5** / - 10	**-3** / -8	**1** / - 4	**6** / - 1	**11** / 5	**14** / 9	**15** / 10	**13** / 7	**7** / 2	**0** / - 5	**- 4** / - 9
Irkoutsk (470 m)	**- 13** / - 23	**- 10** / - 22	**- 1** / - 13	**8** / - 4	**17** / 3	**23** / 8	**24** / 12	**22** / 10	**15** / 3	**7** / - 3	**- 4** / - 13	**- 11** / - 20
Koursk	**- 6** / - 12	**- 5** / - 11	**1** / -5	**11** / 3	**20** / 9	**23** / 13	**24** / 14	**23** / 13	**17** / 8	**10** / 3	**2** / -3	**- 2** / - 7
Rostov-sur-le-Don	**- 2** / - 8	**0** / - 7	**6** / - 2	**16** / 6	**23** / 12	**27** / 16	**29** / 18	**28** / 17	**23** / 12	**14** / 5	**7** / 1	**2** / - 3
Astrakhan	**- 2** / - 9	**- 1** / - 9	**6** / - 3	**17** / 5	**24** / 12	**29** / 17	**31** / 19	**30** / 17	**24** / 12	**15** / 5	**7** / 0	**2** / - 4
Sotchi	**10** / 3	**10** / 4	**13** / 5	**16** / 9	**21** / 13	**24** / 16	**26** / 19	**27** / 19	**25** / 16	**20** / 12	**17** / 10	**13** / 6
Grosny	**1** / 6	**2** / - 5	**9** / 1	**18** / 6	**24** / 11	**28** / 16	**31** / 18	**30** / 17	**25** / 13	**16** / 6	**9** / 2	**- 3** / - 3
Vladivostok	**- 9** / - 16	**- 6** / - 14	**2** / - 6	**9** / 1	**15** / 7	**17** / 11	**21** / 16	**23** / 18	**19** / 12	**13** / 5	**3** / - 4	**- 6** / - 12

nombre d'heures par jour — hauteur en mm / nombre de jours

	J	F	M	A	M	J	J	A	S	O	N	D
Mourmansk	**0** / 35/9	**1** / 25/7	**4** / 18/6	**6** / 20/6	**6** / 30/6,5	**7,5** / 55/10	**7,5** / 60/10	**5** / 65/12	**3** / 55/11	**1,5** / 45/11	**0,2** / 40/12	**0** / 35/10
Salekhard	**0,1** / 20/7	**1,5** / 18/6	**4,5** / 20/6	**7** / 25/7	**7,5** / 30/7	**9** / 50/8	**10** / 65/9	**6** / 60/9	**3** / 50/9	**2** / 40/10	**0,5** / 30/9	**0** / 25/8
Iakoutsk	**0,5** / 8/6	**3,5** / 8/5	**7,5** / 5/3	**9** / 10/3	**10** / 17/5	**11** / 35/7	**11** / 40/7	**9** / 35/6	**6** / 30/5	**3,5** / 20/6	**2** / 16/6	**0,3** / 11/4

	J	F	M	A	M	J	J	A	S	O	N	D
Saint-Pétersbourg	**0,5** 40/10	**2** 30/9	**4** 35/9	**6** 35/7	**8,5** 40/7	**9** 60/9	**8,5** 80/10	**7** 80/11	**4,5** 70/12	**2,5** 65/12	**0,5** 55/12	**0,5** 50/12
Perm	**1** 40/12	**3** 30/8	**5** 30/8	**6,5** 35/8	**9** 55/9	**10** 70/10	**9** 75/10	**7,5** 65/11	**4,4** 65/11	**2** 60/13	**1** 50/12	**0,5** 40/12
Moscou	**1** 45/11	**2,5** 35/8	**4** 35/8	**5,5** 45/9	**8,5** 50/8	**9,5** 75/11	**9** 95/12	**8** 75/11	**5** 65/11	**2,5** 60/10	**1** 60/12	**0,5** 55/12
Kazan	**1,5** 30/10	**3** 25/8	**5** 30/7	**7** 35/7	**9** 35/6	**10** 75/9	**9,5** 70/9	**8** 70/7	**5,5** 50/9	**2,5** 45/10	**1,5** 45/10	**1** 40/9
Omsk	**2** 25/7	**4,5** 15/4	**6** 15/4	**8** 20/5	**9** 35/6	**10,5** 55/8	**10,5** 60/9	**8** 55/9	**6** 35/6	**3,5** 35/8	**2,5** 30/7	**2** 25/6
Kaliningrad	**1** 55/15	**2** 40/9	**4** 45/9	**5,5** 35/8	**8** 55/9	**9** 70/9	**8,5** 80/10	**7,5** 90/10	**5,5** 90/12	**3** 80/11	**1,5** 90/14	**1** 75/14
Petropavlovsk-Kamchatskiy	**3,5** 80/9	**4** 70/9	**5,5** 60/9	**6,5** 55/8	**6,5** 65/8	**6,5** 60/8	**5,5** 80/10	**5,5** 95/11	**6** 100/10	**5** 140/11	**4** 95/9	**3** 85/9
Irkoutsk	**3** 12/4	**5** 8/3	**6,5** 14/4	**7,5** 19/5	**8,5** 30/7	**8,5** 65/8	**8** 120/11	**7** 85/10	**6** 50/8	**5** 30/6	**3** 17/6	**2** 18/5
Koursk	**2** 40/10	**3** 35/8	**4** 40/9	**6** 40/8	**8,5** 50/8	**9,5** 70/10	**9** 75/10	**8** 55/7	**6** 50/8	**4** 45/7	**1,5** 50/10	**1** 55/10
Rostov-sur-le-Don	**2** 55/9	**3** 45/7	**4** 35/7	**6,5** 45/7	**8,5** 55/7	**9,5** 60/8	**10** 55/7	**9,5** 35/5	**8** 40/5	**5** 5/5	**2** 55/8	**1** 75/11
Astrakhan	**3** 15/4	**4** 10/4	**5,5** 15/4	**7,5** 25/3	**9,5** 25/3	**10,5** 20/3	**10,5** 14/3	**10** 18/3	**8,5** 25/4	**6** 16/3	**3** 18/4	**2** 16/4
Sotchi	**3** 190/13	**4** 125/11	**4,5** 120/11	**5,5** 110/11	**7** 90/8	**8,5** 100/7	**9** 95/6	**9** 110/6	**7,5** 130/7	**6,5** 90/9	**4** 180/12	**3** 200/14
Grozny	**2** 18/5	**2,5** 20/5	**3,5** 25/5	**5,5** 35/5	**7** 60/7	**8** 75/8	**8** 55/6	**7,5** 45/6	**6** 35/5	**4,5** 30/6	**2,5** 25/6	**1,5** 25/6
Vladivostok	**5,5** 16/3	**6,5** 20/3	**7** 25/4	**6,5** 55/7	**6,5** 60/8	**4,5** 100/11	**4** 120/11	**5** 153/11	**6,5** 125/8	**6,5** 65/6	**5,5** 40/4	**5** 17/3

température de la mer : moyenne mensuelle

	J	F	M	A	M	J	J	A	S	O	N	D
Mer Baltique (Kaliningrad)	3	2	2	4	8	13	16	17	15	12	8	5
Mer Noire (Yalta)	7	6	7	10	15	20	23	22	20	17	12	9
Mer Noire (Sotchi)	9	8	9	11	16	21	24	24	22	19	16	12
Mer du Japon (Vladivostok)	0	0	1	3	8	12	17	22	18	14	8	3
Pacifique (Petropavlovsk)	0	0	0	1	2	5	8	10	10	7	3	2

Rwanda

Superficie : 26 000 km². Kigali (latitude 1°58'S ; longitude 30°08'E) : GMT + 2 h . Durée du jour : environ 12 heures toute l'année.

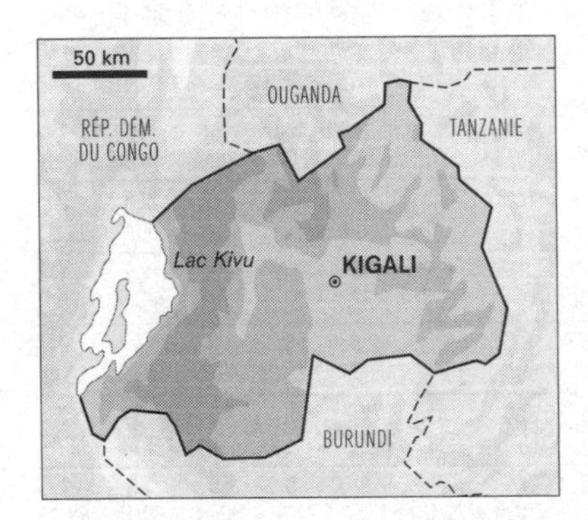

Au Rwanda, petit pays au relief contrasté, les températures varient en fonction de l'altitude. Mais elles évoluent assez peu tout au long de l'année pour une région donnée.

▶ La meilleure période climatique est la **saison sèche**, de juin à septembre. Dans les régions d'altitude moyenne (voir Kigali), les températures sont agréables dans la journée et très fraîches la nuit. Dans les régions montagneuses, il fait bien sûr encore plus frais, et il arrive qu'il gèle la nuit durant la saison sèche.

Au bord du lac Kivu, à l'Ouest du pays, il fait chaud toute l'année et assez humide (un peu moins pendant la grande saison sèche).

▶ La **saison des pluies** dure de fin septembre à fin mai, avec un ralentissement assez net en décembre-janvier, plus marqué sur les bords du lac Kivu que dans le reste du pays. Les pluies sont très abondantes sur la crête Zaïre-Nil, chaîne montagneuse qui traverse le pays, et diminuent progressivement avec l'altitude. Elles tombent souvent dans l'après-midi.

VALISE : en toute saison, des vêtements légers pour la journée et des lainages, une veste chaude ou un blouson pour les soirées.

SANTÉ : vaccination contre la fièvre jaune obligatoire. Risques de paludisme toute l'année ; résistance élevée à la Nivaquine et multirésistance.

BESTIOLES : des moustiques toute l'année dans les régions basses, actifs la nuit. ●

moyenne des températures maximales / moyenne des températures minimales

	J	F	M	A	M	J	J	A	S	O	N	D
Kigali (1 490 m)	**25** 11	**25** 11	**24** 11	**24** 12	**21** 12	**21** 10	**22** 10	**22** 11	**23** 11	**22** 11	**22** 11	**22** 11

nombre d'heures par jour — hauteur en mm / nombre de jours

	J	F	M	A	M	J	J	A	S	O	N	D
Kigali	**5** 90/11	**6** 90/11	**5** 105/13	**4** 165/15	**4** 125/12	**6** 25/2	**6** 7/1	**5** 20/1	**5** 60/5	**5** 100/7	**4** 100/13	**4** 90/10

Saint-Pierre-et-Miquelon

Superficie : 242 km^2. Saint-Pierre (latitude 46°46'N ; longitude 56°10'O) : GMT - 4 h . Durée du jour : maximale (juin) 16 heures, minimale (décembre) 8 heures 30.

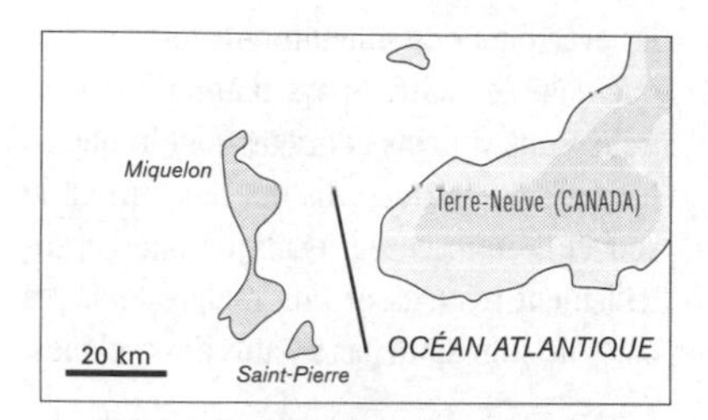

Ces îles et leurs satellites, situés à 20 km au large de Terre-Neuve, ont un climat généralement froid (sans excès) et surtout très humide.

En **hiver**, les précipitations abondantes tombent sous forme de neige de la fin de novembre jusqu'au début d'avril (100 jours de neige par an) ; en janvier et février, les îles sont encerclées par une ceinture de glace. Pendant cette période, on observe les plus fortes tempêtes. Le dégel commence vers la mi-mars, annonçant un printemps frais et humide.

En **été**, les températures restent fraîches et il pleut assez souvent. De juin à août, les brouillards dus à la rencontre du courant froid du Labrador et du Gulf Stream sont fréquents, persistant parfois plusieurs jours, voire plusieurs semaines.
L'été demeure malgré tout la période la plus indiquée pour séjourner dans l'archipel, en choisissant bien sûr les mois les plus « chauds » : **juillet et août**.

À Saint-Pierre et Miquelon, les vents forts sont fréquents, surtout en hiver (vent glacé du nord) et en août-septembre.

VALISE : de juin à septembre, vêtements de demi-saison avec quelques pulls et une veste chaude. Le reste de l'année, vêtements chauds, bonnet, gants, etc. En toute saison, un imperméable pour vous protéger de la pluie et du vent, et des bottes vous seront très utiles.

moyenne des températures maximales / moyenne des températures minimales

	J	F	M	A	M	J	J	A	S	O	N	D
Saint-Pierre	**1** -4	**0** -5	**1** -3	**4** 0	**8** 2	**12** 6	**17** 11	**18** 13	**16** 11	**11** 6	**7** 2	**3** -2

nombre d'heures par jour — hauteur en mm / nombre de jours

	J	F	M	A	M	J	J	A	S	O	N	D
Saint-Pierre	**2** 110/16	**3** 120/13	**4** 100/13	**5** 100/10	**6** 120/11	**6** 95/10	**5** 90/10	**6** 110/10	**6** 110/9	**4** 135/12	**2** 150/13	**1** 145/15

température de la mer : moyenne mensuelle

	J	F	M	A	M	J	J	A	S	O	N	D
Saint-Pierre	0	0	0	0	2	7	11	15	13	10	6	2

Salvador (El)

Superficie : 21 000 km². San Salvador (latitude 13°43'N ; longitude 89°12'O) : GMT - 6 h. Durée du jour : maximale (juin) 13 heures, minimale (décembre) 11 heures 30.

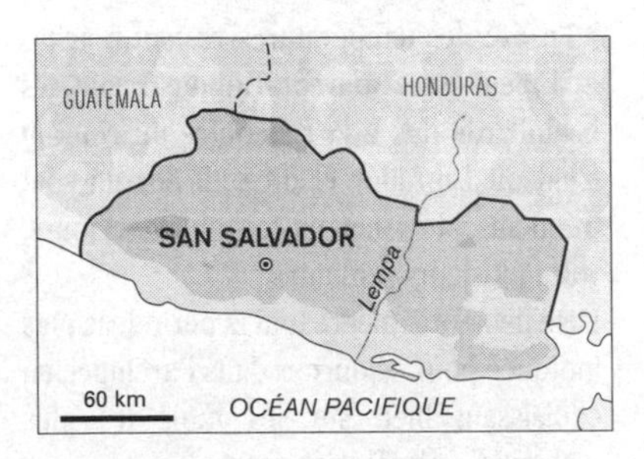

La période la plus agréable pour se rendre au Salvador se situe pendant la **saison sèche**, entre novembre et mi-avril, avec une préférence pour **novembre et janvier**, durant lesquels la chaleur se fait plus modérée et surtout plus sèche. Les nuits sont relativement fraîches toute l'année dans la majeure partie du pays, grâce à l'altitude. En revanche, sur la côte et dans la basse vallée du rio Lempa, les températures sont sensiblement plus élevées qu'à Salvador (5° de plus environ) et l'humidité, particulièrement dans le delta du Lempa, rend la canicule pénible à supporter.
À signaler : de janvier à avril, la floraison de l'arbre national, le *maquilishuat*.

La **saison des pluies**, *el temporal*, dure de mai à octobre, avec parfois une courte interruption fin juin, *el veranillo*. Bien que les précipitations soient moins torrentielles que dans les autres pays d'Amérique centrale, vents violents et orages sont fréquents durant cette période. Ils ont lieu surtout le soir et la nuit, ce qui explique que l'ensoleillement reste assez bon malgré tout. Les côtes ne sont alors pas à l'abri des cyclones.

On se baigne peu sur les côtes salvadoriennes, incommodes d'accès.

VALISE : en toute saison, vêtements légers et amples ; un ou deux lainages, veste légère, et pendant la saison des pluies, de quoi s'en protéger.

SANTÉ : vaccination antirabique fortement conseillée. Quelques risques de paludisme, peu virulent, toute l'année en dessous de 1 000 m d'altitude.

BESTIOLES : moustiques toute l'année sur la côte et dans les vallées de l'intérieur du pays (particulièrement actifs le soir).

FOULE : les visiteurs, relativement peu nombreux et bien répartis sur toute l'année, viennent d'abord des pays voisins, notamment du Guatemala ; et des États-Unis, pour le quart.

moyenne des températures maximales / moyenne des températures minimales

	J	F	M	A	M	J	J	A	S	O	N	D
San Salvador	**29**	**30**	**31**	**31**	**30**	**28**	**29**	**29**	**28**	**27**	**28**	**28**
(700 m)	15	15	16	17	18	18	17	17	17	17	16	16

nombre d'heures par jour hauteur en mm / nombre de jours

	J	F	M	A	M	J	J	A	S	O	N	D
San Salvador	**10**	**10**	**9**	**8**	**7**	**6**	**8**	**8**	**6**	**7**	**9**	**9**
	5/1	3/1	8/1	60/5	190/13	320/20	305/20	215/20	325/20	220/16	35/4	7/2

température de la mer : moyenne mensuelle

	J	F	M	A	M	J	J	A	S	O	N	D
Pacifique	27	27	27	27	28	28	28	28	28	28	27	26

São Tomé e Príncipe

Superficie : 1 000 km². São Tomé (latitude 0°23'N ; longitude 06°43'E) : GMT + 0 h . Durée du jour : 12 heures toute l'année.

▶ Le climat de ces deux petites îles montagneuses situées face à la Guinée équatoriale et au Gabon est assez éprouvant : chaud et humide toute l'année.
Le Nord de la plus grande des deux îles, où se trouve la capitale, São Tomé, est la région la plus salubre du pays. Recouverte d'une savane quasi sahélienne, elle reste assez abritée des vents et les pluies tombent moins fortement qu'ailleurs ; ce qui n'empêche pas un ciel souvent couvert.
Le Sud de cette île et l'île de Príncipe, régions de jungle luxuriante, sont, en revanche, beaucoup plus arrosés.

▶ La meilleure période pour se rendre à São Tomé e Príncipe est la saison la plus sèche, **de juin à septembre**. Les nuages restent très fréquents, mais chaleur et surtout humidité marquent un léger répit.

VALISE : vêtements très légers, en fibres naturelles de préférence. Pendant la saison des pluies, anorak léger ou même parapluie vous seront utiles.

SANTÉ : risques de paludisme toute l'année ; résistance à la Nivaquine et multirésistance. Vaccination contre la fièvre jaune obligatoire.

BESTIOLES : moustiques toute l'année, surtout actifs la nuit. ●

moyenne des températures maximales / moyenne des températures minimales

	J	F	M	A	M	J	J	A	S	O	N	D
São Tomé	**29** 22	**30** 22	**30** 23	**30** 23	**29** 23	**28** 21	**27** 20	**28** 20	**29** 21	**29** 22	**29** 22	**29** 22

nombre d'heures par jour hauteur en mm / nombre de jours

	J	F	M	A	M	J	J	A	S	O	N	D
São Tomé	**6** 80/6	**5** 85/8	**4** 130/9	**4** 120/10	**5** 115/8	**6** 19/2	**5** 0/0	**5** 1/0	**4** 17/3	**4** 110/9	**4** 100/9	**5** 110/727

température de la mer : moyenne mensuelle

	J	F	M	A	M	J	J	A	S	O	N	D
Atlantique	27	27	28	28	27	25	24	24	25	25	26	27

Sénégal

Superficie : 196 000 km^2. Dakar (latitude 14°44'N ; longitude 17°30'O) : GMT + 0 h. Durée du jour : maximale (juin) 13 heures, minimale (décembre) 11 heures.

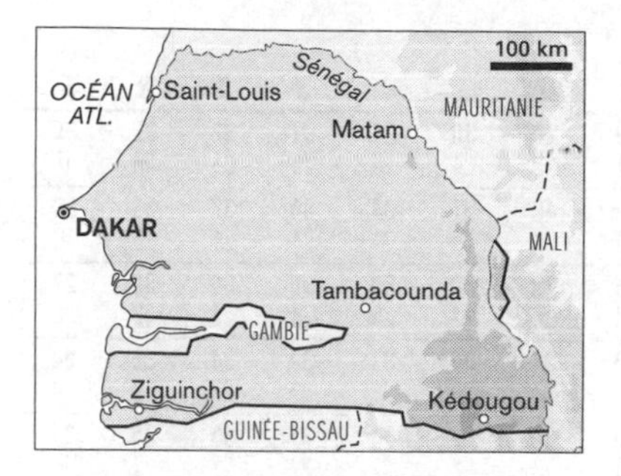

▶ La meilleure saison pour voyager au Sénégal est la **saison sèche**, qui dure sept ou huit mois, de début ou mi-octobre à fin mai ou fin juin, selon les régions. En effet, on trouve dans ce pays des zones climatiques assez différentes :

▶ Sur la **côte**, de Saint-Louis aux marigots du Siné-Saloum (voir Dakar), la chaleur n'est jamais accablante en saison sèche grâce aux brises marines qui soufflent régulièrement, et les nuits sont agréablement douces. Durant l'« hivernage », la saison des pluies, celles-ci tombent en averses violentes mais de durée limitée, qui laissent place à de belles éclaircies ensoleillées.

▶ Toute la moitié Nord de l'intérieur du pays (voir Matam) connaît un climat sahélien, brûlant et sec sous l'influence de l'*harmattan* durant la saison sèche (avec des nuits relativement fraîches). Dans ces régions, l'« hivernage » ne dure que trois ou quatre mois, quand il n'est pas encore réduit par la sécheresse qui sévit depuis quelques décennies au Sénégal comme dans les autres pays sahéliens.

▶ Plus au Sud à l'intérieur, vers Kaolack ou Tambacounda, les pluies augmentent légèrement et rendent la chaleur un peu moins torride que dans le Nord durant la saison de pluies (voir Tambacounda).

▶ La luxuriante Casamance, au sud de la Gambie, reste de loin la région la plus arrosée (voir Ziguinchor). Durant la saison des pluies, les averses peuvent durer plusieurs jours sans discontinuer et l'humidité peut être pénible à supporter. Mais, pendant la saison sèche, le soleil se fait aussi généreux que dans le reste du pays.

▶ La saison sèche est également la meilleure période (voir chapitre « Kenya ») pour visiter les réserves sénégalaises, comme le parc du Niokolo-Koba, au sud de Tambacounda (ouvert du 15 décembre au 15 juin), ou le parc des oiseaux du Djoudj, investi par des milliers d'oiseaux migrateurs d'octobre à avril, ou encore le parc du delta du Saloum, où pullulent oiseaux, dauphins et tortues de mer, qui viennent y pondre entre les mois de mars et avril.

VALISE : vêtements très légers en fibres naturelles de préférence ; évitez les minijupes et les shorts (pour les femmes) en dehors des plages ; lainage pour les soirées pendant la saison sèche ; anorak pendant la saison des pluies. Pour visiter les réserves, vêtements de couleurs neutres, chaussures de marche en toile.

SANTÉ : vaccination contre la fièvre jaune conseillée ; vaccin antirabique pour de longs séjours. Risques de paludisme toute l'année, mais plus faibles de décembre à mai dans la région de Dakar ; résistance à la Nivaquine et multirésistance.

BESTIOLES : moustiques des villes et moustiques des champs sont actifs toute l'année, particulièrement pendant la saison des pluies.

FOULE : plus de la moitié des visiteurs sont français et 25 % viennent du reste de l'Europe. La haute saison, de novembre à avril-mai, voit arriver une bonne partie des visiteurs. ●

moyenne des températures maximales / moyenne des températures minimales

	J	F	M	A	M	J	J	A	S	O	N	D
Saint-Louis	**30** 16	**30** 16	**31** 17	**30** 18	**29** 19	**29** 22	**30** 24	**31** 25	**31** 25	**32** 24	**32** 20	**30** 17
Matam	**33** 15	**36** 16	**39** 19	**41** 22	**42** 26	**40** 26	**37** 25	**34** 24	**34** 24	**37** 24	**36** 20	**39** 16
Dakar	**25** 17	**25** 17	**25** 17	**25** 18	**26** 20	**29** 23	**30** 24	**30** 25	**30** 24	**30** 24	**29** 22	**27** 20
Tambacounda	**35** 16	**37** 19	**39** 21	**40** 24	**40** 26	**37** 25	**32** 23	**31** 23	**32** 22	**34** 22	**36** 19	**34** 16
Kédougou	**35** 16	**37** 19	**39** 22	**40** 24	**39** 25	**34** 23	**32** 23	**31** 22	**31** 22	**33** 22	**35** 19	**34** 17
Ziguinchor	**33** 16	**35** 17	**37** 17	**37** 19	**36** 21	**34** 23	**31** 23	**30** 23	**31** 23	**32** 23	**33** 20	**32** 17

nombre d'heures par jour hauteur en mm / nombre de jours

	J	F	M	A	M	J	J	A	S	O	N	D
Saint-Louis	**8,5** 2/0	**9** 2/0	**9,5** 0/0	**10** 0/0	**9,5** 1/0	**8,5** 8/1	**8** 45/3	**8** 105/8	**8** 95/7	**8,5** 35/3	**8,5** 1/0	**8** 2/0
Matam	**9** 0/0	**9,5** 2/0	**10** 0/0	**10,5** 1/0	**10** 2/0	**9,5** 30/3	**9** 110/8	**8** 150/11	**8,5** 110/9	**8,5** 25/2	**9** 4/1	**8,5** 1/0
Dakar	**8,5** 2/0	**9** 1/0	**9,5** 0/0	**10** 0/0	**10** 1/0	**8,5** 10/1	**7,5** 85/7	**7** 185/12	**7,5** 155/11	**8,5** 55/4	**8,5** 2/1	**8** 3/1
Tambacounda	**8,5** 0/0	**9,5** 1/0	**9,5** 0/0	**10** 2/0	**9** 16/2	**8** 105/8	**6,5** 210/15	**6** 245/16	**7** 205/14	**8** 70/6	**8,5** 3/1	**8** 1/0
Kédougou	**8,5** 0/0	**9,5** 0/0	**9,5** 0/0	**9,5** 4/1	**9** 45/3	**8,5** 185/12	**7,5** 280/17	**7** 330/19	**7,5** 305/18	**8** 130/9	**8,5** 11/2	**8,5** 1/0
Ziguinchor	**7,5** 0/0	**8,5** 1/0	**9,5** 0/0	**10** 0/0	**9,5** 6/1	**7,5** 115/8	**6** 320/19	**5** 470/21	**5,5** 340/18	**7** 125/8	**8,5** 10/1	**7,5** 1/0

température de la mer : moyenne mensuelle

	J	F	M	A	M	J	J	A	S	O	N	D
Dakar	21	20	20	21	22	25	26	26	27	27	26	23

Serbie

Superficie : 88 000 km². Belgrade (latitude 44°48'N ; longitude 20°28'E) : GMT + 1 h . Durée du jour : maximale (juin) 15 heures 30, minimale (décembre) 9 heures.

▶ Le Kosovo au sud, la Voïvodine au nord et la Serbie offrent des climats relativement peu différenciés, sinon par l'altitude.

▶ L'hiver est partout assez rude. La moitié Nord du pays connaît la *kosava*. Ce vent souffle en violentes rafales ; il peut durer deux ou trois jours, parfois plus. La région de Belgrade garde une couverture neigeuse pendant plus d'un mois, de mi-décembre à mi-janvier. La population s'adonne aux plaisirs du ski sur le massif de Kopaonik, le plus élevé du pays.

▶ Le printemps entamé, mai offre déjà des températures très agréables. Si la Serbie n'est que très moyennement arrosée, en mai et juin elle connaît son maximum de pluies, avec quelques bons orages. L'été est chaud. En octobre, les températures baissent sensiblement ; c'est aussi l'époque où la *kosava* recommence à sévir périodiquement, et cela jusqu'en avril.

La période **de mai à septembre** reste la plus propice pour circuler en Serbie ; mais il peut faire trop chaud certaines journées estivales.

VALISE : vêtements chauds en hiver. Certaines soirées estivales peuvent aussi être fraîches. ●

moyenne des températures maximales / moyenne des températures minimales

	J	F	M	A	M	J	J	A	S	O	N	D
Novi Sad (Voïvodine)	**3** -4	**5** -4	**10** 0	**17** 5	**22** 10	**26** 14	**28** 15	**28** 15	**24** 11	**18** 6	**10** 3	**7** 0
Belgrade	**3** -3	**5** -2	**11** 2	**17** 7	**22** 12	**26** 15	**28** 17	**28** 17	**24** 13	**18** 8	**10** 4	**5** 0
Nis	**4** -3	**7** -2	**11** 1	**18** 6	**23** 10	**27** 14	**29** 15	**30** 15	**25** 12	**19** 8	**12** 4	**8** 0

nombre d'heures par jour hauteur en mm / nombre de jours

	J	F	M	A	M	J	J	A	S	O	N	D
Novi Sad	**2** 40/9	**3** 40/8	**5** 45/8	**6** 53/10	**8** 70/10	**7** 75/9	**9** 55/6	**10** 55/5	**8** 40/5	**6** 65/6	**3** 60/10	**2** 50/10
Belgrade	**2** 45/9	**3** 45/8	**5** 45/7	**6** 55/8	**7** 75/9	**9** 95/8	**10** 60/5	**9** 55/5	**8** 50/4	**3** 55/7	**3** 60/9	**2** 55/9
Nis	**2** 40/8	**3** 35/9	**5** 35/7	**6** 50/8	**7** 65/11	**9** 64/9	**10** 46/6	**9** 40/5	**8** 40/5	**6** 58/7	**3** 55/9	**3** 50/8

Seychelles

Superficie : 450 km². Mahé (latitude 4°37'S ; longitude 55°27'E) : GMT + 4 h . Durée du jour : environ 12 heures toute l'année.

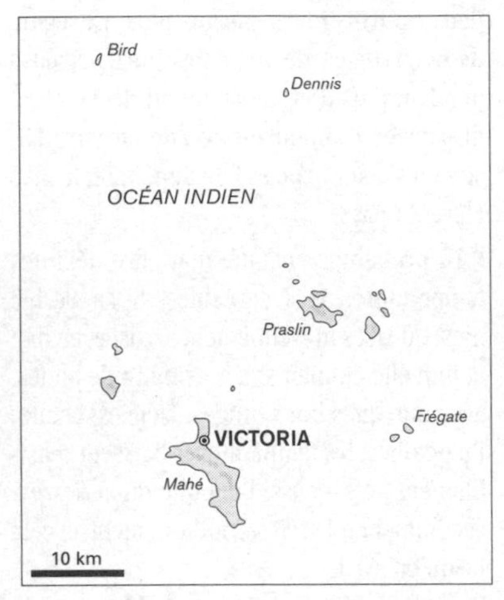

Même aux Seychelles, îles paradisiaques s'il en est, il existe de bonnes et de mauvaises saisons : les meilleures périodes sont, d'une part, **de fin avril à fin juin**, et d'autre part, **de mi-septembre à mi-novembre**. Le temps est alors généralement très ensoleillé et sec, mis à part quelques orages, parfois violents.

Durant les autres périodes, si les températures restent toujours agréables – il fait chaud toute l'année aux Seychelles –, les pluies ou les vents pourraient rendre votre séjour moins idyllique :

De décembre à fin février, époque de la mousson, il fait lourd et humide ; le ciel est souvent nuageux, et les pluies tombent en général en fin de soirée et la nuit. Précisons aussi qu'elles sont plus abondantes sur les grandes îles qui ont un relief marqué (Mahé, Praslin, Silhouette) que sur les innombrables petites îles coralliennes. Cette période est certainement la moins indiquée pour un séjour aux Seychelles.

De plus, de mi-juin à mi-septembre, et surtout en juillet-août, des rafales de vent peuvent rendre la mer agitée. Ce risque mis à part, c'est tout de même une période agréable et bien ensoleillée.

Quelle que soit la saison choisie pour voyager, vous serez à l'abri des cyclones tropicaux, dont les trajectoires n'atteignent pas l'archipel.

VALISE : vêtements légers et simples, se lavant facilement ; un ou deux pulls ; tennis ou sandales de plastique pour marcher sur les récifs ; vous pouvez emporter un anorak léger (de toute façon, tout sèche très vite).

SANTÉ : par précaution, on s'informera des dernières nouvelles du chikungunya

Sous la mer...

L'atoll d'Aldabra a été classé « Patrimoine mondial » en 1982. Ces îles, refuge de 150 000 tortues, sont les plus éloignées de l'île de Mahé. Sur la côte Est de Mahé, un des plus beaux ensembles de récifs coralliens des Seychelles a été peu à peu sacrifié à l'immobilier. Les meilleures périodes pour plonger aux Seychelles vont **de mars à la mi-mai** et **de septembre à fin novembre :** la mer est alors calme et l'eau très claire. La première de ces deux périodes présente l'avantage de recevoir moins de visiteurs que la seconde. En juin, juillet et août, pourtant en pleine saison sèche, la mer se fait plus agitée et la visibilité moindre. De décembre à février, les vents soufflent faiblement, la mer est calme, mais c'est la pleine saison des pluies.

(transmis par un moustique du genre *Aedes*) sur le site de l'Institut de veille sanitaire (www.invs.sante.fr).

FOULE : forte pression touristique. Pas d'écarts considérables d'affluence tout au long de l'année. Ordonnés selon le nombre de visiteurs, on trouve le mois d'août, nettement en tête, puis octobre, avril et mars ; à l'opposé, juin et février ; 80 % des visiteurs viennent d'Europe, Français et Italiens en tête distancent nettement Allemands et Britanniques. ●

RENDEZ-VOUS NATURE

Et dans les airs

Un des plus grands meetings d'oiseaux migrateurs du monde a lieu aux Seychelles, **de fin avril à octobre**. Les sternes investissent, pour y nidifier, les îles de Frégate, Desnoeufs, Goélette, Cousin, l'île aux Vaches et surtout Bird Island, où ils sont près de 2 millions à jacasser à qui mieux mieux. Près de 1 million de frégates, si balourdes sur la terre ferme et si élégantes en vol, occupent le lagon d'Aldabra, récif de corail aux découpes tourmentées fréquenté par les tortues de mer géantes. Quant aux fous blancs qui débarquent, avec quelque retard, sur Goélette, ils s'efforcent d'amuser la galerie avec leurs exercices de voltige aérienne.

moyenne des températures maximales / moyenne des températures minimales

	J	F	M	A	M	J	J	A	S	O	N	D
Victoria (Mahé)	**30** 24	**30** 25	**31** 25	**32** 25	**31** 25	**29** 25	**28** 24	**28** 24	**29** 24	**30** 24	**30** 24	**30** 24

nombre d'heures par jour — hauteur en mm / nombre de jours

	J	F	M	A	M	J	J	A	S	O	N	D
Victoria	**5** 380/18	**6** 270/11	**7** 170/11	**7,5** 180/14	**8** 130/11	**7,5** 65/9	**7,5** 80/10	**7,5** 100/10	**7,5** 130/11	**7** 200/12	**6,5** 220/14	**5,5** 280/18

température de la mer : moyenne mensuelle

	J	F	M	A	M	J	J	A	S	O	N	D
Océan Indien	28	28	28	29	28	27	25	25	25	26	27	28

Sierra Leone

Superficie : 72 000 km². Freetown (latitude 8°30'N ; longitude 13°14'O) : GMT + 0 h . Durée du jour : maximale (juin) 12 heures 30, minimale (décembre) 11 heures 30.

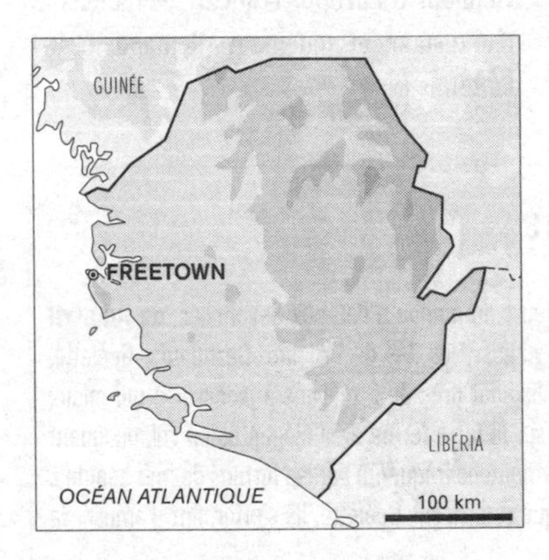

Quelle est la meilleure période climatique dans la « montagne du Lion » (*serra da leo*, en portugais) ? Sans conteste, la **saison sèche**, de fin novembre à mi-avril. Les températures sont très élevées, mais rendues assez supportables par les brises marines sur la côte et par l'*harmattan* qui combat efficacement l'humidité à l'intérieur du pays (il n'atteint que rarement la région côtière, qui reste assez humide toute l'année). Le temps est bien ensoleillé durant cette période, excepté de fréquentes brumes matinales.

La **saison des pluies** et surtout les mois de juillet à septembre sont assez éprouvants : l'humidité se fait alors étouffante, que ce soit sur la côte, sur les plateaux intérieurs couverts de luxuriantes forêts, ou dans les régions montagneuses du Nord. À tel point que la Sierra Leone reçut, en des temps coloniaux, le surnom de « tombeau de l'Homme blanc ».
La côte, de loin la région la plus arrosée (jusqu'à 8 m d'eau par an dans sa partie Sud), est souvent inondée durant la saison des pluies (Freetown, sur une péninsule montagneuse, échappe cependant aux inondations).

VALISE : habits légers.

SANTÉ : risques de paludisme toute l'année partout ; résistance à la Nivaquine et multirésistance. Vaccination contre la fièvre jaune recommandée en cas de déplacements en dehors des villes ; vaccination antirabique fortement conseillée.

BESTIOLES : moustiques toute l'année, surtout actifs après le coucher du soleil. ●

moyenne des températures maximales / moyenne des températures minimales

	J	F	M	A	M	J	J	A	S	O	N	D
Freetown	**30** 23	**31** 23	**31** 24	**31** 25	**31** 24	**29** 23	**28** 23	**27** 23	**28** 23	**29** 22	**30** 23	**30** 23

nombre d'heures par jour — hauteur en mm / nombre de jours

	J	F	M	A	M	J	J	A	S	O	N	D
Freetown	**8** 8/1	**8** 6/1	**8** 30/2	**7** 70/5	**6** 215/13	**5** 520/20	**3** 190/25	**2** 080/24	**4** 800/23	**6** 330/19	**7** 150/11	**7** 40/5

température de la mer : moyenne mensuelle

	J	F	M	A	M	J	J	A	S	O	N	D
Freetown	27	27	27	27	27	27	26	26	26	27	27	27

Singapour

Superficie : 700 km^2. Singapour (latitude 1°21'N ; longitude 103°54'E) : GMT + 8 h . Durée du jour : environ 12 heures toute l'année.

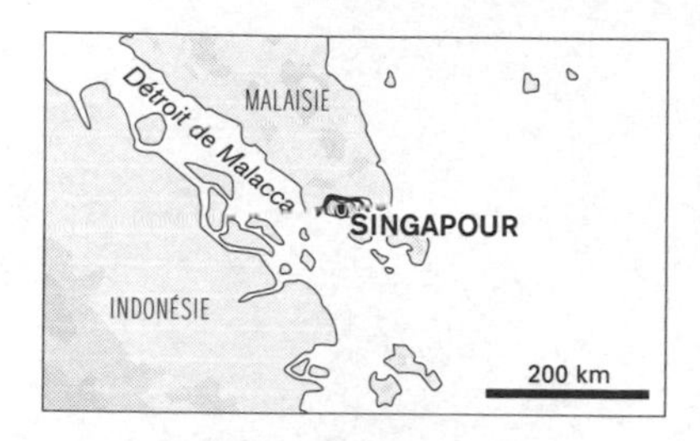

Chaleur et humidité sont, tout au long de l'année, les caractéristiques les plus significatives du climat de la ville-État Singapour. Cela n'exclut cependant pas des variations notables de l'inconfort climatique selon les mois.

Décembre et janvier, au cœur de la période de mousson de nord-est, et aussi, dans une moindre mesure, **novembre et février** bénéficient du meilleur confort climatique. Si l'on connaît des périodes de fortes chaleurs, elles restent assez limitées dans la durée ; et les nuits, en tout cas, permettent à l'organisme de bien récupérer. Cette saison de la mousson de nord-est apporte les pluies les plus abondantes, mais cela n'empêche pas le ciel d'être souvent clair et ensoleillé.

Mai, au début de la mousson de sud-ouest, reste certainement le mois le plus pénible. Cette période très défavorable s'étend en fait d'avril à juin compris. Les risques de coups de chaleur seraient alors importants, si Singapour n'était aussi une des villes les plus modernes de l'Asie, où la climatisation des hôtels et des transports permet de se protéger efficacement de cette chaleur humide et étouffante.

Pendant cette période tout particulièrement, on apprécie de vivre sur le port et la lisière littorale, afin de bénéficier de la brise marine. En revanche, le centre de la ville de Singapour, véritable étuve, est plutôt à éviter. Cette mousson de sud-ouest, installée dans la région de mai à septembre, est la période la mieux ensoleillée, mais aussi l'époque de violents orages, les fameux « coups de Sumatra ».

VALISE : vêtements très légers, en fibres naturelles de préférence ; pull fin pour les ambiances climatisées.

FOULE : très forte pression touristique. Peu d'écart d'affluence selon la période de l'année. Août est un mois de pointe ; février et avril sont des mois de légers creux. Aux visiteurs en grande majorité venus d'Asie s'ajoutent 5 % de Britanniques et 1 % de Français.

moyenne des températures maximales / moyenne des températures minimales

	J	F	M	A	M	J	J	A	S	O	N	D
Singapour	**30**	**31**	**31**	**31**	**31**	**31**	**31**	**31**	**30**	**30**	**30**	**30**
	23	23	24	24	25	25	25	24	24	24	24	23

nombre d'heures par jour hauteur en mm / nombre de jours

	J	F	M	A	M	J	J	A	S	O	N	D
Singapour	**5**	**6**	**6**	**6**	**6**	**6**	**6**	**6**	**6**	**5**	**5**	**5**
	250/17	175/12	200/13	195/15	175/15	170/13	165/13	190/15	180/14	210/16	250/19	265/19

Voir tableau page suivante

Singapour

température de la mer : moyenne mensuelle

	J	F	M	A	M	J	J	A	S	O	N	D
Singapour	27	27	28	28	28	28	28	28	27	27	27	27

Slovaquie

Superficie : 49 000 km^2. Bratislava (latitude 48°10'N ; longitude 17°10'E) : GMT + 1 . Durée du jour : maximale (juin) 16 heures, minimale (décembre) 8 heures.

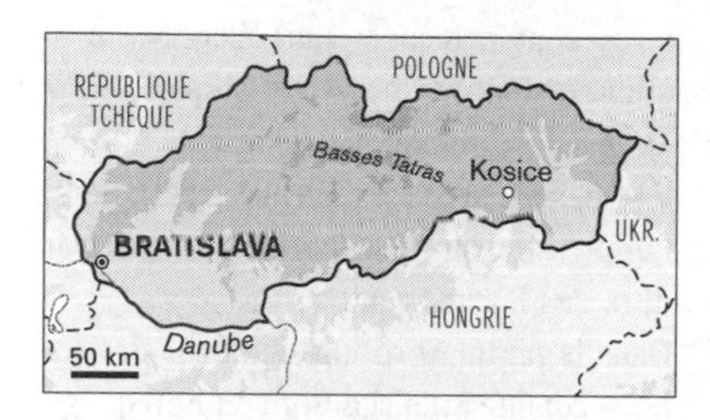

▶ La Slovaquie a un climat continental, avec quatre saisons bien marquées. La région de Bratislava, c'est-à-dire la partie Sud-Ouest du pays, la moins élevée et la plus méridionale, bénéficie de l'hiver le moins rigoureux.
La neige tombe abondamment dans toute la partie Nord, montagneuse, par ailleurs assez venteuse à cette saison. Les principales stations de sports d'hiver sont réparties dans les chaînes des hautes et basses Tatras.

▶ La période qui va **de mai à septembre** est la plus propice pour partir à la découverte de la Slovaquie, bien que l'on puisse subir en plein été quelques jours de canicule, à Bratislava notamment. En cette saison, tombe l'essentiel des précipitations, ce qui n'empêche pas un ensoleillement très satisfaisant, dans la mesure où les pluies sévissent principalement sous la forme de grosses et brèves averses.

VALISE : de juin à fin août, vêtements d'été, quelques lainages et veste ou blouson, plus vêtement de pluie léger. De fin novembre à mars, tenue de pays froid : manteau chaud, bottes, gants, etc.

FOULE : en 2005, Tchèques et Polonais constituaient à eux seuls près de la moitié des voyageurs en Slovaquie. Les Français, avec 2 % du total, venaient loin derrière les Allemands (15 %). ●

moyenne des températures maximales / moyenne des températures minimales

	J	F	M	A	M	J	J	A	S	O	N	D
Košice	**0** -7	**2** -6	**8** -2	**15** 3	**21** 8	**24** 12	**26** 13	**25** 13	**21** 9	**14** 3	**7** 0	**3** -3
Bratislava	**2** -4	**5** -2	**10** 1	**16** 5	**21** 9	**24** 13	**27** 14	**26** 14	**22** 11	**16** 6	**8** 2	**3** -2

nombre d'heures par jour hauteur en mm / nombre de jours

	J	F	M	A	M	J	J	A	S	O	N	D
Košice	**2** 30/8	**3** 30/7	**5** 25/6	**7** 40/7	**9** 60/9	**8** 85/10	**9** 85/9	**8** 80/9	**7** 50/6	**5** 40/7	**2** 50/8	**2** 40/8
Bratislava	**2** 40/8	**3** 40/7	**5** 45/8	**7** 45/8	**9** 70/9	**9** 70/9	**9** 85/10	**9** 75/9	**7** 40/7	**5** 55/7	**2** 55/8	**1** 45/8

Slovénie

Superficie : 20 000 km^2. Ljubljana (latitude 46°04'N ; longitude 14°31'E) : GMT + 1 . Durée du jour : maximale (juin) 16 heures, minimale (décembre) 8 heures.

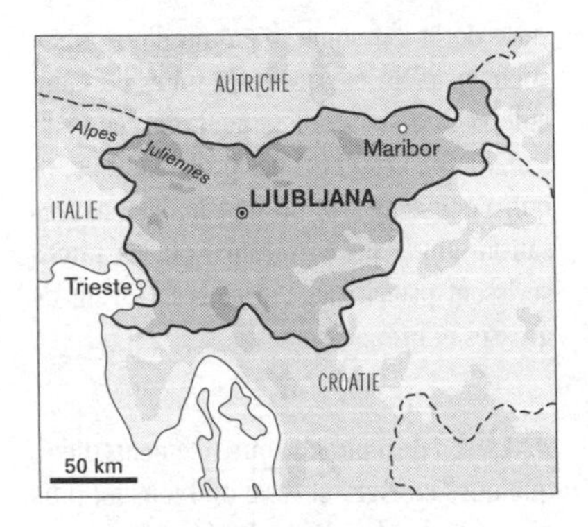

▶ La Slovénie est – à tous points de vue – la plus occidentale des républiques issues de l'ancienne Yougoslavie. Au Nord-Ouest, les Alpes juliennes prolongent les Dolomites italiennes et culminent à près de 3 000 m ; les terres baissent vers l'Est et le Sud, et les reliefs du Karst occupent l'Ouest du pays.

▶ L'hiver est, de manière générale, assez froid, mais sans exagération. Les températures sont nettement plus élevées sur la mini-portion du littoral Adriatique contrôlée par la Slovénie. Mais quand la *bora* se lève et sévit avec ses violentes rafales, on a l'impression qu'elle apporte ici toute la froidure de l'Europe centrale.

Dans la partie Nord, on skie dans des stations comme Kranjska-Gora ou Bovec.

▶ La *bora* cesse à la fin du mois d'avril. La deuxième moitié du printemps et l'été voient des pluies relativement fréquentes, ce qui explique un ensoleillement très moyen – excepté sur les quelques kilomètres du littoral, au sud de Trieste. Dans la région de la capitale, l'été est chaud, sans pour autant que l'on connaisse des chaleurs caniculaires. La période qui va du mois **de juin à la fin de septembre** se prête le mieux à la visite du pays.

VALISE : pour l'hiver, des vêtements chauds ; en été, on pensera aux soirées fraîches sur les reliefs. ●

moyenne des températures maximales / moyenne des températures minimales

	J	F	M	A	M	J	J	A	S	O	N	D
Maribor	**3**	**5**	**11**	**14**	**21**	**24**	**27**	**26**	**21**	**15**	**8**	**4**
(300 m)	- 4	- 3	2	4	10	13	14	14	10	6	2	- 2
Ljubljana	**3**	**6**	**11**	**14**	**21**	**24**	**27**	**26**	**22**	**15**	**8**	**4**
(300 m)	- 3	- 2	2	5	10	13	15	15	11	7	2	- 2

nombre d'heures par jour — hauteur en mm / nombre de jours

	J	F	M	A	M	J	J	A	S	O	N	D
Maribor	**2**	**3**	**4,5**	**5,5**	**6,5**	**7**	**8**	**7**	**6**	**4,5**	**2,5**	**2**
	50/7	50/7	70/8	80/9	95/10	120/10	120/10	130/10	100/7	85/7	95/9	60/7
Ljubljana	**1,5**	**3**	**4**	**5,5**	**7**	**7,5**	**8,5**	**7,5**	**5,5**	**3,5**	**2**	**1**
	70/9	70/8	85/9	100/11	110/12	150/13	120/10	130/10	130/8	150/9	140/10	100/9

température de la mer : moyenne mensuelle

	J	F	M	A	M	J	J	A	S	O	N	D
Mer Adriatique	11	10	11	14	16	20	23	24	22	18	16	12

Somalie

Superficie : 640 000 km². Muqdisho (latitude 2°02'N ; longitude 45°21'E) : GMT + 3 h . Durée du jour : environ 12 heures toute l'année.

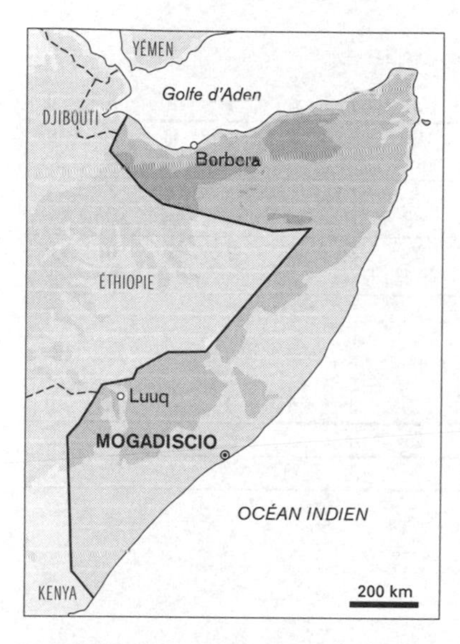

La Somalie, pays sec et aride, a de nouveau connu une sécheresse très sévère en 2000 et 2001. Les températures, pour une même région, varient assez peu d'une saison à l'autre.

▶ Sur la **côte Est**, où se trouve la capitale, Muqdisho (ex-Mogadiscio), il fait très chaud durant la journée, et les nuits ne sont jamais fraîches. L'essentiel des pluies, surtout orageuses, tombe entre avril et août. Les plages, immenses, sont protégées des requins par une barrière de corail, de la frontière Sud à Mogadiscio.

▶ À l'intérieur de la partie **Sud** du pays, la chaleur reste torride toute l'année (voir Luuq). Les pluies, plus rares que sur la côte, se répartissent sur deux saisons : le *gu*, qui dure généralement de mars à fin mai, et le *dayr*, d'octobre à début décembre.

▶ Sur la **côte Nord** (voir Berbera), torride et humide, il ne pleut pratiquement jamais. Cette côte subit des températures records entre mai et septembre, sous l'effet de vents secs et brûlants comme le *karif*, qui soulève des tourbillons de poussière. La chaleur est moins extrême le reste de l'année, mais l'humidité, plus importante, la rend toujours assez pénible à supporter.

▶ En revanche, dès que l'on pénètre dans la zone montagneuse du Nord, les températures se font plus agréables, tièdes la nuit, voire très fraîches les nuits d'hiver.

VALISE : vêtements amples et très légers ; tennis ou sandales de plastique pour marcher sur les récifs coralliens ; on peut porter des maillots deux pièces sur les plages, mais évitez bien sûr robes décolletées et minijupes dans ce pays musulman.

SANTÉ : vaccination contre la fièvre jaune recommandée. Risques de paludisme toute l'année dans tout le pays ; résistance à la Nivaquine.

BESTIOLES : moustiques toute l'année, surtout actifs la nuit. ●

moyenne des températures maximales / moyenne des températures minimales

	J	F	M	A	M	J	J	A	S	O	N	D
Berbera	**28** 21	**29** 22	**31** 23	**32** 25	**36** 28	**42** 31	**42** 32	**42** 32	**39** 29	**33** 24	**30** 22	**29** 22
Luuq	**39** 24	**40** 25	**41** 25	**38** 25	**36** 25	**35** 24	**34** 23	**34** 23	**36** 24	**37** 24	**37** 24	**38** 23

Somalie

	J	F	M	A	M	J	J	A	S	O	N	D
Muqdisho	**31** 23	**32** 23	**32** 23	**32** 23	**31** 23	**29** 23	**27** 22	**27** 22	**28** 23	**29** 23	**30** 23	**31** 23

nombre d'heures par jour hauteur en mm / nombre de jours

	J	F	M	A	M	J	J	A	S	O	N	D
Berbera	**8** 8/1	**7** 2/1	**9** 5/1	**9** 12/1	**11** 8/1	**10** 1/0	**8** 0/0	**9** 2/0	**10** 1/0	**10** 2/0	**10** 5/1	**9** 5/1
Luuq	* 2/1	* 4/1	* 30/3	* 115/9	* 40/3	* 1/0	* 3/1	* 0/0	* 1/0	* 4/4	* 55/5	* 15/2
Muqdisho	**9** 1/0	**9** 0/0	**9** 9/1	**9** 60/5	**9** 55/7	**7** 80/13	**7** 60/13	**8** 40/10	**9** 25/5	**9** 25/4	**9** 30/4	**9** 9/2

température de la mer : moyenne mensuelle

	J	F	M	A	M	J	J	A	S	O	N	D
Muqdisho	26	26	27	28	27	26	25	25	25	26	27	27
Berbera	24	25	26	28	28	29	28	28	28	27	26	25

Soudan

Superficie : 2 505 000 km². Khartoum (latitude 15°36'N ; longitude 32°33'E) : GMT + 2 h . Durée du jour : maximale (juin) 13 heures, minimale (décembre) 11 heures 30.

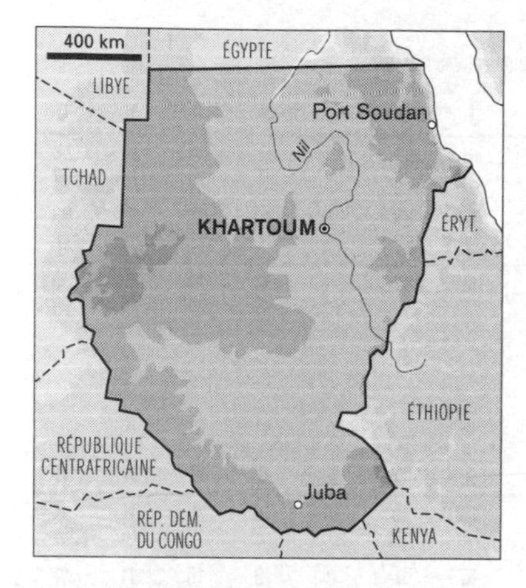

Au Soudan, le pays le plus vaste d'Afrique, la variété de climats et de paysages est extrême, de l'aridité totale du désert de Nubie à la chaleur tropicale humide de la vallée du Haut-Nil.

▶ Quelle que soit la région, la meilleure période climatique s'étend **de novembre à janvier** : durant ces trois mois, on échappe à la fois aux plus fortes chaleurs dans le Nord du pays et à la saison des pluies dans le Sud.

▶ Sur la **côte de la mer Rouge** (voir Port-Soudan), la chaleur se fait très supportable à cette époque. Le littoral connaît d'ailleurs des températures un peu moins élevées que l'intérieur du pays toute l'année, sauf l'été. Quelques pluies, très insuffisantes, tombent entre novembre et décembre.

▶ Dans la **moitié Nord du pays** (jusqu'à Khartoum environ), la sécheresse règne sur le désert de Nubie, avec une chaleur particulièrement torride entre mai et septembre, mais plus modérée de décembre à février (durant ces mois, les nuits sont plutôt froides, il peut même faire 0°). Les pluies sont bien sûr inexistantes.

Plus bas (voir Khartoum), il pleut en principe assez peu entre juillet et septembre.
Dans tout le Nord du pays et parfois même jusqu'au Sud souffle le *haboub*, qui provoque des tempêtes de poussière et dresse de véritables murs de sable. Ce vent souffle surtout entre mai et septembre.

▶ Le **Moyen-Soudan**, suffisamment arrosé entre juin et septembre pour être verdoyant durant cette période, redevient aride et sec de décembre à mars.
La région du Dinder, au sud-est de Khartoum, forme un immense parc naturel où de multiples espèces animales se côtoient. À l'ouest, le djebel Marra, qui culmine à 3 000 m, bénéficie de températures plus modérées ; cette région de lacs volcaniques, assez arrosée, est le verger du Soudan.

▶ Au **Sud** (voir Juba), la saison la plus pénible reste la saison des pluies ; très abondantes d'avril à octobre, elles se manifestent sous forme de violentes averses orageuses et n'empêchent jamais très longtemps le soleil de briller. Mais l'humidité rend la chaleur très pénible, en particulier dans les régions marécageuses.
Durant la saison sèche, la canicule est inévitable dans la vallée du Nil Blanc, mais il fait nettement plus frais sur les monts Imatong et Boma, à l'extrême Sud-Est.

VALISE : vêtements très légers, en fibres naturelles de préférence. De novembre à mars, un pull-over ou même une veste chaude seront nécessaires pour les soirées. Pour la saison des pluies dans le Sud, emportez un anorak léger.

SANTÉ : vaccination contre la rage fortement conseillée. Risques de paludisme toute l'année dans tout le pays ; zones de résistance élevée à la Nivaquine et multirésistance. Vaccination contre la fièvre jaune recommandée.

BESTIOLES : les moustiques et autres insectes sont très nombreux dans les régions marécageuses du Haut-Nil. ●

moyenne des températures maximales / moyenne des températures minimales

	J	F	M	A	M	J	J	A	S	O	N	D
Port-Soudan	**27** 20	**27** 19	**29** 20	**32** 21	**35** 24	**38** 26	**41** 28	**41** 29	**38** 27	**34** 25	**31** 24	**29** 22
Khartoum (380 m)	**32** 16	**34** 17	**37** 19	**40** 23	**42** 26	**42** 27	**38** 26	**36** 25	**38** 25	**40** 25	**36** 21	**33** 17
Juba (460 m)	**37** 20	**38** 21	**37** 23	**35** 23	**33** 22	**32** 21	**31** 20	**31** 20	**32** 20	**34** 20	**35** 20	**36** 20

nombre d'heures par jour hauteur en mm / nombre de jours

	J	F	M	A	M	J	J	A	S	O	N	D
Port-Soudan	**7** 4/1	**8** 1/0	**9** 1/0	**10** 1/0	**11** 2/1	**10** 0/0	**10** 9/1	**10** 3/1	**10** 0/0	**10** 12/1	**8** 50/4	**8** 25/3
Khartoum	**11** 0/0	**11** 0/0	**10** 0/0	**10** 1/0	**10** 5/1	**10** 7/1	**9** 50/5	**9** 70/7	**10** 25/3	**10** 4/1	**11** 0/0	**11** 0/0
Juba	**9** 5/1	**8** 10/2	**7** 45/6	**7** 105/11	**8** 155/12	**8** 115/11	**6** 135/11	**7** 155/12	**8** 105/10	**8** 100/9	**8** 35/5	**8** 1/2

température de la mer : moyenne mensuelle

	J	F	M	A	M	J	J	A	S	O	N	D
Mer Rouge	22	22	23	25	27	29	29	29	28	26	24	22

Sri Lanka

Superficie : 66 000 km^2. Colombo (latitude 6°54'N ; longitude 79°52'E) : GMT + 5h 30 . Durée du jour : environ 12 heures toute l'année.

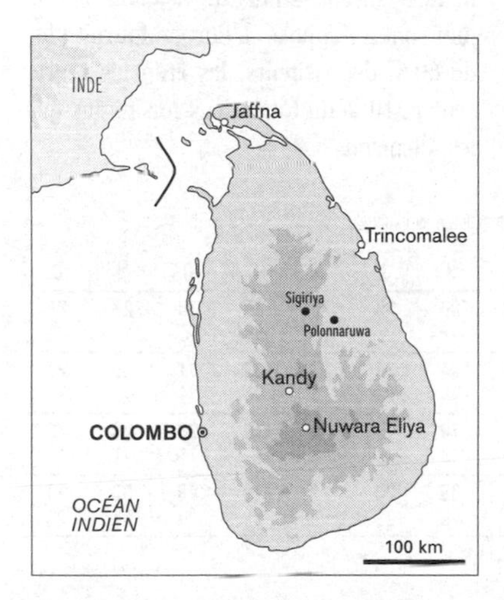

Le climat du Sri Lanka, pays équatorial, varie surtout en fonction de l'altitude et des moussons.

▸ Sur les côtes, il fait chaud, parfois très chaud, dans la journée et le thermomètre ne descend guère durant la nuit. La partie montagneuse du Centre de l'île est nettement plus tempérée : à Nuwara Eliya, au cœur des plantations de thé, les soirées, fraîches, se prolongent parfois par des nuits froides.

À savoir : cette région assez élevée n'est jamais très ensoleillée, mais plus bas, à Kandy par exemple, le soleil se fait plus présent.

▸ Si vous prévoyez de passer des vacances consacrées d'abord au soleil et à ses magnifiques plages, sachez choisir la bonne côte au bon moment : vous avez tout intérêt à éviter les périodes de mousson, durant lesquelles le temps est lourd et moite, bien que les averses orageuses, qui tombent surtout en fin d'après-midi et le soir, laissent la place au soleil une bonne partie de la journée.

Sur la côte Sud-Ouest (voir Colombo), une région d'une luxuriante beauté mais aussi la plus humide de l'île, la période la plus ensoleillée et la moins pluvieuse s'étend **de janvier à mars**.

En revanche, le Nord et l'Est (voir Jaffna, Trincomalee), touchés d'octobre à fin janvier par la petite mousson, plus irrégulière, vous offrent, **de février à septembre**, leurs eaux bleues et un soleil radieux.

La mer est chaude toute l'année : 27°- 28° environ sur toutes les côtes, qui sont, il faut le savoir, longées en de nombreux endroits par des courants dangereux imposant de ne pas trop s'éloigner de la plage lorsqu'une barrière corallienne ne la protège pas. Sur la côte Ouest, la mer est agitée d'avril à septembre ; sur la côte Est au contraire, elle est calme de mars à octobre.

▸ Si votre voyage associe farniente et découverte des anciennes cités royales (Polonnaruwa, Sigiriya...) et de Kandy, ville sacrée des bouddhistes cinghalais, la période idéale se situe en **février-mars** : quelle que soit la partie de l'île visitée, vous aurez toutes les chances d'échapper alors aux déluges.

VALISE : vêtements de plein été, de couleurs claires et en fibres naturelles de préférence, mais aussi pull-overs, veste ou blouson pour les matinées et les soirées en altitude ; tennis ou sandales de plastique pour marcher sur les récifs ; si vous n'emportez que des chaussures à lacets, vous en aurez vite assez de visiter les temples bouddhistes et hindous (on se déchausse à l'entrée)...

SANTÉ : quelques risques de paludisme, peu virulent, toute l'année ; zones de résistance à la Nivaquine.

BESTIOLES : vers Trincomalee et Nilaveli, des milliers de petites méduses urticantes en octobre, avant la petite mousson. Et des moustiques toute l'année, surtout sur les côtes (actifs après le coucher du soleil).

FOULE : un flux touristique en voie de rétablissement, mais qui avait été très touché par le tsunami de décembre 2004. Le tourisme était déjà, pour cause de guerre civile dans la partie Nord du pays, très en deçà de ce qu'il a été il y a quelques années. Janvier et février en premier lieu, puis décembre et mars reçoivent le plus de visiteurs. Mai et juin sont à l'opposé. L'Europe fournit plus de 60 % des visiteurs, les Français représentent 10 % du total, deux fois moins que les Allemands. ●

moyenne des températures maximales / moyenne des températures minimales

	J	F	M	A	M	J	J	A	S	O	N	D
Jaffna	**28** 22	**30** 22	**32** 24	**32** 27	**31** 28	**30** 27	**30** 27	**30** 26	**30** 26	**30** 25	**29** 24	**28** 23
Trincomalee	**27** 24	**28** 24	**30** 25	**32** 25	**34** 26	**34** 26	**34** 26	**33** 25	**33** 25	**31** 24	**29** 24	**27** 24
Nuwara Eliya (1 890 m)	**20** 9	**21** 8	**22** 8	**22** 10	**21** 12	**19** 13	**19** 13	**19** 13	**19** 12	**20** 11	**20** 11	**20** 10
Colombo	**30** 22	**31** 22	**31** 23	**31** 24	**31** 25	**30** 25	**29** 25	**29** 25	**29** 25	**29** 24	**30** 23	**30** 22

nombre d'heures par jour hauteur en mm / nombre de jours

	J	F	M	A	M	J	J	A	S	O	N	D
Jaffna	**8** 95/8	**9** 35/3	**9** 30/3	**9** 70/7	**9** 65/4	**8** 16/1	**7** 17/2	**7** 30/4	**8** 50/3	**7** 245/13	**6** 410/18	**6** 265/14
Trincomalee	**7** 210/13	**8** 95/6	**9** 50/5	**9** 75/7	**8** 70/6	**8** 19/2	**7** 55/4	**8** 105/7	**8** 90/6	**7** 235/16	**6** 355/19	**6** 375/10
Nuwara Eliya	**5** 145/13	**6** 75/9	**6** 95/11	**5** 155/16	**3** 235/17	**3** 265/24	**2** 220/22	**2** 180/22	**3** 165/20	**4** 220/21	**4** 210/21	**5** 190/17
Colombo	**8** 90/8	**8** 95/7	**9** 120/11	**8** 260/18	**6** 355/23	**6** 210/22	**6** 140/15	**6** 125/15	**6** 155/17	**6** 355/21	**7** 325/19	**7** 175/12

température de la mer : moyenne mensuelle

	J	F	M	A	M	J	J	A	S	O	N	D
Colombo	27	27	28	28	28	28	28	27	27	27	27	27
Trincomalee	27	27	28	28	28	28	27	27	27	27	27	27
Jaffna	26	27	28	28	28	28	27	27	27	27	27	27

Suède

Superficie : 450 000 km². Stockholm (latitude 59°21'N ; longitude 17°57'O) : GMT + 1 h . Durée du jour : maximale (juin) 18 heures 30, minimale (décembre) 6 heures.

La Suède est nettement plus ensoleillée que sa voisine la Norvège car, en grande partie, protégée des pluies venant de l'ouest par les montagnes norvégiennes.

▶ La période la plus propice pour un voyage en Suède se situe **entre début juin et fin août**. Pendant les journées alors très longues, le soleil ne chôme pas. Juin, un peu moins chaud, bénéficie des jours les plus longs. Il nous semble cependant qu'il faut être suédois, et encore mieux acteur dans un film de Bergman, pour garder son enthousiasme en plongeant dans la mer Baltique, même en été (16° ou 17° à Malmö en plein mois d'août, 15° à Stockholm). Les lacs sont plus tempérés, dépassant fréquemment les 20° en été.
À 100 km au sud de Stockholm, ancrées dans la Baltique, les îles de Gotland et de Farö bénéficient d'un microclimat particulièrement ensoleillé (deux heures de plus de soleil par jour que sur le continent).

▶ Dès la mi-septembre le ciel reste très souvent couvert. Il commence à faire vraiment froid en octobre dans le Nord (voir Pajala), fin novembre dans la capitale.

▶ L'hiver se fait rude et prolongé dans le Nord, où les glaces persistent d'octobre à mai et où les lacs gèlent de novembre à avril. Les nuits sont très longues dans ces régions, mais le froid reste très supportable parce que sec. Au contraire, l'hiver au Sud (voir Göteborg), bien que moins froid, présente l'inconvénient d'être plus humide et venté.
L'hiver est la saison du ski nordique et aussi du ski alpin. C'est dans le Centre et le Nord de la Suède que l'on trouve les stations les mieux équipées. Dans le Centre, la saison court de décembre à début mai, et dans l'extrême Nord du Norrbotten, de mars à début juin : on peut alors profiter de très longues journées de ski.

▶ Pour la partie suédoise de la Laponie, voir chapitre « Finlande ».

VALISE : de juin à août, vêtements de demi-saison auxquels vous ajouterez quelques « tenues légères » pour les journées les plus chaudes, et un bon pull-over... pour les journées les plus froides (n'oubliez pas imperméable ou anorak léger). De novembre à mars, optez pour la panoplie du voyageur en pays froid : sous-vêtements en laine ou en soie, polaire et Gore-Tex, bottes fourrées, bonnet, gants, etc.

BESTIOLES : en été, bonjour les moustiques ! ou plutôt : bonsoir ! (Ils s'agitent à partir du coucher du soleil et sont une véritable plaie dans les régions des lacs.)

FOULE : pression touristique modérée. Juillet, août et juin, dans cet ordre, connaissent le plus d'affluence. Décembre et janvier, quand les nuits sont très longues, attirent au contraire moins de monde. Les Allemands et les Britanniques représentent près de la moitié des visiteurs. Les Français comptent, quant à eux, pour moins de 3 % du total. ●

moyenne des températures maximales / moyenne des températures minimales

	J	F	M	A	M	J	J	A	S	O	N	D
Pajala	**- 10** - 21	**- 8** - 17	**- 1** - 12	**3** - 8	**10** 0	**16** 6	**20** 8	**17** 6	**10** 2	**2** - 5	**- 4** - 11	**- 8** - 17
Östersund (340 m)	**- 5** - 12	**- 4** - 11	**- 1** - 8	**6** - 2	**13** 2	**17** 7	**20** 10	**18** 9	**12** 5	**6** 1	**1** - 3	**- 2** - 8
Stockholm	**- 1** - 5	**- 1** - 5	**2** - 4	**8** 1	**14** 6	**19** 11	**22** 14	**20** 13	**15** 9	**9** 5	**5** 1	**2** - 2
Göteborg	**1** - 3	**1** - 4	**4** - 2	**9** 2	**15** 7	**19** 11	**21** 14	**20** 13	**16** 10	**11** 6	**6** 2	**3** 0

nombre d'heures par jour hauteur en mm / nombre de jours

	J	F	M	A	M	J	J	A	S	O	N	D
Pajala	**0** 30/7	**2** 25/7	**5** 14/5	**7** 2/7	**8** 45/6	**9** 60/9	**9** 75/9	**5** 60/10	**4** 25/9	**2** 25/8	**0,5** 25/9	**0** 35/9
Östersund	**1** 35/9	**2** 25/6	**4** 25/6	**6** 30/6	**6** 30/6	**7** 70/10	**8** 75/11	**7** 75/10	**4** 50/9	**2** 45/8	**1** 40/9	**0,5** 35/9
Stockholm	**1** 45/10	**3** 30/8	**5** 25/6	**7** 30/7	**9** 35/7	**10** 45/8	**8** 60/9	**6** 75/10	**3** 60/9	**3** 50/9	**1** 55/10	**1** 50/11
Göteborg	**2** 50/10	**3** 35/8	**5** 30/7	**7** 40/8	**9** 35/7	**10** 55/9	**9** 85/11	**8** 85/11	**6** 75/11	**3** 65/11	**2** 60/11	**1** 55/12

température de la mer : moyenne mensuelle

	J	F	M	A	M	J	J	A	S	O	N	D
Stockholm	3	1	2	3	5	10	15	15	12	9	6	5
Göteborg	3	2	3	6	10	14	17	17	14	11	8	5

Suisse

Superficie : 41 000 km². Genève (latitude 46°12'N ; longitude 06°09'E) : GMT + 1 h . Durée du jour : maximale (juin) 16 heures, minimale (décembre) 8 heures 30.

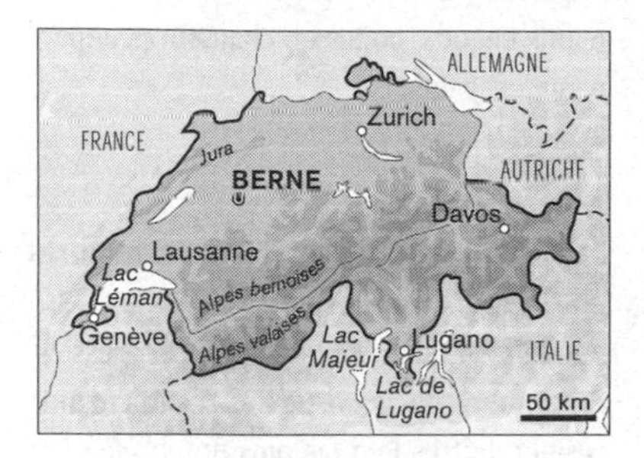

Le climat du grand plateau central, entre le Jura et les Alpes, est assez homogène, avec des hivers rudes et des étés assez chauds et orageux (voir Zurich). Dans les Alpes suisses (voir Davos), le climat varie selon l'altitude, l'orientation des vallées et l'exposition, mais il est reconnu comme particulièrement vivifiant et stimulant – au point que l'on pratique la « climatothérapie » dans plusieurs dizaines de stations. Tout au Sud, le Tessin (voir Lugano) bénéficie d'un climat assez doux et ensoleillé, soumis à l'influence méditerranéenne.

▶ En **hiver**, la Suisse est le royaume du ski. La neige se maintient plusieurs mois dans le Jura et dans les Alpes, et plus de la moitié de l'année dans les régions les plus élevées. L'altitude de la plupart des grandes stations alpines leur permet d'offrir des pistes relativement bien ensoleillées, puisque situées au-dessus des nappes de brouillard. Les Alpes valaises, au Sud-Ouest du pays, bénéficient du meilleur ensoleillement. Zermatt, à la fois protégée par les Alpes bernoises au nord et les sommets valaisiens au sud, et bénéficiant en outre d'un grand domaine skiable sur ses glaciers, offre ainsi la plus longue saison de sports d'hiver en Suisse. Le *foehn,* vent chaud et sec qui souffle le plus souvent au printemps et en automne et qui peut aussi, en hiver, retarder ou écourter la saison de ski, reste relativement rare dans les Alpes valaises et bernoises ; mais il est plus fréquent dans les Grisons, et surtout dans le massif du Gothard. Tout à l'Est, l'Engadine (Saint-Moritz, Pontresina, Silvaplana...) échappe, en revanche, complètement à ce phénomène et offre un climat froid et sec particulièrement propice à la pratique du ski. À l'Ouest, le Jura se consacre surtout au ski de fond.

À Berne et à Zurich, la neige s'installe parfois pour de longues semaines ; elle est moins persistante à Genève et à Lausanne, autour du lac Léman et dans le Tessin, où elle ne se maintient en général que quelques jours.

▶ Au **printemps**, les bords du lac Majeur (Locarno) et du lac de Lugano deviennent de petites *rivieras* où il est très agréablede séjourner. C'est aussi le début des festivals de musique (Lugano, Lausanne), et l'époque où l'on peut commencer à visiter toute la Suisse.

On skie encore dans les stations les plus élevées, en bénéficiant alors de températures douces et d'un bon ensoleillement.

▶ L' **été** suisse est chaud, saison des randonnées vers les belvédères – à faire le matin de préférence, pour profiter d'une fraîcheur appréciée des marcheurs. Il peut faire chaud dès la mi-journée, et de plus, les cumulus viennent alors souvent couvrir les sommets. En fin d'après-midi (18 h-19 h), c'est au tour d'un vent froid de descendre.

Les plus sportifs feront du ski d'été (le matin), de l'alpinisme ou des courses sur les glaciers, sachant qu'elles sont rendues plus difficiles par la fonte des neiges à mesure que l'on avance dans la saison. Et les autres apprécieront le calme et le repos que leur offre la montagne suisse l'été.

Suisse

Les amateurs de jazz ont toutes les chances de trouver à Montreux, en juillet, la chaleur et le soleil. Et de juin à septembre, la saison balnéaire bat son plein autour de l'eau assez polluée des lacs du Tessin.
L'été suisse est la période où tombent le plus de précipitations. Dans le Sud, elles viennent essentiellement sous forme d'orages en fin de journée. Le Nord, en revanche, connaît de petites pluies estivales, quelquefois assez tenaces.

▶ L'automne, jusqu'à mi-octobre, demeure particulièrement doux en basse altitude : c'est une saison très agréable pour séjourner sur les nombreux lacs suisses, ou pour faire le tour des vignobles jurassiens.

VALISE : de juin à août, vêtements d'été légers, un ou deux pull-overs et veste chaude pour les soirées, vêtement de pluie léger ou imperméable. De décembre à mars, vêtements chauds, bottes ou chaussures imperméables, gants, etc.

FOULE : forte pression touristique. Après une baisse à la fin des années 1990, la Suisse connaît à nouveau une légère progression du nombre de ses visiteurs. Les Allemands restent de très loin les plus nombreux. Les Français sont aussi devancés par les Britanniques et les Néerlandais. ●

moyenne des températures maximales / moyenne des températures minimales

	J	F	M	A	M	J	J	A	S	O	N	D
Zurich (550 m)	**2** -3	**4** -2	**9** 0	**13** 4	**18** 8	**21** 11	**23** 13	**22** 13	**19** 10	**14** 6	**7** 2	**3** -2
Berne (560 m)	**2** -4	**4** -3	**8** 0	**12** 3	**17** 7	**21** 10	**24** 12	**23** 12	**20** 9	**14** 5	**7** 1	**3** -2
Davos (1 600 m)	**-1** -9	**0** -9	**3** -6	**6** -3	**11** 1	**15** 4	**17** 6	**16** 6	**14** 4	**10** 0	**4** -5	**-1** -9
Genève (410 m)	**4** -2	**6** -1	**10** 1	**14** 4	**19** 8	**22** 11	**25** 13	**24** 13	**21** 10	**15** 7	**9** 2	**5** -1
Lugano	**6** 0	**8** 2	**12** 4	**15** 7	**19** 11	**23** 14	**26** 17	**25** 16	**22** 13	**17** 9	**11** 5	**7** 1

nombre d'heures par jour hauteur en mm / nombre de jours

	J	F	M	A	M	J	J	A	S	O	N	D
Zurich	**2** 65/11	**3** 70/10	**5** 70/11	**6** 85/12	**7** 110/13	**7** 130/13	**8** 120/12	**7** 130/12	**6** 95/10	**3** 70/9	**2** 80/11	**1** 75/11
Berne	**2** 65/10	**3** 60/10	**5** 70/11	**6** 85/12	**7** 110/13	**7** 120/13	**8** 110/11	**7** 110/11	**6** 85/9	**3** 75/9	**2** 80/10	**1** 65/10
Davos	**3** 75/10	**4** 65/9	**5** 65/9	**5** 60/9	**6** 100/11	**5** 130/13	**6** 140/14	**6** 150/14	**6** 100/13	**4** 60/7	**3** 70/9	**3** 70/9
Genève	**2** 65/10	**3** 70/9	**5** 70/9	**7** 55/8	**8** 65/10	**9** 75/10	**10** 60/8	**9** 70/9	**7** 70/8	**4** 65/8	**2** 80/10	**1** 75/10
Lugano	**4** 75/6	**5** 70/7	**6** 110/8	**6** 150/10	**6** 200/13	**8** 170/11	**9** 140/9	**8** 160/10	**6** 150/8	**5** 140/8	**4** 120/8	**3** 65/6

Surinam

Superficie : 163 000 km². Paramaribo (latitude 5°49'N ; longitude 55°09'O) : GMT - 3 h . Durée du jour : environ 12 heures toute l'année.

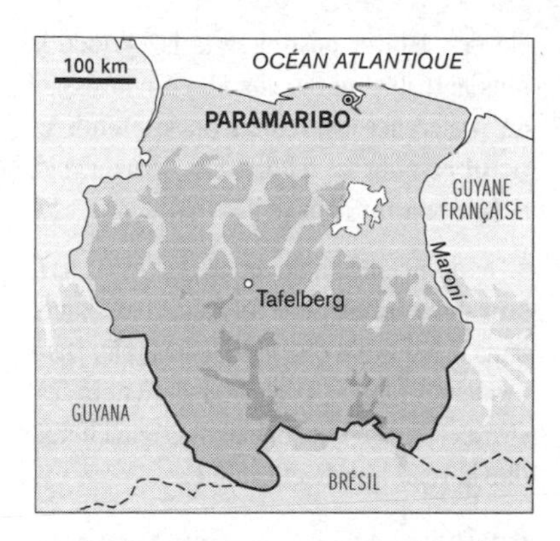

Le climat du Surinam est très chaud, avec des températures qui varient très peu tout au long de l'année, et généralement humide, un peu moins toutefois qu'en Guyane française. La meilleure période pour séjourner à Paramaribo reste la **saison la plus sèche**, de fin août à mi-novembre, et surtout les mois de septembre et octobre, les plus ensoleillés et les moins humides.

La **saison des fortes pluies** dure de mi-décembre à mi-août, avec un léger répit en février-mars ; elle atteint son apogée en mai et juin.
Les régions orientales, le long du fleuve Maroni, et les hauteurs qui occupent la moitié Sud du pays (voir Tafelberg) sont le plus arrosées.

VALISE : rappelez-vous qu'on peut être heureux d'avoir des vêtements couvrant bras et jambes lorsque les moustiques se déchaînent.

SANTÉ : risques de paludisme toute l'année, sauf à Paramaribo et sur une partie de la côte. Résistance élevée à la Nivaquine et multirésistance. La vaccination contre la fièvre jaune est recommandée.

BESTIOLES : moustiques, particulièrement pendant la saison des pluies, surtout actifs après le coucher du soleil. ●

moyenne des températures maximales / moyenne des températures minimales

	J	F	M	A	M	J	J	A	S	O	N	D
Paramaribo	**30** 23	**30** 23	**31** 23	**31** 24	**30** 23	**30** 23	**31** 23	**32** 24	**33** 24	**33** 24	**32** 23	**31** 23
Tafelberg (1 026 m)	**29** 21	**29** 21	**29** 21	**30** 22	**29** 22	**29** 21	**30** 21	**31** 22	**32** 22	**33** 22	**32** 22	**30** 22

nombre d'heures par jour hauteur en mm / nombre de jours

	J	F	M	A	M	J	J	A	S	O	N	D
Paramaribo	**6** 195/18	**6** 150/13	**6** 160/14	**6** 230/16	**6** 320/23	**7** 305/23	**8** 225/20	**9** 165/14	**9** 85/9	**9** 85/9	**7** 110/12	**6** 175/18
Tafelberg	**4** 305/19	**5** 250/14	**5** 255/14	**5** 285/15	**5** 400/21	**6** 400/20	**7** 320/18	**8** 190/12	**8** 65/4	**8** 50/4	**6** 110/7	**5** 190/14

température de la mer : moyenne mensuelle

	J	F	M	A	M	J	J	A	S	O	N	D
Paramaribo	27	26	26	26	27	27	27	28	28	27	27	27

Swaziland

Superficie : 17 000 km². Mbabane (latitude 26°30'S ; longitude 31°10'E) : GMT + 2 h . Durée du jour : maximale (décembre) 14 heures, minimale (juin) 10 heures 30.

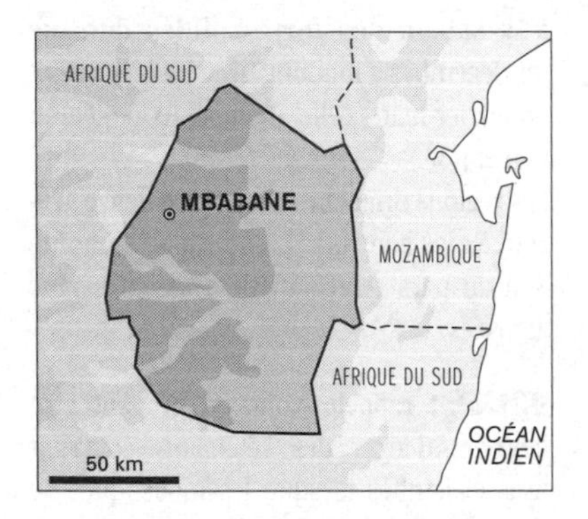

Dans ce petit État parfois surnommé la « Suisse de l'Afrique australe », les variations climatiques dépendent essentiellement de l'altitude et des pluies.

▸ De mi-avril à mi-octobre, c'est la **saison sèche**. Dans le haut veld (de 900 à 1 800 m), le temps se fait agréablement chaud et ensoleillé dans la journée, mais les nuits sont fraîches (voir Mbabane). De mai à août, les températures nocturnes peuvent même être négatives. Dans le moyen veld, au Centre du pays, et dans le bas veld, à l'Est, il fait nettement plus chaud, mais tout aussi sec et ensoleillé que dans les terres plus élevées. L'hiver austral reste la période la plus agréable au Swaziland, en choisissant de préférence **avril-mai** ou **septembre-octobre** pour se rendre dans le haut veld, et **juin à août** dans le bas veld.

▸ De fin octobre à début avril, c'est la **saison des pluies**, deux fois plus abondantes dans le haut veld que dans le bas veld. Dans ces terres basses, la chaleur devient excessive à cette saison, d'autant plus que l'humidité la rend lourde et pénible.

VALISE : durant la saison sèche, vêtements d'été simples et pratiques pour la journée, auxquels il faut ajouter des vêtements chauds pour le matin et le soir (pulls, veste ou blouson matelassé, etc.). Pendant la saison des pluies, vêtements légers, un ou deux pulls.

SANTÉ : risques de paludisme toute l'année dans le bas veld ; zones de résistance à la Nivaquine et multirésistance.

BESTIOLES : pendant la saison des pluies, les moustiques s'en donnent à cœur joie dans les régions basses ou peu élevées. ●

moyenne des températures maximales / moyenne des températures minimales

	J	F	M	A	M	J	J	A	S	O	N	D
Mbabane (1 380 m)	**29** 19	**29** 19	**28** 17	**27** 15	**25** 10	**23** 7	**23** 7	**25** 9	**27** 12	**28** 15	**28** 17	**29** 18

nombre d'heures par jour — hauteur en mm / nombre de jours

	J	F	M	A	M	J	J	A	S	O	N	D
Mbabane	**7** 125/10	**7** 130/9	**7** 100/8	**7** 55/5	**8** 19/3	**8** 10/2	**8** 11/2	**8** 12/1	**7** 30/4	**7** 55/6	**6** 110/10	**6** 150/10

Syrie

Superficie : 185 000 km^2. Damas (latitude 33°29'N ; longitude 36°14'E) : GMT + 2 h . Durée du jour : maximale (juin) 14 heures 30, minimale (décembre) 10 heures.

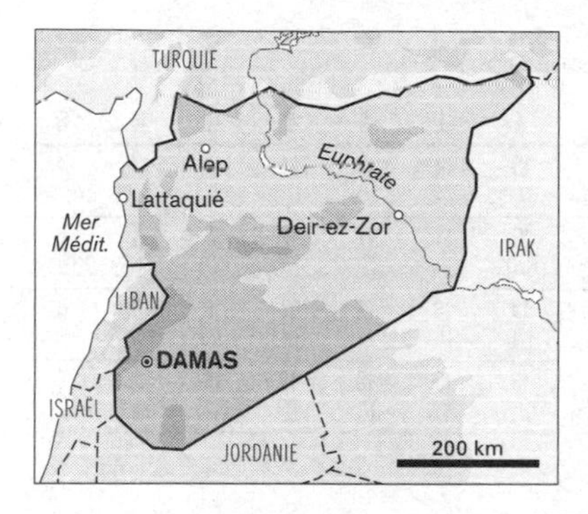

Les deux intersaisons, **avril-mai** et **de mi-septembre à fin octobre**, sont sans doute les périodes les plus agréables pour un voyage en Syrie, en particulier si vous avez l'intention de vous déplacer du littoral aux régions quasi désertiques de l'intérieur (où se trouvent les vestiges des cités antiques de Palmyre, Mari, Ebla, et les « châteaux du désert »). Le temps, partout ensoleillé, reste assez chaud dans la journée et frais la nuit.

L'**hiver**, assez doux, se fait très pluvieux et humide sur la côte (voir Lattaquié). Il est également pluvieux mais froid sur les hauts plateaux (voir Alep, Damas). À l'Est, dans la vallée de l'Euphrate (voir Deir ez-Zor), il pleut beaucoup moins, mais le froid demeure assez vif durant la nuit.

L'**été**, chaud, devient étouffant sur le littoral, sous l'influence des vents humides qui soufflent régulièrement de la mer à cette saison. Passé les montagnes qui bordent la côte, l'air se fait sec, mais la canicule s'installe de juin à septembre. À Damas ou à Alep, les nuits apportent un peu de fraîcheur grâce à l'altitude, alors que, dans les régions basses, elles ne permettent guère de récupérer de la canicule diurne.

VALISE : en été, vêtements légers (bien sûr, ni minijupes ni robes décolletées), un pull ou deux. Aux intersaisons, même attirail plus veste, blouson, imperméable sur la côte. En hiver, vêtements chauds, imperméable. Emportez des chaussures sans lacets pour visiter les mosquées (on se déchausse à l'entrée).

SANTÉ : quelques risques de paludisme de mai à octobre dans les zones rurales uniquement (excepté les districts de Deir ez-Zor et de Es Sweida).

BESTIOLES : des moustiques en été, en particulier sur la côte et dans la vallée de l'Euphrate.

FOULE : la situation au Moyen-Orient a cassé les progrès du courant touristique d'origine européenne de la fin des années 1990. Les visiteurs viennent en majorité du Liban et de la Jordanie. Juillet-août, pourtant une période de canicule, connaît le plus d'affluence. Février est le mois qui reçoit le moins de visiteurs. ●

moyenne des températures maximales / moyenne des températures minimales

	J	F	M	A	M	J	J	A	S	O	N	D
Alep	**10**	**13**	**17**	**22**	**29**	**34**	**36**	**37**	**33**	**27**	**19**	**12**
(395 m)	2	4	5	8	13	17	20	20	16	12	6	4
Lattaquié	**14**	**16**	**18**	**21**	**25**	**27**	**29**	**30**	**29**	**26**	**22**	**17**
	8	9	10	13	17	19	21	22	20	18	14	10
Deir ez-Zor	**13**	**16**	**19**	**25**	**31**	**37**	**40**	**40**	**36**	**30**	**21**	**15**
	3	4	7	12	17	22	25	25	20	14	8	4

Syrie

	J	F	M	A	M	J	J	A	S	O	N	D
Damas	**12**	**14**	**18**	**23**	**29**	**34**	**36**	**36**	**32**	**27**	**20**	**14**
(730 m)	3	3	5	9	13	16	17	18	15	12	8	4

nombre d'heures par jour hauteur en mm / nombre de jours

	J	F	M	A	M	J	J	A	S	O	N	D
Alep	**4**	**6**	**8**	**9**	**11**	**13**	**13**	**12**	**11**	**9**	**7**	**4**
	65/11	55/10	40/7	35/4	19/2	3/1	0/0	1/0	1/0	19/4	25/8	70/10
Lattaquié	**4**	**4**	**5**	**7**	**10**	**12**	**11**	**11**	**9**	**7**	**6**	**4**
	215/16	190/13	135/11	75/6	19/2	0/0	0/0	2/1	25/2	70/5	130/8	210/13
Deir ez-Zor	**6**	**8**	**8**	**9**	**10**	**13**	**13**	**12**	**11**	**10**	**8**	**6**
	35/6	25/5	25/3	20/4	9/1	1/0	0/0	0/0	0/0	7/2	11/5	30/4
Damas	**6**	**7**	**9**	**10**	**11**	**13**	**13**	**13**	**11**	**10**	**8**	**5**
	60/7	40/6	25/2	14/3	8/1	0/0	0/0	0/0	8/1	10/2	30/5	50/5

température de la mer : moyenne mensuelle

	J	F	M	A	M	J	J	A	S	O	N	D
Méditerranée	17	16	17	18	20	23	25	27	27	25	22	20

Tadjikistan

Superficie : 143 000 km^2. Douchanbé (latitude 38°35'N ; longitude 68°47'E) : GMT + 5 h . Durée du jour : maximale (juin) 15 heures, minimale (décembre) 9 heures 30.

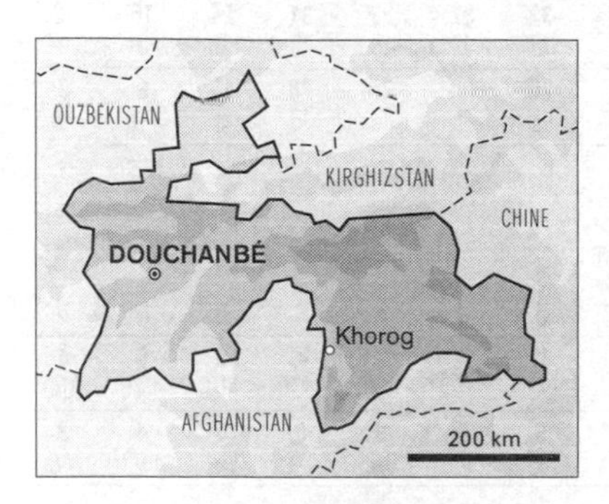

▶ Dans toute sa partie orientale, ce pays est occupé par les hauts plateaux et les sommets du massif du Pamir qui se prolonge en Afghanistan et en Chine. Le pic Lénine et le pic du Communisme (lui même ex-pic Staline !), toujours debout, culminent respectivement à 7 200 et 7 500 m.
Au Nord, le Tadjikistan occupe une partie du bassin de Fergana, pour lequel on consultera les données climatiques au chapitre « Ouzbékistan ».

▶ En **hiver**, comparées aux températures des autres pays d'Asie centrale, celles de Douchanbé restent relativement peu rigoureuses, compte tenu de l'altitude, proche de 1 000 m. Les masses d'air d'origine sibérienne sont, en effet, arrêtées, au nord, par les montagnes. À cette saison, la capitale connaît la pluie ou la neige, mais sans excès.

▶ Au début du **printemps**, en mars et avril, les précipitations sont les plus importantes. C'est aussi l'époque privilégiée de tempêtes nées en Iran ou au Pakistan. On en voit aussi en janvier ou en octobre, mais moins fréquemment.

▶ L'**été** est long, suffisamment pour favoriser la culture du coton. Les chaleurs commencent dès la fin du mois de mai. Elles diminuent à mesure que l'on monte en altitude. À noter que, sur les sommets, les neiges éternelles commencent haut – à 5 000 m environ dans l'Est du Pamir.
Souvent, les mois de juillet, d'août et de septembre ne voient pas tomber la moindre goutte de pluie dans la majeure partie du pays. Les plus hautes régions du Pamir reçoivent, en revanche, le maximum de leurs précipitations pendant cette période.

▶ Le véritable **automne** commence en octobre, et il est court. Avec le **printemps**, l'autre saison intermédiaire, ce sont les **meilleures périodes** pour se rendre au Tadjikistan.

▶ Le Tadjikistan connaît de très nombreux vents. En hiver, ils rendent souvent pénibles des températures de quelques degrés en dessous de 0°. À cette même saison, l'*harmsil*, vent de *fœhn* très sec et chaud, peut aussi faire considérablement grimper la température en quelques heures. Moins fréquentes qu'en Ouzbékistan ou au Kazakhstan, les tempêtes de poussière ne sont cependant pas rares, surtout pendant l'été, à l'Est du pays.

VALISE : en hiver, il faut être chaudement vêtu et bien protégé du vent. Particulièrement au printemps et en automne, on tiendra compte des importants écarts de température entre le jour et la nuit. Pour les voyageuses, des vêtements trop décontractés risquent de choquer la population musulmane.

SANTÉ : quelques risques de paludisme, peu virulent, au sud du pays ; zones de résistance à la Nivaquine. ●

Tadjikistan

moyenne des températures maximales / moyenne des températures minimales

	J	F	M	A	M	J	J	A	S	O	N	D
Douchanbé	**6**	**8**	**14**	**21**	**27**	**32**	**37**	**37**	**31**	**24**	**16**	**10**
(820 m)	- 3	- 2	3	9	13	16	19	18	13	6	3	0
Khorog	**- 3**	**- 1**	**5**	**14**	**21**	**26**	**30**	**30**	**26**	**18**	**8**	**0**
(2 080 m)	- 13	- 11	- 3	4	9	12	15	15	10	3	- 1	- 8

nombre d'heures par jour hauteur en mm / nombre de jours

	J	F	M	A	M	J	J	A	S	O	N	D
Douchanbé	**4**	**4**	**5**	**7**	**9**	**11**	**12**	**11**	**10**	**8**	**5**	**4**
	80/11	75/11	110/10	110/10	75/7	19/3	1/0,5	3/1	1/0,5	19/2	45/6	70/9
Khorog	**3**	**3**	**5**	**5**	**7**	**9**	**10**	**9**	**8**	**6**	**4**	**3**
	30/6	30/6	40/6	40/6	25/4	9/2	3/1	0/0	1/1	11/3	19/3	24/5

Taïwan

Superficie : 36 000 km². Taipei (latitude 25°02'N ; longitude 121°31'E) : GMT + 8 h . Durée du jour : maximale (juin) 13 heures 30, minimale (décembre) 10 heures.

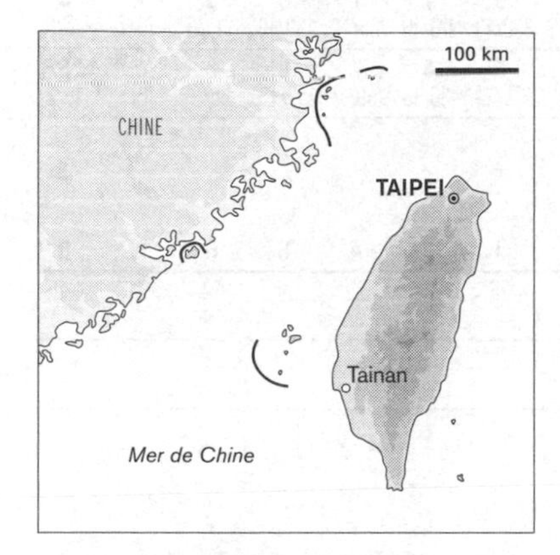

Le climat de Taïwan, île occupée aux deux tiers par des reliefs marqués, est de type tropical : chaud et pluvieux la plus grande partie de l'année. On trouve toutefois, au Nord et à l'Est de l'île, des microclimats plus tempérés dans certaines régions abritées par les montagnes.

▸ **D'avril à septembre**, c'est la période de la mousson d'été, c'est-à-dire des pluies très abondantes (encore davantage au Sud de l'île qu'au Nord : voir Tainan) et des typhons. En juillet 2001, trois typhons ont fait une centaine de victimes et provoqué, dans le centre de l'île, les pires inondations et glissements de terrain depuis un demi-siècle.
Les pluies tombent particulièrement fortes sur les versants montagneux exposés au sud. Le soleil brille entre deux averses, mais la chaleur devient souvent pénible à cause de la forte humidité.

▸ **D'octobre à mars**, le Nord de l'île (voir Taipei) et les régions montagneuses sont encore assez arrosés, moins abondamment toutefois, par les pluies de la mousson d'hiver. Le Sud reste beaucoup plus sec. C'est sans doute la période la plus agréable dans l'ensemble de l'île, dans la mesure où la chaleur se fait modérée, mais, dans le Nord, le ciel est très souvent nuageux et l'humidité reste importante.
Les mois d'**octobre et novembre** et, dans une moindre mesure, **mars** vous permettront d'éviter la fraîcheur parfois un peu trop marquée du plein hiver.

▸ Taiwan doit au *kuroshio*, courant chaud qui longe sa côte orientale, la tiédeur de l'eau qui baigne ses côtes. En hiver, la mer est plus fraîche au Nord (18° en janvier et février) que dans le Sud (23°), où se situent d'ailleurs les plus belles plages de l'île.

VALISE : de novembre à mars, vêtements de demi-saison, imperméable. Aux intersaisons, vêtements légers et quelques lainages. En été, vêtements très légers, en fibres naturelles de préférence.

FOULE : pression touristique soutenue, bien répartie sur toute l'année, avec une légère pointe en novembre et décembre et de petits creux en janvier et septembre. Près de la moitié des visiteurs sont Japonais, les Américains occupant, mais loin derrière, la 2e place. Les Français représentent moins de 1 % du total. ●

moyenne des températures maximales / moyenne des températures minimales

	J	F	M	A	M	J	J	A	S	O	N	D
Taipei	**19**	**18**	**20**	**24**	**28**	**31**	**32**	**32**	**30**	**27**	**23**	**20**
	12	11	13	17	20	22	24	24	22	19	16	13
Tainan	**22**	**22**	**25**	**28**	**31**	**31**	**32**	**31**	**31**	**30**	**27**	**24**
	12	12	14	18	22	24	24	23	23	20	16	13

Taïwan

nombre d'heures par jour hauteur en mm / nombre de jours

	J	F	M	A	M	J	J	A	S	O	N	D
Taipei	**3** 90/9	**3** 145/13	**3** 165/12	**4** 180/14	**4** 205/12	**6** 320/13	**7** 270/10	**7** 265/12	**6** 190/10	**5** 115/9	**4** 70/7	**3** 75/8
Tainan	**6** 20/4	**6** 35/4	**6** 50/3	**7** 65/3	**7** 170/10	**8** 370/14	**8** 430/18	**7** 450/17	**8** 155/13	**8** 35/5	**7** 16/5	**6** 16/3

température de la mer : moyenne mensuelle

	J	F	M	A	M	J	J	A	S	O	N	D
Pacifique (côte Nord)	18	18	19	21	23	26	28	28	27	24	21	20
Pacifique (côte Sud)	23	23	24	25	26	27	28	28	28	26	24	23

Tanzanie

Superficie : 945 000 km². Dar es Salaam (latitude 6°10'S ; longitude 35°45'E) : GMT + 3 h . Durée du jour : environ 12 heures toute l'année.

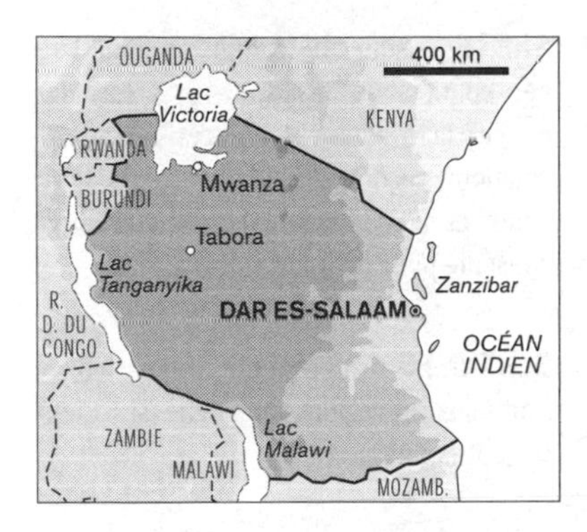

▸ La saison la plus agréable pour séjourner en Tanzanie est la saison sèche, **de juin à septembre ou octobre**, aussi bien sur la plaine côtière que sur les hauts plateaux de l'intérieur.

Cette saison sèche se fait archisèche au Sud du pays, de juin à août, et moins marquée au Nord.

Dans toute la partie Nord du pays, qui comprend notamment les rives du lac Victoria, le célèbre parc de Serengeti, le Kilimandjaro, les îles de Pemba et de Zanzibar, et la capitale Dar es Salaam, on distingue la saison des « longues pluies », de mars à fin mai, et la saison des « courtes pluies », pendant les mois de novembre et décembre, où prévalent des averses brèves qui tombent généralement en fin d'après-midi. Ces deux périodes sont séparées par une diminution marquée des précipitations en janvier et février. C'est l'Ouest du pays, du lac Victoria au lac Tanganyika, qui reçoit les pluies les plus abondantes.

Dans une moitié Sud du pays, on observe une saison des pluies assez homogène de mi-novembre à fin avril, à laquelle succède la saison très sèche déjà mentionnée.

Cependant, quelle que soit la région, on ne compte en moyenne qu'un jour sur trois avec précipitations en pleine saison des pluies.

▸ Sur la **côte** et dans l'île de Zanzibar, le climat est le plus souvent chaud, humide et lourd. Avec des pluies particulièrement abondantes, la période de mars à mai reste la moins ensoleillée et la plus étouffante. Au contraire, de juin à mi-octobre, les précipitations tombent, modestes, et des brises de mer rafraîchissent un peu l'atmosphère.

Les eaux des lagons, entre côte et récifs de corail, demeurent toujours chaudes.

▸ Les **hauts plateaux** de l'Est et le pays masaï (voir Mwanza, Tabora) ont un climat plus sec et plus sain, très chaud dans la journée tout au long de l'année, avec des nuits assez fraîches compte tenu de l'altitude. On y trouve de très belles réserves animalières, comme celles du lac Manyara et de Serengeti (ouvertes toute l'année), ou encore de Tarangire, de Ruaha et de Selous. La bonne saison pour les visiter est la fin de la saison sèche. Aux points d'eau, alors moins nombreux, se rassemblent un plus grand nombre d'animaux (voir chapitre « Kenya »). Toutefois c'est en mai, mois de fortes pluies, ou certaines années un peu plus tard, que commence la grande migration des gnous depuis le parc de Serengeti.

▸ Dans le cratère de Ngorongoro (2 600 m), site d'une exceptionnelle beauté et lieu de rassemblement pour toutes sortes d'animaux, les températures restent plus fraîches (de 17° dans la journée à 7° au petit matin). Au Nord-Est, le sommet du Kilimanjaro (5 930 m) est recouvert d'un glacier. Si on peut s'attaquer à ce sommet toute l'année, les mois les plus favorables demeurent janvier, février et septembre. Pendant la saison des pluies, après avoir bravé la pluie, il faudra aussi subir la neige à l'approche du sommet. En juillet et août, il y fait le plus froid et par temps couvert, la température peut parfois descendre à 0° dès 3 000 m d'altitude.

VALISE : quelle que soit la saison – à moins que l'on envisage de grimper au sommet du Kilimanjaro – vêtements légers et pratiques de plein été, de préférence en coton ou en lin, et un ou deux pulls pour les matinées et soirées. Pour visiter les réserves, vêtements de couleurs neutres et chaussures de marche en toile. Anorak léger pour la saison des pluies. Les shorts (masculins et féminins) risquent de choquer en dehors des zones les plus touristiques. Évitez également les vêtements de style militaire.

SANTÉ : risques de paludisme toute l'année en dessous de 1 800 m ; résistance élevée à la Nivaquine et multirésistance. Vaccinations recommandées contre la fièvre jaune et la typhoïde. Vaccin antirabique conseillé pour de longs séjours.

BESTIOLES : moustiques toute l'année, sauf dans les régions montagneuses (actifs surtout la nuit). ●

RENDEZ-VOUS NATURE

La grande migration des gnous

De fin novembre à avril, la saison humide, 1 500 000 gnous (ils n'étaient que 200 000 en 1960) paissent au sud-est du parc de Serengueti, sur les plaines et les contreforts du Ngorongoro. Les naissances des jeunes gnous, entre mi-janvier et mi-mars, dont 80 % se concentrent sur moins de trois semaines, offrent l'occasion aux lions et aux hyènes, alors principaux prédateurs, de quelques sauvages festins, à peu de frais. Quand approche la fin de la saison des « longues pluies », selon les années de fin mars à mai, commence « la grande migration ». Elle fera parcourir à la majorité des gnous, accompagnés de 200 000 zèbres et de 300 000 gazelles de Thomson, plus de 1 500 km. En mai, c'est-à-dire en début de migration, a lieu aussi la saison du rut qui voit la savane résonner des fracas des violentes charges entre les mâles. L'essentiel de ces « clowns de la savane » part vers le nord-ouest, en direction du lac Victoria ; ils traînent un peu sur la route, entre mi-juin et juillet, puis virent cap au nord, bien avant d'avoir approché les rives du lac. D'autres, dès le départ, coupent directement vers le nord à travers la région de Loliondo. Tous se retrouvent et se bousculent, à peu près **en août**, devant les rivières - successivement Grumeti River et Mara River –, où crocodiles et autres prédateurs leur imposent, pour prix du passage, quelques sacrifices, certainement l'épisode le plus spectaculaire de la migration. Les rivières traversées, septembre et octobre se passent paisiblement dans les plaines au nord du Serengeti, ou, pour ceux qui passent la frontière kényane, dans la réserve de Maasai Mara. En novembre, pour achever la boucle, la migration reprend vers le sud, à travers le Loliondo, en direction du Ngorongoro.

Ces quelques repères ainsi posés, soulignons que la migration des gnous est loin d'obéir à un calendrier à dates fixes. Elle est, en effet, d'abord tributaire d'événements climatiques souvent capricieux, essentiellement les saisons des pluies, qui peuvent, certaines années, subir des retards ou des avances conséquents. Sans capacité importante de déplacement, on risque parfois d'attendre le gnou en vain. Il est donc toujours conseillé, pour jouir d'un des plus beaux spectacles que la nature offre au monde, de n'avoir à faire qu'avec des opérateurs capables de souplesse et d'aller à la rencontre des gnous là où ils se trouvent, précisément au moment de votre séjour. C'est pourquoi la destination Tanzanie paraît plus pertinente que celle du Kenya.

RENDEZ-VOUS NATURE

Les îles à palmes

Des pays d'Afrique de l'Est, la Tanzanie dispose de la plus grande étendue de récifs coralliens. Encore plus que Zanzibar, ce sont l'île de Pemba, au nord, et surtout l'île de Mafia, au sud, encore peu connue, qui offrent les sites de plongée les plus exceptionnels.

On plonge toute l'année, mais la meilleure période s'étend de septembre au début mars, sachant que **décembre et janvier** offrent les plus belles chances d'observer les raies Manta.

De janvier à mars, souffle le *kaskazi*, vent du nord-ouest : la mer peut alors être agitée, mais il y a souvent une excellente visibilité. En avril et mai, pourtant la période la plus pluvieuse, la mer est généralement calme. De juin à septembre, c'est au tour du *kusi*, vent du sud-ouest, de souffler.

moyenne des températures maximales / moyenne des températures minimales

	J	F	M	A	M	J	J	A	S	O	N	D
Mwanza (1 150 m)	**28** 18	**28** 18	**28** 18	**28** 18	**28** 18	**29** 17	**29** 17	**29** 17	**29** 18	**29** 19	**29** 19	**28** 18
Tabora (1 200 m)	**28** 17	**28** 17	**28** 17	**28** 17	**28** 16	**28** 15	**28** 15	**29** 18	**31** 18	**32** 19	**31** 19	**28** 18
Zanzibar (île de Zanzibar)	**32** 24	**32** 25	**32** 24	**30** 25	**28** 23	**28** 23	**27** 22	**28** 22	**28** 22	**30** 23	**31** 23	**31** 24
Dar es Salaam	**30** 25	**31** 25	**31** 24	**30** 23	**30** 22	**29** 20	**29** 19	**29** 19	**29** 19	**29** 20	**30** 22	**30** 24
Mbeya (1 700 m)	**24** 14	**23** 14	**23** 14	**23** 12	**22** 11	**21** 9	**21** 8	**23** 9	**25** 10	**26** 12	**26** 13	**25** 14

nombre d'heures par jour hauteur en mm / nombre de jours

	J	F	M	A	M	J	J	A	S	O	N	D
Mwanza	**7,5** 90/9	**7** 130/9	**7** 150/10	**7** 180/14	**8** 75/8	**10** 15/2	**10,5** 13/1	**10** 25/2	**10** 30/4	**9** 90/9	**8** 170/14	**7,5** 160/13
Tabora	**7** 140/12	**7** 150/12	**7** 180/13	**8** 130/11	**9** 25/3	**10** 0/0	**11** 0/0	**9** 2/0	**10** 13/1	**9** 30/3	**8** 140/12	**7,5** 200/17
Zanzibar	**8** 90/6	**7** 55/5	**7,5** 150/12	**7** 400/17	**6,5** 250/13	**7** 70/6	**7,5** 50/5	**8** 45/6	**8** 50/5	**8** 100/7	**7** 220/12	**7** 200/11
Dar es Salaam	**8** 80/7	**7,5** 50/4	**7** 130/12	**6** 270/18	**6,5** 180/13	**7** 45/5	**7,5** 30/4	**8** 25/4	**8** 30/5	**8** 70/6	**7** 130/8	**7** 120/10
Mbeya	**4,5** 190/11	**5** 160/10	**6** 150/8	**6,5** 120/7	**8,5** 18/2	**9,5** 3/0	**9,5** 2/0	**10** 0/0	**10** 3/1	**9,5** 15/6	**8** 55/3	**6** 140/10

température de la mer : moyenne mensuelle

	J	F	M	A	M	J	J	A	S	O	N	D
Dar es-Salaam	28	28	29	29	28	26	25	25	25	26	27	28

Tchad

Superficie : 1 285 000 km². N'Djamena (latitude 12°08'N ; longitude 15°02'E) : GMT + 1 h . Durée du jour : maximale (juin) 13 heures, minimale (décembre) 11 heures 30.

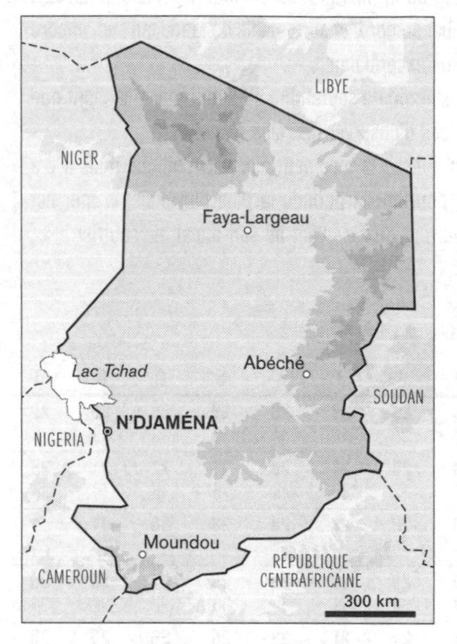

Au Tchad, on passe du climat désertique des torrides montagnes du Tibesti, au Nord, au climat tout aussi chaud mais humide, avec forte saison des pluies, des savanes du Sud.

▶ Au **Sud** (voir Moundou), région agricole, la chaleur est intense dans la journée, particulièrement entre février et avril, à la fin de la saison sèche. La meilleure période s'étend **de novembre à février** : sécheresse et chaleur dans la journée, nuits assez fraîches. Entre février et avril, la chaleur se fait suffocante, d'autant que l'humidité est beaucoup plus forte.
Durant la saison des pluies, de fin avril à fin septembre, les températures baissent un peu, mais l'humidité reste très pénible ; la violence des pluies peut provoquer des inondations qui rendent les déplacements problématiques.

Le parc de Zakouma est ouvert du mois de décembre au mois de mai (il en est de même pour les réserves de Mandelia, de Dougia et de Manda).

▶ Plus on remonte vers le Nord, plus la saison des pluies faiblit en importance et en durée : à **N'Djamena**, elles tombent surtout en juillet et août ; à Faya-Largeau, elles sont exceptionnelles.
Ces dernières années, toute la zone sahélienne a connu une sécheresse aggravée. Dans ces régions, la chaleur est particulièrement torride entre mars et mai. L'*harmattan*, qui peut soulever des tourbillons de poussière et provoquer des tempêtes de sable, souffle durant la saison sèche.

▶ Au **Nord**, le Tibesti a un climat désertique extrême, accentué par l'altitude : en hiver, les écarts de températures atteignent 30° entre le jour et la nuit, et il peut même neiger en altitude. L'air est très sec et le ciel dégagé en permanence.

VALISE : vêtements très légers et amples, en fibres naturelles de préférence ; de novembre à mai, ajouter un ou deux pulls, veste ou blouson pour les soirées. Pour la saison des pluies, anorak léger.

SANTÉ : risques de paludisme, particulièrement dans la partie Sud et de mai à octobre ; résistance à la Nivaquine. La vaccination contre la fièvre jaune reste obligatoire ; vaccin antirabique conseillé pour de longs séjours.

BESTIOLES : moustiques toute l'année, surtout au Sud. ●

moyenne des températures maximales / moyenne des températures minimales

	J	F	M	A	M	J	J	A	S	O	N	D
Faya-Largeau	**27** 13	**31** 15	**35** 18	**39** 22	**41** 25	**42** 26	**41** 26	**40** 26	**40** 26	**37** 23	**32** 18	**28** 14
Abéché (550 m)	**35** 16	**37** 18	**39** 22	**41** 25	**40** 25	**38** 24	**34** 23	**32** 22	**35** 21	**37** 21	**36** 19	**35** 17
N'Djamena (300 m)	**33** 14	**36** 16	**39** 21	**41** 24	**40** 25	**37** 24	**33** 23	**31** 22	**33** 22	**36** 22	**36** 17	**33** 14
Moundou (420 m)	**34** 15	**38** 18	**39** 22	**38** 24	**35** 23	**32** 22	**30** 21	**30** 21	**31** 21	**33** 21	**35** 18	**34** 15

nombre d'heures par jour hauteur en mm / nombre de jours

	J	F	M	A	M	J	J	A	S	O	N	D
Faya-Largeau	**10** 0/0	**10** 0/0	**10** 0/0	**10,5** 0/0	**11** 0/0	**11,5** 2/0	**10** 3/0	**10** 9/1	**10,5** 1/0	**10,5** 0/0	**10** 0/0	**10** 0/0
Abéché	**10** 0/0	**10,5** 0/0	**9,5** 0/0	**10** 3/0	**10** 18/2	**9,5** 35/6	**8** 115/3	**7** 200/16	**8,5** 60/7	**9,5** 7/1	**10** 0/0	**10** 0/0
N'Djamena	**9,5** 0/0	**10** 0/0	**9** 0/0	**9** 9/1	**9** 30/6	**8** 65/7	**6,5** 150/13	**5** 215/17	**7,5** 105/12	**9,5** 25/2	**10** 0/0	**10** 0/0
Moundou	**9,5** 0/0	**9** 0/0	**8** 8/1	**7,5** 50/6	**8** 95/9	**7** 150/13	**5,5** 250/18	**5** 300/20	**6** 215/17	**7,5** 75/8	**9,5** 3/1	**10** 0/0

Tchèque (République)

Superficie : 79 000 km². Prague (latitude 50°06'N ; longitude 14°17'E) : GMT + 1 h . Durée du jour : maximale (juin) 16 heures 30, minimale (décembre) 8 heures.

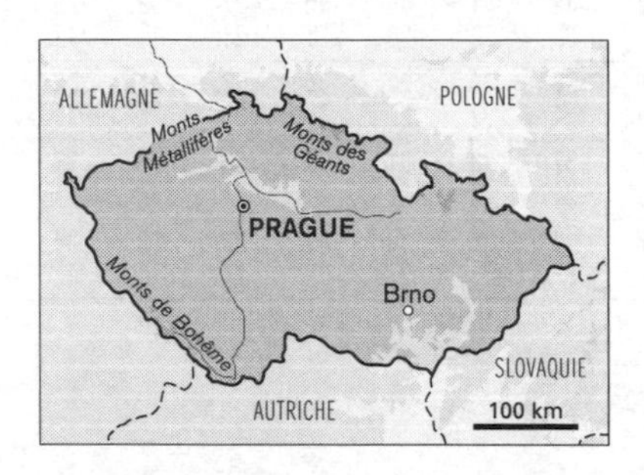

La République tchèque offre un climat continental modéré, aux quatre saisons bien marquées. Le climat reste assez homogène dans l'ensemble du pays, compte tenu, bien entendu, des différences dues à l'altitude. Les régions élevées reçoivent notamment des précipitations plus abondantes (800 à 1 000 mm/an) que les régions basses (environ 500 mm à Prague et à Brno).

L'hiver, froid et assez sec, avec un ciel souvent couvert, se fait plus rigoureux dans les régions montagneuses comme les monts Métallifères et les monts des Géants, au Nord, les monts de Bohême, au Sud. On pratique le ski alpin en altitude, surtout dans les régions frontalières avec la Pologne, dans les stations des monts des Géants.

Que vous ayez le projet de séjourner à Prague, une des plus fascinantes capitales d'Europe, dans les stations thermales de Bohême (Marienbad, Karlovy-Vary), ou de visiter ses innombrables châteaux, vous le ferez dans les meilleures conditions en partant **de la mi-mai à la fin septembre**. Le temps est alors agréable et assez ensoleillé, malgré les pluies, plus abondantes en été qu'aux autres saisons, mais elles tombent surtout en grosses averses. Le début de l'automne se prête aux randonnées dans les forêts qui couvrent encore une partie importante du territoire.

VALISE : de juin à fin août, vêtements d'été, quelques pull-overs, veste ou blouson, et vêtement de pluie léger. De fin novembre à mars, tenue adaptée aux pays froids : manteau chaud, bottes, gants, écharpe, etc.

moyenne des températures maximales / moyenne des températures minimales

	J	F	M	A	M	J	J	A	S	O	N	D
Prague	**0**	**3**	**8**	**13**	**18**	**22**	**23**	**23**	**19**	**13**	**6**	**2**
	-5	-4	3	3	7	11	12	11	9	4	0	-3
Brno	**1**	**3**	**8**	**15**	**20**	**23**	**25**	**25**	**21**	**14**	**7**	**3**
	-5	-5	-1	4	8	12	14	13	9	4	2	-1

nombre d'heures par jour hauteur en mm / nombre de jours

	J	F	M	A	M	J	J	A	S	O	N	D
Prague	**1,5**	**2,5**	**4**	**5,5**	**7**	**7,5**	**7,5**	**7**	**5,5**	**4**	**2**	**1,5**
	25/7	25/6	30/6	40/8	65/10	75/11	65/10	40/9	40/6	30/5	30/8	25/7
Brno	**1,5**	**2,5**	**4**	**5,5**	**7**	**7,5**	**7,5**	**8**	**5,5**	**4**	**1,5**	**1,5**
	25/6	25/6	25/6	30/6	60/8	75/9	65/9	55/7	40/6	30/5	35/5	30/7

Thaïlande

Superficie : 514 000 km². Bangkok (latitude 13°44'N ; longitude 100°30'E) : GMT + 7 h . Durée du jour : maximale (juin) 13 heures, minimale (décembre) 11 heures 30.

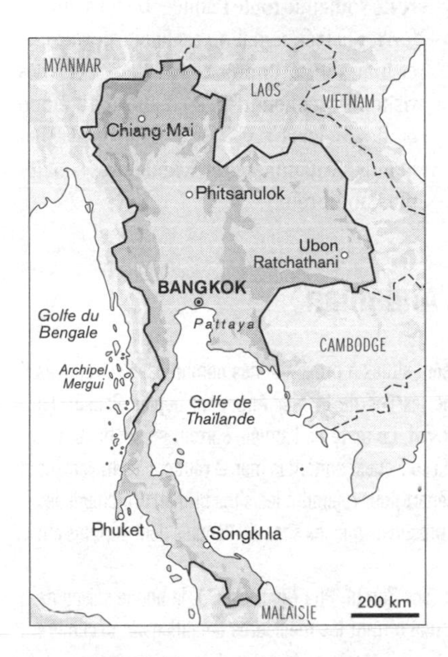

▶ La période la plus agréable pour se rendre en Thaïlande est, de mi-novembre à mi-février, la **saison dite « fraîche »** – aimable euphémisme, puisque les températures restent élevées toute l'année dans la majeure partie du pays.
Le Nord (voir Chiang-Mai et Phitsanulok) est en effet, grâce à l'altitude, la seule région où les nuits soient fraîches, voire un peu froides durant cette saison, alors que les journées restent très chaudes.
Mais c'est sans aucun doute la plus belle saison – soleil et ciel bleu garantis, quelques rares orages –, sauf au Sud de la péninsule, côté golfe de Thaïlande (voir Songkhla) où, d'octobre à début janvier, les pluies tombent au contraire abondamment.

▶ Entre mi-mars et mi-mai, la **saison chaude**, en réalité la saison torride, s'installe : soleil implacable, nuits guère rafraîchissantes. Le thermomètre atteint fréquemment les 40° à Chiang-Mai et à Bangkok dans la journée, et encore davantage dans la grande plaine aride située au nord-est de la capitale. (Dans les grandes villes, hôtels, restaurants et magasins sont souvent climatisés.)

▶ Ensuite, jusqu'à fin octobre, sévit la **saison des pluies**. La chaleur se fait moins forte, mais l'humidité ambiante peut la rendre aussi pénible à supporter.
Dans la région de Bangkok, les pluies tombent sous forme d'orages très violents, mais de courte durée, dans l'après-midi ou la nuit : elles laissent donc place à des heures de soleil non négligeables. Dans la capitale, une des villes les plus polluées du monde, certains quartiers sont régulièrement inondés ou bloqués par des embouteillages monstres, pendant les périodes orageuses.
La région de Pattaya, une des plus réputées avec Phuket pour les plages, bénéficie d'un microclimat particulièrement ensoleillé.
Sur la côte Ouest de la péninsule (voir Phuket), les pluies, plus abondantes, se prolongent jusqu'à fin novembre.
Les rares typhons, en règle générale peu violents, qui traversent le golfe de Thaïlande le font en octobre et novembre.
Dans le Nord, en revanche, les pluies, moins violentes, durent souvent plusieurs jours d'affilée.

▶ L'eau de mer est un vrai rêve pour les grands frileux : de 26° au minimum (en janvier) à 29° au maximum (en mai), aussi bien près de Bangkok qu'à Phuket.

VALISE : vêtements d'été en coton, légers et pratiques et pull-over contre les traîtrises de l'air conditionné et pour les soirées dans le Nord. Pendant la saison des pluies, un parapluie (que vous trouverez sur place) vous sera très utile.

SANTÉ : vaccination contre la rage fortement recommandée pour les longs séjours. Des risques de paludisme toute l'année dans les zones frontalières ; résistance élevée à la Nivaquine et multirésistance.

BESTIOLES : les moustiques thaïlandais se piquent de ne pas rater un touriste, que ce soit sur la côte ou dans l'intérieur.

FOULE : tourisme balnéaire très touché par le souvenir du tsunami de décembre 2004. En temps normal, la pression touristique reste soutenue toute l'année. De novembre à février la fréquentation est la plus forte ; mai et juin sont à l'opposé. Les deux tiers des visiteurs viennent d'Asie (d'abord du Japon et de Malaisie) et 25 % d'Europe (Allemands, Britanniques et Scandinaves sont les plus nombreux). ●

RENDEZ-VOUS NATURE

Sous la mer d'Andaman

En Thaïlande, les plus beaux sites de plongée sont situés à proximité des nombreuses îles situées de part et d'autre de la péninsule. On gagne les îles de la mer Andaman depuis Phuket. La meilleure saison s'étend **de fin novembre à fin avril**. Le reste de l'année, surtout en septembre et octobre, outre la pluie, les vents liés à la mousson du sud-ouest agitent la mer et rendent les traversées plus inconfortables. Phuket est aussi le point de départ pour rejoindre les sites birmans (archipel des îles Mergui) et ceux des îles Andaman (Inde), plus préservés que les sites thaïlandais dont certains ont pâti de la surfréquentation.
À l'Est de la péninsule, dans le golfe de Thaïlande (îles Samui, Pha Ngan, Tao...), la bonne saison de plongée s'étend **de février à août**, mars, avril et mai offrant les meilleures conditions et décembre et janvier étant à éviter.

moyenne des températures maximales / moyenne des températures minimales

	J	F	M	A	M	J	J	A	S	O	N	D
Chiang-Mai (315 m)	**29** 14	**32** 15	**35** 18	**36** 22	**34** 23	**32** 24	**32** 24	**31** 23	**31** 22	**31** 22	**30** 19	**28** 15
Phitsanulok	**32** 18	**34** 21	**36** 23	**37** 25	**36** 25	**34** 25	**33** 25	**32** 25	**32** 25	**32** 24	**32** 22	**31** 18
Ubon Ratchathani	**31** 17	**33** 19	**35** 22	**36** 24	**34** 25	**33** 24	**32** 24	**31** 24	**31** 23	**31** 22	**31** 20	**30** 17
Bangkok	**32** 21	**33** 23	**34** 25	**35** 26	**34** 26	**33** 25	**32** 25	**32** 25	**32** 25	**32** 24	**31** 23	**31** 21
Phuket	**32** 22	**33** 22	**33** 23	**33** 24	**31** 24	**31** 25	**31** 25	**31** 25	**30** 24	**30** 24	**31** 23	**31** 22
Songkhla	**29** 24	**30** 24	**31** 24	**32** 25	**33** 25	**33** 24	**33** 24	**33** 24	**32** 24	**32** 24	**30** 24	**29** 24

nombre d'heures par jour hauteur en mm / nombre de jours

	J	F	M	A	M	J	J	A	S	O	N	D
Chiang-Mai	**9** 7/1	**9,5** 7/1	**9** 14/2	**9** 50/5	**8,5** 150/12	**6** 140/16	**5** 160/18	**4,5** 230/21	**6** 230/18	**7** 120/10	**8** 55/4	**8,5** 15/1

	J	F	M	A	M	J	J	A	S	O	N	D
Phitsanulok	**8,5** 7/1	**8,5** 15/3	**8,5** 30/5	**9** 50/5	**8** 190/12	**6** 190/15	**5,5** 200/16	**5,5** 250/18	**5,5** 240/17	**7** 160/10	**8** 30/3	**8,5** 6/0
Ubon Ratchathani	**9,5** 1/1	**9** 10/3	**8,5** 30/5	**8,5** 90/5	**7,5** 210/12	**6,5** 270/15	**6,5** 280/16	**5,5** 330/18	**5,5** 300/17	**7,5** 100/10	**8,5** 25/3	**9** 3/0
Bangkok	**9** 9/2	**8,5** 17/3	**8,5** 30/3	**8,5** 80/6	**7** 210/14	**6** 150/16	**5,5** 160/18	**5** 210/18	**6,5** 350/21	**6** 270/16	**7,5** 55/16	**8,5** 6/1
Phuket	**9** 35/4	**9,5** 40/3	**9** 75/6	**8** 125/15	**6** 295/19	**4,5** 265/19	**5,5** 215/17	**5,5** 246/17	**5** 325/19	**6** 315/19	**6,5** 195/14	**8** 80/8
Songkhla	**8** 155/14	**8,5** 60/7	**8,5** 60/7	**9** 90/10	**7,5** 120/14	**7** 100/12	**7** 95/12	**7** 95/13	**6,5** 105/14	**6** 315/22	**5,5** 575/23	**6** 440/20

température de la mer : moyenne mensuelle

	J	F	M	A	M	J	J	A	S	O	N	D
Bangkok (près de)	27	27	28	29	29	29	28	28	28	28	27	27
Phuket	28	28	28	29	29	29	29	29	28	28	28	28
Songkhla	27	27	28	29	29	29	29	29	28	28	28	27

Timor oriental

Superficie : 19 000 km^2. Dìli (latitude 8°35'S ; longitude 125°36'O) : GMT + 9 h . Durée du jour : maximale (décembre) 12 heures 30, minimale (juin) 11 heures 30.

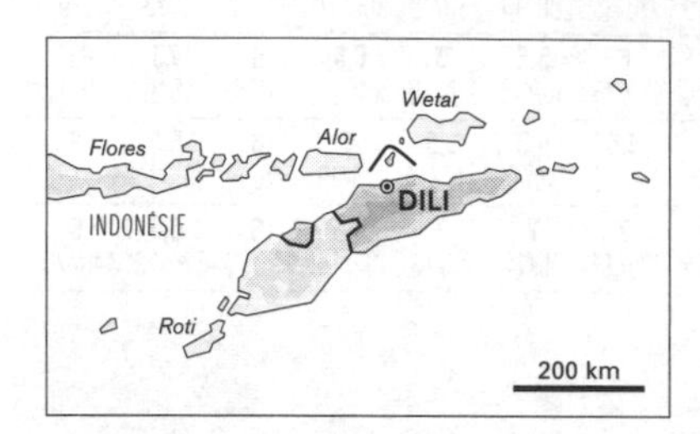

Dans cette ancienne colonie portugaise, annexée pendant 25 ans par l'Indonésie, qui a accédé au rang d'État en mai 2002, on n'enregistre pas de grands écarts de température tout au long de l'année. La pluviométrie, déterminée par un régime de mousson, permet cependant de distinguer deux saisons bien marquées, une saison humide et une saison sèche.

De novembre à mai, les vents qui soufflent du nord-est apportent la « mousson humide ». Les orages, auxquels succèdent des pluies fortes mais brèves, se font alors très fréquents.
De juin à la fin octobre, les vents modérés venus d'Australie s'imposent ; c'est la saison sèche, pendant laquelle les températures baissent sensiblement, surtout la nuit.
Le début de cette saison sèche, **juin-août**, reste la période conseillée pour se rendre à Timor.

On distingue en outre trois zones climatiques à Timor :

La côte Nord, escarpée, où se situe Dìli, capitale du nouvel État, reste la moins arrosée et bénéficie d'une saison sèche qui s'étend de juin à octobre, sur les cinq mois signalés précédemment.
Les reliefs – jusqu'à près de 3 000 m au Centre de cette île qui s'allonge sur un axe est-ouest –, déjà plus arrosés, ont une saison sèche réduite à quatre mois. La température y décroît avec l'altitude, et ces montagnes servent de refuge quand la chaleur humide de la côte devient trop désagréable.
La côte Sud, face à l'Australie, est la région la plus arrosée et connaît une saison sèche limitée à trois mois. À l'arrière s'étend l'essentiel des plaines de l'île.

La mer est toujours chaude : entre 26° et 29° toute l'année.

VALISE : vêtements très légers, amples, en fibres naturelles de préférence ; au moins un pull-over chaud et une veste pour rester dans les régions élevées après le coucher du soleil.

SANTÉ : quelques risques de paludisme au-dessous de 1 200 m d'altitude ; zones de résistance à la Nivaquine et multirésistance.

BESTIOLES : moustiques toute l'année, sauf dans les régions élevées. ●

moyenne des températures maximales / moyenne des températures minimales

	J	F	M	A	M	J	J	A	S	O	N	D
Dìli	**31** 26	**31** 25	**32** 25	**32** 25	**32** 24	**31** 24	**30** 23	**30** 23	**30** 23	**31** 24	**32** 25	**32** 26

nombre d'heures par jour — hauteur en mm / nombre de jours

	J	F	M	A	M	J	J	A	S	O	N	D
Díli	**6** 140/8	**6** 130/8	**6** 140/7	**6** 120/7	**6** 85/6	**6** 25/6	**6** 11/4	**6** 5/4	**6** 6/2	**5** 20/3	**5** 50/4	**5** 140/9

température de la mer : moyenne mensuelle

	J	F	M	A	M	J	J	A	S	O	N	D
Díli	28	28	28	29	29	27	26	26	26	27	28	28

Togo

Superficie : 57 000 km^2. Lomé (latitude 6°10'N ; longitude 01°15'E) : GMT + 0 h . Durée du jour : environ 12 heures toute l'année.

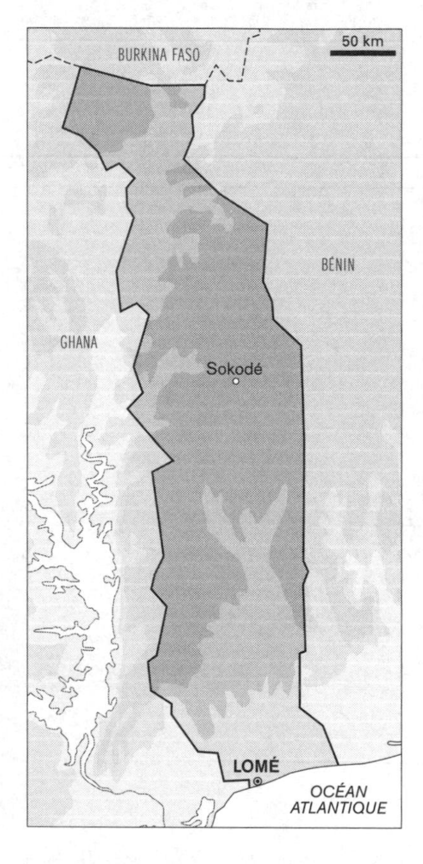

▶ Quel est le meilleur moment pour séjourner au Togo ? Sans aucun doute **le début de la saison sèche** : novembre et décembre. Pendant cette période ensoleillée, on évite à la fois l'humidité étouffante de la saison des pluies et la chaleur la plus extrême des mois de janvier à mars (surtout dans le Nord). De plus, les nuits, relativement fraîches, surtout dans le Nord, permettent de récupérer de la chaleur diurne.

▶ Au **Sud**, il y a deux saisons des pluies : la grande, de fin mars à mi-juin, et la petite, de mi-septembre à fin octobre. Ces pluies, le plus souvent de grosses averses orageuses, tombent traditionnellement en fin d'après-midi sur la côte (voir Lomé), mais brouillard et nuages sont fréquents le matin. Au Nord-Ouest du littoral, le plateau d'Akposso doit à son altitude d'être très arrosé (jusqu'à 1,7 m/an) ; dans cette région, la petite saison sèche accuse un léger ralentissement des pluies.

Sur la côte, les températures restent élevées toute l'année, mais, durant les pluies, la chaleur incommode beaucoup en raison du taux élevé d'humidité.

Vous pouvez vous baigner en toute saison sur les plages togolaises (en faisant attention à la barre assez violente qui se brise sur le cordon littoral).

▶ Au **Nord** (voir Sokodé), les pluies tombent en une seule saison, de fin mars à fin octobre, avec un maximum en septembre. Dans l'extrême Nord (Mango), elles débutent en mai.

Les nuits sont un peu plus fraîches dans ces régions que sur la côte, surtout en décembre et janvier.

L'*harmattan*, sec et brûlant, souffle surtout au Nord, entre décembre et février. Il se fait sentir jusque sur la côte, mais très atténué.

VALISE : toute l'année, des vêtements très légers, en coton ou en lin, faciles à laver. Les femmes éviteront de porter minijupes et shorts, inhabituels au Togo. Prévoir un lainage pour les soirées, en particulier de novembre à janvier.

SANTÉ : vaccination contre la fièvre jaune obligatoire ; vaccin antirabique recommandé pour les longs séjours. Risques de paludisme toute l'année dans tout le pays ;

zones de résistance à la Nivaquine et multirésistance.

BESTIOLES : moustiques en toutes saisons, particulièrement actifs la nuit. ●

moyenne des températures maximales / moyenne des températures minimales

	J	F	M	A	M	J	J	A	S	O	N	D
Sokodé (400 m)	**34** 18	**35** 20	**35** 22	**34** 22	**32** 21	**30** 20	**27** 20	**28** 20	**29** 20	**29** 20	**32** 19	**33** 17
Lomé	**31** 22	**32** 23	**32** 24	**32** 23	**31** 22	**29** 22	**28** 22	**28** 21	**29** 22	**30** 22	**31** 22	**32** 22

nombre d'heures par jour hauteur en mm / nombre de jours

	J	F	M	A	M	J	J	A	S	O	N	D
Sokodé	**9** 14/1	**9** 13/1	**8** 45/4	**7** 105/6	**7** 155/9	**5** 190/12	**4** 220/13	**3** 245/15	**3** 260/16	**7** 125/10	**8** 30/3	**8** 17/2
Lomé	**8** 17/1	**8** 35/2	**8** 80/5	**7** 105/6	**7** 155/8	**5** 200/10	**4** 55/5	**4** 16/3	**6** 50/6	**7** 155/9	**8** 20/3	**8** 6/1

température de la mer : moyenne mensuelle

	J	F	M	A	M	J	J	A	S	O	N	D
Atlantique	27	27	27	28	27	26	26	26	25	26	26	27

Trinidad-et-Tobago

Superficie : 5 100 km². Port of Spain (latitude 10°37'N ; longitude 61°21'O) : GMT - 4 h. Durée du jour : maximale (juin) 12 heures 30, minimale (décembre) 11 heures 30.

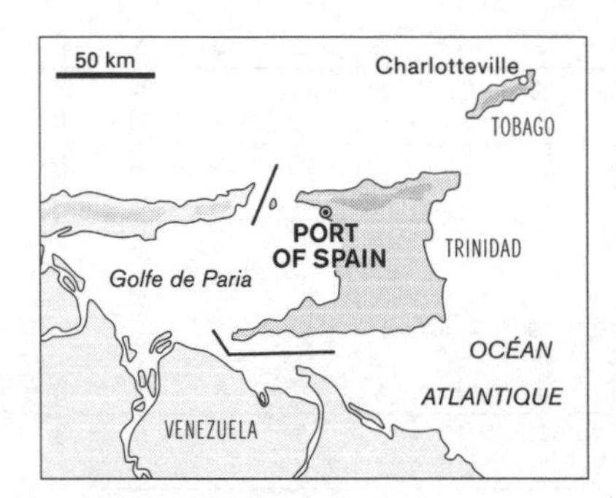

Dans ces îles, situées au large du Venezuela, les températures sont élevées toute l'année, mais rendues cependant supportables par le souffle des alizés.

▶ La **saison sèche**, de janvier à fin avril, est la période tout indiquée pour séjourner à Trinidad et Tobago. De plus, de janvier à mars ont lieu les fameux concerts nocturnes de calypso.

▶ Durant la **saison des pluies**, de juin à septembre, l'humidité, s'ajoutant à la chaleur, rend l'atmosphère vite étouffante pendant les périodes de « pannes d'alizés » (surtout en septembre et octobre).

Les côtes Nord et Est des deux îles, ainsi que l'intérieur de Trinidad, reçoivent plus de pluies que les côtes Sud et Ouest : ainsi, Charlotteville, au nord de Tobago, est deux fois plus arrosée que Port of Spain. L'archipel reste en général à l'abri des ouragans.

▶ La mer est toujours bonne le long des rivages de sable, de rochers ou envahis par la mangrove.

VALISE : en toute saison, vêtements légers, en coton ou en lin de préférence ; éventuellement de quoi se protéger des averses pendant la saison des pluies.

SANTÉ : vaccination contre la fièvre jaune souhaitable pour les voyageurs séjournant dans les zones rurales.

BESTIOLES : des moustiques assez voraces pendant la saison des pluies.

FOULE : comparés à février et août, les plus fréquentés, les mois de septembre à novembre font figure de période creuse. ●

moyenne des températures maximales / moyenne des températures minimales

	J	F	M	A	M	J	J	A	S	O	N	D
Port of Spain	**29** 19	**30** 19	**31** 19	**31** 21	**32** 21	**31** 22	**31** 21	**31** 22	**31** 22	**31** 22	**31** 21	**30** 21

nombre d'heures par jour — hauteur en mm / nombre de jours

	J	F	M	A	M	J	J	A	S	O	N	D
Port of Spain	**8** 60/14	**9** 30/8	**9** 35/8	**9** 35/7	**8** 70/11	**7** 165/17	**7** 200/20	**7** 195/21	**7** 175/18	**7** 140/16	**7** 165/17	**7** 120/16

température de la mer : moyenne mensuelle

	J	F	M	A	M	J	J	A	S	O	N	D
Port of Spain	26	25	26	26	26	27	28	28	27	27	27	26

Tunisie

Superficie : 164 000 km^2. Tunis (latitude 36°50'N ; longitude 10°14'E) : GMT + 1 h . Durée du jour : maximale (juin) 14 heures 30, minimale (décembre) 9 heures 30.

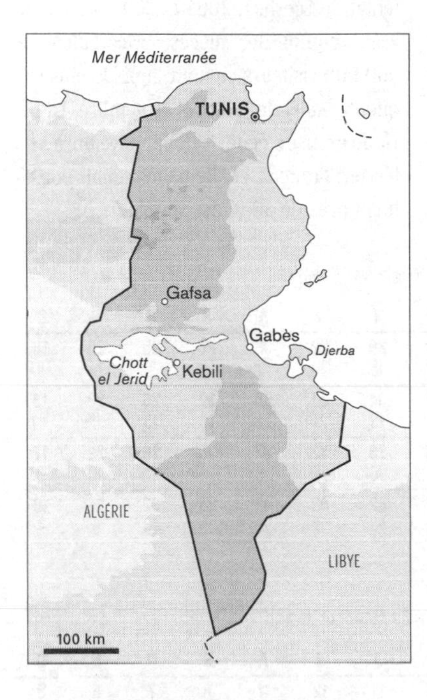

Le climat de la Tunisie, justement renommée pour ses plages et son soleil, ne permet cependant pas, comme on le croit parfois, de se baigner toute l'année :

Au Nord, dans le golfe de Tunis, la saison balnéaire s'étend **de fin mai à fin octobre**.

La côte Nord, de Tabarka à Bizerte, est un peu moins abritée : le mois d'octobre peut y être assez pluvieux.

En descendant le long de la côte vers Hammamet, Monastir, Sfax, puis Gabès et l'île de Djerba, les températures s'élèvent progressivement, mais restent supportables même en plein été grâce aux brises marines.

À Djerba, les plages sont fréquentables dès la fin avril, mais, à cette époque, la mer demeure encore fraîche et le vent peut être perturbant.

L'arrière-saison est particulièrement agréable : il fait encore très chaud en septembre-octobre, et les grandes foules ont déserté les plages.

À partir de la fin octobre, les pluies, quasi inexistantes sur les côtes en été, augmentent progressivement jusqu'en janvier. Elles sont en général assez violentes et de durée limitée. La région la plus arrosée reste la côte Nord et son arrière-pays.

Si vous avez l'intention de voyager à l'intérieur de la Tunisie, l'été, en revanche, n'est pas la meilleure saison, sauf dans le haut Tell ou les monts de Tebesa, où la chaleur est atténuée par l'altitude, surtout la nuit, et qui sont agréables de mai à octobre. Il peut y faire froid en hiver : les précipitations, assez abondantes, tombent parfois sous forme de neige.

Partout ailleurs dans l'intérieur du pays (voir Gafsa), l'été est brûlant. Choisissez de préférence les intersaisons, **de mars à mai**, ou **de mi-septembre à fin octobre**, qui vous permettront d'échapper à la grosse canicule.

L'hiver peut être froid – les gelées ne sont pas exceptionnelles, même en plaine –, mais il est plus sec que sur les côtes...

Dans les oasis du Sud (voir Kebili) et au Sahara, la meilleure saison va **de novembre à mars**. Les nuits, entre décembre et février, peuvent être très froides (voir chapitre « Algérie »).

Le sirocco, appelé *chehili* en Tunisie, souffle du Sahara jusqu'au Nord du pays. C'est en été qu'il se manifeste avec le plus de virulence, au Sud où il provoque des tourbillons de sable, et dans le Centre, notamment vers Kairouan. Il est très affaibli le long des côtes.

VALISE : en été, vêtements très légers (ni shorts ni minijupes pour les femmes) ; en hiver, vêtements de demi-saison, manteau léger, imperméable. Dans les régions sahariennes, prévoir des vêtements chauds pour les soirées et les nuits de novembre à avril et une écharpe en coton pour se protéger des vents de sable.

SANTÉ : vaccin antirabique conseillé pour de longs séjours.

BESTIOLES : moustiques, surtout dans les oasis du Sud tunisien.

FOULE : forte pression touristique pour ce pays qui est la 1re destination africaine des Européens. Après une baisse en 2002 (attentat de Djerba), 2004 et 2005 ont à nouveau connu le succès, avec plus de 700 000 visiteurs en août, mois le plus fréquenté, suivi de juillet et septembre. La période creuse s'étale de début novembre à fin février. Français et Allemands réunis constituent près de 40 % des voyageurs. ●

moyenne des températures maximales / moyenne des températures minimales

	J	F	M	A	M	J	J	A	S	O	N	D
Tunis	**15** 7	**16** 8	**18** 9	**21** 11	**23** 14	**29** 18	**32** 20	**32** 21	**29** 20	**25** 16	**20** 12	**16** 8
Gafsa (310 m)	**14** 4	**17** 5	**20** 8	**24** 11	**28** 15	**34** 19	**37** 21	**36** 22	**32** 19	**26** 15	**20** 9	**15** 5
Gabès	**16** 6	**17** 7	**20** 10	**22** 13	**25** 17	**28** 20	**32** 22	**32** 23	**30** 21	**26** 17	**22** 12	**17** 8
Kebili	**18** 3	**21** 4	**26** 8	**32** 13	**37** 18	**42** 22	**43** 22	**42** 22	**38** 19	**32** 15	**24** 9	**19** 4

nombre d'heures par jour hauteur en mm / nombre de jours

	J	F	M	A	M	J	J	A	S	O	N	D
Tunis	**5** 70/9	**6** 45/7	**7** 40/7	**8** 40/5	**10** 25/4	**11** 10/2	**12** 1/6	**11** 11/1	**9** 35/4	**7** 50/6	**6** 55/7	**5** 70/9
Gafsa	**7** 15/3	**8** 14/2	**8** 20/5	**9** 18/4	**10** 11/4	**10** 6/2	**12** 2/1	**12** 6/2	**10** 12/3	**8** 20/4	**7** 20/4	**7** 15/3
Gabès	**8** 17/2	**8** 17/2	**8** 17/3	**9** 17/2	**9** 9/2	**10** 2/1	**12** 0/0	**12** 1/0	**10** 14/2	**8** 40/3	**7** 30/3	**7** 19/2
Kebili	**10** 5/1	**10** 3/1	**10** 5/1	**10** 2/0	**10** 2/0	**11** 1/0	**12** 0/0	**12** 0/0	**11** 1/0	**10** 2/0	**9** 5/1	**9** 1/0

température de la mer : moyenne mensuelle

	J	F	M	A	M	J	J	A	S	O	N	D
Bizerte	15	14	15	16	18	20	23	25	24	22	19	16
Île de Djerba	15	15	15	16	18	21	24	25	25	23	20	17

Turkménistan

Superficie : 488 000 km². Achgabat (latitude 37°58'N ; longitude 58°20'E) : GMT + 5 h . Durée du jour : maximale (juin) 15 heures, minimale (décembre) 9 heures 30.

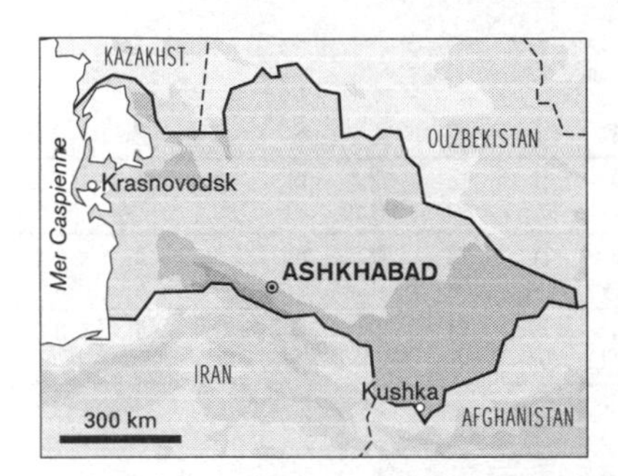

Un vaste désert occupe la majeure partie du Turkménistan. Ouvert au nord, il est limité, à l'ouest, par la mer Caspienne et bordé, au sud et à l'est, par les reliefs du Kopet Dag et les contreforts des chaînes afghanes. La population se répartit essentiellement sur le pourtour du pays.

En **hiver**, la latitude et aussi la proximité de grandes masses d'eau – la mer Caspienne et ce qu'il reste de la mer d'Aral – limitent un peu la rigueur des températures. On trouve même un climat clément tout au sud de la Caspienne, dans le bassin de la rivière Atrek, bien isolé des influences sibériennes par le relief.

Janvier est le mois préféré des tempêtes venues du sud de la mer Caspienne. Quand la neige ne recouvre pas le sol, elles s'accompagnent de tempêtes de poussière.

La région de la capitale connaît de temps à autre de brusques coups de *fœhn* qui peuvent élever très rapidement la température de 10 à 20°.

Surtout au début du **printemps** – sans pour autant ignorer les mois d'hiver – un autre type de tempêtes, les « cyclones de Murgab », balaient périodiquement la moitié orientale du pays. Ils se forment en Iran et apportent un air chaud.

L' **été** est long, chaud, ensoleillé et très sec. Les précipitations sont rares et même inexistantes dans tout le Sud du pays où on relève des records absolus de température supérieurs à 50°. C'est cette région qui connaît les tempêtes de poussière les plus fréquentes. Elles peuvent arriver même en été, surtout dans la moitié occidentale du pays. L' **automne** offre une saison assez agréable ; avec le printemps, ce sont, du point de vue climatique, les périodes les plus propices pour se déplacer dans ce pays. Plus précisément : **de la fin avril au début de juin**, et **de la fin septembre à la mi-octobre**.

VALISE : en hiver, il faut être chaudement vêtu et bien protégé si le vent se lève. Dès le mois de mars, on peut trouver quelques journées chaudes. Au printemps et en automne tout particulièrement, il faut à la fois pouvoir s'adapter aux chaleurs de l'après-midi et à la fraîcheur du soir. Les voyageuses doivent aussi savoir que des vêtements trop décontractés risquent de choquer la population musulmane. ●

moyenne des températures maximales / moyenne des températures minimales

	J	F	M	A	M	J	J	A	S	O	N	D
Krasnovodsk	**5**	**7**	**10**	**18**	**25**	**30**	**33**	**33**	**27**	**20**	**13**	**9**
(- 10 m)	- 2	- 1	2	7	15	18	22	22	17	9	3	0
Achgabat	**8**	**12**	**17**	**24**	**31**	**36**	**39**	**37**	**31**	**24**	**15**	**9**
(220 m)	- 4	- 2	1	8	15	20	23	21	15	8	0	- 3

Turkménistan

	J	F	M	A	M	J	J	A	S	O	N	D
Kushka (630 m)	**8** - 3	**11** - 1	**15** 3	**21** 7	**29** 12	**34** 16	**37** 17	**35** 16	**29** 9	**23** 5	**16** 0	**10** - 2

nombre d'heures par jour — hauteur en mm / nombre de jours

	J	F	M	A	M	J	J	A	S	O	N	D
Krasnovodsk	**4** 25/7	**4** 21/7	**5** 45/8	**7** 40/7	**10** 30/4	**11** 6/2	**12** 2/1	**12** 1/0,5	**10** 3/1	**8** 11/3	**5** 15/4	**4** 19/7
Achgabat	**4** 25/7	**4** 21/7	**5** 45/8	**6** 40/7	**10** 30/4	**11** 6/2	**12** 2/1	**12** 1/0,5	**10** 3/1	**8** 11/3	**5** 15/4	**4** 19/7
Kushka	**4** 40/7	**4** 40/7	**5** 60/8	**7** 30/6	**10** 12/3	**13** 2/1	**13** 0/0	**12** 0/0	**11** 1/0,5	**9** 9/1	**6** 25/3	**5** 25/6

Turquie

Superficie : 780 000 km^2. Ankara (latitude 39°57'N ; longitude 32°53'O) : GMT + 2 h . Durée du jour : maximale (juin) 15 heures, minimale (décembre) 9 heures 30.

▶ Si vous allez en Turquie sur les traces des anciennes civilisations qui y ont laissé leurs empreintes – des Hittites et des Perses aux Ottomans, en passant par les Grecs, les Romains et l'Empire byzantin –, le **printemps** et l'**automne** sont les saisons à retenir. Ce sont deux périodes ensoleillées (en particulier le **mois de mai, début juin et septembre**) et tempérées. L'été est, en effet, souvent trop chaud, surtout sur le haut plateau intérieur, pour se livrer à de longues marches ; l'hiver, déjà très froid et enneigé au Centre du pays, se fait glacial dans toute sa partie orientale.
Dès le début du mois d'avril, vous pourrez flâner dans les ruines d'Éphèse, près d'Izmir, en profitant de températures agréables. En mai, Istanbul est très ensoleillée ; c'est aussi une bonne période pour se rendre à Ankara, au centre du plateau d'Anatolie, ou découvrir les surprenants reliefs et les villes souterraines de la Cappadoce. La capitale n'est cependant pas à l'abri de soirées et de matinées très fraîches, voire froides.
Il vaut mieux attendre le début du mois de juin pour grimper sur le Nemrut Dag (2 150 m) et admirer les ruines du mausolée du roi Antiochos, ou, encore plus à l'est, longer les rives du lac de Van (1 700 m), berceau du peuple arménien, ou partir à la recherche de l'arche de Noé sur le mont Ararat. Vous pouvez aussi choisir l'automne. Dans ce cas, commencez votre périple, au début du mois de septembre, par l'Est du pays : il y fait déjà très frais à la mi-octobre et froid au début du mois de novembre, qui voit tomber les premières neiges. L'automne est aussi la saison où l'on peut voir des millions de volatiles survoler en rangs serrés le détroit du Bosphore pour échapper au terrible hiver russe.

▶ En revanche, en **été**, la Turquie est un pays rêvé pour les amoureux de la mer et du soleil. Sur les côtes Ouest et Sud (voir Izmir et Antalya), l'été est sec, particulièrement ensoleillé, et aux heures les plus chaudes la sieste demeure le seul moyen de lutte efficace contre la fournaise. On a plutôt tendance à se réjouir de l'insistance des vents, quoi qu'on puisse aussi s'en lasser.
La situation est différente au Nord : à Istanbul, l'été, chaud et humide, est quelque peu étouffant. Sur la mer Noire (Sinop, Trabzon), les températures, celles de l'air ou celles de l'eau, sont sensiblement moins élevées que sur les côtes Sud et Ouest ; surtout, les pluies orageuses deviennent plus fréquentes, et le soleil se fait parfois prier.

▶ Sur les côtes méditerranéenne et égéenne, l' **hiver** est doux mais assez pluvieux, spécialement dans la région d'Antalya. Istanbul subit en cette saison un petit crachin glacé fort déplaisant, et la neige n'y est pas rare. L'air de cette mégalopole de 7 millions d'habitants est surtout très pollué.

VALISE : de fin mai à fin septembre, vêtements d'été légers, un ou deux pull-overs pour les soirées à l'intérieur du pays. Si, dans certaines villes de la côte où l'afflux de touristes est important, on peut se permettre une certaine décontraction vestimentaire, shorts, robes décolletées, etc., restent provocants dans ce pays relativement rigoriste ;

pour visiter les mosquées, femmes et hommes doivent avoir les épaules et les jambes couvertes (et se déchausser). En hiver : sur la côte, vêtements assez chauds, de demi-saison pour les jours ensoleillés ; dans l'intérieur, mêmes vêtements que dans un pays froid ; dans les deux cas, imperméable.

SANTÉ : vaccination contre la rage fortement conseillée. Faibles risques de paludisme de mars à la fin novembre dans le Sud-Est du pays.

BESTIOLES : des moustiques en été qui sévissent davantage à l'intérieur du pays et sur la côte Sud que sur la côte Est.

FOULE : pression touristique soutenue, d'autant plus que les vacanciers de l'ancienne Europe de l'Est affluent en Turquie. Août voit la plus grande affluence, suivi de septembre et octobre, nettement plus fréquentés que juillet. En 2005, les Allemands représentaient à eux seuls le quart du total des voyageurs. Britanniques et Russes sont à part égale, suivis des Néerlandais et des Français. ●

moyenne des températures maximales / moyenne des températures minimales

	J	F	M	A	M	J	J	A	S	O	N	D
Istanbul	**8** 3	**9** 2	**11** 3	**16** 7	**21** 12	**25** 16	**28** 18	**28** 19	**24** 16	**20** 13	**15** 9	**11** 5
Trabzon	**11** 5	**10** 4	**12** 5	**15** 8	**19** 13	**23** 17	**26** 20	**26** 20	**23** 17	**20** 14	**17** 10	**13** 7
Ankara **(900 m)**	**4** - 4	**5** - 3	**11** 0	**17** 4	**22** 9	**27** 13	**30** 15	**30** 15	**26** 11	**20** 7	**13** 3	**6** - 1
Van **(1 730 m)**	**1** - 8	**2** - 8	**4** - 5	**11** 1	**18** 6	**24** 10	**28** 14	**28** 14	**24** 9	**17** 5	**11** 1	**3** - 6
Izmir	**12** 5	**13** 5	**16** 7	**21** 10	**26** 14	**30** 18	**33** 21	**33** 21	**29** 17	**24** 14	**19** 10	**14** 7
Antalya	**15** 6	**15** 7	**18** 8	**21** 11	**25** 15	**30** 20	**34** 23	**34** 23	**31** 19	**26** 15	**21** 11	**17** 8

nombre d'heures par jour hauteur en mm / nombre de jours

	J	F	M	A	M	J	J	A	S	O	N	D
Istanbul	**2** 110/12	**3** 90/11	**4** 70/10	**6** 45/6	**8** 40/5	**10** 35/4	**11** 35/3	**11** 30/2	**8** 60/5	**6** 80/8	**4** 105/11	**2** 120/13
Trabzon	**3** 90/10	**3** 70/9	**4** 60/10	**5** 55/9	**7** 55/8	**8** 50/8	**7** 35/8	**7** 45/5	**5** 80/8	**5** 110/8	**4** 100/9	**3** 80/10
Ankara	**3** 35/8	**4** 40/8	**6** 35/7	**7** 35/7	**9** 50/7	**11** 30/5	**12** 13/2	**12** 8/1	**10** 19/3	**7** 20/5	**5** 30/6	**3** 45/9
Van	**3** 55/9	**5** 25/8	**6** 50/9	**7** 60/10	**9** 35/8	**11** 15/2	**12** 5/1	**12** 2/1	**10** 8/1	**6** 50/7	**5** 40/7	**3** 35/7
Izmir	**4** 135/10	**6** 105/8	**6** 70/7	**8** 45/5	**10** 40/4	**12** 9/2	**12** 3/0	**12** 2/0	**10** 16/2	**7** 50/4	**5** 85/6	**4** 140/11
Antalya	**5** 245/11	**7** 160/9	**7** 90/6	**9** 45/4	**10** 30/3	**12** 11/1	**12** 2/0	**12** 3/0	**10** 13/1	**8** 50/4	**7** 105/6	**5** 275/12

température de la mer : moyenne mensuelle

	J	F	M	A	M	J	J	A	S	O	N	D
Trabzon	9	8	8	10	14	21	24	24	22	19	16	12
Izmir	15	13	14	15	17	20	23	23	22	19	17	14
Antalya	17	15	16	17	20	23	26	27	27	24	21	19

Ukraine

Superficie : 604 000 km². Kiev : (latitude 50°24'N ; longitude 30°27'E) : GMT + 2 h . Durée du jour : maximale (juin) 16 heures 30, minimale (décembre) 8 heures.

▶ Bordée au sud par la mer Noire et son appendice de la mer d'Azov, au sud-ouest par la chaîne des Carpates, l'Ukraine est grande ouverte, au nord et à l'est, aux influences polaires.

▶ **De mai à la fin septembre**, il n'existe pas de contre-indications pour un voyage en Ukraine ; certains étés cependant, il peut y faire très chaud.

▶ Les grandes plaines des parties Nord et orientale de l'Ukraine connaissent une sorte d'hiver russe, mais en version moins rigoureuse et abrégée : la région de Kiev est en moyenne recouverte par la neige une centaine de jours (150 pour celle de Moscou) et la moyenne des minima relevés au pied de la cathédrale Sainte-Sophie s'écarte de celle enregistrée devant le Kremlin de plus de 5°. La règle générale est la suivante : plus on avance vers le Nord, et surtout vers l'Est, plus l'hiver est rigoureux. Dans l'Est du pays, les jours de brouillard sont nombreux.

Au Sud, les bords de la mer Noire offrent des températures plus clémentes. Il neige rarement sur le littoral de la Crimée ; cependant, même Yalta est loin de pouvoir véritablement prétendre être une « Côte d'Azur » (1° et 7° pour Yalta, 5° et 12° pour Nice, sont leurs moyennes respectives des minima et des maxima en janvier).

L'Ukraine n'est jamais à l'abri, même en hiver, d'une bonne tempête : le *buran*, si la neige est soulevée ; et le *buran noir*, si, en l'absence de neige, c'est la poussière qui s'envole. Le Nord de la Crimée et les bords de la mer d'Azov restent des secteurs particulièrement affectés par ces tempêtes.

▶ Au début du mois d'avril, la neige a le plus souvent disparu des vastes plaines de l'Ukraine et les températures montent allégrement. Le printemps voit aussi quelques coups de *fœhn* viser la Crimée et y faire brusquement s'effondrer son taux d'humidité. À la fin du printemps et jusqu'au mois d'août, les orages se font fréquents, tout particulièrement dans la région d'Oujgorod, à l'extrême Ouest du pays, au-delà des reliefs des Carpates.

▶ L'été ukrainien est long. Juin et juillet voient tomber les pluies les plus importantes – rien de très excessif cependant, puisque ces régions souffrent d'un déficit général de précipitations. Périodiquement, les steppes connaissent les tempêtes de poussière (l'Ukraine exporte ainsi un peu de son lœss jusqu'en Scandinavie).

Le pays, surtout sa moitié Sud, connaît aussi de temps à autre le phénomène du *soukhoviei* : ce vent chaud, associé à la sécheresse de l'air et du sol, arrive à faire griller la végétation sur pied.

VALISE : vêtements chauds en hiver. Au printemps et en automne, ne pas oublier d'emporter de quoi se couvrir pour les soirées qui peuvent être très fraîches. ●

Voir tableaux page suivante

Ukraine

moyenne des températures maximales / moyenne des températures minimales

	J	F	M	A	M	J	J	A	S	O	N	D
Kiev	**- 4** - 10	**- 2** - 8	**3** - 4	**14** 5	**21** 11	**24** 14	**25** 15	**24** 14	**20** 10	**13** 6	**6** 0	**- 1** - 6
Chernivtsy (250 m)	**- 3** - 10	**0** - 7	**4** - 3	**14** 3	**20** 9	**23** 12	**24** 13	**24** 13	**21** 9	**15** 5	**8** 1	**- 1** - 6
Kharkov	**- 5** - 12	**- 3** - 10	**2** - 4	**14** 4	**22** 10	**25** 13	**27** 15	**26** 14	**21** 9	**13** 4	**5** - 1	**- 1** - 6
Odessa	**0** - 6	**2** - 4	**5** 0	**12** 6	**19** 12	**23** 16	**26** 18	**26** 17	**21** 14	**16** 9	**10** 4	**4** - 2
Simferopol (200 m)	**3** - 4	**5** - 3	**9** 0	**16** 5	**22** 10	**25** 14	**28** 16	**28** 15	**23** 11	**17** 7	**12** 4	**7** 0

nombre d'heures par jour hauteur en mm / nombre de jours

	J	F	M	A	M	J	J	A	S	O	N	D
Kiev	**1** 43/12	**2** 40/10	**4** 35/9	**5** 45/8	**8** 55/9	**9** 65/10	**9** 70/10	**8** 72/10	**6** 47/7	**4** 47/8	**2** 53/10	**1** 40/12
Chernivtsy	**2** 40/13	**2** 45/12	**4** 50/9	**6** 55/7	**8** 63/9	**9** 110/9	**9** 110/10	**8** 45/8	**6** 45/6	**5** 30/6	**2** 40/8	**1** 40/10
Kharkov	**1** 50/12	**2** 40/9	**4** 30/9	**6** 30/7	**9** 30/6	**9** 50/6	**10** 45/7	**8** 65/6	**7** 30/5	**5** 20/5	**2** 45/9	**1** 65/14
Odessa	**2** 57/10	**2** 62/10	**4** 30/8	**7** 20/7	**9** 35/6	**10** 35/6	**10** 42/5	**10** 37/5	**8** 37/5	**6** 13/4	**2** 35/8	**1** 70/10
Simferopol	**2** 45/10	**4** 35/10	**5** 40/8	**7** 30/6	**10** 40/6	**11** 35/6	**11** 65/5	**10** 40/4	**9** 35/5	**7** 25/4	**4** 45/9	**2** 50/11

température de la mer : moyenne mensuelle

	J	F	M	A	M	J	J	A	S	O	N	D
Odessa	2	2	3	8	15	19	21	22	18	13	9	3

Uruguay

Superficie : 176 000 km^2. Montevideo (latitude 34°42'N ; longitude 56°12'O) : GMT - 3 h . Durée du jour : maximale (décembre) 14 heures 30, minimale (juin) 10 heures.

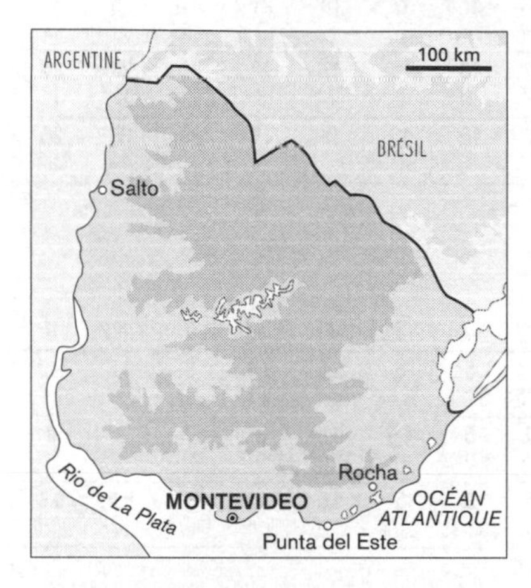

En Uruguay, petit pays encadré par ses deux voisins géants, le Brésil et l'Argentine, le climat reste assez tempéré, en particulier sur la côte.

▸ La meilleure saison pour se rendre à Montevideo est l'été austral, **de décembre à mars**. Il fait alors chaud, parfois très chaud dans la journée, mais nettement moins étouffant qu'à Buenos Aires, de l'autre côté du rio de La Plata, et les nuits sont douces. Le temps demeure ensoleillé malgré les quelques pluies qui, en cette saison comme aux autres, sont apportées par le *sudestada*, vent frais venu de l'océan (d'où le dicton : « *Viento del este, lluvia como peste* »). C'est la bonne époque pour profiter des plages qui s'étendent à l'est de Montevideo, notamment à Punta del Este, station balnéaire encombrée, très prisée des Argentins. Il faut savoir toutefois que la mer n'y est jamais très chaude. Les plages sont moins fréquentées et plus sauvages dans le département de Rocha, vers le Brésil.

Sur le littoral, les températures de l'air restent très agréables pendant les saisons intermédiaires. En hiver, surtout de la mi-juin au début août, si le temps se fait assez doux durant la journée, les nuits peuvent être froides. Les pluies, réparties assez également sur toute l'année, tombent fréquemment sous la forme de fortes averses.

▸ À l'intérieur du pays (voir Salto), il fait un peu plus chaud et l'on peut préférer les intersaisons, par exemple **de mars à mai** et **septembre-octobre**, bien que les pluies – le plus souvent de violents orages – soient un peu plus fortes durant ces deux périodes que le reste de l'année. Ces pluies ont tendance à augmenter à mesure que l'on s'approche de la frontière brésilienne, au nord. De même que sur la côte, l'hiver reste relativement doux et assez ensoleillé dès la mi-août.

▸ En Uruguay, dont les plaines ont vu naître le *gaucho* à la fin du XVIIIe siècle, les gardiens de bétail à cheval sont encore omniprésents dans le paysage rural, plus encore qu'en Argentine. Dans ce pays à l'écart du tourisme d'origine européenne, **toute l'année**, mis à part au cœur de l'hiver (mi-juin à fin juillet), se prête fort bien aux *cabalgatas* (chevauchées) sur les infatigables *caballos criollos*.

VALISE : de novembre à mars, vêtements légers et amples, un ou deux lainages cependant et une veste ; et de quoi se protéger des averses. De juin à août, vêtements de demi-saison (pull-overs, veste chaude, imperméable ou anorak coupe-vent). ●

Voir tableaux page suivante

Uruguay

moyenne des températures maximales / moyenne des températures minimales

	J	F	M	A	M	J	J	A	S	O	N	D
Salto	**32** 19	**31** 18	**29** 16	**24** 13	**21** 10	**17** 7	**17** 7	**19** 8	**21** 9	**24** 12	**29** 14	**30** 17
Rocha	**28** 16	**27** 16	**25** 14	**22** 11	**19** 8	**16** 7	**16** 6	**17** 7	**18** 8	**20** 10	**23** 12	**26** 14
Montevideo	**28** 18	**27** 18	**25** 16	**22** 13	**18** 10	**15** 7	**15** 7	**16** 7	**18** 9	**20** 11	**23** 13	**26** 16

nombre d'heures par jour hauteur en mm / nombre de jours

	J	F	M	A	M	J	J	A	S	O	N	D
Salto	**9** 120/5	**7,5** 130/6	**7,5** 150/5	**6** 130/5	**7** 100/5	**5** 80/7	**5** 75/6	**5,5** 70/4	**6,5** 110/7	**8** 120/7	**8,5** 130/5	**9,5** 120/5
Rocha	**9** 100/6	**7** 110/7	**7,5** 90/7	**6,5** 75/6	**5,5** 90/6	**5** 100/7	**4,5** 110/7	**5,5** 110/7	**6** 110/7	**7** 95/7	**8** 85/7	**9** 65/5
Montevideo	**9,5** 90/6	**8,5** 90/6	**8** 100/7	**6,5** 85/6	**5,5** 90/6	**5** 90/7	**5** 95/8	**5,5** 95/6	**7** 90/6	**8** 110/7	**8,5** 95/7	**9,5** 75/6

température de la mer : moyenne mensuelle

	J	F	M	A	M	J	J	A	S	O	N	D
Atlantique (Punta del Este)	21	22	21	19	17	15	13	12	13	15	17	20

Vanuatu

Superficie : 12 000 km². Port Vila (latitude 17°44'S ; longitude 168°19'E) : GMT + 11 h . Durée du jour : maximale (décembre) 13 heures, minimale (juin) 11 heures.

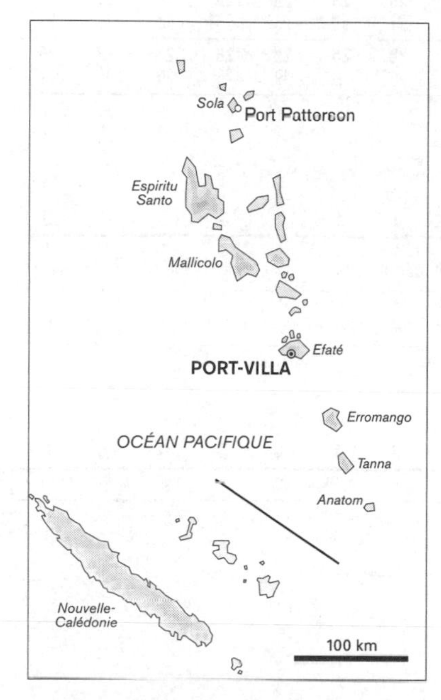

Il fait généralement chaud et humide dans cet archipel (ex-Nouvelles-Hébrides) qui s'étend, au nord-est de la Nouvelle-Calédonie, sur environ 900 km de long.

▶ La **saison « fraîche »**, de mai à octobre, reste la période la plus agréable : les pluies sont moins abondantes que le reste de l'année et les alizés tempèrent un peu la chaleur. Dans les îles situées au nord du 17 e parallèle (voir Port Patterson), il pleut assez souvent même pendant cette saison, et l'humidité peut parfois devenir désagréable.
En revanche, plus au sud, de l'île Efaté (voir Port Vila) à celle d'Anatom, les pluies tombent nettement plus modérément durant cette période.

▶ Pendant la saison chaude, en particulier de décembre à mai, l'ensemble de l'archipel reçoit des précipitations très abondantes et peut également essuyer des cyclones tropicaux (surtout au Nord), tel le cyclone *Ivy*, en février 2004.

▶ Il n'existe pas de données statistiques fiables concernant l'ensoleillement au Vanuatu, très satisfaisant au Sud de l'archipel et prédominant au nord en saison sèche, plus incertain durant la saison des pluies, surtout au Nord.

VALISE : quelle que soit la saison, vêtements très légers et éventuellement de quoi se protéger des averses (mais quand il pleut, il pleut, et pas grand-chose n'y résiste...).

SANTÉ : risques de paludisme toute l'année, sauf sur l'île de Futuna. Zones de résistance à la Nivaquine.

BESTIOLES : après le coucher du soleil, nuages de moucherons et de moustiques, toute l'année.

FOULE : pression touristique soutenue. Décembre connaît la plus grande affluence ; la période qui va de juillet à octobre fait aussi figure de haute saison. Février et mars sont au contraire les moins fréquentés. Plus de la moitié des visiteurs sont Australiens ; les autres issus de la région : originaires de Nouvelle-Zélande, de Nouvelle-Calédonie ou des îles mélanésiennes. ●

Voir tableaux page suivante

Vanuatu

moyenne des températures maximales / moyenne des températures minimales

	J	F	M	A	M	J	J	A	S	O	N	D
Port Patterson	**30** 3	**30** 24	**30** 24	**29** 23	**29** 23	**28** 23	**28** 23	**28** 23	**28** 23	**28** 23	**29** 23	**30** 24
Port Vila	**30** 23	**30** 23	**30** 23	**28** 22	**27** 21	**26** 20	**25** 19	**26** 19	**26** 20	**27** 20	**28** 21	**29** 22

nombre d'heures par jour hauteur en mm / nombre de jours

	J	F	M	A	M	J	J	A	S	O	N	D
Port Patterson	* 415/20	* 360/19	* 445/23	* 425/20	* 370/19	* 245/17	* 225/15	* 235/15	* 305/17	* 490/18	* 265/14	* 300/17
Port Vila	* 320/18	* 280/17	* 365/20	* 210/17	* 135/14	* 130/13	* 112/12	* 110/12	* 105/12	* 110/12	* 175/13	* 180/14

température de la mer : moyenne mensuelle

	J	F	M	A	M	J	J	A	S	O	N	D
Port-Vila	28	28	28	28	27	26	26	25	26	26	27	27

Venezuela

Superficie : 910 000 km². Caracas (latitude 10°30'N ; longitude 66°53'O) : GMT - 4 h . Durée du jour : maximale (juin) 12 heures 30, minimale (décembre) 11 heures 30.

▶ La période qui s'étend de la mi-décembre à la mi-avril et qui correspond à la **saison sèche** *(el verano)* sur l'essentiel du territoire est la meilleure saison pour se rendre au Venezuela, que vous ayez le projet de parcourir le pays ou de vous prélasser à l'ombre des palmiers sur les plages caraïbes. (Et pendant cette période, partez de préférence **entre mi-février et avril**.)

Sur la côte Nord du pays (voir Maracaibo), comme sur les îles Margarita et La Tortuga, la chaleur est un peu moins forte et surtout moins étouffante que pendant la saison des pluies. Les îles et la splendide côte encore peu fréquentée qui s'étend à l'est de Barcelona sont les régions les plus ensoleillées.

Caracas, la capitale, et Mérida, au centre d'une petite cordillère andine qui s'allonge à l'Ouest du pays, jouissent, grâce à leur altitude, de températures plus modérées pendant la journée et qui peuvent être fraîches en matinée. Mérida et surtout la Guyane vénézuélienne – massif de montagnes douces et de plateaux couverts de forêts tropicales, au Sud-Est du pays (voir Santa Elena) – ne sont jamais à l'abri des averses et des orages, même pendant la saison sèche.

Au-dessus de 3 000 m, dans la cordillère andine, et jusqu'à 5 000 m, où règnent les neiges éternelles, il fait constamment froid et humide. On trouve des pistes de ski dans l'État de Mérida.

C'est dans les plaines centrales, les interminables *llanos*, que l'on observe, à cette saison, les températures les plus élevées (voir San Fernando). Les pointes de 40° sont très fréquentes et, en début d'après-midi, chevaux et cavaliers ont tout intérêt à faire la sieste à l'ombre d'un arbre, si toutefois ils en trouvent un, avant de repartir à la recherche du bétail.

Au Venezuela, c'est en janvier et février que fleurit le *bucare*, un arbre magnifique aux fleurs rouge orangé.

▶ Pendant la **saison des pluies**, grosso modo de la fin avril à la fin novembre, la chaleur humide est assez éprouvante sur la côte, même à Maracaibo, où il pleut relativement peu. À Caracas, l'eau des *aguaceros*, dévalant les ravins qui surplombent la capitale, provoque régulièrement des inondations. Au Centre du pays, de larges étendues de *llanos* se transforment en marécages et la circulation dans cette région devient très problématique. Mais les régions les plus arrosées sont le bassin de l'Orénoque et les reliefs – la cordillère de Mérida et surtout le plateau des Guyanes (plus de 4 m d'eau par an dans certaines zones), pays de jungle mythique pour les chercheurs d'or.

VALISE : vêtements légers (évitez les fibres synthétiques), un ou deux lainages, veste ou blouson pour les soirées en altitude ; vêtement de pluie léger d'avril à novembre.

SANTÉ : risques de paludisme (en dessous de 800 m d'altitude) le long de l'Orénoque et de ses affluents, dans la partie Sud de la lagune de Maracaibo et le long de la frontière avec le Guyana ; zones de résistance à la Nivaquine et multirésistance. La vaccination contre la fièvre jaune est recommandée. Vaccin antirabique conseillé pour de longs séjours.

BESTIOLES : moustiques dans les régions boisées ou peu élevées (actifs toute l'année, le soir et la nuit).

FOULE : pression touristique très modérée. Un tiers des visiteurs viennent d'Amérique du Nord. Parmi les Européens, Allemands et Italiens, puis Espagnols et Britanniques sont les plus nombreux. ●

moyenne des températures maximales / moyenne des températures minimales

	J	F	M	A	M	J	J	A	S	O	N	D
Maracaibo	**32** 23	**32** 23	**33** 23	**33** 24	**33** 25	**34** 25	**34** 25	**34** 25	**34** 25	**33** 24	**33** 24	**33** 24
Caracas (1 030 m)	**24** 13	**25** 13	**26** 14	**26** 16	**27** 17	**26** 17	**26** 16	**26** 16	**27** 16	**26** 16	**25** 16	**26** 14
Barcelona	**31** 23	**32** 23	**32** 23	**32** 23	**31** 23	**29** 23	**27** 22	**27** 22	**28** 23	**29** 23	**30** 23	**31** 23
Mérida (1 500 m)	**23** 13	**23** 14	**23** 15	**24** 16	**24** 16	**24** 16	**24** 15	**24** 15	**24** 15	**24** 16	**23** 15	**23** 14
San Fernando	**32** 21	**34** 22	**35** 23	**34** 24	**32** 23	**29** 22	**29** 22	**30** 23	**31** 23	**32** 23	**32** 22	**32** 22
Santa Elena (910 m)	**30** 16	**31** 17	**31** 18	**30** 18	**29** 18	**28** 18	**28** 17	**28** 17	**29** 17	**29** 17	**30** 17	**29** 17

nombre d'heures par jour hauteur en mm / nombre de jours

	J	F	M	A	M	J	J	A	S	O	N	D
Maracaibo	**9** 2/0	**9** 1/0	**8** 8/1	**7** 20/2	**6** 70/5	**7** 55/5	**8** 45/4	**8** 55/5	**7** 70/6	**6** 150/8	**7** 85/6	**8** 15/1
Caracas	**8** 20/5	**8** 10/2	**8** 15/2	**7** 33/2	**6** 80/8	**7** 100/13	**7** 110/13	**7** 110/13	**7** 105/12	**7** 110/11	**7** 95/11	**7** 45/8
Barcelona	**10** 10/1	**10** 4/1	**10** 6/1	**9** 7/1	**9** 45/4	**7** 100/12	**7** 135/14	**7** 110/13	**8** 75/10	**9** 65/7	**9** 50/6	**9** 25/3
Mérida	**8** 65/8	**8** 40/6	**7** 90/8	**6** 170/15	**6** 250/19	**6** 185/18	**6** 120/17	**7** 145/18	**6** 170/18	**6** 240/20	**7** 210/19	**8** 85/10
San Fernando	**9** 1/0	**10** 4/1	**9** 14/1	**8** 70/4	**6** 185/12	**5** 280/19	**5** 305/24	**6** 280/20	**7** 170/15	**8** 130/10	**9** 40/4	**9** 11/2
Santa Elena	**7** 50/10	**7** 60/9	**7** 95/11	**6** 135/16	**5** 215/23	**5** 250/24	**5** 215/24	**6** 170/22	**8** 95/15	**8** 90/12	**7** 130/14	**6** 120/14

température de la mer : moyenne mensuelle

	J	F	M	A	M	J	J	A	S	O	N	D
Barcelona	26	25	25	26	26	27	28	28	27	27	27	26

Vietnam

Superficie : 330 000 km². Hô Chi Minh-Ville, ex-Saigon (latitude 10°49'N ; longitude 106°40'E) : GMT + 7 h. Durée du jour : maximale (juin) 12 heures 30, minimale (décembre) 11 heures 30.

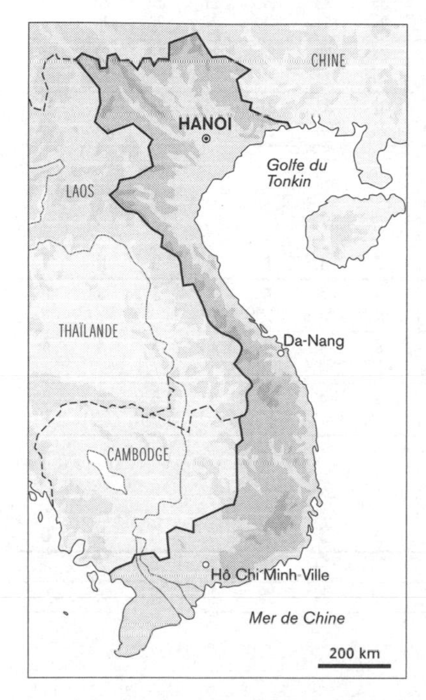

Le Vietnam, qui se situe dans la zone des moussons, offre un climat généralement chaud et humide, avec de sensibles différences régionales du Nord au Sud.

▶ À Hanoï, les meilleures périodes sont **novembre** et **fin avril-début mai** : il pleut relativement peu et le soleil fait d'assez fréquentes apparitions. En hiver, il pleut encore moins, mais le ciel demeure presque constamment couvert ; en été, le temps, plus ensoleillé, devient très orageux et humide. Au Centre du pays, la meilleure saison est la moins pluvieuse, **de février à juin** (voir Da Nang), ainsi que dans le Sud, **de décembre à avril** (voir Hô Chi Minh-Ville, ex-Saigon).

▶ La **saison des fortes pluies** débute en mai dans le Nord (voir Hanoï) et dure jusqu'à fin octobre. Dans cette région, les mois de juillet et août, les plus pénibles, reçoivent des pluies extrêmement violentes. Au Centre (voir Da Nang), la saison des pluies vient plus tardivement (de juillet à janvier).
Au Sud (voir Hô Chi Minh-Ville), elle commence à peu près à la même période qu'au Nord, mais se prolonge jusqu'en novembre et les pluies sont encore plus abondantes. Les typhons menacent le Centre et le Sud le plus souvent en septembre et octobre ; il arrive qu'ils remontent jusqu'au Nord du pays. En 1997, au début du mois de novembre, *Linda* a frappé le Sud, faisant près de 200 morts.

VALISE : d'avril à octobre, vêtements légers, en fibres naturelles de préférence ; le reste de l'année, vêtements légers, mais aussi lainages, veste ou blouson chaud.

SANTÉ : hors les zones côtières et les deltas, risques de paludisme. Zones de résistance élevée à la Nivaquine et multirésistance. Vaccin antirabique recommandé pour longs séjours.

BESTIOLES : moustiques toute l'année dans les régions forestières et dans les régions montagneuses.

FOULE : un flux touristique assez régulier tout le long de l'année. En dehors des visiteurs venus d'Asie (Chine, Japon et Taiwan), les plus nombreux, le principal contingent de voyageurs vient des États-Unis. On compte autant d'Américains que de Français, Australiens et Allemands réunis. Un tourisme cependant en baisse avec les crises successives du SRAS en 2003 et de la fièvre aviaire depuis 2004. ●

Vietnam

moyenne des températures maximales / moyenne des températures minimales

	J	F	M	A	M	J	J	A	S	O	N	D
Hanoï	**20** 13	**21** 14	**23** 17	**28** 21	**32** 23	**33** 26	**33** 26	**32** 26	**31** 24	**29** 22	**26** 18	**22** 15
Da Nang	**24** 19	**26** 20	**27** 21	**30** 23	**33** 24	**34** 25	**33** 25	**34** 25	**31** 24	**28** 23	**27** 22	**25** 20
Hô Chi Minh-Ville (ex-Saigon)	**32** 21	**33** 22	**34** 23	**35** 24	**33** 24	**32** 24	**31** 24	**31** 24	**31** 23	**31** 23	**31** 23	**31** 22

nombre d'heures par jour hauteur en mm / nombre de jours

	J	F	M	A	M	J	J	A	S	O	N	D
Hanoï	**1** 20/9	**1** 35/14	**1** 45/15	**2** 90/14	**4** 215/14	**5** 255/15	**5** 335/16	**4** 335/16	**4** 275/14	**4** 115/10	**3** 50/7	**2** 25/7
Da Nang	**4** 100/15	**5** 30/7	**6** 12/4	**7** 18/4	**8** 45/8	**8** 40/7	**8** 100/11	**7** 115/12	**6** 445/17	**5** 530/21	**4** 220/21	**4** 210/20
Hô Chi Minh-Ville	**6** 16/2	**7** 3/1	**7** 13/2	**7** 40/5	**5** 220/17	**5** 330/22	**4** 315/23	**5** 270/21	**4** 335/22	**5** 270/20	**5** 115/11	**6** 55/7

température de la mer : moyenne mensuelle

	J	F	M	A	M	J	J	A	S	O	N	D
Vung Tau	25	25	26	28	28	28	29	28	27	27	27	26
Da Nang	24	24	25	27	27	28	29	28	28	27	26	24

Yémen

Superficie : 528 000 km². Sanaa (latitude 15°23'N ; longitude 44°11'E) : GMT + 3 h . Durée du jour : maximale (juin) 13 heures, minimale (décembre) 11 heures.

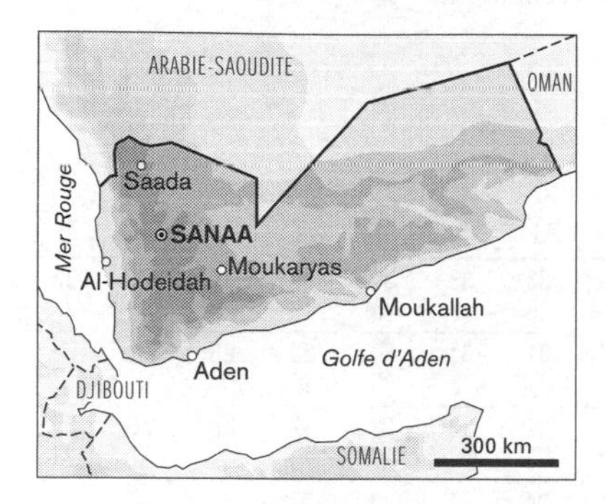

Le Yémen, situé dans une région principalement désertique, bénéficie toutefois, dans sa partie Ouest, grâce à l'altitude, d'un climat assez différent du reste de la péninsule Arabique.

▸ Sur ces **hauts plateaux** fertiles – l'Arabie heureuse des souverains de Saba –, où se dressent villes et villages forteresses témoins d'une étonnante architecture millénaire, la chaleur sévit dans la journée, mais les nuits sont rafraîchissantes (voir Saada, Sanaa, Moukayras), et même froides, parfois très froides en hiver : il n'est pas rare qu'il gèle en cette saison, et il peut aussi neiger sur les sommets. Les pluies de mousson, qui permettent cultures et élevage, tombent surtout en avril-mai et entre juin et septembre. Elles ne sont jamais assez abondantes pour empêcher longtemps le soleil de briller.

Les périodes les plus agréables restent sans doute les mois de **mars-avril** et d'**octobre-novembre** sur les hautes terres du Nord (Saada, Sanaa), et d'**avril à septembre** plus au Sud (Moukayras).

▸ Les **côtes** subissent une chaleur étouffante et humide toute l'année, bien que les pluies se fassent très rares. Que ce soit sur la *tihama*, étroite plaine côtière bordée par la mer Rouge (voir Al-Hodeidah), ou le long du golfe d'Aden (voir Aden, Moukallah), la meilleure période – la moins torride – se situe **entre décembre et février**.

▸ Au **Nord-Est**, le plateau s'abaisse progressivement et devient de plus en plus aride jusqu'aux confins du redoutable désert saoudien de Rub al-Khali.

VALISE : sur les côtes, quelle que soit la période, vêtements très légers, amples, d'entretien facile. Dans l'intérieur du pays, d'octobre à avril, vêtements chauds pour le soir et le matin, et vêtements d'été pour la journée ; le reste de l'année, vêtements très légers.

SANTÉ : vaccination contre la rage fortement recommandée dans le Nord du pays.

Aden l'enfer

« L'été finit ici vers le 15 octobre. Vous ne vous figurez pas du tout l'endroit. Il n'y a aucun arbre ici, même desséché, aucun brin d'herbe, aucune parcelle de terre, pas une goutte d'eau douce. Aden est un cratère de volcan éteint et comblé au fond par le sable de la mer. On n'y voit et on n'y touche donc absolument que des laves et du sable qui ne peuvent produire le plus mince végétal. Les environs sont un désert de sable absolument aride. Mais ici, les parois du cratère empêchent l'air d'entrer, et nous rôtissons au fond de ce trou comme dans un four à chaux. Il faut bien être forcé de travailler pour son pain, pour s'employer dans des enfers pareils ! »
Arthur Rimbaud, lettre à sa famille,
28 septembre 1885.

Yémen

Risques de paludisme, surtout de septembre à février ; zones de résistance à la Nivaquine et multirésistance.

FOULE : l'après-11-Septembre a été fatal au tourisme yéménite. À l'époque où cette destination commençait à rencontrer un certain succès, Allemands, Italiens et Français constituaient les principaux contingents. ●

moyenne des températures maximales / moyenne des températures minimales

	J	F	M	A	M	J	J	A	S	O	N	D
Saada	**25**	**26**	**29**	**29**	**32**	**33**	**33**	**34**	**32**	**28**	**26**	**25**
(1 600 m)	1	6	9	13	15	15	15	15	13	8	7	6
Sanaa	**26**	**27**	**28**	**28**	**29**	**31**	**31**	**31**	**29**	**26**	**26**	**26**
(2 350 m)	3	4	7	9	11	12	12	13	10	4	4	5
Al-Hodeidah	**29**	**30**	**31**	**34**	**36**	**37**	**38**	**37**	**37**	**35**	**32**	**30**
	18	19	21	24	26	28	29	27	26	23	20	23
Moukallah	**27**	**28**	**29**	**31**	**33**	**34**	**34**	**33**	**32**	**31**	**30**	**28**
	20	20	21	24	25	27	25	25	26	23	21	20
Moukayras	**17**	**19**	**21**	**22**	**25**	**27**	**26**	**24**	**24**	**23**	**20**	**18**
(2 040 m)	3	6	7	10	11	13	15	14	12	8	6	5
Aden	**28**	**29**	**30**	**32**	**34**	**37**	**36**	**36**	**36**	**33**	**30**	**29**
	22	23	24	25	28	29	28	28	28	25	23	23

nombre d'heures par jour hauteur en mm / nombre de jours

	J	F	M	A	M	J	J	A	S	O	N	D
Saada	**10**	**9**	**9**	**8**	**10**	**8**	**7**	**8**	**10**	**10**	**10**	**9**
	0/0	5/1	5/1	25/2	7/1	1/0	35/3	70/5	30/2	1/0	0/0	0/0
Sanaa	**11**	**9**	**8**	**7**	**10**	**8**	**7**	**8**	**10**	**11**	**10**	**9**
	1/0	9/2	7/1	35/3	13/2	3/1	45/3	95/6	30/2	1/0	1/0	1/0
Al-Hodeidah	**10**	**8**	**8**	**8**	**10**	**8**	**7**	**7**	**8**	**10**	**10**	**9**
	0/0	18/2	5/1	4/0	7/1	3/0	18/2	2/2	5/1	3/0	8/1	10/2
Moukallah	*	*	*	*	*	*	*	*	*	*	*	*
	7/1	4/1	14/2	13/2	5/1	0/0	4/1	4/1	1/0	1/0	3/0	3/0
Moukayras	*	*	*	*	*	*	*	*	*	*	*	*
	1/1	9/2	7/1	35/2	13/2	3/1	45/5	95/7	30/3	1/1	0/0	0/0
Aden	*	*	*	*	*	*	*	*	*	*	*	*
	7/1	3/1	5/1	2/0	1/0	0/0	3/1	3/1	4/0	1/0	3/0	6/1

température de la mer : moyenne mensuelle

	J	F	M	A	M	J	J	A	S	O	N	D
Al-Hodeidah	23	23	25	27	28	29	30	29	28	27	26	24
Aden	23	24	26	27	28	28	28	28	28	27	26	25

Zambie

Superficie : 753 000 km^2. Lusaka (latitude 15°25'S ; longitude 28°19'E) : GMT + 2 h . Durée du jour : maximale (décembre) 13 heures, minimale (juin) 11 heures 30.

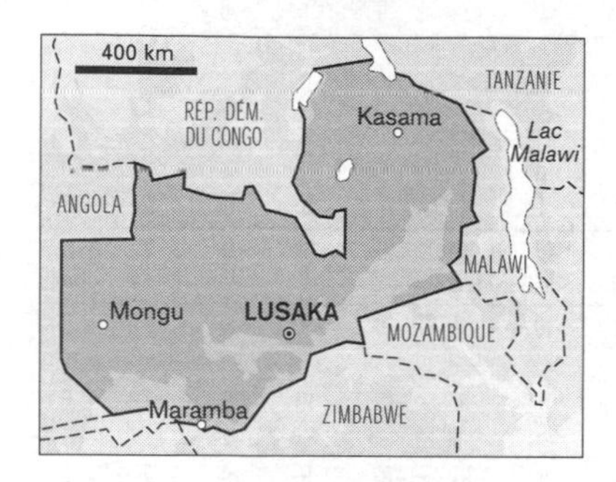

▶ Des trois saisons que connaît la Zambie, la plus agréable est celle qui va **de mi-avril à août** : il ne pleut pas, la chaleur reste très supportable dans la journée et les nuits sont fraîches ; l'ensoleillement est partout excellent. Attention : il arrive même (assez rarement, il est vrai) qu'il gèle durant cette période dans la partie Ouest du pays, que ce soit en altitude, dans les Highlands, ou dans le Barotseland, région semi-désertique (voir Mongu).

▶ **Septembre et octobre**, encore sans pluies – mois les plus indiqués pour visiter les réserves, comme celles du Luangwa, au nord, et celle de Kafué, à l'ouest de la capitale (voir chapitre « Kenya ») –, sont aussi les mois des grandes chaleurs. Elles atteignent précisément des records dans la vallée du Luangwa et dans celle du Zambèze, qui traverse le Barotseland.

▶ **De novembre à mi-avril**, saison des pluies, l'ensoleillement est nettement moins bon. Février reste généralement le mois le plus humide, en particulier dans le Nord (voir Kasama) et dans la Copper Belt, qui sont les régions les plus arrosées. Le Zambèze inonde périodiquement le Barotseland à cette époque de l'année. Au Sud (voir Maramba ou « Livingstone »), les pluies se font moins fortes.

À la fin de la saison des pluies, les chutes Victoria sont le plus impressionnantes ; il faut alors se munir d'un imperméable pour les approcher, alors que, en septembre ou octobre, le fond des gorges dans lesquelles se précipitent les eaux du Zambèze est pratiquement visible.

VALISE : en toute saison, vêtements légers, de coton ou de lin de préférence ; lainages, veste pour les soirées, et même davantage si vous projetez d'aller dans l'Ouest. Pour la saison des pluies, imperméable léger ou anorak. Pour visiter les réserves, prévoir des vêtements de couleurs neutres et chaussures de marche en toile.

SANTÉ : risques de paludisme toute l'année dans la vallée du Zambèze, de novembre à mai-juin dans le reste du pays ; zones de résistance élevée à la Nivaquine et multirésistance. Vaccination contre la fièvre jaune souhaitable pour les voyageurs se rendant en dehors des grandes villes ; vaccin antirabique conseillé pour de longs séjours.

BESTIOLES : moustiques, pendant la saison des pluies. ●

moyenne des températures maximales / moyenne des températures minimales

	J	F	M	A	M	J	J	A	S	O	N	D
Kasama	**26**	**26**	**26**	**26**	**26**	**24**	**25**	**28**	**30**	**31**	**29**	**27**
(1 380 m)	16	16	16	16	13	10	10	11	14	16	17	16
Mongu	**28**	**28**	**28**	**29**	**28**	**26**	**26**	**29**	**33**	**34**	**31**	**29**
(1 050 m)	19	19	18	17	13	10	9	12	16	18	18	18

Zambie

	J	F	M	A	M	J	J	A	S	O	N	D
Lusaka (1 270 m)	**26** 17	**26** 17	**26** 16	**26** 15	**25** 12	**23** 10	**23** 10	**26** 12	**29** 15	**31** 18	**29** 18	**27** 17
Maramba (985 m)	**29** 19	**29** 19	**30** 17	**30** 15	**28** 11	**25** 7	**25** 7	**28** 10	**32** 15	**35** 19	**33** 19	**30** 19

nombre d'heures par jour hauteur en mm / nombre de jours

	J	F	M	A	M	J	J	A	S	O	N	D
Kasama	**4** 265/21	**4** 250/19	**5** 260/18	**8** 70/7	**9** 8/1	**10** 0/0	**10** 0/0	**10** 1/0	**10** 1/0	**9** 17/2	**7** 135/13	**5** 235/19
Mongu	**5** 215/17	**6** 210/16	**7** 145/12	**9** 35/4	**10** 1/0	**10** 0/0	**10** 0/0	**10** 0/0	**9** 2/0	**8** 35/4	**7** 100/11	**6** 220/17
Lusaka	**5** 220/17	**5** 195/16	**7** 105/10	**9** 21/2	**9** 4/0	**9** 0/0	**9** 0/0	**10** 0/0	**10** 0/0	**9** 15/2	**7** 90/8	**6** 185/16
Maramba	**6** 185/15	**6** 175/14	**8** 100/8	**9** 30/2	**10** 5/0	**9** 0/0	**10** 0/0	**10** 0/0	**9** 2/0	**9** 2/2	**7** 90/8	**6** 165/12

Zimbabwe

Superficie : 390 000 km². Harare (latitude 17°56'S ; longitude 31°06'E) : GMT + 2 h . Durée du jour : maximale (décembre) 13 heures, minimale (juin) 11 heures.

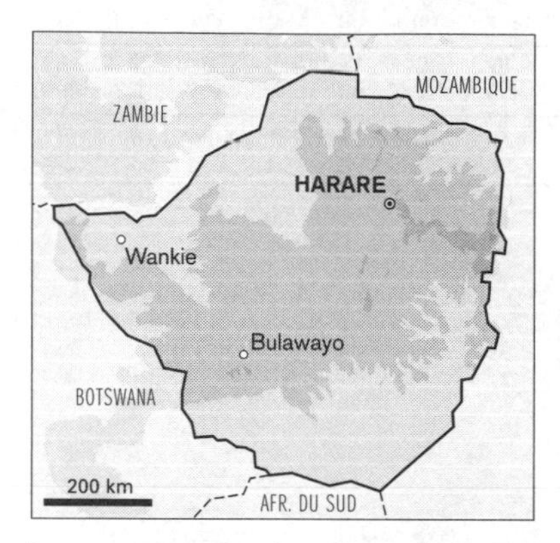

▸ La **saison sèche**, d'avril à octobre, reste la période la plus agréable pour voyager au Zimbabwe. On profite alors d'autant mieux du soleil et des ciels lumineux qu'il ne fait pas trop chaud, et que l'air est pur et sec.
À l'intérieur de cette période, certains mois sont préférables à d'autres selon les régions que vous comptez visiter : sur les hauts plateaux (plus de 1 000 m), qui couvrent la plus grande partie du pays (voir Harare, Bulawayo), il fait très bon en avril-mai et en septembre-octobre ; en revanche, les nuits sont presque froides en juin-juillet.
Dans les régions basses, notamment au Nord-Ouest, celles de la très belle réserve de Wankie, des chutes Victoria et du lac Kariba, ceux qui craignent les fortes chaleurs éviteront le début et la fin de la saison sèche.

▸ La **saison des pluies**, de novembre à mars, reste très supportable sur les plateaux, puisqu'elles tombent surtout sous forme d'orages et de violentes averses, n'empêchant jamais très longtemps le soleil de briller.
Mais cette période se révèle moins indiquée pour un voyage dans la région de Wankie ou dans la plaine du Limpopo, au Sud : à une très forte chaleur s'ajoutent alors les difficultés de déplacement sur des pistes parfois inondées.

VALISE : de septembre à mars, vêtements de plein été, pull pour les soirées en altitude, anorak ou imperméable léger ; le reste de l'année, même genre de garde-robe, plus une veste chaude.

SANTÉ : risques de paludisme toute l'année dans la vallée du Zambèze, d'octobre à mai dans le reste du pays en dessous de 1 200 m d'altitude. Zones de résistance élevée à la Nivaquine et multirésistance.

BESTIOLES : moustiques dans les régions basses, surtout pendant la saison des pluies.

FOULE : des visiteurs surtout issus des pays voisins : pour moitié de l'Afrique du Sud, pour le quart de Zambie. Les Britanniques représentaient l'essentiel des voyageurs venus d'Europe, mais la situation politique du pays a tari ce flux. ●

moyenne des températures maximales / moyenne des températures minimales

	J	F	M	A	M	J	J	A	S	O	N	D
Harare	**26**	**26**	**26**	**25**	**23**	**21**	**21**	**23**	**27**	**29**	**27**	**26**
(1 470 m)	16	16	14	12	9	7	7	8	12	15	15	16
Wankie	**32**	**32**	**32**	**32**	**30**	**27**	**27**	**30**	**34**	**37**	**36**	**33**
(780 m)	21	21	20	18	14	11	11	13	18	22	22	21
Bulawayo	**27**	**27**	**26**	**26**	**24**	**21**	**21**	**24**	**27**	**30**	**28**	**27**
(1 340 m)	16	16	15	13	10	7	7	9	12	15	16	16

Zimbabwe

nombre d'heures par jour — hauteur en mm / nombre de jours

	J	F	M	A	M	J	J	A	S	O	N	D
Harare	**6** 210/15	**6** 170/13	**7** 100/9	**8** 40/4	**9** 11/2	**8** 5/1	**9** 1/0	**9** 3/0	**9** 5/1	**9** 30/4	**7** 100/10	**6** 185/14
Wankie	**6** 145/13	**6** 145/10	**8** 80/7	**9** 18/2	**10** 6/1	**10** 2/0	**10** 0/0	**10** 1/0	**9** 2/0	**9** 18/2	**7** 60/7	**6** 110/10
Bulawayo	**7** 135/10	**7** 110/9	**8** 65/5	**9** 20/3	**9** 9/1	**9** 3/0	**9** 0/0	**10** 1/0	**10** 5/1	**9** 25/3	**7** 90/8	**7** 125/10

Préparer son voyage

PRÉSERVER SA SANTÉ

« La malaria a disparu de Thaïlande. »

« Malaria : 80 % des cas en Thaïlande sont du type falpicarum (sic) *malaria, incurable donc mortelle. »*

▸ Ces deux affirmations, radicalement opposées mais aussi fantaisistes et irresponsables l'une que l'autre, sont extraites des chapitres « Santé » de guides touristiques appartenant pourtant l'un comme l'autre à des collections de guides établies et respectées. Toujours concernant le paludisme (*malaria* est le terme anglo-saxon), les guides de voyages diffusés actuellement en France ne mentionnent pas, à quelques exceptions près, la moustiquaire et les vêtements imprégnés d'insecticide – stratégie préventive pourtant vivement recommandée par l'OMS (Organisation mondiale de la santé) depuis des années.

▸ La minimisation des risques – les informations recueillies auprès de responsables du tourisme du pays concerné sont souvent inspirées par la crainte d'effrayer et de dissuader le lecteur du guide d'entreprendre son voyage – aussi bien que l'alarmisme excessif – dû à l'incompétence, et aussi parfois le fait de certains guides qui s'adressent aux « aventuriers » et où la mise en avant de dangers exagérés, ou même complètement imaginaires, semble avoir pour but essentiel de confirmer le lecteur dans ce statut d'aventurier – sont aussi critiquables l'un que l'autre.

▸ Souvent, même dans le cas où ces textes ont été rédigés, en leur temps, par des personnes compétentes, ils deviennent rapidement obsolètes si le guide n'est pas très régulièrement mis à jour.

▸ On trouvera fréquemment la même absence d'informations sérieuses dans les documents remis par des agences de voyages, dont le souci premier est de ne pas alarmer leurs clients potentiels.

▸ Les médecins spécialistes des maladies tropicales et ceux des centres de vaccinations internationales sont les mieux à même de conseiller les voyageurs avant leur départ vers des destinations lointaines. Née il y a quelques années à l'initiative de ces médecins, la Société de médecine des voyages (SMV)* s'est donné pour but de rassembler le maximum d'entre eux, ainsi que des médecins généralistes afin de pallier l'absence de sources de référence concernant les conseils à donner aux voyageurs dans le domaine de la santé. Cette société publie le guide *Médecine des voyages*. C'est en collaboration étroite avec les médecins de la SMV que ce chapitre a été rédigé.

▸ La mise à jour de ce chapitre a été réalisée avec l'aide du docteur Frédéric Sorge. Elle tient compte des communications présentées à la conférence européenne de médecine de voyage (NECTM), réunie à Édinbourg du 7 au 10 juin 2006.

* Société de médecine des voyages, www.medecine-voyages.org – Secrétariat : secretariat@medecine-voyages.org

Avant le départ

Consultations

Chez le médecin. Une visite chez son médecin est toujours conseillée avant un départ en voyage. Par ailleurs, si ni le fait d'être enceinte – les vols sont possibles en l'absence de risque d'accouchement –, ni le grand âge, ni certains problèmes cardiaques, ni même le diabète ne sont des contre-indications formelles au voyage, encore faudra-t-il prendre quelques précautions que votre médecin traitant vous précisera. Les personnes en cours de traitement doivent naturellement prévoir d'emporter une quantité de médicaments en rapport avec la durée de leur déplacement.

Chez le dentiste. À l'étranger, une simple carie peut gâcher vos vacances. Et si vous deviez prendre l'avion avec une carie non traitée, bonjour la douleur ! On ne saurait donc trop conseiller une visite au cabinet dentaire avant de partir en voyage.

Les consultations « Conseils aux voyageurs ». Les « centres de vaccination antiamarile » dispensent aussi, pour la plupart, des consultations d'information aux voyageurs. Ces centres, plus d'une centaine, sont répartis sur tout le territoire. Ces consultations sont tout particulièrement recommandées à ceux qui ont le projet de partir en zone tropicale. Leurs médecins spécialistes sont les plus compétents pour vous informer sur les vaccinations pertinentes, les protections antipaludiques et les précautions les mieux adaptées à votre destination et au type de voyage entrepris. On trouvera les adresses de ces centres sur le site du Ministère de la Santé (http://www.sante.gouv.fr/, accès à la rubrique par la mention « centres de vaccination antiamarile » dans la lucarne « recherche directe ».

Les vaccinations

– Pensez à vous faire vacciner deux mois avant le départ.
– Aucune vaccination n'exige que l'on soit préalablement à jeun.
– Cette liste est adaptée aux voyageurs adultes. Pour les enfants, on veillera à ce que le calendrier vaccinal français (ou européen) soit à jour ; en particulier la vaccination pneumococcique *(Prevnar®)*.

La vaccination contre le tétanos, la poliomyélite et la diphtérie. Attention, la quasi-disparition de la poliomyélite et de la diphtérie en France a pour conséquence d'exposer d'autant plus le voyageur non vacciné qui se rend dans les pays du tiers-monde où ces maladies restent présentes. Il faut savoir que 80 % des Français âgés de plus de 60 ans ne sont pas, ou mal, protégés contre la poliomyélite et la diphtérie ; et 40 % ne sont pas bien protégés contre le tétanos.

Aujourd'hui, un vaccin combiné protège contre les trois maladies en une seule injection. Un rappel est nécessaire tous les 10 ans.

La vaccination contre la fièvre jaune. Elle est obligatoire ou conseillée pour les pays d'Afrique intertropicale et certains pays d'Amérique latine (du Panamá à 15° de latitude Sud). Elle doit se faire au moins 10 jours avant le départ. Sa validité couvre une période de 10 ans. Elle ne peut être pratiquée que dans un centre agréé et doit figurer sur un carnet international de vaccination délivré par ces centres.

La vaccination contre l'hépatite virale B. Elle est fortement conseillée, tout particulièrement pour l'Afrique subsaharienne et l'Asie du Sud-Est (l'hépatite B est essentiellement transmise par voie sexuelle et par le sang – aiguilles souillées).
2 injections à 1 mois d'intervalle. Un rappel à 6 mois, puis tous les 5 à 10 ans selon les risques d'exposition.

La vaccination contre l'hépatite virale A. Elle est recommandée si l'on doit voyager dans un pays à bas niveau d'hygiène (la transmission de l'hépatite A, « la jaunisse », se fait essentiellement par voie digestive : boissons, aliments, mains sales portées à la bouche) et aussi à tous les voyageurs amateurs de coquillages.
Une injection, un rappel 6 mois à 1 an plus tard, puis tous les 10 ans.

La vaccination contre la fièvre typhoïde. Elle est recommandée si l'on risque de voyager dans de mauvaises conditions d'hygiène, tout particulièrement en Afrique, dans l'Amérique intertropicale, dans le sous-continent indien et en Asie du Sud-Est.
Une injection unique au moins 3 semaines avant le départ ; elle est valable 3 ans.

La vaccination contre la méningite à méningocoque. Les autorités saoudiennes exigent désormais que les pèlerins se rendant à La Mecque soient vaccinés contre la méningite (formes A, C, Y et W135). Cette vaccination est aussi conseillée pour certains pays à risque en période d'épidémie et pour les longs séjours, notamment dans les pays du Sahel et de l'Afrique de l'Est, le Brésil, le Népal et l'Inde du Nord. Ces épidémies surviennent toujours en saison sèche.
Une injection unique au moins 10 jours avant le départ ; elle est valable 3 ans.

La vaccination contre la rage. Surtout conseillée à certains professionnels (vétérinaires, forestiers...), aux expatriés en situation isolée, elle peut aussi l'être à tous ceux qui voyagent hors des sentiers battus, du routard au chasseur.
Elle est réalisée en 3 injections à J0, J7, J28, suivies d'un rappel 1 an plus tard, puis tous les 5 ans.
Attention, la vaccination contre la rage n'exclut pas la nécessité du traitement curatif en cas de contact (morsure, griffure, ou même simple léchage sur une peau écorchée) avec un animal suspect – 1 à 2 injections immédiates de rappel.

La vaccination contre l'encéphalite à tiques. Elle est conseillée à tous les promeneurs en forêt qui se rendent, de mai à septembre, en Autriche et dans les pays de l'Est de l'Europe.

▶ **La vaccination contre l'encéphalite japonaise.** Elle est conseillée pour un séjour en zone rurale au Sud et à l'Est du continent asiatique. 3 injections réparties sur 1 mois.

▶ **La vaccination contre le choléra.** L'efficacité de l'ancien vaccin, alors fabriqué par l'Institut Pasteur, était contestée et cette vaccination n'était plus conseillée par l'OMS depuis longtemps. La vaccination anticholérique n'est d'ailleurs plus obligatoire dans aucun pays.
Un nouveau vaccin oral, *Mutacol* du laboratoire suisse Berna, est dès à présent disponible dans certains pays, notamment en Suisse et au Canada, mais pas encore en France. Cependant, ce vaccin est surtout destiné aux camps de réfugiés et aux travailleurs de la santé exposés et n'est pas recommandé au voyageur, qui trouvera dans une bonne hygiène alimentaire la protection la plus efficace contre le choléra.
Dukoral, récent lui aussi, a été mis au point en Suède avant d'être commercialisé en France par Aventis-Pasteur. Ce vaccin oral protège non seulement de certaines classes de choléra, mais aussi, avec une bonne efficacité pendant 6 mois, de formes de *turista* dues à la bactérie *Escherichia Coli* (les plus fréquentes).

▶ Il existe d'autres vaccins, contre la leptospirose par exemple, qui ne s'adressent qu'à des cas très particuliers. Selon votre destination et l'activité envisagée, les médecins des consultations « Conseils aux voyageurs » seront en mesure de vous les prescrire. Enfin, un vaccin contre la dengue est en cours de mise au point.

Faire sa valise

▶ **Des vêtements bien adaptés au climat.** Avant de partir, étudiez bien les conditions climatiques qui vous attendent. Attention, comme vous avez pu le constater à la lecture de *Saisons & Climats*, le lointain et l'exotique ne sont pas toujours synonymes de chaleur : à Pékin, il fait en moyenne – 10 °C aux premières heures de la matinée en hiver ; à Nairobi (Kenya), les nuits sont fraîches, surtout de juillet à septembre.
Une bonne protection contre le froid, ou la chaleur, commence par le choix de vêtements adaptés : ils vous éviteront bien des désagréments et des problèmes de santé.
Même si vous partez vers des climats torrides, n'oubliez jamais d'emporter un pull pour les ambiances climatisées, ne serait-ce que celle de l'avion...

▶ **La trousse à pharmacie.** Rien de plus idiot qu'un petit bobo mal soigné, il peut gâcher un séjour. Aiguilles stériles, pansements et compresses antiseptiques doivent donc trouver une place dans la valise du voyageur. De même, les pommades, collyres et médicaments de base, qu'il peut être parfois plus difficile de se procurer à l'étranger, d'autant qu'ils y sont souvent distribués sous des noms ou des marques différents de ceux auxquels vous êtes habitués. Soyez attentifs au fait qu'il se développe, notamment en Afrique, des trafics de « faux » médicaments. Votre médecin est à même de vous faire une ordonnance afin que vous ayez tout le nécessaire avant votre départ. Demandez-lui de rédiger cette ordonnance en DCI, c'est-à-dire en « Dénomination commune internationale » qui fait référence aux noms des molécules plutôt qu'aux noms commerciaux sous lesquels les médicaments sont vendus en France. Cette ordonnance

sera ainsi lisible par les médecins d'autres pays qui pourront également vous prescrire ces médicaments sur place.
Paracétamol *(Doliprane®)* pour les douleurs, vitamine C contre l'état grippal, lopéramide *(Imodium®)* ou acétorphan *(Tiorfan®)* en cas de diarrhée bénigne, crème *Urtiflor®* contre les réactions à une piqûre d'insecte, Zolpidem en cas d'insomnie consécutive au décalage horaire, collyre *Opticron®* en cas d'allergie oculaire, pommade *Biafine®* pour les coups de soleil, un antibiotique à large spectre contre les infections, voici quelques-uns des médicaments de soins courants dont les modes d'emploi sont précisés dans les brochures qui accompagnent « Le bagage santé du voyageur » diffusé par SMI Équipements (tél. : 01 30 05 05 40).

▸ **Avant le départ vers un pays de l'Union européenne,** procurez-vous auprès de votre centre de Sécurité sociale la carte européenne d'assurance maladie qui remplace, depuis 2004, le formulaire E-111. Sur place, ou à votre retour, elle facilitera le remboursement des frais médicaux engagés.
Enfin, particulièrement en voyage, ayez toujours sur vous un document où sont mentionnés en français et en anglais votre groupe sanguin, vos problèmes particuliers de santé (allergies, problèmes cardiaques, etc.), et aussi les numéros de téléphone et e-mail de votre assurance-assistance, de votre médecin traitant et d'une personne proche qu'il est facilement possible de joindre en France.

Les contrats d'assistance

L'assistance

À s'en tenir à son aspect voyage et santé, l'assistance, qui va souvent de pair avec un volet strictement assurance, c'est notamment :

- **Une ligne de téléphone** ouverte 24 heures sur 24, auprès de laquelle trouver des conseils en cas de problèmes de santé. C'est une garantie de ne pas gâcher votre voyage par des décisions prises dans l'ignorance ou la panique.

- **La possibilité d'être soigné sur place** dans de bonnes conditions grâce au réseau médical de l'assisteur, et ainsi de pouvoir poursuivre votre séjour.

- **Un rapatriement rapide** et contrôlé en cas de problème grave et si les raisons médicales le justifient.

- **Le remboursement des frais médicaux** engagés en cas de maladie ou d'accident, après accord de l'assisteur, à concurrence d'un plafond fixé dans le contrat d'assistance choisi.

Et de nombreuses aides de toutes sortes apportées au voyageur et à ses proches en cas de problèmes de santé.

Un exemple de plateau d'assistance

- **IMA.** Le standard téléphonique est le premier contact du voyageur avec sa société d'assistance. On y parle un large panel de langues étrangères ; donc, même si la personne qui se charge de l'appel n'est pas le voyageur lui-même, mais une autre personne du pays hôte, elle sera parfaitement en mesure de se faire comprendre.

Selon la provenance de l'appel et le caractère de la demande, le standardiste met le voyageur en contact avec le plateau d'assistance. C'est à ce stade que les techniciens d'assistance ouvrent un dossier qu'ils seront chargés de suivre jusqu'à son bouclage définitif (mise en œuvre et suivi de l'aide, mais aussi remboursement des frais médicaux, etc.).

S'il est médical, le problème est aussitôt soumis au médecin « trieur » qui oriente le cas vers un des médecins « régulateurs ». Ce dernier dispose alors d'une entière autonomie de décision. Il évalue l'importance et l'urgence du cas, après avoir recueilli l'avis de médecins présents sur place. Puis, il décide des mesures à prendre : soins sur place sous le contrôle de son réseau de correspondants, ou, si la situation et l'intérêt du patient l'imposent, le rapatriement. Selon les circonstances et la gravité du problème, le rapatriement peut consister en un simple retour par avion de ligne – avec, ou sans, accompagnement médical –, jusqu'à la mise à disposition d'un avion sanitaire spécialement affrété.

Une fois la décision prise, les techniciens d'assistance sont chargés de la mettre en œuvre et d'assurer la logistique des moyens nécessaires à son application. À Niort, pendant la période estivale et pour le seul BES (« Bureau des évacuations sanitaires »), ce sont une trentaine de personnes qui se relaient jour et nuit.

Informez-vous bien

Assuré comme conducteur, pour votre habitation, assuré multirisque, possesseur d'une ou plusieurs cartes de crédit, ou simplement client de tel ou tel voyagiste, vous êtes très probablement – sans même toujours le savoir – déjà bénéficiaire d'un ou de plusieurs contrats d'assistance « en inclusion », c'est-à-dire inclus dans vos contrats d'assurance. Informez-vous des garanties proposées par ces contrats, afin de pouvoir juger s'il est nécessaire de les compléter en souscrivant des options supplémentaires ou un nouveau contrat d'assistance.
Le plus souvent, ces contrats d'assistance sont valables pour des voyages d'une durée inférieure à trois mois et proposent des remboursements de frais médicaux de 1 000 à 3 000 €. Ces sommes peuvent sembler très modestes dans l'éventualité d'un voyage dans des pays comme les États-Unis, où les frais d'hospitalisation sont très élevés. Des options « frais médicaux » permettent généralement de monter ce plafond à 80 000, voire 150 000 €.
Si les « étiquettes » des contrats d'assistance sont innombrables et variées, elles renvoient toutes aux activités d'un nombre de sociétés d'assistance très limité. Ce sont elles, et uniquement elles, qui auront à charge de mettre en œuvre les moyens pour vous venir en aide. Vous devez donc pouvoir exiger de celui qui vous vend un contrat d'assistance qu'il vous informe clairement sur la société d'assistance qui sera éventuellement appelée à vous porter secours,... ce n'est pas toujours très transparent. Pour ne prendre qu'un exemple, Contact-Assistance (tél. : 0 825 077 222), « assisteur » de nombreux tours-opérateurs, est un courtier qui ne dispose pas de moyens logistiques propres, mais fait assister ses clients par un grand de l'Assistance : depuis quelques années, par le Groupe Mondial Assistance.

Les grandes sociétés d'assistance

AXA Assistance est un réseau national et international d'assistance et de services pour les entreprises et les particuliers. AXA Assistance est un des assisteurs d'American Express. Sa gamme de produits diversifiée permet d'assister des sociétés comme Alcatel, Michelin, Terres d'Aventure et Jetset. Des contrats « Missions aux expatriés » sont proposés aux personnes en déplacement professionnel. AXA Assistance propose par ailleurs à l'intention des entreprises un produit *Sécurité des personnes* pour les destinations à risques (par exemple, Afghanistan, Colombie...).
12 bis, bd des Frères-Voisin, 92798 Issy-les-Moulineaux Cedex 9.
Tél. : 01 55 92 40 00.
Site Internet : www.axa-assistance.fr

Europ Assistance. Pionnière de l'assistance médicale au voyageur, Europ Assistance a fêté en 2003 son 40e anniversaire. Cette société, présente dans tous les pays, demeure une

référence. Si 20 % des contrats sont pris par des voyageurs individuels, elle cultive aussi le partenariat. D'abord avec de nombreuses compagnies d'assurance, dont Generali France Assurance, et avec des organisateurs de voyages comme le Club Med et Eurocharter. Elle est aussi l'assisteur, depuis 2005, de toutes les cartes *Visa*. Europ Assistance dispose d'une capacité d'interventions médicales du meilleur niveau, permettant d'assurer une sécurité optimale à ses clients dans le monde entier.
Le portail Internet www.europ-assistance.fr permet aux particuliers comme aux entreprises de souscrire en ligne à toute la gamme de ses services.
1, promenade de La Bonnette, 92633 Gennevilliers Cedex.
Tél. (assistance) : 01 41 85 85 85. Tél. (informations) : 01 41 85 85 41.

Inter Mutuelles Assistance. « Pour votre assistance, une seule frontière... La planète Terre », telle est la devise d'Inter Mutuelles Assistance. IMA est aujourd'hui la filiale des sociétés d'assurance mutuelles MAAF, MACIF, FILIA-MACIF, MAIF, Filia-MAIF, MATMUT, MAPA, SMACL, AGPM, MAE, AMF et Mutuelle des motards. 16 millions de sociétaires bénéficient des services d'Inter Mutuelles Assistance qui vient largement en tête pour les budgets consacrés à la mise en œuvre des moyens d'assistance ; d'autant que d'autres partenaires mutualistes, Mutualité française, MGEN, Mutuelle des Affaires étrangères, Mutuelle nationale des hospitaliers, les groupes Malakoff et Médéric en bénéficient également.
Grâce à son fonctionnement mutualiste, elle offre les garanties les plus complètes du marché : frais médicaux à l'étranger couverts à concurrence de 80 000 € en complément des prestations dues par les organismes sociaux, garanties de haut niveau aux expatriés, avec mise à disposition d'un réseau hospitalier dans le monde entier.
BP 8000 - 118, avenue de Paris, 79033 Niort Cedex 9.
Tél. n° vert : 0 800 75 75 75 ; depuis l'étranger : 33 5 49 75 75 75.
Site Internet : www.ima.tm.fr

Groupe Mondial Assistance. Le groupe s'appuie sur 37 centres opérationnels et sur un réseau de prestataires couvrant le monde entier. En France, il est implanté via Elvia, Mondial Assistance France et France Secours. Ce sont surtout les deux premières sociétés qui commercialisent, sous leurs noms respectifs, des produits d'assistance et d'assurance voyage.
Elvia. Comme assisteur, elle propose aux voyageurs individuels des contrats annuels ou temporaires tels que *Elvia Soleïs*, déclinés selon quatre indices de protection. Elvia est un des spécialistes de l'assistance aux déplacements professionnels (*Elvia mission pro*) et l'assisteur privilégié des agences de voyages Havas, de Fnac Voyages, Vacances Carrefour et des agences de voyage d'Air France. Elvia est aussi un partenaire du marché de l'e-commerce (lastminute.com, travelprice.com et expedia-sncf.com). Elvia travaille en inclusion avec de nombreux tours-opérateurs comme Asia, Kuoni, Fram, Aquatour et Vivacances... Elle s'est également spécialisée dans de nouveaux services aux entreprises avec des produits tels que *La cellule de crise Elvia*, lancée récemment auprès des professionnels du tourisme, ou encore la *Hotline Elvia*. Un service de télégestion permet à l'assuré de traiter son dossier par téléphone et d'être rapidement indemnisé. Il est possible de souscrire une assurance en ligne (www.elvia.fr).
153, rue du Fg-Saint-Honoré, 75381 Paris Cedex 08.
Tél. (assistance): 01 42 99 02 02. Tél. (informations): 01 42 99 02 99.
Mondial Assistance France. Créée il y a 26 ans, cette société commercialise ses services aux entreprises (tours-opérateurs comme Nouvelles frontières, banques, assurances, construc-

teurs, collectivités locales, caisses de retraites, loueurs automobiles...) qui choisissent d'inclure ces prestations dans leurs offres.
2, rue Fragonard, 75807 Paris Cedex 17.
Tél. (assistance) : 01 40 25 52 55. Tél. (informations) : 01 40 25 52 04.
Site Internet : www.mondial-assistance.fr

Mutuaide Assistance. Filiale de Groupama, Mutuaide Assistance a les 30 millions de clients assurés par Groupama et le Gan. Elle assiste les détenteurs des cartes *Eurocard* et *MasterCard* et les voyageurs de grands tour-opérateurs, notamment Jet Tour, Look Voyages, Frantour, Donatello et Marmara. Ouverte aux voyageurs individuels ou en groupe, elle assiste aussi le personnel expatrié de grandes entreprises (Contrat Assistance-Santé-Sécurité, adapté aux rapatriements en cas de crises politiques).
8-14, avenue des Frères-Lumière, 94366 Bry-sur-Marne Cedex.
Tél. (informations) : 01 45 16 64 40.
Tél. Groupama Assistance : 01 45 16 66 66.

Les risques du voyage, en chiffres

Les chiffres qui suivent, fournis par le Dr Prioux, concernent les EVASAN (« les évacuations sanitaires », c'est-à-dire les rapatriements effectués avec déplacement d'une équipe médicale pour le transport) assurées par Inter Mutuelles Assistance ces dernières années. Ils permettent de bien rendre compte de certains risques de voyage qui pourraient être notablement limités, si les voyageurs en étaient mieux informés et y prêtaient une attention suffisante. Les pourcentages qui suivent ont été calculés sur la base des évacuations sanitaires effectuées à partir de pays en dehors de l'Europe.

- Plus de la moitié de ces évacuations (53 %) étaient dues à des problèmes traumatiques, dont les deux tiers liés aux accidents de véhicules. Les accidents sportifs représentent la deuxième cause de la pathologie traumatique.
À ce sujet, l'Afrique est incontestablement la région où la circulation automobile est la plus dangereuse. Il est notamment conseillé d'éviter les routes africaines la nuit. Même si votre propre voiture dispose d'un éclairage correct, ce ne sera pas toujours le cas des autres véhicules que vous serez amené à croiser. Quant aux véhicules à deux roues, ils représentent, ici comme ailleurs, le risque maximal ; d'autant plus que le port du casque paraît, à tort, trop souvent une incongruité sous les cieux exotiques.

- 13 % des rapatriements médicalisés sont associés à des accidents vasculaires cérébraux, pathologie plus fréquente chez les personnes assez âgées, et celles-ci sont de plus en plus nombreuses à voyager loin.
Le voyage, c'est la santé ! En effet, le voyage fait presque toujours office de véritable thérapeutique psychologique, d'autant plus pour une personne âgée ; on peut même, à leur sujet, parler de véritable « bain de jouvence ». Aussi, ni l'âge ni, d'ailleurs, les problèmes cardiaques ne sont des contre-indications formelles au voyage. Mais les chiffres cités ci-dessus doivent tout naturellement inciter à mieux préparer son voyage afin d'éviter les imprudences – programmes surchargés, mauvaise préparation à de nouvelles conditions climatiques,... qui entraîneront des excès de fatigue.

- Enfin, psychiatrie et cardiologie représentent respectivement environ 10 % et 8 % des causes d'évacuations sanitaires.

- Les risques infectieux et les maladies « exotiques » ne représentent qu'une faible part des évacuations sanitaires (moins de 3 %). En effet, elles ne se déclarent souvent qu'après le retour ; et par ailleurs, une simple crise de paludisme pendant le voyage – en l'absence de complications – se traite fort bien sur place sans que l'on ait à envisager un rapatriement.

Le voyage et l'arrivée

Le stress du départ. Le départ en voyage, surtout pour les personnes naturellement anxieuses, peut représenter une véritable épreuve. Pour être sûr de ne rien oublier – c'est un des principaux sujets d'angoisse –, on ne saurait trop conseiller de boucler ses valises la veille du départ et de préparer tous les papiers nécessaires (billets de transport, passeport, éventuellement permis de conduire international ou carnet de vaccination, carnet d'adresses, etc.). Essayer aussi d'arriver à l'aéroport ou à la gare à l'avance, en s'y faisant conduire si possible.

Les transports

L'avion. Pour ceux, rares, sujets au mal de l'air, on conseillera de choisir une place proche du centre de gravité de l'avion, en zone non fumeur, et d'éviter l'absorption d'alcool. Le dimenhydrinate *(Dramamine* ® et *Nausicalm* ®*)* peut aussi être un palliatif du mal de l'air.
Le voyage en avion pose des problèmes en cas d'otite ou de rhino-pharyngite non traitées. Pour les oreilles sensibles au décollage et à l'atterrissage, il existe aujourd'hui des boules Quies « avion » qui protègent les conduits auditifs des variations de pression. Il peut aussi provoquer des pulpites douloureuses sur des caries profondes non soignées.
Dans un avion, l'air est très sec, il est donc conseillé de boire régulièrement de l'eau minérale (1 litre environ pour 4 heures de vol). Pour éviter les « jambes lourdes », on conseillera aussi de se les dégourdir de temps en temps. Les passagers atteints de varices ou ayant des antécédents de phlébite demanderont conseil à leur médecin sur l'intérêt d'un traitement préventif. Les bas de contention restent un moyen simple et efficace pour éviter les risques de phlébite et d'embolie pulmonaire.

Le bateau. Il est exceptionnel de n'avoir jamais éprouvé le mal de mer. Pour diminuer les risques d'en être la victime, on suivra les conseils suivants : éviter toute absorption d'alcool et avoir l'estomac bien calé (pâtes, pomme de terre, riz). Se tenir au plus près du centre de gravité du navire afin de limiter les effets du roulis et du tangage.
Le mieux est de se placer à l'air libre, vers le milieu du bateau, le visage au vent. On prendra soin, surtout si la houle est forte, de fixer les yeux loin vers l'horizon, ou sur tout autre but relativement immobile – côte, phare, lune, etc. Évitez de suivre des yeux les mouvements du navire dans la mer.
Les produits classiques *(Dramamine* ®, *Nausicalm* ®, *Mercalm* ®*...)* ont une certaine efficacité contre le mal de mer, mais ils provoquent une sécheresse de la bouche et une certaine somnolence. On a récemment découvert les effets antinauséeux du gingembre ; ainsi *Zintrona*®, à base de racines de gingembre, paraît être efficace contre le mal de mer. Son action purement gastrique évite les effets de somnolence. Les « bracelets de mer » sont, quant à eux, tout à fait inefficaces.

Les effets du décalage horaire. Il est impossible d'éviter totalement les effets fâcheux du décalage horaire, ou *jet-lag,* surtout quand il dépasse quatre ou cinq heures. Il est cependant conseillé d'adopter immédiatement les horaires de sommeil et de repas locaux, en essayant de dormir le plus possible la première nuit, au besoin en utilisant un somnifère. Les effets du décalage horaire se font plus sensibles quand on se déplace vers l'est que vers l'ouest. Dans le premier cas, par exemple celui d'un décollage le matin pour la Thaïlande, la journée vous semblera avoir rétréci et la nuit tomber très vite. À votre arrivée, la population du pays hôte dort profondément alors qu'il vous semble encore trop tôt pour dîner : c'est le lendemain qui peut être dur.

En se dirigeant vers l'ouest, au contraire, la journée vous paraîtra interminable et les amis californiens qui comptaient dîner avec vous le soir même de votre arrivée seront déçus de vous trouver si endormi : tenez bon les yeux ouverts, couchez-vous cependant assez tôt relativement à l'heure américaine, et le matin suivant, les espoirs de bonne forme vous seront encore permis.

La *mélatonine* agit efficacement sur notre horloge biologique et réduit les effets du décalage horaire. La prise de mélatonine se fait différemment selon que l'on se dirige vers l'ouest ou vers l'est. En vente libre aux États-Unis et dans certains pays d'Europe (dont la Belgique), la mélatonine fait, en France, toujours l'objet d'une demande d'autorisation de mise sur le marché (AMM). L'exposition au soleil augmente la synthèse de votre propre mélatonine.

La fatigue du voyage. Un décalage horaire important, le choc climatique (voir ci-dessous), auxquels il faut ajouter la durée du voyage et son éventuel inconfort, provoquent presque toujours un état de fatigue, mais il est souvent masqué par l'euphorie de l'arrivée. Ne prévoyez donc aucune activité importante le premier jour de votre arrivée. Rien de plus imprudent, par exemple, que de prendre immédiatement le volant d'une voiture et de se lancer sur la route pour un long trajet.

L'arrivée en altitude et le mal des montagnes. Si l'on n'y prend pas garde, et que l'on s'agite à peine débarqué, il n'est pas rare d'être victime du mal de montagne après un atterrissage dans des villes de haute altitude comme La Paz ou Lhassa, perchées l'une et l'autre à 3 600 m. Il peut aussi en aller de même, mais plus rarement, à Bogotá (2 600 m). L'arrivée en altitude impose en effet au voyageur de modérer ses efforts pendant au moins 48 heures, le temps de s'habituer à l'altitude.

Les amateurs de haute montagne et de trekking le savent bien : pour éviter le mal de montagne, le meilleur conseil est d'éviter de monter trop vite trop haut. En revanche, même une personne non entraînée s'acclimatera très bien si elle se limite à grimper, au-delà de 3 500 m, 300 à 400 m d'altitude par 24 heures.

Par ordre de gravité croissante, les premiers signes du mal des montagnes sont les suivants : maux de tête, insomnies, nausées, vertiges, vomissements, essoufflements au repos, grande fatigue, baisse de la quantité d'urine. Selon l'importance des premiers effets du mal de montagne, il faudra s'interdire tout effort violent, ralentir sa progression, ou même rester au repos. Il peut être nécessaire de redescendre à une altitude inférieure pour s'acclimater, ou encore de revenir à moins de 2 500 m*.

* L'ARPE publie un bulletin *Médecine et montagne* qui s'impose comme la référence dans ce domaine : pour contacter cette association, on s'adressera au professeur Richalet, UER de médecine, 74, rue Marcel-Cachin, 93017 Bobigny Cedex. Tél. : 01 48 38 77 57 ; fax : 01 48 38 77 77. Mail : richalet@smbh.univ-paris13.fr ; site Internet : www.arpealtitude.org

Les climats et la santé

L'inconfort climatique

De nombreuses études scientifiques ont mis en relief les effets – qu'ils soient bénéfiques ou négatifs – des conditions climatiques sur la santé de l'homme. Certains facteurs climatiques, comme la chaleur, le froid ou l'humidité, etc., peuvent avoir d'autant plus de conséquences néfastes sur la santé du voyageur que celui-ci n'y est souvent pas habitué, n'en est pas même averti et s'y est donc mal préparé. Ajoutons que la saison des pluies est celle où le moustique anophèle, vecteur du paludisme, prospère.

Différents indices – nous ne nous étendrons pas ici sur les bases de calcul de chacune de ces formules – tentent de mesurer l'inconfort climatique. S'il faut tenir compte de nombreux facteurs, la température, le taux d'humidité et la vitesse du vent sont de loin les trois principaux. Si le climat du Panamá, par exemple, a une réputation aussi exécrable – au demeurant parfaitement méritée, surtout pour la période qui s'étend de mai à novembre –, ce n'est pas seulement en raison de ses températures élevées (de 30 °C à 33 °C pour les moyennes des maxima), mais surtout, comme le soulignait J.-P. Besancenot, responsable du laboratoire « Climat et Santé », « parce qu'elles sont fortement aggravées, dans leurs répercussions sur l'organisme humain, par la faible animation de l'air et par un état hygrométrique qui ne s'éloigne jamais beaucoup de la saturation ». Nous aurions aussi pu prendre l'exemple de Singapour où, certains jours, comme le décrivait un article de la revue *Géo*, « il y fait une température de serre à dormir debout, la gorge battante comme les crapauds ! »
Ici ou ailleurs, dans ce type d'environnement, un des meilleurs conseils que l'on puisse donner à un voyageur soucieux de sa santé, c'est d'abord de respecter une coutume sage et encore assez répandue sous ce type de climat, celle de la sieste aux heures les plus pénibles de la journée.
Outre les risques du coup de chaleur, cependant très rare, la forte chaleur humide accroît la fatigue, peut provoquer des effets de stress, augmente les risques cardiaques et pulmonaires ; elle est aussi propice au développement de problèmes infectieux cutanés. Les basses températures, quant à elles, surtout accompagnées d'une forte humidité, ne sont pas non plus sans risque pour les personnes qui présentent des problèmes cardiaques ou articulaires.
* Climat et Santé, Faculté de médecine, BP 87900, 21079 DIJON Cedex. Tél. : 03 80 39 33 77 – fax : 03 80 39 33 00 – e-mail : jean-pierre.besancenot@u-bourgogne.fr

Le soleil : ses bienfaits et ses dangers

Rôle antidépresseur, fabrication de vitamine D et par conséquent, effets antirachitiques,... les bienfaits du soleil sont incontestés. Mais comme toutes les bonnes choses, il faut en user avec modération. Les excès d'exposition au soleil peuvent en effet avoir des conséquences néfastes : coups de soleil, mais aussi vieillissement cutané (perte de l'élasticité de la peau), ou, plus grave, apparition de cancers de la peau (mélanomes notamment).

Les coups de soleil. Les voyageurs ne sont pas tous égaux devant l'astre solaire : les roux à peau laiteuse demeurent les plus sensibles et doivent abandonner l'espoir de revenir « bronzés ». À l'opposé, les bruns à peau mate attrapent difficilement un coup de soleil. Blonds et châtains occupent des positions intermédiaires.

Pour éviter les coups de soleil :
– Ne s'exposer au soleil que progressivement. Les premiers jours surtout, on évitera les bains de soleil entre 11 heures et 14 heures, le moment où il frappe le plus intensément. En outre, en début de séjour, on ne restera pas plus de 15 à 30 minutes consécutives immobile au soleil.
– Utiliser une crème solaire adaptée. Les crèmes et laits solaires ont des indices de protection étalonnés de 1 à 30 (par exemple, protégé par une crème solaire indice 12, il faudra 12 fois plus de temps de durée d'exposition pour attraper un coup de soleil que sans aucune protection). Elles combinent des filtres chimiques – substances qui ont la propriété d'absorber les rayons solaires les plus nocifs – et des écrans physiques, dont les substances opaques restent imperméables aux rayons solaires et les réfléchissent. Pour les zones les plus fragiles du visage – lèvres, nez, contour des yeux –, on peut utiliser des sticks solides.
Pour augmenter leur efficacité, il est inutile d'user des crèmes solaires en couches épaisses ; en revanche, on commencera les applications une demi-heure avant l'exposition et on renouvellera les applications, surtout après les bains.
Attention ! S'il peut rafraîchir l'atmosphère, le vent n'évite pas les coups de soleil, au contraire ! En effet, il masque souvent la seule alerte dont dispose l'estivant : l'impression de chaleur sur la peau qui le pousse à se mettre à l'ombre. Cela explique d'ailleurs la fréquence des coups de soleil pris sur un bateau. Non pas, comme on le croit très souvent, en raison des effets de la réflexion du soleil sur l'eau, mais parce que la fraîcheur du vent et des embruns fait oublier que le soleil frappe fort et qu'il faut s'en protéger.
Ajoutons qu'un temps nuageux ne signifie pas toujours l'absence de risques de coups de soleil et que les rayons ultraviolets sont plus intenses à mesure que l'on s'élève en altitude.

Le port de lunettes de soleil est nécessaire à la protection des yeux. Pour des raisons de chromatisme, on conseille des verres bruns aux myopes, et verts aux hypermétropes. À noter que les verres teintés en bleu absorbent peu les rayons solaires.
Des parfums et des cosmétiques – notamment ceux qui contiennent de l'essence de bergamote, de citron ou de lavande –, de même que certains médicaments (bien lire les notices), peuvent provoquer des réactions cutanées après une exposition au soleil.

L'insolation est la conséquence d'une exposition excessive au soleil, d'autant plus tête nue et si la chaleur est forte. L'insolation est surtout à craindre chez les personnes âgées et les jeunes enfants. La meilleure prévention consiste à porter un chapeau à large bord. L'insolation – fatigue, nausées, maux de tête, sueurs – s'accompagne d'une élévation de la température du corps. 24 heures de repos dans une ambiance fraîche, un linge humide sur les yeux et la prise d'aspirine apportent la guérison.

Le coup de chaleur, très rare, est aussi beaucoup plus grave. Il frappe surtout dans les ambiances suffocantes de la zone tropicale humide où la sudation se fait mal. Le coup de chaleur s'accompagne d'une fièvre égale ou supérieure à 40 °C, avec peau sèche et luisante, souvent suivie d'un coma. Il faut appeler un médecin d'urgence et, en l'attendant, plonger le malade dans un bain froid ou lui appliquer des poches de glace sur le corps en évitant un contact direct avec la peau. Ici encore, les personnes âgées et les enfants restent les plus exposés.

Pour limiter les risques liés à la chaleur :
– Éviter les efforts intenses, surtout à l'arrivée.
– Porter des vêtements amples pour permettre une bonne ventilation et faciliter la sudation (préférer le pur coton au Nylon et autres fibres synthétiques).
– Boire régulièrement de l'eau en quantité suffisante, sans attendre d'avoir soif.
– Limiter, ou même proscrire, la consommation d'alcool.

Le froid

Le froid est le principal souci de ceux qui vont chercher le dépaysement dans les vastes déserts blancs, jusqu'aux régions polaires, et des amateurs de marche en altitude.

Une bonne protection commence par le choix de vêtements adaptés. Si étonnant que cela puisse paraître, certains des principes qui permettent de se protéger de la chaleur sont également valables pour se protéger du froid : éviter les vêtements serrés, afin de permettre à une couche d'air de circuler autour du corps ; une fois réchauffée à la température du corps, elle fera office de bouclier thermique. Aux vêtements épais et qui engoncent, il est préférable de substituer plusieurs couches d'habits plus légers en fibropolaires. Bien que fragile, la soie reste particulièrement chaude et agréable à porter, que ce soit pour les sous-vêtements (T-shirt, collant), une première paire de chaussettes ou des gants.
Pour réchauffer les pieds, deux épaisseurs de chaussettes offrent une bonne solution, à condition que la seconde paire soit d'une taille supérieure à la première, et que la pointure des chaussures soit adaptée ; tout cela afin d'éviter que le pied ne soit serré et la circulation sanguine ralentie, auquel cas la seconde paire de chaussettes non seulement ne serait d'aucun bénéfice, mais aurait pour effet de vous refroidir plus rapidement les pieds ! Pour les mêmes raisons, les mains sont plus à l'abri du froid avec des moufles qu'avec des gants.

Pour lutter contre le froid. Il est primordial d'être à la fois bien protégé du vent (voir tableau ci-dessous) et de l'humidité (la pluie, la neige, et aussi sa propre transpiration). Le vêtement extérieur joue ici le plus grand rôle. Il doit être à la fois imperméable et « respirant », c'est-à-dire que la trame du tissu doit être suffisamment serrée pour couper le vent et ne pas laisser passer les molécules d'eau, mais assez lâche pour permettre l'évacuation de la vapeur d'eau due à la transpiration.
À cet égard, les vêtements doublés en *Gore-Tex* sont très efficaces. Pour ces mêmes raisons, les bottes en caoutchouc nu sont contre-indiquées.
Sur la neige, utilisez une crème de haute protection pour la réverbération, et des lunettes de glacier (verres très filtrants et protections latérales).

Les dangers du froid. L'acclimatation au froid impose au cœur un supplément de travail : c'est pourquoi les voyageurs atteints d'une maladie cardiaque doivent redoubler de prudence. Plus généralement, une nourriture riche en lipides (les graisses), un apport supplémentaire de vitamines, surtout de vitamine C, des boissons abondantes, si possible chaudes, aident à lutter contre les effets du froid. Ne pas oublier qu'il ne faut jamais rester immobile exposé à des températures glaciales ou à un blizzard violent. Il est au contraire indispensable de s'activer afin de favoriser une meilleure circulation du sang.

Gelures et hypothermie. Les oreilles et le nez, parties les plus externes du visage, sont très exposés aux gelures, de même que les mains et les pieds, situés à la périphérie du réseau sanguin. Il ne faut donc pas hésiter à battre des mains et à taper des pieds pour activer la circulation et empêcher l'engourdissement. En cas de gelure, massez doucement la partie atteinte. Mais ne jamais vous déchausser avant d'être à l'abri d'une tente ou d'un refuge, vous pourriez être incapable de vous rechausser.
En cas d'hypothermie (abaissement de la température du corps en dessous de 35°), le sujet doit être le plus rapidement possible à l'abri, bien couvert ; le faire boire chaud et sucré.

Le vent. Pour évaluer les effets du froid à l'extérieur, il ne suffit pas de consulter un thermomètre. Il faut y ajouter, le cas échéant, les effets du vent qui est un facteur essentiel de refroidissement.
Le tableau ci-dessous permet de quantifier ce que les Américains appellent le *wind chill factor*, c'est-à-dire le refroidissement dû à la vitesse du vent pour une température sous-abri donnée. On peut le considérer comme stable pour tous les vents dépassant la force 8 sur l'échelle de Beaufort (elle est étalonnée jusqu'au degré 12, correspondant aux vitesses supérieures à 118 km/h). Exemple : les effets d'une température de – 18 °C lorsque s'y ajoute un vent de force 4 (qui n'a rien d'une tempête) sont équivalents à ceux d'une température de – 36 °C sans vent. Lorsqu'on se déplace contre le vent, il faut bien sûr ajouter la vitesse de son déplacement à celle du vent : assez négligeable si l'on marche, elle augmente si l'on skie ou si l'on se déplace en moto.

Échelle de Beaufort	Vitesse en km/h	Températures réelles						
		10°	4°	- 1°	- 7°	- 12°	- 18°	- 23°
		Températures équivalentes compte tenu du vent						
0	0	10	4	- 1	- 7	- 12	- 18	- 23
2	8	9	2	- 3	- 9	- 14	- 21	- 26
3	16	4	- 2	- 9	- 16	- 23	- 31	- 36
4	24	2	- 5	- 13	- 20	- 28	- 36	- 43
5	34	0	- 8	- 16	- 24	- 32	- 40	- 48
6	44	- 1	- 10	- 18	- 27	- 35	- 43	- 52
7	56	- 3	- 12	- 20	- 29	- 37	- 46	- 55
8	68	- 3	- 12	- 21	- 30	- 38	- 47	- 56

Les maladies digestives

La turista

Plus prosaïquement « diarrhée du voyageur », la fameuse turista touche une part importante des voyageurs séjournant dans les pays du tiers-monde. Citons à ce propos les résultats d'une enquête du professeur Robert Steffen, spécialiste suisse de la médecine du voyage. La proportion des voyageurs touchés par la turista sur deux semaines de séjour était de 20 % à Fortaleza (Brésil), 38 % à Montego Bay (Jamaïque), 61 % à Goa (Inde) et 66 % à Mombasa (Kenya). Précisons que la turista atteint aussi les voyageurs, certes dans une proportion moindre, aux États-Unis et en Europe. Cette diarrhée est ordinairement bénigne et dure rarement plus de deux jours, même en l'absence de tout traitement. Elle est cependant à prendre au sérieux chez les jeunes enfants et les personnes âgées. La turista est due aux microbes véhiculés par l'eau de boisson ou les aliments. 50 % des diarrhées sont causées par des bactéries. La diarrhée provoquée par *Escherichia coli* est la plus fréquente. L'hygiène alimentaire est et restera le seul moyen vraiment efficace d'éviter la turista. Les vaccins actuellement mis sur le marché (*Mutacol* par le laboratoire Berna et *Dukoral* par Aventis-Pasteur), pas encore en vente en France, ne préviennent qu'une partie de ces épisodes diarrhéiques.

Le traitement de l'eau. Les éléments pathogènes présents dans l'eau – bactéries, parasites et virus – ne sont pas de même nature. Les bactéries sont les agents vecteurs de pathologies comme les salmonelloses, la turista ou le choléra ; amibes et giardiases sont des exemples de parasites qui entraînent également des troubles digestifs, alors que les virus sont des vecteurs de maladies comme la poliomyélite ou l'hépatite A.
Il est toujours conseillé de ne boire que de l'eau en bouteille, de préférence de marque connue, et dont la bouteille a été décapsulée devant vous (quoique, dans certains pays, on pratique parfois le « recapsulage » de bouteilles remplies aux robinets de la ville). À défaut d'être certain de la qualité de l'eau, elle sera traitée selon les recommandations suivantes, recueillies auprès du Dr Olivier Schlosser (Vivendi) :
– Pour l'eau du robinet, on a le choix entre :
Faire bouillir l'eau 1 minute.
OU procéder à une désinfection chimique par un agent chloré (*Micropur forte®*, *Drinkwellchlore®* ou *Aquatabs®*) en prenant le soin d'attendre de 30 minutes à 1 heure avant de boire l'eau.
OU procéder à une désinfection par microfiltration à l'aide de filtres portables à pompe manuelle. On distingue les filtres en céramique (*Mini-filter®*, et *Pocket-filter®* de la marque Katadyn, ou *Miniworks®* de MSR) et les filtres à matrice synthétique (*First Need Deluxe®* de General Ecology, *WalkAbout®* et *Guardian®* de la marque SweetWater). Les modèles *Guardian Plus* de SweetWater et *Bottle* de Katadyn sont en outre équipés d'une cartouche de résine iodée qui augmente la protection contre les virus. On évitera cependant l'utilisation de résine iodée en cas de pathologie de la thyroïde et chez la femme enceinte.

– Pour les eaux de surface (rivières, lacs) et eaux de puits, en cas de randonnées, il est conseillé avant tout autre traitement de préfiltrer l'eau sur deux ou trois épaisseurs de filtres à café en papier, puis de choisir entre :
Faire bouillir l'eau pendant 1 minute (2 à 3 minutes en altitude).
OU procéder par microfiltration par filtre portable, avec ou sans résine iodée : filtre à pompe manuelle (voir ci-dessus) ou gourde *PentaPure Sport*®.
OU, à défaut, de procéder à la désinfection par un agent chloré, en portant alors le délai d'attente à 2 heures.
Si l'eau traitée doit être stockée, on prendra soin d'utiliser un jerrican adapté et de rajouter un conservateur d'eau potable comme les sels d'argent (*Micropur* ®).
En cas de séjour de moyenne et longue durée, des appareils de microfiltration et de désinfection peuvent être installés dans l'hébergement à l'arrivée d'eau ou sous l'évier. Pour mémoire : le whisky ne désinfecte pas l'eau.
Les produits *Micropur* ®, *Katadyn* ®, *Drinkwell* ® et *Pentapure* ® sont en vente dans certaines pharmacies, dans les magasins *Au vieux campeur* (tél. : 01 53 10 48 48) et *Decathlon* ; dans les librairie-boutiques de *Voyageurs du monde* (à Paris, Lyon, Marseille et Toulouse ; tél. à Paris : 01 42 86 17 37 ; e-mail : librairie@vdm.com) ; et à la boutique *on line* de SMI (www.smi-voyage-sante.com).

▶ Les mesures d'hygiène suivantes assurent aussi une protection assez efficace :
– Se laver les mains avant de se mettre à table, en zone tropicale plus encore qu'ailleurs. À défaut d'eau, utiliser les lingettes nettoyantes à usage unique ou mieux, un savon sans eau ne nécessitant pas de rinçage comme le *Bacti Control*.
– Ne manger que de la viande et du poisson bien cuits et aussi chauds que possible. Éviter absolument la viande hachée et le steak tartare.
– Préférer les plats maintenus chauds (température supérieure à 65°) jusqu'à consommation.
– Ne consommer ni légumes ni fruits crus qui n'aient été lavés et pelés par vous-même (4 ou 5 gouttes de Javel à 12° par litre d'eau pour le lavage).
– Prendre garde aux hors-d'œuvre, à la charcuterie, aux crustacés. Éviter les œufs crus ou peu cuits, les fromages frais et la mayonnaise artisanale.
– Éviter les glaces et autres desserts glacés.
Sachez que le voyageur prendra toujours moins de risque à avaler une soupe brûlante servie dans la gargotte d'un marché populaire de Quito qu'à se laisser tenter par le buffet froid de l'hôtel *Hilton* de la capitale de l'Équateur.
Toutes ces précautions permettront de se protéger contre d'autres maladies comme la typhoïde, l'amibiase, la dysenterie bacillaire, l'hépatite A, le choléra...

▶ **Une solution pour se réhydrater.** La turista et les diarrhées s'accompagnent d'une déshydratation. Le traitement principal de la diarrhée demeure donc la réhydratation. Si la déshydratation reste modérée, le voyageur peut se contenter d'augmenter sa consommation de liquides : eau de riz, bouillon de légumes salé (carottes, pommes de terre, lentilles). Il évitera le lait, les laitages, les jus de fruits et les aliments riches en fibres, comme la salade ou les haricots verts.
Dans l'hypothèse d'une déshydratation plus sévère, on se procurera des sachets de solution de réhydratation (SRO). Citons les solutions *Gallialite* ®, *Adiaril* ® ou *GES 45* ® ; on peut aussi reconstituer une solution de réhydratation de la manière suivante : dans 1 litre d'eau potable,

ajouter 5 cuillères à café (5 ml chacune) de sucre, 3⁄4 de cuillère de sel de table, 1⁄2 cuillère de bicarbonate de soude, 1⁄4 cuillère de chlorure de potassium. Boire cette solution à volonté. Le seul vrai traitement de la diarrhée est la réhydratation. Les ralentisseurs de transit comme la lopéramide *(Imodium®)* peuvent raccourcir l'épisode de diarrhée, mais entraîner une constipation problématique, raison pour laquelle ils sont contre-indiqués chez le jeune enfant.

Le choléra

Même dans le cas d'un séjour dans des régions atteintes par une épidémie de choléra, on exagère très souvent le danger réel que cette maladie fait courir au voyageur.
Le choléra est une maladie bactérienne liée au manque d'hygiène, donc fréquente dans les pays pauvres, notamment en Afrique, en Asie et en Amérique latine. Le choléra ne frappe que très rarement le voyageur originaire des pays développés – dans la mesure où ce dernier bénéficie habituellement d'une hygiène satisfaisante, ce qui lui assure une relative protection. Le choléra est essentiellement véhiculé par l'eau – ainsi se propage-t-il plus facilement pendant les saisons pluvieuses –, ensuite par les aliments ; il peut aussi, plus rarement, se transmettre par contact direct avec une personne contaminée. Le respect des mesures d'hygiène présentées ci-dessus et l'usage du savon de Marseille – connu pour ses vertus antiseptiques, or il est recommandé de se laver fréquemment les mains, surtout avant les repas et après un contact avec des personnes susceptibles d'être contaminées – restent des moyens très efficaces pour éviter tout risque de choléra.

Le paludisme

▸ Le paludisme est endémique dans une centaine de pays. Selon le *Bulletin épidémiologique hebdomadaire*, on compte en France environ 7 000 cas de paludisme importé par an, dont une vingtaine de cas mortels. Les pays de contamination sont majoritairement situés en Afrique subsaharienne (95 % des cas), ce qui explique que plus de 80 % des cas sont dus à *Plasmodium falciparum*. En ce qui concerne ces cas importés en France, l'incidence est, respectivement, 15 et 23 fois plus élevée en Afrique qu'en Amérique du Sud et en Asie. S'il s'agit en majorité de familles d'origine africaine et de Français expatriés, on trouve aussi, dans une proportion non négligeable, de simples voyageurs.
Une étude du CNREPIA (« Centre national de référence de l'épidémiologie du paludisme d'importation et autochtone ») a montré que la moitié des voyageurs français en partance vers un pays où sévit le paludisme ne sont pas, ou mal, protégés contre cette maladie.

Quels sont les pays et les territoires où il n'existe aucun risque de paludisme ?

Afrique : Égypte, Lesotho, Libye, île de La Réunion, île Sainte-Hélène, îles Seychelles, Tunisie.
Amérique : toutes les villes (sauf Amazonie), et Antigua et Barbuda, Antilles néerlandaises, Bahamas, Barbade, Bermudes, îles Caïmans, Canada, Chili, Cuba, Dominique, États-Unis, Guadeloupe, Grenade, Jamaïque, îles Malouines (Falkland), Martinique, Porto Rico, Sainte-Lucie, Trinidad et Tobago, Uruguay, îles Vierges.
Asie : toutes les villes (sauf Inde) et Brunei, les Christmas, îles Cook, Géorgie (sauf Sud-Est), Guam, Japon, Kazakhstan, Macao, Maldives, Mongolie, Singapour, Taiwan.
Europe : tous les pays, y compris Açores, Canaries, Chypre, toute la Russie et Turquie d'Europe.
Proche et Moyen-Orient : toutes les villes et Bahreïn, Israël, Jordanie, Koweït, Liban, Palestine, Qatar.
Océanie : toutes les villes et Australie, Fidji, Hawaii, îles Mariannes, îles Marshall, Kiribati, Micronésie, Nauru, Niue, Nouvelle-Calédonie, Nouvelle-Zélande, île de Pâques, Palau, Polynésie française, Samoa occidentales, Tonga, Tuvalu, Wallis et Futuna.

Cas particuliers des zones de transmission faible

Dans ces pays, compte tenu de la faiblesse des risques de la transmission du paludisme, il n'est pas conseillé de prendre de chimioprophylaxie, quelle que soit la durée du séjour. Mais consultez en urgence en cas de fièvre, dans les mois qui suivent le retour.
Afrique : Algérie, Cap-Vert, Maroc, île Maurice.
Asie : Arménie, Azerbaïdjan, Corée du Nord, Corée du Sud, Sud-Est de la Géorgie, Kirghizistan, Ouzbékistan, Turkménistan.
Proche et Moyen-Orient : Émirats arabes unis, Oman, Syrie, Turquie (Sud-Est).

Quels sont les pays à risques ?

L'OMS a divisé les pays à risques en trois groupes, selon l'efficacité des différents antipaludiques sur les souches autochtones :
– Le groupe 1 réunit les pays, essentiellement en Amérique centrale et dans la péninsule Indienne, où la chloroquine *(Nivaquine®)* se révèle très efficace.
– Le groupe 2 réunit les pays, de moins en moins nombreux, qui ont des souches qui résistent parfois à la seule chloroquine ; la prévention consiste alors en une association du proguanil et de la chloroquine *(Savarine®)*, ou une association du proguanil et de l'atovaquone *(Malarone®)*; ce dernier produit est malheureusement cher, mais on peut cesser de le prendre sept jours après le retour.
– Le groupe 3 réunit les pays, de plus en plus nombreux, dont certaines souches peuvent à la fois résister à la chloroquine et au proguanil. On y prescrit donc la méfloquine *(Lariam®)*, parfois mal tolérée, ou la *Malarone®*. Cependant, de part et d'autre des frontières de la Thaïlande avec la Birmanie, le Laos et le Cambodge, à la méfloquine, plus toujours efficace, on préfère la doxycycline *(Vibramycine®)*, mais elle s'accompagne de risques de photosensibilisation en cas d'exposition au soleil sans protection de type « écran total ». Attention, il existe des contre-indications à la méfloquine comme à la doxycycline : femmes enceintes ou susceptibles de le devenir, et autres cas particuliers (se renseigner auprès des médecins).
Soulignons que, dans de nombreux États, le paludisme ne touche qu'une région bien délimitée du pays.
Précisons aussi que le risque de paludisme est négligeable au-dessus de 2 000 m. Ainsi, un voyageur qui atterrirait à La Paz (Bolivie) ou à Quito (Équateur) et limiterait ses déplacements aux régions de l'Altiplano n'aurait rien à craindre des moustiques anophèles.
Le tableau qui suit, mis à jour chaque année, est adapté de celui publié dans le *Bulletin épidémiologique hebdomadaire* (juin 2006).

Comment lire le tableau

– En italique, les pays qui ont fait l'objet d'un changement dans l'édition 2007 de cet ouvrage.
– (*) : les pays ou les régions dont le nom est suivi d'un astérisque sont ceux où sévit essentiellement le *Plasmodium vivax*. Contrairement à *Plasmodium falciparum* qui expose à un risque mortel, *Plasmodium vivax* donne des accès palustres d'évolution en général bénigne.
– Dans la colonne « groupe », le numéro correspond à celui de la classification de l'OMS expliquée ci-dessus.
– Dans la colonne « note » :

doxycycline : dans ces pays du groupe 3, pour les zones situées de part et d'autre des frontières de la Thaïlande avec la Birmanie, le Laos, la Malaisie et le Cambodge, on prescrit la doxycycline *(Vibramycine®)* à la place de la méfloquine, plus toujours efficace.

● : pour ces pays et régions, la chimioprophylaxie est impérative pour les séjours d'une durée supérieure à sept jours, mais facultative pour les séjours inférieurs à sept jours (mais, dans les mois qui suivent le retour, consulter en urgence en cas de fièvre). Ce délai de sept jours correspond au temps minimal entre la piqûre de moustique infectante et les premiers signes cliniques du paludisme.

PALUDISME

	Pays/Régions	Groupe	Note
A	Afghanistan	3	●
	Afrique du Sud (Nord-Est)	3	
	Angola	3	
	Arabie Saoudite (Sud, Ouest)	3	●
	Argentine* (Nord)	1	●
B	Bangladesh (sauf Dacca)	3	
	Belize*	1	●
	Bénin	3	
	Bhoutan (alt. < 2 500 m)	*3*	●
	Bolivie (Amazonie)	3	
	Bolivie* (sauf Amazonie et alt. > 2 000 m)	1	●
	Botswana	3	
	Brésil (Amazonie)	3	
	Burkina Faso	2	
	Burundi	3	
C	Cambodge	3	doxycycline
	Cameroun	3	
	Centrafrique	3	
	Chine* (Nord-Est)	1	●
	Chine (Yunnan et Hainan)	3	
	Colombie (Amazonie)	3	
	Colombie (sauf Amazonie et alt. > 2 000 m)	2	
	Comores	3	
	Congo (Brazza.)	3	
	Congo (ex-Zaïre)	3	
	Costa Rica*	1	●
	Côte d'Ivoire	3	
D	Djibouti	3	
	Dominicaine (République)	1	
E	Équateur (Amazonie)	3	
	Équateur (Ouest, alt.< 2 000 m)	1	
	Érythrée	3	
	Éthiopie	3	
G	Gabon	3	
	Gambie	3	
	Ghana	3	
	Guatemala*	1	●
	Guinée	3	
	Guinée-Bissau	3	
	Guinée équatoriale	3	
	Guyana	3	
	Guyane française (fleuves)	3	
H	Haïti	1	
	Honduras*	1	●
I	Inde (sauf Assam)	2	
	Inde (État d'Assam)	3	
I	Indonésie (sauf Bali)	3	
	Iran (Sud-Est)	3	●
	Iran* (sauf Sud-Est)	1	●
	Irak*	1	●
K	Kenya	3	
L	Laos	3	doxycycline
	Liberia	3	
M	Madagascar	2	
	Malaisie (sauf villes et côtes)	3	
	Malawi	3	
	Mali	2	
	Mauritanie	2	
	Mayotte	3	●
	Mexique*	1	●
	Mozambique	3	
	Myanmar (ex-Birmanie)	3	doxycycline
N	Namibie	3	
	Népal (Terai)	2	
	Nicaragua*	1	●
	Niger	2	
	Nigeria	3	
O	Ouganda	3	
P	Pakistan	3	
	Panamá* (Est)	3	
	Panamá* (Ouest)	1	●
	Papouasie – Nouvelle-Guinée	3	
	Paraguay* (Est)	1	●
	Pérou (Amazonie)	3	
	Pérou* (sauf Amazonie et alt. > 2 000 m)	1	●
	Philippines	3	
R	Rwanda	3	
S	El Salvador*	1	●
	São Tomé e Príncipe	3	
	Salomon (îles)	2	
	Sénégal	3	
	Sierra Leone	3	
	Somalie	3	
	Soudan	3	
	Sri Lanka*	2	●
	Surinam	3	
	Swaziland	3	
T	*Tadjikistan**	*2*	●
	Tanzanie	3	
	Tchad	2	
	Thaïlande (frontières avec le Cambodge, le Laos, la Malaisie et le Myanmar)	3	doxycycline

	Pays/Régions	Groupe	Note
T	Timor oriental	3	
	Togo	3	
V	Vanuatu	2	
	Venezuela (Amazonie)	3	
	Venezuela* (sauf Amazonie)	1	

	Pays/Régions	Groupe	Note
	Vietnam (sauf côtes et delta, qui sont libres de paludisme)	3	
Y	Yémen	3	
Z	Zambie	3	
	Zimbabwe	3	

Comment attrape-t-on le paludisme ?

– Le paludisme est une maladie parasitaire, transmise à l'homme par une piqûre de moustique du genre anophèle.
– Les anophèles transmettent le paludisme du crépuscule à l'aube surtout, de 20 heures à 4 heures du matin.
– Une seule piqûre infectante peut transmettre le paludisme.
– On se méfiera d'autant plus des anophèles que leur vol est silencieux et leurs piqûres sont indolores.
– Dans les pays concernés, les risques de piqûres d'anophèles augmentent notablement pendant les saisons des pluies et jusqu'à six semaines après les dernières précipitations.

Comment éviter le paludisme ?

Éviter les piqûres d'anophèles. Devant l'extension des résistances aux antipaludiques, la stratégie de lutte contre cette maladie a évolué : aujourd'hui, l'accent est d'abord mis sur les moyens d'éviter les piqûres d'anophèles. Sur cette première ligne de défense, on dispose de nombreux moyens dont la mise en œuvre coordonnée offre une protection efficace :

Des recommandations, à suivre au mieux. Porter des vêtements longs et amples, notamment pantalons longs et chemises à manches longues pour les sorties nocturnes. On peut aussi imprégner ses vêtements de la classique Perméthrine.

Dès la tombée de la nuit, préférer les maisons équipées de fenêtres-moustiquaires. À noter que si la climatisation ne tue pas les moustiques anophèles, elle limite grandement leur agressivité.

Les produits répulsifs. À base de DEET, 35/35, Icaridine, Citriodiol (*Mosi-guard*®), moins toxique pour les enfants, les produits répulsifs éloignent les moustiques. On les utilise sur la peau sous forme de pommade, de gels ou de spray. Mais leur efficacité se limite à quelques heures et on doit en renouveler régulièrement l'application.

Attention ! La vitamine B1 ou les ultrasons n'ont aucune efficacité prouvée contre les moustiques. La citronnelle n'est insectifuge que moins de 30 minutes.

Les insecticides, à base de différents types de pyréthrinoïdes de synthèse.
– Les bombes aérosols (à base d'insecticides) éliminent de manière efficace, par pulvérisation, les moustiques présents, mais leur action n'est pas persistante.
– Sous forme de spray (à base de Perméthrine), pour la pulvérisation sur les vêtements. Citons *Insect Ecran Vêtement*® et *Repel insect-vêtement*®, efficaces pendant deux mois à raison de 6 à 8 lavages à 40 °C.

– Pour la nuit, la moustiquaire imprégnée (de Deltaméthrine, d'Etofenprox ou de Perméthrine) offre la meilleure des protections. Citons notamment les moustiquaires 5 sur 5 et le modèle DUO de SMI. Équipement disposant d'un système d'accroche ingénieux.
– La nuit toujours, les diffuseurs électriques se révèlent assez efficaces. Ils agissent par sublimation de l'insecticide liquide (Bio-alléthrine, Bio-resméthride) ou imprégnant des plaquettes (Deltaméthrine) dans des pièces closes ou peu ventilées. Les classiques tortillons fumigènes pour les lieux ouverts sont au mieux répulsifs mais non insecticides, c'est-à-dire qu'ils éloignent les moustiques mais ne les tuent pas. En outre, la fumée peut être mal tolérée par certaines personnes, notamment les asthmatiques.

Adopter un traitement préventif. Dans les zones impaludées, et quelles que soient les précautions prises, rien ne garantit contre une piqûre par un moustique vecteur du paludisme. Dans cette mesure, le traitement préventif – chloroquine, proguanil, atovaquone, méfloquine ou doxycycline, selon les régions impaludées visitées – est conseillé. Les doses prescrites diffèrent pour les enfants et les adultes. Pour les femmes enceintes, les jeunes enfants et certains cas particuliers, la méfloquine et la doxycycline sont contre-indiquées (se renseigner auprès des médecins des consultations « Conseils aux voyageurs »).
Les dérivés de l'artémésinine (artémether et artésunate) peuvent vous être proposés au cours d'un voyage pour traiter un paludisme, particulièrement en Asie et en Afrique.

En cas de fièvre,... nausées, vomissements, diarrhées, ou fatigue pendant le séjour et plusieurs mois après le retour – surtout les deux premiers mois – d'une zone impaludée, l'hypothèse d'une crise de paludisme doit toujours être avancée. Il faut alors consulter en urgence un médecin en lui mentionnant votre voyage et faire un examen à la recherche au microscope du parasite dans une goutte de sang. En cas d'impossibilité – séjour prolongé dans une région isolée et sans couverture médicale –, ne prenez aucun risque et utilisez avec précaution le « traitement de réserve » que vous aura délivré votre médecin avant le départ. Dans cette situation, le « malaria test » (ICT) peut aider à un diagnostic rapide et éclairer la décision d'utiliser, ou non, le traitement de réserve.

Sida, fièvre aviaire,... scorpion

Le sida

Réalité sur la planète entière, le sida n'épargne aucun pays ; aucune région du monde n'est à l'abri. Le tourisme apporte sa contribution à la diffusion de cette pandémie. En effet, des études comportementales ont montré que les vacances et les voyages lointains sont propices au vagabondage sexuel ; et surtout, au phénomène du « tourisme sexuel ».

Dans son dernier rapport, rendu public en juin 2006 à New York, l'ONUSIDA dressait un tableau assez préoccupant de la situation mondiale. Si l'Afrique subsaharienne est aujourd'hui la zone au monde la plus touchée par ce fléau (26 des 40 millions des cas actuels de VIH recensés sur le globe, alors que la population de cette région représente moins de 10% de la population mondiale), la Chine, l'Inde et la Russie sont des pôles importants de cette pandémie.

En Afrique australe, plus d'un tiers des adultes du Botswana, du Lesotho, du Swaziland et du Zimbabwe vivent avec le virus. En Afrique du Sud, un adulte sur cinq est séropositif. Si, pendant des années, les taux de prévalence sont restés plus bas en Afrique de l'Ouest, on assiste actuellement à une augmentation rapide des taux d'infection dans des pays tels que le Nigeria et le Cameroun. Le rapport 2006 de l'ONUSIDA souligne cependant les résultats tangibles obtenus dans la lutte contre le sida par des pays africains comme l'Ouganda, le Kenya, le Zimbabwe et le Burkina Faso.

L'Afrique n'est pas la seule région touchée. La Russie et ses voisins constituent la zone où la pandémie progresse le plus rapidement. Dans cette région, la consommation de drogue par voie intraveineuse est le principal facteur de diffusion du VIH. Les taux d'infection dans certaines îles des Caraïbes sont très élevés (Bahamas, Barbade, Belize, Bermudes, Guyane, Haïti, Jamaïque, Saint-Domingue,Trinidad et Tobago).

En Asie, l'Inde compte maintenant près de 5 millions d'habitants infectés par le virus. En Chine, la situation se révèle, à moyen et long terme, préoccupante, d'autant plus que ses dirigeants se refusent encore à reconnaître l'ampleur de la catastrophe. La province du Hainan, longtemps exploitée à l'occasion de campagnes de dons du sang, est pour le moment la plus touchée. Mais la situation est alarmante dans cinq autres provinces : Guangdong, Guanxi, Yunnan, Sichuan et Xinjiang.

Cependant, hors les pays africains déjà mentionnés à cet égard, Le rapport 2006 de l'ONUSIDA cite aussi la Thaïlande, Haïti, et certains États de l'Inde pour leurs succès rencontrés pour limiter la progression du Sida.

Comment se propage le sida ?

On ne saurait trop répéter, à tous les voyageurs, les informations suivantes.

Le sida ne s'attrape pas dans les transports publics, les toilettes ou les piscines ; il ne se propage pas dans les aliments, ni sur les couverts ; il n'est véhiculé ni par l'eau ni par l'air. Et nul ne peut le transmettre par simple contact, en touchant, en caressant, ou encore en éternuant.

Le sida se propage le plus souvent à l'occasion d'un rapport sexuel – hétérosexuel ou homosexuel, génital, oral ou anal. Il est aussi véhiculé par du sang contaminé – lors d'une transfusion ou d'une simple perforation de la peau par une aiguille (par exemple, injection avec une seringue souillée), d'un tatouage ou de tout autre situation à risque de coupures (rasoir,...).

Comment se protéger du sida ?

Évitez tout contact sexuel avec des prostitué(e)s ou des rencontres de hasard. En cas de relations sexuelles : si vous êtes un homme, utilisez toujours un préservatif du début à la fin de vos rapports sexuels ; si vous êtes une femme, assurez-vous que votre partenaire prend cette précaution. Homme ou femme, emportez des préservatifs conformes aux normes de fabrication assurant une protection optimale.

Il existe maintenant un « traitement après exposition » (moins de 48 heures après). Vous en discuterez avec votre médecin.

Les transfusions sanguines

La transmission par contact avec du sang ou des produits sanguins contaminés reste encore importante dans certains pays sous-développés. En revanche, ce type de transmission a quasiment disparu dans les pays industrialisés, grâce au contrôle systématique des dons du sang. C'est une raison supplémentaire pour encourager les voyageurs à contracter une assurance-assistance qui prendra en charge l'évacuation vers un hôpital adapté et sûr, en cas d'accident et d'intervention chirurgicale nécessaire.

Signalons à ce propos, les « trousses d'urgence du voyageur » diffusées par SMI. Elles contiennent des éléments stériles à usage unique (seringues, aiguilles, etc.) qui doivent être remis au médecin local si un geste médico-chirurgical bénin se révèle nécessaire pendant votre voyage.

▶ **Au retour,** si vous avez pris des risques à l'occasion d'un voyage, n'hésitez pas à demander un test (informations à Sida Info Service au 0 800 840 800, n° gratuit, ouvert 24 heures/24).

La grippe aviaire

▶ **La grippe aviaire** est une infection virale qui peut affecter pratiquement toutes les espèces d'oiseaux sauvages ou domestiques et également des mammifères tel que le porc. Exceptionnellement, ces souches hautement pathogènes peuvent se transmettre à l'homme. Les cas les plus nombreux sont survenus en Asie : d'abord au Vietnam, en Thaïlande et au Cambodge ; des cas sont dénombrés aussi en Chine, en Indonésie, au Japon, au Laos, en Corée, aux Pays-Bas, au Canada et en Turquie. La transmission s'effectue lors de contacts fréquents et intensifs avec des sécrétions respiratoires ou des déjections d'animaux infectés. À ce jour, la transmission interhumaine de ces virus n'a pas été démontrée. L'évolution de cette infection est suivie avec d'autant plus d'attention par l'Organisation mondiale de la santé (OMS, ou WHO), que l'éventuelle mutation du virus serait susceptible de représenter un danger considérable en terme de pandémie mondiale.

Les maladies tropicales

▶ **Des maladies parasitaires,** dans certaines régions d'Afrique tropicale, imposent d'éviter les bains en eau douce (bilharziose), ou même de marcher pieds nus sur les sols humides.

La maladie du sommeil en Afrique noire, véhiculée par la mouche tsé-tsé, et la maladie de Chagas en Amérique latine, propagée par des punaises, sont toutes deux des trypanosomiases ; sont aussi répertoriées l'encéphalite japonaise, qui sévit en période de mousson en Extrême-Orient et dans la péninsule indienne ; la dengue (voir ci-dessous), les filarioses, le ver de Cayor... On pourrait allonger à loisir la liste des maladies tropicales et de leurs vecteurs, mais rassurez-vous, il est rare que le voyageur en soit la victime. Cependant, selon votre destination et le type d'activités prévues, les médecins des consultations « Conseil aux voyageurs » des centres de vaccination agréés (voir pages suivantes) sont les mieux à même de vous informer des véritables risques d'un départ à l'aventure et des meilleurs moyens de prévention pour les limiter au maximum.

La dengue, virus transmis par le moustique *Aedes aegypti*, surtout pendant la saison des pluies, est une maladie réémergente dont la répartition géographique est en expansion et dont la sévérité des accès augmente dans toutes les régions intertropicales du globe. Si l'Asie du Sud-Est demeure la région la plus touchée, la dengue gagne aussi du terrain dans les Caraïbes et les pays d'Amérique latine. Les enfants, à l'occasion de longs séjours, sont particulièrement exposés à la dengue hémorragique, la forme la plus grave de la maladie.

Le chikungunya, virus également transmis par le moustique *Aedes albopictus*, surtout pendant la saison des pluies, est responsable de fièvre élevée et de douleurs articulaires et musculaires qui peuvent durer de quelques jours à plusieurs mois. Dans ses formes chroniques, il risque d'aggraver des maladies préexistantes. Cette maladie infectieuse, assez méconnue lorsqu'elle sévissait en Asie et en Afrique, s'est répandue en un an dans l'île de la Réunion et y a atteint près du tiers de sa population, avec quelques cas mortels. La prévention du chikungunya repose sur la protection antimoustique jour et nuit.

Nos ennemies les bêtes

Najas et cobras en Asie, vipères des sables en Afrique du Nord, mambas en Afrique noire, crotales, fer-de-lance, serpents-corail dans les Amériques,... sont, potentiellement, parmi les plus dangereux. Il n'en reste pas moins que les voyageurs mordus par des serpents restent une espèce heureusement très rare !
Quelques précautions simples prises dans les régions rurales des pays à risques en limitent encore la fréquence : chaussures montantes, pantalons longs, ouvrir son chemin avec un bâton à la main, utiliser une lampe pendant la nuit.
Cela posé, certaines morsures de serpents peuvent se révéler mortelles si le patient n'est pas rapidement hospitalisé, bien que le temps écoulé entre la morsure et la mort se mesure plus souvent en jours qu'en heures. Pour les premiers secours, on s'abstiendra des recettes archaïques qui traînent encore dans certains ouvrages du type *L'Aventure en 10 leçons*, par exemple : incision, succion. La pose d'un tourniquet (ou « garrot ») est à haut risque. Il faut laver la plaie à grande eau et la désinfecter, calmer le patient et le transporter en lui évitant tout mouvement inutile.
En l'absence de compétence particulière en la matière, il est déconseillé aux voyageurs d'emporter du sérum antivenimeux. Mal conservé ou utilisé à contretemps, il risquerait surtout d'aggraver la situation en cas de morsure.

Les piqûres de scorpions et d'araignées peuvent être très douloureuses, mais les conséquences en sont, sauf exceptions, peu sévères chez les adultes ; plus graves cependant chez les enfants. L'Amérique du Sud abrite une bonne partie des araignées les plus patibulaires (phoneutrias, mygales, lycoses) ; mais l'atrax, elle aussi peu fréquentable, est australienne. Le Mexique et les déserts d'Afrique du Nord et du Moyen-Orient attirent, quant à eux, les scorpions les plus antipathiques.
Serpents, araignées et scorpions se déplacent surtout la nuit : une raison de plus pour dormir sous une moustiquaire imprégnée (elle repousse tous les animaux à sang froid) dans les zones rurales. Le matin, on vérifie avant de s'habiller qu'aucune bestiole ne s'est nichée dans les plis des vêtements ou à l'intérieur des chaussures. Le soir, on ouvre complètement le lit ou le sac de couchage.
Côté mer, citons, parmi les ennemis du touriste, le poisson-pierre, qui circule dans les eaux peu profondes de récifs coralliens de l'océan Indien et du Pacifique. Au repos, il ressemble à une pierre sur laquelle il est préférable de ne pas marcher pieds nus (dans ce cas, les premiers soins consistent en un bain de pieds de 30 minutes dans une eau à 45° ou plus).
Dans les mers chaudes, les physalies, avec leurs longs filaments, peuvent entraîner des réactions sévères chez le nageur ; surtout chez celui qui se laisse prendre pour la seconde fois.

PRÉVOIR SON BUDGET

Dans le millésime 2007 de ce guide, Essen (Allemagne), Denver (États-Unis), Honiara (îles Salomon) et Shenyang (Chine) viennent compléter la liste des villes traitées dans ce chapitre.

Les coûts du voyage, pour les citoyens des pays de l'euro, devraient les encourager à partir vers les destinations longtemps rêvées. Les États-Unis, l'Amérique latine (Argentine, Brésil, Costa Rica, Mexique...) et l'Australie n'ont jamais été meilleur marché. Le prix des hôtels de Moscou et de Saint-Pétersbourg se rapprochent du raisonnable, alors que le coût de la vie augmente en Afrique australe, tout en restant très modéré. On constate toujours de grandes disparités de coût entre les destinations, et ces écarts sont souvent encore plus marqués – dans le sens de la vie chère comme dans le sens des prix très modiques – entre le voyageur individuel et l'habitué des forfaits des tours-opérateurs.

Comme chaque année, ce chapitre a été rédigé sur la base des résultats des enquêtes du département Information de *Mercer Human Resource Consulting*. Cette entreprise internationale est spécialisée dans le conseil et l'information en ressources humaines [1]. *Mercer HRC* réalise des enquêtes bi-annuelles sur le coût de la vie pour les expatriés dans les principales villes du monde ; leurs résultats aident ses clients, essentiellement des entreprises, à évaluer les frais de séjour de leurs cadres en déplacement.

Les enquêtes qui nous ont permis d'établir nos indices datent du printemps 2006, alors que 1 € valait environ 1,20 $. On tiendra compte que l'euro s'est depuis renforcé face au dollar. Si des crises financières survenaient dans tel ou tel pays ou région du monde, le lecteur devrait tenir compte des évolutions des devises locales par rapport à l'euro (voir rubrique « La santé des monnaies » dans le chapitre « Internet pour les voyageurs »).

La base de données de *Mercer HRC* comprend une rubrique « Business Travel Expense » qui propose trois évaluations selon le niveau de confort choisi par l'homme d'affaires en déplacement. Nos indices ont été calculés en prenant en compte un niveau de dépenses modéré.

Le premier indice, « Repas et divers », est établi sur la base des coûts des repas pris dans un restaurant correct, auxquels s'ajoutent la consommation hors restaurant d'un café et d'un cocktail, l'achat d'un journal local, ainsi que celui d'un grand quotidien et d'un magazine étrangers.

Le second indice, « Nuit d'hôtel », correspond au logement dans un établissement confortable – sans être de luxe pour autant –, l'équivalent d'un bon « trois étoiles » selon les normes françaises.

MERCER
Human Resource Consulting

(1) Mercer Human Resource Consulting : 20, rue François-Perréard, 1225 Genève, Suisse. Tél. : (41) 22 869 30 00. Fax : (41) 22 349 49 04. Site Internet : www.mercerhr.com

- Les coûts à Paris, évalué par *Mercer HRC*, nous ont servi de base pour établir nos indices. Ils correspondent donc aux indices 100 de notre échelle. Pour chaque ville de cette liste figurent les indices chiffrés « Repas et divers » et « Nuit d'hôtel » représentés par des lignes à la couleur différenciée.

- Pour mieux comparer avec les coûts moyens en France, nous avons aussi indiqué les coûts à Lyon, Rouen et Strasbourg. On tiendra donc compte du prix particulièrement élevé à Paris d'un hôtel confortable.

- À des villes où les prix des repas paraissent particulièrement bon marché en comparaison de ceux qui sont pratiqués en France peuvent correspondre des hôtels dont les coûts dépassent largement leurs équivalents parisiens : c'est le cas de certains pays, notamment en Afrique, où la rareté de l'offre en hôtels confortables ne laisse parfois d'autre choix que celui d'un hôtel de catégorie très élevée. Ajoutons que les hôtels de bon confort (aux normes occidentales) y sont essentiellement fréquentés par des étrangers et leurs tarifs souvent fixés en dollars, surtout si l'hôtel appartient à une chaîne internationale (Mercure, Novotel, Holiday Inn...). Dans ce cas, le voyageur trouvera facilement des hébergements « au prix local », s'il consent à être moins exigeant sur le niveau de confort. Il y gagnera souvent en authenticité et en charme.

- On constatera aussi que les coûts peuvent considérablement varier dans un même pays selon les villes de destination. En témoignent de nombreux exemples : Rouen et Paris, Vienne et Graz, New York et Cleveland, Islamabad et Karachi, Kuala Lumpur et Kuantan, Istanbul et Ankara.

- Les pays sont regroupés selon les grandes régions géographiques classées dans cet ordre : Amérique du Nord (sauf le Mexique classé dans la partie suivante) et Caraïbes, Amérique latine, Europe, Afrique, Moyen-Orient, Asie et Océanie.

LES INDICES DU COÛT DE LA VIE

AMÉRIQUE DU NORD ET CARAÏBES

CANADA

Ville	Nuit d'hôtel	Repas et divers
Calgary	99	78
Montréal	80	85
Ottawa	67	68
Toronto	95	88
Vancouver	100	80

CUBA

Ville	Nuit d'hôtel	Repas et divers
La Havane	46	97

DOMINICAINE (RÉP.)

Ville	Nuit d'hôtel	Repas et divers
Saint-Domingue	45	70

ÉTATS-UNIS

Ville	Nuit d'hôtel	Repas et divers
Atlanta	79	67
Boston	97	72
Chicago	94	72
Cleveland	69	76
Dallas	87	74
Denver*	88	64
Honolulu (Hawaii)	94	80
Los Angeles	123	89
Miami	74	73
New York	130	83

	Nuit d'hôtel	Repas et divers
Paris	**100**	**100**

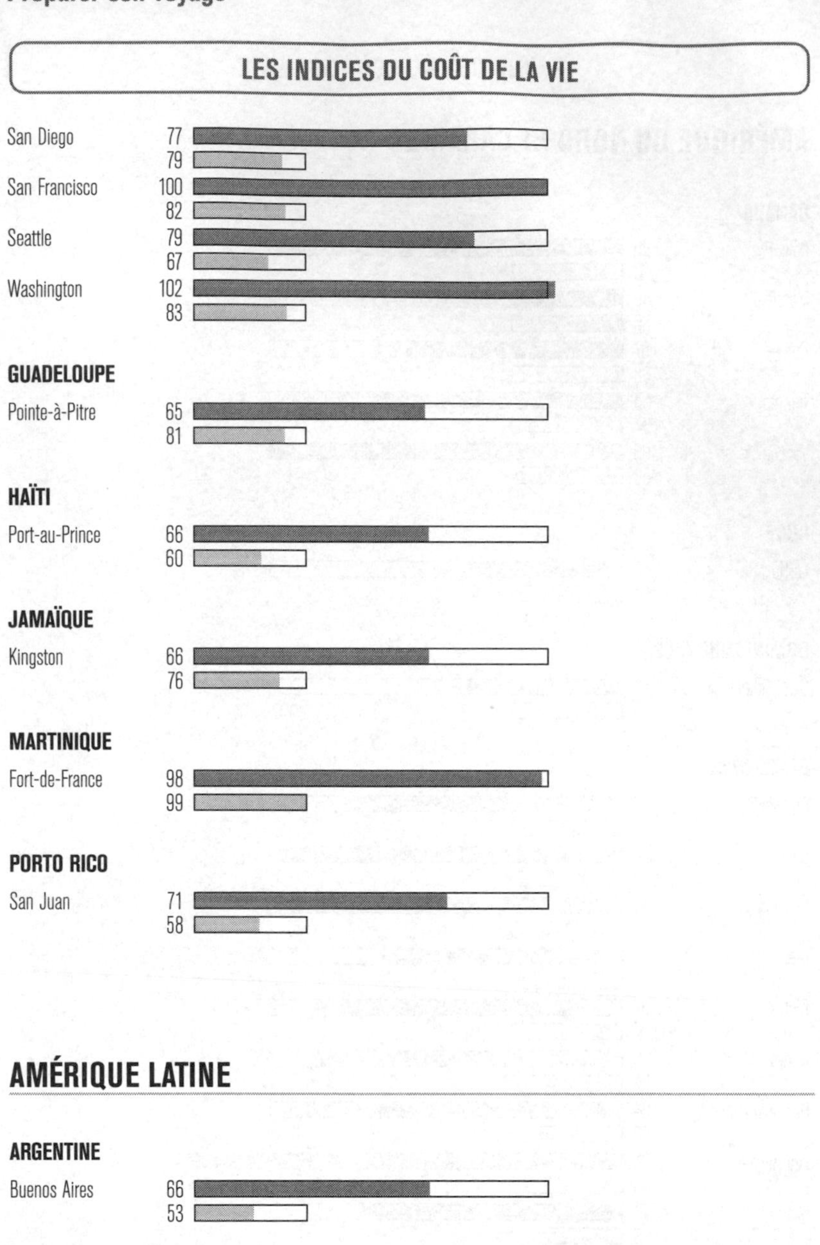

Les pays et les villes suivis d'un astérisque (*) n'étaient pas mentionnés dans la précédente édition de *Saisons & Climats*.

LES INDICES DU COÛT DE LA VIE

Pays / Ville	Nuit d'hôtel	Repas et divers
BRÉSIL		
Brasília	58	68
Rio de Janeiro	61	86
San Salvador	56	56
São Paulo	87	81
CHILI		
Santiago	58	86
COLOMBIE		
Bogotá	36	49
COSTA RICA		
San José	86	82
ÉQUATEUR		
Quito	51	63
GUATEMALA		
Guatemala City	53	80
GUYANE (FR.)		
Cayenne	36	107
MEXIQUE		
Guadalajara	66	60
Mexico	85	64
Monterrey	45	52
Paris	**100**	**100**

Nuit d'hôtel
Repas et divers

LES INDICES DU COÛT DE LA VIE

PANAMÁ

Panamá 57
73

PARAGUAY

Asunción 48
34

PÉROU

Lima 58
80

URUGUAY

Montevideo 53
35

VENEZUELA

Caracas 66
46

EUROPE

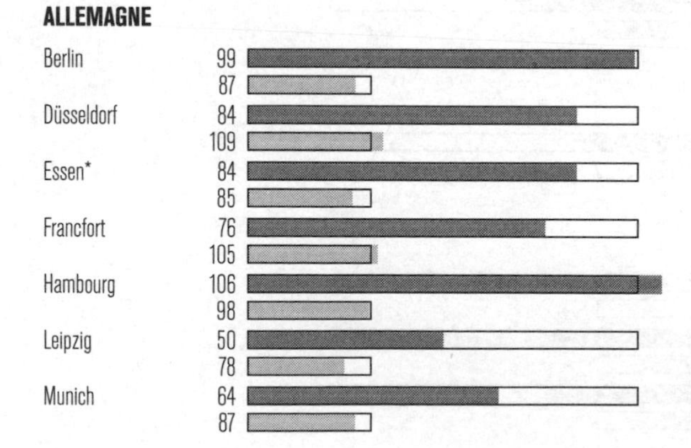

Les pays et les villes suivis d'un astérisque (*) n'étaient pas mentionnés dans la précédente édition de *Saisons & Climats*.

LES INDICES DU COÛT DE LA VIE

Pays	Ville	Nuit d'hôtel	Repas et divers
AUTRICHE	Graz	59	92
	Vienne	57	90
BELGIQUE	Anvers	109	84
	Bruxelles	112	83
BOSNIE	Sarajevo	52	45
BULGARIE	Sofia	24	67
CHYPRE	Limassol	81	96
CROATIE	Zagreb	76	118
DANEMARK	Copenhague	137	112
ESPAGNE	Barcelone	99	104
	Madrid	94	108
ESTONIE	Tallinn	66	68
	Paris	**100**	**100**

Nuit d'hôtel
Repas et divers

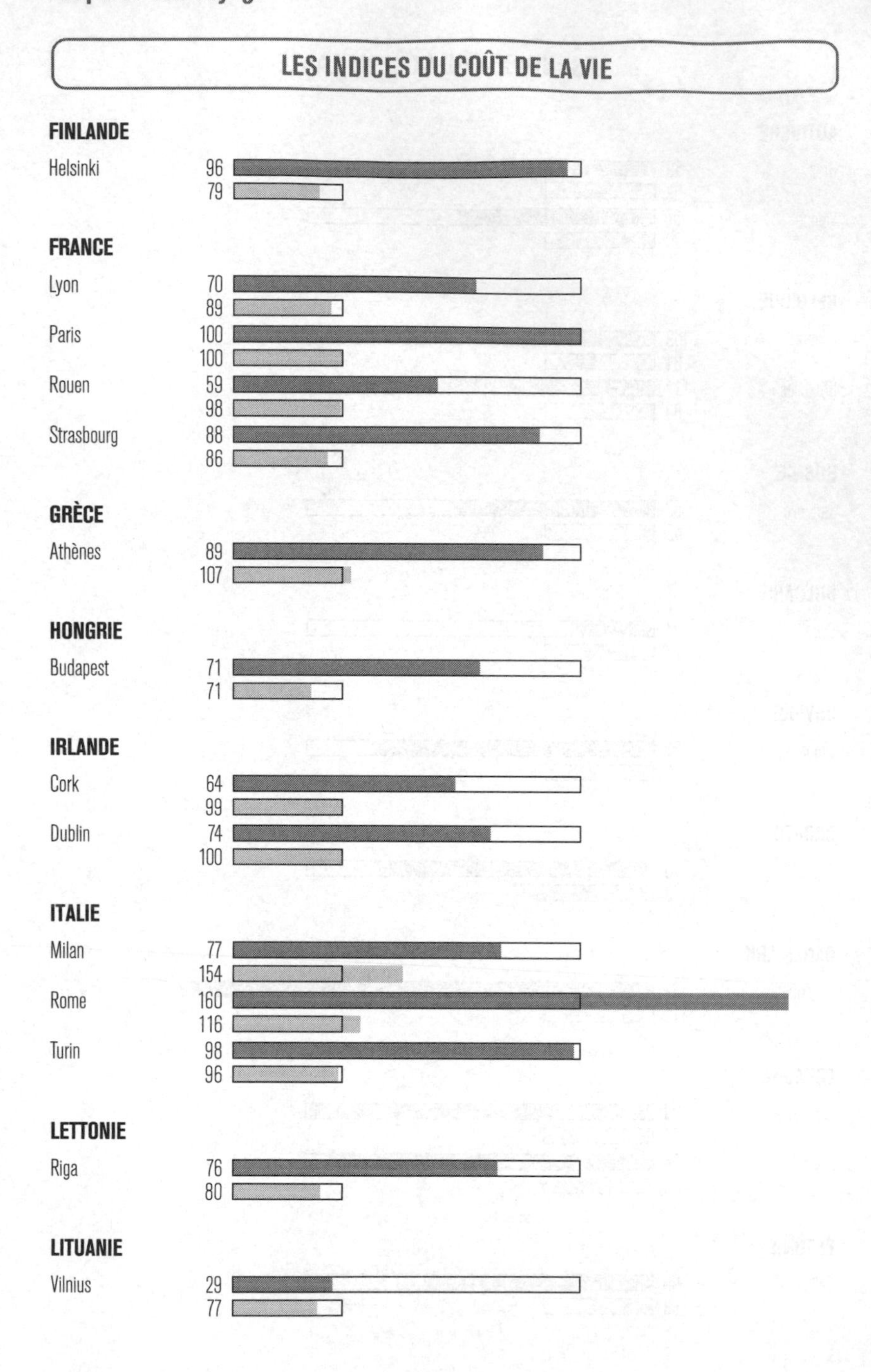

Les pays et les villes suivis d'un astérisque (*) n'étaient pas mentionnés dans la précédente édition de *Saisons & Climats*.

LES INDICES DU COÛT DE LA VIE

Pays	Ville	Nuit d'hôtel	Repas et divers
LUXEMBOURG	Luxembourg	74	89
MACÉDOINE	Skopje	70	47
MALTE	La Valette	35	80
MONACO (PRINC.)	Monaco	115	109
NORVÈGE	Oslo	71	147
PAYS-BAS	Amsterdam	97	93
POLOGNE	Poznan	46	72
	Varsovie	57	80
PORTUGAL	Lisbonne	68	92
ROUMANIE	Bucarest	108	78
	Paris	**100**	**100**

Nuit d'hôtel
Repas et divers

LES INDICES DU COÛT DE LA VIE

ROYAUME-UNI

Ville	Indice
Birmingham	99
	97
Glasgow	105
	84
Londres	105
	107
Oxford	104
	85

RUSSIE

Ville	Indice
Moscou	86
	133
Saint-Pétersbourg	77
	120
Volgograd	41
	51

SERBIE

Ville	Indice
Belgrade	35
	62

SLOVAQUIE

Ville	Indice
Brastilava	84
	87

SLOVÉNIE

Ville	Indice
Ljubljana	55
	55

SUÈDE

Ville	Indice
Malmö	46
	88
Stockholm	99
	89

Les pays et les villes suivis d'un astérisque (*) n'étaient pas mentionnés dans la précédente édition de *Saisons & Climats*.

LES INDICES DU COÛT DE LA VIE

SUISSE

Ville	Nuit d'hôtel	Repas et divers
Bâle	90	121
Berne	63	116
Genève	117	117
Zurich	76	114

TCHÈQUE (RÉP.)

Ville	Nuit d'hôtel	Repas et divers
Prague	73	85

UKRAINE

Ville	Nuit d'hôtel	Repas et divers
Kiev	58	75

AFRIQUE

AFRIQUE DU SUD

Ville	Nuit d'hôtel	Repas et divers
Johannesburg	49	54
Le Cap	61	54

ALGÉRIE

Ville	Nuit d'hôtel	Repas et divers
Alger	71	59

ANGOLA

Ville	Nuit d'hôtel	Repas et divers
Luanda	95	141

BÉNIN

Ville	Nuit d'hôtel	Repas et divers
Cotonou	42	104

	Nuit d'hôtel	Repas et divers
Paris	**100**	**100**

LES INDICES DU COÛT DE LA VIE

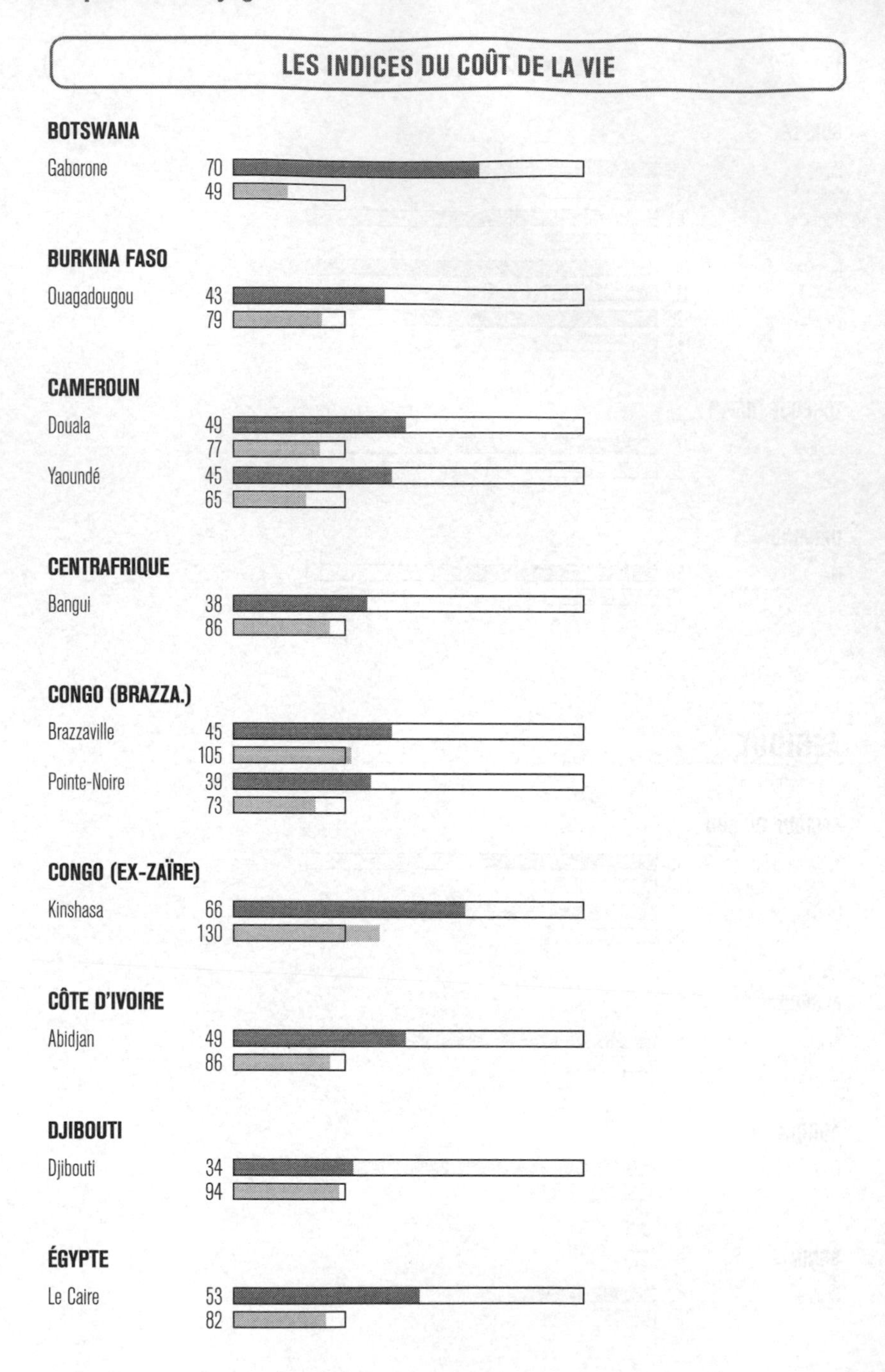

Les pays et les villes suivis d'un astérisque (*) n'étaient pas mentionnés dans la précédente édition de *Saisons & Climats*.

LES INDICES DU COÛT DE LA VIE

Pays	Ville	Nuit d'hôtel	Repas et divers
ÉTHIOPIE	Addis-Abeba	57	33
GABON	Libreville	72	124
GAMBIE	Banjul	38	41
GHANA	Accra	59	55
GUINÉE	Conakry	52	36
GUINÉE ÉQUATORIALE	Malabo	56	104
KENYA	Nairobi	40	83
LYBIE	Tripoli	22	56
MADAGASCAR	Antananarivo	58	45
MALAWI	Blantyre	78	37
	Paris	**100**	**100**

Nuit d'hôtel
Repas et divers

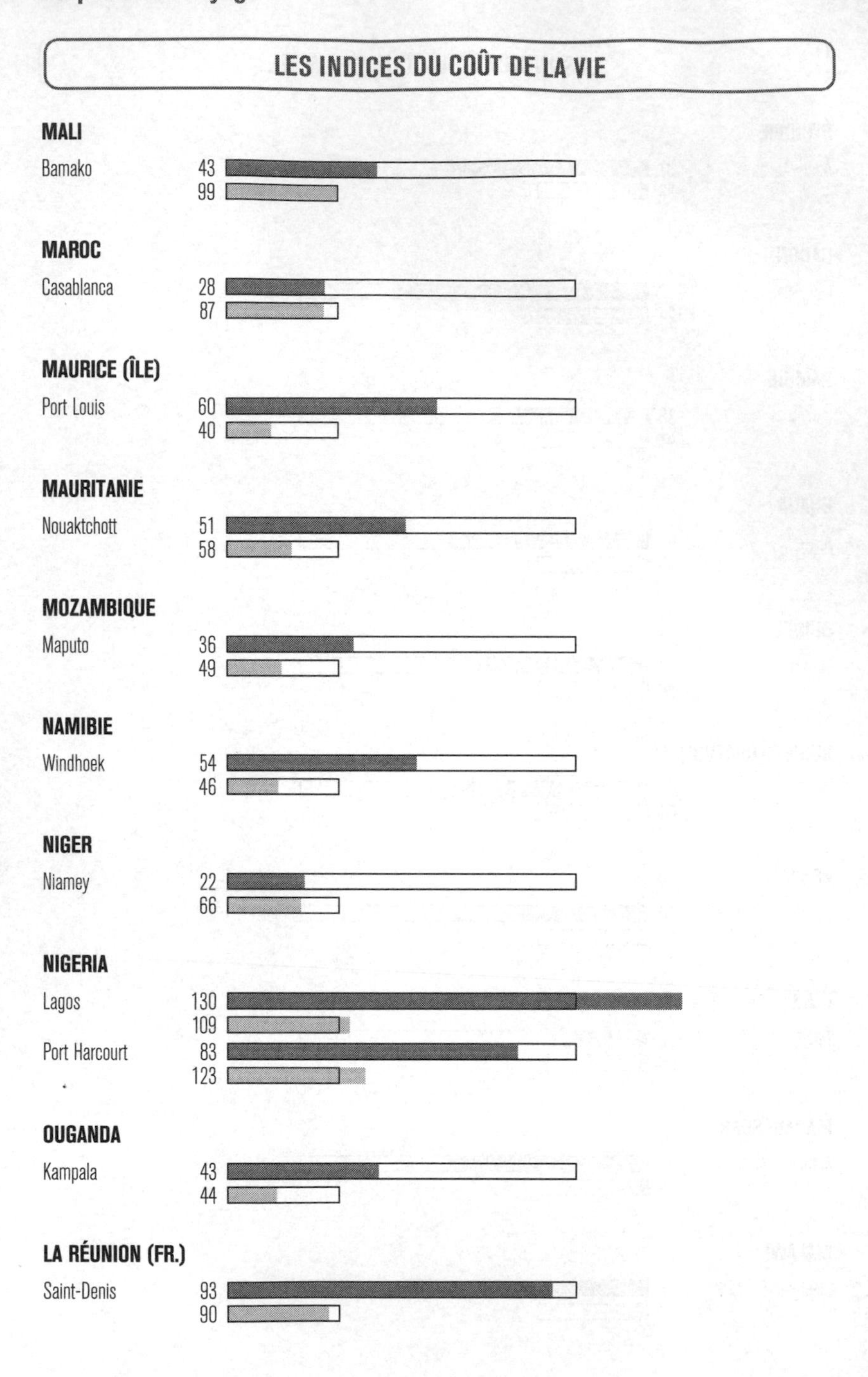

Les pays et les villes suivis d'un astérisque (*) n'étaient pas mentionnés dans la précédente édition de *Saisons & Climats*.

LES INDICES DU COÛT DE LA VIE

Pays	Ville	Nuit d'hôtel	Repas et divers
RWANDA	Kigali	35	39
SÉNÉGAL	Dakar	74	85
	Saint-Louis	80	71
SEYCHELLES	Victoria	83	94
TANZANIE	Dar es-Salaam	59	33
TCHAD	N'Djamena	92	93
TOGO	Lomé	47	102
TUNISIE	Tunis	49	54
ZAMBIE	Lusaka	131	83
ZIMBABWE	Harare	34	16
	Paris	**100**	**100**

LES INDICES DU COÛT DE LA VIE

MOYEN-ORIENT

ARABIE SAOUDITE

Djeddah	52
	81
Riyadh	37
	81

BAHREÏN

Manama	38
	100

ÉMIRATS ARABES UNIS

Abou Dhabi	59
	76
Doha	144
	76
Dubai	115
	79

IRAN

Téhéran	54
	24

ISRAËL

Tel-Aviv	52
	75

JORDANIE

Amman	66
	115

KOWEÏT

Koweït City	36
	76

LIBAN

Beyrouth	104
	87

Les pays et les villes suivis d'un astérisque (*) n'étaient pas mentionnés dans la précédente édition de *Saisons & Climats*.

LES INDICES DU COÛT DE LA VIE

OMAN

Ville	Nuit d'hôtel	Repas et divers
Mascate	74	58

SYRIE

Ville	Nuit d'hôtel	Repas et divers
Damas	47	53

TURQUIE

Ville	Nuit d'hôtel	Repas et divers
Ankara	67	100
Istanbul	96	121

ASIE

ARMÉNIE

Ville	Nuit d'hôtel	Repas et divers
Erevan	45	62

AZERBAÏDJAN

Ville	Nuit d'hôtel	Repas et divers
Bakou	116	106

BANGLADESH

Ville	Nuit d'hôtel	Repas et divers
Dacca	43	65

BHOUTAN

Ville	Nuit d'hôtel	Repas et divers
Thimbou	37	26

BRUNEI

Ville	Nuit d'hôtel	Repas et divers
Bandar Seri Begawan	56	64

Paris	**100**	**100**

Nuit d'hôtel
Repas et divers

LES INDICES DU COÛT DE LA VIE

CAMBODGE		
Phnom Penh	45	49
CHINE		
Canton	46	71
Chengdu (Sichuan)	34	51
Hong Kong	100	93
Nankin	44	59
Pékin	78	80
Shanghai	51	75
Shenyang*	34	59
CORÉE DU SUD		
Séoul	73	99
INDE		
Bangalore	79	46
Bombay	50	58
Madras	43	55
New Delhi	56	58
INDONÉSIE		
Djakarta	47	69
JAPON		
Osaka	71	55
Tokyo	97	96

Les pays et les villes suivis d'un astérisque (*) n'étaient pas mentionnés dans la précédente édition de *Saisons & Climats*.

LES INDICES DU COÛT DE LA VIE

Pays	Ville	Nuit d'hôtel	Repas et divers
KAZAKHSTAN	Almaty	91	112
KIRGHIZISTAN	Bishkek	46	70
MALAISIE	Kuala Lumpur	40	52
	Kuantan	26	43
MONGOLIE	Oulan-Bator	43	56
MYANMAR (BIRMANIE)	Yangon (Rangoon)	64	47
OUZBÉKISTAN	Samarcande	31	29
	Tachkent	46	34
PAKISTAN	Islamabad	86	57
	Karachi	57	39
PHILIPPINES	Manille	52	44
Paris		**100**	**100**

Nuit d'hôtel
Repas et divers

LES INDICES DU COÛT DE LA VIE

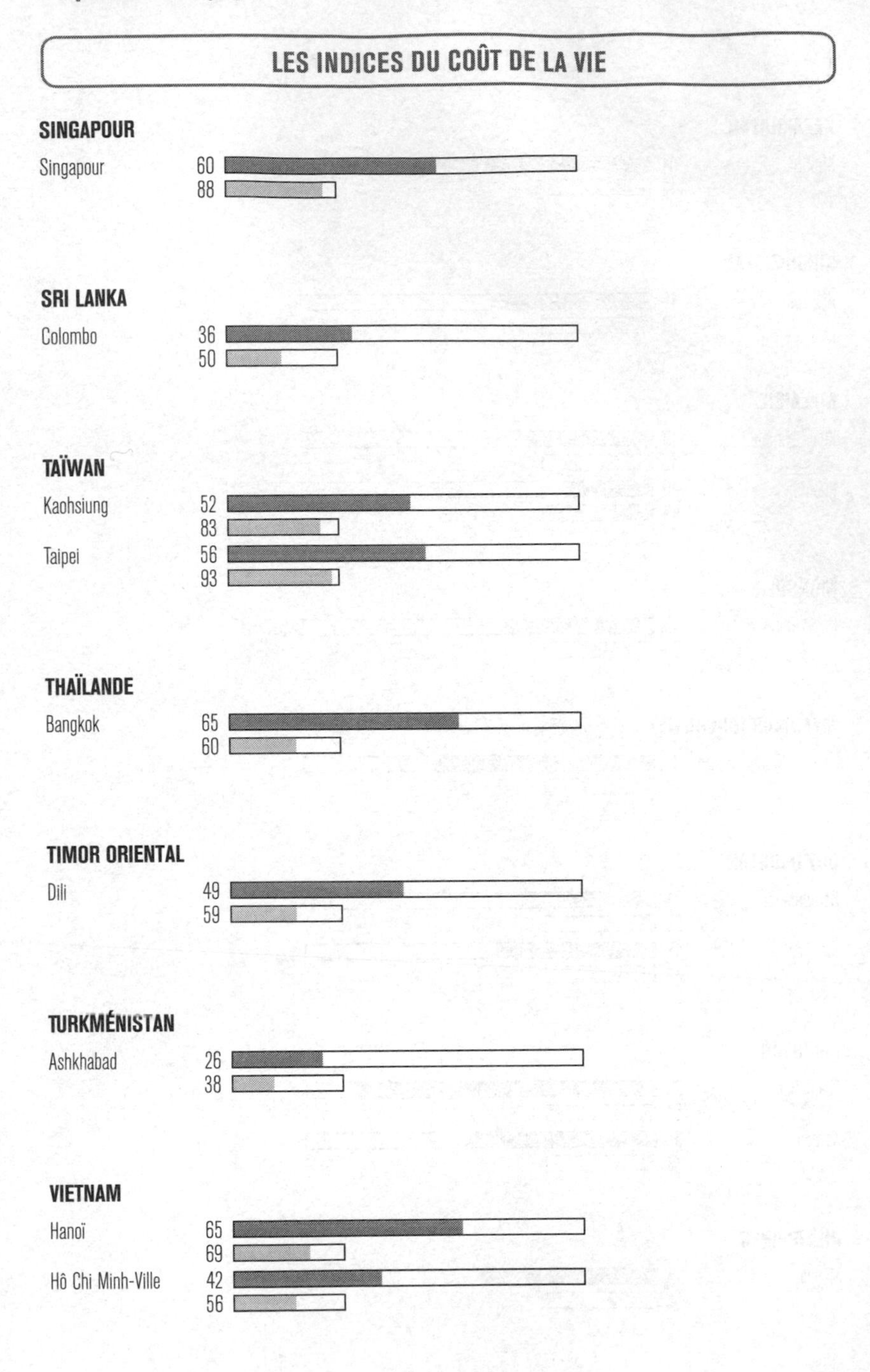

Les pays et les villes suivis d'un astérisque (*) n'étaient pas mentionnés dans la précédente édition de *Saisons & Climats*.

LES INDICES DU COÛT DE LA VIE

OCÉANIE

Pays / Ville	Nuit d'hôtel	Repas et divers
AUSTRALIE		
Adelaïde	64	68
Camberra*	53	65
Melbourne	78	69
Perth	66	75
Sydney	75	74
FIDJI		
Suva	62	64
NOUVELLE-CALÉDONIE (FR.)		
Nouméa	119	117
NOUVELLE-ZÉLANDE		
Auckland	72	76
Wellington	69	75
PAPOUASIE - NOUVELLE-GUINÉE		
Port Moresby	35	49
SAMOA OCCIDENTALE		
Apia	37	37
SALOMON* (ILES)		
Honiara	40	43
TAHITI (FR.)		
Papeete	80	113
Paris	100	100

CONNAÎTRE LE NIVEAU DE DÉVELOPPEMENT DU PAYS

▶ Il est utile de connaître de manière fiable le niveau de développement socio-économique du pays que l'on s'apprête à visiter. Cela permet de mieux s'adapter à la réalité de ce pays.

▶ Chaque année, le PNUD (Programme des Nations unies pour le développement) publie un rapport mondial où les pays sont classés selon leur IDH (Indicateur de développement humain). Cet IDH-2005, le dernier disponible au moment de la mise à jour du millésime 2007 de ce guide, mesure le niveau moyen atteint par un pays selon trois critères essentiels au développement et au bien-être de l'homme : la longévité, l'accès au savoir et le niveau de vie. Ces trois aspects sont respectivement exprimés par l'espérance de vie à la naissance, le taux d'alphabétisation des adultes de plus de 15 ans et le revenu annuel par habitant (PIB) exprimé en dollars (calcul réalisé en tenant compte de la parité de pouvoir d'achat).

▶ Le PNUD distingue trois groupes de pays. Les pays à « développement humain élevé », près de 60, dont l'IDH est supérieur à 0,8 : on trouve en tête de ce groupe les pays occidentaux. Le deuxième groupe, le plus nombreux et le plus éclectique, réunit environ 90 pays à « développement humain moyen », dont l'IDH est compris entre 0,8 et 0,5. Le troisième groupe enfin est celui des pays à « développement humain faible » (IDH inférieur à 0,5) : il comprend une trentaine de pays, pour la plupart africains.

▶ Si, en Europe occidentale, on ne repère pas de très grands écarts de développement entre deux pays frontaliers, il n'en va pas de même dans d'autres régions du monde, ainsi du Chili, pays frontalier de la Bolivie, ou du prospère territoire de Singapour, juste séparé de l'Indonésie par le détroit de Malacca.

▶ Soulignons que l'IDH ne mesure que le niveau moyen atteint par un pays, il n'indique rien concernant la répartition, souvent très inégale, de ce développement à l'intérieur de ce pays, cette inégalité pouvant apparaître selon les catégories de population et les secteurs géographiques. À titre d'exemple, citons le Népal où l'IDH des intouchables est deux fois inférieur à celui des brahmanes, et le Brésil où l'État de Rio Grande do Sul, au Sud du pays, affiche un IDH très supérieur à celui des États du Nordeste.

▶ Ces données dressent un portrait de la situation des pays qui demeure, pour l'essentiel, valable en 2007. Par comparaison avec le tableau IDH de l'année précédente, on remarquera l'irrésistible avancée de l'Irlande, aujourd'hui en 8e position, les progrès de pays comme le Chili, le Brésil, la Chine et... Tonga ; les reculs des Seychelles ou des Maldives. Les données les plus inquiétantes concernant toujours l'Afrique : baisse de l'IDH au Cameroun, au Centrafrique et au Congo (Rép. dém.), et même diminution de l'espérance de vie, liée au développement du sida, dans des pays d'Afrique australe comme l'Afrique du Sud, la Namibie, le Botswana, le Swaziland ou la Tanzanie.

Classement selon l'IDH 2004 (rang)	Espérance de vie (années)	Taux d'alphabétisation des adultes (%)	PIB par habitant Pouvoir d'achat annuel (en dollars)	Indicateur du développement humain 2004
Développement humain élevé				
1 Norvège	79,5	99	37 700	**0,963**
2 Islande	80,5	99	31 200	**0,956**
3 Australie	80,5	99	29 700	**0,955**
4 Luxembourg	78,5	99	62 300	**0,949**
5 Canada	80	99	30 700	**0,949**
6 Suède	80	99	26 700	**0,949**
7 Suisse	80,5	99	30 500	**0,947**
8 Irlande	77,5	99	37 700	**0,946**
9 Belgique	79	99	28 300	**0,945**
10 États-Unis	77,5	99	37 500	**0,944**
11 Pays-Bas	78,5	99	29 400	**0,943**
12 Japon	82	99	28 000	**0,943**
13 Danemark	77	99	31 500	**0,941**
14 Finlande	78,5	99	27 600	**0,941**
15 Royaume-Uni	78,5	99	27 100	**0,939**
16 France	79,5	99	27 700	**0,938**
17 Autriche	79	99	30 100	**0,936**
18 Italie	80	98	27 100	**0,934**
19 Nlle-Zélande	79	99	22 600	**0,933**
20 Allemagne	78,5	99	27 800	**0,930**
21 Espagne	79,5	98	22 400	**0,928**
22 Hong Kong, Chine	81,5	94	27 200	**0,916**
23 Israël	79,5	97	20 000	**0,915**
24 Grèce	78,5	91	20 000	**0,912**
25 Singapour	78,5	93	24 500	**0,907**
26 Slovénie	76,5	99	19 200	**0,904**
27 Portugal	77	93	18 100	**0,904**
28 Corée du Sud	77	98	18 000	**0,901**
29 Chypre	78,5	97	18 800	**0,891**

Classement selon l'IDH 2004 (rang)	Espérance de vie (années)	Taux d'alphabétisation des adultes (%)	PIB par habitant Pouvoir d'achat annuel (en dollars)	Indicateur du développement humain 2004
30 Barbade	75	99	15 700	**0,878**
31 Rép. tchèque	75,5	99	16 400	**0,874**
32 Malte	78,5	88	17 600	**0,867**
33 Brunei	76,5	93	19 200	**0,866**
34 Argentine	74,5	97	12 100	**0,863**
35 Hongrie	72,5	99	14 600	**0,862**
36 Pologne	74,5	99	11 400	**0,858**
37 Chili	78	96	10 300	**0,854**
38 Estonie	71,5	99	13 600	**0,853**
39 Lituanie	72,5	99	11 700	**0,852**
40 Émirats arabes unis	78	77	22 400	**0,849**
41 Qatar	73	89	19 800	**0,849**
42 Slovaquie	74	99	13 500	**0,849**
43 Bahrein	74,5	88	17 500	**0,846**
44 Koweït	77	83	18 000	**0,844**
45 Croatie	75	98	11 100	**0,841**
46 Uruguay	75,5	98	8 200	**0,840**
47 Costa Rica	78	96	9 600	**0,838**
48 Lettonie	71,5	99	10 300	**0,836**
49 Saint Kitts et Nevis	70	98	12 400	**0,834**
50 Bahamas	69,5	96	17 200	**0,832**
51 Seychelles	72,5	92	10 200	**0,821**
52 Cuba	77,5	97	5 400	**0,817**
53 Mexique	75	90	9 200	**0,814**
54 Tonga	72	99	7 000	**0,810**
55 Bulgarie	71	98	7 700	**0,808**
56 Panamá	75	92	6 900	**0,804**
57 Trinité et Tobago	70	98	10 800	**0,801**

Classement selon l'IDH 2004 (rang)	Espérance de vie (années)	Taux d'alphabétisation des adultes (%)	PIB par habitant Pouvoir d'achat annuel (en dollars)	Indicateur du développement humain 2004

Développement humain moyen

58 Libye	73,5	82	7 600	**0,799**
59 Macédoine	74	96	6 800	**0,797**
60 Antigua et Barbuda	74	86	10 300	**0,797**
61 Malaisie	73	89	9 500	**0,796**
62 Russie	66,5	99	9 200	**0,795**
63 Brésil	70,5	88	7 800	**0,792**
64 Roumanie	71,5	97	7 300	**0,792**
65 Maurice	72	84	11 300	**0,791**
66 Grenade	65,5	96	8 000	**0,787**
67 Biélorussie	68	99	6 100	**0,786**
68 Bosnie-Herzégovine	74	95	6 000	**0,786**
69 Colombie	72,5	94	6 700	**0,785**
70 Dominique	76	88	5 400	**0,783**
71 Oman	74	74	13 600	**0,781**
72 Albanie	74	98	4 600	**0,780**
73 Thaïlande	70	93	7 600	**0,778**
74 Samoa occid.	70	98	5 600	**0,776**
75 Sainte-Lucie	72,5	90	5 700	**0,772**
76 Venezuela	73	93	4 900	**0,772**
77 Arabie Saoudite	72	79	13 200	**0,768**
78 Ukraine	66	99	5 500	**0,766**
79 Pérou	70	88	5 300	**0,762**
80 Kazakhstan	63	99	6 700	**0,761**
81 Liban	72	87	5 100	**0,759**
82 Équateur	74,5	91	3 600	**0,759**
83 Arménie	71,5	99	3 700	**0,759**
84 Philippines	70,5	93	4 300	**0,758**
85 St Vincent-Grenadines	71	88	6 100	**0,755**
86 Surinam	69	88	6 600	**0,755**
87 Chine	72	91	5 000	**0,755**

Classement selon l'IDH 2004 (rang)	Espérance de vie (années)	Taux d'alphabétisation des adultes (%)	PIB par habitant Pouvoir d'achat annuel (en dollars)	Indicateur du développement humain 2004
88 Paraguay	71	92	4 700	**0,755**
89 Tunisie	73,5	74	7 200	**0,753**
90 Belize	72	77	7 000	**0,753**
91 Jordanie	71,5	90	4 300	**0,753**
92 Fidji	68	93	5 900	**0,752**
93 Sri Lanka	74	90	3 800	**0,751**
94 Turquie	69	88	6 800	**0,750**
95 Rép. dominicaine	67	88	6 800	**0,749**
96 Maldives	67	97	4 800	**0,745**
97 Turkménistan	62,5	98	5 900	**0,738**
98 Jamaïque	71	88	4 100	**0,738**
99 Iran	70,5	77	7 000	**0,736**
100 Géorgie	70,5	99	2 600	**0,732**
101 Azerbaïdjan	67	98	3 600	**0,729**
102 Palestine (ter. occupés)	72,5	92	***	**0,729**
103 Algérie	71	70	6 100	**0,722**
104 El Salvador	71	80	4 800	**0,722**
105 Cap-Vert	70,5	76	5 200	**0,721**
106 Syrie	73,5	83	3 600	**0,721**
107 Guyana	63	97	4 200	**0,720**
108 Vietnam	70,5	90	2 500	**0,704**
109 Kirghizistan	67	98	1 800	**0,702**
110 Ouzbékistan	66,5	99	1 700	**0,694**
111 Indonésie	67	88	3 400	**0,692**
112 Bolivie	64	87	2 600	**0,687**
113 Mongolie	64	98	1 850	**0,679**
114 Moldavie	67,5	96	1 470	**0,671**
115 Nicaragua	69,5	77	3 300	**0,667**
116 Honduras	68	80	2 700	**0,667**
117 Guatemala	67,5	69	4 100	**0,663**
118 Égypte	70	56	4 000	**0,659**

Classement selon l'IDH 2004 (rang)	Espérance de vie (années)	Taux d'alphabétisation des adultes (%)	PIB par habitant Pouvoir d'achat annuel (en dollars)	Indicateur du développement humain 2004
119 Vanuatu	68,5	74	2 900	**0,659**
120 Afrique du Sud	48,5	82	10 300	**0,658**
121 Guinée équatoriale	43,5	84	19 800	**0,655**
122 Tadjikistan	63,5	99	1 100	**0,652**
123 Gabon	54,5	71	6 400	**0,635**
124 Maroc	69,5	51	4 000	**0,631**
125 Namibie	48,5	85	6 200	**0,627**
126 São Tomé e Príncipe	63	83	1 200	**0,604**
127 Inde	63,5	61	2 900	**0,602**
128 Îles Salomon	62,5	77	1 800	**0,594**
129 Myanmar	60	90	1 000	**0,578**
130 Cambodge	56,5	74	2 100	**0,571**
131 Botswana	36,5	79	8 700	**0,565**
132 Comores	63	56	1 700	**0,547**
133 Laos	54,5	69	1 800	**0,545**
134 Bhoutan	63	47	2 000	**0,536**
135 Pakistan	63	49	2 100	**0,527**
136 Népal	62	49	1 400	**0,526**
137 Papouasie-Nlle-Guinée	55,5	57	2 600	**0,523**
138 Ghana	57	54	2 200	**0,520**
139 Bangladesh	63	41	1 800	**0,520**
140 Timor Est	55,5	59	1 700	**0,513**
141 Congo (Brazza.)	52	83	950	**0,512**
142 Soudan	56,5	59	1 900	**0,512**
143 Togo	54,5	53	1 700	**0,512**
144 Ouganda	47,5	69	1 500	**0,508**
145 Zimbabwe	37	90	2 400	**0,505**
Faible développement humain				
146 Madagascar	55,5	71	800	**0,499**
147 Swaziland	32,5	79	4 700	**0,498**

Classement selon l'IDH 2004 (rang)	Espérance de vie (années)	Taux d'alphabétisation des adultes (%)	PIB par habitant Pouvoir d'achat annuel (en dollars)	Indicateur du développement humain 2004
148 Lesotho	36,5	81	2 600	**0,497**
149 Cameroun	46	68	2 100	**0,497**
150 Djibouti	53	65	2 100	**0,495**
151 Yémen	60,5	49	900	**0,489**
152 Mauritanie	52,5	51	1 700	**0,477**
153 Kenya	47	74	1 000	**0,474**
154 Haïti	51,5	52	1 700	**0,474**
155 Gambie	55,5	38	1 900	**0,470**
156 Guinée	53,5	41	2 100	**0,466**
157 Sénégal	55,5	39	1 600	**0,458**
158 Nigeria	43,5	67	1 000	**0,453**
159 Rwanda	44	64	1 300	**0,450**
160 Angola	41	67	2 300	**0,445**
161 Érythrée	54	57	850	**0,444**
162 Bénin	54	34	1 050	**0,431**
163 Côte d'Ivoire	46	48	1 500	**0,420**
164 Tanzanie	46	69	600	**0,418**
165 Malawi	39,5	64	600	**0,404**
166 Zambie	37,5	68	850	**0,394**
167 Congo (Kinshasa)	43	65	700	**0,385**
168 Mozambique	42	47	1 100	**0,379**
169 Burundi	43,5	59	650	**0,378**
170 Éthiopie	47,5	42	700	**0,367**
171 Rép. centrafricaine	39	49	1 100	**0,355**
172 Guinée-Bissau	44,5	40	700	**0,348**
173 Tchad	43,5	26	1 200	**0,341**
174 Mali	48	19	1 000	**0,333**
175 Burkina Faso	47,5	13	1 200	**0,317**
176 Sierra Leone	41	30	550	**0,298**
177 Niger	44,5	14	850	**0,281**

ÉVALUER LA DURÉE DES VOLS

La performance des longs courriers et la baisse relative des prix du transport aérien se conjuguent pour favoriser le choix de destinations lointaines. De plus, le fractionnement des congés a multiplié les départs à l'étranger pour de simples week-ends ou des séjours de quelques jours.

Dans ces conditions, la durée de vol devient un critère important pour choisir une destination. S'il n'est pas très raisonnable, quand on dispose d'une semaine de vacances, de vouloir à tout prix partir à Bora Bora, on constatera que, pour la même période, l'Inde et les Caraïbes sont très envisageables, et même la Thaïlande, le Brésil, la Chine ou Madagascar, cela d'autant plus si les horaires de vol sont bien adaptés. Pour Rio par exemple, le vol Air France de 23 h 20 laisse le temps de préparer ses valises après une journée de travail et permet de passer la matinée suivante sur la plage de Copacabana. Mais pour un week-end, même long, il reste qu'il vaut mieux préférer les plages de Djerba (2 h 50 de vol) à celles du Vanuatu (26 h au minimum avec deux escales, à Tokyo et à Nouméa).

Dans cette édition 2007, des destinations ont été rajoutées, comme Arica (Chili), Bangalore (Inde), Darwin (Australie), Manchester (Royaume-Uni), Monbassa (Kenya), São Paulo et Recife (Brésil). En comparaison avec l'édition précédente, on constate des gains sensibles de durée des trajets pour certaines destinations, notamment Asunción, Las Palmas aux Canaries, Minsk, Bangui, etc. En revanche, d'autres destinations s'éloignent un peu, comme Louxor, Monrovia, Sanaa ou l'île de Madère.

Ce tableau permet de comparer les durées des vols selon les destinations. Il faut tenir compte que, même dans le cas de vols réguliers (les seuls retenus pour établir ce tableau), l'offre varie souvent avec les saisons, surtout dans le cas de vols avec correspondance. Les résultats ci-dessous correspondent à des vols proposés au moment de la sortie de cet ouvrage, c'est-à-dire septembre 2006.

Nous avons fait figurer les escales seulement lorsqu'elles impliquent un changement d'avion. Dans ce cas, nous avons privilégié les combinaisons qui n'imposent ni un changement de compagnie aérienne (le transfert des bagages est ainsi plus sûr), ni un changement d'aéroport (par exemple, transfert de Kennedy Airport à l'aéroport de Newark, ou à celui de La Guardia, dans le cas d'une escale à New York).

Londres et Bruxelles, qu'il est plus commode de rejoindre par le train – respectivement par l'*Eurostar* (2 h) et le *Thalys* (1 h 30) –, ne figurent pas non plus dans ce tableau.

Chaque destination est suivie des trois lettres correspondant au sigle en usage dans le transport aérien (ex. : USH pour Ushuaïa, PER pour Perth). Pour une meilleure lisibilité, les durées de vol sont arrondies au quart d'heure.

Rappelons que, sur Internet, le site « Amadeus » (www.amadeus.net) offre le meilleur outil pour s'informer des horaires et des disponibilités des vols. La rubrique « Info vol » permet d'y suivre les vols en cours (retard, estimation de l'heure d'arrivée, etc.).

DURÉE DES VOLS

AMÉRIQUE DU NORD ET CARAÏBES

BAHAMAS

Nassau (NAS)	12 h 30

BERMUDES

Bermudes (BDA)	12 h 30

BONAIRE

Bonaire (BON)	12 h 30

CANADA

Montréal (YUL)	7 h 30
Toronto (YTO)	8 h 30
Vancouver (YVR)	12 h 30

CUBA

La Havane (HAV)	9 h 45

CURAÇAO

Curaçao (CUR)	13 h 30

ÉTATS-UNIS

Denver (DEN)	12 h 30
Los Angeles (LAX)	11 h 30
Miami (MIA)	9 h 30
New York (JFK)	8 h
Washington (WAS)	8 h 30
Anchorage (Alaska) (ANC)	16 h 45
Honolulu (Hawaii) (HNL)	19

JAMAÏQUE

Kingston (KIN)	13 h 30

HAÏTI

Port-au-Prince (PAP)	12 h

MARTINIQUE (FR.)

Fort-de-France (FDF)	8 h 30

Vol direct **1 connexion** **2 connexions**

DURÉE DES VOLS

PORTO RICO

Destination	Durée
San Juan (SJU)	11 h 30

SAINT-DOMINGUE

Destination	Durée
Saint-Domingue (SDQ)	9 h

TRINITÉ-ET-TOBAGO

Destination	Durée
Port of Spain (POS)	13 h 30

AMÉRIQUE LATINE

ARGENTINE

Destination	Durée
Buenos Aires (BUE)	13 h 45
Trelew (REL)	19 h 15
Ushuaïa (USH)	19 h 30

BELIZE

Destination	Durée
Belize (BZE)	14 h 30

BOLIVIE

Destination	Durée
La Paz (LPB)	19 h 15
Santa Cruz (VVI)	17 h

BRÉSIL

Destination	Durée
Recife (REC)	9 h 30
Rio de Janeiro (RIO)	11 h 15
Salvador de Bahia (SSA)	12 h 30
São Paulo (GRU)	12 h

CHILI

Destination	Durée
Arica (ARI)	22 h
Santiago (SCL)	17 h 15

COLOMBIE

Destination	Durée
Bogotá (BOG)	10 h 30

COSTA RICA

Destination	Durée
San José (SJO)	14 h 45

Vol direct **1 connexion** **2 connexions**

DURÉE DES VOLS

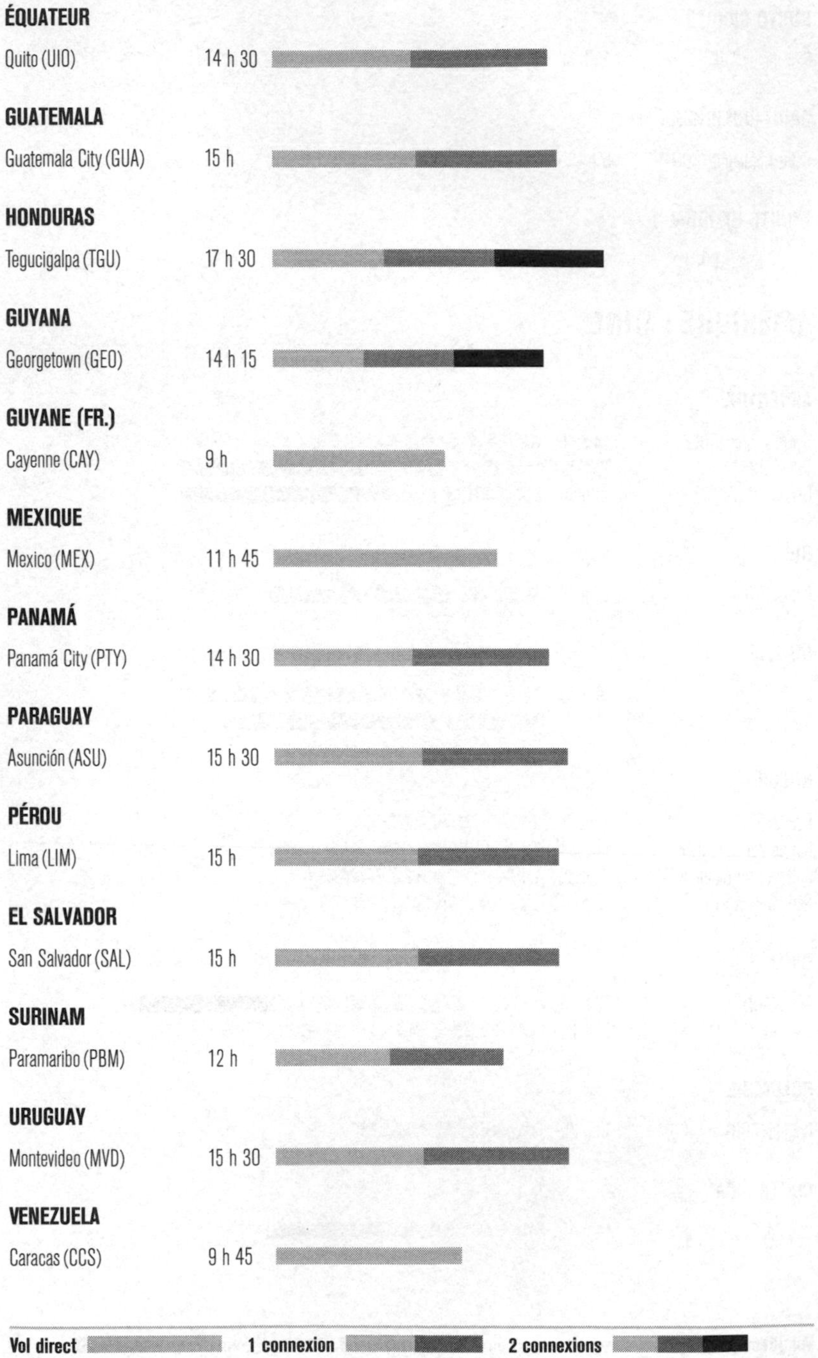

ÉQUATEUR

Quito (UIO) — 14 h 30

GUATEMALA

Guatemala City (GUA) — 15 h

HONDURAS

Tegucigalpa (TGU) — 17 h 30

GUYANA

Georgetown (GEO) — 14 h 15

GUYANE (FR.)

Cayenne (CAY) — 9 h

MEXIQUE

Mexico (MEX) — 11 h 45

PANAMÁ

Panamá City (PTY) — 14 h 30

PARAGUAY

Asunción (ASU) — 15 h 30

PÉROU

Lima (LIM) — 15 h

EL SALVADOR

San Salvador (SAL) — 15 h

SURINAM

Paramaribo (PBM) — 12 h

URUGUAY

Montevideo (MVD) — 15 h 30

VENEZUELA

Caracas (CCS) — 9 h 45

Vol direct **1 connexion** **2 connexions**

DURÉE DES VOLS

EUROPE

ALBANIE

Tirana (TIA)	4 h 15	1 connexion

ALLEMAGNE

Berlin (BER)	1 h 45	Vol direct
Francfort (FRA)	1 h 30	Vol direct
Hambourg (HAM)	1 h 30	Vol direct

AUTRICHE

Vienne (VIE)	2 h	Vol direct

BIÉLORUSSIE

Minsk (MSQ)	2 h 45	Vol direct

BOSNIE

Sarajevo (SJJ)	3 h 45	1 connexion

BULGARIE

Sofia (SOF)	2 h 45	Vol direct

CHYPRE

Larnaca (LCA)	4 h 15	Vol direct

CROATIE

Zagreb (ZAG)	2 h	Vol direct

DANEMARK

Copenhague (CPH)	1 h 45	Vol direct

ESPAGNE

Barcelone (BCN)	1 h 45	Vol direct
Madrid (MAD)	2 h	Vol direct
Las Palmas (Canaries) (LPA)	4 h 15	Vol direct

ESTONIE

Tallinn (TLL)	3 h 15	Vol direct

Vol direct **1 connexion** **2 connexions**

DURÉE DES VOLS

FINLANDE

Helsinki (HEL) 3 h

GRÈCE

Athènes (ATH) 3 h 15
Heraklion (Crète) (HER) 5 h

HONGRIE

Budapest (BUD) 2 h 15

IRLANDE

Dublin (DUB) 1 h 45

ISLANDE

Reykjavik (KEF) 3 h 30

ITALIE

Milan (MXP) 1 h 45
Rome (FCO) 2 h 15

LETTONIE

Riga (RIX) 2 h 45

LITUANIE

Vilnius (VNO) 3 h

LUXEMBOURG

Luxembourg (LUX) 1 h

MACÉDOINE

Skopje (SKP) 4 h

MALTE

Malte (MLA) 4 h 15

MOLDAVIE

Kichinev (KIV) 4 h 45

Vol direct **1 connexion** **2 connexions**

DURÉE DES VOLS

MONTÉNÉGRO

Podgorica (TGD) 4 h 15

NORVÈGE

Oslo (OSL) 2 h 15

PAYS-BAS

Amsterdam (AMS) 1 h 15

POLOGNE

Varsovie (WAW) 2 h 15

PORTUGAL

Lisbonne (LIS) 2 h 30
Ponta Delgada (Açores) (PDL) 5 h 30
Funchal (Madère) (FNC) 5 h

ROUMANIEMANCHESTER

Bucarest (BUH) 3 h

ROYAUME-UNI

Manchester (MAN) 1 h 30
Edimbourg (EDI) 2 h

RUSSIE

Moscou (MOW) 3 h 45
Saint-Pétersbourg (LED) 3 h 15
Irkoutsk (IKT) 11 h
Vladivostok (VVO) 14 h 15

SERBIE

Belgrade (BEG) 2 h 15

SLOVAQUIE

Bratislava (BTS) 3 h 15

SLOVÉNIE

Ljubljana (LJU) 1 h 45

Vol direct **1 connexion** **2 connexions**

DURÉE DES VOLS

SUÈDE

Stockholm (STO) 2 h 30

SUISSE

Genève (GVA) 1 h 15
Zurich (ZRH) 1 h 30

RÉPUBLIQUE TCHÈQUE

Prague (PRG) 1 h 45

UKRAINE

Kiev (IEV) 3 h 15

AFRIQUE

AFRIQUE DU SUD

Johannesburg (JNB) 10 h 30
Le Cap (CPT) 14 h

ALGÉRIE

Alger (ALG) 2 h 15
Tamanrasset (TMR) 6 h 45

ANGOLA

Luanda (LAD) 8 h

BÉNIN

Cotonou (COO) 6 h 15

BOTSWANA

Gaborone (GBE) 12 h 30

BURKINA FASO

Ouagadougou (OUA) 5 h 45

BURUNDI

Bujumbura (BJM) 13 h 45

Vol direct **1 connexion** **2 connexions**

DURÉE DES VOLS

CAMEROUN

Douala (DLA)	6 h 45
Yaoundé (YAO)	6 h 45

CAP-VERT

Cabral (SID)	6 h

CENTRAFRIQUE

Bangui (BGF)	6 h 45

COMORES

Moroni (HAH)	13 h 30
Dzaoudzi (Mayotte) (DZA)	15 h

CONGO (BRAZZA.)

Brazzaville (BZV)	7 h 45

CONGO (RÉP. DÉM.)

Kinshasa (FIH)	7 h 45

CÔTE D'IVOIRE

Abidjan (ABJ)	6 h 30

DJIBOUTI

Djibouti (JIB)	7 h 15

ÉGYPTE

Le Caire (CAI)	4 h 30
Louqsor (LXR)	6 h 45

ÉRYTHRÉE

Asmara (ASM)	8 h 30

ÉTHIOPIE

Addis-Abeba (ADD)	9 h 30

GABON

Libreville (LBV)	6 h 45

Vol direct **1 connexion** **2 connexions**

DURÉE DES VOLS

GAMBIE

Banjul (BJL)	9 h	1 connexion

GHANA

Accra (ACC)	8 h 45	1 connexion

GUINÉE

Conakry (CKY)	6 h 30	Vol direct

GUINÉE-BISSAU

Bissau (OXB)	10 h 30	1 connexion

GUINÉE ÉQUATORIALE

Malabo (SSG)	7 h	Vol direct

KENYA

Monbassa (MBA)	10 h 30	1 connexion
Nairobi (NBO)	11 h	1 connexion

LIBERIA

Monrovia (ROB)	15 h 30	2 connexions

LIBYE

Tripoli (TIP)	3 h 15	Vol direct

MADAGASCAR

Nosy-Bé (NOS)	12 h 30	1 connexion
Antananarivo (TNR)	10 h 45	Vol direct

MALAWI

Blantyre (BLZ)	15 h	1 connexion

MALI

Bamako (BKO)	5 h 45	Vol direct

MAROC

Casablanca (CAS)	4 h 45	1 connexion
Marrakech (RAK)	3 h 15	Vol direct

Vol direct **1 connexion** **2 connexions**

DURÉE DES VOLS

MAURICE (ÎLE)

Port-Louis (MRU) 11 h

MAURITANIE

Nouakchott (NKC) 5 h 30

MOZAMBIQUE

Maputo (MPM) 14 h

NAMIBIE

Windhoek (WDH) 12 h 30

NIGER

Niamey (NIM) 5 h 30

NIGERIA

Lagos (LOS) 6 h 15

OUGANDA

Kampala (EBB) 10 h 30

LA RÉUNION (FR.)

Saint-Denis (RUN) 11 h

RWANDA

Kigali (KGL) 11 h 30

SÃO TOMÉ ET PRÍNCIPE

São Tomé (TMS) 10 h

SÉNÉGAL

Dakar (DKR) 5 h 45

SEYCHELLES

Victoria (SEZ) 9 h 45

SIERRA LEONE

Freetown (FNA) 11 h

Vol direct **1 connexion** **2 connexions**

DURÉE DES VOLS

SOMALIE

Mogadiscio (MGQ)	11 h 45	1 connexion

SOUDAN

Khartoum (KRT)	8 h	1 connexion

TANZANIE

Zanzibar (ZNZ)	12 h 30	2 connexions
Dar es-Salaam (DAR)	11 h 45	1 connexion

TCHAD

N'Djamena (NDJ)	5 h 45	Vol direct

TOGO

Lomé (LFW)	6 h 15	Vol direct

TUNISIE

Tunis (TUN)	2 h 30	Vol direct
Djerba (DJE)	2 h 45	Vol direct

ZAMBIE

Lusaka (LUN)	12 h 30	1 connexion

ZIMBABWE

Harare (HRE)	12 h 30	Vol direct

MOYEN-ORIENT

ABOU DHABI

Abou Dhabi (AUH)	7 h	Vol direct

ARABIE SAOUDITE

Djeddah (JED)	7 h 30	Vol direct
Riyadh (RUH)	6 h 15	Vol direct

BAHREÏN

Bahreïn (BAH)	6 h 30	Vol direct

Vol direct **1 connexion** **2 connexions**

DURÉE DES VOLS

DUBAÏ

Dubaï (DXB) 6 h 45

IRAN

Téhéran (THR) 5 h 30

ISRAËL

Tel-Aviv (TLV) 4 h 30

JORDANIE

Amman (AMM) 4 h 45

KOWEÏT

Koweït City (KWI) 7 h 45

LIBAN

Beyrouth (BEY) 4 h 15

OMAN

Mascate (MCT) 8 h 30

SYRIE

Damas (DAM) 4 h 45

TURQUIE

Ankara (ANK) 5 h
Istanbul (IST) 3 h 30

YÉMEN

Sanaa (SAH) 7 h 45

ASIE

ARMÉNIE

Erevan (EVN) 4 h 45

AZERBAÏDJAN

Bakou (BAK) 5 h 15

Vol direct **1 connexion** **2 connexions**

DURÉE DES VOLS

BANGLADESH

Dacca (DAC) 12 h

BRUNEI

Bandar Seri Begawan (BWN) 15 h 45

CAMBODGE

Phnom Penh (PNH) 14 h

CHINE

Pékin (BJS) 10 h
Canton (CAN) 11 h 30
Hong Kong (HKG) 11 h 45
Shanghai (SHA) 11 h
Lhassa (LXA) 16 h 15

CORÉE DU SUD

Séoul (SEL) 10 h 45

GÉORGIE

Tbilissi (TBS) 4 h 45

INDE

Bombay (Mumbay) (BOM) 8 h 45
Calcutta (Kolkata) (CCU) 12 h
Bangalore (BLR) 9 h 45
New Delhi (DEL) 8 h 15

INDONÉSIE

Djakarta (JKT) 15 h 15
Denpasar (Bali) (DPS) 16 h 15

JAPON

Tokyo (NRT) 12 h

KAZAKHSTAN

Almaty (ALA) 9 h

KIRGHIZISTAN

Bishkek (FRU) 8 h 30

Vol direct **1 connexion** **2 connexions**

DURÉE DES VOLS

LAOS		
Vientiane (VTE)	14 h 30	1 connexion
MALAISIE		
Kuala Lumpur (KUL)	12 h	Vol direct
MALDIVES		
Male (MLE)	10 h	Vol direct
MYANMAR (BIRMANIE)		
Yangon (Rangoon) (RGN)	13 h 45	1 connexion
MONGOLIE		
Oulan-Bator (ULN)	10 h	1 connexion
NÉPAL		
Katmandou (KTM)	11 h 30	1 connexion
OUZBÉKISTAN		
Tachkent (TAS)	6 h 30	Vol direct
PAPOUASIE-NLLE-GUINÉE		
Port Moresby (POM)	21 h 15	1 connexion
PAKISTAN		
Karachi (KHI)	10 h	1 connexion
PHILIPPINES		
Manille (MNL)	15 h 30	Vol direct
SINGAPOUR		
Singapour (SIN)	12 h 30	Vol direct
SRI LANKA		
Colombo (CMB)	10 h 30	Vol direct
TAÏWAN		
Taipei (TPE)	13 h 15	Vol direct

Vol direct **1 connexion** **2 connexions**

DURÉE DES VOLS

TADJIKISTAN

Douchanbé (DYU) 10 h 45

THAÏLANDE

Bangkok (BKK) 11 h 15
Phuket (HKT) 14 h 15

TURKMÉNISTAN

Ashkhabad (ASB) 8 h 30

VIETNAM

Hanoï (HAN) 11 h 30
Hô Chi Minh-Ville (SGN) 12 h 15

OCÉANIE

AUSTRALIE

Cairns (CNS) 21 h 15
Darwin (DRW) 20 h 30
Melbourne (MEL) 20 h 30
Sydney (SYD) 21 h
Perth (PER) 18 h 45

FIDJI

Nadi (NAN) 25 h

NLLE-CALÉDONIE (FR.)

Nouméa (NOU) 23 h

NLLE-ZÉLANDE

Auckland (AKL) 24 h 15

TAHITI (FR.)

Papeete (PPT) 21 h 45
Bora Bora (BOB) 24 h

VANUATU

Port-Vila (VLI) 26 h

Vol direct **1 connexion** **2 connexions**

LES DROITS DU VOYAGEUR

Pour la rédaction de ce chapitre consacré aux droits du voyageur, nous avons bénéficié des avis éclairés de maître Cyril Gory, auteur du *Guide pratique des droits du voyageur*, publié aux éditions Chiron. Le règlement n° 261/2004 du Parlement européen, applicable à l'ensemble des pays de la Communauté européenne depuis 2005, régit les obligations qui s'imposent dorénavant aux compagnies aériennes envers leurs passagers dans les situations suivantes :
– en cas de surbooking ;
– en cas d'annulation de vol ;
– en cas de vol retardé.

Ce règlement s'applique, QUELLE QUE SOIT la compagnie aérienne, à TOUS les passagers au départ d'un État de la Communauté européenne. Il s'applique également, mais pour les seules compagnies appartenant à un pays de la Communauté européenne, aux passagers au départ d'un pays tiers à destination d'un État de la communauté européenne.

Ce règlement concerne aussi bien les vols réguliers que les vols non réguliers compris dans des circuits à forfait, et également les passagers en possession d'un billet émis par un transporteur aérien ou un organisateur de voyages dans le cadre d'un programme de fidélisation.

Les passagers concernés doivent être détenteurs d'une réservation confirmée pour le vol concerné, et s'être présentés au guichet de la compagnie avant l'heure limite d'enregistrement.

Les obligations envers les passagers qui sont énoncées par ce nouveau règlement ne peuvent être limitées, notamment par une dérogation ou une clause restrictive figurant dans le contrat de transport.

Si une telle dérogation, ou une telle clause restrictive, est appliquée à l'égard d'un passager, ou si un passager n'est pas dûment informé de ses droits et accepte, par conséquent, une indemnisation inférieure à celle prévue par le nouveau règlement, ce passager a le droit d'entreprendre les démarches nécessaires auprès des tribunaux ou des organismes compétents en vue d'obtenir une indemnisation complémentaire.

Le surbooking

La pratique de surréservation, ou *surbooking,* consiste, pour les compagnies aériennes, à vendre plus de billets que de sièges disponibles sur un vol donné. En misant sur un taux estimé de désistements de dernière minute, les compagnies s'assurent ainsi un taux de remplissage maximal de leurs avions.

Cette pratique de la surréservation n'est pas illégale aux termes de la législation communautaire, mais elle a longtemps donné lieu à de nombreux excès au détriment des passagers. C'est pour garantir un meilleur niveau de protection que la Communauté européenne a imposé cette nouvelle réglementation.

L'appel aux volontaires

Dans le cas où le nombre de passagers qui se sont présentés à l'enregistrement dépasse le nombre de places disponibles dans l'avion, la compagnie aérienne a, dans un premier temps, la possibilité de faire appel aux seuls volontaires acceptant de renoncer à leur réservation. Elle doit alors leur donner le choix entre le remboursement du vol ou un départ différé accompagné de prestations à définir en commun accord : indemnisation, surclassement dans un prochain vol et, en tout état de cause, hôtellerie et frais de transport hôtel-aéroport liés à ce départ différé.

Le refus d'embarquement contre la volonté des passagers concernés

Si le nombre de volontaires ne suffit pas à pallier le surnombre de passagers, la compagnie peut refuser l'embarquement à des passagers contre leur volonté. Elle doit alors leur donner le choix entre le remboursement du billet (associé, le cas échéant, au réacheminement vers le point de départ dans les meilleurs délais) et la continuation différée du voyage sur un autre vol.

La continuation du voyage

La continuation du voyage sur un autre vol donne droit à une indemnisation[1] strictement définie par le règlement 261/2004 :
– 250[2] € pour tous les vols de moins de 1 500 km[3] ;
– 400 € pour tous les vols intracommunautaires de plus de 1 500 km ;
– 400 € pour tous les vols extracommunautaires de 1 500 à 3 500 km ;
– 600 € pour tous les vols de plus de 3 500 km.

▸ En outre, dans l'attente du prochain vol disponible, la compagnie prend en charge la restauration et, si le délai d'attente l'impose, l'hébergement et les transferts hôtel-aéroport. De plus, le passager a le droit de passer gratuitement 2 appels téléphoniques (ou télex, fax, mail).

1. L'indemnisation est payée en espèces, par virement bancaire électronique, par virement bancaire ou par chèque, ou, avec l'accord signé du passager, sous forme de bons de voyage et/ou d'autres services.
2. Si un passager se voit proposer un acheminement vers sa destination finale sur un autre vol avec un retard limité sur l'heure d'arrivée prévue du vol initialement réservé, le transporteur aérien peut réduire de 50 % le montant de l'indemnisation. Cette mesure s'applique à un retard de moins de 2 heures pour tous les vols de moins de 1 500 km, jusqu'à 3 heures pour tous les vols intracommunautaires de plus de 1 500 km et pour tous les vols extracommunautaires de 1 500 à 3 500 km, et jusqu'à 4 heures pour tous les vols de plus de 3 500 km.
3. Pour déterminer la distance à prendre en considération, il est tenu compte de la dernière destination où le passager arrivera après l'heure prévue du fait du refus d'embarquement. En outre, ces distances indiquées sont mesurées selon la méthode de la route « orthodromique », c'est-à-dire de la route la plus directe entre le point de départ et le point d'arrivée – la « distance à vol d'avion » –, sans tenir compte de la route effective du vol prévu par la compagnie aérienne.

L'annulation de vol

En cas d'annulation de vol, les passagers ont le droit de choisir entre le remboursement ou la poursuite du voyage sur un autre vol. Dans ce dernier cas, ils ont alors droit aux mêmes indemnisations et aux mêmes prestations que celles dues en cas de surbooking (voir plus haut).
Cependant, la compagnie aérienne **n'est pas tenue de verser d'indemnisation** dans les cas suivants :
– si elle est en mesure de prouver que l'annulation est due « *à des circonstances extraordinaires qui n'auraient pu être évitées même si toute les mesures raisonnables avaient été prises* » (conditions météorologiques, grève du personnel naviguant ou des aiguilleurs du ciel, etc.) ;
– si elle a informé les passagers de l'annulation de ce vol :
• au moins 2 semaines avant l'heure du départ prévue, ou
• de 2 semaines à 7 jours avant l'heure de départ prévue, si on leur offre un réacheminement leur permettant de partir au plus tôt 2 heures avant l'heure de départ prévue et d'atteindre leur destination finale moins de 4 heures après l'heure d'arrivée prévue, ou
• moins de 7 jours avant l'heure de départ prévue, si on leur offre un réacheminement leur permettant de partir au plus tôt une heure avant l'heure de départ prévue et d'atteindre leur destination finale moins de 2 heures après l'heure prévue d'arrivée.

Le vol retardé

Dans le cas d'un retard prévu de plus de 2 heures pour les vols de moins de 1 500 km, de plus de 3 heures pour les vols intracommunautaires de plus de 1 500 km et pour les vols extracommunautaires de 1 500 à 3 500 km, et de plus de 4 heures pour tous vols de plus de 3 500 km, la compagnie aérienne doit, en fonction du retard prévu, proposer aux passagers rafraîchissements, restauration, et éventuellement hôtellerie.
Lorsque le retard est de plus de 5 heures, le passager doit se voir proposer le remboursement (dans certains cas, associé au réacheminement vers le point de départ initial), ou l'acheminement sur un autre vol vers la destination finale dans les meilleurs délais, ou encore l'acheminement vers la destination finale à une date ultérieure, à la convenance du passager, sous réserve de la disponibilité de sièges.

▶ Dans les faits, c'est essentiellement dans le cas de surbooking, que les compagnies vont devoir s'exécuter et dédommager les passagers. En effet, les obligations des transporteurs aériens sont limitées et leur responsabilité exonérée dans les cas où le retard ou l'annulation sont dus « *à des circonstances extraordinaires qui n'auraient pas pu être évitées même si toutes les mesures raisonnables avaient été prises* ». De telles circonstances peuvent être

le fait de conditions météorologiques particulières, de risques liés à la sécurité, de défaillances imprévues pouvant affecter la sécurité du vol, de grèves ayant une incidence sur l'organisation du vol, ou en cas d'instabilité politique.
Il sera souvent difficile au passager d'établir que l'annulation de dernière minute, ou un important retard, est de la seule responsabilité de la compagnie aérienne.

OBTENIR SES VISAS

Les statistiques des compagnies aériennes et des tour-opérateurs confirment les progrès des départs de dernière minute, même pour des destinations lointaines. Cette tendance est encore accentuée par la recherche de destinations de substitution à l'occasion des crises que connaît régulièrement notre monde bouleversé, mais aussi par la multiplication des opportunités de congés dont la date est négociée au dernier moment avec l'employeur. Ainsi, l'achat *on line* de billets d'avion à prix soldés et la vente aux enchères pour des départs immédiats connaissent un succès croissant.

Ces nouveaux modes de consommation imposent, avant l'achat du billet, de vérifier rapidement si les conditions du départ sont remplies. Ce chapitre de *Saisons & Climats* permet à chacun d'évaluer le délai nécessaire pour se procurer un éventuel visa.

Comparé à celui de l'année 2006, le tableau de cette édition 2007 fait apparaître quelques changements : la suppression de la Géorgie et de l'Ukraine, pays pour lesquels le visa n'est plus nécessaire ; des modifications concernant l'Algérie, les États-Unis, le Koweït, Mayotte, Oman et le Sierra Leone ; l'augmentation significative du coût de quelques visas (Bangladesh, Guinée-Bissau, Guinée équatoriale, Lybie, Tanzanie et Yémen).

Aucun progrès significatif n'a été enregistré concernant les conditions, toujours aussi fastidieuses, dans lesquelles sont délivrés les visas pour les Républiques d'Asie centrale (Azerbaïdjan, Kazakhstan, Kirghizistan, Ouzbékistan, Tadjikistan). Mais, contrairement à ce que l'on aurait pu craindre à la suite des bouleversements que connaît la planète, on ne repère pas dans le monde une volonté manifeste de limiter ou d'entraver la circulation des voyageurs, du moins quand ils ont le statut de touristes en provenance des pays de la CEE.

Les informations suivantes ont été établies avec l'aide de la société VIP Visas Express* qui, depuis plus de 20 ans, propose aux voyageurs de les représenter dans les démarches auprès des consulats. Chaque année, elle traite des dizaines de milliers de demandes de visas, aussi bien pour des voyagistes (Nouvelles Frontières, Club Aventure...) que pour les voyageurs individuels, qui représentent plus de 40 % de sa clientèle. Le coût de la prise en charge des démarches auprès des consulats est de 23 € pour un visa de tourisme et de 28 € pour un visa d'affaires (tarifs dégressifs à partir de deux personnes). Pour quelques pays particuliers, ces prix montent de 25 à 40 € pour les visas de tourisme et de 36 à 40 € pour les visas d'affaires. À ce coût, le voyageur doit ajouter les frais de poste si les documents ne sont pas remis et repris directement au siège de Visas Express à Paris (courrier recommandé ou Chronopost, selon l'urgence) et des frais en sus en cas d'intervention particulière.

*** VIP Visas Express :**
54, rue de l'Ouest – BP 48
75661 Paris Cedex 14.
Tél. (n° Indigo) : 0 825 08 10 20 ;
e-mail : visas-express@visas-express.fr ;
site Internet : www.visas-express.fr

S'informer

Le passeport

Le passeport s'obtient auprès de la mairie de son domicile et, à défaut, auprès de la préfecture ou de la sous-préfecture.

Attention, avec l'arrivée en 2006 du passeport électronique (dit aussi « passeport biométrique »), les conditions de délivrance de ce titre ont changé. La présentation d'une carte nationale d'identité sécurisée (plastifiée) ou d'un ancien passeport ne permet plus la délivrance d'un nouveau passeport.

Désormais, vous devez joindre à votre demande :

– une copie intégrale de votre acte de naissance et un justificatif de nationalité française si l'acte de naissance ne permet pas d'établir formellement votre nationalité ;

– un justificatif récent de domicile, à vos nom et prénom (factures France Telecom ou EDF, avis d'imposition, carte de Sécurité sociale, carte d'électeur, etc.) ;

– deux photographies d'identité récentes de format de 3,5 x 4,5 cm identiques et parfaitement ressemblantes, de face et tête nue, sur fond clair, neutre et uni, en couleur ou en noir et blanc ;

– un timbre fiscal de 60 € (achat dans la plupart des bureaux de tabac et les hôtels des impôts) ;

– un document officiel avec photo permettant de vous identifier (carte nationale d'identité, carte professionnelle délivrée par l'État, permis de conduire, carte d'identité militaire, permis de chasse, etc.) ;

– le précédent passeport à restituer en cas de renouvellement (sauf visa en cours de validité à justifier) ; dans ce cas, la présentation d'un document officiel avec photo évoqué précédemment est inutile.

La fabrication centralisée des nouveaux passeports électroniques exclut toute délivrance immédiate du titre.

La durée de validité de ces nouveaux passeports est de 10 ans pour les adultes et de 5 ans pour les mineurs. Au-delà, il peut servir de pièce d'identité pour une période supplémentaire de 5 ans et permet encore l'entrée dans les pays de l'espace Schengen (Allemagne, Autriche, Belgique, Danemark, Espagne, Finlande, Grèce, Italie, Luxembourg, Pays-Bas et Portugal), ainsi qu'en Suisse et en Turquie.

À partir de l'âge de 15 ans, un mineur doit être muni de son propre passeport pour voyager.

Le visa

Les demandes de visa de tourisme doivent être accompagnées, selon les pays, de une à quatre photos d'identité, et parfois d'une attestation remise par l'agence de voyage (destination, dates d'entrée et de sortie).

Pour les visas d'affaires, outre les photos, le dossier doit être accompagné d'une lettre établie sur papier à en-tête de l'entreprise précisant le motif du voyage, les références du correspondant local, la garantie de prise en charge des frais de séjour et de déplacement du requérant, et parfois d'une invitation manuscrite du correspondant. Le signataire doit indiquer sa qualité et apposer le tampon commercial de la société.

Un visa ne constitue pas un droit impératif d'entrer dans un pays. La police des frontières a toujours le dernier mot. Elle peut, par exemple, interdire l'entrée à un voyageur qui se présenterait muni d'un visa de tourisme, alors qu'il aurait le projet évident de chercher un travail.

Les délais d'obtention des visas sont précisés dans le tableau qui suit. Attention, ils sont évalués en terme de « jours ouvrables ». Pour calculer le délai effectif, il faut prendre en compte les jours de fermeture habituelle (samedi et dimanche), les fêtes nationales ou religieuses fériées en France, et aussi les jours fériés propres au pays de destination. En outre, certains consulats ne sont pas ouverts au public tous les jours et cela peut retarder d'autant l'obtention du visa. Certains consulats proposent des délais dits « d'urgence ». Dans ce cas, les taxes consulaires sont majorées, souvent doublées (c'est le cas pour la Chine, la Russie, les États de la CEI et quelques pays africains).

Le voyage des enfants
Un enfant doit être titulaire de son propre passeport après l'anniversaire de ses 15 ans. Par ailleurs, si l'enfant est inscrit sur le passeport d'un des parents, il faut préciser que l'enfant participe au voyage. En effet, si certains pays n'ajoutent aucune mention sur le visa, d'autres précisent nom et prénom de l'enfant autorisé à voyager ou apposent une note particulière.

Passeports et visas : mode d'emploi

Ce tableau présente les conditions d'entrée des voyageurs dans tous les pays du monde à la date du 1er août 2005. Les notes numérotées de 1 à 22 renvoient à des situations particulières concernant les visas et, pour certains pays africains, à l'obligation du vaccin contre la fièvre jaune.
Ces informations sont susceptibles d'évoluer selon les décisions prises par les pays concernés. Il est donc toujours recommandé, avant un départ, de se faire confirmer l'actualité de ces données par le consulat ou, à défaut, par VIP Visas Express.

Légendes

C.I. = Carte d'identité en cours de validité.
C.T. = Carte de tourisme (voir note 9).
Passeport = Passeport en cours de validité.

Voyager aux ÉTATS-UNIS

Depuis 2006, pour les ressortissants de la Communauté européenne, la dispense du visa d'entrée sur le territoire des États-Unis est maintenu pour les SEULS détenteurs du nouveau « passeport électronique » (délivré en France depuis 2006). Cependant, pour les Français, reste tolérée la présentation de l'ancien passeport à lecture optique (modèle *Delphine*), à la condition d'avoir été délivré avant le 26 octobre 2005.
En cas de nécessité d'un visa, une demande de rendez-vous doit être sollicitée par téléphone au consulat des États-Unis à Paris (08 10 26 46 26).
Le passeport individuel est impératif, même pour les mineurs de moins de 15 ans.
Il est arrivé en 2006 que, en l'absence du passeport électronique ou de visa délivré pour les États-Unis, des compagnies aériennes américaines refusent l'embarquement à des passagers dont le trajet prévoyait une simple escale aux États-Unis (sans quitter l'avion) ou le seul survol, sans escale, du territoire.

Pass. + 3 mois = Passeport valide encore au moins trois mois à compter du jour d'entrée dans le pays.

Pass. + 6 mois = Passeport valide encore au moins six mois à compter du jour d'entrée dans le pays.

Visa = Visa obligatoire quelle que soit la durée du séjour.

Visa ND = Actuellement, ce visa n'est plus délivré.

Visa* = Avec visa, ou sans visa, il existe des cas particuliers. S'informer auprès du consulat ou, à défaut, auprès de VIP Visas Express.

2 j = deux jours de délai.

jj = le jour même.

Quand deux prix (ex. : 57 - 114 €) figurent dans les colonnes « Prix de base », ils correspondent à des visas dont les durées de validité diffèrent.

Quand deux indications (ex. : 10 j – 2 j) figurent dans la colonne « Délais standard », la seconde correspond au délai « d'urgence ».

Les notes se trouvent à la fin du tableau.

	Pays	Pièces d'identité	Visa de tourisme		Visa d'affaires		Délais standard	Attention !
			Visa	Prix de base	Visa	Prix de base		
A	Afghanistan	Passeport	Visa*	11 €	Visa*	30 €		
	Afrique du Sud	Pass. + 6 mois						Note 1
	Albanie	Passeport						
	Algérie	Pass. + 6 mois	Visa*	33 €	Visa*	33 - 100 €	7 j	Notes 16
	Allemagne	C.I. ou Pass.						
	Andorre	C.I. ou Pass.						
	Angola	Pass. + 6 mois	Visa	60 €	Visa	60 - 120 €	8 j	Note 13
	Antigua et Barbuda	Passeport						
	Antilles néerlandaises	Passeport						
	Arabie Saoudite	Pass. + 6 mois	Visa	65 €	Visa	65 - 160 €	3 j	Notes 6, 7 et 17
	Argentine	Pass. + 6 mois						Note 1
	Arménie	Pass. + 3 mois	Visa	45 €	Visa	69 €	7 j - 2 j	Note 19
	Australie	Passeport	Visa/ETA	Gratuit	Visa/ETA	45 €/Gratuit	7 j	Note 21
	Autriche	C.I. ou Pass.						
	Azerbaïdjan	Passeport	Visa	50 €	Visa	50 - 100 €	7 j - 2 j	Notes 19 et 20
B	Bahamas	Passeport						
	Bahreïn	Passeport	Visa	60 €	Visa	60 €	2 j	Notes 6, 17 et 23
	Bangladesh	Pass. + 6 mois	Visa	50 €	Visa	50 - 100 €	3 j	
	Barbade	Passeport						
	Belgique	C.I. ou Pass.						
	Bénin	Passeport	Visa	20 - 35 €	Visa	20 - 35 €	3 j	Notes 20 et 22
	Bermudes	Passeport						
	Bhoutan	Passeport	Visa		Visa			Note 12
	Biélorussie	Passeport	Visa	50 - 65 €	Visa	65 - 165 €	6 j – jj	Note 19
	Bolivie	Passeport						Note 1
	Bosnie-Herzégovine	Passeport						

	Pays	Pièces d'identité	Visa de tourisme		Visa d'affaires		Délais standard	Attention !
			Visa	Prix de base	Visa	Prix de base		
	Botswana	Passeport						Note 15
	Brésil	Pass. + 6 mois						Note 1
	Brunei	Passeport						
	Bulgarie	Passeport						
	Burkina Faso	Pass. + 6 mois	Visa	20 - 60 €	Visa	20 - 60 €	1 j	Notes 20 et 22
	Burundi	Pass. + 6 mois	Visa	40 €	Visa	40 €	4 j	
C	Cambodge	Pass. + 3 mois	Visa	20 €	Visa	25 €	2 j	Notes 19 et 23
	Cameroun	Pass. + 6 mois	Visa	92 €	Visa	92 €	4 j	Notes 19 et 22
	Canada	Passeport						Note 1
	Cap-Vert	Passeport	Visa	27 €	Visa	27 €	2 j	
	Centrafrique	Passeport	Visa	50 €	Visa	50 - 153 €	2 j	Note 22
	Chili	Passeport						Note 1
	Chine	Pass. + 6 mois	Visa	35 - 50 €	Visa	35 - 65 €	10 j - 2 j	Notes 19 et 20
	Chypre	C.I. ou Pass.						
	Colombie	Passeport						
	Comores	Passeport						
	Congo (Brazza.)	Pass. + 6 mois	Visa	55-110 €	Visa	55-110 €	5 j	Note 22
	Congo (Rép. du)	Pass. + 6 mois	Visa	85 €	Visa	85 - 310 €	5 j	Notes 19 et 22
	Corée du Nord	Passeport	Visa ND		Visa*		30 j	
	Corée du Sud	Pass. + 6 mois						Note 1
	Costa Rica	Passeport						Note 1
	Côte-d'Ivoire	Passeport	Visa	31 - 92 €	Visa	31 - 92 €	1 j	Note 22
	Croatie	Passeport						
	Cuba	Pass. + 6 mois	Visa C.T.	17 €	Visa	82 €	1 j (C.T.), 10 j (visa)	Note 8
D	Danemark	C.I. ou Pass.						
	Djibouti	Pass. + 6 mois	Visa	50 €	Visa	50 €	5 j	

	Pays	Pièces d'identité	Visa de tourisme		Visa d'affaires		Délais standard	Attention !
			Visa	Prix de base	Visa	Prix de base		
	Dominicaine (Rép.)	Passeport	Visa C.T.	15 €	Visa	92 €	2 j	Notes 8 ou 9
	Égypte	Pass. + 6 mois	Visa	25 - 35 €	Visa	40 - 60 €	1 j	Notes 20 et 23
	Émirats arabes unis	Pass. + 6 mois	Visa	gratuit	Visa	gratuit	2 j	Notes 17 et 23
	Équateur	Pass. + 6 mois						
	Érythrée	Pass. + 6 mois	Visa	48 €	Visa	70 €	3 j	
E	Espagne	C.I. ou Pass.						
	Estonie	C.I. ou Pass.						
	États-Unis	Passeport	Visa*		Visa*			Notes 1 et 26
	Éthiopie	Passeport	Visa	17 - 26 €	Visa	17 - 26 €	3 j	
F	Fidji	Pass. + 6 mois	Visa		Visa			Note 11
	Finlande	C.I. ou Pass.						Note 1
G	Gabon	Pass. + 6 mois	Visa	55 €	Visa	55 €	5 j - 1 j	Notes 19 et 22
	Gambie	Pass. + 3 mois	Visa	40 €	Visa	70 €	2 j	
	Ghana	Pass. + 3 mois	Visa	25 €	Visa	25 €	2 j	Note 22
	Grèce	C.I. ou Pass.						
	Guatemala	Pass. + 6 mois						
	Guinée (Rép. de)	Pass. + 6 mois	Visa	60 - 87 €	Visa	60 - 87 €	4 j	Note 20
	Guinée-Bissau	Pass. + 6 mois	Visa	60 €	Visa	60 €	2 j	
	Guinée équatoriale	Passeport	Visa	110 - 220 €	Visa	110 - 220 €	3 j	Note 20
	Guyana	Pass. + 6 mois						
H	Haïti	Pass. + 6 mois	Visa	31 €	Visa	31 €	2 j	Notes 20 et 23
	Honduras	Pass. + 6 mois						Note 1
	Hong Kong	Pass. + 6 mois						Note 2
	Hongrie	C.I. ou Pass.						
I	Inde	Pass. + 6 mois	Visa	50 €	Visa	50 - 80 €	8 j - 1 j	Note 18
	Indonésie	Passeport	Visa	50 €	Visa	50-100 €	2 j	Note 23

	Pays	Pièces d'identité	Visa de tourisme		Visa d'affaires		Délais standard	Attention !
			Visa	Prix de base	Visa	Prix de base		
	Irak	Passeport	Visa ND		Visa*	64 €		Note 17
	Iran	Passeport	Visa	50 €	Visa	70 €	5 j	Notes 12 et 17
	Irlande	C.I. ou Pass.						
	Islande	C.I. ou Pass.						
	Israël	Pass. + 6 mois						
	Italie	C.I. ou Pass.						
J	Jamaïque	Pass. + 6 mois						Note 2
	Japon	Passeport			Visa*			Note 1
	Jordanie	Pass. + 6 mois	Visa	17 - 32 €	Visa	17 - 32 €	5 j	Note 23
K	Kazakhstan	Pass. + 3 mois	Visa	35 - 65 €	Visa	65 - 110 €	5 j – 1 j	Note 20
	Kenya	Pass. + 6 mois	Visa	40 €	Visa	40 - 80 €	4 j	
	Kirghizistan	Pass. + 6 mois	Visa*	50 €	Visa*	50-225 €	2 j	Notes 15 et 20
	Koweït	Pass. + 6 mois	Visa	25 €	Visa	25 €	2 j	Notes 17 et 24
L	Laos	Passeport	Visa*	50 €	Visa	50 €	3 j	Notes 6 et 23
	Lesotho	Pass. + 6 mois						
	Lettonie	C.I. ou Pass.						
	Liban	Pass. + 3 mois	Visa	39 €	Visa	39 - 77 €	4 j	Notes 17, 20 et 23
	Liberia	Passeport	Visa ND		Visa*	70 €	3 j	Note 22
	Libye	Pass. + 6 mois	Visa	35 €	Visa	35 - 80 €	15 j	Note 17
	Lichtenstein	C.I. ou Pass.						
	Lituanie	C.I. ou Pass.						
	Luxembourg	C.I. ou Pass.						
M	Macédoine	Passeport						
	Madagascar	Pass. + 6 mois	Visa	35 €	Visa	35 €	5 j	Notes 20 et 23
	Malaisie	Pass. + 6 mois						Note 2
	Malawi	Passeport				77 €		

	Pays	Pièces d'identité	Visa de tourisme		Visa d'affaires		Délais standard	Attention !
			Visa	Prix de base	Visa	Prix de base		
	Maldives	Passeport						
	Mali	Pass. + 6 mois	Visa	28 €	Visa	28 €	5 j	Note 22
	Malte	C.I. ou Pass.						
	Maroc	Passeport						Note 12 ter
	Maurice (île)	Passeport						Note 1
	Mauritanie	Pass. + 6 mois	Visa	31 €	Visa	31 - 47 €	3 j	Notes 20 et 22
	Mayotte	C.I. ou Pass.						
	Mexique	Pass. + 6 mois	Visa C.T.		Visa*			Note 9
	Micronésie	Passeport						Note 2
	Moldavie	Pass. + 6 mois	Visa	45 €	Visa	45 €	5 j	
	Monaco	C.I. ou Pass.						
	Mongolie	Passeport	Visa	40 €	Visa	40 €	3 j	
	Monténégro	Passeport						Note 1
	Mozambique	Pass. + 6 mois	Visa	40 -60 €	Visa	40 - 60 €	2 j	
	Myanmar (ex-Birmanie)	Pass. + 6 mois	Visa	25 €	Visa	35 €	5 j - 2 j	
N	Namibie	Pass. + 6 mois						Note 1
	Népal	Pass. + 6 mois	Visa	40 - 90 €	Visa	40 - 90 €	3 j	Note 25
	Nicaragua	Pass. + 6 mois						
	Niger	Passeport	Visa	50 €	Visa	50 €	3 j	Note 22
	Nigeria	Pass. + 6 mois	Visa*	49 €	Visa	49 €	3 j	
	Norvège	C.I. ou Pass.						
	Nlle-Calédonie	C.I. ou Pass.						
	Nlle-Zélande	Passeport						Note 1
O	Oman	Pass. + 6 mois	Visa	30 €	Visa	30 €	5 j	Note 20
	Ouganda	Pass. + 6 mois	Visa	35 €	Visa	35 €	2 j	Notes 20 et 23
	Ouzbékistan	Pass. + 6 mois	Visa	60-100 €	Visa	60-270 €	7 j	Notes 19 et 20

	Pays	Pièces d'identité	Visa de tourisme		Visa d'affaires		Délais standard	Attention !
			Visa	Prix de base	Visa	Prix de base		
P	Pakistan	Pass. + 6 mois	Visa	32 €	Visa	47 - 94 €	3 j	Note 20
	Palestine	Passeport	Visa		Visa			Note 11
	Panamá	Passeport	Visa C.T.		Visa			Notes 2 et 9
	Papouasie - Nlle-Guinée	Passeport	Visa		Visa			Notes 11 et 15
	Paraguay	Pass. + 6 mois						
	Pays-Bas	C.I. ou Pass.						
	Pérou	Passeport						Note 1
	Philippines	Passeport	Visa		Visa	39-78 €	2 j	Note 3
	Pologne	C.I. ou Pass.						Note 1
	Polynésie française	C.I. ou Pass.						
	Porto Rico	Passeport						Note 1
	Portugal	C.I. ou Pass.						
Q	Qatar	Passeport	Visa*		Visa	31 €	5 j	Notes 13 et 17
R	Roumanie	Pass. + 3 mois						
	Royaume-Uni	C.I. ou Pass.						
	Russie	Passeport	Visa	54 €	Visa	54 - 153 €	7 j - jj	Notes 14, 18, 19 et 20
	Rwanda	Passeport	Visa	65 €	Visa	65 €	5 j	Note 22
S	Salvador	Pass. + 6 mois						
	São Tomé e Príncipe	Passeport	Visa		Visa			Note 22
	Sénégal	Passeport						
	Serbie	Passeport						Note 1
	Seychelles	Passeport	Visa		Visa			Note 11
	Sierra Leone	Pass. + 6 mois	Visa*		Visa*	25 €	5 j	Note 15
	Singapour	Pass. + 6 mois						
	Slovaquie	C.I. ou Pass.						Note 1
	Slovénie	C.I. ou Pass.						

	Pays	Pièces d'identité	Visa de tourisme		Visa d'affaires		Délais standard	Attention !
			Visa	Prix de base	Visa	Prix de base		
	Somalie	Passeport	Visa	43 €	Visa	46 €	2 j	
	Soudan	Pass. + 6 mois	Visa	50 €	Visa	50 €	10 js	
	Sri Lanka	Passeport						Note 1
	Suède	C.I. ou Pass.						
	Suisse	C.I. ou Pass.						
	Surinam	Pass. + 6 mois	Visa		Visa			Note 15
	Swaziland	Passeport	Visa		Visa			Notes 15 et 23
	Syrie	Pass. + 6 mois	Visa	23 - 42 €	Visa	23-42 €	5 j	Notes 17 et 20
T	Tadjikistan	Passeport	Visa*		Visa*			Note 15
	Taïwan	Pass. + 6 mois	Visa	36 €	Visa	36-72 €	2 j	Note 2
	Tanzanie	Pass. + 6 mois	Visa	50 €	Visa	50 €	4 j – 1 j	Note 19
	Tchad	Pass. + 6 mois	Visa	70 €	Visa	70 €	3 j	Note 22
	Tchèque (Rép.)	C.I. ou Pass.						
	Thaïlande	Pass. + 6 mois			Visa	50 - 120 €	3 j	Note 2
	Togo	Passeport	Visa	20 - 50 €	Visa	20 - 50 €	3 j	Notes 20 et 22
	Trinidad et Tobago	Passeport						
	Tunisie	Passeport						Note 12 ter
	Turkménistan	Pass. + 6 mois	Visa	60 €	Visa	60-115 €	8 j	Note 20
	Turquie	C.I. ou Pass.						Note 1
U	Uruguay	Passeport						Note 1
V	Vanuatu	Passeport						Note 2
	Venezuela	Passeport	Visa C.T.		Visa			Note 9
	Vietnam	Passeport	Visa	40 - 63 €	Visa	40 - 120 €	10 j - 6 j	
Y	Yémen	Pass. + 6 mois	Visa*	60 - 120	Visa	60 €	5 j	Notes 12 bis et 17
Z	Zambie	Pass. + 6 mois	Visa	19 €	Visa	19 €	3 j	Notes 11, 15 et 23
	Zimbabwe	Passeport	Visa	70 €	Visa	150 €	2 j	Notes 20 et 23

NOTES

1 Visa obligatoire pour les séjours supérieurs à trois mois.
2 Visa obligatoire pour des séjours supérieurs à un mois.
3 Visa de tourisme obligatoire pour les séjours supérieurs à 21 jours.
4 Visa obligatoire pour les séjours supérieurs à 14 jours.
5 Visa valide pour un séjour d'une durée maximale de 14 jours.
6 Visa valide pour un séjour d'une durée maximale de 30 jours.
7 L'entrée dans le pays doit être effectuée dans les 30 jours qui suivent la date d'émission du visa.
8 Carte de tourisme obligatoire. Elle s'obtient avant le départ auprès du consulat ou de l'agence de voyage.
9 La carte de tourisme, obligatoire, s'obtient lors de l'embarquement aérien ou à l'arrivée.
10 La taxe consulaire varie suivant la durée du séjour demandée.
11 Obtention du visa sur place pour un séjour inférieur à 30 jours.
12 Visa individuel délivré sous condition de la garantie d'un hébergement.
12 bis Départs en groupe exclusivement, avec une agence de voyage.
12 ter Depuis la France, la seule C.I. est suffisante pour les départs en groupe avec une agence de voyage, ou sur présentation d'une justification d'achat d'un voyage à forfait.
13 Visa de tourisme uniquement délivré pour les visites familiales (familles d'expatriés par exemple).
14 D'avril à juillet, il est souvent nécessaire de payer le prix du « service urgent » pour obtenir un visa dans un délai raisonnable.
15 Pas de représentation consulaire en France.
16 Le visa s'obtient auprès du consulat le plus proche du domicile du requérant.
17 Le visa n'est pas accordé si la mention d'une entrée en Israël figure sur le passeport.
18 Pour des raisons d'affluence, le délai d'obtention du visa varie selon les périodes de l'année.
19 Possibilité d'obtention du visa en urgence. La taxe consulaire est alors majorée.
20 Possibilité d'obtention d'un visa pour plusieurs entrées. La taxe consulaire est alors majorée.
21 Pour les séjours inférieurs à trois mois, le visa est remplacé par une Electronic Travel Autorisation (ETA, « autorisation électronique de voyage »). Cet enregistrement des données du passeport sur support électronique est obligatoire, mais gratuite. L'enregistrement est effectué par les agences de voyage ou les companies aériennes. Transmise aux postes frontières australiens, cette autorisation donne droit à trois mois de séjours cumulés sur une période de un an.
22 Vaccination contre la fièvre jaune obligatoire (mention sur un carnet de vaccination international). Attention : de nombreux pays exigent cette vaccination pour tous les voyageurs en provenance d'un pays où la fièvre jaune est endémique.
23 Possibilité d'obtenir le visa sur place à l'arrivée à l'aéroport.
24 Dans le cas du Koweït, la délivrance du visa se fait uniquement sur place, à l'arrivée à l'aéroport.
25 Pour le Népal, possibilité d'obtenir le visa sur place à l'arrivée à l'aéroport pour un séjour inférieur à 15 jours. Le visa n'y est pas obligatoire pour un séjour inférieur à 3 jours (maximum de 2 nuits sur place).
26 Attention, lire l'encadré « Voyager aux États-Unis » précédant le tableau « Visas ».

CONSULTER LES MEILLEURS SITES INTERNET

Le temps à votre descente d'avion • La température de la mer • Cyclones, ouragans et typhons • Le réchauffement climatique • Les sites météo, pays par pays • L'atlas du voyageur • Taux de change et santé des monnaies • Quelle heure est-il ? • Lire un journal du pays de destination • Quel vol ? • Traduire pour le voyage • Les conseils du quai d'Orsay • La santé du voyageur.

Comme les années précédentes, l'édition 2007 d'*Internet et les voyageurs* ne prend en compte que des informations libres d'accès et donc gratuites. Cette année encore, nous privilégions les contenus liés à la météorologie.

La première partie de ce chapitre est réservée aux sites à vocation mondiale, c'est-à-dire ceux que l'on peut interroger quelle que soit sa destination, à propos de prévisions météorologiques, d'alertes aux cyclones ou de température de la mer.

Le lecteur fidèle de ce guide constatera que de nombreux sites, déjà considérés « de référence » dans la première édition de ce document, il y a maintenant huit ans, le demeurent. Mais ils se sont souvent considérablement enrichis.

Au moment où le réchauffement de la planète occupe de plus en plus souvent la une de la presse, insistons sur la richesse des ressources proposées par le site de l'IPCC qui est présenté à la fin de cette première partie (voir aussi les illustrations dans le cahier couleurs au début de cet ouvrage).

La deuxième partie présente les sites des instituts nationaux de météorologie qui offrent, pour un pays, un bon niveau d'informations météorologiques. Les sites de l'Australie, du Brésil ou des États-Unis sont des modèles du genre. Les prévisions sur les sites nationaux sont, de manière générale, plus fiables que les prévisions livrées sur les sites internationaux.

La troisième partie présente d'autres sites de référence traitant de divers thèmes utiles au voyageur : cartographie, taux de change, santé, horaires des vols, alertes, etc.

Nous serons reconnaissants aux internautes de nous communiquer leurs découvertes sur la toile, susceptibles d'être utiles à nos lecteurs (dardejn@aol.com).

LE TEMPS À VOTRE DESCENTE D'AVION

CNN Weather

Ce site donne accès à des prévisions à 5 jours pour quelque 10 000 villes du monde. Ces informations sont complétées par des cartes satellites. www.cnn.com/WEATHER

La rubrique *FIND WEATHER AROUND THE WORLD* offre, par exemple, la météo de 41 villes au Turkménistan, 350 en Chine, 130 en Argentine. Mais le quadrillage du continent africain est plus lâche : en 2006 encore, une seule ville pour l'Angola (Luanda) ou le Cameroun (Yaoundé).

Les meilleures cartes satellites

Le site de *Weather Channel* (www.weather.com) s'essaie aux prévisions à 10 jours. Il propose une version en français : http://fr.weather.com/

La coloration des cartes facilite leur interprétation. Six couleurs rendent compte de la température des nuages de haute altitude : du gris (les moins froids) au brun foncé (les plus froids). Aux nuages les plus froids correspondent des risques de pluies abondantes. Une fois l'image satellite affichée, il est possible, en cliquant sur la mention *Animation de la carte*, de passer en continu les images des dernières 12 heures. Cette animation est très intéressante pour suivre l'évolution des cyclones.

LA TEMPÉRATURE DE LA MER

FNMOC

Le FNMOC *(Fleet Numerical Meteorology and Oceanography Center)* est rattaché à l'US NAVY. Ses puissants ordinateurs traitent des données concernant tous les océans (relevés des navires, balises flottantes, données satellites, etc.). Pour le voyageur avisé, l'adresse suivante est une véritable aubaine : https ://www.fnmoc.navy.mil/PUBLIC/

Bains de mer

La carte mondiale des températures de la mer (sur le site du FNMOC, accès à *Oceanography*, *NCODA*, puis *Sea Surface Temperature*) est actualisée toutes les 12 heures. La même adresse permet à ceux qui projettent de débarquer en Antarctique, ou de faire le tour du Spitzberg, de suivre, jour après jour, l'état de la banquise (à *Satellite*, cliquer sur *South Pole* ou *North Pole*, puis *Ice Concentration*).

Croisières : attention au mal de mer

Toujours sur le site du FNMOC, un clic sur WW3 ouvre sur des prévisions à 6 jours concernant l'état de la mer (notamment la hauteur des vagues), un délai suffisant pour se fournir en Nausicalm®.

CYCLONES, OURAGANS ET TYPHONS : LES AVOIR À L'ŒIL...

Parmi les nombreux sites Internet consacrés aux ouragans, cyclones et autres typhons, celui ouvert par l'Institut d'astronomie de l'université d'Hawaii nous semble être un des mieux adaptés à l'information du voyageur : www.solar.ifa.hawaii.edu/Tropical

En cliquant soit sur le planisphère qui s'affiche à l'écran, soit sur le tableau, on a accès au parcours précis des ouragans en cours depuis leur naissance (la couleur du tracé varie selon la force de l'ouragan), aux prévisions concernant le trajet dans les jours à venir, à la liste des territoires susceptibles d'être atteints, à l'évaluation des risques, etc.

Le *National Hurricane Center* (www.nhc.noaa.gov) est un autre site de référence pour les ouragans (voir rubrique *États-Unis*).

LE RÉCHAUFFEMENT CLIMATIQUE

Le site de l'IPCC (groupe de travail intergouvernemental sur le changement climatique) est le lieu de référence pour se tenir au courant des dernières études et rapports sur le réchauffement climatique : www.ipcc.ch

Sur ce site (cliquer sur *Others links*, puis *IPCC Data Distribution Centre*, *Climate Scenario*, *Data Visualisation* et enfin *View SRES GCM Change Fields*), sélectionner un critère de changement climatique et choisir entre différents scénarios, pour aboutir au planisphère illustrant le changement climatique attendu (voir cahier en couleurs).

DES SITES MÉTÉO À CONSULTER, PAYS PAR PAYS

Intro

Nous n'avons retenu que des sites qui apportent un complément important aux informations délivrées par les sites internationaux précédemment cités. L'Italie et le Japon rejoignent cette sélection à l'occasion de cette édition 2007.

Les États-Unis et le Canada, mais aussi l'Australie et le Brésil, délivrent des informations assez extraordinaires concernant leur météorologie et leur climatologie. Regrettons que de nombreux pays de l'Union européenne se refusent encore à adopter une politique aussi généreuse ; quoique, depuis 2 ou 3 ans, les progrès aient été très sensibles concernant certains pays européens. Ainsi Meteo France et le Mett Office (Royaume-Uni) proposent des sites de plus en plus riches.

La liste la plus complète des sites météorologiques nationaux, les bons et les moins bons, est accessible sur le site de l'Organisation météorologique mondiale (www.wmo.ch : accès par *Members*).

Argentine

www.meteonet.com.ar

Sur *Pronosticos*, on accède à des prévisions à 3 ou 4 jours pour toutes les villes d'Argentine. Et aussi : niveau des fleuves, météo marine, météorologie agricole, etc.

Australie

www.bom.gov.au

Le site du *Bureau of Meteorology* était encore en 2006 un des plus riches qu'il était possible de consulter sur Internet. La partie *Weather & Warnings* propose de nombreuses rubriques de météorologie : prévisions, alertes météo, carte des radiations d'ultraviolets afin de se protéger des dangers du soleil, etc.

Dans la rubrique *Climate*, la rubrique *Seasonal Outlooks* évalue, pour les 3 mois à venir, les chances de température ou de pluviosité supérieures aux normales.

Une autre rubrique, *Australian maps*, illustre sous forme de cartes les conditions antérieures et les écarts aux normales climatiques (jour précédent, semaine, mois, années...).

Brésil

www.cptec.inpe.br

Le site du *Centro de previsão de tempo e estudos climáticos* (CPTEC) est remarquable. Par *Previsões numericas*, on accède à des prévisions à 3 ou 7 jours. Les *meteograms* à 7 jours permettent de visualiser avec précision l'intensité et les horaires des précipitations prévues, les évolutions des températures, les taux d'humidité relative, la force et la direction du vent et la couverture nuageuse. Concernant cette dernière, les *meteograms* à 3 jours distinguent même les nuages bas, les nuages de moyenne altitude et les nuages de haute altitude.

On récupère par *Clima* des prévisions à moyen terme et des cartes climatiques très variées. En complément, le site de l'Institut national de météorologie brésilien (www.inmet.gov.br) offre aussi de bonnes informations.

Canada

http://meteo.ec.gc.ca

L'excellent site du *Service météorologique du Canada* (SMC) offre des prévisions à 5 jours pour quelque 250 villes du pays ; de Montréal, Toronto et Vancouver, à des cités moins connues : Medicine Hat (Alberta), Kugluktuk (Nunavut), Kejimkujik (Nouvelle-Écosse) ou Tuktoyaktuk (territoires du Nord-Ouest). Parmi les nombreuses rubriques, citons les *Prévisions saisonnières* et l'*Imagerie RADAR* qui rend compte presque en direct des précipitations.

Chili

www.meteochile.cl

À *Pronóstico general*, prévisions à 5 jours pour une soixantaine de villes chiliennes réparties entre la frontière péruvienne et la Terre de Feu, 4 000 km plus au sud, une illustration quotidienne de la diversité climatique du pays. Depuis 2006, de nombreuses rubriques sont venues enrichir le site.

Des données pour l'île de Pâques, les îles Juan Fernández et l'Antarctique sont également présentées.

Chine

www.weather.gov.hk/contente.htm

En attendant que le site de la *Météorologie nationale chinoise* (www.cma.gov.cn) délivre des informations en anglais, on consultera le site du *Hong Kong Observatory*. À *Weather Forecast*, prévisions météorologiques à 7 jours pour Hong Kong.

Colombie

www.ideam.gov.co

Le site de l'*Instituto de hidrología, meteorología y estudios ambientales* est riche en informations. Les rubriques *Tiempo* et *Pronósticos* ouvrent à des choix très divers. *Tiempo*, notamment, donne accès à une sous-rubrique vouée à la météo des 25 principaux aéroports du pays qui informe des fermetures temporaires (assez fréquentes) liées aux conditions climatiques. On trouve aussi les alertes aux cyclones, les prévisions climatiques à moyen terme, les risques d'incendie et le suivi des crues (*Rios*).

États-Unis

www.noaa.gov

Le (NOAA) est un organisme public chargé de la recherche en climatologie et en météorologie. La qualité de son site est exceptionnelle.

NOAA est divisé en plusieurs départements, notamment le *National Weather Service* (www.nws.noaa.gov), le *Climate Prediction Center* (www.cpc.ncep.noaa.gov) et le *National Hurricane Center* (www.nhc.noaa.gov).

Sur la page d'accueil du site du *National Weather Service* (www.weather.gov), une carte interactive des États-Unis donne accès aux détails des alertes météo, que ce soit à propos de cyclones, tempêtes, tornades, inondations, vents, ou encore vagues de froid, brouillards, canicules et sécheresses.

France

www.meteofrance.com

Pour la France métropolitaine, le site de Météo France donne accès libre aux prévisions à 4 jours (7 h, 13 h et 19 h) sur l'ensemble du pays et par région, y compris les prévisions de température et de vent (direction et force). On peut consulter la carte *Vigilance météo* qui avertit des phénomènes météorologiques dangereux susceptibles de survenir dans les prochaines 24 heures.

La rubrique *Météo* pour les départements et territoires d'outre-mer et le suivi des cyclones viennent compléter les prévisions pour la France.

Sous la rubrique *Climat*, le site offre des statistiques climatiques pour les pays du monde, mais calculées sur la période 1941-1971.

Italie

www.meteoam.it

Le *Service météorologique italien* est plus généreux que la moyenne des instituts météorologiques de l'Union européenne. Des cartes ouvrent aux prévisions à 4 jours pour une centaine de villes. Ces informations sont complétées par des données et des tableaux climatologiques assez complets.

Japon

www.jma.go.jp

Outre des prévisions à 7 jours pour une vingtaine de villes (*One-Week Forecasts*), la version anglaise du site de l'*Agence météorologique japonaise* offre des rubriques très fournies sur les éventuels cyclones, éruptions volcaniques, tremblements de terres et tsunami.

Mexique

http://smn.cna.gob.mx

Boletines introduit aux informations météorologiques, dont des prévisions à 4 jours pour les principales villes du Mexique.

Oman

www.met.gov.om

Par *Numerical Forecast*, on accède à des prévisions à 3 jours (températures, humidité et vent), présentées sous forme de cartes (carte d'Oman ou carte du Moyen-Orient).

Royaume-Uni

www.metoffice.com

Le *Met. Office*, un des plus fameux instituts de météorologie au monde, offre sur son site des prévisions météo assez fournies (rubrique *UK weather*). Ce site vaut aussi pour la qualité des rubriques *Education* et *Tropical Cyclone*. Cette dernière rubrique permet, sur des bases statistiques, d'évaluer la pertinence et la précision des prévisions concernant les trajets et la force des cyclones.

Turquie

www.meteor.gov.tr

Dans la rubrique *Tourism Holiday Ressorts*, les prévisions à 3 jours pour toutes les régions du pays sont accompagnées des normales climatiques ; en appoint, températures de la mer.

L'ATLAS DU VOYAGEUR

Situer avec précision *Watukarere*, petit village indonésien dont on vous a conseillé la visite, vérifier que *Settignano*, où un voyagiste vous propose une chambre d'hôtel, est bien à proximité de Florence, repérer *La Dificultad*, bourg perdu quelque part au Venezuela, rien de plus facile ! Il suffit d'entrer ces noms sur le site *Expedia.com* (accès par *Maps* puis *Find a map*) : www.expedia.com

La *Perry-Castañeda Library*, de l'université du Texas, offre aussi la meilleure sélection de cartes de tous les pays du monde à http://www.lib.utexas.edu/maps/

Le site de *Google earth* (http://earth.google.com/) permet de zoomer sur n'importe quel recoin de la planète. C'est un outil précieux pour préparer les étapes de son voyage ou vérifier que l'hôtel en pleine nature annoncé par votre agence de voyage n'est pas entouré de tours de vingt étages...

LES TAUX DE CHANGE ET LA SANTÉ DES MONNAIES

Oanda est le nom du service Internet de *Olsen & Associates*, compagnie zurichoise. Il offre les informations les plus utiles sur les monnaies : www.oanda.com

La rubrique *FX Converter* affiche le dollar canadien et le yen japonais comme la gourde haïtienne ou l'escudo du Cap-Vert ; en tout, 164 monnaies. Ce même service permet l'impression d'une *feuille de calcul* qui, une fois sur place, facilite l'évaluation rapide du coût de la vie à l'étranger et donne l'*historique des taux*, très utile pour établir ses notes de frais au retour d'un voyage professionnel.

Fx Analysis (*Currency Tools*, *>>more*, puis dans la rubrique *Decision Support*) est un formidable outil qui trace les courbes des évolutions relatives des monnaies sur des périodes d'un mois à 10 ans. De ces graphiques, le voyageur peut tirer des indications précieuses sur le coût de la vie dans le pays visité, en comparaison de celui du pays de départ. Par ailleurs, si la monnaie de ce pays se déprécie régulièrement par rapport à l'euro ou au dollar, mieux vaut éviter de changer trop d'argent dès son arrivée. Au contraire, si la devise du pays visité se renforce, il vaut alors mieux changer rapidement ses euros (si on peut garder cet argent en sécurité).

QUELLE HEURE EST-IL ?

Le site *World Time Server* affiche l'heure dans les pays du monde en tenant compte des heures d'été (DST) et de nombreuses exceptions locales. www.worldtimeserver.com

Sur le site *Time and Date*, accès par *Time Zone Menu*, puis *DST Dates*, aux dates et horaires précis des passages de l'heure d'été à l'heure d'hiver (et vice versa) sur toute la planète ; cette information peut se révéler utile pour ne pas rater son avion de retour. Parmi d'autres rubriques pratiques et utiles, le *Calendar Generator*, qui génère des calendriers pour les années suivantes (avec l'affichage des jours fériés du pays sélectionné !) : www.timeanddate.com/time/

LIRE UN JOURNAL DU PAYS DE DESTINATION

De nombreux sites proposent des liens avec les versions *on line* de journaux classés pays par pays. Pour les sites francophones, la rubrique *Webdo Presse* du site de l'excellent magazine suisse *L'Hebdo* paraît un des plus rigoureusement mise à jour : www.webdo.ch

Le site de l'*Agence France Presse* (www.afp.com) permet aussi de se connecter à de nombreux journaux et magazines en ligne. Accès par les rubriques *Liens* puis *Medias*.

Citons encore *Chaplin News*. Limité aux journaux anglophones, il couvre cependant une bonne partie du monde : www.geocities.com/Heartland/2308/statenew.html

QUEL VOL ?

De Sabre, Galileo et Amadeus, les trois grandes centrales de réservations aériennes, la dernière propose la plate-forme la plus pratique pour s'informer des possibilités et des horaires de vol : www.amadeus.net

LES CONSEILS DU QUAI D'ORSAY

Sous le lien *Conseils aux voyageurs*, le ministère des Affaires étrangères délivre, pays par pays, des informations très utiles aux touristes comme aux expatriés. Sous la rubrique *Sécurité*, on

Météo France, pour mieux comprendre

Sur le site www.meteo.fr, dans la rubrique *Plan du site*, puis *Climat*, et *Climat en France*, on peut consulter un ensemble remarquable de cartes et de graphes des différentes données climatiques en France métropolitaine, année par année et mois par mois, depuis janvier 2001.

Rien ne peut mieux illustrer la notion d'écart aux moyennes. Par exemple, la comparaison des cartes de l'ensoleillement et des températures des mois d'août 2002 et 2003, ou celle des cartes des précipitations des mois de novembre 2002 et 2004.

Il en est de même des graphes mensuels, *températures* et *précipitations*, pour une quinzaine de villes.

Glossaire et *Guides thématiques* offrent des moyens supplémentaires pour mieux comprendre les phénomènes météorologiques.

trouve les adresses de l'ambassade et des consulats français (à imprimer et à garder sur soi). La liste des pays et des régions où le voyage est déconseillé est très régulièrement actualisée. http://www.france.diplomatie.fr/

En complément de ces informations de source française, le voyageur pourra consulter le site équivalent du département d'État : http://travel.state.gov/
Pour de nombreuses destinations, les notices rédigées par les services consulaires américains viennent très utilement compléter celles du site français.

LA SANTÉ DU VOYAGEUR

Les sites de l'*Institut Pasteur* à Paris (rubrique « Santé ») et à Lille (rubrique « Prévention Santé ») dispensent des « Conseils aux voyageurs ». Il en va de même du site du CHU de Rouen (rubrique *Santé voyages*) : www.pasteur.fr/sante/cmed/frame-medvoy.html#conseils www-.pasteur-lille.fr/fr/sante/conseil_medical_voyageurs.htm www.chu-rouen.fr

Le site Internet de *Service médical international* propose des « fiches pays » pour la plupart des destinations. De plus, la galerie virtuelle permet de commander *on line* tous les produits du catalogue *Voyage et Santé* de SMI : www.smi-voyage-sante.com

Épidémies

L'*Organisation mondiale de la santé* (OMS ou WHO) et le *Center for Disease Control* d'Atlanta (CDC) publient régulièrement des communiqués sur les problèmes épidémiologiques dans le monde entier, notamment sur les épidémies en cours. Ce fut le cas, par exemple, en 2004 à l'occasion des alertes concernant une poussée de grippe aviaire au Vietnam ou de dengue en Indonésie. Ces communiqués sont aussi accessibles depuis le site de l'*International Society of Travel Medecine* (ISTM) : www.who.int/fr/index.html www.cdc.gov/travel www.istm.org

Parti, sans laisser d'adresse

Sur Internet, les adresses des sites changent parfois. Si une adresse URL proposée dans ce chapitre n'aboutit pas, il existe deux moyens d'y remédier :

– ouvrir une page située en amont de celle recherchée. Ainsi, en cas d'échec avec « www.bom.gov.au/climate », on tentera « www.bom.gov.au » ;

– lancer une requête sur un moteur de recherche (« www.google.com », le plus efficace), avec un ou plusieurs mots clés en relation avec le site recherché. Par exemple, « FNMOC » pour les températures de la mer, « timeanddate » pour les fuseaux horaires, etc.

Index des noms de pays et des villes

A

B

L

M

N

O

P

U

V

W

Y

Z

Suggestions pour l'édition 2008
de *Où partir ?*
Saisons & Climats

à adresser à :
Où partir ? Saisons & Climats
Hachette Tourisme
43, quai de Grenelle, 75905 Paris cedex 15

Conception graphique et couverture : Susan Pak Poy

Achevé d'imprimé en Espagne par Cayfosa
Dépot légal : 75082 – Septembre 2006
ISBN : 2012404669 – 24.0466.3